Alfred

Household French

SALZWASSER
VERLAG

Alfred Havet

Household French

1st Edition | ISBN: 978-3-75251-764-4

Place of Publication: Frankfurt am Main, Germany

Year of Publication: 2020

Salzwasser Verlag GmbH, Germany.

Reprint of the original, first published in 1868.

Havet's French Conversational Method

ON AN ENTIRELY NEW PLAN.

HOUSEHOLD FRENCH

A PRACTICAL INTRODUCTION

TO

THE FRENCH LANGUAGE

WITH A

DICTIONARY OF 10,000 WORDS AND NUMEROUS IDIOMS

BY

ALFRED HAVET,

DIRECTOR OF THE SCOTTISH INSTITUTION, EDINBURGH,

AUTHOR OF

"FRENCH STUDIES;" "THE FRENCH CLASS-BOOK;" "FRENCH COMPOSITION," ETC.

"Familiar in their mouths as household words."—SHAKSPEARE.

LONDON:

W. ALLAN & CO.; SIMPKIN & CO.; HACHETTE & CO.; DULAU & CO.;
EDINBURGH: J. MENZIES AND CO.; WILLIAMS AND NORGATE; SETON AND MACKENZIE;
GLASGOW: BLACKIE AND SON; DAVID BRYCE AND CO.;
DUBLIN: M'GLASHAN AND GILL, 50 UPPER SACKVILLE STREET;
PARIS: HACHETTE AND CO., 77 BOULEVARD SAINT-GERMAIN.

Twentieth Thousand (August, 1868).

HAVET'S FRENCH EDUCATIONAL WORKS,

Used in Colleges and Schools throughout Great Britain, Ireland, the English Colonies, and the United States of America.

THE FRENCH CLASS-BOOK; PART I., containing Reader, Conversations, Grammar, French and English Exercises, Dictionary, &c. (*The only work required in Elementary Classes.*) 330 crown 8vo pages.

THE FRENCH CLASS-BOOK; PART II., containing the Syntax and Peculiarities of the French Language, with numerous English and French Exercises. 180 crown 8vo pages.

THE COMPLETE FRENCH CLASS-BOOK; or, Grammar of French Grammars. Ninth Edition, in one volume. 500 8vo pages.

LE LIVRE DU MAÎTRE; or, Key to both parts of "The French Class-Book," with numerous Notes and useful Hints.

FRENCH STUDIES: Modern Conversations upon the ordinary topics of life, Colloquial Exercises, Extracts from Standard Writers, a Dictionary, &c. 6th Edition, 400 8vo pages.

HOUSEHOLD FRENCH; A Conversational Introduction to the French Language. 5th Edition. 300 8vo pages.

FRENCH COMPOSITION; comprehending, I. Prose Specimens from British and American Authors, to be translated into French. II. Outlines of Narratives, Letters, &c. 272 8vo pages. ;

KEY TO "FRENCH COMPOSITION," with Notes and Remarks. (*Printed in Paris*).

LEÇONS FRANÇAISES DE LITTÉRATURE ET DE CONVERSATION, pour faire suite aux "French Studies." [*In preparation.*

* *The right of Translation and Adaptation is reserved by the Author.*

Abbreviations and Signs used in "Household French."

M stands for masculine.	Imp. stands for imperfect.
F „ feminine.	H m. „ h mute.
S „ singular.	H asp. „ h aspirated.
P „ plural.	

In the Exercises—

Words followed by an asterisk (*) are the same in French as in English.
Words printed in italics are not expressed in French.
Words in a parenthesis are required in French and not in English.
Several words united by hyphens are generally rendered into French by one word.

In the Dictionary—

N stands for noun.	Pp. stands for past participle.
A „ adjective.	Adv. „ adverb.
Pron. „ pronoun.	Prep. „ preposition.
T „ transitive (verb).	Conj. „ conjunction.
I „ intransitive (verb).	Int. „ interjection.

PREFACE.

Pour apprendre une langue étrangère, il faut que les élèves l'entendent, la parlent, la tournent et la retournent, pour ainsi dire, afin de se familiariser avec ses formes et ses usages.

TEACHERS, who have adopted my other works, having asked me to publish a practical Introduction to the French Language, on the system which I have laid down in the "FRENCH STUDIES" and in "THE FRENCH CLASS-BOOK," I offer this series of Conversational Lessons, in which I have endeavoured to display the leading features of the language, and to give the most useful words and phrases employed in everyday life.

The CONVERSATIONS, which are invariably formed of *questions*† and *answers*, are written in clear and lively colloquial French, so as to be easily understood and remembered.

The principle of imitation is put into practice in the ENGLISH EXERCISES, each of which is entirely composed of words used in the preceding French Conversation, and therefore familiar to the pupil.

Repetition being one of the best means of teaching languages, the most useful expressions and idioms reappear frequently in the course of the Work; but it has not been thought necessary to repeat them till they become wearisome.

The book opens with a short GRAMMAR, which exhibits the most important principles and forms of the French language, with appropriate Exercises.

It also gives, for Translation and Reading, EXTRACTS from standard authors, which, it is hoped, will be both interesting and instructive. Some of these Extracts are interspersed throughout the work; but the greater number will be found at the end of the Conversational Lessons (p. 169).

In order to enable students to use the book whenever and wherever they have leisure, I have put at the end a DICTIONARY of the words and idioms which appear in the different lessons. In short, I have spared no pains to produce a Work adapted to all classes of learners, both from its practical character and moderate price.

ALFRED HAVET.

24 CHARLOTTE SQUARE,
EDINBURGH, *August, 1868.*

---

† *The questions* are the translation of the English Exercises in Havet's "French Studies."

DIRECTIONS.

Ascham's dictum is undoubtedly true, that languages are learnt by imitation, and therefore lingual practice can never be in excess.—*The Museum*, April, 1862.

L'intelligence et l'imitation, c'est-à-dire la version et le thème, tel est le double objet qu'on doit se proposer dès le début de l'enseignement.—J. L. BURNOUF.

CLASS TEACHING ON THE ORAL SYSTEM.

I. Conversations.

1. Each sentence is distinctly uttered in French by the teacher, and translated into English by the learners[1], *whose books are shut.*

2. The pupils re-open their books, and the sentences, going round the class, are read in French to the master, who calls attention to all words whose sound, meaning, application, or termination, may be peculiar.

3. The pupils are then told to master the lesson for the next day.

(Here the pupils pass to the Exercise.)

4. When the next teaching day comes, the questions and answers are read once more, and then the books are closed; after which the master, or some one in the class, puts the questions to the pupils, each of whom answers in his turn in the words of the book[2], the teacher correcting all mistakes that may be made, or calling upon some of his scholars to detect them.

(At the outset, this part of the system may appear too hard for those pupils who either have little time to learn, or experience great difficulty in committing anything to memory. The plan to be followed in similar cases is left to the judgment of the teacher.)

As the questions are as important as the answers, they are also to be learnt. One of the ways of teaching them is to read out the answer, or part of it, and to ask the pupil what the question is. This should only be done when the whole conversation has been studied.

II. Exercises.

(All the words required for forming each Exercise appear in the preceding French Conversation.)

1. In the earlier stage, every English Exercise is to be read out in French by the master to the pupils, to enable them to write and read it out without any difficulty.

2. Every Exercise is not only to be written, but to be read *at sight* to the master.

3. The Exercises, like the Conversations, consist invariably of *questions* and *answers.* In no instance should the answer be given by the pupil who asks the question.

III. Lessons for Translation and Reading.

The text is read in French by the master, and then translated into English by the class. When the master is satisfied that the extract is understood, the pupils read it in French to him, and he takes every opportunity of questioning them or giving information regarding all peculiar words, according to their state of advancement.

---

[1] The learners are supposed to have studied the lesson before the class begins.

[2] *In the more advanced stage,* the answers need not be given in exactly the words used in *the book, but a little latitude* may be allowed, if the learners display taste and judgment in *their replies.*

CONTENTS.

A DICTIONARY OF THE WORDS AND IDIOMS USED IN THE TEXT, 88 PAGES.

HOUSEHOLD FRENCH GRAMMAR.

(This grammatical Introduction gives the most important principles and forms of the language. As most of those who begin French are already familiar with the rules of general grammar, I have thought it useless to enter into lengthened explanations concerning the parts of speech and the usual grammatical terms; nor have I dwelt upon those subjects which are fully illustrated in the different lessons of "Household French.")

THE NOUN OR SUBSTANTIVE.

1. COMMON NOUNS (or NAMES) are those which are applied to all the individuals or things of the same species or sort.

Exercise I.—*(Common nouns.)*

(DIRECTION.—1. Give the English of the following sentences, in which the *nouns* are printed in *italics*. 2. Read out the lesson in French. See Directions at page iv.)

1. Le *père* est avec son *fils*. 2. La *mère* est avec sa *fille*. 3. Le *cheval* mange dans *l'écurie* (f.). 4. La *vache* mange dans *l'étable* (f.). 5. La *colombe* est dans la *cage*. 6. Le *pigeon* est dans le *colombier*. 7. Le *vacher* est dans le *pré*. 8. Les *pigeons* volent dans le jardin. 9. Les *colombes* sont dans la *volière*. 10. Le *jardinier* arrose les *fleurs* (f.).

PRACTICE.—Use these ten sentences in the interrogative form, according to No. 23, p. xiii.

2. PROPER NOUNS (or NAMES) denote the names of individuals only, or are used to distinguish individuals from the rest of the same species.

Exercise II.—*(Proper nouns.)*

(DIRECTION.—Same process as in Exercise I. The proper nouns are in italics.)

1. *Jules* a un cheval. 2. *Julie* a une colombe. 3. Vous connaissez le *Rhône* et la *Seine*. 4. Vous avez visité *Paris* et *Lyon*. 5. Vous aimez l'*Angleterre* (f.). 6. La *France* est fertile. 7. Le *Français* est soldat. 8. L'*Anglais* est marin.

PRACTICE.—Use these eight sentences in the interrogative form, p. xiii.

3. GENDER OF LIVING BEINGS.—In French, as in English, the names of living beings, whether rational or not, are *masculine* or *feminine*, according to sex.

Exercise III.—*(Gender of nouns.)*

MASCULINE NOUNS.—1. Mon *frère* a vu un *loup*. 2. Mon *cousin* a vu un *lion*. 3. Le *fermier* a apporté un *dindon*. 4. L'*Indien* a été mordu par un *tigre*.

b

FEMININE NOUNS.—1. Ma *sœur* a vu une *louve.* 2. Ma *cousine* a vu une *lionne.* 3. La *fermière* a apporté une *dinde.* 4. L'*Indienne* a été mordue par une *tigresse.*

PRACTICE.—1. Turn both paragraphs into the interrogative form, according to page xiii. 2. Use all the sentences in the plural, observing that in the plural *des* is used instead of *un* or *une* (No. 18, p. xii).

4. GENDER OF INANIMATE OBJECTS.—The names of things, whether existing in nature or merely in the mind, take the masculine or the feminine gender, as custom has determined.

☞ There is no neuter in French Grammar. (See HAVET'S Complete French Class-Book, p. 232.)

Exercise IV.—*(Gender of inanimate objects.)*

MASCULINE NOUNS.—1. Le *pommier* est un *arbre.* 2. Le *livre* est dans le *pupitre.* 3. L'*anneau* est rond. 4. Le *lac* est bleu. 5. Le *chou* est vert.

FEMININE.—1. La *pomme* est dans la *corbeille.* 2. La *carte* est sur la *table.* 3. L'*orange* est ronde. 4. L'*eau* de la *mer* paraît bleue. 5. La *pomme* est verte.

PRACTICE.—1. Read all the sentences in the plural. 2. Turn them into the interrogative form, p. xiii, No. 23.

5. NUMBER.—There are two numbers, the singular and the plural.

Exercise V.—*(The singular and the plural.)*

NOUNS IN THE SINGULAR.—Un maître, un élève, un homme, une femme un garçon, une fille, un berger, un pain, une tarte, un gâteau (see No. 8.).

NOUNS IN THE PLURAL.—1. Deux fermiers, trois fermières, quatre vaches, cinq ouvriers, six ouvrières, sept fermes (f.), huit ans (m.), neuf heures (f.), dix jours (m.), onze semaines (f.), douze apôtres.

PRACTICE.—Turn the first paragraph into the plural, and the second into the singular.

FORMATION OF THE PLURAL.—*(Four ways.)*

6. (1) The plural is generally formed by adding *s* to the singular. (*See the second division of Exercise V.*)

7. (2) Words in *s, x,* or *z,* are the same for both numbers.

8. (3) Words in *au* or *eu* take *x* in the plural.

9. (4) In words in *al,* the plural is generally formed by changing *al* into *aux.* (See Lesson V., p. 7.)

Exercise VI.—*(Formation of the plural.)*

(DIRECTION.—The article *le, la, l',* is to be changed into *les,* and the noun is to be uttered and spelt in the plural.)

FIRST RULE.—1. Le boa, le mât, le matelot, le diamant, le paysan, la poire, la violette, la maison, la fourche, la fourchette, la poule, le poulet.

SECOND RULE.—*S:* L'ananas (m.), le rhinocéros, la brebis, la souris, le Français. *X:* Le prix, le houx, la perdrix, la voix, la noix. *Z:* Le gaz, le nez, le riz.

THIRD RULE.—Le corbeau, le couteau, le gâteau, le château, le veau, le cheveu, le neveu, le jeu.

FOURTH RULE.—Le cheval, le mal, le général, le maréchal, le caporal, l'amiral, le canal.

THE DEFINITE ARTICLE *le, la, l', OR les.*

10. Le, "the," is used before a *masculine* word in the singular, beginning with a consonant or *h* aspirated: *Le* frère, *le* Hongrois.

11. La, "the," is used before a *feminine* word in the singular, beginning with a consonant or *h* aspirated: *La* femme, *la* Hongroise.

12. Les, "the," appears before any word in the plural.

Exercise VII.—*(The definite article.)*

Le.—1. J'ai mangé *le* lapin. 2. Il a apporté *le* dindon. 3. Elle a mangé *le* gâteau. 4. Vous avez mangé *le* homard.

La.—1. Avez-vous mangé *la* dinde? 2. Avez-vous bu *la* liqueur? 3. Avez-vous mangé *la* tarte? 4. Ont-ils coupé *la* viande?

PRACTICE—Use the article and the noun in the plural.

L' INSTEAD OF *le* OR *la* BEFORE A VOWEL OR *h* MUTE.

13. L' (instead of *le* or *la*) appears before any word in the singular beginning with *a, e, i, o, u, y,* or *h* mute (see the letter *h* in the Dictionary at the end of the work).

Exercise VIII.—*(L' instead of le or la).*

L' INSTEAD OF LE.—*L'*air, *l'*éléphant, *l'*instituteur, *l'*orfèvre, *l'*uniforme, *l'*ysard, *l'*anneau, *l'*amandier, *l'*abricot.

L' INSTEAD OF LA.—*L'*amande, *l'*eau, *l'*institutrice, *l'*oie, *l'*université, *l'*yeuse.

L' BEFORE H MUTE.—*Masculine:* l'homme, l'hôte, l'hôtel. *Feminine:* l'hôtesse, l'huile, l'hirondelle, l'heure, l'hospice.

Read all the nouns in the plural.

Au, à la, à l', and *aux* are fully illustrated in page 16.
Du, de la, de l', and *des* will be found at page 17, No. 14.

THE PARTITIVE ARTICLE *du, de la, de l', OR des.*

14. The noun is said to be used in a *partitive* sense when it represents not the whole, but only *some* of the beings or things alluded to.

Du, de la, de l', or *des,* must appear before every noun taken in a *partitive* sense :—

1. Je brûle *du* charbon.	1. I burn *some* coals.
2. Il mange *de la* viande.	2. He eats *some* meat.
3. Elle boit *de l'*eau (f.).	3. She drinks *some* water.
4. Avez-vous *du* fromage?	4. Have you *any* cheese?
5. Ont-ils *des* amis?	5. Have they *any* friends?
6. Je ne sais pas s'il a *des* domestiques.	6. I do not know whether he has *any* servants.

15. The English for the partitive article *du, de la, de l',* or *des,* is "some" in affirmative, and "any" in interrogative and dubitative sentences.

PRACTICE.—Use in a partitive sense all the nouns in Exercise VII., thus: J'ai mangé *du* lapin, &c.

The *partitive article is* fully illustrated at pages 36 and 37.

DE, "*some*", or "*any*", BEFORE A NOUN PRECEDED BY AN ADJECTIVE OF QUALITY.

16. De alone is generally used for "some" or "any" (whether expressed or understood), when the noun taken in a partitive sense happens to be preceded by an adjective of quality:—

Il mange *de* bon poulet.	He eats (*some*) good chicken.
Elle fait *de* bonne soupe.	She makes (*some*) good soup.
J'ai vu *de* jolis lacs.	I have seen (*some*) beautiful lakes.

Exercise IX.—(DE or D', instead of *du, de la, de l', or des.*)
Fill up the blank according to No. 16.

1. Ce boulanger vend ___ mauvais pain. 2. Ce pâtissier fait ___ excellents gâteaux. 3. Ces enfants ont ___ vieux habits. 4. Le fermier a récolté ___ beau blé. 5. Il a ___ dignes voisins. 6. Mon père a ___ anciens amis. 7. Le libraire a envoyé ___ nouveaux livres. 8. La marchande de poisson a ___ excellente morue. 9. Les pêcheurs ont pris ___ énormes saumons. 10. Le jardinier a envoyé ___ gros melons.

PRACTICE.—1. Repeat all the sentences in the interrogative form. (See p. xiii. No. 23.) 2. Repeat each sentence without the adjective.

THE INDEFINITE ARTICLE *un* OR *une*, "A", OR "AN".

17. Un for the masculine, or une for the feminine, is the usual translation for what is commonly termed the indefinite article "a" or "an":

1. Voyez-vous *un* berger dans le champ?—Non, j'y vois *une* bergère.
1. Do you see *a* shepherd in the field?—No, I see (there) *a* shepherdess.
2. Voyez-vous *un* cygne sur l'étang? — Non, j'y vois *une* oie.
2. Do you see *a* swan on the pond?—No, I see (there) *a* goose.

18. Des is the plural of *un* or *une*, meaning "a" or "an":—
Un lac, *des* lacs; *une* nacelle, *des* nacelles.

19. *Un* or *une* used as a numeral means "one", and has for its plural one of the numbers *deux, trois, quatre*, &c. (p. 9).

THE DEMONSTRATIVE ADJECTIVES *CE*, CET, CETTE, CES. (See p. 22.)

20.—1. Ce, "this" or "that", before any noun, *masculine* singular, beginning with a consonant or *h* aspirated.
2. Cet, "this" or "that", before any noun, *masculine* singular, beginning with a vowel or *h* mute.
3. Cette, "this" or "that", before any noun, *feminine* singular.
4. Ces, "these" or "those", before any noun in the plural.

Exercise X.—(*Demonstrative adjectives.*)

1. *Ce* lac est très joli.	*Ces* lacs sont très jolis.
2. *Ce* hameau est très petit.	*Ces* hameaux sont très petits.
3. *Cet* enfant est gourmand.	*Ces* enfants sont gourmands.
4. *Cet* homme est actif.	*Ces* hommes sont actifs.
5. *Cette* maison est blanche.	*Ces* maisons sont blanches.
6. *Cette* hotte est pleine.	*Ces* hottes sont pleines.
7. *Cette* Anglaise est jolie.	*Ces* Anglaises sont jolies.
8. *Cette* horloge va bien.	*Ces* horloges vont bien.

PRACTICE.—*Use these 16 sentences, (1) interrogatively, (2) negatively.*

The possessive adjectives are illustrated at p. 20; the numeral adjectives at p. 9; and the indefinite adjectives at p. 130, et seq.

THE INTERROGATIVE FORM.—(See p. 4.)

(These observations should be studied as soon as possible.)

21. In asking a question, the pronoun used as the subject is placed after the verb, to which it is united by a hyphen :—

1. Etes-*vous* mon ami ?	1. Are you my friend ?
2. Vend-*on* du vin ici ?	2. Do they sell wine here ?
3. Voyez-*vous* un oiseau ?	3. Do you see a bird ?
4. Parlait-*il* français ?	4. Did he speak French ?

In the 1st example the words stand in the same order in French as in English; in the other examples the arrangement of the words is still the same in French, but the English question begins with " do " or " did," which cannot be expressed in French.

22. The euphonic *t* is inserted between the verb and the pronoun whenever the interrogative verb ends with a vowel :—

A-*t*-il ?—Has he ?   A-*t*-elle ?—Has she ?   A-*t*-on ?—Have they ?
Mange-*t*-il ?—Does he eat ?   Mange-*t*-elle ?—Does she eat ? &c.

Exercise XI.—(*The interrogative form.*)

(DIRECTION.—Put the pronoun *after* the verb to form the interrogation.)

1. *Je* suis Anglais. 2. *Il* est en Angleterre. 3. *Vous* parlez français. 4. *Vous* êtes en Écosse. 5. *Vous* êtes Écossais. 6. *Nous* sommes en Europe. 7. *Vous* comprenez cette langue. 8. *Vous* connaissez l'Irlande. 9. *Vous* demeurez à Dublin. 10. *Ils* demeuraient à Belfast.

PRACTICE.—After having said these ten sentences interrogatively, use them in the interrogative negative form, and then answer each question in French.

23. When the subject to the verb used in a question is a noun, or any other pronoun than a personal pronoun or *on* (see p. 55), the verb is preceded by the subject, and followed by *il, ils, elle,* or *elles,* according to gender and number :—

Le *roi* est-*il* beau ?	Is the *king* handsome ?
La *reine* est-*elle* belle ?	Is the *queen* handsome ?
Les *chiens* nagent-*ils* ?	Do *dogs* swim ?
Les *autruches* volent-*elles* ?	Do *ostriches* fly ?
Voici votre cheval, *le mien* est-*il* à l'écurie ?	Here is your horse, is *mine* in the stable ?
Voici deux canifs, *celui-ci* est-*il* à vous ?	Here are two penknives, is *this* yours ?
Cela est-*il* bon ?	Is *that* good ?
Tout est-*il* mauvais ?	Is *everything* bad ?
Chacun est-*il* content ?	Is *everybody* pleased ?
Personne n'est-*il* malade ?	Is *nobody* ill ?

Exercise XII.—(*The interrogative form.*)

(DIRECTION.—Turn these ten affirmations into interrogations.)

1. Le *pécheur* est dans le bateau. 2. La *mer* est calme. 3. Les *matelots* sont à terre. 4. Les *nacelles* (f.) sont sur le lac. 5. Voici votre aviron, le *mien* est dans le bateau. 6. Voici deux filets, *celui-ci* est à vous. 7. *Cela* est mauvais. 8. *Tout* est perdu. 9. *Quelqu'un* est venu. 10. *Tout le monde* est malade.

PRACTICE.—Turn these sentences into questions, and give an answer to each question.

** *The pupils should now begin the First Conversation,* p. 3.

THE ADJECTIVE.—RULES OF AGREEMENT.

Adjectives, in order to become plural, follow the same rules as nouns. (Page x.)

The different changes which adjectives undergo for gender are exhibited at pp. 39 and 40.

24. RULE I.—The French adjective takes the gender and number of the noun or pronoun to which it refers:—

M. S.	M. P.	F. S.	F. P.
Un grand jardin,	deux grands jardins;	une grande maison,	trois grandes maisons.
Il est poli,	ils sont polis;	elle est polie,	elles sont polies.

25. RULE II.—The adjective is plural when it refers to two or more nouns or pronouns:—

1. Le jardin et le parc sont très *grands.*   The garden and the park are very *large.*
2. Vous et lui vous êtes très *aimables.*   You and he are very *amiable.*

26. RULE III.—The adjective is in the plural masculine, when it refers to two or more nouns or pronouns of different genders:—

1. Mon frère et ma sœur sont *obéissants.*   2. Mes abricots (m.) et mes pêches (f.) sont *mûrs.*   3. Lui et elle sont très *indulgents.*

PERSONAL PRONOUNS.

27. The personal pronouns may be divided into CONJUNCTIVE and DISJUNCTIVE pronouns.

The CONJUNCTIVE personal pronouns are those which are placed immediately before or immediately after the verb. (*See* p. 28.)

The DISJUNCTIVE personal pronouns are those which may be separated from the verb by a preposition or by a conjunction, or which may stand alone, the verb being understood. (*See* p. 30.)

POSSESSIVE PRONOUNS.—(*See* p. 31.)

Possessive adjectives.	*Possessive pronouns.*
1. Je te prête *mon* livre.	Je préfère *le mien.*
2. Tu me prêteras *ton* livre.	Où est *le tien!*
3. Rends-lui *son* livre.	Ce n'est pas *le sien.*
4. Venez dans *notre* jardin.	Nous préférons *le nôtre.*
5. La pluie rafraîchirait *votre* jardin.	Elle rafraîchirait aussi *le vôtre.*
6. Mes frères cultivent *leur* jardin.	Les miens négligent *le leur.*

Ce canif est	Cette plume est	Ces canifs sont	Ces plumes sont
le mien,	la mienne,	les miens,	les miennes,
le tien,	la tienne,	les tiens,	les tiennes,
le sien,	la sienne,	les siens,	les siennes,
le nôtre,	la nôtre,	les nôtres,	les nôtres,
le vôtre,	la vôtre,	les vôtres,	les vôtres,
le leur,	la leur,	les leurs,	les leurs.

28. As the possessive pronoun is used instead of a noun mentioned before, it takes the gender and number of that noun, and not the gender of the pronoun, as is the case in English:—

J'admire votre bracelet et *le sien.*   I admire your bracelet and *hers.*
Voici votre redingote et *la sienne.*   Here are your frockcoat and *his.*

29. "His" and "its" before nouns are possessive *adjectives*, expressed by *son, sa,* or *ses;* but "his" and "its" used instead of nouns, are *pronouns* rendered by *le sien, la sienne, les siens,* or *les siennes:*—

1. *His* coat is better than mine. *Son* habit est meilleur que le mien.
2. My house is larger than *his*. Ma maison est plus grande que *la sienne*.
3. I speak of this well and of *its* depth. Je parle de ce puits et de *sa* profondeur.

DEMONSTRATIVE PRONOUNS.—(*See* p. xii, No. 20.)

Uninflected.	Inflected.			
	Singular.		Plural.	
	Masculine.	Feminine.	Masculine.	Feminine.
Ce.	Celui.	Celle.	Ceux.	Celles.
Ceci.	Celui-ci.	Celle-ci.	Ceux-ci.	Celles-ci.
Cela.	Celui-là.	Celle-là.	Ceux-là.	Celles-là.

The demonstrative pronouns are illustrated in pp. 49, 50, and 51.

1. Le Rhône et la Loire arrosent la France: *celui-là* coule vers le midi, *celle-ci* vers le couchant.
2. On cultive en France la vigne et le houblon: *celui-ci* dans les départements du nord, *celle-là* dans les départements du midi.
3. Vous cueillerez des raisins blancs et des raisins rouges; *ceux-ci* sont moins doux que *ceux-là*.
4. Voici des fraises rouges et des fraises blanches; *celles-ci* sont plus grosses que *celles-là*.

RELATIVE PRONOUNS.

Uninflected Form.

1. Qui (never *qu'*). Who, which, that.
2. A qui, avec qui, &c. To whom, with whom.
3. Dont. Of whom, of which, whose.
4. Que (*qu'* before a vowel or *h* mute). Whom, which, that.
5. Quoi (by itself or after a preposition). What.

Inflected Form.

	M. S.	M. P.	F. S.	F. P.
Who or which.	LEQUEL	LESQUELS	LAQUELLE	LESQUELLES
Of or from whom or which.	DUQUEL	DESQUELS	DE LAQUELLE	DESQUELLES
To whom or which.	AUQUEL	AUXQUELS	A LAQUELLE	AUXQUELLES

Je connais l'Anglais *qui* chante.	I know the Englishman *who* sings.
Je connais la dame *qui* monte.	I know the lady *who* is coming up.
Je connais les enfants *qui* descendent.	I know the children *who* are going down
Je connais les demoiselles *qui* dansent.	I know the young ladies *who* dance.

30. The relative pronoun *qui,* "who," used as a *subject* is uninflected, whatever may be the gender and number of the antecedent.

31. Qui, "which" or "that," as a *subject,* is used for both genders and numbers in speaking of animals and things:—

J'ai acheté *le cheval qui* est dans le pré.	I have bought the horse which is in the meadow.
J'ai acheté *la vache qui* est dans le pré.	I have bought the cow which is in the meadow.
J'ai vendu *les fauteuils qui* sont dans la salle à manger.	I have sold the armchairs which are in the dining-room.
J'ai vendu *les chaises qui* sont dans le salon.	I have sold the chairs which are in the drawing-room.

32. Que, "whom," as a direct object :—

1. Voici l'Anglais *que* je connais.	This is the Englishman *whom* I know.
2. Voici l'Anglaise *que* je connais.	This is the English lady *whom* I know.
3. Voici les messieurs *que* je connais.	These are the gentlemen *whom* I know.
4. Voici les dames *que* je connais.	These are the ladies *whom* I know.

33. Que, "which," (or "that"), as a direct object in speaking of animals and things :—

1. Voici le cheval *que* j'ai acheté.	This is the horse *which* I have bought.
2. Voici la voiture *que* j'ai achetée.	This is the carriage *which* I have bought.
3. Voici les chevaux *que* j'ai achetés.	These are the horses *which* I have bought.
4. Voici les voitures *que* j'ai achetées.	These are the carriages *which* I have bought.

34. Qu' appears instead of *que,* before a *vowel* or *h* mute :—
1. Voici le monsieur *qu'*il connaît.
2. Voici le livre *qu'*Henriette désire lire.

35. Qui ("whom"), after the preposition *à,* in fact, after any proposition, can only be said of persons :—

1. Le monsieur à *qui* je parle.	1. The gentleman to *whom* I speak.
2. La dame à *qui* je parle.	2. The lady to *whom* I speak.
3. Les messieurs à *qui* je parle.	3. The gentlemen to *whom* I speak.
4. Les dames à *qui* je parle.	4. The ladies to *whom* I speak.

36. Auquel, &c., "to which," and not *à qui* (35.), must be used in speaking of animals and things :—

1. L'âne *auquel* je donne de l'avoine.	The ass *to which* I give oats.
2. La charrette *à laquelle* j'ai mis une roue.	The cart *to which* I have put a wheel.
3. Les ânes *auxquels* je donne des chardons.	The asses *to which* I give thistles.
4. Les charrettes *auxquelles* nous avons mis des essieux.	The carts *to which* we have put axles.

37. Dont (" of whom," " of which," "whose"), is said of both persons and things :—

1. Le ministre *dont* (or *de qui*) je parle.	The minister *of whom* I speak.
2. La veuve *dont* (or *de qui*) je parle.	The widow *of whom* I speak.
3. Les ouvriers *dont* (or *de qui*) je parle.	The workmen *of whom* I speak.
4. Les ouvrières *dont* (or *de qui*) je parle.	The workwomen *of whom* I speak
1. Le mulet *dont* (or *duquel*) je parle.	The mule *of which* I speak.
2. La vache *dont* (or *de laquelle*) je parle.	The cow *of which* I speak.
3. Les arbres *dont* (or *desquels*) je parle.	The tree *of which* I speak.
4. Les maisons *dont* (or *desquelles*) je parle.	The houses *of which* I speak.

38. Abstract List of Relative Pronouns.

Subject.	Direct Object.	Indirect Objects.	
Qui	que	A qui	De qui
Lequel	,,	Auquel	Duquel
Laquelle	,,	A laquelle	De laquelle
Lesquels	,,	Auxquels	Desquels
Lesquelles	,,	Auxquelles	Desquelles

(the last four of the Indirect Objects braced) } dont.

The interrogative pronouns are illustrated at p. 60, et seq.

Conjugation of Avoir, *to have.*

INFINITIVE MOOD.

Simple Tenses.		Compound Tenses.	
To have,	Avoir.	To have had,	Avoir eu.
Having,	Ayant.	Having had,	Ayant eu.
Had,	Eu.	Being about to have,	Devant avoir.

INDICATIVE MOOD.

PRESENT.		PAST INDEFINITE.	
I have,	J'ai.	I have had,	J'ai eu.
Thou hast,	Tu as.	Thou hast had,	Tu as eu.
He or she has.	Il ou elle a.	He has had,	Il a eu.
We have,	Nous avons.	We have had,	Nous avons eu.
You have,	Vous avez.	You have had,	Vous avez eu.
They have,	Ils ou elles ont.	They have had,	Ils ont eu.

IMPERFECT.		PLUPERFECT.	
I had,	J'avais.	I had had,	J'avais eu.
Thou hadst,	Tu avais.	Thou hadst had,	Tu avais eu.
He had,	Il avait.	He had had,	Il avait eu.
We had,	Nous avions.	We had had,	Nous avions eu.
You had,	Vous aviez.	You had had,	Vous aviez eu.
They had,	Ils avaient.	They had had,	Ils avaient eu.

PAST DEFINITE.		PAST ANTERIOR.	
I had,	J'eus.	I had had,	J'eus eu.
Thou hadst,	Tu eus.	Thou hadst had,	Tu eus eu.
He had,	Il eut.	He had had,	Il eut eu.
We had,	Nous eûmes.	We had had,	Nous eûmes eu.
You had,	Vous eûtes.	You had had,	Vous eûtes eu.
They had,	Ils eurent.	They had had,	Ils eurent eu.

FUTURE ABSOLUTE.	FUTURE ANTERIOR.
I shall or will have, &c.	I shall or will have had, &c.
J'aurai.	J'aurai eu.
Tu auras.	Tu auras eu.
Il aura.	Il aura eu.
Nous aurons.	Nous aurons eu.
Vous aurez.	Vous aurez eu.
Ils auront.	Ils auront eu.

CONDITIONAL MOOD.

PRESENT.	PAST.
I should or would have, &c.	I should or would have had, &c.
J'aurais.	J'aurais eu.
Tu aurais.	Tu aurais eu.
Il aurait.	Il aurait eu.
Nous aurions.	Nous aurions eu.
Vous auriez.	Vous auriez eu.
Ils auraient.	Ils auraient eu.

SUBJUNCTIVE MOOD.

PRESENT AND FUTURE.		PAST.	
It is possible that I may have, &c.		It is possible that I may have had, &c.	
Il est possible	que j'aie.	Il est possible	que j'aie eu.
	que tu aies.		que tu aies eu.
	qu'il ait.		qu'il ait eu.
	que nous ayons.		que nous ayons eu.
	que vous ayez.		que vous ayez eu.
	qu'ils aient.		qu'ils aient eu.

IMPERFECT.		PLUPERFECT.	
It was possible that I might have, &c.		It was possible that I might have had, &c.	
Il était possible	que j'eusse.	Il était possible	que j'eusse eu.
	que tu eusses.		que tu eusses eu.
	qu'il eût.		qu'il eût eu.
	que nous eussions.		que nous eussions eu.
	que vous eussiez.		que vous eussiez eu.
	qu'ils eussent.		qu'ils eussent eu.

IMPERATIVE MOOD.

Have thou,	Aie.	Let us have,	Ayons.
Let him have,	Qu'il ait.	Have ye or you,	Ayez.
		Let them have,	Qu'ils aient.

Conjugation of Être, *to be.*

INFINITIVE MOOD.

To be,	Etre.	To have been,	Avoir été.
Being,	Étant.	Having been,	Ayant été.
Been,	Été (*unchangeable.*)	Being about to be,	Devant être.

INDICATIVE MOOD.

PRESENT.

I am,	Je suis.
Thou art,	Tu es.
He or she is,	Il *ou* elle est.
We are,	Nous sommes.
You are,	Vous êtes.
They are,	Ils *ou* elles sont.

IMPERFECT.

I was,	J'étais.
Thou wast,	Tu étais.
He was,	Il était.
We were,	Nous étions.
You were,	Vous étiez.
They were,	Ils étaient.

PAST DEFINITE.

I was,	Je fus.
Thou wast,	Tu fus.
He was,	Il fut.
We were,	Nous fûmes.
You were,	Vous fûtes.
They were,	Ils furent.

FUTURE ABSOLUTE.

I shall or will be, &c.

Je serai.
Tu seras.
Il sera.
Nous serons.
Vous serez.
Ils seront.

PAST INDEFINITE.

I have been,	J'ai été.
Thou hast been,	Tu as été.
He has been,	Il a été.
We have been,	Nous avons été.
You have been,	Vous avez été.
They have been,	Ils ont été.

PLUPERFECT.

I had been,	J'avais été.
Thou hadst been,	Tu avais été.
He has been,	Il avait été.
We had been,	Nous avions été.
You had been,	Vous aviez été.
They had been,	Ils avaient été.

PAST ANTERIOR.

I had been,	J'eus été.
Thou hadst been,	Tu eus été.
He had been,	Il eut été.
We had been,	Nous eûmes été.
You had been,	Vous eûtes été.
They had been,	Ils eurent été.

FUTURE ANTERIOR.

I shall or will have been, &c.

J'aurai été.
Tu auras été.
Il aura été.
Nous aurons été.
Vouz aurez été.
Ils auront été.

CONDITIONAL MOOD.

PRESENT.

I should or would be, &c.

Je serais.
Tu serais.
Il serait.
Nous serions.
Vous seriez.
Ils seraient.

PAST.

I should or would have been, &c.

J'aurais été.
Tu aurais été.
Il aurait été.
Nous aurions été.
Vous auriez été.
Ils auraient été.

SUBJUNCTIVE MOOD.

PRESENT AND FUTURE.

It is possible that I may be, &c.

Il est possible
{ que je sois.
que tu sois.
qu'il soit.
que nous soyons.
que vous soyez.
qu'ils soient.

IMPERFECT.

It was possible that I might be, &c.

Il était possible
{ que je fusse.
que tu fusses.
qu'il fût.
que nous fussions.
que vous fussiez.
qu'ils fussent.

PAST.

It is possible that I may have been, &c.

Il est possible
{ que j'aie été.
que tu aies été.
qu'il ait été.
que nous ayons été.
que vous ayez été.
qu'ils aient été.

PLUPERFECT.

It was possible that I might have been, &c.

Il était possible
{ que j'eusse été.
que tu eusses été.
qu'il eût été.
que nous eussions été.
que vous eussiez été.
qu'ils eussent été.

IMPERATIVE MOOD.

Be (thou)	Sois.	Let us be,	Soyons.
Let him be,	Qu'il soit.	Be (ye or you),	Soyez.
		Let them be,	Qu'ils soient.

The four regular Conjugations.

39. French verbs are generally divided into *four* conjugations.

The 1st conjugation ends in ER, as *plant*-ER, to plant.
The 2d ,, IR, as *chér*-IR, to cherish.
The 3d ,, OIR, as *recev*-OIR, to receive.
The 4th ,, RE, as *vend*-RE, to sell.

40. The first part of a regular verb, which is unchangeable, is called the ROOT; the second part, called the TERMINATION, changes according to *person*, *number*, and *time*.

FIRST CONJUGATION in ER.—Planter.

SIMPLE TENSES.

Present of the infinitive,   Plant-*er*, *to plant*.
Present participle,   Plant-*ant*, *planting*.
Past participle,   Plant-*é*, *planted*.

PRESENT OF THE INDICATIVE.

Je plant-*e*,	*I plant.*
Tu plant-*es*,	*Thou plantest.*
Il *ou* elle plant-*e*,	*He or she plants.*
Nous plant-*ons*,	*We plant.*
Vous plant-*ez*,	*You plant.*
Ils *ou* elles plant-*ent*,	*They plant.*

IMPERFECT.
I was planting, or I used to plant, &c.
Je plant-*ais*.
Tu plant-*ais*.
Il plant-*ait*.
Nous plant-*ions*
Vous plant-*iez*.
Ils plant-*aient*.

PAST DEFINITE.
I planted, &c.
Je plant ai.
Tu plant-*as*.
Il plant-*a*.
Nous plant-*âmes*.
Vous plant-*âtes*.
Ils plant-*èrent*.

FUTURE.
I shall or will plant, &c.
Je plant-*erai*.
Tu plant-*eras*.
Il plant-*era*.
Nous plant-*erons*.
Vous plant-*erez*.
Ils plant-*eront*.

PRESENT OF THE CONDITIONAL.
I should or would plant, &c.
Je plant-*erais*.
Tu plant-*erais*.
Il plant-*erait*.
Nous plant-*erions*.
Vous plant-*eriez*.
Ils plant-*eraient*.

PRESENT OR FUTURE OF THE SUBJUNCTIVE.
It is possible that I may plant, &c.

Il est possible
{ que je plant-*e*.
que tu plant-*es*.
qu'il plant-*e*.
que nous plant-*ions*.
que vous plant-*iez*.
qu'ils plant-*ent*.

IMPERFECT.
It was possible that I might plant, &c.

Il était possible
{ que je plant-*asse*.
que tu plant-*asses*.
qu'il plant-*ât*.
que nous plant-*assions*
que vous plant-*assiez*.
qu'ils plant-*assent*.

IMPERATIVE.
(No first person singular.)

Plant-*e*,	*Plant (thou).*
Qu'il plant-*e*,	*Let him plant.*
Plant-*ons*,	*Let us plant.*
Plant-*ez*,	*Plant (ye or you.)*
Qu'ils plant-*ent*,	*Let them plant.*

COMPOUND TENSES.

Avoir plant-*é*, *to have planted*.
Ayant plant-*é*, *having planted*.

PAST INDEFINITE.
J'ai plant-*é*.
PLUPERFECT.
J'avais plant-*é*.
PAST ANTERIOR.
J'eus plant-*é*.
FUTURE ANTERIOR.
J'aurai plant-*é*.

CONDITIONAL PAST.
J'aurais plant-*é*.
PAST OF THE SUBJUNCTIVE.
Il est possible que j'aie plant-*é*, *It is possible that I may have planted.*
PLUPERFECT.
Il était possible que j'eusse plant-*é*, *It was possible that I might have planted.*

AGREEMENT OF THE VERB WITH ITS SUBJECT.

41. In French, as in English, the verb agrees in number and person with its subject:—

Je COUPE du bois, I cut wood.
Jean FRAPPE son frère, John strikes his brother.

Nous COUPONS du bois, We cut wood.
Ils FRAPPENT leurs frères, They strike their brothers.

42. Two or more singular subjects, joined by *et*, "and," require the verb in the plural:—

Le cheval, la vache, le mouton et l'âne SONT des animaux très utiles.	The horse, the cow, the sheep and the ass ARE very useful animals.

43. If the subjects are in different persons, the verb is in the plural, and assumes the termination of the person that has the priority—the first has priority over the second, and the second over the third:—

1. Vous et moi nous SOMMES contents.   You and I ARE pleased.
2. Vous et lui vous SAVEZ la chose.   You and he KNOW the matter.
3. Votre frère et vous VIENDREZ.   You and your brother WILL COME.

Exercise XIII.—(*Agreement of the verb with the subject.*)

1. Je plante un rosier. 2. Je plantais un gland. 3. Je plantai un drapeau. 4. Je planterai avant la pluie. 5. Je planterais des arbres fruitiers si j'en avais. 6. La taupe chasse les insectes en minant le sol. 7. Celui qui donne au pauvre prête à Dieu. 8. L'écureuil saute d'arbre en arbre. 9. Mon commis parle plusieurs langues. 10. Il est possible que j'arrive ce soir. 11. Écoute ce que j'ai à te dire. 12. Mon oncle habite la campagne.

PRACTICE.—Repeat these 12 sentences in the plural form.

SECOND CONJUGATION in IR.—Chérir.

INFINITIVE.	**PART. PRES.**—*Cherishing*, chér-*issant.*
PRESENT.—*To cherish,* CHÉR-IR.	— PAST.—*Cherished,* chér-*i.*
INDICATIVE.	**CONDITIONAL.**
PRESENT.	PRESENT.
I cherish, I am cherishing, &c.	*I should* or *would cherish, &c.*
Je chér-*is.*	Je chér-*irais.*
Tu chér-*is.*	Tu chér-*irais.*
Il chér-*it.*	Il-chér-*irait.*
Nous chér-*issons.*	Nous chér-*irions.*
Vous chér-*issez.*	Vous chér-*iriez.*
Ils chér-*issent.*	Ils chér-*iraient.*
IMPERFECT.	**SUBJUNCTIVE.**
I was cherishing, I used to cherish, &c.	PRESENT AND FUTURE.
Je chér-*issais.*	*It is possible that I may, shall,* or *will cherish,*
Tu chér-*issais.*	&c.
Il chér-*issait.*	que je chér-*isse.*
Nous chér-*issions.*	que tu chér-*isses.*
Vous chér-*issiez.*	Il est possible qu'il chér-*isse.*
Ils chér-*issaient.*	que nous chér-*issions.*
PAST DEFINITE.	que vous chér-*issiez.*
I cherished, &c.	qu'ils chér-*issent.*
Je chér-*is.*	IMPERFECT.
Tu chér-*is.*	*It was possible that I might, &c., cherish, &c.*
Il chér-*it.*	que je chér-*isse.*
Nous chér-*îmes.*	que tu chér-*isses.*
Vous chér-*îtes.*	Il était possible qu'il chér-*it.*
Ils chér-*irent.*	que nous chér-*issions.*
FUTURE.	que vous chér-*issiez.*
I shall or *will cherish, &c.*	qu'ils chér-*issent.*
Je chér-*irai.*	**IMPERATIVE.**
Tu chér-*iras.*	*Cherish (thou),* Chér-*is.*
Il chér-*ira.*	*Let him cherish,* Qu'il chér-*isse.*
Nous chér-*irons.*	*Let us cherish,* Chér-*issons.*
Vous chér-*irez.*	*Cherish (ye* or *you),* Chér-*issez.*
Ils chér-*iront.*	*Let them cherish,* Qu'ils chér-*issent.*

Exercise XIV.—(*Second conjugation.*)

PRÉSENT DE L'INDICATIF.—1. Je *remplis* mon verre. 2. Tu *obéis* à ton père. 3. Il *finit* son thème avant de sortir. 4. Elle *avertit* sa sœur. 5. Nous *choisissons* de bons amis. 6. Vous *nourrissez* vos ouvriers. 7. Charles et Édouard *salissent* leurs livres. 8. Marie et Virginie *applaudissent* les acteurs.

IMPARFAIT.—1. Je *blanchissais* ma maison.   2. Il *démolissait* le mur.   3. Nous *noircissions* nos livres.   4. Vous *bâtissiez* trop de maisons.   5. Ils *désobéissaient* à leurs oncles.

FUTUR.—1. *J'avertirai* votre tuteur.   2. L'épicier nous *fournira* de très bon sucre.   3. Ces arbres *fleuriront* le mois prochain.   4. Les élèves *finiront* leur analyse à 4 heures.

PRÉSENT DU CONDITIONNEL.—1. Je *remplirais* ma tasse.   2. Tu *obéirais* à ta tante.   3. Il *finirait* sa version avant de se coucher.   4. La femme de chambre *avertirait* sa maîtresse.   5. Nous *choisirions* un autre domestique.   6. Vous *nourririez* vos ouvrières.   7. Ces spectateurs *applaudiraient* les acteurs.   8. Ces marchands nous *fourniraient* tout l'hiver.

PRACTICE.—Repeat all these sentences (1) negatively and (2) interrogatively.

THIRD CONJUGATION.—Recevoir.

INFINITIVE.
PRESENT.—*To receive*, REC-EVOIR.

INDICATIVE.

PRESENT.
I receive, I am receiving, &c.
Je reç-ois.
Tu reç-ois.
Il reç-oit.
Nous reç-evons.
Vous reç-evez.
Ils reç-oivent.

IMPERFECT.
I was receiving, &c.
Je reç-evais.
Tu reç-evais.
Il reç-evait.
Nous reç-evions.
Vous reç-eviez.
Ils reç-evaient.

PAST DEFINITE.
I received, &c.
Je reç-us.
Tu reç-us.
Il reç-ut.
Nous reç-ûmes.
Vous reç-ûtes.
Ils reç-urent.

FUTURE.
I shall or will receive, &c.
Je reç-evrai.
Tu reç-evras.
Il reç-evra.
Nous reç-evrons.
Vous reç-evrez.
Ils reç-evront.

PART. PRES.—*Receiving*, reç-evant.
— **PAST.**—*Received*, reç-u.

CONDITIONAL.

PRESENT.
I should or would receive, &c.
Je reç-evrais.
Tu reç-evrais.
Il reç-evrait.
Nous reç-evrions.
Vous reç-evriez.
Ils reç-evraient.

SUBJUNCTIVE.

PRESENT AND FUTURE.
It is possible that I may receive, &c.

Il est possible
{
que je reç-oive.
que tu reç-oives.
qu'il reç-oive.
que nous reç-evions.
que vous reç-eviez.
qu'ils reç-oivent.
}

IMPERFECT.
It was possible that I might receive, &c.

Il était possible
{
que je reç-usse.
que tu reç-usses.
qu'il reç-ût.
que nous reç-ussions.
que vous reç-ussiez.
qu'ils reç-ussent.
}

IMPERATIVE.

Receive (thou),   reç-ois.
Let him receive,   qu'il reç-oive.
Let us receive,   reç-evons.
Receive (ye or you),   reç-evez.
Let them receive,   qu'ils reç-oivent.

The only verbs conjugated like RECEVOIR are: *apercevoir*, to perceive, to see; *concevoir*, to understand, to conceive; *devoir*, to owe; *redevoir*, to owe still; *décevoir*, to frustrate, to deceive; *percevoir*, to collect, to perceive.   These seven verbs all end in EVOIR, and not merely in *oir*, and all make EVANT in the present participle.

In all verbs of the third conjugation, the *c* of the root takes a cedilla whenever the termination begins with o or u: *il conçoit; ils aperçurent.*

Exercise XV.—(*Third conjugation.*)

PRÉSENT DE L'INDICATIF.—1. Combien d   -vous?—Je d   deux livres terling.   2. Ne d   -il pas 1000 francs?—Non, il ne d   que 275 francs.   3. A quelle heure vos associés r   -ils leurs lettres?—Ils les r   à 9 heures.

IMPARFAIT.—1. Combien r   -vous par mois?—Je r   500 francs.   2. Qu'a   -vous de vos fenêtres?—J'a   la mer.   3. Combien Henri d   -il à son tailleur?—Il lui d   750 francs.

FUTUR.—1. A quelle heure r   -je sa réponse?—Vous la r   par la

poste de midi. 2. Combien red -ils à leur propriétaire quand ils lui auront donné 250 francs ?—Ils lui red 750 francs.

PRÉSENT DU CONDITIONNEL.—1. Qu'a -je si j'ouvrais la fenêtre ?—Vous a un très joli lac. 2. A quelle heure r -il son commis ?—Il le r à 3 heures. 3. Combien red -ils à leur épicier ?—Ils lui red 650 francs. 4. R- -nous tout ce monde-là ?—Vous ne pourriez pas faire autrement.

FOURTH CONJUGATION.—Vendre.

INFINITIVE.
PRESENT.—*To sell*, vend-*re.*

PART. PRES.—*Selling*, vend-*ant.*
— PAST.—*Sold*, vend-*u.*

INDICATIVE.
PRESENT.
I sell, I am selling, &c.
Je vend-*s.*
Tu vend-*s.*
Il vend.
Nous vend *ons.*
Vous vend-*ez.*
Ils vend-*ent.*

CONDITIONAL.
PRESENT.
I should or *would sell, &c.*
Je vend-*rais.*
Tu vend-*rais.*
Il vend-*rait.*
Nous vend-*rions.*
Vous vend-*riez.*
Ils vend-*raient.*

IMPERFECT.
I was selling, I used to sell, &c.
Je vend-*ais.*
Tu vend-*ais.*
Il vend-*ait.*
Nous vend-*ions.*
Vous vend-*iez.*
Ils vend-*aient.*

SUBJUNCTIVE.
PRESENT AND FUTURE.
It is possible that I may, shall, or *will sell, &c.*
Il est possible {
que je vend-*e.*
que tu vend-*es.*
qu'il vend-*e.*
que nous vend-*ions.*
que vous vend-*iez.*
qu'ils vend-*ent.*

PAST DEFINITE.
I sold, &c.
Je vend-*is.*
Tu vend-*is.*
Il vend-*it.*
Nous vend-*îmes.*
Vous vend-*îtes.*
Ils vend-*irent.*

IMPERFECT.
It is possible that I might, &c., sell, &c.
Il était possible {
que je vend-*isse.*
que tu vend-*isses.*
qu'il vend-*ît.*
que nous vend-*issions.*
que vous vend-*issiez.*
qu'ils vend-*issent.*

FUTURE ABSOLUTE.
I shall or *will sell, &c.*
Je vend-*rai.*
Tu vend-*ras.*
Il vend-*ra.*
Nous vend-*rons.*
Vous vend-*rez.*
Ils vend-*ront.*

IMPERATIVE.
Sell (thou), Vend-*s.*
Let him sell, Qu'il vend-*e.*
Let us sell, Vend *ons.*
Sell (ye or *you),* Vend-*ez.*
Let them sell, Qu'ils vend-*ent.*

Exercise XVI.—*(Fourth conjugation.)*

PRÉSENT DE L'INDICATIF. — 1. *J'entends* une guitare. 2. Le professeur *attend* ses élèves. 3. Le négociant *répond* à ses correspondants. 4. Le paysan *vend* ses choux.

IMPARFAIT.—1. Je *rendais* ce que je devais. 2. Mon associé *correspondait* avec les États-Unis. 3. Tu *vendais* très cher. 4. Elle *descendait* le sac de voyage de sa maîtresse.

FUTUR.—1. Je *perdrai* la première partie. 2. Le berger *tondra* ses moutons. 3. Le petit garçon *répandra* sa soupe sur la table. 4. Tu *vendras* mon cheval à la foire.

PRÉSENT DU CONDITIONNEL.—1. Je *vendrais* mon navire. 2. Le commis *répondrait* à son patron. 3. Le chien *mordrait* la petite fille. 4. Tu *perdrais* ton argent.

PRACTICE.—Repeat all these sentences (1) in the plural, (2) negatively, and (3) interrogatively.

This model is to be followed for verbs in *andre, ondre, erdre, ordre,* and *endre,* except *prendre* and its derivatives.

ADVERBS.

FORMATION OF ADVERBS OF MANNER FROM ADJECTIVES.—(*Three Rules.*)

44. (I) Most adverbs of manner are formed in French from adjectives by adding MENT, when the adjective ends with *e*, *i*, or *u*:—

sage, *wise;* sageMENT, *wisely.*   poli, *polite;* poliMENT, *politely.*
absolu, *absolute;* absoluMENT, *absolutely.*

45. (II) When the adjective does not end with *e*, *i*, or *u*, MENT is generally added to the feminine form of the adjective:—

actif, active, activeMENT, *actively;*   heureux, heureuse, heureuseMENT, *happily.*

46. (III) Adjectives ending in *ant* or *ent* in the masculine, change *nt* into *m*, and then take *ment* to become adverbs:—

constant, constaMMENT, *constantly;* patient, patieMMENT, *patiently.*

Except *lent, présent,* and *véhément,* which make regularly *lentement* (slowly), *présentement* (now, at present), and *véhémentement* (strongly).

Exercise XXVI.—(*Adverbs of manner.*)

Put the correct termination to each adverb.

I.—1. Agit-il sage ? 2. A qui faut-il parler poli ? 3. Frédéric va-t-il assidu à son bureau? 4. Iriez-vous résolu au feu?

II.—1. Comment s'appelait premier la France? 2. Henri IV régna-t-il heureux ? 3. Pourquoi écrit-il si sec ? 4. Avez-vous été à la campagne dernier ?

III.—1. Pourquoi pensons-nous différent ? 2. Pourquoi agit-il si méchant ? 3. S'est-il défendu vaillant? 4. A-t-elle été constant heureuse?

The adverbs of quantity are illustrated at pp. 38 and 39.

Numerous examples of the adverbs of interrogation, &c., will be found throughout the work.

47. (1) The final *e* of the following adjectives takes an acute accent, in addition to the termination *ment:* aveuglE, aveuglÉMENT, *blindly;* commodE, commodÉMENT, *conveniently;* conformE, conformÉMENT, *conformably;* énormE, énormÉMENT, *enormously;* immensE, immensÉMENT, *immensely;* incommodE, incommodÉMENT, *inconveniently;* opiniâtrE, opiniâtrÉMENT, *obstinately;* uniformE, uniformÉMENT, *uniformly.*

48. (2) *Commun, confus, diffus, exprès, importun, obscur, précis,* and *profond,* become adverbs by adding *ment* to the feminine form, over the final *e* of which an acute accent is placed: commun, communE, communÉMENT, &c.

49. REMARK.— *Gentil,* pretty, makes *gentiment. Beau, fou, mou,* and *nouveau,* form their adverbs from their fem. *belle, folle, molle, nouvelle* (p. 40); thus, *bellement,*—(seldom used), &c. *Traître* makes *traîtreusement,* treacherously; *impuni* makes *impunément,* with impunity.

CONJUNCTIONS.

1. CAR, for (because).
2. COMME, as, like.
3. DONC, then, therefore.
4. ET, and.
5. LORSQUE, when.
6. MAIS, but.
7. NI, neither, nor.

8. OR, now (*in arguing*).
9. OU, either.. or.
10. PARCE QUE, because.
11. PUISQUE, since.
12. QUAND, QUAND MÊME, though, even though.
13. QUE, that, &c.

14. QUOIQUE (*or* BIEN QUE) although.
15. SAVOIR, namely.
16. SI, if, whether.
17. SINON, otherwise, or else, if not.
18. SOIT, either, or, &c.

Exercise XVIII.—(*Conjunctions.*)

DIRECTION.—1. Translate into English. 2. Read each sentence in French, and then name out the conjunction in each.

1. Je ne veux pas faire cela, car la religion le défend. 2. Un véritable ami est comme un autre soi-même. 3. Je pense, donc j'existe. 4. Pierre mange et boit bien. 5. Le petit Charles est toujours bien sage lorsqu'il est chez sa grand'-mère. 6. Son oncle est riche, mais fort intéressé. 7. Ce pauvre exilé n'a ni argent ni amis.—Berthe n'est ni laide ni belle.—Vous ne devez ni le dire ni l'écrire. 8. Tous les hommes peuvent faillir; or vous êtes homme, donc vous pouvez faillir. 9. Nous irons à Versailles ou à Fontainebleau.—Amenez-le, mort ou vif.

10. Henri sera récompensé parce qu'il a su sa leçon. 11. Aimez la vertu puisqu'elle seule peut vous rendre heureux. 12. Quand je le voudrais, je ne le pourrais pas.—Je serais votre ami, quand même vous ne le voudriez pas. 13. Je sais que vous avez raison.—Je crois qu'il a tort.—Il faut qu'Henri parte ce matin.—Je doute qu'il arrive à temps. 14. Quoique ce paysan soit pauvre, il est honnête homme. 15. La France se divise en quatre bassins, savoir: le bassin de la Seine, le bassin de la Loire, &c. 16. Si vous voulez venir demain matin, nous déjeunerons ensemble.—J'ignore si monsieur votre père pourra me prêter son cheval. 17. Cessez ce discours, sinon je me retire.—Si vous êtes sage, je vous récompenserai; sinon, non. 18. J'irai voir soit l'un, soit l'autre.—Soit qu'il le fasse, soit qu'il ne le fasse pas.—Soit vertu, soit courage.

See HAVET'S Complete French Class-Book, p. 340.

CONJUNCTIONAL PHRASES.

50. The INFINITIVE is used after the following:—

afin de, *to, for, in order to.*	au lieu de, *instead of.*	à moins de, *unless.*
de crainte de, *for fear of.*	loin de, *far from.*	plutôt que de, *rather than to.*

51. The INDICATIVE appears after the following:—

à condition que, *on condition that.*	de même que, *as, &c.*	pendant que, *whilst.*
ainsi que, *as.*	aussitôt que, } *as soon as.*	tandis que, *whereas.*
à mesure que, *in proportion as.*	sitôt que, }	peut-être que, *perhaps.*
après que, *after.*	dès que, }	parce que, *because.*
attendu que, *as.*	au lieu que, *whereas.*	tant que, *as long as.*
autant que, *as much as.*	depuis que, *since (the time).*	vu que, *seeing that.*
	puisque, *since (considering).*	

52. The SUBJUNCTIVE is used after the following:—

afin que, *in order that.*	en cas que, *in case.*	pour que, *in order that.*
à moins que, *unless.*	encore que, *although.*	pourvu que, *provided that.*
avant que, *before.*	loin que, *far from.*	quoique, *although.*
bien que, *although.*	non pas que, *not that.*	sans que, *without.*
de peur que, *for fear that.*	nonobstant que, *notwithstanding.*	soit que, *whether.*
de crainte que, *for fear that.*		supposé que, *suppose.*

END OF THE GRAMMAR.

HOUSEHOLD FRENCH.

"Familiar in their mouths as household words."—Shak.

The French alphabet consists of twenty-five letters, viz.:—A, B, C, D, E, F, G, H, I, J, K, L, M, N, O, P, Q, R, S, T, U, V, X, Y, Z.

The vowels are *a, e, i, o, u,* and *y* (*i grec*).

The six vowels express only five sounds, *i* and *y,* after a consonant, being pronounced alike; but as the French language has several other sounds, the deficiency of letters to convey them is partly supplied by marks called *accents,* and by various *combinations,* as *aie, an,* &c.

THE ACCENTS AND OTHER SIGNS.

1. The *acute* accent—in French, ACCENT AIGU—('), going from right to left, is placed over the vowel *e* only, to give it an acute or slender sound; as, *bonté,* "goodness;" *charmé,* "delighted."

2. The *grave* accent—ACCENT GRAVE—('), going from left to right, is placed over *e* to give it a broad or open sound; as, *près,* "near;" *très,* "very;" &c. The grave accent is also placed over *a* in *à,* "to," "at;" *là,* "there," and over *u* in *où,* "where," to distinguish these words from *a,* "has;" *la,* "the," "her," or "it;" and *ou,* "or."

3. The *circumflex* accent—ACCENT CIRCONFLEXE—(^), is found over vowels having a broad or open sound; as, *âge,* "age;" *tête,* "head;" *gîte,* "lodging," "lair;" *môle,* "pier;" *flûte,* "flute."

4. The *apostrophe*—APOSTROPHE—('), indicates the elision, or cutting off, of the final vowel of a word, before another word beginning with a vowel or an *h* mute; as, *l'ami de l'homme,* "the friend of man;" *l'histoire de l'héroïne,* "the history of the heroine;" instead of, *le ami de le homme; la histoire de la héroïne.*

5. The *cedilla*—LA CÉDILLE—is a sort of comma attached to the letter *c,* when *c,* placed before *a, o,* or *u,* is sounded as *s,* in order to preserve the soft articulation of the root word: *Français* (from *France*), *glaçon* (from *glace*), *reçu* (past participle of *recevoir*).

6. The *diæresis*—LE TRÉMA—is a mark composed of two dots, placed over *e, i,* and *u,* when these vowels are to be pronounced separately from the preceding one: *Noël, naïf, Saül.* In the word *ciguë,* and in *ambiguë, contiguë,* &c., which are the feminine forms (p. 40) of *ambigu, contigu,* the diæresis shows that the accent is laid upon the *u,* the final *e* not being sounded.

7. The *hyphen*—LE TRAIT D'UNION—(-), connects together two or more words: *un oiseau-mouche, vingt-deux;* &c.

The Four Regular Conjugations.

1. INFINITIVE.

First in ER.	*Second in* IR.	*Third in* EVOIR.	*Fourth in* RE.
To carry, Port-er.	*To finish*, Fin-ir.	*To owe*, D-evoir.	*To sell*, Vend-re.
Carrying, Port-ant.	*Finishing*, Fin-issant.	*Owing*, D-evant.	*Selling*, Vend-ant.
Carried, Port-é.	*Finished*, Fin-i.	*Owed*, D-û.	*Sold*, Vend-u.

2. INDICATIVE. PRESENT.

I carry, &c	*I finish, &c.*	*I owe, &c.*	*I sell, &c.*
Je port-e,	Je fin-is,	Je d-ois,	Je vend-s,
Tu port-es,	Tu fin-is,	Tu d-ois,	Tu vend-s,
Il port-e,	Il fin-it,	Il d-oit,	Il vend,
Nous port-ons,	Nous fin-issons,	Nous d-evons,	Nous vend-ons,
Vous port-ez,	Vous fin-issez,	Vous d-evez,	Vous vend-ez,
Ils port-ent.	Ils fin-issent.	Ils d-oivent.	Ils vend-ent.

IMPERFECT.

I was carrying, &c.	*I was finishing, &c.*	*I was owing, &c.*	*I was selling, &c.*
Je port-ais,	Je fin-issais,	Je d-evais,	Je vend-ais,
Tu port-ais,	Tu fin-issais,	Tu d-evais,	Tu vend-ais,
Il port-ait,	Il fin-issait,	Il d-evait,	Il vend-ait,
Nous port-ions,	Nous fin-issions,	Nous d-evions,	Nous vend-ions,
Vous port-iez,	Vous fin-issiez,	Vous d-eviez,	Vous vend-iez,
Ils port-aient.	Ils fin-issaient.	Ils d-evaient.	Ils vend-aient.

PAST DEFINITE.

I carried, &c.	*I finished, &c.*	*I owed, &c.*	*I sold, &c.*
Je port-ai,	Je fin-is,	Je d-us,	Je vend-is,
Tu port-as,	Tu fin-is,	Tu d-us,	Tu vend-is,
Il port-a,	Il fin-it,	Il d-ut,	Il vend-it,
Nous port-âmes,	Nous fin-îmes,	Nous d-ûmes,	Nous vend-îmes,
Vous port-âtes,	Vous fin-îtes,	Vous d-ûtes,	Vous vend-îtes,
Ils port-èrent.	Ils fin-irent.	Ils d-urent.	Ils vend-irent.

FUTURE ABSOLUTE.

I shall carry, &c.	*I shall finish, &c.*	*I shall owe, &c.*	*I shall sell, &c.*
Je port-erai,	Je fin-irai,	Je d-evrai,	Je vend-rai,
Tu port-eras,	Tu fin-iras,	Tu d-evras,	Tu vend-ras,
Il port-era,	Il fin-ira,	Il d-evra,	Il vend-ra,
Nous port-erons,	Nous fin-irons,	Nous d-evrons,	Nous vend-rons,
Vous port-erez,	Vous fin-irez,	Vous d-evrez,	Vous vend-rez,
Ils port-eront.	Ils fin-iront.	Ils d-evront.	Ils vend-ront.

3. CONDITIONAL. PRESENT.

I should carry, &c.	*I should finish, &c.*	*I should owe, &c.*	*I should sell, &c.*
Je port-erais,	Je fin-irais,	Je d-evrais,	Je vend-rais,
Tu port-erais,	Tu fin-irais,	Tu d-evrais,	Tu vend-rais,
Il port-erait,	Il fin-irait,	Il d-evrait,	Il vend-rait,
Nous port-erions,	Nous fin-irions,	Nous d-evrions,	Nous vend-rions,
Vous port-eriez,	Vous fin-iriez,	Vous d-evriez,	Vous vend-riez,
Ils port-eraient.	Ils fin-iraient.	Ils d-evraient.	Ils vend-raient.

4. SUBJUNCTIVE. PRESENT AND FUTURE.

	I may carry, &c.	*I may finish, &c.*	*I may owe, &c.*	*I may sell, &c.*
Il est possible que	Je port-e,	Je fin-isse,	Je d-oive,	Je vend-e,
	Tu port-es,	Tu fin-isses,	Tu d-oives,	Tu vend-es,
	Il port-e,	Il fin-isse,	Il d-oive,	Il vend-e,
	Nous port-ions,	Nous fin-issions,	Nous d-evions,	Nous vend-ions,
	Vous port-iez,	Vous fin-issiez,	Vous d-eviez,	Vous vend-iez,
	Ils port-ent.	Ils fin-issent.	Ils d-oivent.	Ils vend-ent.

IMPERFECT.

	I might carry, &c.	*I might finish, &c.*	*I might owe, &c.*	*I might sell, &c.*
Il était possible que	Je port-asse,	Je fin-isse,	Je d-usse,	Je vend-isse,
	Tu port-asses,	Tu fin-isses,	Tu d-usses,	Tu vend-isses,
	Il port-ât,	Il fin-ît,	Il d-ût,	Il vend-ît,
	Nous port-assions,	Nous fin-issions,	Nous d-ussions,	Nous vend-issions,
	Vous port-assiez,	Vous fin-issiez,	Vous d-ussiez,	Vous vend-issiez,
	Ils port-assent,	Ils fin-issent.	Ils d-ussent.	Ils vend-issent.

5. IMPERATIVE.

Port-e,	Fin-is,	D-ois,	Vend-s,
Port-ons,	Fin-issons,	D-evons,	Vend-ons,
Port-ez.	Fin-issez.	D-evez.	Vend-ez.

(DIRECTION.—These forms should be said as soon as possible.)

HOUSEHOLD FRENCH.

FIRST COURSE.

"Familiar in their mouths as household words."—SHAKSPEARE.

1. Première conversation.—*(Read the Directions.)*

I.—LE, *m.*, LA, *f.*, LES, *pl.*, "THE."

1. Où est *le* canif ?—Il est sur *la* table. 2. Où est *la* plume ?—Elle est sur *le* pupitre. 3. Où est *le* monsieur ?—Il est dans *la* bibliothèque avec son fils. 4. Où est *la* dame ?—Elle est dans *le* salon avec sa fille. 5. Où sont *les* élèves ?—Ils sont dans *la* salle d'étude. 6. Où est *le* maître ?—Il est dans *la* classe. 7. Où est *le* petit garçon ?—Il est dans *le* jardin avec sa sœur.

8. Avez-vous *le* journal ?—Non, il est sur *la* chaise. 9. Où sont *les* plumes ?—Elles sont dans mon pupitre. 10. Où sont *les* dames ?—Elles sont dans *le* boudoir. 11. Qui a *le* canif ?—C'est *le* maître d'écriture. 12. Où est *le* lion ?—Il est dans *la* ménagerie avec *les* lionceaux. 13. Où est *le* rat ?—Il est dans *la* cave. 14. Qui est dans *le* village ?—C'est *le* vacher avec *la* vache. 15. Où sont *les* pigeons ?—Ils sont dans *le* colombier.

PRACTICE.—Turn the singular into the plural, and *vice versâ*, wherever sense will allow, thus : 1. Où sont les canifs ?—Ils sont sur la table. 2. Où sont les plumes ?—Elles sont sur le pupitre. 3. Où sont les messieurs ?—Ils sont dans la bibliothèque. 4. Où sont les dames ?—Elles sont dans le salon avec leurs filles. 5. Où est l'élève (13., p. xi.) ?—Il est dans la salle d'étude, &c.

☞ *There is no neuter in French.*
The rules for the formation of the plural are at page 7.

Exercise.—*(Le, la, les.)*

(The pupil will put this exercise into French after having mastered the foregoing conversation.)

Le.—1. Where is THE master ?—He is in THE garden with THE little boy. 2. Where is THE newspaper ?—It[1] is in THE drawing-room. 3. Where is THE pigeon* (m.) ?—It[1] is in THE pigeon-house. 4. Where is THE cowherd ?—He is in THE village* (m.).

La.—1. Where is THE pen ?—It[2] is on THE table* (f.). 2. Where is THE lady ?—She is in THE library. 3. Where is THE cage* (f.) ?—It[2] (f.) is on THE chair. 4. Where is THE bible* (f.) ?—It (f.) is in THE library.

* Les.—1. Where are THE cowherds ?—They are in THE village* (m.). 2. Where are THE desks ?—They (m.) are in THE class-*room*. 3. Where are THE ladies ?—They (f.) are in THE drawing-room. 4. Where are THE lions* (m.) ?—They (m.) are in THE menagerie (f.). 5. Where are THE tables* ?—They (f.) are in THE drawing-room.

---

[1] "It" is expressed by *il* when it supplies the place of a *masculine* noun, and is the subject to the verb :
Where is the piano ?—*It* is in the drawing-room. Où est le piano ?—*Il* est dans le salon.

[2] "It" is expressed by *elle* when it supplies the place of a *feminine* noun, and is the subject to the verb :
Where is the harp ?—*It* is in the drawing-room. Où est la harpe ?—Elle est dans le salon.

Negative and interrogative forms.

INFINITIVE MOOD.

PRESENT, *Not to speak*,   Ne pas parler.
PAST,   *Not to have spoken*, { Ne pas avoir parlé.
                                { N'avoir pas parlé.

PARTICIPLES.

PRESENT, *Not speaking*,   Ne parlant pas.
PAST,   *Not having spoken*, N'ayant pas parlé.
FUTURE, *Not being about to speak*, Ne devant pas parler.

1. PRESENT OF THE INDICATIVE.

I do not speak, &c.	*Do I speak? &c.*	*Do I not speak? &c.*
Je ne parle pas.	Parlé-je?	Ne parlé-je pas?
Tu ne parles pas.	Parles-tu?	Ne parles-tu pas?
Il ne parle pas.	Parle-t-il?	Ne parle-t-il pas?
Nous ne parlons pas.	Parlons-nous?	Ne parlons-nous pas?
Vous ne parlez pas.	Parlez-vous?	Ne parlez-vous pas?
Ils ne parlent pas.	Parlent-ils?	Ne parlent-ils pas?

2. IMPERFECT.

I was not speaking, &c.	*Was I speaking? &c.*	*Was I not speaking? &c.*
Je ne parlais pas.	Parlais-je?	Ne parlais-je pas?
Tu ne parlais pas.	Parlais-tu?	Ne parlais-tu pas?
Il ne parlait pas.	Parlait-il?	Ne parlait-il pas?
Nous ne parlions pas.	Parlions-nous?	Ne parlions-nous pas?
Vous ne parliez pas.	Parliez-vous?	Ne parliez-vous pas?
Ils ne parlaient pas.	Parlaient-ils?	Ne parlaient-ils pas?

3. PAST DEFINITE.

I did not speak, &c.	*Did I speak? &c.*	*Did I not speak? &c.*
Je ne parlai pas.	Parlai-je?	Ne parlai-je pas?
Tu ne parlas pas.	Parlas-tu?	Ne parlas-tu pas?
Il ne parla pas.	Parla-t-il?	Ne parla-t-il pas?
Nous ne parlâmes pas.	Parlâmes-nous?	Ne parlâmes-nous pas?
Vous ne parlâtes pas.	Parlâtes-vous?	Ne parlâtes-vous pas?
Ils ne parlèrent pas.	Parlèrent-ils?	Ne parlèrent-ils pas?

4. PAST INDEFINITE.

I have not spoken, &c.	*Have I spoken? &c.*	*Have I not spoken? &c.*
Je n'ai pas parlé.	Ai-je-parlé?	N'ai-je pas parlé?
Tu n'as pas parlé.	As-tu-parlé?	N'as-tu pas parlé?
Il n'a pas parlé.	A-t-il parlé?	N'a-t-il pas parlé?
Nous n'avons pas parlé.	Avons-nous parlé?	N'avons-nous pas parlé?
Vous n'avez pas parlé.	Avez-vous parlé?	N'avez-vous pas parlé?
Ils n'ont pas parlé.	Ont-ils parlé?	N'ont-ils pas parlé?

The French ask questions with the simple form of the verb, whereas the English generally put before the verb *do, does, did*, &c., which cannot be expressed in French (p. xiii., No. 21.) :

Voyez-vous une dame ?—Non, je vois un monsieur.   Do you see a lady ?—No, I see a gentleman.
Dînez-vous toujours à 5 heures ?   Did you always dine at 5 o'clock ?

Première conversation.—(*Seconde partie.*)

II.—UN, *m.*, UNE, *f.*, "A" or "AN."—(*See* Nos. 17 and 18, p. xii.)

1. Avez-vous *un* encrier ?—Oui, j'ai *un* encrier en porcelaine.   2. Avez-vous *une* plume ?—Oui, monsieur, j'ai *une* plume d'acier.   3. Avez-vous reçu *un* journal ce matin ?—Non, j'ai reçu *une* lettre.   4. Voyez-vous *un* petit garçon dans le jardin ?—Non, j'y vois *une* petite fille.

5. Voyez-vous *une* demoiselle dans le salon ?—Non, j'y vois *un* monsieur et *une* dame.

(DIRECTION.—All the sentences of this paragraph may be used in the plural:
—1. Avez-vous *des* encriers ?—Oui, j'ai *des* encriers en porcelaine, &c.)

Exercise.—(*Un*, m., *une*, f., "*a*" or "*an*.")

Un, une.—1. *Do* you see A gentleman in the drawing-room ?—No, I see A lady. 2. *Do* you see A young-lady in the garden ?—No, I see A gentleman and A little boy. 3. Have you received A letter this morning ?—No, I have received A newspaper. 4. *Do* you see AN inkstand on (*sur*) the table* (f.) ?—No, I see A pen and A newspaper.

2. Deuxième conversation.

L' *instead of* LE *or* LA *before a vowel or* h *mute.*

L' instead of *le.*—L'Anglais, l'Écossais, l'Irlandais, l'ouvrier, l'usurier, l'ysard[1].
L' instead of *la.*—L'Anglaise, l'Écossaise, l'Irlandaise, l'ouvrière, l'usurière, l'yeuse.
L' before *h mute.*—L'homme, m. ; l'hyène, f.

The article *le, la, l'*, and *les*, always placed before nouns, must be distinguished from certain personal pronouns, *le, la,* and *les* (p. 28), which are used before or after verbs, and signify "him," "her," "it," "them :"
1. Je *le* vois ; je *la* vois ; je *les* vois. I see *him;* I see *her;* I see *them.*
2. Ne cherchez plus mon chapeau ; je *le* vois. Do not look for my hat ; I see *it.*
3. Ne cherchez plus ma montre ; je *l'*ai Do not look for my watch ; I have *it.*

1. Où avez-vous vu *l'*oiseau (m.) ?—Je l'ai vu sur la branche. 2. Qui a tué *l'*oie (f.) ?—C'est le chasseur. 3. Qui a tué *l'*hirondelle (f.) ?—C'est le petit vacher. 4. Où est *l'*enfant ?—Il est dans le pré avec le vacher. 5. Où est *l'*homme ?—Il pêche au bord de *l'*étang. 6. Où est *l'*hyène (f.)? —Elle est dans la cage. 7. Que voyez-vous dans *l'*île (f.) ?—J'aperçois un nègre. 8. Où mettrez-vous *l'*horloge (f.)?—Je la mettrai dans la cuisine de la ferme. 9. Où mettrez-vous *l'*oie (f.)?—Je la mettrai sur *l'*étang (m.). 10. Que mettrez-vous dans *l'*urne (f.)?—J'y mettrai ces jolies fleurs bleues. 11. Où est *l'*office (f.)?—A côté de la salle à manger. 12. Que voyez-vous sur *l'*étang (m.)?—Je vois des oies (f.) et des canards (m.).

(DIRECTION.—*All the nouns used in the questions should be repeated in the plural with* les. *See page* 7.)

Exercise.—(L' instead of LE or LA before a vowel or *h* mute.)

☞ The objective pronoun generally precedes the governing verb (p. 28.):

Connaissez-vous Robert ?—Oui, je *le* connais. Do you know Robert ?—Yes, I do (know *him*).
Où mettrez-vous Marie ?—Je *la* mettrai dans la grande chambre. Where will you put Mary ?—I will put *her* in the large room.
Où avez-vous vu le chasseur ?—Je *l'*ai vu près de l'étang. Where have you seen the sportsman ?—I have seen *him* near the pond.
Où avez-vous vu la bergère ?—Je *l'*ai vue dans le champ. Where have you seen the shepherdess ?—I have seen *her* in the field.

1. Have you seen THE child in the meadow ?—No, I have seen him in the village* (m.) with the cowherd. 2. Will you put THE goose in the kitchen ?— No, I shall-put it (f.) in THE pantry with the ducks. 3. Who has shot THE bird ?—The sportsman. 4. Will you put THE clock in THE pantry ?—No, I shall-put it in the dining-room. 5. Who has shot THE goose?—The marquis*. 6. Who has killed THE man ?—The cowherd. 7. Who has shot THE hyena ?— The negro. 8. Have you seen THE goose on THE pond ?—No, I have seen it in the meadow. 9. Where will you put THE pretty blue flowers?—I shall-put them in THE urn. 10. Where have you seen the ducks ?—On THE pond-side.

_____

[1] Y *is aspirate in* le yacht, le yatagan, la yole, le yucca, le Yucatan.

3. Troisième conversation.

ÉTUDE DE LA LANGUE.

1. Savez-vous parler anglais?—Certainement, puisque je suis Anglais[1]. 2. Voulez-vous parler anglais?—Aujourd'hui j'aimerais mieux parler français. 3. Avez-vous un livre anglais?—J'en ai plusieurs. 4. Avez-vous une grammaire anglaise?—Oui, j'ai celle de Murray; c'est une des meilleures. 5. Avez-vous été en Angleterre?—J'y suis né[2]. 6. Où est votre grammaire française?—Elle est dans mon pupitre avec mes autres livres.

7. Où est votre dictionnaire?—Je l'ai laissé dans la classe. 8. Où est votre dictionnaire de poche?—Je crois l'avoir laissé dans la poche de mon paletot. 9. Comprenez-vous cette leçon?—Je crois la comprendre assez bien. 10. Apprenez-vous des anecdotes?—Oui, monsieur[3], et si vous voulez, je vais en répéter une ou deux. 11. Que pensez-vous de mon accent?—Je trouve que vous ne prononcez pas mal pour un étranger[4]. 12. Que faut-il pour savoir parler français?—Il faut étudier sérieusement la langue et la parler toutes les fois que l'occasion s'en présente.

☞ As a rule, the adverb is placed in French immediately *after* the verb:— 1. J'aime *mieux* le poulet que le bœuf. 2. Nous prenons *ordinairement* le thé à huit heures. 3. Nous apprenons *souvent* des anecdotes.

Exercise.—(*The study of the French language.*)

1. Have you a French grammar?—Yes, I have a French grammar and an English grammar. 2. Where is your English grammar?—It (p. 3, note 2) is in my (p. 20) pocket. 3. Have you left your dictionary in your desk?—No, it is on the table* (f.). 4. *Do* you understand (the) French?—Pretty well. 5. Will you speak French?—Yes, if you like. 6. Have you a French book?— I have several (of-them). 7. Have you been in France*?—Yes, I have been in (à) Paris*. 8. *Do* you understand this page* (f.)?—I think *that I* understand (*infin.*) it pretty well. 9. *Do* you learn any fables*?—Yes, we learn (some) fables* and (some) anecdotes*.

4. Quatrième conversation.

L'ÉTUDE DE LA LANGUE.—LA LEÇON, ETC.

1. Savez-vous le français?—Je commence à le comprendre un peu. 2. Aimeriez-vous à comprendre la poésie française?—Je me contenterais de bien comprendre la prose. 3. L'anglais vous paraît-il difficile?—Non, puisque je suis Anglais; mais il me semble que les étrangers doivent trouver notre prononciation bien difficile. 4. Parlez-vous souvent anglais?—C'est la langue que je parle continuellement.

5. Entendez-vous quelquefois parler latin?—Rarement; c'est une langue morte, et peu de personnes la parlent. 6. A quelle heure commence la leçon de latin?—Elle commence à dix heures précises. 7. Quand avez-vous commencé le latin?—Il y a environ deux ans. 8. Apercevez-vous des cartes géographiques?—J'aperçois la carte d'Angleterre et la carte de France. 9. Savez-vous le verbe *avoir?*—Je l'ai appris, et, si vous voulez, je vais le conjuguer. 10. Apprenez-vous de la prose par cœur?—J'apprends quelques-uns des morceaux qui se trouvent dans mon livre de lecture.

---

[1] *Or, Anglaise,* f. [2] *Or,* J'y suis *née,* feminine participle of *naître.* [3] *Or,* madame, or again *mademoiselle,* as the case may be. [4] *Or,* une étrangère,

Exercise.—(*The lesson, &c.*)

1. *Do* you learn a dead language?—Yes, I learn (the) Latin* (m.) 2. *Do* you often speak French?—Seldom. 3. Have you learnt any pieces by heart?—I have learnt a fable* (f.) and an anecdote* (f.). 4. *Do* you know this (p. 22) passage* (m.) by heart?—I have learnt it. 5. At what o'clock *does* the French lesson begin?—It (p. 3, note 2) begins at six* o'clock precisely. 6. *Do* you see the map of England?—No, I see the map of France*. 7. At what o'clock *do* you speak French?—I speak French at two (p. 9) o'clock. 8. Have you a reading-book?—Yes, it (p. 3, note 1) is on the table* (f.).

5. Cinquième conversation.—(*See* p. x., Exercise vi.)

FORMATION OF THE PLURAL.—(*Four ways.*)

1. *General Rule.*—A noun becomes plural by taking *s*.
2. Words in *s*, *x*, or *z*, remain the same.
3. Words in *au* or *eu* take *x*.
4. In words in *al*, the plural is generally formed by changing *al* into *aux*.

1. Un enfant,	une dame,	un chien,	une vache.
des enfants,	des dames,	des chiens,	des vaches.
2. Un pois,	un fils,	une noix,	un nez.
des pois,	des fils,	des noix,	des nez.
3. Un manteau,	un chapeau,	un feu,	un neveu.
des manteaux,	des chapeaux,	des feux,	des neveux.
4. Un mal,	un rival,	un général,	un caporal.
des maux,	des rivaux,	des généraux,	des caporaux.

1. Où avez-vous mis vos rosiers?—Ils sont dans la serre. 2. Connaissez-vous tous les lieutenants?—Oui, mais je ne connais pas les sous-lieutenants. 3. Où avez-vous mis les souris?—Je les ai données au chat. 4. De quelle couleur est votre chien?—Il est tout blanc. 5. Où sont vos corbeaux?—Je leur ai coupé les .ailes, et ils sautillent dans le jardin. 6. Où avez-vous attrapé ces perdrix?—Dans le champ qui se trouve derrière la ferme. 7. Où avez-vous cueilli ces roses?—Dans l'allée qui conduit à la serre chaude. 8. Où avez-vous mis mes chevaux?—Dans l'écurie qui se trouve au bout de la cour. 9. Où sont vos chiens?—Ils sont dans leur chenil.—10. Où est le bijoutier?—Il est dans le salon à montrer des bijoux[1] à mes sœurs. 11. Connaissez-vous les amiraux de la flotte?—Oui, et avec de tels marins nous n'avons rien à craindre. 12. Est-ce que vous avez mis les souris avec les rats?—Oui, et les rats ont dévoré les souris.

(*The sentences in the plural should be said in the singular, and vice versâ.*)

Est-ce que is frequently used to ask questions, and when properly employed it marks surprise or doubt rather than the mere desire of being informed of the truth :—

1. *Est-ce que* vous êtes malade ?	1. Are you ill (really)?
2. *Est-ce que* votre médecin a une grande réputation ?	2. Has really your doctor a great name ?

Exercise.—(*The plural.*)

1. Have you put the rose-trees in the green-house?—No, they are in the garden? 2. Do you know all the colonels*?—Yes, but I do not know the major*? 3. Where are the cats?—They are in the garden. 4. Where are the crows?—They are in the cage* (f.). 5. Where are the partridges?—They are in the field behind the farm-house. 6. Have you put my horses in the stable?—

---

[1] *Bijou, caillou, chou, genou, hibou,* and *joujou,* take *x* in the plural.

No, they are in the field. 7. Are the dogs in the kennel?—No, they are in the garden. 8. Where have you pulled these roses*?—In the walk which leads to the green-house. 9. Where have you pulled these dahlias*?—In the walk which leads to the hot-house. 10. Have you put the rats* with the cats!—Yes, and the cats have devoured the rats*.

6. Sixième conversation.

LES JOURS DE LA SEMAINE. (*The days of the week.*)

1. Dimanche; 2. lundi; 3. mardi; 4. mercredi; 5. jeudi; 6. vendredi; 7. samedi. (*All masculine*)

(No capital is required to begin the names of the days of the week.)

1. Où serez-vous lundi?—Je serai encore ici. 2. Aurai-je le plaisir de vous voir mardi?—Non, monsieur, je dois aller à la campagne ce jour-là. 3. Prenez-vous une leçon de français le mercredi?—Oui, c'est un de mes jours de leçon. 4. Avez-vous congé le jeudi?—Non, mais nous avons congé le mercredi après-midi. 5. Serez-vous à la campagne vendredi?— Non, je dois dîner à Londres chez mon oncle. 6. Où serez-vous samedi?—Je serai chez mon oncle. 7. Serez-vous à la campagne d'aujourd'hui en huit?—Oui, je suis invité à y aller passer huit jours à la fin de cette semaine. 8. Serez-vous ici d'aujourd'hui en quinze?—Oui, car je serai de retour dans dix jours au plus tard. 9. Aurai-je le plaisir de voir votre cousin dimanche?—Oui, il ira à la même église que nous. 10. Serez-vous à la campagne dimanche?— Oui, mais nous reviendrons lundi matin.

Exercise.—(*The days of the week.*)

Il prêchera *dimanche*, He will preach on Sunday.	Il prêche *le* dimanche, He preaches *on* Sundays.
Elle part *lundi*, She leaves *on* Monday.	Elle vient *le* lundi, She comes *on* Mondays.
Il est mort *mardi*, He died *on* Tuesday.	Il examine *le* mardi, He examines *on* Tuesdays.
Vous viendrez *mercredi*, You will come on Wednesday.	Nous dessinons *le* mercredi, We draw *on* Wednesdays.
Ils partiront *jeudi*, They will leave *on* Thursday.	Nous sortons *le* jeudi, We go out *on* Thursdays.
Ils arriveront *vendredi*, They will arrive *on* Friday.	Ils font maigre *le* vendredi, They eat no meat *on* Fridays.
Elles reviendront *samedi*, They will return *on* Saturday.	Nous avons congé *le* samedi, We have a holiday *on* Saturdays.

Observe the difference of meaning between the two columns, noticing that the preposition "on" is not expressed in French.

1. Will you be here *on* Tuesday?—No, I shall-be in London. 2. Will you be in the country *on* Monday?—No, I intend *to* go to Bristol* *on* that day. 3. Shall I have the pleasure of seeing your uncle *on* Wednesday?—No, he will-go to London *on* that day. 4. Shall we return *on* Thursday morning?— No, we shall-return *on* Friday afternoon. 5. Have you a holiday *on* Thursday? —No, we have a holiday *on* Saturdays. 6. Will you be at (the) church *on* Sunday morning?—I shall-be at (the) church *on* Sunday morning and on Sunday afternoon. 7. Where will you be this day week?—I shall be at (p. 25) my cousin*'s. 8. Will you be in London this day fortnight?—No, I will-be in the country.

⁎ The following lessons on the numerals being rather long, may easily be divided, and a portion of each learnt conjointly with other matter. At this stage of the work, the pupil might profitably begin the 10th Lesson, p. 12.

7. Septième conversation.

CARDINAL NUMBERS.

1, Un (m.), une (f.)	21, Vingt et un.	71, Soixante et onze[1].
2, Deux.	22, Vingt-deux.	72, Soixante-douze.
3, Trois.	23, Vingt-trois.	73, Soixante-treize.
4, Quatre	24, Vingt-quatre.	74, Soixante-quatorze.
5, Cinq.	25, Vingt-cinq.	75, Soixante-quinze.
6, Six.	26, Vingt-six.	76, Soixante-seize.
7, Sept.	27, Vingt-sept.	77, Soixante-dix-sept.
8, Huit.	28, Vingt-huit.	78, Soixante-dix-huit.
9, Neuf.	29, Vingt-neuf.	79, Soixante-dix-neuf.
10, Dix.	30, Trente.	80, Quatre-vingts.
11, Onze.	31, Trente et un.	81, Quatre-vingt-un.
12, Douze.	32, Trente-deux.	90, Quatre-vingt-dix.
13, Treize.	40, Quarante.	91, Quatre-vingt-onze.
14, Quatorze.	41, Quarante et un[1].	100, Cent[3].
15, Quinze.	50, Cinquante.	101, Cent-un[2].
16, Seize.	51, Cinquante et un[1].	200, Deux cents.
17, Dix-sept.	60, Soixante.	1000, Mille[3].
18, Dix-huit.	61, Soixante et un[1].	2000, Deux mille.
19, Dix-neuf.	69, Soixante-neuf.	1,000,000, Un million.
20, Vingt. (gt *mute*.)	70, Soixante-dix.	2,000,000, Deux millions.

The final consonant is not sounded before a cons. or h aspirated. (brace for 5–10)

g is mute but s is sounded. (brace for 21–31)

(*Que les élèves mettent un substantif après chacun des adjectifs numéraux.*)

I.—1. Combien sommes-nous ici?—Nous sommes deux[4]. 2. A quelle page en sommes-nous?—A la page neuf. 3. Dans quelle année sommes-nous?—Nous sommes en mil[5] huit cent-soixante[6]... 4. Combien y a-t-il de jours dans un an?—Quand l'année n'est pas bissextile, il y a trois cent-soixante-cinq jours. 5. Combien y a-t-il de semaines dans un an?—Il y en a cinquante-deux. 6. Combien y avait-il d'apôtres?—Ils étaient au nombre de douze. 7. Combien de doigts avez-vous?—J'en ai dix, cinq à chaque main. 8. Combien y a-t-il d'habitants dans cette ville-ci?—Il y en a soixante mille, je crois. 9. Combien y a-t-il d'ici à Londres?—Il y a deux cents milles.—10. Quelle heure est-il?—Il est onze heures à ma montre.

II.—11. A quelle heure vous levez-vous ordinairement?—Je me lève à six heures, hiver et été. 12. A quelle heure vous couchez-vous?— Je me couche ordinairement entre dix et onze heures. 13. A quelle heure dînez-vous?—Nous dînons d'habitude à cinq heures et demie. 14. A quelle heure prenez-vous le thé?—Entre sept et huit heures. 15. A quelle heure entrez-vous en classe?—Ordinairement à dix heures. 16. Dans quelle année naquit Napoléon Ier?—En mil[5] sept cent-soixante-neuf[6]. 17. Combien y a-t-il de départements en France?—Il y en a quatre-vingt-neuf. 18. Depuis quelle heure êtes-vous ici?—J'y suis depuis neuf heures. 19. Combien y a-t-il de pages dans ce livre?— Il y en a plus de deux cents. 20. Combien y a-t-il de questions dans cet exercice?—Il y en a vingt auxquelles j'ai répondu.

---

[1] *Et* unites *un* to *vingt, trente, quarante, cinquante, soixante,* and also *onze* to *soixante.* But the French say *quatre-vingt-un* and *quatre-vingt-onze.*

[2] The conjunction "and" which follows "hundred" is not expressed: "Hundred *and* one," *cent un.*

[3] "One" preceding *hundred* and *thousand* is not expressed in French: (a) *One* hundred and ten, *cent dix.* (b) *One* thousand eight hundred and forty years, *mille huit cent quarante ans.* However, *cent,* as a noun, is preceded by *un* and followed by *de:* Donnez-moi un cent de fagots.

[4] Or *trois, quatre,* &c. [5] The abridged form *mil* is used in stating the date of the Christian era, and only then. [6] *The date* 1860 *may also be read,* dix-huit cent soixante; and 1769 may be read, dix-sept cent soixante-neuf.

Colloquial Exercise.—(*Cardinal numbers.*)

(The following questions are to be answered with cardinal numbers.)

I.—1. Combien de poches avez-vous ? 2. Combien de frères avez-vous ? 3. Combien de boutons y a-t-il à votre gilet ? 4. Combien de pages avez-vous étudiées dans ce livre ? 5. Combien ce mois-ci a-t-il de jours ? 6. Quelle heure est-il à votre montre ? 7. A quelle heure êtes-vous entré ici ? 8. A quelle heure en sortirez-vous? 9. A quelle heure vous levez-vous en[1] hiver ? 10. Vous levez-vous à la même heure pendant la belle saison[2] ? 11. A quelle heure déjeunez-vous ordinairement ? 12. Combien y a-t-il de comtés en Angleterre ? 13. Combien y en a-t-il dans le Pays de Galles ? 14. Combien[3] y a-t-il d'ici à Paris ?

II.—1. Combien y a-t-il de francs dans une livre (sterling) ? 2. Combien y a-t-il d'habitants en Angleterre ? 3. Quelle est la population de la France ? 4. Combien y a-t-il de leçons dans ce livre-ci ? 5. Quel âge avait Napoléon Ier lorsqu'il fut élu empereur ? 6. Dans quelle année fut-il envoyé à Sainte-Hélène ? 7. Dans quelle année mourut-il ? 8. Vous dites que 15 et 20 font 35 ; combien 35 et 45 font-ils ? 9. Si de 75 j'ôte 14, combien restera-t-il ? 10. Combien font 5 fois 6 ? 11. Si je divise 120 fcs. entre cinq ouvriers, combien auront-ils chacun ? 12. Si j'ajoute 18 à 73, combien cela fera-t-il ? 13. Si je multiplie 12 par 12, quel sera le produit ? 14. N'y a-t-il pas plus de 80[4] ans que la Corse appartient à la France ? 15. N'y a-t-il pas plus de 200[4] ans que Shakspeare est mort.

☞ *Avoir* ("to have") appears in stating how many years old a person or a thing is:—1. Quel âge *avez*-vous ?—J'*ai* 20 ans. What age *are* you ?—I *am* twenty years of age. 2. Ce navire *a* cent ans. This vessel *is* 100 years old.

III. THE HOUR.—1. Quelle heure est-il à présent ? 2. Ne vous levez-vous pas à 7 heures et demie ? 3. Ne vous couchez-vous pas à 10 heures et un quart[5] ? 4. Ne prenez-vous pas le thé à 7 heures un quart ? 5. N'êtes-vous pas entré ici à 8 heures et 20 minutes[6] ? 6. Ne vous en irez-vous pas à 9 heures moins 20 minutes[7]. 7. N'est-il pas 8 heures et 35 minutes[8] à votre montre ? 8. L'horloge n'avance-t-elle pas de 10 minutes ? 9. Votre montre ne retarde-t-elle pas de 5 minutes ? 10. A quelle heure attendez-vous le facteur ?

8. Huitième conversation.—(*Voyez page 9.*)

ORDINAL NUMBERS.

Premier,	1er	Douzième,	12e	Quarantième,	40e
Second (-*gond*),	2d	Treizième,	13e	Cinquantième,	50e
Deuxième (-*zième*),	2e	Quatorzième,	14e	Soixantième,	60e
Troisième,	3e	Quinzième,	15e	Soixante-dixième,	70e
Quatrième,	4e	Seizième,	16e	Quatre-vingtième,	80e
Cinquième,	5e	Dix-septième,	17e	Quatre-vingt-unième,	81e
Sixième,	6e	Dix-huitième,	18e	Quatre-vingt-dixième,	90e
Septième,	7e	Dix-neuvième,	19e	Centième,	100e
Huitième,	8e	Vingtième,	20e	Cent-cinquantième,	150e
Neuvième,	9e	Vingt et unième,	21e	Deux-centième,	200e
Dixième,	10e	Vingt-deuxième,	22e	Millième,	1000e
Onzième,	11e	Trentième,	30e	Millionième, &c.	

(Que l'élève place chacun des nombres ordinaux devant un substantif: le premier jour, le second mois, le troisième siècle, &c.)

---

[1] *En été, en* automne, *en* hiver, are more general than *dans* l'été, *dans* l'automne, *dans* l'hiver; but the French say *au* printemps, and never *en* printemps.

[2] LA BELLE SAISON est la partie de l'année où le temps est généralement beau, c'est-à-dire la fin du printemps, l'été et le commencement de l'automne. LA MAUVAISE SAISON est la fin de l'automne, l'hiver et le commencement du printemps.

[3] *i.e.,* Combien de *milles* y a-t-il? "*How many* miles *is it?*"

[4] *Vingt* and *cent,* multiplied by a number and not followed by another, take s: so say, (a) quatre-vingts ans, (b) *deux cents* ans ; and (a) quatre-vingt-trois ans, (b) deux cent-trois ans.

[5] *Or à 10 heures un quart.* [6] *Or* à 8 heures 20. [7] *Or* à 9 heures moins 20. [8] *Or* 8 heures 35.

I. NOMBRES ORDINAUX.

1. Avez-vous lu la 100ᵉ page?—Non, et il se passera du temps avant que nous en soyons là. 2. Avez-vous lu le 2ᵉˡ volume de l'Histoire d'Angleterre de Macaulay?—Oui, et il m'a fort intéressé. 3. Qui est-ce qui encouragea les lettres en Angleterre au XVIᵉ siècle?—Ce fut la reine Élisabeth. 4. Voulez-vous me prêter le 5ᵉ volume de votre histoire de France?—Oui, mais à condition que vous me le rendrez dans huit jours. 5. Demeuriez-vous au second²?—Non, je demeurais au premier, au-dessus de l'entre-sol. 6. Avez-vous le 47ᵉ numéro du journal?—Oui, et, si vous y tenez, je vous le rendrai. 7. Voulez-vous me prêter le 4ᵉ volume de l'ouvrage que vous avez reçu pour vos étrennes?—Je veux bien, mais je vous prie d'en avoir le plus grand soin, car j'y tiens beaucoup. 8. N'êtes-vous pas tombé malade le 11ᵉ jour de la traversée?—Si, mais il y avait à bord du navire un jeune médecin qui m'a guéri tout de suite. 9. Où est le 45ᵉ régiment?—Il est en garnison à Londres. 10. Avez-vous commencé le 9ᵉ numéro?—Non, nous le commencerons demain matin.

II. THE CARDINAL INSTEAD OF THE ORDINAL NUMBER.

☞ The French use the cardinal numbers (p. 9) instead of the ordinal—
1. In mentioning the day of the month, except *the first* (le premier).
2. After the name of sovereigns, except the *first* (premier)³.
3. In quoting cantoes, chapters, sections, &c., except the *first*.

1. Avez-vous reçu mon journal le vingt-cinq?—Il ne m'est parvenu que le vingt-sept. 2. Arriverez-vous le douze?—Je crois que nous arriverons plus tôt. 3. Qu'avez-vous appris au cours d'histoire du dix-sept? —Le professeur nous a expliqué le règne de Louis Treize. 4. Le pasteur⁴ a-t-il commencé en disant: "Chapitre quinze, verset dix-sept?"—Oui, car il ne manque jamais de nous indiquer le texte de son sermon.

Colloquial Exercise.

I. ORDINAL NUMBERS. —*Answer with ordinal numbers:*—1. Quelle place occupez-vous en classe? 2. Dans quel siècle sommes-nous? 3. Quel est le roi d'Angleterre qui périt sur l'échafaud? 4. Dans quel siècle fut-il exécuté? 5. Janvier est le premier mois de l'année et octobre le....? 6. Qu'est-ce que l'annulaire? 7. A quelle leçon trouve-t-on le verbe *être* (*page* 19)? 8. Les verbes en *ir* forment la deuxième conjugaison, et les verbes en *re*...? 9. Tous les Français sont obligés de passer à la conscription quand ils entrent dans leur...? 10. Vous venez de répondre à la neuvième question, à laquelle répondez-vous maintenant?
II. THE CARDINAL USED FOR THE ORDINAL NUMBER.—1. A quelle page votre livre est-il ouvert? 2. Quel est le quantième⁵ du mois? 3. Quel est le roi de France qui périt sur l'échafaud en 1793⁶? 4. Qui est-ce qui succéda à Louis XVIII? 5. N'êtes-vous pas né le 29 du mois? 6. Que trouve-t-on dans l'évangile selon Saint-Jean, chapitre vii, verset 16⁷? 7. Ne demeurez-vous pas au numéro 17, au coin de la rue? 8. Votre libraire n'est-il pas au numéro 11?

---

¹ Say, *le deuxième volume.* It would be correct to say *le second volume,* but *le deuxième* is preferred when there is a third. ² *i.e.,* au second *étage.* ³ And sometimes *the second:* Henri II *may be read* Henri Deux *or* Henri Second; the latter form not being much used. ⁴ *Or* le ministre. These two words, *pasteur* and *ministre* indicate generally protestant clergymen.
⁵ Should this question happen to be asked on the *first* day of a month, the answer would be: *C'est aujourd'hui le premier.* ⁶ This may be read either (1) dix sept cent quatre-vingt-treize, or (2) mil sept cent quatre-vingt-treize. The second form is restricted to dates, and never used in numbering persons or things. (See *note 5, page 9.*) ⁷ Voici le verset: "Jésus leur répondit: 'Ma doctrine n'est pas de moi; mais elle est de celui qui m'a envoyé.'"

9. Neuvième conversation.

LES REPAS.—LES ALIMENTS.—LES BOISSONS.

1. Avez-vous déjeuné?—Oui, monsieur, j'ai déjeuné à 9 heures. 2. A quelle heure dînez-vous en hiver ?—Nous dînons presque toujours à cinq heures; au printemps nous dînons à six heures. 3. Où passez-vous le printemps?—Nous le passons toujours à Londres. 4. Pourriez-vous dîner sans poisson?—Oui, mais je ne pourrais pas dîner sans pommes de terre. 5. Buvez-vous souvent du cidre?—Non, je bois ordinairement de la bière. 6. A quelle heure déjeunez-vous en été ?—Nous déjeunons à huit heures.

7. Que buvez-vous quand vous avez soif?—Je bois de l'eau fraîche. 8. Où passez-vous les vacances de Noël ?—Je les passe tantôt à Londres, tantôt à la campagne. 9. Mangez-vous beaucoup de viande en été?—Nous en mangeons moins qu'en hiver. 10. Quand le raisin est-il mûr? —En France on a du raisin bien mûr au mois de septembre. 11. Où fait-on du cidre en France?—On fait du cidre excellent en Normandie et en Picardie. 12. Aimez-vous les salaisons ?—J'aime mieux la viande et le poisson non salés. 13. Aimez-vous le pain sec?—Je casse volontiers une croûte, quand je n'ai pas le temps de me mettre à table. 14. Aimez-vous le pain tendre ?—J'aime mieux le pain rassis. 15. Où passez-vous l'été ?—Nous le passons le plus souvent au bord de la mer.

Exercise.—(*Meals, &c.*)

1. Do you breakfast at eight o'clock?—No, we breakfast at nine o'clock. 2. Do you dine at five o'clock in summer?—No, we dine at six* o'clock? 3. Do you drink cider?—No, we drink porter* (m.). 4. Could you dine without potatoes?—Yes, but I could not dine without bread. 5. Do you drink beer when you are thirsty?—No, I drink fresh water.

6. Do you spend the Christmas holidays in London?—No, I spend them in the country. 7. Do you like (the) fish?—Yes, but I like (the) meat better. 8. Do you often eat new bread?—No, I like stale bread better. 9. Do they make cider in Normandy?—Yes, they make excellent* cider. 10. Do you spend the summer at the sea-side?—Yes, we generally spend it at Dieppe*.

10. Dixième conversation.—(*Première partie.*)

1. Avoir[1], *to have;* 2. ayant, *having;* 3. eu, *had.*

4. *I have,* j'ai, tu as, il a; nous avons, vous avez, ils ont.

5. *I had,* j'avais, tu avais, il avait; nous avions, vous aviez, ils avaient.

6. *I had,* j'eus, tu eus, il eut; nous eûmes, vous eûtes, ils eurent.

7. *I shall* or *will have,* j'aurai, tu auras, il aura; nous aurons, vous aurez, ils auront.

8. *I should* or *would have,* j'aurais, tu aurais, il aurait; nous aurions, vous auriez, ils auraient.

9. *It is possible that I may have[2]*, il est possible que j'aie, que tu aies, qu'il ait; que nous ayons, que vous ayez, qu'ils aient.

10. *It was possible that I might have,* il était possible que j'eusse, que tu eusses, qu'il eût; que nous eussions, que vous eussiez, qu'ils eussent.

11. Aie, *have (thou);* ayons, *let us have;* ayez, *have (ye or you).*

---

[1] Order of the tenses:—1. Present of the Infinitive. 2. Present participle. 3. Past participle. 4. Present of the Indicative. 5. Imperfect. 6. Past definite. 7. Future absolute. 8. Present of the Conditional. 9. Present and future of the Subjunctive. 10. Imperfect of the Subjunctive. 11. Imperative.

[2] The tenses of the subjunctive should never be used alone, but with some governing expression; such as, *il est possible, il faut, il importe, il n'est pas certain*, &c., for the first tense; and *il était possible, il fallait, il importait, il n'était pas certain*, &c., for the second tense.

INDICATIF.—*Présent.*—1. Avez-vous un habit brun?—Non, j'ai un habit noir. 2. Ai-je un habit noir?—Non, vous avez un habit bleu. 3. A-t-il un livre français?—Il en a plusieurs. 4. A-t-elle une institutrice?—Oui, elle a une jeune institutrice très instruite. 5. Monsieur votre oncle a-t-il voiture?—Il a un coupé. 6. Mademoiselle votre sœur a-t-elle un chapeau gris?—Non, elle a un chapeau rose. 7. Avez-vous congé le samedi?—Oui, mais seulement l'après-midi. 8. Vos voisins ont-ils encore leurs chevaux?—Non, ils les ont vendus à mon oncle.

Imparfait.—1. Aviez-vous un paletot imperméable pendant l'orage? —Non, et j'ai été mouillé jusqu'aux os. 2. Votre précepteur avait-il une bibliothèque?—Oui, il avait une bibliothèque peu nombreuse, mais bien choisie. 3. Fanny avait-elle une ombrelle verte?—Non, elle avait une ombrelle grise. 4. Vos cousins avaient-ils des lettres de recommandation?—Oui, ils en avaient une pour l'ambassadeur, et une autre pour le consul général.

INTERROGATIVE FORM OF THE VERB "AVOIR."—(*Indicative mood.*)

PRESENT. *Have I?* &c.	PAST INDEFINITE. *Have I had?* &c.	IMPERFECT. *Had I?* &c.	PLUPERFECT. *Had I had?* &c.
Ai-je?	Ai-je eu?	Avais-je?	Avais-je eu?
As-tu?	As-tu eu?	Avais-tu?	Avais-tu eu?
A-t-il?	A-t-il eu?	Avait-il?	Avait-il eu?
A-t-elle?	A-t-elle eu?	Avait-elle?	Avait-elle eu?
Avons-nous?	Avons-nous eu?	Avions-nous?	Avions-nous eu?
Avez-vous?	Avez-vous eu?	Aviez-vous?	Aviez-vous en?
Ont-ils?	Ont-ils eu?	Avaient-ils?	Avaient-ils eu?
Ont-elles?	Ont-elles eu?	Avaient-elles?	Avaient-elles eu?

Exercise.—(*Avoir,* "to have.")

INDICATIF.—*Présent.*—1. Have you a black coat?—No, I have a brown coat. 2. Has he a book?—Yes, he has a French book. 3. Has she a pink bonnet?—No, she has a blue bonnet. 4. Has your cousin* (m.) an orange* (f)?—No, he has a melon* (m.). 5. Has your sister a piano* (m.)?—No, she has an harmonium* (m.). 6. Have your neighbours instruments*?—Yes, they have pianos* and harmoniums*.

Imparfait.—1. Had you a gray parasol?—No, I had a green parasol. 2. Had your uncle a waterproof coat during the storm?—No, and he was (*past indef.*) drenched to the skin. 3. Had your uncles letters of introduction?—Yes, they had one for the ambassador and another for the cardinal*. 4. Had your cousins* (m.) pianos?—No, they had harmoniums*.

Dixième conversation.—(*Seconde partie.*)

PASSÉ INDÉFINI. *Have I had?*	FUTUR. *Shall I have?* &c.	CONDITIONNEL. *Should I have?*
Ai-je eu?	Aurai-je?	Aurais-je?
As-tu eu?	Auras-tu?	Aurais-tu?
A-t-il eu?	Aura-t-il?	Aurait-il?
A-t-elle eu?	Aura-t-elle?	Aurait-elle?
Avons-nous eu?	Aurons-nous?	Aurions-nous?
Avez-vous eu?	Aurez-vous?	Auriez-vous?
Ont-ils eu?	Auront-ils?	Auraient-ils?
Ont-elles eu?	Auront-elles?	Auraient-elles?

Passé indéfini.—1. Avez-vous eu cet atlas dans la bibliothèque?—Non, je l'ai trouvé dans la classe. 2. Robert a-t-il eu les meilleures notes de la classe?—Oui, et tout le monde croit qu'il aura le prix. 3. Pauline a-t-elle eu son ombrelle verte à six heures?—Le marchand la lui a renvoyée ce matin. 4. Avez-vous eu congé mardi?—Oui, et nous en

avons profité pour aller nous promener. 5. Vos cousins ont-ils eu leur argent par la poste de six heures ?—Le mandat est arrivé à midi. 6. A quelle heure Frédéric a-t-il eu son paletot imperméable ?—Le tailleur le lui a envoyé à midi.

Futur.—1. Aurai-je le second prix?—Si vous travaillez bien vous l'aurez peut-être. 2. Qui aura le premier prix ?—L'élève qui aura les meilleures notes. 3. Aurons-nous congé demain ?—Non, vous aurez congé samedi. 4. A quelle heure les élèves avancés auront-ils leur leçon ?—A une heure, une demi-heure après les commençants.

CONDITIONNEL.—*Présent.*—1. Martin aurait-il des chevaux s'il était majeur?—Il dit qu'il aurait des chevaux et des chiens, et qu'il irait à la chasse. 2. Aurions-nous congé s'il faisait beau?—Oui, on vous conduirait au jardin botanique, où vous verriez de très belles serres.

Le jardin botanique de Paris porte le nom de *Jardin des Plantes.* On y voit des plantes exotiques et des animaux rares.

Exercise.—(*Avoir,* "to have.")

Passé indéfini.—1. Where have you had that album* (m.)?—I (have) found it in the library. 2. Have you had *a* holiday *on* Saturday ?—No, we have had *a* holiday *on* Tuesday. 3. Have your uncles had the post-office-order at twelve-o'clock?—No, they have had it at one o'clock. 4. Has your sister had her parasol at six* o'clock?—She has had it at twelve-o'clock.

Futur.—1. Shall we have *a* holiday *on* Tuesday ?—No, you will have *a* holiday *on* Saturday. 2. At what o'clock will the beginners have their lesson?—They will have it at twelve-o'clock, half an hour after the advanced pupils. 3. At what o'clock will Caroline* have her green parasol?—She will have it at 1 o'clock. 4. At what o'clock will your cousin* have his waterproof-coat?—Perhaps at six* o'clock.

11. Onzième conversation.
"AVOIR," IDIOMATICALLY USED.

Ai-je chaud,	*Am I warm ?*	Ai-je eu honte,	*Have I been ashamed ?*
As-tu froid,	*Art thou cold ?*	As-tu eu sommeil,	*Hast thou been sleepy ?*
A-t-il faim,	*Is he hungry ?*	A-t-il eu peur,	*Has he been afraid ?*
Avons-nous soif,	*Are we thirsty ?*	Avons-nous eu besoin,	*Have we been wanting ?*
Avez-vous raison,	*Are you right ?*	Avez-vous eu soin,	*Have you taken care ?*
Ont-ils tort,	*Are they wrong ?*	Ont-ils eu regret,	*Have they regretted ?*

1. Avez-vous faim maintenant?—Non, je viens de déjeuner. 2. Ont-ils soif?—Non, ils viennent de boire. 3. A-t-il peur des voleurs ?—Oui, et il prétend qu'il a entendu du bruit la nuit dernière. 4. Avons-nous raison ?—Je commence à croire que nous avons tort. 5. Ont-ils tort ?—Il faut le croire, car tout le monde le dit. 6. Ai-je chaud ?—Non, vous avez froid. 7. Votre grand-père a-t-il quatre-vingts ans ?—Oui, mais on ne lui en donne pas plus de soixante. 8. Quel âge a votre cousin Joseph ?—Il a vingt ans, deux ans de plus que ma cousine.

9. Avez-vous froid dans votre chambre?—Oui, et je vais demander une chambre plus chaude. 10. Avez-vous eu soin de vos habits?—Oui, et ils sont comme neufs. 11. Quel âge a votre cousin Charles?—Il a vingt ans, mais on ne lui en donnerait pas plus de dix-sept. 12. Avez-vous sommeil ?—Oui, et je vais demander un bougeoir et aller me coucher. 13. Pourquoi êtes-vous altéré?—Parce que j'ai mangé un hareng saur. 14. Avez-vous envie de lire les Mémoires de

Saint-Simon ?—Oui, et si vous voulez me prêter le premier volume de l'ouvrage (m.), je l'emporterai dans ma chambre. 15. Pourquoi avez-vous froid ?—Parce que l'on ne m'a pas mis assez de couvertures. 16. Avez-vous envie d'aller à Versailles demain ?—Oui, car j'aimerais beaucoup à parcourir le musée.

VERSAILLES (Seine-et-Oise) n'était sous Louis XIII qu'un rendez-vous de chasse, mais le magnifique palais et les superbes jardins que Louis XIV y fit construire en firent bientôt une ville importante. Le palais fut de 1680 à 1789 la résidence ordinaire de la cour. Il fut transformé par Louis-Philippe (1830–1848) en un immense musée de peintures et de sculptures relatives à l'histoire de France. La ville qui, en 1789, avait près de 80,000 habitants, n'en a guère aujourd'hui plus de 30,000. Deux chemins de fer, celui de la RIVE DROITE et celui de la RIVE GAUCHE (de la Seine), unissent Versailles à Paris.

Exercise.—(*"Avoir" idiomatically used.*)

1. ARE you cold ?—No, I AM warm. 2. ARE you thirsty ?—No, I AM hungry. 3. Is he thirsty ?—Yes, he IS thirsty and hungry. 4. Is she sleepy ?—No, she IS hungry. 5. How old IS your cousin* Robert* ?—He IS six* years *of age*. 6. How old IS your cousin Fanny* ?—She IS twenty years *of age*. 7. ARE they (m.) right ?—No, they ARE wrong. 8. IS she wrong ?—No, she IS right. 9. *Do* you WISH to read this (*cet*) work ?—Yes, I WISH to read the first volume* (m.). 10. *Do* you FEEL INCLINED to go to Ramsgate* ?—No, I should like to go to Brighton*.

12. Douzième conversation.

LA TEMPÉRATURE.—LES MOIS.

January,	janvier.	*May,*	mai.	*September,*	septembre.
February,	février.	*June,*	juin.	*October,*	octobre.
March,	mars.	*July,*	juillet.	*November,*	novembre.
April,	avril.	*August,*	août.	*December,*	décembre.

The names of the months are all masculine, and take no capital except at the beginning of a sentence. The *l* of *avril* is liquid, and *août* is generally pronounced *ou*.

1. Fait-il chaud aujourd'hui ?—Non, il fait assez froid pour la saison. 2. Fait-il froid dehors ?—L'air est assez vif. 3. Avez-vous chaud ?—Non; et je crois que je vais mettre mon paletot. 4. Préférez-vous le mois de décembre au mois de janvier ?—Je pense que le mois de décembre est le plus désagréable des deux, mais la fin en paraît moins triste à cause des fêtes de Noël. 5. Quel temps fait-il en février ?—Le temps est très inconstant ; il neige et il gèle encore souvent, mais les jours croissent notablement.

6. Neige-t-il souvent en mars ?—Non, mais c'est le mois des giboulées, de la grêle et des grands vents. 7. Fait-il très froid en novembre ?—Oui, c'est le commencement de la mauvaise saison ; les jours sont déjà très courts et le soleil ne paraît plus qu'au travers des brouillards. 8. Quels sont vos deux mois favoris ?—Je crois que je préfère le mois de mai et le mois de septembre. 9. Fait-il chaud au mois d'août ?—Oui, il fait très chaud, mais c'est un mois très agréable au bord de la mer. 10. Fait-il froid aujourd'hui ?—Je crois vous avoir dit que l'air est un peu vif. 11. Avez-vous laissé votre paletot dans le vestibule ?—Non, il est dans ma chambre ; je vais aller le chercher pour sortir. 12. Où avez-vous mis votre parapluie ?—Il est dans le porte-parapluie ; le vôtre est accroché à l'une des patères du vestibule.

Exercise.—(*The months and the weather.*)

1. Is it cold outside?—Yes, it is very cold. 2. Is it cold in December?—Yes, it is very cold. 3. Is it warm in July?—Yes, it is very warm. 4. Is it warm in March?—No, it is cold. 5. What weather is it in August?—It is very warm. 6. Does it snow in January?—Yes, it snows very often. 7. Do you prefer July to August?—I think that I prefer the month of August. 8. Does it often† snow in November?—No, but it snows very often in December and (in) January. 9. Is it cold to-day?—It is rather sharp. 10. Where have you left your great-coat?—It is on (*sur*) the table* (f.). 11. Have you left your umbrella in my room?—No, it is in the hall (*or* passage).

† As a rule the adverb goes *after* the verb. (*See page 6.*)

13. Treizième conversation.

A, AU, A LA, A L', AUX.

To the, *or* at the
1. **au** before a *m.* word beginning with a cons. or *h* asp.
2. **à la** before a *f.* word beginning with a cons. or *h* asp. } in the SINGULAR.
3. **à l'** before a vowel or *h* mute . . . .
4. **aux** before any word . . . . . . in the PLURAL.

MASCULIN.	FÉMININ.
1. Irez-vous au lac ?	1. Irez-vous à la forêt ?
2. Écrirez-vous au roi ?	2. Écrirez-vous à la reine?
3. Irez-vous au haras ?	3. Irez-vous à la halle?
4. Irez-vous à l'étang ?	4. Irez-vous à l'église?
5. Iront-ils à l'hôpital ?	5. Iront-ils à l'hôtellerie ?
6. Parlerez-vous aux soldats?	6. Parlerez-vous aux couturières?
7. Écrirez-vous aux enfants?	7. Parlerez-vous aux ouvrières?
8. Parlera-t-il aux hommes?	8. Parlera-t-il aux héritières?
9. Retournerez-vous aux haras ?	9. Vendront-ils cela aux halles ?

1. Parlez-vous à Richard ?—Non, je parle à Raoul qui m'a demandé une feuille de papier. 2. Parlez-vous à Clara ?—Non, je parle à Louise qui m'a prié de lui montrer mon album. 3. Préférez-vous Bossuet à Fénelon ?—Ce sont deux écrivains que j'admire, mais Bossuet me paraît plus éloquent que Fénelon. 4. Allez-vous à Cambrai ?—Non, je vais à Valenciennes, patrie de Froissart. 5. Vous levez-vous à six heures, hiver et été ?—Non, l'hiver je me lève à sept heures. 6. Votre cousin demeure-t-il à Paris ?—Non, il habite Lyon ; c'est la plus grande ville de France après Paris. 7. Avez-vous écrit au marquis?—Oui, je lui ai demandé la permission de visiter sa galerie de tableaux.

8. Avez-vous parlé à la duchesse?—Oui, et elle m'a répondu d'une manière très aimable. 9. Avez-vous écrit à l'évêque ?—Oui, mais j'attends toujours sa réponse. 10. Donnez-vous la préférence à l'hiver?—Non, ma saison favorite, c'est le printemps. 11. Allez-vous au marais ?—Non, je vais aller chasser dans le bois. 12. Allez-vous donner ces insectes à l'hirondelle ?—Oui, et puis je la laisserai s'envoler de sa cage, car je crois qu'elle y mourrait. 13. Écrirez-vous aux Allemands ?—Oui, je vais les inviter à venir à la chasse. 14. Écrirez-vous au baron?—Je viens de mettre la lettre à la poste.

Exercise.—(*A, au, à la, à l', aux.*)

I. *Put the article and the noun in the plural.*—1. Écrirez-vous au colonel ? 2. Enverrez-vous cet argent au médecin ? 3. Irez-vous au hameau ? 4. Vous arrêterez-vous à l'hôtel ? 5. Enverrez-vous ces fleurs à la demoiselle ? 6. Parlerez-vous à l'Italienne ? 7. Écrirez-vous à l'héritière ? 8. Irez-vous à la houblonnière ?

II. *Put the article and the noun in the singular.*—(a) MASCULINE :—1. Avez-vous écrit *aux* Français ? 2. Avez-vous répondu *aux* Italiens ? 3. Parlez-vous *aux* horlogers (*h mute*) ? 4. Répondrez-vous *aux* Hongrois (*h asp.*) ?
(b) FEMININE :—1. Enverrez-vous les fleurs *aux* dames ? 2. Donnerez-vous l'argent *aux* ouvrières ? 3. Donnerez-vous ces mouches *aux* hirondelles (*h mute*) ? 4. Enverrez-vous les mineurs *aux* houillères (f., *h asp.*) ?

14. Quatorzième conversation.
DE, D', DU, DE LA, DE L', DES.

Of the, or from the
1. **du** before a *m.* word beginning with a cons. or *h* asp. ⎫
2. **de la** before a *f.* word beginning with a cons. or *h* asp. ⎬ in the SINGULAR.
3. **de l'** before a vowel or *h* mute . . . . ⎭
4. **des** before any word . . . . . in the PLURAL.

MASCULINE NOUNS.	FEMININE NOUNS.
1. Venez-vous *du* lac ?	1. Venez-vous *de la* brasserie ?
2. Attendez-vous une lettre *du* duc ?	2. Attendez-vous la réponse *de la* duchesse ?
3. Venez-vous *du* haras ?	3. Venez-vous *de la* houblonnière ?
4. Venez-vous *de l'*étang ?	4. Venez-vous *de l'*écurie ?
5. Viennent-ils *de l'*hôpital ?	5. Viennent-ils *de la* halle ?
6. Viennent-ils *des* champs.	6. Parlent-ils *des* frégates ?
7. Parlent-ils *des* horlogers.	7. Parlent-ils *des* horloges ?
8. Viennent-ils *des* haras ?	8. Viennent-ils *des* houblonnières ?

1. Avez-vous parlé *d'*Ernest ?—Oui, et j'ai dit tout le bien que j'en pense. 2. Avez-vous parlé *d'*Augusta ?—Oui, et nous en avons dit tout le bien que nous en pensons. 3. Avez-vous reçu une lettre *d'*Alfred ? —Oui, il me donne de très bonnes nouvelles. 4. Avez-vous reçu une lettre *d'*Élise ?—Oui, elle m'apprend qu'elle est contente en pension. 5. Avez-vous parlé *du* panier ?—Oui, et nous avons dit qu'on en ait le plus grand soin, car il est plein *d'*œufs. 6. Avez-vous parlé *de la* vache ?—Oui, et nous avons dit qu'on lui donne de l'herbe avant l'arrivée *du* boucher. 7. Avez-vous parlé *de l'*hôpital ?—Oui, et nous avons l'intention d'aller le visiter demain matin avec le médecin en chef. 8. Avez-vous parlé *de l'*héritier ?—Oui, nous sommes surpris *de l'*héritage qu'il vient de faire. 9. Avez-vous reçu une lettre *de l'*héritière ?—Oui, elle m'apprend qu'elle va doter ses sœurs. 10. Avez-vous parlé *de l'*église (f.) ?—Oui, nous la trouvons très belle. 11. Avez-vous parlé *des* héritières ?—Oui, nous avons dit qu'elles n'auront pas de mal à trouver des maris. 12. Venez-vous *du* village ?—Non, nous venons *de la* forêt. 13. Le pêcheur vient-il *de la* rivière ?—Oui, et il est tout chargé de poisson. 14. Venez-vous *de l'*étang (m.) ?—Oui, c'est là que j'ai pêché les carpes et les anguilles que je vais vous montrer. 15. Venez-vous *de l'*hôpital (m.) ?—Non, nous venons *de la* caserne. 16. Avez-vous reçu un paquet *de la* campagne ?—Nous avons reçu une bourriche *de* gibier. 17. Le voyageur vient-il *de* Nantes ?—Oui, et il dit que c'est une assez belle ville. 18. Venez-vous *d'*Avignon ?—Oui, c'est une ville très intéressante.

Exercise.—(*De, d', du, de la, de l', des.*)
I. *Put the article and the noun in the plural.*—1. Venez-vous *du* bois ? 2. Venez-vous *de la* ferme ? 3. Avez-vous vu *le* cheval *du* fermier ? 4. Avez-vous accepté *le* poulet *de la* fermière ? 5. Avez-vous reçu les lettres *du* Hollandais ? 6. Avez-vous reçu cet argent *du* brasseur ? 7. Avez-vous vu les pendules *de l'*horloger ? 8. Venez-vous *de la* houblonnière ?
II. *Put the article and the noun in the singular.*—(a) MASCULINE:—1. Avez-vous reçu ces lettres *des* Français ? 2. Avez-vous reçu ce houblon *des* Anglais ?

B

3. Attendez-vous des nouvelles *des* Espagnols? 4. N'attendez-vous pas des nouvelles *des* Hollandais (*h asp.*)? 5. Venez-vous *des* bois (m.)? 6. Avez-vous envoyé le houblon *des* brasseurs?

FEMININE:—1. Avez-vous reçu la visite *des* dames? 2. Attendez-vous la visite *des* demoiselles? 3. Venez-vous *des* houblonnières (*h asp.*)? 4. Avez-vous envoyé l'argent *des* ouvrières? 5. Avez-vous aperçu les nids (m.) *des* hirondelles (*h mute*)? 6. Avez-vous reçu les malles *des* Hollandaises (*h asp.*)?

15. Quinzième conversation.

FRUITS, VEGETABLES, AND BIRDS.

1. Aimez-vous les cerises?—Oui, mais je crois que j'aime encore mieux les fraises. 2. Est-ce que (*page* 7) les moineaux aiment les cerises?—Oui, ils en sont très friands. 3. Y a-t-il beaucoup de prunes dans votre verger? —Oui, nous avons de très beaux pruniers qui donnent en abondance. 4. Y a-t-il beaucoup de petits pois dans votre potager?—Oui, et nous trouvons que ce sont les meilleurs des légumes, lorsqu'ils sont tendres et fraîchement écossés. 5. Avez-vous un perroquet en cage?—Nous en avons un, mais il se tient ordinairement sur un perchoir. 6. Monsieur votre frère vous a-t-il envoyé des chardonnerets?—Il m'en a envoyé un qu'il a élevé lui-même.

7. Y a-t-il des grives dans votre verger?—Il en vient quelquefois des bois voisins. 8. Y a-t-il des serins dans votre grande cage?—Nous en avons un qui siffle très bien; nous lui avons appris des airs au moyen d'une serinette. 9. Est-ce que (*page* 7) les chardonnerets chantent?— Oui, ils ont le chant assez agréable, mais un peu perçant. 10. Votre jardinier cultive-t-il des haricots blancs?—Oui, car nous les aimons presque autant que les haricots verts; ils sont délicieux quand ils sont dans leur primeur. 11. Est-ce que les oiseaux mangent votre raisin?—Oui, surtout les grives, malgré tous les épouvantails que met le jardinier. 12. D'où vient le raisin exquis que votre ami m'a envoyé?—Il le récolte dans sa serre; l'autre jour il m'en a donné une demi-douzaine de grappes pour le dessert de mon grand dîner.

BIRDS.	The male.	The female.	The young.
1. *The eagle,*	l'aigle mâle,	l'aigle femelle,	l'aiglon.
2. *The duck,*	le canard,	la cane,	le caneton.
3. *The cock,*	le coq,	la poule,	le poulet[1].
4. *The turkey,*	le dindon,	la dinde,	le dindonneau.
5. *The pheasant,*	le faisan,	la faisane[2],	le faisandeau.
6. *The linnet,*	le linot,	la linotte,	
7. *The goose,*	l'oie mâle (*ou* le jars)	l'oie femelle,	l'oison.
8. *The peacock,*	le paon,	la paonne,	
9. *The pigeon,*	le pigeon mâle,	le pigeon femelle,	le pigeonneau.
10. *The turtle dove,*	le tourterelle mâle,	la tourterelle fem.,	le tourtereau.

Exercise.—(*Fruits, vegetables, and birds.*)

(DIRECTION.—*The questions have to be answered, first by the teacher, and then by the learner.*)

I. FRUITS.—1. De quelle couleur sont les oranges? 2. Les cerises sont-elles jaunes? 3. Aimez-vous mieux les pommes que les poires? 4. Comment mangez-vous les fraises? 5. Comment casse-t-on les noix? 6. Les groseilles sont-elles chères? 7. Mangez-vous quelquefois des ananas? 8. Y a-t-il des figues fraîches dans ce pays-ci?

---

[1] *Newly hatched chickens are called poussins.*   [2] Or *la poule*.

II. Légumes.—1. Quels légumes avez-vous mangés aujourd'hui? 2. Aimez-vous les pommes de terre frites? 3. De quelle couleur sont les carottes? 4. Aimez-vous les navets crus? 5. Dans quelle saison les petits pois sont-ils mûrs? 6. Mangez-vous souvent des épinards? 7. Aimez-vous les choux confits dans le vinaigre? 8. Vous sert-on quelquefois des choux-fleurs? 9. Y a-t-il beaucoup de haricots dans votre jardin? 10. Y a-t-il des asperges?

III. Oiseaux.—1. Avez-vous un serin en cage? 2. De quelle couleur sont les cygnes? 3. Les corbeaux sont-ils jaunes? 4. Les oies sont-elles noires? 5. De quelle couleur est la pie? 6. Dans quelle saison les hirondelles reviennent-elles? 7. Votre perroquet parle-t-il anglais? 8. Y a-t-il des dindons dans votre basse-cour? 9. Aimez-vous le faisan rôti? 10. Mangez-vous quelquefois du canard aux petits pois?

16. Seizième conversation.

ÊTRE, "TO BE."—(*Read note 1, page 12.*)

1. Etre, *to be;* 2. étant, *being;* 3. été, *been.*

4. *I am,* je suis, tu es, il est ; nous sommes, vous êtes, ils sont.

5. *I was,* j'étais, tu étais, il était ; nous étions, vous étiez, ils étaient.

6. *I was,* je fus, tu fus, il fut ; nous fûmes, vous fûtes, ils furent.

7. *I shall* or *will be,* je serai, tu seras, il sera ; nous serons, vous serez, ils seront.

8. *I should* or *would be,* je serais, tu serais, il serait ; nous serions, vous seriez, ils seraient.

9. *It is possible that I may be,* il est possible que je sois, que tu sois, qu'il soit; que nous soyons, que vous soyez, qu'ils soient.

10. *It was possible that I might be,* il était possible que je fusse, que tu fusses, qu'il fût; que nous fussions, que vous fussiez, qu'ils fussent.

11. Sois, *be (thou)* ; soyons, *let us be;* soyez, *be (ye* or *you).*

Indicatif.—*Présent.*—1. Sommes-nous dans la classe ?—Oui, nous y sommes, et nous y resterons jusqu'à neuf heures. 2. Etes-vous Anglais[1]? —Oui, monsieur, et je croyais vous l'avoir dit. 3. Votre voisin est-il Irlandais?—Non, il est Anglais[1] comme moi. 4. Etes-vous de Douvres? —Non, je suis de Londres. 5. Vos oiseaux sont-ils dans leur cage?— Non, ils se sont envolés. 6. Vos fauvettes sont-elles dans la volière?— Non, je les ai mises dans une cage que j'ai suspendue dans ma chambre.

Imparfait.—1. Étiez-vous dans le champ?—Non, je cherchais des nids dans le bois. 2. Le nid était-il sur le chêne?—Non, il était sur le grand orme au bord du chemin. 3. Fanny était-elle dans le bois ?—Non, elle courait dans la prairie. 4. Votre ami était-il de Londres ?—Non, il était de Dublin. 5. De quel pays étaient vos voisins ?—Ils étaient Écossais. 6. Sa nièce était-elle institutrice[1] ?—Elle était demoiselle[1] de compagnie.

Passé indéfini.—1. Avez-vous jamais été à Londres?—Je croyais vous avoir dit que j'y suis né. 2. Votre cousin a-t-il été au collége à Paris ? —Oui, il y a fait toutes ses études. 3. Vos cousins ont-ils été dans la marine?— Oui; ils ont quitté la marine pour entrer dans l'armée. 4. Vos frères ont-ils été dans l'armée ?—Ils y sont encore ; l'un est capitaine[1], l'autre est lieutenant[1].

☞ [1] No article appears before the word expressing the nationality, state, or occupation of a person:

1. Je suis Anglais, I am *an* Englishman.
2. Il est médecin, He is *a* physician.
3. Vous êtes Espagnol, You are *a* Spaniard.
4. Elle est institutrice, She is *a* teacher.

Futur.—1. Serai-je le premier[1] ?—Oui, si vous travaillez bien. 2. Votre cousin sera-t-il marin ?—Non, il sera militaire. 3. Serons-nous seuls ?—Non, j'attends du monde à neuf heures. 4. Combien serez-vous ?—Nous serons huit ou dix. 5. Richard et Ernest seront-ils seuls ?—Non, ils ont invité plusieurs amis à passer la soirée avec eux. 6. Caroline et Clara seront-elles seules ?—Non, elles attendent leurs compagnes à dix heures.

Exercise.—(*Etre*, "*to be.*")

Interrogative form of être—(Indicative mood.)

PRESENT. *Am I? &c.*	IMPERFECT. *Was I? &c.*	PAST INDEFINITE. *Have I been? &c.*	FUTURE. *Shall I be? &c.*
Suis-je?	Étais-je?	Ai-je été?	Serai-je?
es-tu?	étais-tu?	as-tu été?	seras-tu?
est-il?	était-il?	a-t-il été?	sera-t-il?
est-elle?	était-elle?	a-t-elle été?	sera-t-elle?
sommes-nous?	étions-nous?	avons-nous été?	serons-nous?
êtes-vous?	étiez-vous?	avez-vous été?	serez-vous?
sont-ils?	étaient-ils?	ont-ils été?	seront-ils?
sont-elles?	étaient-elles?	ont-elles été?	seront-elles?

INDICATIF.—*Présent.*—1. Are you Irish ?—No, I am English. 2. Are you *a native* of Liverpool* ?—No, I am *a native* of London. 3. Is your cousin* *a native* of Paris* ?—No, he is *a native* of Bordeaux*. 4. Are your cousins* (m.) in Dover ?—No, they are in London.

Imparfait.—1. Were you in the wood ?—No, I was in the village* (m.). 2. Was the nest on the elm-tree ?—No, it was on the oak-tree. 3. Was Fanny* *a* lady's companion ?—No, she was *a* governess. 4. Were your neighbours *natives* of London ?—No, they were *natives* of Glasgow*.

Passé indéfini.—1. Have you ever been in Leeds* ?—I was born there. 2. Has Richard* been at school in London?—No, he has been at school in Paris*. 3. Have your cousins* been in the navy?—No, they have been in the army. 4. Have your cousins* (f.) been in Rome* ?—No, they (f.) have been in Florence*.

Futur.—1. Will your neighbour (m.) be (the) first ? — No, he will be (the) second*. 2. How-many shall we be at 9 o'clock ?—We shall be nine or ten. 3. Will Alfred* and Charles* be alone?—No, they have invited their cousins* (m.) to spend the evening with them. 4. Will Fanny* and Augusta* be alone?—No, they have invited their companions (f.) to spend the evening with them (*elles*).

17. Dix-septième conversation.

ADJECTIFS POSSESSIFS ET NOMS DE PARENTÉ.—(*See p. 121.*)

Singular.		Plural.	
Masculine.	Feminine.	Masc. and Fem.	
1. Mon,	ma,	mes,	my.
2. Ton,	ta,	tes,	thy.
3. Son,	sa,	ses,	his, her, its, *or* one's.
4. Notre,	notre,	nos,	our.
5. Votre,	votre,	vos,	your.
6. Leur,	leur,	leurs,	their.

I.—In French the possessive adjective agrees with the noun which it precedes.

II.—*Mon, ton,* and *son* are used instead of *ma, ta, sa* before feminine words beginning with a vowel or *h* mute :—1. *Mon* orange est bonne. 2. *Ton* encre est mauvaise. 3. *Son* oie est grasse. 4. *Mon* huile est rance. 5. *Son* héritière est morte. 6. *Son* aimable cousine est arrivée. 7. *Son* excellente tante lui a pardonné. 8. *Mon* ancienne maison est à vendre.

1. Où est *son* père?—Il est allé chez *sa* belle-fille. 2. Connaissez-vous *sa* mère?—Oui, c'est une personne très distinguée. 3. Avez-vous

---

[1] Or Serai-je la première ?

18. Dix-huitième conversation.

CE, CET, CETTE, *this* or *that ;* CES, *these* or *those.*

"This," or "that,"
  1. **Ce,** before a word, masculine singular, beginning with a consonant or *h* asp.
  2. **Cet,** before a word, masculine singular, beginning with a vowel or *h* mute.
  3. **Cette,** before any word in the feminine singular.

"These," or "those," 4. **Ces,** before any word in the plural.

EXAMPLES.—*Singular.*—*Ce* mouton, *ce* harnais, *cet* oiseau, *cet* habit, *cette* terre, *cette* haie, *cette* oie.

Plural.—*Ces* moutons, *ces* harnais, *ces* oiseaux, *ces* habits, *ces* terres, *ces* haies, *ces* oies.

☞ Difference between THIS and THAT, THESE and THOSE: 1. Prenez *ce* livre-*ci* et apportez-moi *ce* journal-*là*. 2. Mangez *ces* pommes-*ci* et gardez *ces* poires-*là*.

1. Connaissez-vous *ce* chasseur ?—J'ai déjà chassé plusieurs fois avec lui ; il est très adroit. 2. Connaissez-vous *cet* enfant ?—Je crois que c'est le fils cadet de notre pasteur. 3. Connaissez-vous *cet* homme ? —C'est le maréchal du village. 4. Avez-vous causé avec *ces* matelots ? —Oui, je leur ai fait raconter leur naufrage. 5. Que pensez-vous de *ce* banquier ?—Il est très sûr, mais peu complaisant. 6. Avez-vous parlé à *ce* commis ?—Oui, et il m'a répondu que son chef voyage en Angleterre. 7. Avez-vous parlé à *ce* caissier ?—Oui, et il m'a répondu que la caisse est fermée.

8. Avez-vous tué *ce* héron ?—Je ne suis pas assez adroit pour cela. 9. Aimez-vous *ce* temps-*ci* ?—Non, il fait trop chaud pour moi. 10. Voyez-vous *cette* montagne-*là ?*—Oui, elle me paraît plus haute que celle-*ci*. 11. Reconnaissez-vous *ce* mouchoir-*ci ?*—Il me semble que c'est le mien. 12. Avez-vous tué *ces* hérons-*ci ?*—Non, mais nous avons tué ceux-là. 13. Pourriez-vous attraper *ces* matelots-*là ?*—Non, ils courent trop vite. 14. Connaissez-vous *cette* banque ?—Oui, c'est là que je place mon argent. 15. Est-ce vous qui avez perdu *cette* épingle d'or ?—Oui ; je vous remercie beaucoup de me l'avoir rapportée. 16. Allez-vous mettre *cet* or et *cet* argent à la banque ?—Non, je vais le porter à la caisse d'épargne.

(PRACTICE.—Many of the questions and answers in this lesson may be used in the plural: 1. Connaissez-vous ces chasseurs ?—J'ai déjà chassé plusieurs fois avec eux ; ils sont très adroits. 2. Connaissez-vous ces enfants ?—Je crois que ce sont les fils de notre pasteur, &c.)

Exercise.—*(Ce, cet, cette, ces.)*

1. Do you know THIS farrier ?—Yes, he is the village* (m.) farrier. 2. Do you know THIS child ?—Yes, it is the farrier's son. 3. Do you know THIS man ? —Yes, he is very obliging. 4. Do you know THIS gold bracelet* (m.) ?—It is mine. 5. Have you shot THESE pigeons* ?—No, but I have shot THIS heron. 6. Could you catch THESE rats* (m.) ?—No, they run too fast. 7. Have you lost THIS pocket handkerchief ?—No, but I have lost a gold pin. 8. Are you going *to* put THIS money in the savings' bank ?—No, I am-going *to* take it to the Bank of France.*

Supplementary Exercise.

(Read both paragraphs before attempting any alterations.)

I. *Turn into the plural wherever sense allows.*—1. Qui a perdu *ce* foulard-ci ? —C'est moi. 2. Voyez-vous *cet* oiseau-là ?—C'est un épervier. 3. Qui a tué *cet* épervier ?—C'est cet Anglais. 4. Qui a tué *cette* hirondelle ?—C'est cet

enfant. 5. Comment trouvez-vous *cette* histoire ?—Elle est très amusante.
6. Voyez-vous *ce* hêtre-là ?—Oui, c'est un arbre magnifique.

II. *Change into the singular wherever it is required.*—1. Voyez-vous *ces arbres* (m.) ?—Ce sont des hêtres (m.). 2. Voyez-vous *ces* soldats ?—Ce sont des grenadiers. 3. Connaissez-vous *ces* horlogers ?—Oui, ce sont des horlogers suisses. 4. Connaissez-vous *ces* Hollandais (*h asp*.) ?—Oui, ce sont des négociants d'Amsterdam. 5. Connaissez-vous *ces* bergères ?—Oui, ce sont les bergères de nôtre village. 6. Quels airs allez-vous chanter ?—Je vais chanter *ces* anciennes chansons.

19. Dix-neuvième conversation.

NÉGATIONS.—(*See page 4.*)

Ne ...... pas, *not.*	Ne ...... nul[1]	
ne ...... point, *not (at all).*	ne ...... aucun[1],	*no, not any.*
ne ...... plus, *no more, no longer.*	ne ...... nullement,	*not at all, by*
ne ...... jamais, *never.*—(*See* p. 131.)	ne ...... aucunement,	*no means.*
ne ...... rien, *nothing.*	ne ...... nulle part[1], *nowhere.*	
ne ...... guère, *not often, scarcely ever.*	ne ...... ni, *neither, nor.*	
ne ...... personne[1], *nobody.*	ne ...... que[1], *not—but (only).*	

SIMPLE FORM.

I do not dance, &c.	*I never sing, &c.*	*I bring nothing, &c.*
Je ne danse pas.	Je ne chante jamais.	Je n'apporte rien.
Tu ne danses pas.	Tu ne chantes jamais.	Tu n'apportes rien.
Il ne danse pas.	Il ne chante jamais.	Il n'apporte rien.
Nous ne dansons pas.	Nous ne chantons jamais.	Nous n'apportons rien.
Vous ne dansez pas.	Vous ne chantez jamais.	Vous n'apportez rien.
Ils ne dansent pas.	Ils ne chantent jamais.	Ils n'apportent rien.

COMPOUND FORM.

I have not given, &c.	*I have never played, &c.*	*I have found nothing, &c.*
Je n'ai pas donné.	Je n'ai jamais joué.	Je n'ai rien trouvé.
Tu n'as pas donné.	Tu n'as jamais joué.	Tu n'as rien trouvé.
Il n'a pas donné.	Il n'a jamais joué.	Il n'a rien trouvé.
Nous n'avons pas donné.	Nous n'avons jamais joué.	Nous n'avons rien trouvé.
Vous n'avez pas donné.	Vous n'avez jamais joué.	Vous n'avez rien trouvé.
Ils n'ont pas donné.	Ils n'ont jamais joué.	Ils n'ont rien trouvé.

Let the pupil conjugate :—1. Je ne dessine plus, &c. 2. Je ne voyage guère, &c. 3. Je ne blâme personne, &c. 4. Je ne blâme ni ne loue. 5. Je ne rencontre que des soldats, &c.

Let him also go through :—1. Je n'ai trouvé personne, &c. 2. Je n'ai envoyé nulle part, &c. 3. Je n'ai apporté que mon sac, &c. 4. Je n'ai amené aucun de mes amis, &c.—observing that when the tense is compound, *personne, nul, aucun, nulle part,* and *que* follow the participle.

1. *N'*avez-vous *pas* votre chien ?—Non, je l'ai prêté à un ami qui en avait besoin pour aller à la chasse. 2. *Ne* dînez-vous *plus* à cinq heures ?—Je *n'*ai *jamais* dîné à cette heure-là ; je dîne ordinairement à six heures. 3. *N'*avez-vous rencontré *personne* dans le verger ?—Si, j'y ai vu vos petits cousins qui étaient tout barbouillés de jus de cerises. 4. *Ne* voyez-vous *rien* ?—Si, j'aperçois un petit oiseau sur la plus grosse branche du cerisier. 5. *N'*avez-vous *rien* trouvé ?—J'ai trouvé un nid de chardonnerets dans la haie du verger. 6. *Ne* connaissez-vous *aucun* membre de sa famille ?—Je connais son fils aîné et son gendre. 7. *N'*avez-vous été *nulle part* ce matin ?—Si, j'ai été me promener le long de l'étang.

8. *N'*avez-vous écrit *ni* à vos débiteurs *ni* à vos créanciers ?—Si, et je crois que je pourrai régler mes affaires avant de partir pour la

---

[1] When the tense is compound, *personne, nul, aucun, nulle part,* and *que* follow the participle.

France.   9. *Ne* connaissez-vous *que*[1] l'Angleterre ?—Je connais aussi la Hollande et l'Allemagne.   **10.** *N'*avez-vous vu *ni* Robert *ni* Alfred ?—Si, je les ai vus plusieurs fois.   **11.** *N'*allez-vous *jamais* au concert ?—Si, j'y vais quand il y a de bons chanteurs.   **12.** *N'*avez-vous *nul* intérêt à divulguer ce secret?—Non, et quand même j'y serais intéressé, je *ne* voudrais *pas* le dévoiler.   **13.** *N'*avez-vous rencontré Paul *nulle part?*—Si, je l'ai vu hier au concert.   **14.** *Ne* connaissez-vous *ni* la France *ni* la Belgique ?—Non, je *ne* connais *ni* l'une *ni* l'autre.

Exercise.—(*Negations.*)

(*Read both paragraphs before undertaking any change.*)

I. *Give the affirmative forms of the following sentences :*—1. Mon médecin *ne* vient *pas* souvent.   2. Nous *ne* déjeunons *plus* à 8 heures.   3. Nous *n'*avons *jamais* été à Édimbourg.   4. Cet enfant *ne* sait *rien.*   5. Je *ne* connais *personne* en Écosse.   6. Je *n'*irai *nulle part* ce soir.   7. Je *n'*ai vu *ni* marins *ni* soldats. 8. Je *n'*ai vu *aucun* de vos amis à Bruxelles.

II. *Give the negative forms of the following sentences :*—1. Je lis beaucoup. 2. Je prends toujours le thé à 8 heures.   3..Je demeure encore dans la même rue.   4. Je vous apporte quelque chose.   5. J'ai donné quelque chose au garçon. 6. On s'amuse beaucoup dans cette maison.   7. Je connais quelqu'un à Dublin. 8. J'ai envoyé quelqu'un en Irlande.   9. J'attends des Irlandais et des Écossais. 10. Nous irons quelque part cette après-midi.

20. Vingtième conversation.

PRÉPOSITIONS, ETC.

1. A, *to, at, in, from,* &c.	11. Dès, *from, as early as.*	21. Parmi, *among.*
2. Après, *after.*	12. Devant, *before, in front.*	22. Pendant[3], *during.*
3. Avant, *before.*	13. En, *in, into, to, as,* &c.	23. Pour, *for, in order to.*
4. Avec, *with.*	14. Entre, *between.*	24. Sans, *without.*
5. Chez, *at* (*the house of*).	15. Environ, *about.*	25. Selon[4], *according to.*
6. Contre, *against.*	16. Envers, *towards.*	26. Sous, *under.*
7. Dans, *in.*	17. Excepté[2], *except.*	27. Sur, *on, upon.*
8. De, *of, from, with,* &c.	18. Malgré, *in spite of.*	28. Touchant, *concerning.*
9. Depuis, *since, from.*	19. Outre, *besides.*	29. Vers, *about, towards.*
10. Derrière, *behind.*	20. Par, *by, from.*	30. Vu, *considering,* &c.

The prepositions *à, de* and *en* are repeated before every word which they govern : 1. Je vais aller *à* Paris, *à* Vienne, *à* Berlin, *à* St. Pétersbourg. 2. Nous attendons des lettres *de* Liverpool, *de* Hambourg, *de* Marseille, &c. 3. Mon ami a voyagé *en* France, *en* Autriche, *en* Prusse, *en* Russie.

1. Etes-vous né *à* Londres?—Je suis né *aux* environs *de* Londres. **2.** Avez-vous écrit *au* pharmacien ?—Oui, je lui ai écrit *de* m'envoyer des pilules et du laudanum. **3.** Est-ce que vous avez coupé les grappes *de* raisin *avec* des ciseaux?—Non, je me suis servi *d'*une serpette. **4.** Lirez-vous *après* votre cousin?—Je lirai *avant* lui. **5.** Votre domestique s'est-il levé *avant* moi?—Non, c'est un paresseux. **6.** Mon album est-il *sous* le piano?—Non, vous le trouverez *sur* l'étagère (f.). **7.** L'omnibus passe-t-il *devant* votre porte ?—Oui, il passe toutes les demi-heures.

---

[1] *i.e.,* Ne connaissez-vous *pas d'autre pays* que l'Angleterre?   [2] *Excepté* is also expressed by *hormis* and *sauf.*   [3] Or *durant.*—See HAVET's Complete French Class-Book, p. 339.   [4] Or *suivant.*

8. Est-il venu *sans* argent ?—Oui, et il est reparti *à* nos frais.
9. Mademoiselle votre sœur est-elle *dans* le coupé ?—Oui, mais elle va descendre *pour* vous dire bonjour. 10. Vous êtes-vous appuyé *contre* le mur ?—Non, je me suis assis *sur* un banc. 11. Avez-vous vu beaucoup *de* peupliers *d'*Amiens *à* Paris ?—On ne voit que cela ; la ligne *du* nord me paraît assez monotone. 12. Montreuil ne se trouve-t-il pas *entre* Boulogne et Abbeville ?—Si, mais *à* quelques kilomètres *de* la ligne. 13. Y avait-il un train *sur* la ligne ?—Oui, il y avait un train *de* marchandises. 14. Ce billet est-il *pour* le médecin ?—Non, c'est *pour* le pharmacien. 15. Etes-vous resté longtemps *chez*† le médecin?—Le temps *de* le consulter. 16. Etes-vous né *près de* Londres ?—Il me semblait vous avoir dit que je suis né *aux* environs de Londres.

† **Chez,** which is in frequent use in French, can generally be expressed by "at," "at home," "at the dwelling-place of," "at the business-place of," &c.

1. Je suis *chez* moi, *I am at home.*   Nous sommes *chez* nous, *we are at home.*
  Tu es *chez* toi, *thou art at home.*   Vous êtes *chez* vous, *you are at home.*
  Il est *chez* lui, *he is at home.*   Ils sont *chez* eux, } *they are at home.*
  Elle est *chez* elle, *she is at home.*   Elles sont *chez* elles, }

2. Il a été deux ans *chez* Rothschild.   *He was two years in Rothschild's (office).*
3. Allez *chez* mon tailleur.   *Go to my tailor's (shop).*
4. Allons *chez* son père.   *Let us go to his father's (house).*
5. Il m'envoya *chez* le docteur Thomas.   *He sent me to Dr. Thomas's (school).*

Chez, united to a personal pronoun, forms part of a compound noun :—

J'ai un *chez moi.*   Nous avons un *chez nous.*
I have a house of my own.   *We have a house of our own.*
Tu as un *chez toi.*   Vous avez un *chez vous.*
Il a un *chez lui.*   Ils ont un *chez eux.*
Elle a un *chez elle.*   Elles ont un *chez elles.*

On aime toujours son *chez soi.*

Exercise.—(*Prepositions.*)

(DIRECTION.—Fill up the blank with the necessary preposition, in the order of the list in page 24.)

I.—1. Où allez-vous ?—Je vais   Bordeaux. 2. Votre voisin est-il arrivé avant vous?—Non, il est arrivé   moi. 3. Votre voisin est-il venu après vous ?—Non, il est venu   moi. 4. Comment avez-vous fait ce trou ?—Je l'ai creusé   mon couteau. 5. Où demeurez-vous ?—Je demeure mon oncle. 6. Etes-vous pour lui ?—Non, je suis   lui. 7. Où est le concierge ?—Il est   sa loge. 8. D'où venez-vous ?—Je viens   Calcutta. 9. Votre voyage sera-t-il long ?—Nous irons   Lyon jusqu'à Genève. 10. Où est mon parapluie ?—Il est   la porte. 11. Les corneilles font-elles leurs nids de bonne heure ?—Souvent elles commencent   février. 12. Pourquoi allez-vous au tribunal ?—Pour comparaître   les juges. 13. Où êtes-vous né ?—Je suis né   Angleterre. 14. Où est le Pas-de-Calais ?—Il se trouve l'Angleterre et la France. 15. Combien nous coûtera ce voyage ?—Vous dépenserez   500 francs chacun.

II.—16. A-t-on été content de lui ?—Non, il a très mal agi   ses tantes. 17. Connaissez-vous tous ses cousins ?—Oui,   son cousin Albert. 18. Partira-t-il   son oncle ?—Je le crains. 19. Combien devez-vous   cela ?—Je dois 1250 francs. 20. Est-ce une ville ancienne que Marseille ?—Oui, elle a été bâtie   les Grecs environ 600 ans avant notre ère. 21. Avez-vous ce bouquin   vos *livres* ?—Non, je l'ai acheté chez un bouquiniste. 22.

Quand son frère est-il mort ?—Il est mort   la guerre d'Italie.   23. Le facteur a-t-il des lettres   nous ?—Non, il n'a que des journaux.   24. Etesvous venu   argent ?—Non, j'avais 750 francs.   25. Ce verset est-il dans l'évangile   St. Luc ?—Non, il se trouve dans l'évangile   St. Jean. 26. Pourquoi regardez-vous   la table ?—J'ai laissé tomber mon mouchoir. 27. Strasbourg est-il   le Rhin ?—Non, mais c'est à une très petite distance du Rhin.   28. Pourquoi êtes-vous resté si longtemps chez l'Allemand ?—Il m'a entretenu   ses affaires.   29. Où alliez-vous quand je vous ai rencontrés ?—Nous nous dirigions   votre maison.   30. Que disiez-vous de ce militaire ?—Je disais que   ses services, sa récompense devrait être plus grande.

21. Vingt et unième conversation.
PREPOSITIONS AND PREPOSITIVE PHRASES.

1. Votre domestique allait-il *vers* l'église (f.)?—Non, il se dirigeait *vers* la caserne.   2. Martin était-il *à* pied ?—Il était *sur* des échasses. 3. Votre associé était-il *à* cheval?—Il était monté *sur* une mule.   4. Vos domestiques ont-ils été malades *pendant* le voyage?—Non, heureusement, car nous n'aurions eu personne *pour* nous soigner.   5. Pourquoi Martin a-t-il regardé *sous* la table?—*Pour* ramasser sa serviette qu'il avait laissée tomber.   6. Pourquoi ne voulez-vous pas traiter ces hommes *selon* leur mérite ?—J'ai mes raisons *pour* cela ; plus tard vous m'en saurez gré.[1]   7. Pourquoi Robert est-il allé *aux* eaux *malgré* son tuteur?—Parce que son médecin le lui avait ordonné.

8. Combien votre associé vous a-t-il promis *outre* les quinze cents francs?—Il doit me remettre un billet *de* mille francs quand nous serons *à* Vichy.   9. Est-ce que l'agent *de* change demeure *au-dessus de* votre associé?—Oui, et *depuis* ce temps-là ils sont toujours ensemble.   10. Monsieur votre oncle demeure-t-il *au-dessous de* mon tuteur?—Non, il demeure *sur* le même palier.   11. Avez-vous sauté *par-dessus* la haie?—Oui, et je suis tombé *dans* un bourbier, d'où j'ai eu beaucoup *de* mal *à* me dépêtrer.   12. Avez-vous des tableaux *d'après* Rubens?—J'ai *d'*excellentes copies *de* quelques-uns *de* ses paysages.   13. Pourquoi son tuteur est-il mécontent *de* lui?—Parce qu'il mange son blé *en* herbe.   14. Se sont-ils promenés *autour de* la Bourse?—Oui, et son tuteur a profité *de* la circonstance *pour* le blâmer de sa prodigalité.   15. Qui est-ce qui était *à côté* de vous *dans* l'omnibus ?—Un homme gros comme un muid, qui s'est plaint *pendant* tout le trajet.

Exercise.—(*Prepositive phrases.*)

1. A côté de, *by the side of, beside.*	12. Avant de, *before.*
2. A cause de, *on account of.*	13. D'après, *from, according to.*
3. A l'égard de, *with regard to.*	14. Dessus et dessous, *upon and under.*
4. A l'exception de, *with exception of.*	15. En deça de, *on this side of.*
5. A travers, *across, through.*	16. En faveur de, *in behalf of.*
6. Au delà de, *beyond.*	17. Jusqu'à, *as far as.*
7. Au-dessous de, *beneath.*	18. Loin de, *far from.*
8. Au-dessus de, *above.*	19. Par-dessus, *over.*
9. Au devant de, *before (to meet).*	20. Près de, *near.*
10. Auprès de, *near, close by.*	21. Quant à[2], *as to, as for.*
11. Autour de, *around, about.*	22. Vis-à-vis[3] de, *opposite.*

A travers is also expressed by *au travers de,* and generally implies difficulty or obstruction : Nous ne voyons le soleil qu'*au travers des* brouillards.

---

[1] *i.e. You will thank me for it.*   [2] *Pour expresses quant à.*
[3] *En face de* is used for vis-à-vis.

(DIRECTION.—Fill up the blank with the necessary expression, according to the list in p. 26.)

I.—1. Où étiez-vous assis ?—J'étais assis ma sœur. 2. Armand viendra vous. 3. Vous avez manqué de considération votre précepteur. 4. Je connais toute sa famille, son fils aîné. 5. Nous sommes revenus les bois. 6. Il a réussi ses espérances. 7. Votre ami n'est-il pas logé vous ? 8. Ne demeurez-vous pas mon oncle ? 9. Viendrez-vous nous ? 10. La petite fille n'était-elle pas sa mère ? 11. Vous êtes-vous promené la ville ?

II.—12. Avez-vous réfléchi parler ? 13. Ce tableau n'est-il pas Raphaël ? 14. Avez-vous regardé l'armoire ? 15. Strasbourg n'est-il pas le Rhin ? 16. Voulez-vous écrire quelques lignes ce jeune commis ? 17. Avez-vous été Marseille ? 18. Pau est-il Bayonne ? 19. Avez-vous sauté la haie ? 20. Montpellier n'est-il pas Nîmes ? 21. Je consens ce point-là. 22. Demeurez-vous la Monnaie ?

OBSERVATIONS.—I. Six prepositions, à, de, entre, par, pour, and sans, govern the infinitive : 1. Il nous invite à dîner. 2. Dites-lui de venir. 3. Il y a une grande différence entre espérer et posséder. 4. Il commence par rire. 5. Voici de l'argent pour le payer. 6. Dites cela sans rire.

II. APRÈS appears before avoir or être followed by a past participle: 1. Je partirai après avoir dîné. 2. Après être arrivé à Marseille, j'irai voir le port.

III. EN is the only preposition that governs the gerund : Robert m'a conté cela en riant.

22. Vingt-deuxième conversation.

LA PRÉPOSITION "DE."

I. DE denoting possession.—1. Avez-vous vu les vaches du ministre ? —Oui, je les ai vues près de la mare ; le vacher m'a dit leur âge et leurs noms. 2. Avez-vous rencontré l'intendant de monsieur votre père ?— Oui, il m'a fait voir toute la propriété. 3. Avez-vous écrit au fermier de monsieur votre oncle ?—Je viens de lui écrire pour lui annoncer que nous irons chasser la semaine prochaine. 4. Avez-vous rencontré les chevaux de votre frère ?— Je les ai vus à l'abreuvoir. 5. Avez-vous donné les moutons de votre fermier ?—Non, je les ai vendus. 6. Avez-vous trouvé la bible du pasteur ?—Non, je crois qu'il l'a laissée dans sa chaire.

II. DE or EN showing the material of which an object is made.— 1. Avez-vous une maison de fer ?—Non, nous habitons une maison de brique. 2. Avez-vous passé le pont de pierre ?—Non, nous avons pris le pont de bois. 3. Avez-vous acheté un lit de plume ?—Oui, car on m'avait mis un matelas très dur. 4. Avez-vous une montre d'argent ? —Non, j'ai une montre d'or que j'ai achetée à mon dernier voyage en Suisse. 5. Richard a-t-il un gilet de soie ?—Non, il a un gilet de drap noir. 6. A-t-il acheté des bas de laine ?—Non, il a fait emplette d'une douzaine de paires de bas de coton. 7. Marion a-t-elle acheté une robe de soie ?—Non, elle a acheté une robe de popeline à Londres dans un grand magasin de nouveautés. 8. Avez-vous une chaise en ébène ?—Oui, j'ai une chaise en ébène sculptée. 9. A-t-elle acheté un collier en or ?—Non, elle a acheté un collier en corail. 10. Guillaume portait-il un gilet de velours ?—Non, il portait un gilet de moire antique. 11. Est-ce que votre intendant demeure dans une maison de pierre ?—Non, il habite une jolie maison de brique à l'entrée du parc. 12. Étiez-vous assis sur une colonne de marbre ?— Non, j'étais assis sur un tronc d'arbre au milieu des ruines. 13. Est-ce

que le chasseur portait une casquette *de* velours ?—Non, il avait un chapeau *de* paille.   14. Avez-vous passé le pont *de* Glasgow en omnibus ?—Oui, mais nous sommes revenus à pied par le pont suspendu. 15. Comment avez-vous passé le pont *de* bois ?—Nous l'avons passé en fiacre ; le cheval allait au petit pas.   16. *En* quoi sont ces tables ?— La plus grande est *en* acajou ; l'autre est *en* érable.

Exercise.—(*Transposition of words.—De.*)

I. DE *denoting possession.*—1. Where is[1] your uncle's bible* (f.) ?—It (f.) is on the table* (f.).   2. Have you met the farmer's horses ?—Yes, I have seen them at the horse-pond.   3. When[2] shall we go *and* shoot on your cousin*'s estate ?—Next week.   4. Have you found the clergyman's sermon* (m.) ?—I think that he has left it[3] in the pulpit.

II. DE.—1. Have you a brick house ?—No, we live *in* a wooden house. 2. Have you a gold watch ?—No, I have a silver watch.   3. Has Robert* bought any cotton stockings ?—No, he has bought a dozen of pairs of woollen stockings.   4. Has Alice* bought a poplin dress ?—No, she has bought a silk dress.

[1] Où est.   [2] Quand.   [3] Il l'a laissé.

23. Vingt-troisième conversation.

CONJUNCTIVE PERSONAL PRONOUNS.—(*Compare with* p. 30.)

I.	II.	III.	IV.
Je suis.	Il *me* voit.	Il *me* parle.	Je *me* vois.
Tu† es.	Il *te* voit.	Il *te* parle.	Tu *te* vois.
Il est.	Il *le* voit.	Il *lui* parle.	Il *se* voit.
Elle est.	Il *la* voit.	Il *lui* parle.	Elle *se* voit.
Nous sommes.	Il *nous* voit.	Il *nous* parle.	Nous *nous* voyons.
Vous êtes.	Il *vous* voit.	Il *vous* parle.	Vous *vous* voyez.
Ils sont.	Il *les* voit.	Il *leur* parle.	Ils *se* voient.
Elles sont.	Il *les* voit.	Il *leur* parle.	Elles *se* voient.

☞ The conjunctive personal pronoun used objectively *precedes* the governing verb. (See p. xiv., no. 27.)

RULE I.—When the verb requires to be preceded by two pronouns, the *indirect* goes before the direct object : J'aimerais à voir le roi, voulez-vous *me le* montrer ?

RULE II.—But when both pronouns are in the *third* person, the *direct* precedes the indirect object : Charles n'a jamais vu le roi, voulez-vous *le lui* montrer ?

I. SUJETS.—1. Ai-*je* fini la première section ?—*Vous* l'avez presque finie.   2. A-t-*il* envoyé les vaches au boucher ?—Oui, et le garçon va les conduire à l'abbatoir.   3. A-t-*elle* écrit aux demoiselles ?—*Elle* vient de leur écrire pour les inviter à venir prendre le thé ce soir.   4. Avons-*nous* appris ces fables ?--*Vous* les avez traduites hier et *vous* ne vous en souvenez plus !   5. Avez-*vous* fini ces romans ?—Oui, et vous pouvez les reporter au cabinet de lecture.   6. Ont-*ils* vu les vaches ?—*Ils* viennent d'entrer dans l'étable pour les regarder.   7. Sont-*elles* malades ?—Non, *elles* se portent très bien.   8. Où est le cheval blanc ?—*Il* est dans l'écurie avec le cheval gris-pommelé.   9. Où est la vache blanche ? —*Elle* est dans le pré avec les veaux.   10. Où sont le cheval et la vache ?—*Ils* sont dans le village.

---

† The second person singular is much more frequent in French than in English ; but as the use of it is rather too nice to be practised by any one but those that are perfectly acquainted with the language and the manners of the French, I advise English pupils not to employ it.

II. COMPLÉMENTS DIRECTS.—1. *Me* connaissent-ils ?—Ils disent vous connaître depuis longtemps. 2. *L'*invitez-vous ?—Je *l'*invite souvent, car c'est un jeune homme très agréable. 3. *Vous* laisse-t-il seul ?—Oui, il est toujours en voyage. 4. *Nous* connaissent-ils ?—Ils disent *nous* avoir vus aux eaux. 5. *La* connaissent-ils ?—Ils *l'*ont vue à votre dernière soirée. 6. *L'*invitez-vous ?—Oui, nous *l'*invitons souvent, car elle chante à ravir. 7. *Le* laisse-t-il seul ?—Très souvent, car il va presque tous les soirs au spectacle ou au concert. 8. *Les* connaissez-vous ?—Oui, je *les* connais très bien. 9. Que ferez-vous de ce bracelet ?—Je *le* porterai quand je serai en toilette. 10. Que ferez-vous de cette broche ?—Je *la* porterai avec mon châle écossais.

III. COMPLÉMENTS INDIRECTS.—1. *M'*écrirez-vous ?—Oui, je vous tiendrai au courant de tout ce qui se passera ici. 2. Que *lui* avez-vous envoyé ?—Je *lui* ai envoyé un jambon, un fromage de Gruyère et une douzaine de pots de confitures. 3. Que *lui* avez-vous donné ?—Je *lui* ai donné un châle écossais et une broche. 4. Que *nous* ont-ils envoyé ?—Ils *nous* ont envoyé des sardines, du thon mariné et des jambons de Bayonne. 5. Que *vous* ont-ils écrit ?—Ils *m'*ont annoncé une cargaison d'oranges. 6. Que *leur* avez-vous promis ?—Je *leur* ai promis un chargement de vins et de fruits secs. 7. Qu'avez-vous donné à mon serin ?—Je *lui* ai donné du chènevis et du mouron. 8. Qu'avez-vous donné à ma mule ?—Je *lui* ai donné du foin.—*(For the pronouns of column* IV., *see* 71*st Lesson, p.* 92.)

Exercise.—*(Conjunctive personal pronouns.)*

I. SUBJECTS.—1. Have YOU sent the calves to the butcher ?—Yes, and HE is going *to* take them to the slaughter-house. 2. Has SHE written to her cousins* ? —Yes, SHE has just written *to* them. 3. Where are the butchers ?—THEY are in the slaughter-house. 4. Where are the cows ?—THEY are in the meadow. 5. Where is the dappled-gray horse ?—It is in the stable.

II. DIRECT OBJECTS PLACED BEFORE THE VERB.—1. Do they know YOU ?— Yes, they know US very well. 2. Does he leave HIM alone ?—Yes, he leaves HIM alone every evening. 3. Do you know HER ?—Yes, I know HER very well. 4. Do you invite HIM often ?—Yes, I invite HIM very often. 5. What will you do with your Scotch shawl ?—I shall wear IT at the watering-town (*pl.*). 6. When will you wear this brooch ?—I shall wear IT at the concert* (m.).

III. INDIRECT OBJECTS.—1. Have you sent HIM a ham ?—No, I have sent HIM a cheese. 2. Have you given HER a shawl ?—No, I have given HER a brooch. 3. What have you sent *to* THEM ?—I have sent THEM a cargo of oranges*. 4. What have they sent YOU ?—They have sent US ham, cheese, and tunny-fish. 5. What will you write *to* ME ?—Everything that takes place here. (See answer to question in No. 1 of paragraph III. in French lesson.)

Supplementary Exercise.—*(See p.* 168.)

The personal pronoun follows the imperative used affirmatively; the contrary takes place when the imperative is employed negatively.

DIRECTION.—*The pupil will change the following sentences into the affirmative form. He must observe that in the affirmative form of the imperative,* moi *and* toi *are used instead of* me *and* te.

1. Ne *me* brossez pas. 2. Ne *te* ménage pas. 3. Ne *le* punissez pas. 4. Ne *la* récompensez pas. 5. Ne *les* récompensons pas. 6. Ne *la* punissons pas. 7. Ne *m'*apportez pas votre devoir. 8. Ne *me* rendez pas mon argent. 9. Ne *lui* envoyez pas le journal. 10. Ne *nous* reconduisez pas. 11. Ne *la* protégez pas. 12. Ne *nous* rendons pas. 13. Ne l'attendons pas. 14. Ne *les* écoutons pas.

24. Vingt-quatrième conversation.

DISJUNCTIVE PERSONAL PRONOUNS.—*(Compare with p. 28.)*

SUJETS.		COMPLÉMENTS.	
Qui parle ?	Moi.	Qui punit-il ?	Moi.
Qui écoute ?	Toi.	Qui voit-il?	Toi.
Qui rit ?	Lui.	Qui frappe-t-il ?	Lui.
Qui pleure ?	Elle.	Qui admire-t-il ?	Elle.
Qui perd ?	Nous.	Qui blâme-t-il ?	Nous.
Qui gagne ?	Vous.	Qui loue-t-il ?	Vous.
Qui paie ?	Eux.	Qui rencontre-t-il ?	Eux.
Qui reçoit ?	Elles.	Qui invite-t-il ?	Elles.

There is also *soi*, which is the disjunctive form of *se*.

The personal pronoun assumes the *disjunctive* form, the sound of which is generally fuller than the conjunctive, in the following cases: 1. After a conjunction, especially in comparisons; 2. after a preposition; 3. for the sake of emphasis or contrast; and 4. when used alone, which chiefly happens in answering questions.

NOUS, VOUS, LUI, ELLE, and ELLES, also appear as conjunctive pronouns (see p. 28). LUI as a disjunctive pronoun only means "he" or "him," whereas it may stand for "to him" or "to her" when it is used as a conjunctive pronoun. ELLE ("she") as a conjunctive pronoun can only appear as a subject; but as a disjunctive pronoun ELLE may be used both as a subject and an object ("she" or "her").—(HAVET'S "Complete French Class-Book," p. 124.)

I. SUJETS.—1. A-t-elle un plus joli chapeau que *moi?*—Le sien n'est pas aussi bien garni, mais il est plus frais. 2. Robert est-il plus grand que *toi?*—Non, il a un pouce de moins. 3. Etes-vous plus patient que *lui?*—Je suis encore plus impatient. 4. Etes-vous plus prudent qu'*elle?* —Ce serait difficile. 5. Est-il plus brave que *nous?*—Pour savoir cela, il faudrait le mettre à l'épreuve. 6. Sont-ils plus constants que *vous?*—Ils sont encore plus volages. 7. Est-il plus impertinent qu'*eux?* —C'est l'homme le plus insolent du monde. 8. Etes-vous plus grand qu'*elles?*—Elles sont de ma taille. 9. Qui répond en allemand ?—*Lui*, car il parle très bien allemand. 10. Qui veut aller à Paris ?—*Moi*, car je n'y ai jamais été. 11. Qui est arrivé la dernière ?—*Elle ;* vous remarquerez qu'elle est toujours en retard. 12. Qui est-ce qui jouera du piano ?—*Eux*, car ils sont excellents musiciens.

II. COMPLÉMENTS DIRECTS.—1. Qui avez-vous admiré ?—*Elle;* c'était la reine du bal. 2. Qui inviterez-vous ?—*Lui* et ses amis, car ce sont d'excellents pianistes. 3. Qui demande-t-on ?—*Moi ;* je sais pourquoi. 4. Qui récompensera-t-on ?—*Toi ;* tu le mérites bien. 5. Qui a-t-on flatté ?—*Vous*, et vous ne le savez que trop. 6. Qui plaignez-vous ?—*Lui* et *elle*, car leur père les a laissés sans fortune. 7. Qui demande-t-on ? —*Eux ;* on s'ennuierait fort si on ne les avait pas. 8. Qui avez-vous admiré ? —*Elles ;* vous avez dû remarquer qu'elles étaient mises à ravir et qu'elles ont chanté dans la perfection.

III. COMPLÉMENTS INDIRECTS.—1. Qui est pour *moi?*—Tout le monde; vous avez été dupe d'un fripon qui n'inspire que du mépris. 2. Qui est contre *toi?*—Personne; tout le monde sait que j'ai raison. 3. Qui viendra *avec lui?*—Quelques-uns de ses anciens camarades de collége. 4. Qui

chantera avec *elle ?*—Son futur; il a une admirable voix de ténor.   5.
Qui voyagera avec *nous ?*—Un voyageur italien qui nous servira de
cicerone partout où nous irons.   6. Votre professeur chantera-t-il avec
vous ?—Non, il m'accompagnera avec le piano.   7. Charles chantera-t-il
avec *elles ?*—Je croyais vous avoir dit qu'il est atteint d'une extinction
de voix.   8. Qui est contre *eux ?*—Tout le monde, car ce sont des char-
latans de la plus vile espèce.

Exercise.—*(Disjunctive personal pronouns.)*

I. Subjects.—1. Is Alfred* taller than I *am?*—No, he is one inch less than
you *are*.   2. Are you more exact* than he *is?*—That would be difficult.   3. Who
will play on that instrument* (m.) ?—They (f.) *will*.   4. Who wishes *to* go to
Bordeaux* ?—They (m.) *do*.   5. Who replies in German ?—I *do*, for I speak
German.   6. Who was (*imp.*) the queen of the ball ?—She *was;* everybody (has)
admired her.

II. Direct Objects.—1. Whom will they (*on*) reward ?—Him and his cousin*
(m.).   2. Whom have they (*on*) flattered ?—Them (f.) and their cousins (f.).
3. Whom will you invite ?—Them (m.), for they are excellent pianists.   4.
Whom have they flattered ?—Me; I know why.

III. Indirect Objects.—1. Who is for thee ?—Everybody *is*, for everybody knows that I am right.   2. Who is against me ?—Everybody *is*.   3. Who
will come with her ?—Richard* and Ernest*.   4. Who will sing with him ?—
Fanny*, Alice*, and Augusta*.   5. Who is for us ?—Nobody.   6. Who is
against them (m.) ?—Everybody.   7. Who will sing with them (f.) ?—Their
professor *will*.   8. Who will sing with you ?—The Italian tenor.

25. Vingt-cinquième conversation.

PRONOMS POSSESSIFS.—*(See p. 20.)*

SINGULIER.		PLURIEL.		
MASC.	FÉMININ.	MASC.	FÉMININ.	
1. Le mien,	la mienne,	les miens,	les miennes,	*mine* or *my own.*
2. Le tien,	la tienne,	les tiens,	les tiennes,	*thine* or *thy own.*
3. Le sien,	la sienne,	les siens,	les siennes,	*his, hers,* or *its,* or *his* or *her own.*
4. Le nôtre,	la nôtre,	les nôtres,	les nôtres,	*ours* or *our own.*
5. Le vôtre,	la vôtre,	les vôtres,	les vôtres,	*yours* or *your own.*
6. Le leur,	la leur,	les leurs,	les leurs,	*theirs* or *their own.*

The article *le, la, les,* which precedes these pronouns, when accompanied by *de* or *à,* becomes
du, de la, des, and *au, à la, aux;* as,

Du mien,	de la mienne,	des miens,	des miennes,	*of mine, &c.*
Au mien,	à la mienne,	aux miens,	aux miennes,	*to mine.*

I.—1. Avez-vous payé votre tailleur et le *mien ?*—Oui, et je leur ai dit
que leurs comptes sont exorbitants.   2. Avez-vous payé votre couturière et *la mienne ?*—Oui, et je leur ai fait comprendre qu'elles vont
perdre deux pratiques.   3. Avez-vous payé vos ouvriers et *les miens ?*
—Oui, et je leur ai annoncé qu'on chômera une partie de la semaine
prochaine.   4. Avez-vous payé vos ouvrières et *les miennes ?*—Oui, et
je leur ai dit de revenir lundi, toujours aux mêmes conditions.

II.—1. Où sont votre cousin et *le sien ?*—Ils sont allés jouer aux
quilles.   2. Pensez-vous qu'elle écrive à ma tante et à *la sienne ?*—Elle
s'en garderait bien.   3. Où sont vos domestiques et *les siens ?*—Ils sont
allés à la fête du village sans permission.   4. Où sont vos sœurs et *les
siennes ?*—Elles font de la tapisserie dans la serre.

III.—1. Mettra-t-on son cousin avec *le nôtre ?*—Oui, on leur donnera
la grande chambre du fond.   2. Avez-vous payé sa couturière et *la*

nôtre ?—Oui, et j'ai dit que vous trouvez les prix exorbitants. 3. Avez-vous payé ses domestiques et *les nôtres?* —Non, je n'avais pas assez d'argent pour payer tout le monde. 4. Avez-vous payé vos ouvrières et *les nôtres?*—Oui, et je leur ai dit qu'elles peuvent chercher de l'ouvrage ailleurs.

IV.—1. Pensez-vous qu'elle écrive à son père après avoir écrit *au vôtre?*—Oui, et je crois qu'elle a fixé le jour de notre départ. 2. Avez-vous payé son institutrice et *la vôtre?*—Oui, je leur ai remis à chacune un billet de £10 (dix livres sterling). 3. Avez-vous mis ses instruments avec *les vôtres?*—Non, son violon est resté dans le salon, et sa flûte est sur la table du vestibule. 4. Avez-vous mis ses malles avec *les vôtres?*—Oui, et elles arriveront toutes demain par le train de petite vitesse.

V.—1. Avez-vous mis votre cabriolet avec *le leur?*—Non, le nôtre est resté au milieu de la cour. 2. Mettra-t-on votre voiture avec *la leur?*—Oui, elles resteront toutes deux sur le navire. 3. Mettra-t-on vos ballots avec *les leurs?*—Oui, vous les trouverez tous près du gouvernail. 4. Avez-vous mis vos marchandises avec *les leurs?*—Oui, les matelots les ont descendues dans la cale.

Exercise.—(*Possessive pronouns.*)

DIRECTION.—*Change the words into the plural wherever sense will allow.*

1. *Votre* pinceau est mauvais, voulez-vous vous servir *du mien?* 2. *Votre* plume est mauvaise, voulez-vous essayer *la mienne?* 3. *Ma* rame est mauvaise, voulez-vous me prêter *la vôtre?* 4. Croyez-vous qu'il préfère *son* bateau *au mien?* 5. *Mon* médecin est-il l'ami *du vôtre?* 6. *Son* mouton est-il plus gros que *le vôtre.* 7. *Le leur* est-il aussi maigre que *le mien?* 8. *Ma* chèvre est-elle avec *la leur?* 9. *Leur* chevrier est-il avec *le vôtre?* 10. Avez-vous mis *mon* alouette avec *la sienne?* 11. Mettrez-vous *votre* agneau avec *le nôtre?* 12. *Son* verger est-il aussi grand que *le vôtre?* 13. *Votre* insecte est-il aussi rare que *le sien?* 14. *Votre* palefrenier est-il aussi actif que *le leur?* 15. Trouvez-vous *votre* morceau de poésie plus long que *le nôtre?*

26. Vingt-sixième conversation.

LA SANTÉ.—(*Health.*)

1. Comment se porte votre médecin?—Il va beaucoup mieux. 2. Le médecin vous a-t-il ordonné de prendre des pilules?—Non, il m'a dit de boire de la tisane matin et soir. 3. Votre ami est-il poitrinaire? —Oui, et les médecins lui recommandent de naviguer et d'habiter ensuite les bords de la mer dans un pays chaud. 4. Pourquoi tous ses enfants sont-ils maladifs?—On est poitrinaire dans leur famille; il leur faudrait un air plus doux et un changement de régime. 5. Est-ce que Robert prend de l'huile de ricin?—Oui, mais on a beaucoup de mal à l'y décider. 6. Le pharmacien a-t-il envoyé des médecines?—Il a envoyé des pilules, du laudanum, de l'onguent et de la pâte de guimauve. 7. Mademoiselle votre sœur est-elle malade?—Elle est indisposée depuis quelques jours; ce n'est rien de grave. 8. Savez-vous de quoi sa tante est morte?—Je crois qu'elle est morte d'une maladie de foie. 9. Etes-vous content de la garde-malade que le docteur a envoyée?—Elle a assez bon air, mais le chirurgien prétends qu'elle n'a pas le sommeil assez léger pour une garde-malade.

10. Votre médecin est-il encore alité ?—Oui, et l'on craint que sa clientelle ne le quitte. 11. Qui est-ce qui vous a procuré des pilules ?—La garde-malade a été les chercher chez le pharmacien. 12. Mademoiselle votre sœur est-elle toujours souffrante ?—Elle va beaucoup mieux depuis hier. 13. Son frère est-il mort ?—Oui, il est mort des blessures qu'il a reçues dans la campagne d'Italie. 14. Ses enfants sont-ils poitrinaires ?—Non, ils sont au contraire d'un tempérament des plus vigoureux. 15. Avez-vous rapporté du laudanum de chez le pharmacien ?—Non, j'ai acheté une autre médecine anodine. 16. Attendez-vous le médecin aujourd'hui ?—Oui, j'attends le docteur Vincent.

The French use the article before nouns of title, dignity, profession, &c., whether the English use it or not:—

1. Le prince Louis-Napoléon.	1. *Prince Louis Napoleon.*
2. L'empereur Napoléon III.	2. The *emperor Napoleon III.*
3. Le docteur Martin.	3. *Doctor Martin.*

Colloquial Exercise.—(*The health.*)

DIRECTIONS.—*The questions must first be answered in French by the teacher.*

1. Comment vous portez-vous aujourd'hui ? 2. Etes-vous souvent malade ? 3. Jouissez-vous d'une bonne santé ? 4. Avez-vous fait de longues maladies ? 5. Avez-vous jamais eu la fièvre ? 6. Dormez-vous bien ? 7. Avez-vous bon appétit ? 8. Prenez-vous beaucoup d'exercice ? 9. Faites-vous de la gymnastique ? 10. Avez-vous quelquefois mal à la tête ? 11. Etes-vous souvent enrhumé ? 12. Avez-vous pris beaucoup de bains de mer l'été dernier ? 13. Votre cousin jouit-il d'une constitution robuste ? 14. Votre frère a-t-il toujours aussi bonne mine ? 15. Connaissez-vous un bon médecin ? 16. Combien demande-t-il par visite ?

Par (without any article) is used in speaking of certain divisions of time, or of what is paid as fees, salary, wages, fines ; whereas the English employ "*a*" or "*an*" (or *per*):—

1. Trois leçons par semaine, *Three lessons a week.* 2. Huit guinées par trimestre, *Eight guineas a* (or per) *quarter.* 3. Cinq francs par visite, *Five francs a visit.*

27. Vingt-septième conversation.

A PROPOS D'UNE RIVIÈRE, ETC.—(*About a river, etc.*)

1. Avez-vous envie de faire une longue promenade ?—Oui, et si vous voulez, nous irons nous promener le long de la rivière. 2. La rivière est-elle très large ?—Je crois qu'elle a 15 mètres de largeur. 3. Est-elle poissonneuse ?—On y trouve des carpes et des brochets en abondance. 4. Avez-vous pêché dans notre rivière ?— Oui, j'y ai pris force anguilles (f.) et bon nombre de perches (f.). 5. Avez-vous pris des truites ? —J'ai pêché quelques truites saumonées. 6. La rivière est-elle bordée d'arbres ?—Oui, on voit sur les bords de hauts peupliers et des saules pleureurs. 7. Vous êtes-vous promené jusqu'au moulin ?—Oui, et le meunier m'a conduit dans le marais voisin ; nous y avons tué quelques bécassines. 8. Etes-vous revenu par l'écluse ?—Non, elle était si glissante que je n'ai pas osé la passer, et j'ai continué jusqu'au gué. 9. Vous êtes-vous aventuré jusqu'au torrent ?—Oui, il faisait un bruit épouvantable. 10. Avez-vous passé le bac ?—Oui, et le batelier m'a dit que la rivière a crû d'un pied depuis la fonte des neiges. 11. Où la rivière devient-elle navigable ?—Elle est flottable à quelques milles d'ici, mais elle n'est navigable qu'à partir de la ville voisine. 12. L'eau (de la

rivière) est-elle bonne?—Elle n'est pas aussi bonne que de l'eau de source ; mais elle est potable. 13. Y a-t-il un puits dans votre potager?—Oui, et il fournit de l'eau pour arroser nos légumes. 14. Y a-t-il une source dans le parc?—Oui, et il en sort une eau claire et limpide. 15. N'avez-vous pas un puits artésien pour alimenter vos machines?—Si, nous l'avons fait forer l'année dernière, car nous manquions d'eau.

Exercise.—(Translation and reading.)
LES FLEUVES ET LES RIVIÈRES.

Les *fleuves* sont des cours d'eau douce grossis ou formés par la réunion de plusieurs rivières, et qui se rendent directement dans la mer. Les *rivières* sont des cours d'eau qui se jettent dans une rivière plus considérable ou dans un fleuve. Les *ruisseaux* sont les petits cours d'eau qui grossissent les fleuves ou les rivières. Les *torrents* sont des ruisseaux qui coulent avec rapidité, ou des cours d'eau produits temporairement par de grandes pluies ou par la fonte des neiges. Les *sources* sont l'origine des cours d'eau immédiatement à leur sortie du sol. Les bords d'un cours d'eau se nomment *rives :* la rive *droite* est celle qui se trouve à la droite de la personne qui suit le courant ; la rive opposée est la rive *gauche*. On appelle *embouchure* l'endroit où un cours d'eau se jette dans un autre, dans un lac ou dans la mer, et *confluent* le lieu de jonction de deux cours d'eau. Les fleuves qui entrent dans la mer par plusieurs bras ou embouchures forment un *delta*. Le cours d'eau secondaire, ou celui qui porte le tribut de ses eaux au courant principal, s'appelle *affluent*. Le *lit* d'un fleuve ou d'une rivière est la cavité plus ou moins profonde remplie par les eaux de ce fleuve ou de cette rivière. Quand le lit d'un cours d'eau change brusquement de niveau, et que ses ondes se précipitent d'une grande hauteur, il forme une *chute*, qui prend aussi le nom de *saut* ou de *cataracte*. Les endroits où le courant se trouve obstrué par des rochers s'appellent *brisants* ou *barrages*. L'ensemble des pentes d'où découlent les eaux qui se jettent dans un fleuve s'appelle le *bassin* de ce fleuve. Les *canaux* sont des lits creusés de main d'homme et formant des rivières artificielles, pour faire communiquer deux cours d'eau entre eux, ou un cours d'eau avec la mer ou même deux mers entre elles. (*See Havet's French Studies, p.* 48.)

28. Vingt-huitième conversation.

ANIMALS, ETC.—LE, LA, L', OR LES, BEFORE NOUNS TAKEN IN THEIR WIDEST SENSE.

I. 1. *Les* chevaux nagent-ils?—Oui, mais ils ne nagent pas très bien. 2. *Les* canards volent-ils?—Ils volent et ils nagent, mais leur marche est pénible et embarrassée. 3. Aimez-vous *les* chevaux?—Oui, ce sont mes animaux favoris. 4. Martin aime-t-il *les* pommes et *les* poires? —Oui, il est très friand de toute espèce de fruits. 5. *Les* bœufs courent-ils?—Oui, mais ils sont trop lourds pour courir très vite. 6. *Les* autruches volent-elles?—Non, elles ont les ailes trop courtes pour pouvoir voler. 7. *Les* autruches courent-elles vite?—Elles courent si vite que les meilleurs coursiers ne peuvent les atteindre que lorsqu'elles sont fatiguées, et après 8 ou 10 heures de poursuite. 8. *Les* chameaux courent-ils?—Ils vont moins vite que *les* chevaux, mais ils voyagent bien plus longtemps sans se reposer.

II. 9. *Les* chiens nagent-ils?—Oui, surtout les chiens de Terre Neuve. 10. Votre frère aime-t-il *le* lait?—Oui, et il entre souvent dans les fermes voisines pour y trouver du laitage. 11. *Les* chèvres donnent-elles du lait?—Oui, elles fournissent d'excellent lait,

dont on fait de très bons fromages. 12. Quels lieux *les* chèvres fréquentent-elles ?—Elles aiment à paître dans *les* lieux montueux et escarpés. 13. Apprenez-vous *l'*histoire naturelle ?—Oui, et nous en sommes justement au chapitre des ruminants. 14. Quel est le plus grand *des* oiseaux ?—C'est l'autruche ; ses grands yeux et sa petite tête lui donnent un air stupide devenu proverbial[1]. 15. Apprenez-vous *la* géographie ?—Oui, ce matin le professeur nous a questionnés sur le cours *des* fleuves. 16. Pourquoi *les* rivières sont-elles utiles ?—Parce qu'elles fertilisent les pays qu'elles arrosent, et qu'elles facilitent le commerce entre les hommes.

ANIMAUX.	NOMS DU MALE,	DE LA FEMELLE,	ET DU PETIT.
The ass,	l'âne,	l'ânesse,	l'ânon.
The sheep,	le bélier,	la brebis,	l'agneau.
The goat,	le bouc,	la chèvre,	le chevreau.
The stag,	le cerf,	la biche,	le faon[2].
The horse,	le cheval,	la jument[3],	le poulain[4].
The roebuck,	le chevreuil,	la chevrette,	le chevrillard[5].
The dog,	le chien,	la chienne.	
The pig,	le cochon *ou* porc[6],	la truie,	le goret.
The camel,	le chameau,	la chamelle.	
The cat,	le chat *ou* matou,	la chatte,	le chaton,
The deer,	le daim,	la daine,	le faon[2].
The elephant,	l'éléphant mâle[7],	l'éléphant femelle,	le faon[2].
The hound,	le lévrier,	la levrette.	
The hare,	le lièvre,	la hase,	le levraut.
The wolf,	le loup,	la louve,	le louveteau.
The lion,	le lion,	la lionne,	le lionceau.
The rabbit,	le lapin,	la lapine (*ou* hase),	le lapereau.
The bear,	l'ours,	l'ourse,	l'ourson.
The fox,	le renard,	la renarde,	le renardeau.
The mouse,	la souris mâle[7],	la souris femelle,	le souriceau.
The wild boar,	le sanglier,	la laie,	le marcassin.
The ape,	le singe,	la guenon.	
The ox,	le taureau,	la vache,	le veau.
The tiger,	le tigre,	la tigresse.	

Exercise.—(*Translation and reading.*)

ANIMAUX DE LA FRANCE.

I. Les animaux *domestiques* les plus communs en France sont le cheval, le mulet, l'âne, le bœuf, le mouton, la chèvre et le porc.

Parmi les animaux *sauvages*, l'ours noir et l'ours brun vivent dans les Pyrénées ; le chamois, le bouquetin et la marmotte ne quittent pas les sommets des Alpes et des Pyrénées. L'écureuil (m.), le hamster, célèbre par ses longs voyages, et l'hermine (f.) habitent les départements voisins des Vosges. La souris, le surmulot, le mulot, le rat, le loir, la taupe, le blaireau, le renard, la fouine, la belette, le putois, le sanglier et le loup vivent dans toute la France, ainsi que le cerf et le chevreuil, le lapin et le lièvre. Parmi les amphibies, on compte le rat d'eau, la loutre et le castor, qui se cache, dit-on, vers les bords du Rhône.

---

[1] *Une autruche* se dit en français d'un homme grand, lourd et stupide.—*Il a un estomac d'autruche* s'applique à un grand mangeur, ou plutôt à celui qui a un bon estomac. On supposait autrefois que l'autruche digérait du fer. [2] Prononcez *fan*. [3] *Or* cavale, *hence* cavalier, "a rider." [4] La jeune cavale jusqu'à trois ans se nomme *pouliche* ou *pouline*. [5] *Or* faon (see *note* 2). [6] *Or* verrat. [7] See HAVET's Complete French Class-Book, p. 232, note.

31. Trente et unième conversation.

I.—"DE" AND "NI" IN NEGATIVE SENTENCES (*see pp.* 4 *and* 28).

AFFIRMATIVE FORM.	NEGATIVE FORM.
1. Ce brasseur achète *du* houblon.	1. Ce brasseur n'achète pas *de* houblon.
2. Nous achetons *de la* bière.	2. Nous n'achetons pas *de* bière.
3. Nous vendons *de l'*orge.	3. Nous ne vendons pas *d'*orge.
4. Nous connaissons *des* brasseurs.	4. Nous ne connaissons pas *de* brasseurs.
5. J'avais *un* pistolet sous mon oreiller.	5. Je n'avais pas *de* pistolet sous mon oreiller.
1. Nous récoltons *du* houblon et *du* tabac.	1. Nous *ne* récoltons *ni* houblon *ni* tabac.
2. Nous avons semé *des* carottes, *des* navets, *des* artichauts et *des* melons.	2. Nous *n'*avons semé *ni* carottes, *ni* navets, *ni* artichauts, *ni* melons.
3. J'avais emporté *un* pistolet et *une* épée.	3. Je *n'*avais emporté *ni* pistolet *ni* épée.

1. Le cordonnier n'a-t-il pas *de* souliers?—Si, il a des souliers et des bottes. 2. Le tailleur n'a-t-il pas envoyé *de* gilet?—Si, il a envoyé le gilet que vous avez commandé. 3. Le voyageur n'a-t-il pas *de* paletot? —Il a un par-dessus très léger, mais il nous a dit qu'il va acheter un manteau.—4. L'Arabe n'avait-il pas *de* selle?—Au contraire, son cheval avait une selle magnifique. 5. Le cheval du voyageur n'avait-il pas *de* bride?—Si, mais son maître lui mettait presque toujours les rênes (f.) sur le cou. 6. Joseph n'avait-il pas *de* bottes?—Non, il avait des souliers vernis. 7. Ne trouvez-vous *ni* brosse *ni* peigne?—Si, mais je cherche les rasoirs et la savonnette.

8. N'avez-vous *ni* robe *ni* manteau?—Je n'ai pas apporté d'autre robe que celle que je porte, et mon châle me suffit. 9. Le cordonnier n'a-t-il apporté *ni* bottes *ni* souliers?—Si, il a rapporté des souliers qu'il a ressemelés, et des bottes auxquelles il a mis des talons. 10. Jean n'a-t-il *ni* redingote *ni* gilet?—Si, mais tout cela est si vieux qu'il fera bien de passer chez le tailleur. 11. N'aviez-vous *ni* chien *ni* fusil?—Si, mais je n'avais plus *ni* poudre *ni* plomb. 12. Est-ce que les chasseurs n'avaient pas *de* poudre?—Si, mais il n'y avait plus *de* gibier dans le marais. 13. Est-ce que vous n'avez pas tué *de* loup?—Il n'y a pas plus *de* loups que *de* sangliers dans le pays où nous chassions. 14. Est-ce que vous n'aviez pas *de* capsules?—Si, mais nous n'avions plus *de* poudre. 15. N'avez-vous *ni* bière *ni* vin?—Nous avons encore assez de bière, mais nous n'avons plus que très peu de vin.

Exercise.

(DIRECTION.—The sentences are to be said negatively.)

I. *De.*—1. Ce négociant vend du coton. 2. Nous vendons de la soie. 3. Vous achetez des mûriers. 4. Ces paysans élèvent des vers à soie. 5. Ces enfants mangent des mûres. 6. Nous avions un mûrier blanc.

II. *Ni...ni.*—1. Nous récoltons du chanvre et du lin. 2. Les paysans récoltent du tabac et du houblon. 3. Nous avons abattu des ormes et des chênes. 4. Nous avons planté des sapins et des tilleuls. 5. J'ai tué un sanglier et un loup. 6. Nous avons semé de l'orge et du seigle. 7. J'ai apporté un melon et une citrouille. 8. Le nouvel élève a une grammaire, un gradus et un lexique.

II.—ADVERBS OF QUANTITY.

☞ *De* appears after adverbs of quantity.

1. Assez *de* pain, *bread enough.*	7. Plus *de* sel, *more salt.*
2. Autant *de* blé, *as much wheat.*	8. Que *de* vin, *how much wine!*
3. Beaucoup *d'*or, *much gold.*	9. Suffisamment *d'*argent, *enough of money.*
4. Combien *d'*argent, *how much money?*	10. Tant *d'*huile, *so much oil.*
5. Moins *d'*eau, *less water.*	11. Tellement *d'*acteurs, *so many actors.*
6. Peu *de* bois, *little wood.*	12. Trop *de* poivre, *too much pepper.*

The difference between *combien de* and *que de* is that *combien de* can be used both in questions and exclamations; whereas *que de* can only appear in exclamations:—*Combien de soldats* may mean, 1. "What number of soldiers ?" or 2. "What a number of soldiers !" *Que de soldats!* can only mean "What a number of soldiers !"

Exercise.—(*Adverbs of quantity.*)

(DIRECTION.—Fill up the blank with an adverb of quantity, according to the list in p. 38.)

1. Avez-vous ___ argent pour aller à Londres par la première classe ? 2. La France a-t-elle ___ colonies que l'Angleterre ? 3. Les Espagnols ont-ils encore ___ vaisseaux ? 4. Savez-vous ___ départements il y a en France ? 5. L'Autriche a-t-elle ___ soldats que la Prusse ? 6. Ne disiez-vous pas que l'on récolte ___ houblon en France ? 7. Les Anglais ne boivent-ils pas ___ bière que de vin ? 8. N'avez-vous jamais entendu dire : " ___ beaux jours n'ont pas de beaux soirs" ? 9. Y avait-il ___ monde pour remplir la salle ? 10. Ne dit-on pas qu'il a ___ argent qu'il n'en sait pas le compte ? 11. Ne disiez-vous pas qu'il y a ___ soldats à Paris que l'on ne peut faire un pas sans en rencontrer deux ou trois ? 12. Ne trouvez-vous pas qu'il y ait ___ voitures dans les rues de Londres ?

32. Trente-deuxième conversation.

AGREEMENT OF THE ADJECTIVE WITH THE NOUN.—(*Revise p. 7.*)

1. Le tailleur est-il *exact* ?	Les tailleurs sont-ils *exacts* ?
2. Son habit est-il *gris* ?	Ses habits sont-ils *gris* ?
3. Le lac est-il *poissonneux* ?	Les lacs sont-ils *poissonneux* ?
4. Ce drap est très *beau*.	Ces draps sont très *beaux*.
5. Ce chemin est *égal*.	Ces chemins sont *égaux*.

1. Vos canards sont-ils *gras?*—Oui, ils sont très *gras* et très *bons;* je vais vous en faire rôtir un. 2. Ces ananas sont-ils plus *fins* que vos abricots ?—Tous les fruits que vous voyez sont de première qualité. 3. Les perroquets d'Henri sont-ils *beaux?* — Il a de très *beaux* perroquets *cendrés* qui parlent admirablement. 4. Henri a-t-il des oiseaux *bleus ?*— Non, mais il a de très jolies perruches *blanches.* 5. Ces ouvrages sont-ils *amusants ?*—Je les trouve assez *ennuyeux*, et je ne les lis que faute d'autres. 6. Est-ce que tous vos gilets sont *gris ?*—Non, j'ai aussi des gilets *noirs* et des gilets *blancs.*

7. Henri et Robert sont-ils gardes *nationaux ?*—Oui, ils sont tous deux dans la même compagnie; Henri est sergent, Robert est caporal. 8. Ses oiseaux sont-ils plus *jolis* que ceux que vous m'avez montrés ?— Oui, il a des perroquets, des faisans et des paons qui font l'admiration de tous les amateurs. 9. Les tigres sont-ils plus *féroces* que les lions?—Les tigres sont *lâches* et bassement *cruels,* mais quand les lions ont faim ils sont tout aussi *féroces.* 10. Ses dindons sont-ils plus *gras* que ceux que vous m'avez montrés?—Non, il les trouve un peu *maigres.* 11. Ces ouvrages sont-ils très *précieux?*—Ce sont des livres très *rares;* j'ai appris hier que l'édition est épuisée depuis longtemps.

Exercise.—(*Formation of the plural of adjectives.*)

(DIRECTION.—Put the following sentences in the plural.)

1. Ce pays est-il *fertile?* 2. Cette ville est-elle *grande?* 3. Ce livre est-il *amusant?* 4. Cette histoire est-elle *amusante?* 5. Ce dindon est-il *gras?* 6. Cette dinde est-elle *grasse ?* 7. Ce maquereau est-il *frais?* 8. Cette limande est-elle *fraîche?* 9. Ce fruit est-il *doux?* 10. Cette pomme est-elle *douce?* 11. Ce vin est-il *nouveau?* 12. Cette pâtisserie est-elle *nouvelle?* 13. Votre manteau est-il *bleu*[1]*?* 14. Sa robe est-elle *bleue?* 15. Ce conte est-il *moral?* 16. Cette histoire est-elle *morale?*

[1] *Bleu*, "blue," and *feu*, "late" (deceased), become plural by taking s.

33. Trente-troisième conversation.

AGREEMENT OF THE ADJECTIVE.—DIFFERENCE BETWEEN THE MASCULINE AND
THE FEMININE.—(*See p.* xiv. *and p.* 39.)

1. FIRST AND GENERAL RULE.—Adjectives in *e* mute undergo no change in the feminine.

2. SECOND RULE.—Adjectives not ending in *e* mute, or in any of the letters mentioned hereafter, take *e* mute to become feminine.

3. THIRD RULE.—Adjectives in *f* change *f* into *ve* to become feminine.

4. FOURTH RULE.—Adjectives in *x* change *x* into *se* to become feminine[1].

5. FIFTH RULE.—Adjectives in *el, eil, en, et* and *on* form their feminine by doubling the final consonant, and adding *e* mute[2].

The following adjectives also become feminine by doubling the final consonant and adding *e* mute :—bas, basse; épais, épaisse; exprès, expresse; gentil, gentille; gras, grasse; gros, grosse; las, lasse; nul, nulle; paysan, paysanne; sot, sotte; vieillot, vieillotte, &c.

JUMEAU, BEAU, FOU, MOU, and NOUVEAU make in the feminine *jumelle, belle, folle, molle,* and *nouvelle.* The last four are derived from the masculine forms, *bel, fol, mol,* and *nouvel,* which are used before masculine words beginning with a vowel or *h* mute:—1. Un *beau* palais, un *bel* édifice, un *bel* hôpital. 2. Un *fol* amour, un *fol* hommage. 3. Un *nouveau* journal, un *nouvel* ouvrage, un *nouvel* habit. 4. Le *mol* édredon.

POSITION OF THE ADJECTIVE.

In English, the adjective is placed before the noun which it qualifies, whilst in French the adjective is frequently last.

A USEFUL RULE.—The adjective follows the noun when it expresses religion, nationality, colour (p. 127), shape, taste, temperature—in fact, exterior or accidental circumstances :—

La religion *chrétienne*, The Christian religion.	Un fruit *amer*, A bitter fruit.
Un prince *grec*, A Greek prince.	Un temps *pluvieux*, Rainy weather.
Un oiseau *vert*, A green bird.	Un chemin *uni*, A smooth road.
Un chapeau *rond*, A round hat.	Un bâton *tortu*, A crooked stick.

I.—1. L'ouvrière a-t-elle été *polie?*—Elle a été on ne peut plus *polie.*
2. Avez-vous retrouvé votre grammaire *latine?*—Non, et je vais en acheter une autre. 3. Avez-vous perdu votre casquette *ronde?*—Oui, elle s'est envolée pendant que le train traversait la rivière. 4. Comprenez-vous la *première* page?—Oui, et je dirai même que je l'ai comprise à *première* vue. 5. Cette pêche est-elle plus *fine* que cet ananas?—Non, mais je la trouve *délicieuse.* 6. Son ombrelle était-elle *grise?*—Non, c'était une *jolie* ombrelle *rose.* 7. Le voyageur avait-il une redingote *grise?*—Non, il portait une redingote marron. 8. La femme de chambre était-elle *curieuse?*—Non, c'était la discrétion en personne.

---

[1] *Exceptions to the fourth rule:* Doux, douce; faux, fausse; roux, rousse; vieux (*or* vieil), vieille, &c.
[2] *Exceptions to the fifth rule:* Complet, complète; concret, concrète; discret, discrète; inquiet, inquiète; replet, replète; secret, secrète.

The following adjectives cannot be classified under any of the preceding rules :—

Bénin, bénigne, *benign, kind.*	Grec, grecque, *Grecian.*
Blanc, blanche, *white.*	Long *and* oblong, longue *and* oblongue.
Caduc, caduque, *declining.*	Malin, maligne, *cunning, &c.*
Coi, coite, *still, snug.*	Public, publique, *public.*
Dissous, dissoute, *dissolved.*	Sec, sèche, *dry.*
Favori, favorite, *favourite.*	Tiers, tierce, *third, tertian.*
Frais, fraîche, *fresh.*	Traître, traîtresse, *treacherous.*
Franc, franche, *frank, open.*	Turc, turque, *Turkish.*

9. Sa casquette est-elle *neuve* ?—Elle sort de chez le chapelier. 10. La redingote du voyageur était-elle *usée* ?—Tous ses vêtements étaient en lambeaux.

II.—1. Cette gravure est-elle très *ancienne* ?—Oui, c'est une estampe très *ancienne* d'après Callot. 2. Sa casquette est-elle *pareille* à la mienne? Non, il porte un képi qui lui va à ravir. 3. La citrouille est-elle *bonne* ? —Elle a la chair très *aqueuse;* cependant elle est *excellente* à manger quand elle est bien *préparée.* 4. La poule *bouillie* était-elle plus *grasse* que le canard?—Non, elle laissait beaucoup à désirer. 5. La portière était-elle *vieille* ?—Oui, et le portier était encore plus vieux. 6. La fermière était-elle *grosse* ?—Non, elle ne ressemblait pas à son mari qui ressemblait à un muid. 7. Cette ombrelle est-elle *pareille* à celle que vous aviez hier ?—Non, celle avec laquelle je me suis promenée hier était bleu foncé. 8. Est-ce que la fermière est *muette* ?—Au contraire, c'est un vrai moulin à paroles. 9. Cette ouvrière est-elle *sotte* ? —Elle n'a pas inventé la poudre, mais elle sait son métier. 10. L'estampe est-elle plus *ancienne* que le manuscrit ?—Je l'ignore, mais ils paraissent très *anciens* l'un et l'autre.

Exercise.—*(Feminine of adjectives.)*

(DIRECTION.—All the sentences are to be put in the feminine.)

I. *Première règle.*—1. Le domestique est-il *propre* ? 2. Jean se rend-il *utile* ? 3. L'ouvrier est-il *pauvre* ? 4. Le monsieur est-il *aimable* ?

II. *Deuxième règle.*—1. Le petit garçon est-il *gourmand* ? 2. Votre frère est-il *prêt* ? 3. Le fermier est-il *rusé* ? 4. Le paysan est-il *altéré* ? 5. Le meunier est-il *fin* ? 6. Votre cousin n'est-il pas le *dernier* ? 7. Son fils est-il *obéissant* ? 8. Son neveu est-il *soumis* ?

III. *Troisième règle.*—1. Votre domestique est-il *actif* ? 2. Avez-vous vu son fils *adoptif* ? 3. Avez-vous jamais vu un petit garçon plus *chétif* ? 4. Son oncle n'est-il pas *maladif* ? 5. Le duc n'était-il pas *pensif* ?

IV. *Quatrième règle.*—1. Son père est-il *heureux* ? 2. Cet homme est-il *pieux* ? 3. Le marquis était-il *généreux* ? 4. Le duc n'est-il pas très *orgueilleux* ? 5. Son fils est-il toujours *souffreteux* ?

V. *Cinquième règle.*—1. Cet empereur était-il *cruel* ? 2. Votre compagnon de voyage était-il *Italien* ? 3. Aviez-vous un *bon* domestique ? 4. N'était-il pas *Saxon* ? 5. Cet Italien n'est-il pas *muet* ? 6. Ce chat n'est-il pas *pareil* au nôtre ?

34. Trente-quatrième conversation.

COMPARISON WITH ADJECTIVES.

1. (a) Le Rhône est *plus* rapide *que* le Rhin.
   (b) La Flandre est *mieux* cultivée *que* l'Artois.
2. Paris est *moins* grand *que* Londres.
3. Cette ville est *aussi* peuplée *que* l'autre.

In negative sentences, *si* may be used instead of *aussi* :—Cette ville n'est pas *si* peuplée *que* l'autre.

SUPÉRIORITÉ.—*Plus...que.*—1. Cette leçon est-elle plus facile que l'autre ?—C'est le pont aux ânes ; cependant Julie la trouve difficile. 2. Fanny est-elle plus jolie que sa sœur ?—Elle a les traits moins réguliers, mais elle est plus gracieuse. 3. La Normandie est-elle plus peuplée que la Bretagne ?—Oui, c'est peut-être la province la plus peuplée et la plus riche de toute la France. 4. Naples est-elle plus grande que Rome ?—C'est la plus grande ville de toute l'Italie.

Mieux...que.—1. Cette page est-elle mieux écrite que l'autre ?—Oui, c'est un modèle de calligraphie. 2. Ce paysage est-il mieux peint que le

mien?—Oui, on reconnaît tout de suite le coloris d'un grand artiste.
3. Caroline est-elle mieux mise que Clara?—La toilette de Caroline
est un peu plus recherchée et de meilleur goût. 4. Votre maison est-elle
mieux bâtie que celle du coin.—Non, mais elle est mieux meublée.

INFÉRIORITÉ.—1. Sa famille est-elle moins nombreuse que celle de son
cousin ?—Ils ont chacun deux fils et trois filles. 2. Robert est-il moins
patient que Charles ?—Oui, il s'emporte pour la moindre bagatelle.
3. Cette page est-elle moins instructive que l'autre?—Elle peut être
moins intéressante, mais je la trouve tout aussi instructive. 4. Cette
action est-elle moins admirable que l'autre ?—Non, certes.

ÉGALITÉ. — 1. Florence est-elle aussi grande que Rome ? — Non,
Rome est beaucoup plus grande. 2. Victor est-il aussi âgé qu'Alfred ?—
Je crois qu'il a un an de plus qu'Alfred. 3. Madame votre tante est-
elle aussi riche que monsieur votre oncle ?—Ma tante a 40,000 francs de
rentes, mon oncle n'en a guère plus de 25,000. 4. Robert est-il aussi
bourru que Martin ?—Non, Robert est un très gentil garçon.

☞ Irregular comparatives and superlatives :—

    I. 1. BON, *good,*   meilleur, *better,*   le meilleur, *the best.*
      2. MAUVAIS, *bad,*   pire, *worse,*   le pire, *the worst.*
      3. PETIT, *little,*   moindre, *less,*   le moindre, *the least.*

PLUS PETIT is used instead of *moindre,* with reference to size :—1. Ma cousine
est *plus petite* que ma sœur. 2. Ce champ est *plus petit* que l'autre.

PLUS MAUVAIS appears instead of *pire :* Ce vin est *plus mauvais* que l'autre.

II. 1. BIEN, *well,*   mieux, *better,*   le mieux, *the best.*
     2. MAL, *badly, ill,*   pis (or plus mal) *worse,*   le pis (le plus mal), *the worst.*
     3. PEU, *little,*   moins, *less,*   le moins, *the least.*

Do not confound the *adverbs* MIEUX, PIS, MOINS, with the *adjectives* MEILLEUR,
PIRE, MOINDRE :—

1. Ce citron est *meilleur* que l'autre.   1. J'aime *mieux* ce citron que l'autre.
2. Cet ouvrage est *pire* que le vôtre.   2. Les choses vont *pis.*
3. Sa dépense est *moindre* que la vôtre.   3. Mangez peu, buvez *moins.*

Exercise.—*(Comparison with adjectives.)*

₊ The French have no termination answering to the English *er;* thus they say *plus grand*
"greater," just as the English say "more extensive," "more populous," &c.

The second term of the comparison is always *que* ("than" or "as"), which becomes *qu'*
before a vowel or *h* mute : 1. Il est plus malin *qu'*Albert. 2. Elle est plus jolie *qu'*Henriette.

    I. *Plus...que.*—1. Is this description* (f.) EASIER THAN the other ?—No, it
(f.) is more difficult. 2. Is Julia RICHER THAN Constance* ?—No, but she is
PRETTIER. 3. Is Glasgow* (m.) larger than Edinburgh[1] ?—Yes, it is the largest
town in Scotland[2].

    Mieux...que.—1. Is Augusta* BETTER dressed THAN Malvina* ?—No, but she
is much prettier. 2. Is your house BETTER furnished THAN Clara's?—No, but
it (f.) is BETTER built. 3. Is this narration* (f.) BETTER written THAN the other ?
—Yes, it is a model of composition.*

    II. *Moins...que.*—1. Is this description* (f.) LESS interesting THAN the other?
—No, and I think it is[3] better written. 2. Is Rome* (f.) LESS populous THAN
Naples* ?—Yes, Naples* is far[4] more populous. 3. Is Albert* LESS violent*
THAN Roland* ?—Yes, and you will find that Albert* is a very pleasant fellow.
(*Imitate last sentence of the French conversation.*)

    III. *Aussi...que.*—1. Is Bordeaux* (m.) as large as Lyons[5]?—No, Lyons* is
far[4] larger. 2. Is Paul* as old as Joseph* ? — I think that he IS a year
younger[6]. 3. Is Martin* as rich as Roland* ?—I think that he is far[4] richer.

---

[1] Édimbourg.   [2] l'Écosse.   [3] qu'elle est.   [4] beaucoup.   [5] Lyon, m.   [6] de moins.

35. Trente-cinquième conversation.

COMPARISON WITH NOUNS.—(*See the Adverbs of Quantity, p. 38.*)

1. La France produit *plus de* blé *que* l'Espagne.	3. L'Autriche n'a pas *tant de* ressources *que* la
2. La France a-t-elle *autant de* vaisseaux que	France.
l'Angleterre ?	4. L'Espagne a *moins de* villes *que* la France.

I. Supériorité.—*Plus de*, &c.—1. Avez-vous récolté *plus de* seigle *que* l'année dernière ?—Nous en avons récolté cinq cents gerbes de moins. 2. Avez-vous récolté *plus de* blé que le fermier Bernard ?—Non, sa récolte a été beaucoup meilleure que la nôtre. 3. Cet avocat a-t-il *plus de* clients que ses confrères ?—Oui, c'est l'avocat le plus en renom de toute la ville. 4. Y a-t-il *plus de* prunes *que de* cerises dans votre verger ?—La saison des cerises est passée, et je ne crois pas que nous ayons autant de prunes. II. Infériorité.—*Moins de.*—1. Y a-t-il *moins de* roses dans ce jardin *que* dans le vôtre ?—Oui, et vous avez plus de dahlias et de tulipes que nous. 2. Y a-t-il *moins de* poires dans votre jardin que dans votre verger ?—Oui, mais les poires de notre jardin sont bien meilleures. 3. Y a-t-il *moins de* pommes que de poires dans votre jardin ?—Non, les pommes y sont beaucoup plus abondantes ; je vous ferai manger au dessert des reinettes, des apis et des calvilles excellents. 4. Avez-vous récolté *moins de* froment que de seigle ?—Nous n'avions presque pas semé de seigle cette année ; mais le peu que nous en avons récolté est de première qualité. 5. Y a-t-il *moins de* roses *que de* dahlias dans votre jardin ?—Nous avons beaucoup plus de roses. III. Égalité.—*Autant de.*—1. Avez-vous *autant de* patience que votre cousin ?—Sans me vanter, je ne me crois pas plus impatient que lui. 2. Y a-t-il *autant de* houblonnières dans le Sussex que dans le Kent ?—On dit qu'il y en a beaucoup plus dans le Kent. 3. Trouve-t-on *autant de* bière en France qu'en Angleterre ?—Non, les Français ne font que peu de bière, et le peu qu'ils font est inférieur au porter et à l'ale des brasseurs anglais. 4. Y a-t-il *autant de* dahlias *que de* roses dans votre jardin ?—Non, nous avons beaucoup plus de roses. 5. Y a-t-il *autant de* prunes *que de* cerises dans votre verger ?—Non, nos cerisiers sont plus nombreux que nos pruniers et donnent davantage. 6. Avez-vous récolté *autant d*'avoine *que de* foin ?—Non, nous avons récolté beaucoup plus de foin.

Exercise.—(*Comparison with nouns.*)

I. Superiority.—*Plus de*, &c.—1. Have you reaped more cherries than plums ?—We have reaped more plums. 2. Are there more pears than last year in your orchard ?—No, but there are more plums. 3. Have you reaped more rye than wheat ?—We have reaped more wheat. II. Inferiority.—*Moins de.*—1. Have you reaped less rye than last year ! —We have reaped as-much. 2. Are there fewer plums in the garden than in the orchard ?—Yes, but the plums in-the[1] garden are much better. 3. Have you reaped less hay than oats (*sing.*) ?—No, we have reaped more hay. 4. Are there fewer rennets than oranges* on the table* (f.) ?—There are fewer oranges*. III.—Equality.—*Autant de.*—1. Are there as-many hop-yards in Artois* as in Flanders[2] ?—There are many more[3] in Flanders. 2. Have you as-much wheat as rye ?—We have more rye. 3. Have you as-many roses* as dahlias* ! —We have more roses*. 4. Is there as-much ale* as porter* on the table* (f.) !—There is much more porter*.

[1] du.   [2] qu'en Flandre.   [3] Il y en a beaucoup plus, &a.

36. Trente-sixième conversation.
LE SUPERLATIF.

I. *Superlatifs relatifs.*

1. Paris est *la plus grande* ville du continent européen.

2. Jules est *le moins grand* des enfants de M. Legris.

II. *Superlatifs absolus.*

1. C'est dans la Basse-Écosse que la terre est *le* mieux cultivée.

1. It is in the Scotch Lowlands that the soil is *best* cultivated.

2. Raoul sait toujours ses verbes irréguliers, lors même qu'ils sont *le* plus difficiles.

2. Ralph always knows his irregular verbs, even when they are *most* difficult.

Observe that in English the superlative absolute has no article, and that in French the article is uninflected.—(HAVET'S "French Class-Book," p. 265, no. 467.)

SUPERLATIFS RELATIFS.

I. SUPÉRIORITÉ.—1. Disiez-vous que le Danube est le plus long des fleuves de l'Europe?—Non, je disais que c'est le Volga. 2. L'écarlate n'est-elle pas la plus éclatante des couleurs?—Si, c'est la plus riche et la plus éclatante. 3. Quelle est la plus haute des montagnes européennes? —C'est le Mont Blanc en Savoie. 4. Quelle est la plus belle des fleurs? —C'est la rose ; aussi l'appelle-t-on la reine des fleurs. 5. Quel est le plus précieux des métaux?—C'est l'or, qui est aussi le plus pur et le plus ductile. 6. Quel est le plus fort, le plus beau et le plus brave des faucons?—C'est le gerfaut. 7. Quels sont les plus délicieux de tous les légumes?—Il me semble que ce sont les petits pois. 8. Quels sont les plus délicieux de tous les fruits?—Je ne connais rien de plus délicieux qu'une belle pêche.

II. INFÉRIORITÉ.—1. Disiez-vous que la Laponie est le pays le moins connu de l'Europe?—Oui, et j'ajouterai que c'est le moins civilisé. 2. Quelle est la moins importante des trois grandes îles de la Méditerranée? —C'est la Corse, et c'est la Sicile qui est la plus grande. 3. Disiez-vous que la leçon de latin est la moins difficile de toutes vos leçons?—Non, je disais au contraire que c'est la plus difficile. 4. Disiez-vous que les Lapons sont les moins civilisés de tous les Européens?—Oui, et ils sont aussi les plus petits.

SUPERLATIFS ABSOLUS.

III. SUPERLATIFS ABSOLUS.—1. Quand la rose est-elle *le* plus belle?— C'est le matin, lorsqu'elle est humide de rosée. 2. Sait-il ses leçons lors même qu'elles sont *le* plus difficiles?—Oui, son professeur dit qu'il est on ne peut plus diligent. 3. Ne punissait-il pas ses élèves lors même qu'ils étaient *le* plus paresseux?—Non, il se contentait de les gronder. 4. Où les rats sont-ils *le* plus communs?—On en trouve dans toutes les contrées du globe, et surtout dans les pays chauds. 5. Où les mules sont-elles *le* plus communes?—En Espagne, en Italie et dans le midi de la France; les mules supportent mieux la chaleur et coûtent moins à nourrir que les chevaux. 6. Quand les soirées sont-elles *le* moins communes?—L'été, parce qu'alors presque tout le monde est à la campagne.

Exercise.—*(The superlative.)*

I. *Change the following comparatives into superlatives of superiority:*—1. La girafe est plus grande que tout autre quadrupède. 2. La baleine est plus grosse que tout autre poisson. 3. Le lac Lomond est plus beau que tous les autres

lacs de l'Écosse. 4. Les monts Himalaya sont plus hauts que toutes les autres montagnes du globe.

II. *Superlatives of inferiority.*—1. La race nègre est *the least* civilisée des trois races humaines. 2. L'Italie est *the least* étendue des trois grandes presqu'îles de l'Europe. 3. L'Europe est *the least* grande des cinq parties du monde. 4. Les Lapons sont *the least* civilisés des Européens.

III. *Superlatives absolute.*—1. C'est en juin que les jours sont *most* longs. 2. C'est en décembre que les jours sont *most* courts. 3. C'est après les grandes pluies que les chutes d'eau sont *most* admirables. 4. C'est dans les villes que la grande chaleur est *most* désagréable. 5. C'est au commencement que les romans de Walter Scott sont *least* intéressants. 6. L'après-midi est le temps de la journée où nous sommes *least* occupés.

37. Trente-septième conversation.

LE MATÉRIEL DE L'ÉCOLE.—(*School articles.*)—*Première partie.*

1. Votre petit frère est-il dans la classe ?—Non, monsieur, il joue dans la cour avec ses camarades. 2. Vos sœurs sont-elles dans la salle d'étude ?—Non, elles se promènent dans le jardin avec leurs compagnes. 3. Le pupitre du maître est-il sur une estrade ?—Il a une chaire qui se trouve à l'un des bouts de la classe. 4. Vos frères sont-ils assis sur un banc de chêne ?—Non, ils sont debout autour de la chaire du professeur. 5. Où est la carte de France ?—Au-dessus de la cheminée. 6. Écrivez-vous avec de l'encre rouge ?—Rarement ; je me sers presque toujours d'encre noire. 7. Écrivez-vous avec un crayon ?—Je prends des notes au crayon, mais j'écris tous mes devoirs à l'encre. 8. Écrivez-vous avec une plume d'oie ? — J'écris ordinairement avec une plume d'acier. 9. Préférez-vous les plumes d'acier?—Oui, en général ; mais quand il faut écrire vite, j'aime assez une plume d'oie.

10. Où est votre bouteille d'encre bleue ?—Je l'ai laissée dans la classe d'écriture. 11. Votre cousin a-t-il un encrier en porcelaine?—Non, son encrier est en verre. 12. Avez-vous coupé les feuillets de votre livre neuf?—Oui, je les ai coupés avec un couteau en ivoire. 13. Est-ce que vous avez un couteau en nacre de perle?—Oui, j'en ai un dans mon buvard. 14. Est-ce que vous avez taillé votre crayon avec mon canif? —Non, le papetier me l'a vendu tout taillé. 15. Avez-vous taillé votre plume avec le canif de votre frère?— Non, j'ai acheté une boîte de plumes toutes taillées. 16. Où est votre canif à quatre lames?—Il est dans mon pupitre. 17. Est-ce que vous vous servez de mes plumes d'acier pendant mon absence ?—Je me sers des miennes, et non pas de celles des autres. 18. Où les chiffonniers ramassent-ils les chiffons ?— Dans les rues des villes ; ils ramassent aussi les vieux papiers, les os, &c.

Exercise.—(*School articles, &c.*)

I.—1. Is Robert* in the play-ground?—No, he is in the class-room. 2. Are your companions (f.) in the garden ?—No, they are in the school-room. 3. Where is the master's desk ?—It (m.) is on the platform. 4. Are your cousins* (m.) round the professor's chair?—No, they are sitting on the oak form. 5. Where is the map of France*?—It is at the beginning[1] of my atlas*. 6. Do you write your notes* with a pencil ?—No, I write them[2] with red ink. 7. Do you write with a steel pen ?—No, I write with a quill.

[1] au commencement.　　　　[2] je les écris.

II.—8. Where is your black ink ?—It (f.) is in my desk with the blue ink. 9. Have you an inkstand ?—Yes, I have a china inkstand. 10. Have you cut the leaves of your gradus* with an ivory knife?—No, I have cut them with a mother of pearl knife. 11. Have you mended[1] your quills with my four-bladed penknife?—No, the stationer sells[2] ready-made[3] quills. 12. Where are my steel pens ?—They (f.) are in your box.

[1] Taillé.　　　　[2] vend des.　　　　[3] toutes taillées.

38. Trente-huitième conversation.

MATÉRIEL DE L'ÉCOLE.—(*School articles, &c.*)—*Seconde partie.*

1. Écrivez-vous vos thèmes dans un cahier?—-Non, je les copie sur une feuille volante. 2. Corrigez-vous vos thèmes à l'encre rouge? —Non, je les corrige au crayon. 3. Faites-vous vos problèmes au crayon ? —Je les fais d'abord sur mon ardoise, et puis je les mets au net. 4. Écrivez-vous quelquefois sur le tableau noir?—J'y fais quelquefois des problèmes. 5. Écrivez-vous avec de la craie?—Oui, et quand il n'y a plus de place sur le tableau, j'efface avec une éponge. 6. Les externes écrivent-ils sur leurs ardoises?—Ils font quelquefois la dictée sur les ardoises de la pension. 7. Votre règle est-elle dans votre pupitre?—Non, elle est dessus; vous pouvez vous en servir si vous en avez besoin. 8. Votre papetier tient-il des timbres-poste?—-Vous trouverez chez lui tout ce qu'il faut pour écrire une lettre. 9. Les externes apportent-ils leur papier, leur encre et leurs crayons dans leurs sacs de cuir?—Ils arrivent munis de papier et de crayons, mais on leur fournit de l'encre et des plumes à la pension. 10. Ce tableau noir est-il en sapin?—Non, il est en chêne; plus loin vous verrez une grande ardoise, sur laquelle on écrit quelquefois le corrigé des devoirs. 11. Cette table est-elle en acajou? —Non, c'est une table en noyer.

12. Votre pupitre est-il en sapin?—Non, c'est un pupitre en chêne. 13. Votre règle est-elle en ébène?—Oui, les autres règles se cassent trop facilement. 14. Est-ce que les externes apportent des ardoises et des règles dans leurs sacs de cuir?—Non, ils trouvent tout cela sur leurs pupitres. 15. Y a-t-il des enveloppes et des pains à cacheter dans votre buvard?—Vous y trouverez des enveloppes et de la cire, mais il n'y a pas de pains à cacheter, car je ne m'en sers jamais. 16. Avez-vous un cachet dans votre pupitre?—Non, j'en ai un à ma chaîne de montre. 17. Y a-t-il de la cire à cacheter dans votre buvard?—Non, mais j'en ai dans le tiroir de mon pupitre. 18. Écrivez-vous vos devoirs sur du papier à lettres?—Non, je les écris sur du papier réglé. 19. Est-ce que le professeur de mathématiques écrit avec de la craie?—Oui, il se sert de craie pour faire des problèmes sur le tableau noir. 20. Où est votre transparent?—Il est dans mon buvard. 21. Est-ce que vous effacez vos pâtés avec un grattoir?—Oui, et je passe ensuite de la sandaraque sur le papier gratté. 22. Où est l'éponge?—Elle est avec la craie près du tableau noir.

Exercise.—(*School articles, &c.*)

1. Do you write your exercises with pencil?—No, I write them with ink. 2. Do the day-pupils write their dictation in their exercise-books?—No, they write it on their slates. 3. Do they bring slates in their leather bags?—No, the school supplies them with slates, pens, and ink. 4. Does your stationer keep rulers ?

—You will find in his shop (*page* 25) rulers, slates, chalk, sponges, &c. 5. Is the black board oak?—No, it is fir. 6. Does your stationer keep wafers?—No, but he keeps sealing wax. 7. Are there any postage stamps in your blotting-case?—Yes, and you will find envelopes and a seal on the table* (f.). 8. Where is your ebony ruler?—It (f.) is in my desk. 9. Is there any letter paper in your blotting case?—Yes, and there is also ruled paper. 10. Do you sometimes write with chalk?—Yes, I write sometimes on the black board.

39. Trente-neuvième conversation.
LES ÉTUDES.—(*Studies.*)

1. Pourquoi vos cousins vont-ils à l'école?—Pour y prendre leur leçon de calcul. 2. Ces élèves vont-ils à l'école pour apprendre l'arithmétique?—Ils calculent déjà très bien; ils vont apprendre l'algèbre. 3. Connaissez-vous une bonne grammaire latine?—J'ai appris dans celle de Burnouf; je la crois excellente. 4. Le directeur est-il Allemand?—Non, il est Français. 5. Etes-vous pensionnaire?—Non, je suis externe. 6. Martin est-il demi-pensionnaire?—Il est pensionnaire. 7. Écriviez-vous votre pensum?—Non, je faisais mon analyse. 8. Où sont les externes?—Ils sont dans la salle d'escrime. 9. Les élèves sont-ils au bout de la cour?—Non, ils sont réunis dans la salle d'étude. 10. Etes-vous obligé d'apprendre vos vers latins par cœur?—Non, mais je suis obligé de les mettre en prose latine. 11. Où prenez-vous votre leçon d'allemand?—Dans la petite classe. 12. Avez-vous emprunté un dictionnaire français?—Oui, car le mien est à relier. 13. Est-ce que le dictionnaire du Dr. Spiers est le meilleur?—Je le trouve excellent. 14. Les maîtres sont-ils dans le gymnase?—Il n'y a que le maître d'armes et un maître d'étude avec les externes. 15. Combien y a-t-il d'externes dans le gymnase?—Il y a tous les grands, c'est-à-dire une vingtaine. 16. Avez-vous prêté votre lexique au nouveau[1]?—Oui, et en retour il m'a prêté son gradus. 17. Y a-t-il beaucoup d'exemples dans votre grammaire latine?—Il y en a un à l'appui de chaque règle et de chaque observation. 18. Le maître d'armes est-il avec le maître de danse?—Oui, ils sont en discussion sur l'utilité de ce qu'ils enseignent. 19. Les fleurets sont-ils dans le gymnase?—Oui, ainsi que les masques; la leçon d'escrime commencera aussitôt que le maître de danse laissera le champ libre au maître d'armes. 20. Où est le réfectoire?—Il se trouve au fond de la cour.

Exercise.—(*Translation and reading.*)
SINGULIÈRE APOLOGIE DE LA MUSIQUE ET DE LA DANSE.—(*Scène comique.*)

Personnages: *M. Jourdain (bourgeois de Paris), un maître de danse, un maître de musique.*

Le maître de musique. Vous devriez apprendre la musique, monsieur, comme vous faites[2] la danse. Ce sont deux arts qui ont une étroite liaison ensemble.

Le maître de danse. Et qui ouvrent l'esprit d'un homme aux belles choses.

M. Jourd. Est-ce que (*p.* 7) les gens de qualité apprennent aussi la musique?

Le m. de mus. Oui, monsieur.

M. Jourd. Je l'apprendrai donc. Mais je ne sais quel temps je pourrai prendre; car, outre le maître d'armes qui me montre[3], j'ai arrêté[4] encore un maître de philosophie qui doit commencer ce matin.

---

[1] *i.e.* au nouvel élève.   [2] Vous apprenez.   [3] Qui me donne des leçons.   [4] Engagé.

Le m. de mus. La philosophie est quelque chose ; mais la musique, monsieur, la musique......

Le m. de danse. La musique et la danse......La musique et la danse, c'est là tout ce qu'il faut.

Le m. de mus. Il n'y a rien qui soit si utile dans un état que la musique.

Le m. de danse. Il n'y a rien qui soit si nécessaire aux hommes que la danse.

Le m. de mus. Sans la musique, un état ne peut subsister.

Le m. de danse. Sans la danse, un homme ne saurait rien faire[1].

Le m. de mus. Tous les désordres, toutes les guerres qu'on voit dans le monde, n'arrivent que pour n'apprendre[2] pas la musique.

Le m. de danse. Tous les malheurs des hommes, tous les revers funestes dont les histoires sont remplies, les bévues des politiques, et les manquements[3] des grands capitaines, tout cela n'est venu que faute de savoir danser[4].

M. Jourd. Comment cela ?

Le m. de mus. La guerre ne vient-elle pas d'un manque d'union[5] entre les hommes ?

M. Jourd. Cela est vrai.

Le m. de mus. Et si tous les hommes apprenaient la musique, ne serait-ce pas le moyen de s'accorder ensemble, et de voir dans le monde la paix universelle ?

M. Jourd. Vous avez raison.

Le m. de danse. Lorsqu'un homme a commis un manquement dans sa conduite, soit aux affaires de sa famille, ou au gouvernement d'un état, ou au commandement d'une armée, ne dit-on pas toujours : " Un tel a fait un mauvais pas dans une telle affaire ? "

M. Jourd. Oui, on dit cela.

Le m. de danse. Et faire un mauvais pas peut-il procéder d'autre chose que de ne savoir pas danser ?

M. Jourd. Cela est vrai, et vous avez raison tous deux.

Le m. de danse. C'est pour vous faire voir l'excellence et l'utilité de la danse et de la musique.—MOLIÈRE, *le Bourgeois gentilhomme.*

(See HAVET's French Studies, pp. 6 and 283.)

40. Quarantième conversation.

LES ÉTUDES. — (*Studies.*)—*Seconde partie.*

1. Où prenez-vous votre leçon de latin ? — Dans la grande classe, à côté de la salle d'étude. 2. Prenez-vous votre leçon de danse dans la salle de récréation ?—Non, nous la prenons dans le réfectoire ; on enlève les tables, et cela fait une salle de danse magnifique. 3. Avez-vous congé toutes les semaines ?—Nous avons deux demi-congés. 4. Y aura-t-il un prix de latin cette année ?—Il y en aura plusieurs. 5. Votre professeur a-t-il l'intention de donner un prix de français ?—Je crois qu'il donnera un premier et un second prix. 6. La distribution des prix aura-t-elle lieu la veille des vacances ?—Elle aura lieu dans la matinée du jour où les vacances commenceront. 7. Vos vacances durent-elles six semaines ?—Elles durent souvent deux mois. 8. Dans quelle classe est votre cousin Robert ?—Il est en troisième[6]. 9. Est-ce que Richard est dans la classe des commençants ?—Non, il est en sixième[6]. 10. Est-ce qu'Alfred apprend le latin ?—Non, son père trouve que c'est assez d'étudier les langues vivantes.

---

[1] Un homme ne peut rien faire. [2] Que parce qu'on n'apprend pas la musique. [3] Fautes, erreurs. [4] Tout cela n'est arrivé que parce que l'on ne savait pas danser. [5] Harmonie. [6] See HAVET's French Studies, *p.* 72, *note* 5.

11. Oscar va-t-il commencer le français ?—Il le parle déjà un peu ; il a le don des langues, car il a très bien appris l'allemand pendant le peu de temps qu'il a passé en Allemagne. 12. Charles ne parle-t-il pas français avec ses sœurs ?—Si, dans cette famille on apprend à parler français dès l'enfance. 13. Est-ce que l'institutrice parle français avec vos sœurs ?—Oui, et elles font très bien la conversation avec elle. 14. Est-ce qu'Horace prononce aussi bien qu'un Français ?—Oui, mais il ne s'exprime pas aussi bien qu'il prononce. 15. Est-ce que Maria prononce aussi bien qu'une Française ?—Elle a très peu d'accent, et il est rare que les Français la prennent pour une Anglaise. 16. Votre cousine Fanny a-t-elle bon accent ?—Non, elle a très mauvais accent, mais elle écrit le français avec beaucoup de pureté. 17. Est-ce que Maurice est dans un externat ?—Il est en pension chez un des professeurs du collége. 18. Jenny a-t-elle été longtemps en pension ?—Elle y est restée deux ans ; c'était la meilleure élève du pensionnat ; elle a passé tous ses examens. 19. A quelle heure montez-vous au dortoir ?—A neuf heures ; et vingt minutes après, toutes les lumières sont éteintes. 20. Étiez-vous en retard ce soir ?—Je suis arrivé dix minutes après l'heure, mais j'avais une excuse.

Exercise.—(*Studies, &c.*)

I.—1. Do you take your dancing lesson in the dining-room[1] ?—No, we take it in the play-room. 2. Where do you take your Latin* lesson ?—We take it in the school-room. 3. Will there be a French prize this year?—There will be several. 4. Will your holidays last two months ?—They will only last[2] six* weeks. 5. Does David* learn the dead languages ?—He learns Latin* (m). 6. Does Ernest* learn living languages ?—He learns (the) French and (the) German.

II.—7. Is Horace* going *to* begin (the) German ?—No, he is going *to* commence (the) French ?—8. Does your cousin* (m.) pronounce (the) French as well as a native[3] ?—He has very little accent*. 9. Has Jenny* a good accent* (m.) ?—She pronounces as well as a native. 10. Has Victor* a bad accent* (m.) ?—Yes, but he writes the French *language* with great purity. 11. Is Fanny* at a boarding-school ?—No, she attends a[4] day-school. 12. Has Joseph* been long at a boarding-school?—Six* weeks ; he is the best pupil in[5] his class.

[1] réfectoire (m.), in a large boarding-school; salle à manger (f.), in a private school, or in any house. [2] Elles ne dureront que. [3] aussi bien qu'un Français. [4] Non, elle est dans un, *or* elle va à un. [5] de.

41. Quarante et unième conversation.

CE, CECI ET CELA.—("*It,*" "*this,*" "*that.*")

I. CE, c'.—1. Est-ce le facteur ?—Non, c'est le marchand de journaux. 2. Est-ce l'église ?—Non, c'est le collége. 3. Est-ce le village ?—Non, c'est un hameau ; nous sommes à deux milles du village. 4. Est-ce un incendie?—Oui, et vous allez voir passer les pompes à feu. 5. Qu'est-ce que c'est ?—C'est une brigade de pompiers. 6. Est-ce une table ?—Non, c'est une armoire que les pompiers jettent par la fenêtre. 7. Est-ce bien écrit ?—Ce n'est pas trop mal pour un débutant. 8. Est-ce un paysan?—Non, c'est un soldat en congé. 9. Pourquoi lisez-vous Molière ?—Parce que c'est mon auteur favori. 10. Qui est-ce ?—Ce sont les gendarmes. 11. Connaissez-vous le baron?—Oui, c'est un sot. 12. Connaissez-*vous* sa fille ?—Oui, c'est une charmante personne.

II. and III. CECI ET CELA.—1. Où mettrai-je *ceci ?*—Posez-le sur la table du vestibule. 2. Où avez-vous trouvé *cela ?*—Au bas de l'escalier. 3. Voulez-vous manger *ceci* ou *cela ?*—Merci, je ne prendrai plus rien. 4. Admirez-vous *cela ?*—Je trouve que c'est assez joli. 5. Mettrai-je *cela* dans l'armoire ?—Non, laissez-le sur le buffet, car le dîner n'est pas des plus copieux. 6. Pourquoi lisez-vous *cela ?*—Parce que c'est très amusant ; je vous le passerai quand j'aurai fini.

Observe the difference between *il* and *ce* in the following examples :—
> (a) 1. Que fait Gustave ?—*Il* est négociant.
> 2. Que fait cet homme ?—*Il* est courrier.
> (b) 1. Qu'est-ce que ce monsieur ?—C'est un négociant.
> 2. Qu'est-ce que cet homme ?—C'est un courrier.

(Give the plural forms.)

Exercise.—*(Ce, c', ceci, cela.)*

I. CE, c'.—1. Is IT the newsman ?—No, IT is the postman. 2. Is IT a hamlet?—No, IT is a village* (m.) 3. What is IT ?—IT is a fire in the village* (m.). 4. Who is IT ?—IT is a peasant. 5. Is IT a marquis* ?—No, IT is a baron*. 6. Do you admire Shakspeare* ?—Yes, HE is my favourite author. 7. Do you know Fanny* ?—Yes, SHE is a lovely girl. 8. Who is IT ?—IT is the peasants.

II. CECI et CELA.—1. Shall I put THIS in the cupboard ?—No, leave it on the sideboard. 2. Will you eat THIS?—No, I shall eat THAT. 3. Have you found THAT in the cupboard ?—No, I have found it on the window. 4. Why do you read THIS ?—Because it is well written.

42. Quarante-deuxième conversation.

PRONOMS DÉMONSTRATIFS.—(Revise p. 22.)

I.	Celui,	celle,	ceux,	celles,	*that, those, &c.*
II.	Celui-ci,	celle-ci,	ceux-ci,	celles-ci,	*this (one), these.*
III.	Celui-là,	celle-là,	ceux-là,	celles-là,	*that (one), those.*

I. CELUI, CELLE, CEUX, CELLES.—1. Avez-vous caché votre or avec celui de votre voisin ?—Pas si sot ; je l'ai porté à la caisse d'épargne. 2. Avez-vous mis votre voiture avec *celle* du voyageur ?—Non, la sienne est sous la remise, et la mienne est restée au milieu de la cour. 3. Vos pigeons sont-ils avec *ceux* de Robert ?—Non, ils viennent de rentrer au colombier. 4. Vos malles sont-elles avec *celles* de Richard ?—Non, les miennes viennent d'arriver à l'hôtel, tandis que les siennes sont encore à la douane.

II. CELUI-CI, CELLE-CI, CEUX-CI, CELLES-CI.—1. Voici deux romans, voulez-vous lire *celui-ci ?*—Non, j'aime mieux lire celui-là. 2. Voici deux mules, voulez-vous monter *celle-ci ?*—Non, elle est trop têtue. 3. Voici des pigeons, voulez-vous manger *ceux-ci ?*—Oui, car je crois que ce sont des pigeons ramiers. 4. Voici des oranges, voulez-vous manger *celles-ci ?*—Non, car je crois que ce sont des oranges amères.

III. CELUI-LA, CELLE-LA, CEUX-LA, CELLES-LA.—1. Pourquoi aimez-vous mieux ce sermon que *celui-là ?*—Parce qu'il est plus édifiant. 2. Pourquoi aimez-vous mieux cette description que *celle-là ?*—Parce qu'elle est plus fidèle et en même temps plus brillante. 3. Pourquoi préférez-vous ces pigeons à *ceux-là ?*—Parce qu'ils me paraissent plus dodus. 4. Pourquoi préférez-vous ces cerises à *celles-là ?*—Parce qu'elles sont *plus mûres.*

Exercise.—(*Celui, celui-ci, celui-là, &c.*)

(DIRECTION.—*The words in italics are to be changed into the plural.*)

I. (a) MASCULINE.—1. Avez-vous mis *votre journal* avec *celui* de votre frère ? 2. Avez-vous copié *votre devoir* et *celui* de votre voisin ?

(b) FEMININE.—1. Avez-vous lu *votre lettre* et *celle* de votre ami ! 2. Avez-vous perdu *votre malle* et *celle* de votre compagnon de voyage ?

II.—1. Voici des ananas, voulez-vous manger *celui-ci* ? 2. Voici des fusils, voulez-vous essayer *celui-ci* ?

1. Voici de jolies voitures, prendrons-nous *celle-ci* ? 2. Voici de jolies nacelles, monterons-nous dans *celle-ci* ?

III.—1. Voyez-vous ces oiseaux sur cet arbre, voulez-vous que je tire *celui-là* ? 2. Vous apercevez ces deux ormes, voulez-vous que je grimpe sur *celui-là* ?

1. Voilà des voitures qui viennent, ferai-je arrêter *celle-là* ? 2. Voilà des paysannes, demanderai-je la route à *celle-là* ?

(DIRECTION.—*The words in italics are to be changed into the singular.*)

I.—1. Avez-vous comparé *vos devoirs* avec *ceux* du nouvel élève ? 2. Avez-vous mis *vos cartes géographiques* avec *celles* de votre cousin germain ?

II.—1. Voici des journaux, vous contenterez-vous de *ceux-ci* ? 2. Vous avez beaucoup de brochures, voulez-vous me prêter *celles-ci* ?

III.—1. On chante dans le lointain ; avez-vous jamais entendu de plus jolis airs que *ceux-là* ? 2. Regardez devant vous, avez-vous jamais vu de plus belles églises que *celles-là* ?

43. Quarante-troisième conversation.

I.—INTERROGATIVE ADJECTIVES.

"WHAT" or "WHICH" *before a noun*, in the sense of "WHAT SORT ?"

	M. S.	M. P.	F. S.	F. P
1. Which *or* what ?	QUEL	QUELS	QUELLE	QUELLES ?
2. Of *or* from which *or* what ?	DE QUEL	DE QUELS	DE QUELLE	DE QUELLES ?
3. To which *or* what ?	A QUEL	A QUELS	A QUELLE	A QUELLES ?

II.—INTERROGATIVE PRONOUNS.

The following are used *relatively*, in inquiring about both persons and things :—

1. Which ?	LEQUEL	LESQUELS	LAQUELLE	LESQUELLES ?
2. Of or from which ?	DUQUEL	DESQUELS	DE LAQUELLE	DESQUELLES ?
3. To which ?	AUQUEL	AUXQUELS	A LAQUELLE	AUXQUELLES ?

III.—DEMONSTRATIVE PRONOUNS.

When questions are asked with LEQUEL, DUQUEL, AUQUEL, &c., or with a noun preceded by the adjective QUEL, they are generally answered with one of the following :—

1. Celui qui, ... *he or him who,*
2. Celle qui, ... *she or her who,*
3. Ceux qui, ... *they or them who,*
4. Celles qui, ... *they or them who,*
5. Celui que, &c. . . . . . *he or him whom,*

or

{ *the one which.*
the one which.
those which.
those which.
the one which.

And so on with any preposition.

1. Celui dont, ... *that of whom,* or *of which, &c.*
2. Celui de qui, ... *that from whom.*
3. Celui auquel, ... *that to whom* or *which, &c..*
4. Celui avec lequel, ... *that with whom* or *which, &c.*—(See p. xv.)

1. Quel monsieur voulez-vous dire?—Je veux dire celui qui se promenait sur la jetée. 2. Quelle dame avez-vous invitée?—Celle qui était à côté de vous à dîner. 3. Quels bâtiments voulez-vous dire?—Ceux que nous avons vus en rade. 4. Quelles dames voulez-vous dire?—Celles qui étaient dans le même compartiment que nous. 5. De quel voyageur parlez-vous?—Je parle de celui que j'ai salué au buffet. 6. De quelle dame avez-vous reçu une lettre?—De celle que nous avons accompagnée à la gare du chemin de fer du nord.

7. Lequel de ces touristes avez-vous rencontré au pied du Mont Blanc?—Celui qui a le sac sur le dos; il parcourt la Savoie à pied avec deux artistes de ses amis.   8. Laquelle de ces dames avez-vous vue à table d'hôte?—Celle que vous venez d'accompagner au salon.   9. Avec lequel de ces capitaines avez-vous dîné?—Avec celui qui est décoré. 10. A laquelle de ces voyageuses avez-vous donné le passeport?—A la grande dame blonde qui était à côté de vous à table d'hôte.   11. Laquelle de ces lettres devons-nous traduire aujourd'hui?—Celle que nous avons copiée après la leçon d'hier.   12. Quelle fable devons-nous apprendre par cœur?—Celle que le professeur nous a dictée en classe.

Exercise.—(*Interrogative and demonstrative expressions.*)

1. WHAT traveller do you mean?—I mean HIM WHO was walking in the village * (m.) ?—2. WHAT lady do you mean?—I mean HER (the one) WHOM we have accompanied to the Northern Railway.   3. WHICH of these artists have you met at the foot of (the) Ben * Lomond * (m.)?—THE-ONE who has a knapsack on his back.   4. WHICH of these ladies have you met at the foot of (the) Ben* Nevis* (m.)?—THE ONE WHO was (*imp.*) beside you in the drawing-room. 5. To WHICH of these tourists have you given your knapsack?—To THE-ONE who was (*imp.*) beside you at the table * d'hote *.   6. To WHICH of those ladies have you given the *Constitutionnel* * (m.)?—To THE-ONE who is in the refreshment-room.

7. WHICH (m. *pl.*) of these travellers were (*imp.*) in your compartment?— THOSE WHO are in the refreshment-room.   8. With WHICH (f. *sing.*) of those ladies have you dined?—With the tall fair lady.   9. WHAT travellers do you mean?—THOSE WHO were (*imp.*) on the pier.   10. WHAT ladies do you mean?— I mean THOSE WHO were (*imp.*) at the Northern Railway.   11. Of WHAT tourists are you speaking?—I am-speaking of THOSE WHO were (*imp.*) at the Northern Railway station.

44. Quarante-quatrième conversation.

ABSTRACT NOUNS IN A GENERAL SENSE.—(*See* 28*th Conversation*, p. 34.)

La sagesse, *wisdom*.	Le jugement, *judgment*.	La nonchalance, *carelessness*.
La joie, *joy*.	L'esprit (m.), *talent, wit, &c.*	Le caractère, *temper, disposition*.
La douleur, *grief*.	La bêtise, *stupidity*.	La réputation, *character*.
L'amour (m.), *love*.	Le mensonge, *falsehood*.	Le courage, *courage*.
La haine, *hatred*.	La vérité, *truth*.	La colère, *anger*.
La bonté, *goodness*.	La politesse, *politeness*.	L'honneur (m.), *honour*.
La douceur, *mildness*.	L'orgueil (m.), *pride*.	La honte, *shame*.
La piété, *piety*.	Le mépris, *contempt*.	L'entêtement (m.), *obstinacy*.
La pitié, *pity*.	La raillerie, *raillery*.	La bassesse, *meanness*.
L'intelligence (f.), *understanding, &c.*	La méchanceté, *wickedness*.	Le malheur, *misfortune*.
	La lâcheté, *cowardice*.	Le bonheur, *happiness*.

1. Qu'est-ce que *la* colère?—Les moralistes l'appellent le plus aveugle, le plus violent, et le plus vil *des* conseillers.   2. *La* liberté n'est-elle point *la* vraie gloire des peuples?—Si, et l'on a eu raison de dire que *la* liberté féconde *la* vie, autant que *l'*esclavage éteint son énergie et sa chaleur.   3. Ne doit-on pas éviter *l'*ivrognerie?—Si, car elle abrutit; triste et affligeante dans le jeune homme, elle devient hideuse chez les vieillards et chez les femmes.   4. *Le* succès ne naît-il point de *la* persévérance?—Si, et il y a un proverbe qui dit que *la* persévérance vient à bout de tout.   5. Quelle est la route la plus sûre pour arriver à *la* fortune?—*Le* travail, *la* persévérance, l'esprit *des* affaires, voilà quelques-unes des causes qui peuvent mener à *la* fortune.

6. Quel est le plus violent *des* conseillers?—Nous avons dit que c'est *la* colère; La Rochefoucauld l'appelle une passion fougueuse qui

court aux armes, sans attendre le consentement de *la* raison. 7. *L'*amitié ne nous console-t-elle pas dans *le* malheur ?—Si, et elle est alors d'autant plus précieuse qu'elle est plus rare. 8. Qu'est-ce que *le* vrai courage ?—C'est de savoir souffrir. 9. Ne doit-on pas aimer *la* vertu ?—Si, et sans elle on ne saurait être heureux. 10. *La* politesse ne rend-elle pas aimable ?—Si, car elle consiste à faire et à dire tout ce qui peut plaire.

Si, " yes," is generally used instead of *oui* in replying to a question in which there is a negation, or in contradiction to a negative statement :—

1. Est-ce que vous ne voyagerez pas cette année?—*Si*, nous irons en Italie au printemps. 2. Vous ne lisez jamais votre *Télémaque.*—*Si*, j'en lis deux pages tous les jours.

Exercise.—(*Translation and Reading.*)
LE BON MINISTRE.

[HAROUN-AL-RASCHID, c'est-à-dire le *Justicier*, éleva l'empire des califes[1] d'Orient à son plus haut degré de splendeur. Il fit de grandes conquêtes en Asie, étendit ses relations jusqu'en Occident, et sollicita l'alliance de Charlemagne. Il protégea les arts et les lettres et s'entoura d'une cour magnifique à Bagdad (Turquie d'Asie), mais on lui reproche sa cruauté. Il eut pour favori le vizir Giafar de la famille des Barmécides, qui déploya dans ses fonctions des talents et des vertus ; néanmoins, en 803, Giafar périt par l'ordre d'Haroun, et presque tous les Barmécides furent exterminés ou exilés.]

1. Le puissant Haroun-al-Raschid commençait à soupçonner que son vizir Giafar ne méritait pas la confiance qu'il lui avait donnée ; les courtisans, les habitants de Bagdad, les derviches, censuraient le vizir avec amertume. Le calife[1] aimait Giafar ; il ne voulut point le condamner sur les clameurs de la ville et de la cour. Il visita son empire ; il vit partout la terre bien cultivée, la campagne riante, les hameaux opulents, les arts utiles en honneur, et la jeunesse dans la joie. Il visita les places de guerre et les ports de mer ; il vit de nombreux vaisseaux qui menaçaient les côtes de l'Afrique et de l'Asie ; il vit des guerriers disciplinés et contents.

2. Ces guerriers, les matelots et le peuple des campagnes s'écriaient : " O Dieu, bénissez les fidèles en prolongeant les jours d'Haroun-al-Raschid et de son visir Giafar ; ils maintiennent dans l'empire la paix, la justice et l'abondance ! Tu manifestes, grand Dieu, ton amour pour les fidèles en leur donnant un calife comme Haroun et un visir comme Giafar !"

3. Le calife, touché de ces acclamations, entre dans une mosquée, s'y précipite à genoux, et s'écrie : " Grand Dieu, je te rends grâces ; tu m'as donné un ministre dont mes courtisans me disent du mal, et dont mes peuples me disent du bien."—(SAINT-LAMBERT, 1717-1803.)

Conversation sur le conte précédent.

1. Quel est le monarque qui commençait à soupçonner son ministre ? 2. Qui est-ce qui critiquait le visir avec amertume ? 3. Pourquoi Haroun-al-Raschid ne voulut-il point condamner Giafar ? 4. Que fit-il pour s'assurer de la vérité ? 5. Dans quel état trouva-t-il la terre, les hameaux, &c. ? 6. Que vit-il dans les ports de mer ? 7. Que trouva-t-il dans les villes fortes ? 8. Que criait-on sur le passage d'Haroun-al-Raschid ? 9. Quel effet ces acclamations produisirent-elles sur le calife ? 10. Que fit-il dans la mosquée ?

---

[1] *Calife* (successeur) est le nom que prirent les successeurs de Mahomet. Ils réunissaient le pouvoir temporel au pouvoir spirituel. Tous les califes sont tombés devant le chef des Turcs, qui a pris le nom de *sultan.*

45. Quarante-cinquième conversation.—(*See page* 36.)

(On pourra passer cette leçon pour y revenir plus tard.)

I. The partitive article *du, de la, de l'*, or *des*, appears before abstract nouns used in a partitive sense :

1. Faites *du* bien aux pauvres.   2. Il faut *de la* persévérance pour réussir. 3. Les hommes ont *des* vertus et *des* vices.

II. *Un* or *une*, and not the partitive article, appears before abstract nouns accompanied by an adjective of quality:

1. Cet élève a *une* grande mémoire.   2. Cet orateur a *une* éloquence irrésistible.

With the plural, *de* is required when the adjective precedes the noun, and *des* when the adjective comes last :

1. Cet enfant a *de* mauvaises habitudes.   2. Ce jeune homme a fait *des* efforts inouïs pour réussir

Ai-je *du* courage ?	Ai-je montré *une* grande fermeté ?	Ai-je donné *de* bons conseils ?
As-tu *de* l'ambition ?	As-tu montré *une* douleur profonde ?	As-tu fait *de* grands progrès ?
A-t-il *de* l'orgueil ?	A-t-il montré *un* orgueil excessif ?	A-t-il dit *des* vérités pénibles ?
A-t-elle *de la* vanité ?	A-t-elle montré *une* sotte vanité ?	A-t-elle fait *de* vifs reproches ?
Avons-nous *du* tact ?	Avons-nous montré *une* grande patience ?	Avons-nous donné *de* mauvais conseils ?
Avez-vous *de* l'aplomb ?	Avez-vous montré *une* joie puérile ?	Avez-vous fait *de* jolis compliments ?
Ont-ils *de* l'ordre ?	Ont-ils montré *une* grande sagesse ?	Ont-ils tenu *des* propos inconvenants ?
Ont-elles *de* l'économie ?	Ont-elles montré *une* avarice excessive ?	Ont-elles entendu *des* choses agréables ?

I.—1. Le marquis a-t-il *de* l'ambition ?—Oui, mais c'est *une* noble ambition : il veut rétablir l'honneur de son nom en faisant le bien. 2. Votre général montrait-il *de la* modestie après la victoire ?—Oui, et c'est ainsi qu'il se faisait estimer de l'ennemi. 3. Sa lettre renfermet-elle *des* vérités ?—Non, c'est un tissu de mensonges. 4. Charles avait-il *des* moyens ?—Oui, mais il lui aurait fallu *de la* persévérance et *de* l'ordre. 5. Éprouvez-vous *de* l'admiration pour le marquis ?—Oui, et s'il avait moins de modestie, je crois qu'il ferait *du* bruit dans le monde. 6. Y a-t-il *de la* dureté dans cette lettre ?—Il y a *de la* froideur, mais ce n'est pas encore *de la* dureté. 7. Votre général a-t-il *un* jugement sûr ? —Oui, et il a *un* coup d'œil excellent.

II.—8. Pourquoi vous livrez-vous à *une* douleur puérile ?—J'en suis vraiment honteux moi-même, et je trouve que j'ai grand tort de m'affliger de pareilles bagatelles. 9. Votre général montrait-il *de la* fermeté après la défaite ?—Oui, et c'est par cette fermeté qu'il rassurait ses soldats. 10. Avez-vous écrit à votre tuteur pour lui demander *des* conseils ?— Oui, et je me laisserai guider par ce qu'il me conseillera. 11. Cette institutrice a-t-elle reçu *une* bonne éducation ?—Oui, elle a passé de brillants examens et elle a déjà fait l'éducation d'une jeune personne. 12. Sa tante a-t-elle *une* conversation intéressante ?—Personne ne possède plus qu'elle le talent de converser, de plaire et de charmer. 13. Ne dites-vous pas que ce jeune Allemand a *des* moyens prodigieux ?—Si, et je suis sûr qu'il ira loin. 14. A-t-il *une* instruction variée ?—Oui, il a beaucoup vu, beaucoup lu et beaucoup retenu.

Exercise.—(*Abstract nouns, &c.*)

1. Has your cousin* (m.) any ABILITIES?—No, but he has GREAT perseverance. 2. Had (*imp.*) Ernest* any AMBITION?—Yes, he had AMBITION and PERSEVERANCE. 3. Is there any TRUTH in this (p. 22) accusation* (f.)?—No, it is a tissue of falsehoods. 4. *Did* the colonel* show any HARSHNESS?—No, but he showed GREAT FIRMNESS.

5. Has she made GREAT EFFORTS* (m.)?—Yes, and she has shown GREAT PATIENCE* (f.) 6. Have they (m.) any PRIDE?—Yes, they have EXCESSIVE PRIDE and GREAT AMBITION* (f.) 7. Has he given BAD ADVICE (*pl.*)?—No, he has given GOOD ADVICE (*pl.*) 8. Have you heard any PLEASANT THINGS?—No, we have heard UNPLEASANT TRUTHS.

46. Quarante-sixième conversation.

ON, "MAN," "ONE," "PEOPLE," "THEY," "WE," "YOU," ETC.

1. Pourquoi mange-t-*on*?—*On* mange pour vivre, mais il ne faut pas vivre pour manger. 2. Où semble-t-*on* aimer naturellement les beaux-arts?—En Italie; je ne connais pas de pays qui ait produit plus de peintres, de musiciens, de sculpteurs et d'architectes. 3. Que boit-*on* en France?—En général *on* y boit du vin. 4. Que boit-*on* en Angleterre?—*On* y boit ordinairement de la bière. 5. Quelle langue parle-t-*on* à Lausanne?—*On* y parle la langue française, qui est répandue dans plusieurs cantons suisses. 6. Parle-t-*on* chinois à Canton?—Naturellement, puisque c'est en Chine. 7. Quelle pantomime joue-t-*on* dans ce théâtre?—*On* y donne *la Belle au bois dormant.* 8. Donne-t-*on* des concerts à Noël?—*On* ne représente guère que des pantomimes.

9. Donnerait-*on* un concert tous les soirs, si *l'on* était sûr d'avoir du monde?—Non, le ténor et le baryton se refusent à chanter plus de trois fois par semaine. 10. Parle-t-*on* français ici?—Le propriétaire de l'établissement est Français. 11. Trouve-t-*on* ce passage dans *Gil Blas?*—Oui, *on* le trouve au 1er chapitre. 12. Dit-*on* que les Chinois ont été battus?—Oui, c'est annoncé par une dépêche télégraphique, qui vient d'être affichée à la Bourse. 13. Soupçonne-t-*on* les deux paysans de ce vol?—Oui, *on* croit qu'ils ont fait le coup pendant la nuit. 14. Peut-*on* se procurer du houblon dans cette province?—Non, mais il y a beaucoup de houblonnières dans la province voisine. 15. Peut-*on* se procurer de la bière dans cet hôtel?—Non, mais *on* peut y avoir de très bon vin et d'excellent cidre. 16. Lit-*on* *Gil Blas* dans votre classe?—Non, *on* lit *Paul et Virginie.* 17. Trouve-t-*on* cette expression dans *Gil Blas?*—Oui, c'est un des mots favoris de Lesage.

Exercise.—("*On*" man, people, we, they, &c.)

1. Do WE live to eat?—No, WE eat to live. 2. What do THEY drink in that (p. 22) hotel* (m.)?—THEY drink beer and wine. 3. What language do THEY speak in that province* (f.)?—THEY speak Chinese. 4. Do THEY perform pantomimes* at Christmas?—Yes, THEY give pantomimes*, concerts*, &c. 5. Do THEY read Charles* XII. in that (p. 22) class?—No, THEY read a volume* (m.) of Bossuet*'s works. 6. Do PEOPLE say that the two Chinese have done the deed?—Yes, THEY believe that the Chinese have done the deed during the night. 7. Do THEY ACT Othello* in that theatre?—No, THEY act Hamlet*. 8. Is that passage* (m.) to be found in Bernardin de Saint-Pierre (p. 181)?—No, it is to be found in J.-J. Rousseau (p. 186).—Use ON in this last no. (F. C. B., p. 296).

Supplementary Exercise.—(*Translation and Reading*.)

LES LANGUES DOIVENT ÊTRE ÉTUDIÉES PENDANT L'ENFANCE.

(Du temps de La Bruyère (1646–1696), le latin et le grec faisaient comme aujourd'hui le fonds de l'enseignement; on y ajoutait souvent l'étude de l'italien et de l'espagnol, que plusieurs reines de France avaient parlés, et qui ont laissé beaucoup de tournures dans la langue française.   Depuis, l'anglais et l'allemand ont remplacé l'italien et l'espagnol.)

On ne peut guère charger l'enfance de la connaissance de trop de langues, et il me semble que l'on devrait mettre toute son application à l'en instruire: elles sont utiles à toutes les conditions des hommes, et elles leur ouvrent également l'entrée ou à une profonde ou à une facile et agréable érudition.   Si l'on remet cette étude si pénible à un âge un peu plus avancé et qu'on appelle la jeunesse, ou l'on n'a pas la force de l'embrasser par choix, ou l'on n'a pas celle d'y persévérer; et, si l'on y persévère, c'est consumer à la recherche des langues le même temps qui est consacré à l'usage que l'on doit en faire.   Un si grand fonds ne se peut bien faire[1] que lorsque tout s'imprime dans l'âme naturellement et profondément; que[2] la mémoire est neuve, prompte et fidèle.   Je suis persuadé que le petit nombre d'habiles,[3] ou le grand nombre de gens superficiels, vient de l'oubli de cette pratique.—(LA BRUYÈRE.)

Conversation sur le morceau précédent.

1. A quoi devrait-on mettre tout son application?   2. Pourquoi doit-on étudier les langues?   3. Quel est le résultat de l'étude des langues?   4. Pourquoi les enfants apprennent-ils les langues plus facilement que les grandes personnes?   5. D'où vient que l'on rencontre si peu de personnes qui parlent bien les langues étrangères?   6. Quelles langues vivantes étudiait-on en France du temps de La Bruyère?   7. Quelles sont celles que l'on étudie le plus généralement aujourd'hui?   8. Quelles sont les langues anciennes que l'on enseigne dans les collèges?

47. Quarante-septième conversation.

LE DÉJEUNER.—(*Breakfast*.)

1. Mangez-vous des rôties beurrées?—Je mange ordinairement des tartines de beurre très minces.   2. Le boulanger vous fournit-il de bons petits pains?—Oui, il nous les apporte tout chauds.   3. La domestique a-t-elle apporté des gâteaux?—Elle a acheté une magnifique brioche pour le thé.   4. A-t-elle acheté des œufs frais?—Oui, elle a acheté une douzaine d'œufs de dinde.   5. Où achetez-vous votre crème?—Elle nous vient de la campagne.   6. Où est la crèmerie?—Il y en a une au coin de la rue, mais nous y envoyons rarement.   7. Les Français font-ils de bon café?—Oui, c'est en France que le café se fait dans la perfection.   8. Trouverai-je du chocolat chez l'épicier?—Oui, il a du chocolat français de première qualité.   9. Le thé est-il dans la grande armoire?—Oui, vous le trouverez dans une boîte doublée de plomb.   10. Y a-t-il de la viande froide sur le buffet?—On y a mis la desserte du dîner d'hier; il y a du bœuf et du veau.   11. Où avez-vous mis le sel, le poivre et la moutarde?—J'ai posé tout cela sur le plateau.   12. Trouverai-je la salière et le moutardier dans l'office?—Non, la domestique vient de les poser sur le buffet.   13. La bonne a-t-elle cassé des tasses à thé?—Elle a cassé une tasse du Japon, à laquelle je tenais beaucoup.

---

[1] *i.e.*, acquérir.   [2] *i.e.*, lorsque.   [3] " Proficients."

14. Les cuillères se trouvent-elles avec les couteaux?—Non, les couteaux sont dans le panier, et les cuillères dans le tiroir. 15. Y a-t-il des cuillères à café sur le plateau ?—Il y en a une demi-douzaine; je crois que ce sera assez. 16. Le plateau est-il sur le buffet ?—Non, il est sur la table de l'antichambre. 17. Trouverai-je la théière avec la cafetière ?—Non, la cafetière est en bas. 18. Le sucre est-il dans le sucrier ?—Non, il est resté dans le sac. 19. Y a-t-il de l'huile dans l'huilier ?—Oui, il y a de l'huile d'olive. 20. Ces coquetiers sont-ils en argent ?—Non, ils sont en plaqué, mais on dirait de l'argent. 21. Avez-vous acheté du beurre salé ?—J'ai acheté une livre de beurre demi-sel et trois livres de beurre frais. 22. Trouverai-je du beurre demi-sel dans l'office ?—Non, le beurre demi-sel est resté sur la table de la cuisine. 23. Vous sert-on du jambon aux œufs le matin ?—Oui, assez souvent ; mais j'aime mieux une omelette. 24. Nous servira-t-on du poisson ce matin ?—On nous donnera des merlans frits. 25. La bouilloire est-elle sur le feu ?—Oui, et l'eau bout depuis quelques instants ; je vais en verser sur le thé. 26. Les cuillères sont-elles dans les soucoupes ?—Oui, et je vais mettre du sucre dans les tasses.

Exercise.—(*Breakfast.*)

I.—1. Do you eat bread and butter ?—I generally eat rolls. 2. Does the baker supply you with cakes ?—Yes, he brings us cakes and biscuits*. 3. Has the servant bought any cream ?—Yes, she has bought cream and new laid eggs. 4. Do the English[1] make good tea ?—Yes, it is in England[2] that tea is made to perfection * (f.). 5. Are the tea-cups in the pantry ?—No, they are on the sideboard.

II.—6. Are the spoons in the basket ?—No, they are in the drawer with the knives. 7. Is the tray on the table* (f.) ?—No, it is on the sideboard. 8. Shall I find the tea-pot on the sideboard ?—No, it is down stairs with the coffee-pot. 9. Is the sugar in the bag?—No, it is in the sugar-basin. 10. Have you bought salt butter ?—No, I have bought fresh butter.

48. Quarante-huitième conversation.

LE DÉJEUNER.—(*Breakfast.*)—*Seconde partie.*

1. Le boulanger a-t-il envoyé des petits pains ?—Le garçon vient d'en donner une douzaine à la bonne. 2. Les deux pains sont-ils sur le buffet ?—Oui, il y a un pain tendre et un pain rassis. 3. Avez-vous donné des petits pains aux enfants ?—Non, je leur ai donné des galettes de seigle. 4. A-t-on mis les tartines de beurre sur une assiette ?—On en a couvert deux grandes assiettes. 5. La nappe et les serviettes sont-elles sur le buffet ?—Oui, et la domestique va les prendre pour mettre le couvert. 6. Le sucrier est-il sur le plateau ?—Non, il est resté dans l'office. 7. Avez-vous mis le porte-rôtie sur la table ?—Non, je l'ai laissé à la cuisine; je vais le monter. 8. Les pinces à sucre sont-elles sur le plateau ?—Non, elles sont dans le sucrier. 9. Alice sert-elle bien à table ?—Il est rare de trouver une domestique aussi prompte à voir ce dont on a besoin. 10. Déjeunez-vous dans le petit salon?—Non, nous déjeunons toujours dans la salle à manger. 11. Alice a-t-elle mis du pain, du beurre, du poisson et du jambon sur le buffet ?—Oui, nous

---

[1] Les Anglais. [2] en Angleterre.

pouvons nous mettre à table, car nous ne manquerons de rien. 12. Avez-vous trouvé des œufs dans la corbeille ?—Oui, j'ai trouvé de très beaux œufs de dinde.

13. Est-ce que les Anglais boivent du vin à déjeuner ?—Non, ils prennent ordinairement du thé. 14. Mangent-ils des plats froids ? —On leur sert très souvent le rôti de la veille. 15. Y a-t-il des artichauts sur la table ?—Oui, et si vous désirez manger des artichauts à l'huile, la domestique va vous apporter tout ce qu'il faut. 16. Prenez-vous du fromage au déjeuner ?—Non, mais j'en prends toujours un petit morceau après le dîner. 17. Vous passerai-je le pâté ?—S'il vous plaît ; je prendrai un peu de croûte. 18. Les Anglais consomment-ils beaucoup de café ? —Ils en consomment moins que les Français, mais ils prennent beaucoup plus de thé. 19. Y a-t-il des plats chauds ce matin ?—Il y a des rognons sautés et des côtelettes panées. 20. Avez-vous trouvé des asperges sur le buffet ?—Non, mais je sais qu'il y en a à la cuisine.

Exercise.—(*Breakfast.*)

I.—1. Has the baker sent the two loaves?—Yes, he has sent a new loaf and a stale loaf. 2. Has the servant (f.) given rolls to the children ?—No, she has given them bread and butter. 3. Is the rye loaf on the table* ?—No, it is on the sideboard. 4. Where are the napkins?—They are in the pantry with the table-cloth. 5. Is the tray in the kitchen ?—No, it is in the dining-room. 6. Where have you found these turkey-eggs ?—In the basket which was (*imp.*) in the kitchen.

II.—7. Do the French take tea at breakfast?—They generally take coffee or wine. 8. Do they eat hot dishes?—Very often ; they take kidneys, chops, &c. 9. Are there any cold dishes this morning?—There is a pie, and the servant is going *to* bring some cold roast *meat.* 10. Shall I hand you the chops?— No, I shall take some kidneys. 11. Do you wish to eat asparagus (pl.) ?—No, but I shall take an artichoke. 12. Do you wish any tea ?—No, I shall-take some wine.

49. Quarante-neuvième conversation.

CAUSERIE.—(*Chit-chat during a call.*)

1. Allez-vous passer quelque temps à Paris ?—Je vais y rester quinze jours avec mon précepteur. 2. Comment se porte votre précepteur ?— Il a été souffrant toute la semaine dernière, mais il va beaucoup mieux aujourd'hui. 3. Avez-vous trouvé votre tuteur à l'hôtel ?—Oui, il y est arrivé ce matin par le train de Strasbourg. 4. Monsieur votre frère sera-t-il chez lui ce soir?—Oui, et il sera charmé si vous voulez venir dîner avec nous. 5. Votre tuteur va-t-il passer quelques jours à Paris ? —Il part ce soir même pour la Touraine. 6. Combien de temps votre tuteur et votre précepteur ont-ils été en voyage?— Ils voyagent depuis quinze jours. 7. Voulez-vous venir me prendre demain à midi ? —Avec le plus grand plaisir ; nous pourrons aller nous promener au Bois de Boulogne. (*See p. 83.*) 8. Etes-vous content de Paris ?—C'est une ville charmante ; je me déciderais facilement à y demeurer. 9. Votre appartement est-il au rez-de-chaussée ?—Non, je suis logé au second ; mon salon donne sur le boulevard des Italiens. 10. Ne devez-vous pas partir pour Blois la semaine prochaine?—Si, je dois y aller retrouver mon tuteur; nous irons visiter la Touraine ensemble. 11. Qu'avez-vous apporté de Londres ?

—Une foule de petits articles qui feront beaucoup de plaisir à nos amis de France, tels que rasoirs, ciseaux, aiguilles, &c. 12. Avez-vous laissé votre cousin en bonne santé?—Non, malheureusement; les médecins lui conseillent d'aller en Touraine. 13. Je vous prie de me rappeler au bon souvenir de votre frère.—Je n'y manquerai pas. 14. Le coupé attend-il à la porte?—Oui, et le cocher doit commencer à s'ennuyer d'attendre.

La Touraine.—(*Translation and Reading.*)

(*See* La Touraine et la Loire, p. 160 of HAVET's *French Studies.*)

1. Ce nom seul de Touraine éveille une foule de sentiments chez ceux qui connaissent ce pays : on se représente aussitôt un grand fleuve, une terre bénie, des campagnes fertiles, des plantations innombrables d'arbres fruitiers, des collines et des plateaux couverts de vignes, des pelouses et des prairies émaillées de fleurs, sur les bords de la Loire, du Cher, de l'Indre ou de la Creuse ; puis des châteaux pleins de souvenirs, des ruines imposantes, des villes gaies et bien entretenues, bâties d'une belle pierre blanche, des villages cachés dans la verdure, ou nichés pour ainsi dire, dans des roches calcaires, des habitants dont la vie paisible s'écoule dans un bien-être qu'on ne trouve guère ailleurs, et, par-dessus tout, un climat très agréable, également à l'abri des froids hivers et des chauds étés, tenant du Nord et du Midi, sans avoir les inconvénients de l'un ni de l'autre.

2. La Touraine est appelée le *Jardin de la France*, ce qui ne signifie pas qu'elle en soit la plus admirable partie, ni que les sites qu'on y rencontre soient les plus dignes de la curiosité des voyageurs. Il faut garder notre admiration pour les merveilles des pays de montagnes, ou pour les majestueux rivages de la mer. C'est là que la nature étale sa puissance, que l'œil est surpris, que l'âme se sent confondue. Mais si l'on ne veut que les beautés plus simples d'un pays à peu près plat, coupé par de belles vallées, une végétation magnifique, des bois aussi jolis que les bosquets d'un parc, des routes qui semblent être les chemins d'une vaste propriété particulière ; des plantations variées en fleurs, en légumes, en fruits ; de beaux troupeaux, et le spectacle le plus complet de la prospérité agricole ; oui, mes enfants, la Touraine mérite son nom : c'est bien le jardin de la France !—MANUEL ET ÁLVARÈS.

50. Cinquantième conversation.
ÉPICERIES, ETC.—QUI EST-CE QUI, "WHO?"

I.—1. Le domestique a-t-il rapporté des épices?—Oui, il a rapporté du girofle et du gingembre. 2. Qui a passé chez l'épicier aujourd'hui? —La femme de chambre de madame ; elle a commandé de la cannelle, de la muscade et du piment. 3. Qui est-ce qui vend le poivre et le sel?—C'est l'épicier ; il vend la plupart des objets qui servent journellement dans l'économie domestique. 4. Votre épicier tient-il des raisins secs?—Il tient toutes les espèces de fruits secs : raisins, figues, dattes, pruneaux, pommes et poires tapées, &c. 5. Le domestique a-t-il rapporté de la moutarde, du sucre et du café?—Il vient de remettre à la femme de charge un pot de moutarde française, deux livres de café et un pain de sucre. 6. Le facteur a-t-il apporté votre portrait?—Oui, en quittant Londres j'avais dit au photographe de me l'adresser ici.

II.—7. La servante ouvre-t-elle la porte au facteur?—Non, le facteur n'a qu'à jeter les lettres et les journaux dans la petite boîte, qui est à la porte. 8. Qui est-ce qui vous a remis mes bottines?—C'est le cordonnier, en disant qu'il espérait qu'elles n'arrivaient pas trop tard. 9.

Votre cordonnier fait-il des pantoufles?—Il fait toute espèce de chaussures, depuis le simple soulier jusqu'aux bottes à l'écuyère. 10. Qui est-ce qui† dînera à table d'hôte aujourd'hui?—Les touristes anglais qui sont arrivés par le train de marée. 11. Qui est-ce qui† dînera au restaurant?—Les voyageurs qui sont à la douane. 12. Avez-vous dîné au restaurant hier?—Non, j'ai dîné chez un de mes amis, qui a pour cuisinière un des meilleurs cordons bleus de Paris.

† **Qui** alone may be used for QUI EST-CE QUI, which in questions is more expressive than merely *qui*.

Exercise.—(*Qui*, or *qui est-ce qui*, "*who?*")

1. WHO has brought-back spices?—The *man*-servant. 2. WHO has ordered cinnamon?—The housekeeper. 3. WHO has ordered prunes and raisins?—The lady's maid. 4. WHO sells nutmeg, cloves[1] and ginger?—The grocer *does*. 5. WHO has brought the newspapers?—The postman.

6. WHO has opened the door to the postman?—The servant (f.). 7. WHO makes boots-and-shoes?—The shoemaker. 8. WHO has ordered slippers?—The housekeeper. 9. WHO takes[2] (the) likenesses?—The photographer *does*. 10. WHO will dine with the tourists?—The travellers who have arrived by the tidal train* (m.).

51. Cinquante et unième conversation.

I.—QUI (*as a direct object*) "WHOM?"
II.—QUI (*after a preposition*) WHOM?

Qui in asking questions means both "who" (*see preceding lesson*) and "whom," whereas *que* only means "what:"—

1. *Qui* vous connaît, Who knows you?
2. *Qui* connaissez-vous, Whom do you know?
3. *Que* savez-vous, What do you know?

I. QUI, "whom," *as a direct object.*—1. *Qui* écoutez-vous?—J'écoute tour à tour le professeur et les élèves. 2. *Qui* connaissez-vous en Écosse? —Je connais plusieurs étudiants à l'université d'Édimbourg. 3. *Qui* avez-vous rencontré en Suisse?—J'y ai trouvé plusieurs touristes anglais que j'avais vus en Écosse. 4. *Qui* avez-vous entendu au concert?—Des chanteurs italiens qui nous ont ravis.—5. *Qui* avez-vous trouvé à cette soirée?—A peu près les mêmes personnes qui étaient au grand dîner de mercredi. 6. *Qui* avez-vous rencontré à Nice?—Les deux voyageurs allemands avec lesquels nous avons visité la Suisse.

II. QUI, "whom," *after a preposition.*—1. Avec *qui* parlez-vous?—Je parle avec mon professeur. 2. Contre *qui* parlez-vous?—Je ne parle contre personne, il me semble. 3. De *qui* attendez-vous les tragédies de Voltaire?—Un de mes camarades de collège doit me les envoyer cette après-midi. 4. Par *qui* est *Britannicus?*—C'est une des plus belles tragédies de Racine, mais ce n'est pas son chef-d'œuvre. 5. Avec *qui* avez-vous lu l'*Esther* de Racine?—Tout seul; c'est si facile à comprendre! 6. Pour *qui* est cet exemplaire de la *Henriade?*—Pour un élève de la classe avancée, qui a déjà lu *Charles XII* et le *Siècle de Louis XIV*. (See *page 11*.)

---

[1] girofle, m., *or* clous de girofle.   [2] fait.

Exercise.—(*Qui, "whom?"*)

I. QUI, "whom," *as a direct object.*—1. WHOM have you found in the village*?—Two Italian travellers. 2. WHOM have you met in Touraine*?—The two German tourists with whom we (have) visited Scotland. 3. WHOM have you met at that dinner *party?*—The persons who were (imp.) at the concert* (m.) 4. WHOM are you listening *to?*—I am-listening *to* these German singers.

II. QUI, "whom," *after a preposition.*—1. With WHOM have you read "Hamlet* "?—With one of my school-companions. 2. For WHOM is this copy of Buffon*?—For the professor. 3. From WHOM do you expect "Charles XII.*"?—From a pupil of the advanced class. 4. By WHOM is "Athalie"?—By Racine; it is his masterpiece.

52. Cinquante-deuxième conversation.

A QUI, "WHOSE?"—RAILWAY TRAVELLING.

Cette conversation a lieu à la gare (du chemin de fer).

Une gare est une portion élargie de la ligne, où se trouvent un entre-croisement de rails, des entrepôts, des ateliers, des salles d'attente, un buffet, une buvette, &c.

I.—1. A qui est cette ombrelle?—C'est à la demoiselle qui est dans la salle d'attente. 2. A qui sont ces sacs?—Au voyageur qui vient de prendre un billet de première classe. 3. A qui est ce carton à chapeau? —Au monsieur dont la malle vient d'être visitée. 4. A qui sont ces malles?—Aux dames qui viennent de sortir de la douane. 5. Ce perroquet est-il à vous?—Non, monsieur, c'est le perroquet de la vieille dame que vous apercevez là-bas avec deux épagneuls. 6. Ces passeports sont-ils à nous?—Non, les vôtres sont allés chez le consul pour y être visés.

II.—7. Ce fusil est-il à Robert?—Non, le sien est resté dans la salle d'attente avec nos parapluies; le tigre va aller les chercher. 8. Ce portefeuille est-il à Henriette?—Oui, elle le cherche depuis dix minutes, et elle commençait à s'inquiéter. 9. A qui sont ces instruments?—Aux musiciens qui sont venus par le même train que nous. 10. Ces ombrelles sont-elles à elles?—Oui, ainsi que ces parapluies; dites à la femme de chambre de les mettre dans le fiacre. 11. A qui est ce château?—C'est la propriété d'un des grands seigneurs du pays. 12. A qui est cet exemplaire de La Fontaine?—C'est au voyageur qui était dans notre compartiment. (See 97*th Lesson, page* 132.)

Exercise.—(*A qui, "whose," &c.—Travelling Incidents.*)

A qui est ce chapeau?—C'est à moi.	A qui est cette voiture?—C'est à nous.
A qui est cette sacoche?—C'est à toi.	A qui est ce cache-nez?—C'est à vous.
A qui est ce paquet?—C'est à lui.	A qui est cette malle?—C'est à eux.
A qui est ce manteau?—C'est à elle.	A qui est ce panier?—C'est à elles.

I. A QUI, &c.—1. WHOSE hat-box is this?—*It belongs* to the gentleman whose trunk has just been searched. 2. WHOSE passports are these?—*They belong* to the travellers who have just come out of the custom-house. 3. Are these parrots YOURS?—No, ours are in the waiting-room. 4. WHOSE spaniel is this?—It is the old lady's. 5. WHOSE parasol is this?—It belongs to the lady who has just taken a first-class ticket.

II.—6. Is this Richard*'s bag?—No, his is in the waiting-room. 7. Are these umbrellas THEIRS (f.)?—No, theirs are in our compartment. 8. Is this pocket-book Alfred*'s?—No, his is at the consul*'s with his passport. 9. Is this the lady's maid's trunk?—It is the tiger's. 10 Are these trunks and bags YOURS?—No, ours are in the cab.

53. Cinquante-troisième conversation.

I.—QU'EST-CE QUI, "WHAT?" (*subject.*)
II.—QUE, OU QU'EST-CE QUE, "WHAT?" (*direct object.*)

I. QU'EST-CE QUI.—1. Qu'est-ce qui fait pleurer votre sœur?—C'est son mal de dents qui la tourmente. 2. Qu'est-ce qui fait rire votre frère?—Les grimaces que fait le singe du joueur d'orgue. 3. Qu'est-ce qui rendrait votre cousin heureux?—Ce serait de vivre à la campagne. 4. Qu'est-ce qui chagrine votre frère?—C'est le départ de notre bonne tante. 5. Qu'est-ce qui empêche votre petit frère et votre petite sœur de dormir dans cette chambre?—Le roulement des voitures qui passent dans la rue. 6. Qu'est-ce qui fait tant de mal à votre frère?—Ce sont ses souliers qui le gênent.

II. QUE, "What?"—1. Que† savez-vous?—Ce que je sais le mieux, c'est ma langue maternelle. 2. Qu'avez-vous†?—Je me suis mordu la langue. 3. Qu'a-t-il†?—Il a mal à la tête. 4. Que se passe-t-il chez le médecin! —Quelque chose d'extraordinaire, car il y a un attroupement devant sa maison.

5. Que dirai-je au pharmacien?—Dites-lui d'envoyer de l'onguent et des pilules. 6. Que ferez-vous de cet instrument?—Je le renverrai chez le luthier. 7. Qu'écrirai-je à votre médecin?—Priez-le de repasser demain dans la matinée. 8. Que cherchez-vous dans le journal?—Je cherche les faits divers.

† Questions asked with *que* may also be formed with *qu'est-ce que*, in which case the subject precedes the verb:—1. Qu'est-ce que *vous* savez! 2. Qu'est-ce que *vous* avez! 3. Qu'est-ce qu'*il* a!

Exercise.—(I. *Qu'est-ce qui.* II. *Qu'est-ce que,* or merely *que.*)

I. QU'EST-CE QUI.—1. WHAT makes your little cousin* (m.) cry?—His shoes pinch him. 2. WHAT makes your little sister laugh?—The monkey's faces. 3. WHAT grieves your aunt Fanny*?—The departure of her brother. 4. WHAT prevents you from sleeping?—The organ in the street.

II. QUE or QU'EST-CE QUE.—1. WHAT shall I say to your cousin*?—Tell him to send the newspaper. 2. WHAT shall I write to the chemist?—Tell him to send some pills and some ointment. 3. WHAT are you looking *for*?—I am looking for the laudanum* (m.). 4. WHAT is the matter with you?—I have a headache.

54. Cinquante-quatrième conversation.

QUOI, "WHAT?"

I.—1. De quoi parlent vos cousins?—De ce qu'ils ont vu aux courses (f.). 2. De quoi se plaignent-elles?—De la lettre que vous leur avez écrite. 3. En quoi puis-je servir vos cousines?—Vous seriez bien aimable si vous vouliez les accompagner jusqu'à la gare (*page* 61). 4. Avec quoi le menuisier a-t-il fait cela?—Avec une planche de sapin, une scie, un rabot et des clous. 5. Dans quoi mettrons-nous ces oranges?—Mettez-les dans la corbeille. 6. De quoi s'agit-il?—Il s'agit de savoir si les enfants dîneront à table. 7. À quoi sert cela?—C'est une rallonge pour la table de la salle à manger.

II.—8. Avec quoi avez-vous fait cette cage?—Je me suis servi des outils du menuisier. 9. Trouverons-nous les outils du menuisier dans

le panier?—Non, ils sont sur son établi. 10. Les menuisiers ont-ils de quoi payer leurs outils?—Non, mais le quincaillier leur fera crédit. 11. Avez-vous de quoi payer les fraises?—Non, dites à la fruitière de repasser demain. 12. Vos cousins ont-ils de quoi payer les oiseaux?—Non, dites à l'oiseleur que mes cousins passeront demain chez lui. 13. En quoi sont ces statues?—Elles sont en bronze. 14. A quoi pensez-vous?—Je pense qu'il faudra que j'en achète de semblables.

Exercise.—(*Translation and Reading.*)

ALEXANDRE ET LE CHEF DE BATAILLON.

[ALEXANDRE, fils de Paul Ier, monta sur le trône de Russie en 1801, et mourut en 1825. L'événement le plus remarquable de son règne est l'invasion de la Russie par Napoléon Ier en 1812. Après la retraite désastreuse de l'armée française, Alexandre réussit (1813) à former contre la France une coalition, qui amena les Alliés à Paris et força Napoléon à abdiquer (1814).]

L'empereur Alexandre voyageant dans la Russie Noire[1], arriva dans une petite ville, et tandis qu'on changeait de chevaux, eut le désir de faire quelques pas en avant. Aussitôt, seul, vêtu d'une redingote militaire, sans aucune marque de distinction, il traverse la ville et arrive à l'extrémité où la route se divise en deux chemins ; ignorant lequel des deux il doit prendre, Alexandre s'approche d'un homme, vêtu comme lui d'une redingote, et fumant sa pipe sur le seuil de la dernière maison : "Mon ami," lui demande l'empereur, "laquelle de ces deux routes dois-je prendre pour aller à Kalouga?"

L'homme à la pipe, étonné qu'un simple voyageur ose lui parler avec cette familiarité, laisse dédaigneusement tomber, entre deux bouffées de fumée, le mot : "A droite."—"Pardon, monsieur," dit l'empereur ; "encore une question, s'il vous plaît."—"Laquelle?"—"Permettez-moi de vous demander quel est votre grade dans l'armée?"—"Devinez."—"Monsieur[2] est peut-être lieutenant?"—"Montez."—"Capitaine?"—"Plus haut."—"Major?"—"Allez toujours."—"Chef de bataillon?"—"Enfin."....

L'empereur s'incline.

—"Et maintenant à mon tour," dit l'homme à la pipe, persuadé qu'il s'adresse à un inférieur, "qui êtes-vous vous-même, s'il vous plaît?"—"Devinez!" répond l'empereur.—"Lieutenant?"—"Montez."—"Capitaine?"—"Plus haut."—"Major?"—"Allez toujours."—"Chef de bataillon?"—"Encore."—"Colonel?"—"Vous n'y êtes pas."

L'interrogateur tire sa pipe de sa bouche.

—"Votre Excellence est donc lieutenant-général?"—"Vous approchez."

L'interrogateur porte la main à sa casquette.

—"Mais, en ce cas, Votre Altesse est donc feld-maréchal?"—"Encore un effort, monsieur le chef de bataillon."—"Sa Majesté Impériale!" s'écrie alors l'interrogateur, en laissant tomber sa pipe, qui se brise en morceaux.—"Elle-même," répond Alexandre en souriant.—"Ah! Sire," s'écrie l'officier tombant à genoux, "pardonnez-moi."—"Et que voulez-vous que je vous pardonne?" répond l'empereur ; "je vous ai demandé mon chemin, vous me l'avez indiqué. Merci."—ALEXANDRE DUMAS.

Compare this anecdote with Mieux que ça, in *Havet's Complete French Class-Book*, page 56.

---

[1] La Russie Noire était cette région de la Pologne qui correspond aux gouvernements de Grodno, de Minsk, &c.

[2] The third person is frequently used instead of the second, in addressing strangers, and especially ladies : Madame est-elle Anglaise?—Madam, are you English?

55. Cinquante-cinquième conversation.

PAR OÙ, THROUGH WHAT, ETC., OR "WHERE," OR "WHAT WAY?"

I.—1. Par où le voleur est-il venu?—Par le sentier qui conduit au bois.   2. Est-il entré dans la maison par la fenêtre ?—Oui, le domestique avait eu l'imprudence de la laisser ouverte.   3. La reine est-elle arrivée par le parc?—Oui ; on avait élevé un arc de triomphe à la grande grille.   4. Avez-vous traduit le morceau de la page 102?—Oui, et je l'ai appris par cœur.   5. Par où avez-vous commencé aujourd'hui?—Nous avons commencé par la page 64.   6. Etes-vous entré par la porte vitrée ?—Oui, et j'ai remarqué que vous la faites peindre.   7. Le chat entre-t-il par la fenêtre?—Il entre partout.

II.—8. Combien de portes vitrées?—J'en ai vu deux : une qui conduit du salon dans la serre, l'autre qui donne sur le jardin.   9. Combien de becs de gaz?—Six dans le salon, quatre dans la salle à manger, et deux dans chaque chambre à coucher.   10. Les soldats sont-ils venus par le pont?—Non, ils sont venus par le gué.   11. Par où passe-t-on en allant de Boulogne à Paris?—On passe près d'Abbeville, d'Amiens, &c.; le chemin de fer ne traverse pas ces villes (f.).   12. Vous en irez-vous par la colline?—Oui, car lorsqu'on est au haut on jouit d'un coup d'œil magnifique.   13. Par où êtes-vous venu ici ?—Je suis venu par la rivière, et je m'en irai de même.   14. Etes-vous arrivé à Londres par la Tamise?—Oui, et c'est par là que l'on doit pénétrer dans la première ville commerçante de l'univers ; de Gravesend à Londres, la Tamise est un immense port où les navires de tous les pays sont rangés par centaines.

Exercise.—(Par où, "where" or "what way?")

The past indefinite is to be used in all the questions and answers, except No. 7.

I. PAR OÙ.—1. WHAT WAY did the queen arrive ?—Through the park :   2. WHAT WAY did Ernest* come?—He came through the wood.   3. WHAT WAY did you come-in?—Through the glass-door ?   4. WHAT WAY did the robber come-in ?—He came through the window.

II. MISCELLANEOUS.—5. Where have you begun?—We have begun at this page* (f.).   6. Did the queen enter (*past indef.*) by the draw-bridge¹?—No, she came (*past indef.*) through the triumphal arch.   7. Will you go home by the hill ?—No, I shall go through the wood.   8. Did you arrive in Glasgow* by (the) railway ?—No, I arrived by the Clyde* (f.).   9. Did you observe many vessels in the Clyde* (f.) ?—Yes, I saw hundreds of vessels from all countries.

56. Cinquante-sixième conversation.

I.—POUR QUEL ENDROIT², ETC., FOR WHAT PLACE?
II.—JUSQU'OÙ, HOW FAR ?

I. POUR QUEL, ETC.—1. Pour quel pays partirez-vous à la fin de l'hiver?—Nous irons faire un voyage en Italie.   2. Pour quel pays est ce vin?—C'est du vin de Champagne pour les Etats-Unis.   3. Pour quelle ville² est ce bateau à vapeur?—C'est un paquebot pour la Nouvelle-Orléans.   4. Pour quel endroit² est ce train ?—C'est un train de marchandises pour Paris.   5. Pour quel endroit² est cette malle ?—Il n'y a pas d'adresse ; il faut la déposer au bureau des bagages.   6. Pour quels endroits² sont ces trains?—Il y en a un pour le Havre, l'autre est pour Dieppe.

---

¹ Pont-levis.   ² *Pour où* is also familiarly used in this sense; but may be objected to from *its* somewhat unpleasant sound.

II. Jusqu'où.—1. Jusqu'où votre cousin a-t-il voyagé en France ?—
Il a été jusqu'à Pau en Béarn. 2. Jusqu'où s'étend cette province ?—
Elle va jusqu'aux Pyrénées. 3. Jusqu'où avez-vous remonté la Clyde ?
—Jusqu'à Glasgow, qui est le centre de l'activité commerciale et manu-
facturière de l'Écosse. 4. Jusqu'où avez-vous descendu la Loire ? —
Je suis allé par le bateau à vapeur depuis Tours jusqu'à Nantes. 5.
Jusqu'où va ce train ?—Jusqu'à la frontière. 6. Jusqu'où va ce bateau à
vapeur ?—Il va jusqu'au Havre, qui est le port le plus important du
nord de la France.

Le Havre.

(See HAVET's French Studies, p. 107.)

1. LE HAVRE qui n'était, il y a 350 ans, qu'un lieu de refuge pour les
pêcheurs, est aujourd'hui, après Marseille, le port le plus important qu'il y ait
en France. C'est FRANÇOIS Ier qui en fut le véritable fondateur ; avant cette
époque[1], le principal port de la Normandie était Harfleur, que vous apercevez
sur la carte, non loin du Havre ; mais les sables que la Seine y charriait le
comblèrent peu à peu, au point qu'aujourd'hui la baie d'Harfleur est une prairie.
Harfleur dut alors céder au Havre toute son importance.

2. La position du Havre, à l'entrée de la Seine, et quelques autres circonstances, ont contribué à cette prospérité extraordinaire. Les noms de Richelieu,
de Colbert, de Vauban sont attachés aux divers accroissements de ce beau port.
Les fabricants français envoient au Havre leurs marchandises, qui sont expédiées
par les commissionnaires dans toutes les parties du monde, et surtout en Amérique.
Les navires reviennent au Havre chargés des produits du pays où ils ont abordé ;
ils rapportent du coton, du sucre, du café, du riz, des épices, des drogueries, du
thé, des bois des îles, &c.

3. Il entre tous les ans dans le port du Havre plusieurs milliers de bâtiments
tant français qu'étrangers ; le commerce qu'ils font s'élève à des sommes
immenses. Ces nombreux navires à voiles ou à vapeur qui entrent ou qui
sortent, ces marchandises qu'on débarque ou qu'on embarque, ces ouvriers allant
sans cesse des magasins aux navires, ces marins de tous les pays, ces voyageurs
parlant toutes les langues, ces douaniers exerçant une active surveillance, ces
négociants affairés, tout enfin contribue à donner au Havre l'aspect le plus
animé, et à former le plus frappant contraste avec le silence et la tranquillité des
campagnes.

4. Un chemin de fer existe de Paris au Havre, par Rouen, depuis 1847, avec
embranchement sur Dieppe et Fécamp. Il a reçu une importance bien plus
grande en 1852, par l'achèvement du chemin de Paris à Strasbourg, c'est-à-dire
à la frontière d'Allemagne ; c'est une ligne continue de l'est à l'ouest, à travers
le nord de la France. De cette façon, non-seulement les produits de l'industrie
française, mais encore ceux de l'Allemagne, trouvant par le Havre une voie plus
directe pour arriver en Amérique, traversent notre territoire. Ce passage, ou
transit, des produits étrangers, est une source nouvelle de bénéfices pour l'état
et pour les particuliers. En arrivant au Havre, marchandises et voyageurs
peuvent s'embarquer sur de grands paquebots à vapeur qui font, en moins de
quinze jours, la traversée aux États-Unis ; cette traversée est de 1200 lieues
environ.—E. MANUEL ET E. ALVARÈS.

57. Cinquante-septième conversation.

LA PRÉPOSITION "DE."—(See p. 27.)

I.—1. Où est sa montre d'or ?—On dit qu'elle est au mont-de-piété.
2. Avez-vous posé votre montre d'argent sur la table ?—Non, elle est

---

[1] See Le règne de François Ier in Havet's French Studies, p. 14.

sur la petite console du salon. 3. *En*[1] quoi est ce banc? — C'est un banc *en*[1] chêne. 4. Où sont les chaises *d'*acajou?—Elles sont chez (*p.* 25) le tapissier, qui va les rembourrer. 5. Fanny avait-elle une robe *d'*été?—Oui, elle portait une très jolie robe *de* barége. 6. Vos gilets *d'*hiver sont-ils sur la table? — Oui, mais je n'emporterai que mes gilets d'été.

7. Avez-vous mis de l'huile *d'*olive dans la salade?—Non, j'y ai mis de l'huile *de* noix. 8. L'huile *de* noix est-elle dans la bouteille?—Ce qu'il en reste est dans l'huilier. 9. Vous enverrai-je un panier *de* framboises? —Nous aimerions un panier *de* fraises et *de* framboises mélangées. 10. Avez-vous mis le panier *de* fraises sur le buffet?—Non, il est dans l'office avec le panier de groseilles. 11. Voulez-vous prendre un verre *d'*eau?—J'aimerais mieux un verre *de* vin. 12. Vous offrirai-je une tasse *de* thé?—Merci, je prendrai une tasse *de* café.

II.—13. Avez-vous posé la tasse *de* café sur le buffet?—Oui, et je vais venir la prendre. 14. Voulez-vous prendre un verre *de* vin?—Je prendrai volontiers un verre *de* vin *d'*Espagne. 15. La bouteille *de* cognac est-elle sur la table?—Oui, je viens de l'y mettre pour faire un (verre *de*) grog. 16. *En*[1] quoi sont ces tasses?—Ce sont des tasses *en*[1] porcelaine *de* Sèvres. 17. Où sont vos anneaux *d'*argent?—Je les ai échangés contre une bague *en* or. 18. *En*[1] quoi est cette table?—Elle est en érable; je l'ai achetée dans une vente.

19. Où avez-vous placé votre buffet *d'*acajou?—A l'entrée de la salle à manger. 20. Avez-vous eu le mal *de* mer en traversant le Pas-*de*-Calais?—Non, il y a longtemps que je suis habitué au roulis des navires. 21. Etes-vous arrivé par le train *de* huit heures?—Non, je suis venu par l'express qui arrive à neuf heures. 22. Etes-vous venu par un bâtiment *de* commerce[2]?—Non, nous avons traversé la Manche en bateau à vapeur. 23. Vous offrirai-je un verre *de* vin *de* Bourgogne?—Je prendrai un verre *de* Chambertin avec plaisir. 24. Etes-vous venu par le bateau *de* Calais?—Non, j'ai pris le bateau *de* Boulogne. 25. Avez-vous eu le mal *de* mer en venant de Boulogne?—Non, la mer était très calme.

Exercise.—(*Transposition of words.—De, &c.*)

I.—1. Have you put your silver watch on the mahogany table* (f.)? 2. Where is the nut oil?—It is in the oil-cruet. 3. Had (*imp.*) Constance* a winter dress? —No, she wore (*imp.*) a summer dress. 4. Will you take a glass of wine?— No, I thank you, I shall take a glass of water. 5. Where is Robert's gold watch?—It is at the pawnbroker's. (*Imitate answer to No.* 1 *of French conversation, foot of page* 65.)

II.—1. Will you take a cup of coffee?—I should prefer a glass of wine. 2. Is the bottle of wine on the mahogany sideboard?—No, it is on the oak table (f.). 3. Will you *have* a glass of Cognac *brandy*?—I should prefer a cup of tea. 4. Shall I offer you a glass of champagne*?—I should prefer a glass of Chambertin*. 5. What is this small table* (*f.*) *made* of?—It is *made* of maple. 6. Did you come (*past indef.*) by the six* o'clock train* (m.)?—No, I came by the eight o'clock train* (m.). 7. Did you take (*past indef.*) the Boulogne* boat?—No, I took (*past indef.*) the Dieppe* boat. 8. Have you been sick (m.) crossing the *British* Channel?—Yes, the sea was (*imp.*) very rough (*houleuse* ou *agitée*).

---

[1] EN, although not so generally used as DE, indicates more precisely the material of which an object is made, and is the only preposition to be used in translating, "*What is that object made* OF?" EN quoi est cet objet? The answer to which will naturally be: EN bois, EN pierre, EN fer, &c. [2] *Or* bâtiment marchand, *or merely* navire.

58. Cinquante-huitième conversation.—(*Première partie.*)

LA PRÉPOSITION "DE."—(*See* p. 65.)

I.—1. Avez-vous rencontré le valet *de* pied sur la route *d'*Édimbourg? —Oui, il revenait de la ville avec le maître *d'*hôtel. 2. Passerons-nous dans la classe *d'*anglais?—Oui, et nous y trouverons le professeur *de* latin. 3. Le maître *de* calcul est-il dans la classe *d'*écriture?—Non, monsieur, il vient de sortir. 4. Le maître *de* danse est-il avec le maître *d'*escrime?—Non, il donne sa leçon dans la grande classe. 5. Robert demeure-t-il dans une ville *de* bains (*ou* ville *d'*eaux)?—Oui, il habite Vichy. 6. Richard habite-t-il une ville *de* commerce?—Oui, il habite Boulogne (*page* 68), où il reçoit des marchandises en transit. 7. Quand quitterez-vous votre maison *de* ville?—Aussitôt que notre maison *de* campagne sera finie.

8. Quand votre maison *de* campagne sera-t-elle finie?—L'entrepreneur nous a dit que nous pourrons nous y installer le mois prochain. 9. Mademoiselle votre sœur est-elle mécontente de la femme *de* charge?—Oui, et elle doit aller au bureau *de* placement pour tâcher d'en avoir une qui fasse mieux son service. 10. Avez-vous vu la femme *de* chambre?— Non, mais ma sœur dit qu'elle lui convient sous tous les rapports. 11. Avez-vous mis votre livre *d'*église avec vos livres *de* classe?—Non, je l'ai laissé sur ma commode. 12. Où avez-vous vu la maîtresse *de* pension?—Je l'ai vue à la distribution des prix. 13. Est-ce que l'oncle *de* Richard est maître *de* forges?—Non, il est négociant en métaux à Londres. 14. Votre cousin est-il constructeur *de* navires?—Oui; si vous voulez, nous irons demain voir lancer un *de* ses bateaux à vapeur. 15. Allez-vous chez le maître *d'*italien?—Oui, j'y vais prendre ma première leçon.

Exercise.—(*De.—Transposition of words.*)

1. Where shall we find the ENGLISH MASTER?—In the WRITING-ROOM. 2. Where have you met the FOOTMAN?—On the BRIGHTON* ROAD. 3. Does that[1] DANCING MASTER live in a COMMERCIAL TOWN?—No, he lives in a WATERING TOWN. 4. Where is your COUNTRY HOUSE?—It[2] is on the LONDON ROAD. 5. Have you seen the new[3] LADY'S-MAID?—No, but I have seen the HOUSE-KEEPER. 6. Where is your PRAYER-BOOK?—It[4] is in my chest-of-drawers with my bible* (f.) 7. Is your cousin *an* IRON-MASTER?—No, he is *a* SHIPBUILDER. 8. Where are you going with your SCHOOL BOOKS?—I am going to (p. 25) the ITALIAN MASTER'S *house.*

Cinquante-huitième conversation.—(*Seconde partie.*)

LA PRÉPOSITION "DE."

I.—1. Connaissez-vous le maître *de* chant?—Oui, il m'a donné quelques leçons *de* solfége. 2. Connaissez-vous ce courtier maritime?—Oui, c'est par son intermédiaire que j'ai affrété mon dernier navire. 3. Son père n'était-il pas maître *de* langues?—Si, il était professeur *de* français et *d'*anglais à Boulogne-sur-Mer. 4. Demeurez-vous dans une ville *de* province?—Non, j'habite Paris depuis que je suis dans les affaires. 5.

---

[1] Ce.   [2] Elle.   [3] Nouvelle.   [4] Il.
[5] With the exception of large towns, such as Lyon, Marseille, Bordeaux, Nantes, &c., country towns are called *petites villes* or *villes de province*, and the inhabitants of these towns are styled *provinciaux.*

Etes-vous né dans une ville *de* province ?—Non, je suis né dans la banlieue *de* Paris. 6. Charles est-il né dans une ville *de* l'intérieur ?—Il est né à Bourges, au centre de la France. 7. Avez-vous vendu votre cheval (*de* selle) au maître *de* forges ?—Non, je l'ai vendu au constructeur *de* navires.

8. Avez-vous vu le marchand *de* chevaux ?—Oui, il m'a parlé d'un cheval *de* cabriolet qu'il voudrait bien me vendre. 9. Avez-vous vu la maison *de* campagne du maître *de* forges ?—Oui, elle est tout près de son usine (f.). 10. Votre port *d'*armes est-il dans votre sac *de* voyage ? —Non, je l'ai mis dans ma veste *de* chasse. 11. Avez-vous perdu votre passeport dans cette ville *de* province ? — Je crois l'avoir laissé dans l'auberge du village où nous avons déjeuné hier. 12. Le maître *de* forges a-t-il perdu son fusil (*de* chasse)?—Non, il l'a donné au garde-champêtre. 13. Avez-vous posé votre couteau *de* chasse sur la cheminée ?—Non, il est sur la table de mon cabinet *de* toilette. 14. Vos billets *de* banque sont-ils dans votre sac *de* voyage ?—Non, je les ai dans mon portefeuille. 15. Pourquoi avez-vous commandé une bouteille de vin ?—Parce que je crois que vous ne serez pas fâché d'en boire un verre pour vous réconforter.

Exercise.—(*Translation and reading.*)

BOULOGNE.

1. La ville de Boulogne est située presque à la même distance de l'Angleterre que Calais, mais étant plus rapprochée de Paris, elle est devenue le point de passage le plus ordinaire de France en Angleterre. Chaque jour les Anglais y abordent en grand nombre, pour visiter le continent ; plus de 5000 y demeurent toute l'année. Un bel établissement y attire en outre chaque été un grand nombre de baigneurs. Grâce à cette affluence, aux améliorations du port et aux développements de la navigation à vapeur, Boulogne est aujourd'hui un grand entrepôt de marchandises, et possède des établissements industriels, qui se rattachent, pour la plupart, au commerce maritime.

2. Les remparts de la haute ville, ombragés d'arbres, forment une promenade très agréable. La vue s'étend de ce point élevé sur la campagne, la basse ville et la mer. Par un temps clair on aperçoit même, de l'angle de l'ouest, la tour de Douvres. On montre dans la rue du Château, la maison où mourut, le 17 novembre 1747, Lesage, l'ingénieux auteur de *Gil Blas*. La basse ville est beaucoup mieux percée que la haute, et les étrangers l'habitent de préférence. Parmi les principales rues on remarque la grand'Rue, la Rue de l'Écu, la Rue Neuve-Chaussée, qui sont assez animées et offrent de jolis magasins. Les promenades les plus fréquentées sont les quais et la jetée, qui est très longue.

3. Boulogne est une ville agréable pendant la saison des bains. Quelques-uns de ses nombreux hôtels sont excellents, et l'on a l'avantage d'être à six heures de Paris, et à cinq heures de Londres, où l'on peut se rendre tous les jours par le paquebot et le chemin de fer. L'établissement des bains se compose d'un salon de réunion, d'un salon de lecture, &c. Quatre omnibus conduisent les baigneurs et les abonnés des divers points de la ville à l'établissement. Au pied de la terrasse stationnent de grandes tentes-baignoires, et trente voitures qui mènent les baigneurs dans la mer, et y restent jusqu'à ce que le bain soit pris.

4. A une petite distance de Boulogne s'élève la colonne érigée par la grande armée, en 1804, à la gloire de Napoléon ; sa statue colossale a été placée au sommet de la colonne le 15 août 1841. Du haut de cette colonne, on jouit d'une vue magnifique : on distingue parfaitement les côtes d'Angleterre, le château de Douvres, le mont Cassel, dans le département du Nord, et tout le pays à une *grande distance*.

59. Cinquante-neuvième conversation.

THE PREPOSITION à SPECIFYING THE USE, PURPOSE, OR NATURE OF AN OBJECT.

1. La table à thé est-elle dans la salle à manger ?—Non, elle est dans le salon depuis hier au soir. 2. Avez-vous oublié de commander du bois à brûler ?—Je m'en suis bien gardé; le marchand de bois en enverra un stère cette après-midi. 3. Y a-t-il de l'huile à manger dans l'huilier ?—Oui, il y a d'excellente huile d'olive. 4. L'huile à brûler est-elle sur la table ?—Non, la domestique l'a rangée. 5. Vos arbres à fruit[1] sont-ils au bout du jardin ?—Ils sont un peu partout; à l'entrée du jardin il y a des poires, qui vous feront venir l'eau à la bouche.

6. Jouez-vous d'aucun instrument à vent ?—J'ai appris la flûte, mais je n'en joue pas très bien. 7. David jouait-il d'aucun instrument à cordes ?—La bible dit qu'il jouait de la harpe. 8. Raoul est-il arrivé par le paquebot à voiles ?—Oui, et il m'a dit qu'il a fait une traversée des plus agréables. 9. Le colonel demeure-t-il dans une maison à trois étages ?—Oui, mais il n'occupe que le rez-de-chaussée. 10. Ne demeurez-vous pas dans une maison à cinq étages ?—Si, notre appartement est au premier[2].

11. Fanny avait-elle une robe à volants ?—Non, elle portait une robe sans volants. 12. Raoul avait-il un chapeau à petits bords ?—Non, il portait un chapeau à larges bords. 13. Avez-vous un chapeau à larges bords pour la campagne ?—Oui, j'ai un chapeau de paille à très grands bords. 14. Où est votre gilet à raies bleues ?—Il est dans ma malle avec ma veste à carreaux blancs et noirs. 15. Maria avait-elle sa robe à raies bleues ?—Non, elle portait une robe de mousseline blanche.

16. Robert est-il venu dans la voiture à quatre roues ?—Oui, et il a conduit lui-même, car le cocher était gris. 17. Irez-vous au village dans la voiture à deux roues ?—Non, nous prendrons le char à bancs. 18. Les verres à vin sont-ils sur le buffet ?—Oui, le domestique vient de les poser sur un plateau avec des biscuits. 19. Les tasses à thé sont-elles dans la salle à manger ?—Non, on vient de les ranger dans l'office avec les tasses à café. 20. Y a-t-il beaucoup de moulins à vent dans cette province ?—Oui, et l'on n'y voit presque pas de moulins à eau.

Exercise.—(*Transposition of words.—The preposition à, &c.*)

I.—1. Is the TEA-TABLE* (f.) in the drawing-room ?—No, it is in the dining-room. 2. Have you ordered LAMP-OIL ?—Yes, I have ordered[3] LAMP-OIL and salad-oil. 3. Has the FIRE-WOOD come ?—No, the merchant will send some this afternoon. 4. Do you play any STRING INSTRUMENT* (m.) ?—No, but I play a WIND INSTRUMENT* (m.). 5. Does the wood-merchant live in a THREE-STORY HOUSE ?—Yes, but he only occupies the[4] ground-floor.

II.—1. Did Constance* wear a white dress ?—Yes, she had on a white dress WITH flounces, and a BROAD-BRIMMED HAT. 2. Had Alfred* a BROAD-BRIMMED HAT ?—No, he wore a NARROW-BRIMMED HAT. 3. Did he wear a BLACK AND WHITE CHECK WAISTCOAT ?—No, he wore (*imp.*) a BLUE STRIPED WAISTCOAT. 4. Will you go to Windsor* by the train* (m.) ?—No, we shall take the FOUR-WHEELED CARRIAGE. 5. Where are the COFFEE-CUPS ?—They are in the DINING-ROOM with the TEA-CUPS and the WINE-GLASSES.

---

[1] Or, Vos arbres fruit'ers.   [2] *Étage is understood.*   [3] Commandé.   [4] Il n'occupe que le.

60. Soixantième conversation.

AU, A LA, A L', AUX.—(See p. 16.)

*** In the preceding lesson the preposition *à* alone is required before the noun; but *à* and, generally, *the article* appear before the substantive representing, 1. what a person sells ; 2. what is sold ; 3. something to eat or drink ; 4. some peculiarity of dress or appearance ; or, 5. what is contained in the first of the two nouns.

1. Voulez-vous m'accompagner au marché *au* blé ?—Oui, et si vous voulez, je vous ferai voir tous les marchés de la ville. 2. Le marché *aux* légumes est-il plus loin que le marché *au* poisson ?—Il se trouve dans un tout autre quartier, mais pas beaucoup plus loin. 3. Où est le marché *aux* fleurs ?—Il est à côté du marché *aux* légumes.

4. Le marché *aux* chevaux est-il plus loin que le marché *aux* bestiaux ? —Ils sont à côté l'un de l'autre, un peu plus loin que la halle *au* blé. 5. Trouverons-nous l'invalide *à la* jambe de bois à la poissonnerie ?—Oui, il y va faire sa petite provision tous les matins. 6. Où est le matelot *au* nez d'argent ?—Le voilà là-bas qui se promène avec un vétéran. 7. Où est le pot *à l'*eau ?—La domestique l'a cassé en allant chercher de l'eau à la fontaine.

8. Est-ce vous qui avez cassé le pot *au* lait ?—Oui, j'ai eu la maladresse de le laisser tomber en servant les enfants. 9. Avez-vous jeté le *Times* dans la boîte *aux* lettres ?—Non, je l'ai mis dans la boîte *aux* journaux. 10. Avez-vous mis ma lettre dans la boîte *aux* journaux ?— Non, j'ai eu soin de la mettre dans la boîte *aux* lettres. 11. Pourriez-vous me servir un potage *au* vermicelle ?—Non, mais on pourrait servir à monsieur (*p. 36, note*) un excellent potage printanier. 12. Avez-vous pris une glace *à la* vanille ?—Non, j'ai pris une glace *aux* fraises. 13. Voulez-vous prendre une glace *au* citron ?—Non, je prendrai une glace *au* café. 14. Avez-vous remarqué la demoiselle *aux* cheveux blonds ?—Oui, c'est la future du jeune homme *aux* favoris noirs. 15. Avez-vous remarqué la grande dame *aux* yeux bleus ?—Oui, c'est la veuve du marquis de la Seiglière.

Exercise.—(*Transposition of words.—Au, à la, à l', aux.*)

I.—1. Is the FISH MARKET further *on* than the CORN MARKET ?—Yes, it is much further *on;* it is close to the CATTLE MARKET. 2. Will you accompany me to the VEGETABLE MARKET ?—Yes, and if you like I shall show you the FLOWER MARKET. 3. Where shall we find the sailor with the SILVER NOSE ?— He is on the esplanade* with the pensioner with the WOODEN LEG. 4. Have you broken the WATER JUG ?—No, I have broken the MILK JUG.

II.—1. Have you thrown the "Constitutionnel*" (m.) into the LETTER-BOX ? —No, I have put it in the NEWSPAPER-BOX. 2. Could you give me VERMICELLI SOUP ?—No, Sir, we (*on*) can give you SPRING SOUP. 3. Have you taken a LEMON ICE ?—No, I have taken a VANILLA ICE. 4. Have you observed the young lady WITH BLUE EYES ?—Yes, she is the intended of the young *gentle*man WITH fair hair. 5. Have you observed the tall lady WITH black hair ?—Yes, she is the widow of the baron* of Vaugrigneuse*. 6. Where is the young lady WITH fair hair ?—There she is, walking with the young *gentle*man WITH black whiskers.—(*See No. 6 of French Conversation.*)

HOUSEHOLD FRENCH.

SECOND COURSE.

(DIRECTION.—If the pupils are very young, they should revise the most important parts of the First Course, before being allowed to undertake this Second Course.)

61. Soixante et unième conversation.

MOODS AND TENSES—FIRST CONJUGATION.—(*See* page 2.)

1. **Bord-er,** *to border,* or *to line;* 2. bord-ant, *bordering;* 3. bord-é, *bordered.*

4. Je bord-e, tu bord-es, il bord-e ; nous bord-ons, vous bord-ez, ils bord-ent.

5. Je bord-ais, tu bord-ais, il bord-ait; nous bord-ions, vous bord-iez, ils bord-aient.

6. Je bord-ai, tu bord-as, il bord-a; nous bord-âmes, vous bord-âtes, ils bord-èrent.

7. Je bord-erai, tu bord-eras, il bord-era; nous bord-erons, vous bord-erez, ils bord-eront.

8. Je bord-erais, tu bord-erais, il bord-erait; nous bord-erions, vous bord-eriez, ils bord-eraient.

9. Il est possible que je bord-e, que tu bord-es, qu'il bord-e ; que nous bord-ions, que vous bord-iez, qu'ils bord-ent.

10. Il était possible que je bord-asse, que tu bord-asses, qu'il bord-ât; que nous bord-assions, que vous bord-assiez, qu'ils bord-assent.

11. Bord-e, bord-ons, bord-ez.

(For the names of the tenses, read the first note of page 12.)

PRACTICE.—Conjugate according to this model: 1. *coup-er,* to cut; 2. *donn-er,* to give; 3. *montr-er,* to show; 4. *mont-er,* to come or go up, to bring up; 5. *dessin-er,* to draw, to sketch, &c.

1. *Présent.*—Je *coupe* mon pain, tu *coupes* ton pain, il ou elle *coupe* son pain ; nous *coupons* notre pain, vous *coupez* votre pain, ils ou elles *coupent* leur pain.

2. *Imparfait.*—Je *donnais* ma part, tu *donnais* ta part, il *donnait* sa part; nous *donnions* notre part, vous *donniez* votre part, ils *donnaient* leur part.

3. *Passé défini.*—Je *montrai* mes livres, tu *montras* tes livres, il *montra* ses livres; nous *montrâmes* nos livres, vous *montrâtes* vos livres, ils *montrèrent* leurs livres.

4. *Futur.*—Je *monterai* à une heure, tu *monteras* à deux heures, il *montera* à trois heures; nous *monterons* à quatre heures, vous *monterez* à cinq heures, ils *monteront* à six heures.

5. *Conditionnel.*—Je *dessinerais* si je voulais, tu *dessinerais* si tu voulais, il *dessinerait* s'il voulait ; nous *dessinerions* si nous voulions, vous *dessineriez* si vous vouliez, ils *dessineraient* s'ils voulaient.

I. Présent de l'infinitif.—1. Commencez-vous la journée par *déjeuner?*—Non, je commence par *étudier.* 2. Devez-vous *dîner* à la campagne aujourd'hui ?—Oui, je dois *dîner* chez un de mes amis qui habite un joli château. 3. Aimez-vous à *regarder* les tableaux ?—Oui, et je passe souvent des journées entières au Louvre. 4. Avez-vous acheté ce dictionnaire pour le *prêter* à vos amis ?—Je l'ai acheté pour mon usage particulier, mais il est à votre disposition. 5. Venez-vous de *préparer* cette page ?—Oui, et je crois la savoir assez bien. 6. Allez-vous *consulter* votre dictionnaire ?—Je vais *consulter* mon encyclopédie.

II. Participe présent.—1. Avez-vous trouvé cette phrase en *feuilletant* votre dictionnaire?—Oui, mais on ne cite pas le nom de l'auteur. 2. Êtes-vous entré dans le jardin en *sautant* par-dessus la haie ?—Non, je suis entré par un trou que j'ai vu dans la haie. 3. Sont-ils entrés dans la maison en *fumant ?*—Oui, ils avaient le cigare à la bouche. 4. A-t-elle lu sa lettre en *pleurant ?*—Oui, car c'est une lettre qui contient de tristes nouvelles.

III. Participe passé.—1. Sortirez-vous après *avoir copié* votre lettre? —Oui, car je sens le besoin de prendre l'air. 2. Le maître vous a-t-il *grondé* pour avoir *déchiré* le premier feuillet de votre manuel ?—Non, il m'a grondé parce que je suis *arrivé* trop tard.

IV. Présent de l'indicatif.—(a) 1. *Écoutez*-vous ?—Oui, j'*écoute* tout ce que vous dites. 2. Richard *prépare*-t-il† sa traduction ?—Oui, et il dit qu'elle est très difficile. 3. Vos cousins *étudient*-ils à Édimbourg ?— Oui, ils y *étudient* la médecine. 4. Qui est-ce qui *écoute?*—Ce sont les élèves qui *écoutent* le professeur.

(b) 1. *Arrivez*-vous à 6 heures?—Non, j'*arrive* toujours à 7 heures et demie. 2. Monsieur votre oncle *habite*-t-il la France ?—Non, il *habite* l'Italie. 3. Madame votre tante *passe*-t-elle† l'hiver en Écosse?—Non, elle va ordinairement à Pau avec ses filles. 4. Vos frères *désirent*-ils apprendre le français ?—Ils l'ont déjà étudié, mais ils voudraient s'y remettre.

† Observe the euphonic *t.*—(See page 5, No. IV.)

Exercise.—(*Verbs of the first conjugation.*)

Présent de l'indicatif.—(Revise Exercise xiii., p. xx.)

Am I dancing with my cousin?	*Do I not bow to my friends?*
Dansé-je[1] avec ma cousine?	Ne salué-je pas mes amis?
Danses-tu avec ta cousine?	Ne salues-tu pas tes amis?
Danse-t-il avec sa cousine?	Ne salue-t-il pas ses amis?
Dansons-nous avec nos cousines?	Ne saluons-nous pas nos amis?
Dansez-vous avec vos cousines?	Ne saluez-vous pas vos amis?
Dansent-ils avec leurs cousines?	Ne saluent-ils pas leurs amis?

I. Présent de l'infinitif.—1. Have you bought this instrument* (m.) for your private use ?—No, I have bought it to LEND it to my friends. 2. Are you going to STUDY ?—No, I am going *to* BREAKFAST.

II. Participe présent.—1. Where have you found that passage* (m.)?—Whilst TURNING-OVER-THE-LEAVES-OF my encyclopædia. 2. How did you get into the garden ?—By LEAPING over the hedge.

---

[1] When a verb ends with a silent *e* in the first person singular of the present of the indicative, that *e*, in the interrogative form, is changed into *é* (*é* close). For instance, Je danse, "I am dancing," becomes *Dansé-je,* "Am I dancing?" This form, however, is not used in conversation; the French prefer saying, *Est-ce que je danse?*—See *Est-ce que,* in p. 7.

III. Participe passé.—1. Has the master scolded you for having (*être*) arrived too late ?—No, he has scolded me for having torn the first leaf of my dictionary. 2. When will you go-out ?—After having copied this passage* (m.).

IV. Présent de l'indicatif.—1. Are you listening‡ *to* the pupils ?—No, I am listening‡ *to* the master. 2. Do‡ your cousins* (m.) wish *to* learn (the) Latin* (m.) ?—No, they wish *to* learn (the) French. 3. Does‡ your aunt live in France* ?—Yes, she lives in Touraine* (*p.* 59) with her daughter. 4. Do‡ you arrive at half past six* o'clock ?—No, we arrive at seven o'clock.

‡ In English, questions are generally asked with "do," "does," "did," &c., or with some part of "to be," followed by the present participle ; but the French use the simple form of the verb :—

1. *Do* you begin at eight o'clock ?
2. *Did* you dine at five o'clock ?
3. *Are* you listening ?
4. *Were* you sketching ?

1. Commencez-vous à 8 heures ?
2. Dîniez-vous à 5 heures ?
3. Écoutez-vous ?
4. Dessiniez-vous ?

Soixante et unième conversation.—(*Seconde partie.*)

DIFFÉRENCE ENTRE L'IMPARFAIT ET LE PASSÉ DÉFINI.

1. Henri IV *était* un bon roi.
2. Louis XIV *régnait* encore en 1714.
3. Mon oncle *était* toujours malade.
4. Nous *demeurions* alors à Bristol.
5. Il se *mettait* à courir aussitôt qu'il m'apercevait.

1. Henri IV *fut* assassiné.
2. Louis XIV *régna* de 1643 à 1715.
3. Mon oncle *fut* malade tout l'hiver.
4. Nous *demeurâmes* deux ans à Bristol.
5. Il se *mit* à courir aussitôt qu'il m'aperçut.

V.—Imparfait de l'indicatif.—1. *Dessiniez*-vous dans la classe ?—Non, je *préparais* ma version grecque. 2. Paul *regardait*-il par la fenêtre ?—Oui, et aussitôt qu'il nous a aperçus, il est accouru pour nous recevoir. 3. Les élèves *jouaient*-ils dans le village ?—Oui, et l'on a eu beaucoup de mal à les rassembler. 4. Les demoiselles *dessinaient*-elles? —Non, elles *brodaient* avec l'institutrice.

VI. Passé défini.—1. Marie Stuart *passa*-t-elle son enfance en Écosse ? — Elle y *resta* jusqu'à l'âge de 6 ans. 2. Combien de temps les Français *occupèrent*-ils Haïti ?—Plus de 100 ans; leur langue est encore la langue officielle de l'île. 3. Dans quelle année Charles Ier *monta*-t-il sur le trône ?—En 1625; il avait alors 25 ans. 4. Jeanne d'Arc *garda*-t-elle les moutons jusqu'à l'âge de 18 ans ?—Oui, c'est à cet âge qu'elle quitta le village de Domrémy pour aller délivrer la France.

VII. Futur.—1. *Dînerai*-je à 6 heures ?—Votre dîner sera prêt plus tôt, si vous le désirez. 2. *Dînerez*-vous à la campagne ?—Oui, si le temps se met au beau. 3. Le maître de dessin *arrivera*-t-il à 3 heures ?—Non, il *arrivera* à 2 heures, après la leçon d'allemand. 4. Votre cousin *voyagera*-t-il en Savoie?—Oui, car il a grande envie de voir le Mont Blanc. 5. Paul et Robert *chanteront*-ils ce soir?—Oui, ils *chanteront* quelques chansons de Béranger. 6. Les Italiens *arriveront*-ils à 5 heures?—On les attend par le-train de 3 heures.

VIII. Présent du conditionnel.—1. *Voyageriez*-vous si vous étiez riche?—Oui, je parcourrais toute l'Europe, en commençant par la France. 2. *Rencontrerais*-je Alfred et Richard dans le village?—Non, mais vous les *trouveriez* dans le bois à cueillir des noisettes. 3. Nous *expédieraient*-ils du sucre?—Oui, si vous leur donniez le nom de votre banquier. 4. *Déjeunerions*-nous tous ensemble?—Non, nous serions trop de monde.

Exercise.—(*Verbs of the first conjugation in* er.)

IMPARFAIT.	PASSÉ DÉFINI.	FUTUR.
Was I cutting?	*Did I go up?*	*Shall I look?*
Coupais-je?	Montai-je?	Regarderai-je?
Coupais-tu?	Montas-tu?	Regarderas-tu?
Coupait-il?	Monta-t-il?	Regardera-t-il?
Coupions-nous?	Montâmes-nous?	Regarderons-nous?
Coupiez-vous?	Montâtes-vous?	Regarderez-vous?
Coupaient-ils?	Montèrent-ils?	Regarderont-ils?

CONDITIONNEL.

Should I find?	*Should I not dream?*
Trouverais-je?	Ne rêverais-je pas?
Trouverais-tu?	Ne rêverais-tu pas?
Trouverait-il?	Ne rêverait-il pas?
Trouverions-nous?	Ne rêverions-nous pas?
Trouveriez-vous?	Ne rêveriez-vous pas?
Trouveraient-ils?	Ne rêveraient-ils pas?

IMPARFAIT.—1. WERE you PREPARING your translation?—No, I WAS-DRAW-ING. 2. WERE the young-ladies PLAYING in the class-room?—No, they (f.) WERE-PREPARING their translation.

PASSÉ DÉFINI.—1. DID your cousin* Charles* SPEND his childhood in France*?—He REMAINED till the age of six*. 2. In what year did Victoria* ASCEND the throne?—In 1837; she was (*imp.*) then 18 years *of age*.

FUTUR.—1. WILL you DINE at five o'clock?—I SHALL-DINE sooner. 2. WILL the German master ARRIVE at eleven o'clock?—No, he WILL-ARRIVE at ten o'clock.

CONDITIONNEL.—1. Where COULD I FIND Victor*?—You WOULD-FIND him in the village* (m.) 2. Where WOULD you TRAVEL?—I WOULD-TRAVEL in France*.

₊ At this stage, it would be advisable to study p. 165.

62. Soixante-deuxième conversation.—(*Première partie.*)

MOODS AND TENSES—SECOND CONJUGATION.—(Revise p. xx.)

1. **Chér-ir**, *to cherish*; 2. chér-issant; 3. chér-i.

4. Je chér-is, tu chér-is, il chér-it; nous chér-issons, vous chér-issez, ils chér-issent.

5. Je chér-issais, tu chér-issais, il chér-issait; nous chér-issions, vous chér-issiez, ils chér-issaient.

6. Je chér-is, tu chér-is, il chér-it; nous chér-îmes, vous chér-îtes, ils chér-irent.

7. Je chér-irai, tu chér-iras, il chér-ira; nous chér-irons, vous chér-irez, ils chér-iront.

8. Je chér-irais, tu chér-irais, il chér-irait; nous chér-irions, vous chér-iriez, ils chér-iraient.

9. Il est possible que je chér-isse, que tu chér-isses, qu'il chér-isse; que nous chér-issions, que vous chér-issiez, qu'ils chér-issent.

10. Il était possible que je chér-isse, que tu chér-isses, qu'il chér-ît; que nous chér-issions, que vous chér-issiez, qu'ils chér-issent.

11. Chér-is, chér-issons, chér-issez.

(*For the names of the tenses, see 1st note of page* 12.)

I. PRÉSENT DE L'INFINITIF.—1. Demandez-vous de l'eau pour *rafraîchir* ces fleurs?—Non, j'en ai plein mon arrosoir. 2. Avez-vous apporté cette eau pour en *remplir* cette gourde?—Oui, c'est de l'eau de source, et je vais en *remplir* cette gourde et cette bouteille. 3. Écrivez-vous au notaire pour l'*avertir* qu'il me faudra de l'argent d'aujourd'hui en huit?—Oui, *je le prie de tenir 1000 francs à votre disposition.* 4. Entrez-vous dans

ce magasin pour y *choisir* un nécessaire de toilette ?—Oui, car il m'en faut un pour mon voyage.

II. PARTICIPE EN "ANT."—1. En *avertissant* votre cousin à temps, pourrai-je avoir de l'argent pour le jour fixé?—Je pense que oui ; j'ai appris hier qu'il a touché 3000 francs. 2. Avez-vous taché la nappe en *remplissant* cette bouteille d'encre?—Oui, mais il sera facile d'enlever la tache avec du sel d'oseille. 3. Avez-vous trouvé cette gravure en *choisissant* les autres?—Oui, mais je l'ai payée plus cher.

III. PRÉSENT DE L'INDICATIF.—1. Est-ce que Richard *salit* vos livres ? —Oui, il en corne les feuillets et les couvre (*page* 78) de pâtés. 2. Votre épicier vous *fournit*-il de bonnes épiceries?—Son sucre est très beau, mais son café n'est pas des meilleurs. 3. Est-ce que vous *choisissez* cette couleur?—Oui, elle me paraît moins salissante que l'autre. 4. *Nourrissez*-vous vos serins de chènevis ?—Je leur donne aussi du millet et de la graine de navette.

IV. IMPARFAIT.—1. Est-ce que Gaspard *finissait* "Rasselas" dans la serre ?—Il en était à la dernière page. 2. Le jardinier *rafraîchissait*-il les plantes dans la serre?—Oui, et tout en les arrosant, il entrait dans des explications sur ses fleurs, mais Gaspard, absorbé par sa lecture, faisait sourde oreille. 3. *Choisissiez*-vous des laitues dans le potager? –Oui, j'y *choisissais* des laitues pommées. 4. Les enfants *maigrissaient*-ils à Paris?—Oui, l'air de Paris ne leur convenait pas, et je les ai envoyés à la campagne.

Exercise.—(*Verbs of the second conjugation in* ir.)
(Revise the XIVth Exercise, p. xx.)

PRÉSENT DE L'INDICATIF.

Do I fill my glass?	*Do I not soil my books?*
Remplis-je mon verre?	Ne salis-je pas mes livres?
Remplis-tu ton verre?	Ne salis-tu pas tes livres?
Remplit-il son verre?	Ne salit-il pas ses livres?
Remplissons-nous nos verres?	Ne salissons-nous pas nos livres?
Remplissez-vous vos verres?	Ne salissez-vous pas vos livres?
Remplissent-ils leurs verres?	Ne salissent-ils pas leurs livres?

IMPARFAIT DE L'INDICATIF.

Was I finishing my speech?	*Was I not getting thin?*
Finissais-je mon discours?	Ne maigrissais-je pas?
Finissais-tu ton discours?	Ne maigrissais-tu pas?
Finissait-il son discours?	Ne maigrissait-il pas?
Finissions-nous notre discours?	Ne maigrissions-nous pas?
Finissiez-vous votre discours?	Ne maigrissiez-vous pas?
Finissaient-ils leurs discours?	Ne maigrissaient-ils pas?

PRÉSENT DE L'INDICATIF.—1. Is Paul* SELECTING a bracelet* (m.) in that shop?—No, he IS-SELECTING a dressing-case. 2. ARE your cousins* (m.) SELECT-ING an harmonium* (m.)?—No, they ARE-SELECTING a piano* (m.). 3 DOES the grocer SUPPLY you with coffee?—No, but he SUPPLIES us with sugar. 4. What do you give to your canaries?—I FEED them upon hempseed, &c. 5. Do your cousins* (m.) SOIL your books?—Yes, they cover them with blots.

IMPARFAIT.—1. WAS Jasper GETTING-THIN in Paris?—Yes, the Paris* air* did not agree *with* him. 2. WAS the gardener SELECTING lettuces in the kitchen-garden?—No, he was-watering the plants. 3. WERE you FINISHING "Gil Blas*" in the green-house?—No, I WAS-FINISHING "Picciola*." 4. WERE you FILLING the watering-pot?—No, we WERE-FILLING the bottle with spring water. 5. WERE you SELECTING a dressing-case in that shop?—No, I WAS SELECTING a bracelet* (m.).

Soixante-deuxième conversation.—(*Seconde partie.*)

V. PASSÉ DÉFINI.—1. Quand César *assujettit*-il la Gaule?—Environ 50 ans avant l'ère chrétienne. 2. Quand Henri V *envahit*-il la France? —En 1415, pendant la démence de Charles VI. 3. *Avertîtes*-vous vos hommes du danger?—Oui, mais il était trop tard. 4. *Remplîtes*-vous vos bouteilles de vin?—Oui, je les *remplis* de vin du pays.

VI. PASSÉ INDÉFINI.—1. Avez-vous *choisi* cette épingle d'or chez ce bijoutier?—Oui, et j'ai l'intention d'en faire cadeau à mon neveu. 2. Avez-vous *fini* "Robinson Crusoé"?—Oui, et jamais livre ne m'a plus intéressé. 3. Est-ce que la grande chaleur a *flétri* nos fleurs?— Hélas! oui, et je ne sais pas où nous nous procurerons des fleurs pour notre soirée. 4. Comment avez-vous *sali* vos habits?—En blanchissant ce mur.

VII. FUTUR.—1. Quand cet arbre *fleurira*-t-il?—Il *fleurira* au milieu de mai. 2. Quand ces acacias *fleuriront*-ils?—Ils *fleuriront* au printemps. 3. Leur *fournirai*-je de l'argent pour s'établir à Melbourne?— Oui, car je crois qu'ils seront bientôt à même de le rendre. 4. Les larmes le *fléchiront*-elles?—Non, c'est un cœur de pierre.

VIII. CONDITIONNEL.—1. *Bâtiriez*-vous une autre maison si l'on démolissait la vôtre?—Non, j'en achèterais une autre. 2. *Rougirait*-il si vous lui disiez cela?—Oui, il *rougirait* jusqu'au blanc des yeux. 3. *Rougiraient*-ils si vous leur disiez cela?—Non, rien ne les effarouche. 4. Leur *fournirions*-nous les fonds nécessaires pour s'établir à Marseille? —Oui, mais sur de bonnes garanties.

Exercise.—(*Second conjugation.*)

PASSÉ DÉFINI.

Did I warn my soldiers?
Avertis-je mes soldats?
Avertis-tu tes soldats?
Avertit-il ses soldats?
Avertîmes-nous nos matelots?
Avertîtes-vous vos matelots?
Avertirent-ils leurs matelots?

FUTUR. (*See p. 8.*)

Shall I finish on Monday morning?
Finirai-je lundi matin? (*Page 8.*)
Finiras-tu mardi à midi?
Finira-t-il mercredi après-midi?
Finirons-nous jeudi soir?
Finirez-vous vendredi à 3 heures?
Finiront-ils samedi prochain?

PASSÉ INDÉFINI.

Have I not selected my share?
N'ai-je pas choisi ma part?
N'as-tu pas choisi ta part?
N'a-t-il pas choisi sa part?
N'avons-nous pas choisi notre part?
N'avez-vous pas choisi votre part?
N'ont-ils pas choisi leur part?

CONDITIONNEL.

Should I finish on the same day as my brother?
Finirais-je le même jour que mon frère?
Finirais-tu le même mois que ton cousin?
Finirait-il à la même heure que son maître?
Finirions-nous plus tard que nos voisins?
Finiriez-vous en même temps que votre tante?
Finiraient-ils plus tôt que leurs enfants?

PASSÉ DÉFINI.—1. When *did* Napoleon *the* First (p. 11) INVADE Russia?— In 1812 (p. 10). 2. *Did* your cousins* (m.) FILL their bottles with Roussillon* *wine?*—No, they FILLED them with Marsala*. 3. *Did* you WARN the jewellers too late?—No, I WARNED them (p. 28) in time (*à temps*).

PASSÉ INDÉFINI.—1. HAVE you not SELECTED a piano* (m.)?—No, we HAVE SELECTED an harmonium* (m.). 2. HAVE you not FINISHED later than your brothers?—No, I HAVE FINISHED sooner.

FUTUR.—1. WILL the sailors FINISH at the same time as the soldiers?—No, the soldiers WILL-FINISH sooner. 2. WILL you WARN the soldiers?—I WILL-WARN the soldiers and the sailors. 3. WILL these (p. 22) trees BLOSSOM next month?—They WILL-BLOSSOM at the same time as the acacias*. 4. WILL he FINISH *on* Thursday (p. 8) afternoon?—No, he WILL-FINISH *on* Friday evening.

CONDITIONNEL.—1. Would they buy another house in that (p. 22) village* (m.).—No, they WOULD-BUILD another. 2. WOULD you FINISH later than the jeweller?—No, we WOULD-FINISH at *the* same time. 3. WOULD you WARN the sailors?—No, I WOULD-WARN the soldiers. 4. WOULD he FILL his bottles with cognac*?—No, he WOULD-FILL them with whiskey*.

The four branches of the second conjugation.

1. *To finish,*	FIN-IR,	FIN-ISSANT,	je FIN-IS,	je FIN-IS.
2. *To sleep,*	DOR-MIR,	DOR-MANT,	je DOR-S,	je DOR-MIS.
3. *To suffer,*	SOUF-FRIR,	SOUF-FRANT,	je SOUF-FRE,	je SOUF-FRIS.
4. *To come,*	V-ENIR,	V-ENANT,	je V-IENS,	je V-INS.

I. All verbs in *ir* are not conjugated according to *chérir* (p. 74); it is only those which end in *issant* in the present participle that follow *chérir.* Here is a list of the most useful verbs of the *first* branch of the second conjugation, besides those given in *pages* 74 and 75 :—

affermir, *to strengthen.*	bâtir, *to build.*	ralentir, *to abate.*
appauvrir, *to impoverish.*	bénir, *to bless.*	répartir[1], *to divide.*
appesantir, *to weigh down.*	compatir, *to sympathize.*	ressortir[2], *to be under the jurisdic-*
asservir, *to submit.*	divertir, *to amuse.*	retentir, *to resound.* [*tion of.*
assortir, *to match.*	garnir, *to furnish,* &c.	rôtir, *to roast.*
assouvir, *to satiate.*	hennir, *to neigh.*	sévir, *to treat rigorously.*
assujettir, *to subjugate.*	nantir, *to give a pledge.*	ternir, *to sully,* &c.

II. The *second* branch consists of verbs in *mir*, *tir*, and *vir*, of which the present participle does not end in *issant*, but merely in *ant* :—

ROOTS.			DERIVATIVES.
dor-*mir*,	*to sleep,*	redor-*mir*, endor-*mir*, se rendor-*mir*,	*to sleep again.* *to lull asleep,* &c. *to fall asleep again.*
men-*tir*,	*to lie,*	démen-*tir*,	*to give the lie.*
sen-*tir*,	*to feel,*	consen-*tir*, pressen-*tir*, ressen-*tir*,	*to consent.* *to foresee.* *to resent.*
par-*tir*,	*to set out,*	dépar-*tir*, repar-*tir*[1],	*to divide,* &c. *to set out again.*
sor-*tir*,	*to go or come out,*	ressor-*tir*[2],	*to go out again.*
ser-*vir*,	*to serve,*	desser-*vir*,	*to clear the table; to do an*
se repen-*tir*,	*to repent,* has no derivative.		*ill office; to officiate.*

MODEL VERB.—1. **Dor-mir**, *to sleep;* 2. dor-mant; 3. dor-mi.

4. Je dor-s, tu dor-s, il dor-t ; nous dor-mons, vous dor-mez, ils dor-ment.

5. Je dor-mais, tu dor-mais, il dor-mait; nous dor-mions, vous dor-miez, ils dor-maient.

6. Je dor-mis, tu dor-mis, il dor-mit; nous dor-mîmes, vous dor-mîtes, ils dor-mirent.

7. Je dor-mirai, tu dor-miras, il dor-mira; nous dor-mirons, vous dor-mirez, ils dor-miront.

8. Je dor-mirais, tu dor-mirais, il dor-mirait; nous dor-mirions, vous dor-miriez, ils dor-miraient.

9. Il est possible que je dor-me, que tu dor-mes, qu'il dor-me ; que nous dor-mions, vous dor-miez, qu'ils dor-ment.

10. Il était possible que je dor-misse, que tu dor-misses, qu'il dor-mît; que nous dor-missions, que vous dor-missiez, qu'ils dor-missent.

11. Dor-s, dor-mons, dor-mez.

PRACTICE: Conjugate *endormir, sortir,* and *servir.*

VERBES EN *mir*.—1. Qui est-ce qui *endort* les enfants ? 2. Combien d'heures *dormez*-vous ? 3. A quelle heure vous *endormez*-vous ? 4. Vous *rendormez*-vous facilement quand on vous réveille ?

VERBES IN *tir*.—1. A quelle heure *sortirez*-vous aujourd'hui ? 2. A quelle

---

[1] Observe the difference between *répartir*, to divide, and *repartir*, to set out again.
[2] Observe the difference between *ressortir*, to be under the jurisdiction of, and *ressortir*, to go out again.

heure êtes-vous *sorti* hier ?   3. Vos amis *partiront*-ils bientôt pour la campagne ?
4. Quand devez-vous *repartir* pour Londres ?   5. Monsieur votre oncle *consent*-il à vous laisser *sortir* seul ?   6. Croyez-vous qu'Adolphe se *repente* de ce qu'il a fait ?

VERBES EN *vir*.—1. Qui est-ce qui vous *sert* à déjeuner ?   2. A quoi *sert* la gomme élastique ?   3. A quoi *servent* les chameaux ?   4. Que vous *servira*-t-on à dîner ?   5. Qui est-ce qui *desservira* les mets ?   6. Connaissez-vous le ministre qui *dessert* cette chapelle ?

III. The third branch.   Verbs in *frir* and *vrir*; present participle in *ant :*—

ou-*vrir*,	to open, ...	{ rou-*vrir*, { entr'ou-*vrir*,	to open again. to half open.
cou-*vrir*,	to cover, . . :	{ décou-*vrir*, { recou-*vrir*,	to uncover, to discover. to cover again.
of-*frir*,	to offer, ...	mésof-*frir*,	to underbid, to offer less
souf-*frir*,	to suffer, has no derivative.		than the article is worth.

MODEL VERB.—1. **Cou-vrir**, *to cover;* 2. Cou-vrant; 3. Cou-vert.

4. Je cou-vre, tu cou-vres, il cou-vre ; nous cou-vrons, vous cou-vrez, ils couvrent.

5. Je cou-vrais, tu cou-vrais, il cou-vrait ; nous cou-vrions, vous cou-vriez, ils cou-vraient.

6. Je cou-vris, tu cou-vris, il cou-vrit ; nous cou-vrîmes, vous cou-vrîtes, ils cou-vrirent.

7. Je cou-vrirai, tu cou-vriras, il cou-vrira; nous cou-vrirons, vous cou-vrirez, ils cou-vriront.

8. Je cou-vrirais, tu cou-vrirais, il cou-vrirait; nous cou-vririons, vous couvririez, ils cou-vriraient.

9. Il est possible que je cou-vre, que tu cou-vres, qu'il cou-vre ; que nous couvrions, que vous cou-vriez, qu'ils cou-vrent.

10. Il était possible que je cou-vrisse, que tu cou-vrisses, qu'il cou-vrît ; que nous cou-vrissions, que vous cou-vrissiez, qu'ils cou-vrissent.

11. Cou-vre, cou-vrons, cou-vrez.

VERBES EN *frir*.—1 Que vous *offre*-t-on dans cette maison ?   2. Vous *offrirai*-je un verre de vin ?   3. Qu'est-ce que vous avez *offert* à votre ami ?   4. Voulez-vous que nous leur *offrions* à dîner ?   5. Ne trouvez-vous pas que si les marchands surfont les acheteurs *mésoffrent ?*   6. Votre voisin *souffre*-t-il encore ?
7. Ne *souffrez*-vous pas de l'entendre crier ainsi ?   8. *Souffrira*-t-il qu'on insulte son ami ?

VERBES EN *vrir*.—1. Qui est-ce qui *ouvre* la porte ?   2. Qui est-ce qui a *découvert* l'Amérique ?   3. La porte est-elle *ouverte ?*   4. Pourquoi laissez-vous la fenêtre *entr'ouverte ?*   5. Comment ferez-vous pour *rouvrir* votre armoire ?
6. Vous êtes-vous promené en voiture *découverte* aux Champs-Élysées ?

LES CHAMPS-ÉLYSÉES sont une des principales promenades de Paris. Les musiciens ambulants, les montreurs de curiosités, les marchands de pain d'épice et de joujoux, les cafés-concerts, avec leurs chanteurs et leurs chanteuses en plein vent, donnent à cette promenade l'aspect d'une foire perpétuelle. Les Champs-Élysées commencent à la Place de la Concorde et se terminent par l'arc de triomphe de l'Étoile, magnifique monument élevé par Napoléon Ier. Rien n'est plus agréable que de s'asseoir par une belle journée sur une des chaises que l'on trouve des deux côtés de la grande avenue, et de voir passer devant soi les équipages qui se rendent au Bois de Boulogne (*voyez page 83*).

IV. Fourth Branch. Verbs in *enir ;* present participle in *ant :*—

Derivatives of TENIR, *to hold.*
abst-*enir* (s'), *to abstain.*
appart-*enir, to belong.*
cont-*enir, to contain.*
dét-*enir, to detain.*
entret-*enir, to keep up, &c.*
maint-*enir, to maintain.*
obt-*enir, to obtain.*
ret-*enir, to detain, to retain.*
sout-*enir, to uphold, &c.*

Derivatives of VENIR, *to come.*
circonv-*enir, to circumvent.*
contrev-*enir, to act contrarily.*
conv-*enir, to agree, &c.*
dev-*enir, to become.*
disconv-*enir, to deny.*
interv-*enir, to interfere.*
parv-*enir, to reach, to succeed.*
prév-*enir, to warn, &c.*

prov-*enir, to proceed.*
redev-*enir, to become again.*
rev-*enir, to come back.*
subv-*enir, to provide for.*
surv-*enir, to come unexpectedly.*
souv-*enir* (se), *to remember.*
ressouv-*enir* (se), *to recollect.*

MODEL VERB.—1. **V-enir,** *to come ;* 2. v-enant; 3. v-enu.

4. Je v-iens, tu v-iens, il v-ient ; nous v-enons, vous v-enez, ils v-iennent.

5. Je v-enais, tu v-enais, il v-enait; nous v-enions, vous v-eniez, ils v-enaient.

6. Je v-ins, tu v-ins, il v-int ; nous v-înmes, vous v-întes, ils v-inrent.

7. Je v-iendrai, tu v-iendras, il v-iendra; nous v-iendrons, vous v-iendrez, ils v-iendront.

8. Je v-iendrais, tu v-iendrais, il v-iendrait ; nous v-iendrions, vons v-iendriez, ils v-iendraient.

9. Il est possible que je v-ienne, que tu v-iennes, qu'il v-ienne; que nous v-enions, que vous v-eniez, qu'ils v-iennent.

10. Il était possible que je v-insse, que tu v-insses, qu'il v-int ; que nous v-inssions, que vous v-inssiez, qu'ils v-inssent.

11. V-iens, v-enons, v-enez.

Tenir ET SES DÉRIVÉS.—1. Combien ce livre *contient*-il de pages? 2. A qui *appartiennent* ces champs? 3. *Soutiendra*-t-il son gendre? 4. Pensez-vous que j'*obtienne* ce que j'ai demandé? 5. Madame votre tante vous a-t-elle *retenu* longtemps? 6. Votre épicier *tient*-il du savon? 7. La maison du médecin ne *tenait*-elle pas à la vôtre? 8. Avez-vous *entretenu* votre avoué de cette affaire? 9. Le propriétaire *entretiendra*-t-il la maison? 10. Qui est-ce qui *entretient* ces enfants?

Venir ET SES DÉRIVÉS.—1. A quelle heure *viendrez*-vous demain. 2. Quand êtes-vous *revenu* des eaux? 3. Pensez-vous que le médecin *vienne* aujourd'hui? 4. Que *deviendront* ces pauvres enfants? 5. Comment *parvient*-on aux étages supérieurs (d'une maison)? 6. Ces oranges ne *proviennent*-elles pas d'Alger? 7. Avez-vous *prévenu* le propriétaire que vous quitterez sa maison au mois de mai? 8. *Interviendrez*-vous dans cette affaire? 9. Cette maison de campagne ne *conviendrait*-elle pas à votre gendre? 10. Vous *souvenez*-vous de notre promenade aux Champs-Élysées? (See *p.* 78.)

63. Soixante-troisième conversation.

MOODS AND TENSES—THIRD CONJUGATION.—(Revise p. xxi. and p. 2.)

1. **D-evoir,** *to owe, to be obliged, &c.;* 2. d-evant; 3. d-û.

4. Je d-ois, tu d-ois, il d-oit ; nous d-evons, vous d-evez, ils d-oivent.

5. Je d-evais, tu d-evais, il d-evait ; nous d-evions, vous d-eviez, ils d-evaient.

6. Je d-us, tu d-us, il d-ut ; nous d-ûmes, vous d-ûtes, ils d-urent.

7. Je d-evrai, tu d-evras, il d-evra ; nous d-evrons, vous d-evrez, ils d-evront.

8. Je d-evrais, tu d-evrais, il d-evrait ; nous d-evrions, vous d-evriez, ils d-evraient.

9. Il est possible que je d-oive, que tu d-oives, qu'il d-oive ; que nous d-evions, que vous d-eviez, qu'ils d-oivent.

10. Il était possible que je d-usse, que tu d-usses, qu'il d-ût ; que nous d-ussions, que vous d-ussiez, qu'ils d-ussent.

11. D-ois, d-evons, d-evez.

The only verbs conjugated according to this model are—1. red-evoir, *to owe*

still; 2. *aperc-evoir*, to perceive, to see; 3. *conc-evoir*, to conceive, to understand; 4. *déc-evoir*, to deceive, to frustrate; 5. *perc-evoir*, to collect (taxes), to perceive (in philosophy); and 6. *rec-evoir*, to receive.

I. *Présent de l'*INDICATIF.—1. *Recevez*-vous des lettres tous les jours? —Non, j'en *reçois* tous les deux jours. 2. *Apercevez*-vous le facteur au bout de l'avenue?—Oui, et je vais aller au-devant de lui. 3. Est-ce que nous *devons* 500 francs?—Je suis fâché de vous dire que nous *devons* davantage. 4. Combien *devez*-vous à votre notaire pour la dernière affaire?—Je lui *dois* 275 francs.

II. *Imparfait de l'*INDICATIF.—1. *Aperceviez*-vous la mer à travers (*page* 26) les arbres?—Oui, mais seulement quand nous montions dans les mansardes du château. 2. *Percevait*-il les taxes dans le village?— Oui, mais ce n'était pas sans peine. 3. Est-ce que nous *devions* 750 francs pour la dernière affaire?—Oui, et je trouve que c'est exorbitant. 4. *Receviez*-vous beaucoup?—Nous donnions à dîner tous les mois.

III. *Passé défini.*—1. *Dûtes*-vous quitter Paris cette année-là?—Oui, je *dus* aller à Pau avec un de mes frères qui était poitrinaire. 2. Quel titre le général de MacMahon *reçut*-il après Magenta?—Il *reçut* le titre de duc de Magenta et le bâton de maréchal de France. 3. Comment les ennemis *reçurent*-ils nos troupes?—Ils tirèrent à mitraille, mais ils ne purent tenir devant l'élan de nos soldats. 4. *Aperçûtes*-vous le phare? —Oui, et nous nous *crûmes* sauvés.

IV. *Passé indéfini.*—1. Avez-vous *reçu* des lettres aujourd'hui?—J'ai *reçu* deux lettres d'Alexandrie. 2. Avez-vous *aperçu* le facteur dans le village?—Oui, il se dirigeait vers le château. 3. Avez-vous *aperçu* le maréchal dans le camp?—Oui, il était monté sur un cheval blanc et accompagné de plusieurs aides de camp. 4. Avons-nous jamais *dû* tant d'argent(m.)?—Non, nous ne nous sommes jamais trouvés aussi en arrière.

V. *Futur.*—1. *Recevrez*-vous des cadeaux cette année?—Si j'en *reçois* autant que l'année dernière, je serai content. 2. Le colonel *recevra*-t-il vos cousins dans son régiment?— Oui, pourvu qu'ils passent leurs examens. 3. *Apercevrons*-nous bientôt la ville?—Vous la découvrirez aussitôt que vous serez au haut de la colline. 4. Comment nos troupes *recevront*-elles l'ennemi?—Elles le *recevront* la baïonnette au bout du fusil. 5. Comment les paysans *recevront*-ils le percepteur?— Ils le *recevront* comme un chien dans un jeu de quilles.

VI. *Présent du* CONDITIONNEL.—1. *Recevriez*-vous Martin avec plaisir? —Oui, nous voulons bien oublier le passé. 2. Comment *recevrait*-il le colonel?—Avec tous les égards dus à son âge et à ses services. 3. *Apercevriez*-vous le phare?—Je l'*apercevrais* si je grimpais dans les haubans du grand mât. 4. Combien vous *redevrais*-je si je donnais 250 francs? —Nous serions quittes.

Exercise.—(*The third conjugation in* EVOIR.)

I. *Présent de l'*INDICATIF.—1. Do you OWE 275 francs*?—I am sorry to tell you that I OWE more. 2. Do they (m.) RECEIVE letters every day?—No, but they RECEIVE them (*en*) every other day.

II. *Imparfait.*—1. DID you PERCEIVE the village* (m.) from the attics?—No, we only PERCEIVED the trees. 2. DID he COLLECT the taxes* without trouble? —No, the peasants RECEIVED him very badly (*très mal*).

III. *Passé défini.*—WERE you OBLIGED *to* leave Liverpool* that year?—Yes,

I WAS-OBLIGED to go to Bristol*. 2. How DID our troops (f.) RECEIVE the enemy?—They RECEIVED them with their bayonets fixed.

IV. *Passé indéfini.*—1. Have you RECEIVED a letter from Rome* to-day?— No, I have RECEIVED two from Naples*. 2. Have you PERCEIVED the postman at the end of the avenue*?—When I (have) PERCEIVED him, he was (*imp.*) in the village* (m.).

V. *Futur.*—1. WILL your cousin* RECEIVE his money to-day?—He WILL RECEIVE it at six* o'clock. 2. When SHALL I PERCEIVE the village* (m.)?—You WILL PERCEIVE it when you are (*future*) at the top of the hill.

VI. *Présent du* CONDITIONNEL.—1. Where WOULD you RECEIVE Richard*?— I SHOULD-RECEIVE him in the castle. 2. How-much SHOULD you OWE if you gave (*donniez*) 275 dollars*?—I SHOULD-STILL-OWE 250 dollars*.

64. Soixante - quatrième conversation.

MOODS AND TENSES—FOURTH CONJUGATION.

1. **Vend-re,** *to sell;* 2. vend-ant; 3. vend-u.

4. Je vend-s, tu vend-s, il vend; nous vend-ons, vous vend-ez, ils vend-ent.

5. Je vend-ais, tu vend-ais, il vend-ait; nous vend-ions, vous vend-iez, ils vend-aient.

6. Je vend-is, tu vend-is, il vend-it; nous vend-îmes, vous vend-îtes, ils vend-irent.

7. Je vend-rai, tu vend-ras, il vend-ra; nous vend-rons, vous vend-rez, ils vend-ront.

8. Je vend-rais, tu vend-rais, il vend-rait; nous vend-rions, vous vend-riez, ils vend-raient.

9. Il est possible que je vend-e, que tu vend-es, qu'il vend-e; que nous vend-ions, que vous vend-iez, qu'ils vend-ent.

10. Il était possible que je vend-isse, que tu vend-isses, qu'il vend-ît; que nous vend-issions, que vous vend-issiez, qu'ils vend-issent.

11. Vend-s, vend-ons, vend-ez.

This model is to be followed for verbs in *andre, ondre, erdre, ordre,* and *endre,* except *prendre* and its derivatives.

I. PRÉSENT DE L'INFINITIF. — 1. Les bergers vont-ils *tondre* leurs moutons?—Oui, ils vont les *tondre* dans la cour de la ferme. 2. Les bûcherons vont-ils *fendre* le bois?—Oui, aussitôt qu'ils auront aiguisé leurs cognées. 3. Les oiseleurs vont-ils *tendre* leurs filets?—Oui, et je crois qu'ils prendront beaucoup d'oiseaux. 4. Ces paysans vont-ils *vendre* leurs légumes?—Oui, ils vont les *vendre* à la halle.

II. PARTICIPE EN "ANT."—1. Est-il devenu riche en *vendant* ses forêts? —Oui, c'étaient les plus belles du pays. 2. Remercierai-je Alfred en lui *rendant* cet instrument?—Oui; vous lui direz que j'ai acheté un violon, et que je serai charmé s'il veut venir faire un duo ce soir.

III. PRÉSENT DE L'INDICATIF.—1. *Entendez*-vous cet instrument?— Oui, c'est un harmonium. 2. *Entendez*-vous la pluie?—Je crois que c'est de la grêle. 3. Ces hommes *tordent*-ils des cordes?—Oui, ils font des cordes de chanvre. 4. Richard *descend*-il ma cage?—Non, il la descendra après votre malle. 5. *Répondez*-vous à toutes les lettres que vous recevez de Joseph?—Non, elles ne renferment que des banalités auxquelles je ne fais pas la moindre attention.

IV. IMPARFAIT DE L'INDICATIF. — 1. Ses cousins *vendaient*-ils de l'indigo?—Oui, car ils étaient dans la droguerie. 2. Martin *descendait*-il

F

mon bagage?—Oui, il l'avait sur les épaules quand je l'ai aperçu. 3. Le
cuisinier *tordait*-il le cou au canard?—Oui, et maintenant il est à le
plumer. 4. Est-ce qu'Arthur *perdait* son temps à Paris?—Au contraire,
il l'employait à visiter les musées et les établissements d'utilité publique.

Exercise.—(*Verbs of the fourth conjugation in* RE.)

<table>
<tr><td>PRÉSENT.</td><td>IMPARFAIT.</td></tr>
<tr><td>*I do not split my wood.*</td><td>*Was I not losing my time?*</td></tr>
<tr><td>Je ne fends pas mon bois.†</td><td>Ne perdais-je pas mon temps?</td></tr>
<tr><td>Tu ne fends pas ton bois.</td><td>Ne perdais-tu pas ton temps?</td></tr>
<tr><td>Il ne fend pas son bois.</td><td>Ne perdait-il pas son temps?</td></tr>
<tr><td>Nous ne fendons pas notre bois.</td><td>Ne perdions-nous pas notre temps?</td></tr>
<tr><td>Vous ne fendez pas votre bois.</td><td>Ne perdiez-vous pas votre temps?</td></tr>
<tr><td>Ils ne fendent pas leur bois.</td><td>Ne perdaient-ils pas leur temps?</td></tr>
</table>

PRÉSENT DE L'INDICATIF.—1. Is Victor* BRINGING-DOWN my trunk?—He
will-bring it (f.) down after your harmonium* (m.). 2. Do you HEAR the harmonium* (m.)?—No, I HEAR a piano* (m.). 3. Do you sell HEMP?—No, we
SELL ropes. 4. Is Robert* BRINGING-DOWN my luggage?—Yes, he had (*imp.*)
it on his shoulders when I (have) perceived him. 5. ARE you TWISTING ropes?
—Yes, I AM-TWISTING hemp ropes.

IMPARFAIT.—1. WAS Joseph* BRINGING-DOWN the cage* (f.)?—No, he WAS-
BRINGING-DOWN the trunk. 2. DID you EXPECT any indigo*?—We EXPECTED
indigo*, hemp, and guano*(m.). 3. DID he SELL oranges*?—He SOLD oranges*,
melons*, &c. 4. DID your cousins* (m.) REPLY to your letters?—Yes, they
REPLIED to all my letters. 5. WERE the shepherds SHEARING their sheep?—
Yes, they WERE-SHEARING them in the farm-yard. 6. DID these peasants SELL
their melons*?—Yes, they SOLD them at the Paris* market. 7. DID you EXPECT
the woodcutters?—No, I EXPECTED the shepherds and the peasants. 8. DID
the woodcutters EXPECT the fowlers?—No, they EXPECTED the peasants.

† Use the PRESENT interrogatively, observing that when the verb forming
the interrogation has only *one* syllable in the *first* person singular, the French
express themselves with *est-ce que;* thus they say, *Est-ce que je fends?* and not
Fends-je.

Soixante-quatrième conversation.—(*Seconde partie.*)

MOODS AND TENSES—FOURTH CONJUGATION.

I. PASSÉ DÉFINI.—1. Les Anglo-Saxons *défendirent*-ils leur pays
contre Guillaume-le-Conquérant?—Oui, mais leur courage céda à Has-
tings devant la discipline des Normands. 2. Les conspirateurs *vendi-
rent*-ils leur chef?—Non, ils moururent courageusement avec lui. 3.
Les Gaulois *défendirent*-ils leur pays contre les Romains?—Oui, ils le
défendirent avec courage. 4. Qui est-ce qui *perdit* la bataille d'Auster-
litz?—Ce furent les empereurs de Russie et d'Autriche contre Napoléon,
qui était alors (1805) à l'apogée de sa gloire.

II. PASSÉ INDÉFINI.—1. Qui est-ce qui a *perdu* ce caniche?—C'est la
vieille dame qui vient de passer. 2. Qui est-ce qui vous a *mordu?*—
C'est ce méchant petit garçon. 3. Est-ce que le proviseur a *défendu* aux
élèves de sortir?—Oui, parce qu'ils se sont très mal conduits à l'étude
du soir. 4. Avez-vous *entendu* le tonnerre?—Oui, et je crois que la
foudre vient de tomber près d'ici. 5. Avez-vous *répondu* à cette lettre?
—Non, je crois que ça n'en vaut pas la peine.

III. FUTUR.—1. *Descendrez*-vous vos livres dans la soirée?—Je vais
les descendre maintenant, si vous voulez. 2. Les bergers *tondront*-ils

leurs moutons à la Saint-Jean?—Ils les *tondent* tous les ans à cette époque-là. 3. Le bûcheron *fendra*-t-il le bois aussitôt qu'il aura sa cognée ?—Oui, et vous verrez quelles belles bûches il en fait !

IV. Présent du conditionnel.—1. *Fendriez*-vous ce bois si vous aviez une cognée ?—Je commencerais par le scier. 2. *Tondriez*-vous ce caniche, si vous aviez des ciseaux ?—Non, il fait encore trop froid. 3. *Attendrions*-nous si le médecin était sorti ?—Oui, nous *attendrions* dans sa bibliothèque. 4. Richard *répondrait*-il si je lui écrivais ?—Oui, mais vous pourriez bien attendre longtemps, car il est très négligent. 5. *Descendrions*-nous de cheval au Bois de Boulogne ?—Oui, nous *descendrions* à la cascade.

Les embellissements du parc, la transformation merveilleuse de la partie la plus pittoresque, en rivières, en cascades, en pelouses et en allées spacieuses, attirent une foule de promeneurs au Bois de Boulogne. Autrefois c'était véritablement un bois ; Napoléon III l'a transformé en jardin public. C'est aujourd'hui le *Hyde Park* parisien, la promenade des équipages élégants.

Exercise.—(*Verbs of the fourth conjugation in* RE.)

I.—PASSÉ DÉFINI.	II.—PASSÉ INDÉFINI.
Did I lose my place ? &c.	*Have I replied to my aunt ? &c.*
Perdis-je ma place ?	Ai-je répondu à ma tante ?
Perdis-tu ta place ?	As-tu répondu à ta tante ?
Perdit-il sa place ?	A-t-il répondu à sa tante ?
Perdîmes-nous notre tour ?	Avons-nous répondu à nos tantes ?
Perdîtes-vous votre tour ?	Avez-vous répondu à vos tantes ?
Perdirent-ils leur tour ?	Ont-ils répondu à leurs tantes ?

III.—FUTUR.	IV.—CONDITIONNEL.
Shall I come down at one o'clock ? &c.	*I should wait till Monday, &c.*
Descendrai-je à une heure ?	J'attendrais jusqu'à lundi.
Descendras-tu à deux heures ?	Tu attendrais jusqu'à mardi.
Descendra-t-il à trois heures ?	Il attendrait jusqu'à mercredi.
Descendrons-nous à quatre heures ?	Nous attendrions jusqu'à jeudi.
Descendrez-vous à cinq heures ?	Vous attendriez jusqu'à vendredi.
Descendront-ils à six heures ?	Ils attendraient jusqu'à samedi.

I. PASSÉ DÉFINI.—1. Did the Saxons* DEFEND their country against the Normans ?—Yes, they DEFENDED it with courage*. 2. Who LOST the battle of Solferino* ?—The emperor of Austria against Napoleon III.

II. PASSÉ INDÉFINI.—1. Who has LOST this bracelet* (m.) ?—The lady who has just passed with the poodle. 2. Has the poodle BITTEN you ?—No, it has BITTEN the old lady. 3. Have you REPLIED to the marquis* ?—It is not worth while. 4. Have you HEARD this piano* ?—No, I have heard this harmonium* (m.). 5. Has the head-master FORBIDDEN (to) Charles* going-out ?—Yes, because Charles* has BITTEN the little boy.

III. FUTUR.—1. WILL you REPLY to the head-master *on* Tuesday ?—No, I SHALL-ANSWER on Thursday. 2. WILL he WAIT till four o'clock ?—He WILL-WAIT till six*. 3. SHALL I COME-DOWN at two o'clock ?—If you like. 4. WILL the shepherds SHEAR their sheep *on* Monday ?—No, they WILL-SHEAR them *on* Saturday.

IV. CONDITIONNEL.—1. WOULD you WAIT if the physician were gone-out ?—I WOULD-WAIT till four o'clock. 2. WOULD you REPLY *on* Wednesday ?—No, I WOULD-REPLY *on* Friday. 3. WOULD the head-master EXPECT Robert* *on* Monday ?—No, he WOULD-EXPECT him *on* Tuesday. 4. WOULD you SPLIT the wood ?—Yes, if I had the woodcutter's axe.

The Four Branches of the Fourth Conjugation.

The verbs of the 4th conjugation may be divided into four branches.

I. The FIRST BRANCH consists of all verbs in *andre, ondre, erdre, ordre,* and *endre,* except *prendre* and its derivatives. The model is *v-endre* (see p. 81).

II. The SECOND BRANCH comprehends all verbs in *oître* and *aître*[1]:

Par-*aître,* to appear, and its derivatives, appar-*aître,* dispar-*aître,* repar-*aître,* compar-*aître;* conn-*aître* (see 87th lesson), and its derivatives, reconn-*aître* and méconn-*aître;* cr-*oître,* to grow, and its derivatives, accr-*oître,* décr-*oître,* and recr-*oître.*

MODEL VERB.—**Par-aître,** to appear; 2. par-aissant; 3. par-u.

4. Je par-ais, tu par-ais, il par-aît; nous par-aissons, vous par-aissez, ils par-aissent.

5. Je par-aissais, tu par-aissais, il par-aissait; nous par-aissions, vous par-aissiez, ils par-aissaient.

6. Je par-us, tu par-us, il par-ut; nous par-ûmes, vous par-ûtes, ils par-urent.

7. Je par-aîtrai, tu par-aîtras, il par-aîtra; nous par-aîtrons, vous par-aîtrez, ils par-aîtront.

8. Je par-aîtrais, tu par-aîtrais, il par-aîtrait; nous par-aîtrions, vous par-aîtriez, ils par-aîtraient.

9. Il est possible que je par-aisse, que tu par-aisses, qu'il par-aisse; que nous par-aissions, que vous par-aissiez, qu'ils par-aissent.

10. Il était possible que je par-usse, que tu par-usses, qu'il par-ût; que nous par-ussions, que vous par-ussiez, qu'ils par-ussent.

11. Par-ais, par-aissons, par-aissez.

III. The THIRD BRANCH is composed of all verbs in *uire:*

Cond-*uire,* to lead, to conduct, to drive; recond-*uire;* c-*uire,* to bake or cook; rec-*uire;* end-*uire,* to plaster; ind-*uire,* to induce, to lead; prod-*uire,* to produce; réd-*uire,* to reduce; séd-*uire,* to seduce, to bribe; trad-*uire,* to translate; constr-*uire,* to construct, to build; détr-*uire,* to destroy; déd-*uire,* to deduct; introd-*uire,* to introduce, &c.

MODEL VERB.—1. **Trad-uire,** to translate; 2. trad-uisant; 3. trad-uit, trad-uite.

4. Je trad-uis, tu trad-uis, il trad-uit; nous trad-uisons, vous trad-uisez, ils trad-uisent.

5. Je trad-uisais, tu trad-uisais, il trad-uisait; nous trad-uisions, vous trad-uisiez, il trad-uisaient.

6. Je trad-uisis, tu trad-uisis, il trad-uisit; nous trad-uisîmes, vous trad-uisîtes, ils trad-uisirent.

7. Je trad-uirai, tu trad-uiras, il trad-uira; nous trad-uirons, vous trad-uirez, ils trad-uiront.

8. Je trad-uirais, tu trad-uirais, il trad-uirait; nous trad-uirions, vous trad-uiriez, ils trad-uiraient.

9. Il est possible que je trad-uise, que tu trad-uises, qu'il trad-uise; que nous trad-uisions, que vous trad-uisiez, qu'ils trad-uisent.

10. Il était possible que je trad-uisisse, que tu trad-uisisses, qu'il trad-uisît; que nous trad-uisissions, que vous trad-uisissiez, qu'ils trad-uisissent.

11. Trad-uis, trad-uisons, trad-uisez.

** *Luire, reluire,* and *nuire* are conjugated according to *traduire,* except in the past participle, in which they make *lui, relui,* and *nui.*

IV. The FOURTH BRANCH consists of verbs in *aindre, eindre,* and *oindre:*

Astr-*eindre,* to tie down, to confine to; att-*eindre,* to reach; c-*eindre,* to gird; contr-*aindre,* to compel; enc-*eindre,* to enclose; enfr-*eindre,* to infringe; enj-*oindre,* to enjoin; ét-*eindre,* to extinguish; f-*eindre,* to feign; j-*oindre,* to join; *oindre,* to anoint; p-*eindre,* to paint; pl-*aindre,* to pity; restr-*eindre,* to limit; t-*eindre,* to dye.

---

[1] *Except* naître *and* renaître, paître *and* repaître.

MODEL VERB.—1. **Cr-aindre,** to fear; 2. cr-aignant; 3. cr-aint, cr-ainte.

4. Je cr-ains, tu cr-ains, il cr-aint; nous cr-aignons, vous cr-aignez, ils cr-aignent.

5. Je cr-aignais, tu cr-aignais, il cr-aignait; nous cr-aignions, vous cr-aigniez, ils cr-aignaient.

6. Je cr-aignis, tu cr-aignis, il cr-aignit; nous cr-aignîmes, vous cr-aignîtes, ils cr-aignirent.

7. Je cr-aindrai, tu cr-aindras, il cr-aindra; nous cr-aindrons, vous cr-aindrez, ils cr-aindront.

8. Je cr-aindrais, tu cr-aindrais, il cr-aindrait; nous cr-aindrions, vous cr-aindriez, ils cr-aindraient.

9. Il est possible que je cr-aigne, que tu cr-aignes, qu'il cr-aigne; que nous cr-aignions, que vous cr-aigniez, qu'ils cr-aignent.

10. Il était possible que je cr-aignisse, que tu cr-aignisses, qu'il cr-aignît; que nous cr-aignissions, que vous cr-aignissiez, qu'ils cr-aignissent.

11. Cr-ains, cr-aignons, craignez.

Conjugate:—p-eindre *and* j-oindre.

65. Soixante-cinquième conversation.

LE PASSÉ INDÉFINI.—(HAVET'S Complete French Class-Book, p. 317.)

J'ai voyagé.	J'ai fini.	J'ai aperçu.	J'ai perdu.
Tu as voyagé.	Tu as fini.	Tu as aperçu.	Tu as perdu.
Il a voyagé.	Il a fini.	Il a aperçu.	Il a perdu.
Nous avons voyagé.	Nous avons fini.	Nous avons aperçu.	Nous avons perdu.
Vous avez voyagé.	Vous avez fini.	Vous avez aperçu.	Vous avez perdu.
Ils ont voyagé.	Ils ont fini.	Ils ont aperçu.	Ils ont perdu.

I.—1. Avez-vous déjeuné à table d'hôte?—Non, l'heure de la table d'hôte ne me convient pas. 2. N'avez-vous pas déjeuné au restaurant? —Non, j'ai déjeuné dans ma chambre. 3. Avez-vous reçu une lettre de Paris?—Oui, j'ai reçu une lettre chargée. 4. N'avez-vous pas lu le journal aux Champs-Élysées (p. 78)?—Si, je me suis assis du côté gauche de la grande avenue.

II.—1. Vous êtes-vous promené aux Champs-Élysées ce matin?— Oui, j'ai été jusqu'à l'arc de triomphe. 2. Avez-vous été en soirée ce mois-ci?—J'ai été à une soirée très brillante chez un de mes amis, qui arrive d'Ajaccio. 3. Avez-vous écrit cette après-midi?—Oui, j'ai fait toute ma correspondance. 4. Monsieur votre oncle n'est-il pas revenu de Corse cette semaine?—Si, il dit que c'est une île très intéressante.

III.—1. Avez-vous visité la Suisse l'année dernière?—Non, nous avons visité la Corse et la Sardaigne. 2. Quand votre cousin est-il parti pour Calcutta?—Le mois dernier. 3. Votre frère aîné a-t-il voyagé l'hiver dernier?—Il a été en Italie; il s'est trouvé à Rome pendant la semaine sainte. 4. Quand la bataille de Magenta a-t-elle eu lieu?—Elle s'est livrée le 4 juin 1859. 5. Quand la Savoie a-t-elle été annexée à la France?—En 1860; elle était française de mœurs et de langage avant l'annexion.

IV.—*Cases in which the French use the* PRESENT *tense, whereas the English employ the compound past form.*—1. Y a-t-il longtemps que vous *apprenez* cet instrument?—Il y a environ neuf mois; je ne suis pas encore très fort. 2. Combien y a-t-il de temps que le marquis *est* ambassadeur à Madrid?—Il y a deux ans; on parle de lui donner l'ambassade de Londres. 3. Y a-t-il longtemps que vous habitez

cette ville ?—Je l'*habite* depuis trois ans et demi. 4. Combien y a-t-il que vous vous *promenez* au Bois (de Boulogne) ?—Nous nous y *promenons* depuis une demi-heure. 5. Depuis combien de temps Richard se *promène*-t-il aux Champs-Élysées ?—Il y a une heure qu'il est parti.

☞ The French use the PRESENT tense to mark an action or state still going on at the time they speak:—1. Mon oncle EST en Corse depuis trois ans, *My uncle* has been *in Corsica for the last three years, i.e.* he IS still in Corsica. 2. La Corse FAIT partie de la France depuis 1769, *Corsica has been forming part of France since 1769, i.e.* it IS still FORMING part of it.

Exercise.—(*Translation and Reading.*)

La Corse.

L'aspect de la Corse est pittoresque et sauvage ; le centre est montagneux, boisé de magnifiques forêts de pins et de mélèzes ; sur les points élevés vit le mouflon, mouton sauvage, dont la race ne s'est conservée que dans cette île et en Sardaigne.

Sur ce terrain, quoique mal cultivé, viennent en abondance les plus riches productions ; le cactus aux belles fleurs croît en pleine terre, et y acquiert une force prodigieuse ; la mousse de ce pays est un vermifuge très efficace : la canne à sucre, le cotonnier, l'indigotier qui y ont été transportés, ont réussi ; mais l'indifférence des habitants, leur amour du repos ont toujours nui aux progrès de l'industrie et du commerce.

Sur les côtes de l'île, on s'occupe de la pêche du corail, de la nacre et des perles. On prend aussi beaucoup de sardines, surtout entre la Corse et la Sardaigne, d'où vient le nom de ce petit poisson.

Au milieu de cette nature à demi-sauvage l'homme a conservé le goût de la chasse ; le Corse est toujours armé ; les armes sont à la fois sa parure, son luxe et sa garantie personnelle. La *vendetta* n'a pu encore être réprimée, quelques efforts qu'on ait tentés. La vendetta est la vengeance non assouvie, la représaille d'un crime ou d'une injure ; elle passe de génération en génération avec la même haine, la même fureur, et ne s'éteint que par la mort de l'ennemi.

Ajaccio, où Napoléon naquit en 1769, est la capitale de la Corse ; elle offre un port commode, mais peu sûr ; elle expédie de l'huile, des citrons, du cuir, de la cire. Un service de bateaux à vapeur met cette ville en communication avec Toulon. Bastia est la deuxième ville de la Corse.

(See in HAVET's French Studies, *La Corse*, p. 241, and *Voyage en Corse*, p. 243.)

66. Soixante-sixième conversation.

ÉDIFICES, MONUMENTS, ETC.—(*Public Buildings.*)

I.—1. Les juifs vont-ils à l'église ?—Non, ils vont à la synagogue. 2. Les mahométans vont-ils à la synagogue ?—Non, ils vont à la mosquée. 3. Vos cousins apprennent-ils à écrire à l'école ?—Ils y apprennent à écrire et à compter. 4. Enseigne-t-on les langues mortes dans ce collège ? —On y enseigne le latin et le grec, sans négliger l'étude des langues vivantes. 5. Avez-vous vu des livres précieux dans la bibliothèque ? —Oui, et j'ai l'intention d'y retourner pour y faire des extraits. 6. N'admirez-vous pas les chefs-d'œuvre de la peinture et de la sculpture ? Si, et depuis que je suis à Paris je vais tous les jours au Louvre.

7. Avez-vous vu la statue équestre de Wellington ?—Je connais celle qui se trouve devant la Bourse de Londres et celle de *Hyde Park.* 8. Les négociants et les courtiers ne s'assemblent-ils pas à la Bourse à 10 heures ?—Si, c'est à peu près l'heure à laquelle commencent les affaires. 9. Où place-t-on son argent ?—On le place à la banque. 10. Avez-vous

vu la Monnaie ?—Oui, c'est un bel édifice. 11. Avez-vous vu le théâtre ?
—Oui, et je trouve qu'il n'a rien de remarquable.

II.—12. Y a-t-il des navires dans le chantier ?—On y construit un
bateau à vapeur et une goëlette. 13. Y a-t-il des marchandises sur le
quai ?—Il y a du coton qui arrive d'Amérique, et du soufre qui vient de
Sicile. 14. Y a-t-il beaucoup de navires dans le port ?—Non, mais on
attend des arrivages tous les jours. 15. Avez-vous vu les commis de la
douane à l'entrepôt ?—Oui, ils visitaient des eaux-de-vie qui sont arrivées par le dernier navire. 16. Y a-t-il des marchandises à l'entrepôt ?
—Oui, il y a des vins, des eaux-de-vie et des tabacs.

17. Avez-vous vu le boucher à l'abattoir ?—Oui, et il m'a dit qu'il
venait de faire abattre un bœuf énorme et deux veaux. 18. Les bestiaux sont-ils dans l'abattoir ?—Oui, mais ils n'y resteront pas longtemps. 19. Les soldats sont-ils à la caserne ?—Non, ils sont allés faire
une promenade militaire. 20. Avez-vous vu beaucoup de villes fortes
en France ?—J'ai vu Lille et Arras, villes fortifiées par Vauban. 21.
Avez-vous passé le pont-levis ?—Oui, et j'ai remarqué que les fossés sont
à sec. 22. Avez-vous ouvert l'écluse ?—Oui, et nous l'avons refermée
après le passage des bateaux. 23. Avez-vous visité l'arsenal et la poudrière ?—Oui, et jamais je n'avais vu tant de pièces de canon, d'armes et
de projectiles. 24. N'admirez-vous pas notre hôtel de ville ?—C'est un
monument remarquable, mais j'ai vu en Flandre de plus beaux hôtels
de ville.

Exercise.—(*Public Buildings, &c.*)

I.—1. Do the Mahometans go to the SYNAGOGUE* (f.) ?—No, they go to the
MOSQUE. 2. Do your cousins* learn the living languages in that SCHOOL ?—Yes, they
learn the living (languages) and the dead languages. 3. Do you not admire our
CHURCH ?—Yes, but I have seen finer[1] CHURCHES. 4. Have you seen the Paris*
EXCHANGE ?—No, but I know the London EXCHANGE. 5. Do you not admire
the BANK ?—Yes, it is a fine building.

II.—1. Have you seen our HARBOUR ?—I have[2]; there are many[3] foreign[4]
vessels. 2. Is there a steamer in the BUILDING-YARD ?—Yes, they are-building a
steamer and a schooner. 3. Do you not admire our CUSTOM-HOUSE ?—Yes, it is
a fine building. 4. Are there foreign[4] wines in the BONDED-WAREHOUSE ?—Yes,
there are wines and brandies from France*. 5. Where are the clerks ?—They
are in the BONDED-WAREHOUSE. 6. Where are the merchants and (the) brokers ?
—They are in the EXCHANGE. 7. Are the soldiers in the BARRACKS (*sing.*)?—
No, they are in the ARSENAL*. 8. Where is the colonel*?—He is in the POWDER
MAGAZINE with the major*.

[1] De plus belles.   [2] Oui, monsieur.   [3] beaucoup de.   [4] étrangers, *after the noun.*

67. Soixante-septième conversation.

L'HABITATION ET LES OUVRIERS QUI LA CONSTRUISENT.—(*A dwelling-house, &c.*)

I.—1. L'architecte est-il à dessiner le plan de la maison ?—Oui, et il
propose d'y faire quelques améliorations. 2. Le maçon se sert-il de bon
mortier ?—Il se sert de ciment romain. 3. Le couvreur couvre-t-il votre
maison ?—Oui, il la couvre en ardoises. 4. Le charpentier travaille-t-il
dans la maison neuve ?—Oui, il finit les planchers. 5. Le menuisier
a-t-il fini toutes les portes ?—Oui, mais il a encore beaucoup de fenêtres
à finir. 6. Le peintre a-t-il fini toutes les pièces de votre maison neuve ?
—Non, mais il m'a promis d'envoyer demain un surcroît d'ouvriers.

II.—7. Le serrurier travaille-t-il dans la cuisine ?—Non, il met une serrure à la porte de la cave. 8. Le vitrier met-il des vitres à toutes les fenêtres ?—Oui, excepté dans le salon et dans la salle à manger où l'on mettra des glaces. 9. Le vitrier est-il allé chez le verrier ?—Oui, car il n'a plus assez de verre. 10. Le marbrier a-t-il envoyé toutes les cheminées ?—Oui, et je crois que vous serez content de la cheminée en marbre de Carrare qui doit aller dans le salon. 11. Le chaudronnier travaille-t-il dans la cuisine ?—Oui, il raccommode toute la batterie de cuisine. 12. Le potier, le ferblantier et le faïencier ont-ils envoyé tout ce que j'ai commandé ?—Oui, monsieur, la poterie et la faïence sont arrivées ce matin. 13. Le tapissier a-t-il envoyé des tapis ?—Oui, et ses ouvriers vont les poser. 14. A-t-il envoyé tous les meubles que j'ai commandés ?—Oui, et je crois que vous pourrez bientôt vous installer dans votre appartement.

Appartement, though singular, means "apartments" or "suite of apartments." The singular noun "apartment" is expressed by *pièce* :—1. Notre *appartement* est composé d'une antichambre, d'une salle à manger, d'un salon et de trois chambres à coucher. 2. Le tapissier me fit voir un *appartement* composé de six pièces, toutes plus richement meublées les unes que les autres.

Exercise.—(*Translation and Reading.*)

DES MAISONS ET DE LEUR CONSTRUCTION.

1. Les *maisons* servent à abriter les hommes. Elles sont faites avec des pierres, du plâtre, du bois, du fer, &c.

2. Le *plâtre* est une poussière blanche. Délayé avec de l'eau, le plâtre sert à enduire les murs ou à cimenter les pierres.

3. Les *maçons* sont les ouvriers qui posent les pierres. Les *charpentiers* sont les ouvriers qui posent les grands morceaux de bois qu'on nomme *poutres*.

4. La partie supérieure du bâtiment se nomme *toit*. Le toit sert à abriter la maison. Les ouvriers qui font les toits sont les *couvreurs*. Ils emploient pour cela des *ardoises* qui sont bleues, ou des *tuiles* qui sont rouges.

5. Quand on entre dans une maison, on voit ordinairement une *cour*, et des escaliers qui descendent dans les *caves* creusées sous la maison.

6. Puis un grand *escalier*, composé de *marches* en bois ou en pierre, avec une *rampe*, qui conduit aux différents *étages*. Tout au haut de la maison, sous le toit, se trouve le *grenier*.

7. Chaque maison appartient à un *propriétaire*. Les personnes qui logent dans une maison qui ne leur appartient pas, sont les *locataires* de cette maison.

68. Soixante-huitième conversation.

MAISONS, HÔTELS, ETC.—(*Dwelling houses, mansions, &c.*)

I.—1. Ne sommes-nous pas six locataires ?—Nous sommes huit : trois au rez-de-chaussée, deux au premier[1] et trois au second[1]. 2. A quel étage sont les bureaux du banquier ?—Au premier[1], au-dessus de l'entre-sol. 3. Qui est-ce qui occupe le second[1] ?—Il y a une dame veuve avec sa fille ; un vieux garçon, et un jeune ménage. 4. Le concierge[2] ne vous a-t-il pas dit que le banquier a ses bureaux au rez-de-chaussée ?—Si, on y entre par la porte à droite ; il y a écrit au-dessus : *caisse*. 5. La chambre de votre domestique n'est-elle pas dans les mansardes (f.) ?—Si, et nous trouvons que c'est peu commode pour le service.

---

[1] *Étage*, "story," is understood.   [2] Or portier (f. portière).

6. Les maisons de Londres sont-elles très hautes ?—Elles ont ordinairement deux étages. 7. Où sont les plus beaux hôtels de Londres?—Autour des parcs et dans le quartier que l'on appelle *Belgravia*. 8. Demeuriez-vous dans une maison meublée lorsque vous étiez à Paris ?—Oui, nous occupions le premier d'une maison meublée de la rue de Rivoli.

II.—9. Qui est-ce qui est chargé de recevoir les lettres et les journaux des différents locataires?— C'est le concierge. 10. Est-ce que chaque famille occupe une maison entière à Paris?—Non, les maisons étant très grandes, chaque locataire a son étage. 11. Les loyers sont-ils élevés à Londres ?—Oui, et ils augmentent tous les jours. 12. Y a-t-il des tapis (m.) dans vos chambres à coucher?—Nous avons des tapis dans toutes les pièces, excepté dans la salle de bains, dont le plancher est recouvert d'une toile cirée. 13. La loge du portier n'est-elle pas à l'entrée de la cour?—Si, à gauche, en entrant.

14. Les maisons des petites villes d'Angleterre ressemblent-elles à celles de Londres ?—Elles sont en général moins grandes et moins belles. 15. Les maisons de campagne sont-elles nombreuses aux environs de Rouen?—Oui, car les négociants et les fabricants de Rouen habitent rarement la ville même. 16. Avez-vous jamais habité les environs de Londres?—Oui, j'ai passé tout un été dans une charmante maison à Upper Clapton. 17. Quel quartier habiterez-vous lorsque vous irez à Londres ?—Je dois demeurer chez un de mes amis dans *Hyde Park Gardens*. 18. Monsieur votre oncle n'a-t-il pas loué une jolie maison à Richmond?—Si, elle donne sur la Tamise.

Exercise.—(*Dwelling-houses, &c.*)

1. Who occupies the ground *floor* ?—A widow with her daughter. 2. Who lives on the first *floor* ?—An old bachelor. 3. Did you live (*imp.*) on the second* *floor* in London ?—No, we lived (*imp.*) on the ground floor. 4. Are we not three tenants in this house ?—We are four. 5. Where are the servants' rooms ?—They are in the attics.

6. Does every family occupy a whole house in London ?—Yes, generally. 7. Are the Paris* houses high ?—Yes, they are often five or six stories high. 8. Are rents high in Paris* ?—Yes, they are very high. 9. Have you a carpet in your bath-room ?—No, there is a waxcloth. 10. Have you ever lived in the neighbourhood of Paris* ?—I have spent a whole summer in a delightful house at Saint-Cloud*. 11. In what part *of the town* will you live when you (will) go to Paris* ?—I am *to* live in the Champs-Élysées* with an uncle of mine.

69. Soixante-neuvième conversation.

LES MEUBLES.—(*Furniture.*)—*Première partie.*

I.—1. En quoi est votre commode ?—C'est une commode en noyer à dessus de marbre. 2. En quoi sont vos tables (f.)?—Ce sont des tables en acajou à rallonges. 3. Voulez-vous venir avec moi chez le marchand de meubles?—Avec d'autant plus de plaisir que je désire acheter des glaces (f.) et des chaises (f.) pour les chambres à coucher. 4. Aimeriez-vous à voir mes jalousies?—Oui, je voudrais les voir avant d'en choisir pour ma salle à manger. 5. Comment trouvez-vous ce lavabo?—Il me paraît commode; les cuvettes sont assez grandes. 6. Pourquoi avez-vous levé les stores ?—Parce qu'il fait trop sombre. 7. Dans quelle

ville d'Angleterre fabrique-t-on la meilleure quincaillerie ?—A Sheffield, dans le comté d'York ; on y fait aussi de la coutellerie très renommée.

II.—8. Avez-vous accroché votre paletot à l'une des patères ?—Non, je l'ai laissé sur la table du vestibule. 9. Vos chaises sont-elles en érable ?—Non, elles sont en acajou. 10. Vos fauteuils sont-ils en acajou ?—Tous nos meubles sont en acajou, excepté dans les chambres à coucher, où nous avons quelques meubles en érable et en citronnier. 11. L'horloge va-t-elle bien ?—Oui, mais la pendule de la salle à manger est dérangée depuis ce matin. 12. L'ébéniste a-t-il envoyé vos fauteuils ?— Oui, et il m'a promis les consoles pour après-demain. 13. Comment trouvez-vous l'ébène ?—C'est un bois qui me plaît beaucoup ; on l'imite parfaitement en teignant en noir le cerisier et le merisier. 14. Avec quel bois l'ébéniste fait-il les meubles ?—Il emploie l'acajou (m.), le palissandre, le citronnier, le chêne, l'érable (m.), l'ébène, &c. ; c'est de ce dernier bois qu'il tire son nom.

Exercise.—(*Furniture.*)

1. How do you like this mahogany chest-of-drawers ?—I should prefer a chest-of-drawers with *a* marble top. 2. Why do you wish to go to the furniture-dealer's ? — Because I want a wash-hand stand, (some) tables*, and (some) mirrors. 3. What are these tables* *made* of ?—They are walnut tables*. 4. Should you like to see any chests-of-drawers ?—Yes, for I want one[1] for my bed-room. 5. What are these arm-chairs *made* of ?—They are mahogany.

6. Have you left your great-coat in the hall ?—Yes, I have hung it on one of the pegs. 7. Does the timepiece go well ?—Yes, but the clock is out-of-order. 8. Has the cabinet-maker promised your tables* for to-morrow ?—He has sent them this morning with the arm-chairs. 9. Is (*pl.*) all your furniture (*pl.*) mahogany ?—No, we have also (some) maple and ebony furniture (*pl.*). 10. In what towns of France* do they make the best ironmongery ?—In[2] Paris*, Saint-Étienne*, &c.

[1] Il m'en faut une. [2] à, *which must also be used before Saint-Étienne* (see p. 24).

70. Soixante-dixième conversation.

LES MEUBLES.—(*Furniture.*)—*Seconde partie.*

I.—1. De quelle grandeur est cette table ?—Telle que vous la voyez, elle a six pieds de long sur trois de large ; mais il y a des rallonges dont on se sert quand on a du monde à dîner. 2. Votre glace n'a-t-elle pas six pieds de haut?—Elle est bien plus haute que cela. 3. Cette table n'a-t-elle pas six pieds de long?—Si ; elle me sert de table de travail. 4. Les statuettes ne sont-elles pas très communes en France?—Si, les Français aiment beaucoup les objets d'art. 5. Où avez-vous acheté ces gravures?—Chez le marchand de gravures où nous avons vu de si belles marines. 6. Où est le pendant de ce tableau?—Nous l'avons envoyé chez le doreur. 7. Que représentent ces photographies?—Celle-ci est le Louvre, l'autre représente les Tuileries.—(P. 188, note 4 ?)

II.—8. D'où vient ce piano droit?—De chez Debain ; c'est un des meilleurs fabricants de Paris. 9. Comment votre salon est-il meublé? —A la française, c'est-à-dire avec une simplicité élégante. 10. Avez-vous remarqué un vieillard assis dans la bergère de la bibliothèque ?— Oui, et, si je ne me trompe pas, c'est monsieur votre oncle. 11. Les rideaux du salon ne sont-ils pas tachés ?—Si, il faut les envoyer chez le

dégraisseur. 12. Le tapis est-il en bon état ?—Non, il a été abîmé à la dernière soirée. 13. Pourquoi vos fauteuils sont-ils recouverts de housses?—Nous devons partir pour notre campagne dans quelques jours. 14. Avez-vous envoyé les rideaux et le tapis chez le dégraisseur? —Oui, il nettoiera tout cela pendant votre séjour à la campagne.

Exercise.—(*Translation and Reading.*)

LA VENTE DE MEUBLES, OU LE CURÉ DE CHOISY.

Une scène touchante se passait le 8 septembre 1851 à Choisy-le-Roi, près de Paris.

On voyait sur la place publique l'appareil toujours attristant d'une vente judiciaire. Un mobilier fort simple y avait été apporté : là, le buffet qui avait longtemps renfermé les provisions du ménage ; ici, des chaises grossièrement rempaillées ; la table autour de laquelle, la veille encore, on prenait le modeste repas du soir ; des ustensiles de cuisine, de mauvaises hardes, un peu de linge et jusqu'au petit fauteuil qui sans doute avait servi successivement à de nombreux enfants.

Ces objets et quelques autres de ceux qui constituent le mobilier strictement nécessaire d'une famille d'ouvriers vivant de son travail quotidien, venaient d'être enlevés de la demeure de pauvres gens que des circonstances malheureuses avaient mis hors d'état de payer leurs dettes.

Les enchères allaient s'ouvrir, quand l'huissier qui poursuivait la vente fut prévenu que M. le curé demandait à le voir.

L'huissier s'empressa de se rendre au presbytère.—"Monsieur," lui dit le curé, "j'ai appris que vous êtes forcé de vendre les meubles d'un de mes paroissiens. A combien se monte sa dette ?"—"A quatre cents francs, monsieur le curé," répondit l'huissier.—"Cette somme est trop considérable pour mes faibles ressources," reprit le digne ecclésiastique ; "mais si votre client veut se contenter de deux cents francs, je les offre de bon cœur."

L'huissier déclara aussitôt qu'il intercéderait auprès du créancier, afin de le décider à ce sacrifice, et qu'en attendant, il prenait sur lui de suspendre la vente. Il se rendit sur-le-champ au lieu des enchères, pour apprendre aux acheteurs ce qui s'était passé.

A cette nouvelle, un enthousiasme général s'empara de la foule ; on reporta les meubles aux cris mille fois répétés de : "Vive monsieur le curé !"

De tels faits peuvent se passer de commentaires ; les raconter c'est en faire l'éloge.—AMBROISE RENDU.

71. Soixante et onzième conversation.

VERBES PRONOMINAUX.—(*Reflective and reciprocal verbs.*)

I. In their personal moods, *except the imperative*, reflective verbs are conjugated with *two* pronouns of the same person, the first of which is the *subject* and the second the *object*, that is, the pronoun upon which the action is thrown back or *reflected*. The pronouns are JE ME, I......myself; TU TE, thou......thyself; IL or ELLE SE, he, she, or it......himself, herself, or itself; NOUS, NOUS, we...... ourselves ; VOUS VOUS, you......yourself or selves ; and ILS or ELLES SE, they ......themselves.

II. The objective pronoun of a reflective verb precedes it, except with the 1st person plural and 2d person both singular and plural of the *imperative* used *affirmatively*, in which case the objective pronoun follows the verb, and then, for the sake of emphasis, *te* becomes *toi*. (See p. 29, foot.)

☞ III. The compound tenses of reflective verbs are formed with *être*[1], "to be," whereas in English they take "to have."

☞ IV. The French seldom use a verb in the passive, but are fond of the reflective form. Instead of saying—"La vie humaine *est composée* d'ennuis et de joies" (Human life IS COMPOSED of sorrows and joys), they prefer saying—"La vie humaine SE *compose* d'ennuis et de joies" (*i.e.* composes itself). They say also:—1. Ce fruit SE mange vert, That fruit IS EATEN green. 2. Ce passage SE trouve dans Lamartine, That passage IS FOUND in Lamartine.

1. INFINITIF.
Se lav-er, *to wash one's self.*
PARTICIPE PRÉSENT.
Se lav-ant, *washing one's self.*

2. INDICATIF. PRÉSENT.
I wash myself, &c.
Je me lav-e.
Tu te lav-es.
Il se lav-e.
Nous nous lav-ons.
Vous vous lav-ez.
Ils se lav-ent.

IMPARFAIT.
I was washing myself, &c.
Je me lav-ais.
Tu te lav-ais.
Il se lav-ait.
Nous nous lav-ions.
Vous vous lav-iez.
Ils se lav-aient.

PASSÉ DÉFINI.
I washed myself, &c.
Je me lav-ai.
Tu te lav-as.
Il se lav-a.
Nous nous lav-âmes.
Vous vous lav-âtes.
Ils se lav-èrent.

FUTUR.
I shall or will wash myself, &c.
Je me lav-erai.
Tu te lav-eras.
Il se lav-era.
Nous nous lav-erons.
Vous vous lav-erez.
Ils se lav-eront.

3. CONDITIONNEL. PRÉSENT.
I should or would wash myself.
Je me lav-erais, &c.

4. SUBJONCTIF. PRÉSENT OU FUTUR.
It is possible that I may, shall, or will wash myself, &c.

Il est possible
{ que je me lav-e.
que tu te lav-es.
qu'il se lav-e.
que nous nous lav-ions.
que vous vous lav-iez.
qu'ils se lav-ent.

IMPARFAIT.
It was possible that I might, &c., wash myself.

Il était possible
{ que je me lav-asse.
que tu te lav-asses.
qu'il se lav-ât.
que nous nous lav-assions.
que vous vous lav-assiez.
qu'ils se lav-assent.

5. IMPÉRATIF.

AFFIRMATIVELY.		NEGATIVELY.	
Wash thyself,	lave-toi.	*Do not wash thyself,*	ne te lave pas.
Let us wash ourselves,	lavons-nous.	*Let us not wash ourselves,*	ne nous lavons pas.
Wash yourself (or *selves*),	lavez-vous.	*Do not wash yourselves,*	ne vous lavez pas.

(DIRECTION.—*Revise the Supplementary Exercise in p. 29.*)

Verbs to be conjugated according to se laver:

S'agenouiller, *to kneel down.*
Se chauffer, *to warm one's self.*
Se coucher, *to lie down, to go to bed.*
Se dépêcher, *to make haste.*
Se hâter, *to hasten.*

S'habiller, *to dress* (*one's self*).
Se lever, *to rise,* &c.
Se promener, *to walk,* &c.
Se réveiller, *to awake.*
Se soigner, *to take care of one's self,* &c.

Conjugate thus :—Je m'agenouille, tu te chauffes, il se couche; nous nous dépêchons, vous vous hâtez, ils s'habillent, &c.

Temps simples.—I. 1. Quand vous chauffez-vous?—Je me chauffe quand j'ai froid. 2. Quand vous couchez-vous?—Je me couche quand je me sens fatigué. 3. Quand vous levez-vous?—Je me lève ordinairement à 6 heures. 4. Où vous lavez-vous?—Je me lave dans le cabinet de toilette. 5. Quand vous agenouillez-vous?—Quand je vais dire ma prière.

---

[1] It is a noticeable fact that, amongst the uneducated and the peasantry of France, *avoir* is still used in pronominal verbs; that form, harsh as it is, shows us that JE ME SUIS FLATTÉ, NOUS NOUS SOMMES BROSSÉS stand for *j'ai flatté moi, nous avons brossé nous,* i.e. *nous-mêmes.*

II.—6. Quand vous rafraîchissez-vous ?—Je me rafraîchis quand j'ai soif. 7. Quand vous servez-vous du dictionnaire ?—Lorsque je rencontre des mots que je ne comprends pas. 8. Vous soignez-vous ?—Je n'ai guère le temps de m'occuper de ma santé. 9. Où vous promenez-vous† ?—Le plus souvent je me promène† dans le parc. 10. Où vous habillez-vous ?—Je m'habille dans ma chambre. 11. A quelle heure vous réveillez-vous ?—Je me réveille quand j'entends sonner la cloche de six heures.

(PRACTICE.—*These eleven questions may be answered in the first person plural, thus:* 1. Nous nous chauffons quand nous avons froid. 2. Nous nous couchons quand nous nous sentons fatigués, &c.)

† PROMENER and SE PROMENER.—The transitive verb *promener* is "to lead or take about" (mener çà et là):

1. Je *promène* mes enfants tous les matins, I take my children out every morning (for a walk). 2. Le garçon d'écurie va *promener* votre cheval, The ostler is going to give your horse an airing.

The reflective form *se promener* (literally "to lead or take one's self about"), means "to walk, at leisure, for health or recreation." *Se promener* is used in speaking of different exercises which imply no idea of *walking*:

1. Nous *nous promenons* sur l'eau, We take a row or a sail. 2. Je *me promène* à cheval. I ride on horseback. 3. Il *se promène* en voiture, He takes a drive, &c.

Exercise.—(*Reflective verbs.*)

INTERROGATIVE FORM.—PRESENT OF THE INDICATIVE.

Am I washing myself with my soap ?	*Am I not washing myself ?*
Me lavé-je avec mon savon ?	Ne me lavé-je pas ?
Te laves-tu avec ton savon ?	Ne te laves-tu pas ?
Se lave-t-il avec son savon ?	Ne se lave-t-il pas ?
Nous lavons-nous avec notre savon ?	Ne nous lavons-nous pas ?
Vous lavez-vous avec votre savon ?	Ne vous lavez-vous pas ?
Se lavent-ils avec leur savon ?	Ne se lavent-ils pas ?

1. Are you going to bed ?—No, I am rising. 2. Do you wash yourself in the dressing-room ?—No, I wash myself in the bed-room[1]. 3. When do you rise ?—We rise at six* o'clock. 4. When do you go to bed?—I go to bed at eleven (*page* 9) o'clock. 5. When do they go to bed ?—They go to bed when I rise.

6. Why[2] do you use the dictionary ?—Because[3] I do not understand this passage* (m.). 7. When do you take a walk ?—I take a walk every morning at seven o'clock. 8. Where do you take a walk ?—We walk in the village* (m.). 9. At what o'clock do you awake ?—I awake at six* o'clock. 10. At what o'clock do you dress ?—I dress at half-past six* o'clock.

[1] La chambre à coucher.   [2] Pourquoi.   [3] Parce que.

PRINCIPAL PRONOMINAL VERBS.

S'abstenir, *to abstain.*
s'abonner, *to subscribe.*
s'apercevoir, *to perceive.*
s'asseoir, *to sit down.*
se défaire, *to get rid.*
se désespérer, *to despair.*
s'enrhumer, *to catch cold.*
s'entretenir, *to converse.*
s'endormir, *to fall asleep.*
s'en aller, *to go away.*
s'efforcer, *to endeavour.*
s'empêcher, *to forbear.*
s'emporter, *to fly into a passion.*
s'enfuir, *to run away.*
s'étonner, *to feel surprised.*

s'évanouir, *to faint.*
se fâcher, *to get angry.*
se fier, *to trust.*
se garder de, *to take care not...*
s'habituer, *to get used.*
s'imaginer, *to fancy.*
s'intéresser, *to feel an interest.*
se méfier, *to distrust.*
se moquer, *to laugh at.*
se nommer, *to be named.*
s'occuper, *to be busy about.*
se plaindre, *to complain.*
se plaire, *to take pleasure.*
se porter, *to be (ill or well).*
se rappeler, *to remember.*

se réjouir, *to rejoice.*
se rendre, *to repair to.*
se repentir, *to repent.*
se ressouvenir, *to remember.*
se rire, *to laugh at.*
se retourner, *to turn round.*
se reposer, *to rest.*
se servir, *to make use of.*
se taire, *to be silent.*
se tromper, *to be mistaken, &c.*
se trouver, *to be, to happen to be.*
se vanter, *to boast.*
se vouer, *to devote one's self.*

Soixante et onzième conversation.—(*Seconde partie.*)

VERBES PRONOMINAUX.—(*Reflective and reciprocal verbs.*)

VERBES RÉFLÉCHIS.—TEMPS COMPOSÉS.

1. INFINITIF. PASSÉ.
S'être flatté, *to have flattered one's self.*

2. INDICATIF. PASSÉ INDÉFINI.
I have flattered myself, &c.

je me	suis	flatt-*é*.
tu t'	es	flatt-*é*.
il s'	est	flatt-*é*.
nous nous	sommes	flatt-*és*.
vous vous	êtes	flatt-*és*.
ils se	sont	flatt-*és*.

PLUS-QUE-PARFAIT.
I had flattered myself, &c.

je m'	étais	flatt-*é*.
tu t'	étais	flatt-*é*.
il s'	était	flatt-*é*.
nous nous	étions	flatt-*és*.
vous vous	étiez	flatt-*és*.
ils s'	étaient	flatt-*és*.

PASSÉ ANTÉRIEUR.
I had flattered myself, &c.

je me	fus	flatt-*é*, &c.

FUTUR ANTÉRIEUR.
I shall have flattered myself, &c.

je me	serai	flatt-*é*.
tu te	seras	flatt-*é*.
il se	sera	flatt-*é*.
nous nous	serons	flatt-*és*.
vous vous	serez	flatt-*és*.
ils se	seront	flatt-*és*.

PARTICIPE.
S'étant flatté, *having flattered one's self.*

3. CONDITIONNEL. PASSÉ.
I should have flattered myself, &c.

je me	serais	flatt-*é*.
tu te	serais	flatt-*é*.
il se	serait	flatt-*é*.
nous nous	serions	flatt-*és*.
vous vous	seriez	flatt-*és*.
ils se	seraient	flatt-*és*.

4. SUBJONCTIF. PASSÉ.
It is possible that I may have flattered myself, &c.

Il est possible			
	que je me	sois	flatt-*é*.
	que tu te	sois	flatt-*é*.
	qu'il se	soit	flatt-*é*.
	que nous nous	soyons	flatt-*és*.
	que vous vous	soyez	flatt-*és*.
	qu'ils se	soient	flatt-*és*.

PLUS-QUE-PARFAIT.
It was possible that I might have flattered myself, &c.

Il était possible			
	que je me	fusse	flatt-*é*.
	que tu te	fusses	flatt-*é*.
	qu'il se	fût	flatt-*é*.
	que nous nous	fussions	flatt-*és*.
	que vous vous	fussiez	flatt-*és*.
	qu'ils se	fussent	flatt-*és*.

Read carefully the observation at the top of *page* 92, and the foot-note of same page.

☞ In the compound tenses of pronominal verbs the past participle agrees when the reflected pronoun is a direct object. (See 81st Conversation, No. VII, p. 111.)

I. VERBES PRONOMINAUX.—*Temps composés.*—1. Vous êtes-vous levé tard aujourd'hui ?—Non, je me suis levé à l'aube, pour aller me promener à la campagne. 2. Où vous êtes-vous promené ?—Je me suis promené dans les bois, et ensuite sur le bord de la rivière. 3. A quelle heure votre domestique s'est-il levé ?—Il s'est levé un peu avant moi, pour cirer mes bottes et nettoyer mon fusil. 4. Avec quelle serviette vous êtes-vous essuyé ?—Je me suis servi de celle qui était sur le chevalet. 5. Vous êtes-vous brossé ?—Non, quand je sors de grand matin, je mets un habit gris qui n'a jamais l'air sale.

6. Vous êtes-vous enrhumé dans le bateau ?—Non, j'avais eu soin de m'envelopper de mon paletot et de mon cache-nez. 7. Vous êtes-vous mouillé dans le marais ?—Non, car j'avais mis de grandes bottes de chasse. 8. Où vous êtes-vous égratigné ?—En poursuivant dans le bois un lapin que j'ai manqué. 9. Vous êtes-vous blessé à la chasse ?—Je me suis donné une entorse. 10. A quelle heure vous êtes-vous couché ?— *Je me suis couché* en rentrant de la chasse.

II. VERBES RÉCIPROQUES.—1. Vous rencontrez-vous souvent?—Nous nous voyons quelquefois à la sortie de l'église. 2. Robert et Richard se rencontrent-ils souvent?—Ils se rencontrent toujours à la sortie des classes. 3. Se battent-ils souvent?—Ils ne se battent jamais, mais ils se querellent quelquefois.

4. Se sont-ils querellés dans la classe?—Oui, mais ils se sont bientôt réconciliés. 5. Pourquoi ne nous voyons-nous plus aussi souvent?— Parce que nous demeurons loin l'un de l'autre. 6. Vos cousins se ressemblent-ils?—Oui, comme deux gouttes d'eau.

RECIPROCAL VERBS follow the same conjugation as reflective verbs:—

We brush each other, &c.	*We have brushed each other, &c.*
Nous nous brossons.	Nous nous sommes brossés.
Vous vous brossez.	Vous vous êtes brossés.
Ils se brossent.	Ils se sont brossés.
Elles se brossent.	Elles se sont brossées.

☞ *Nous nous brossons* may mean either, "We brush ourselves," or "We brush each other;" when the context clearly shows whether the sense is reflective or reciprocal, the verb may stand as above; but if a distinction must be drawn, the following forms are used:—

1. REFLECTIVE.	2. RECIPROCAL.
Nous nous brossons nous-mêmes.	Nous nous brossons l'un l'autre[1].
Vous vous brossez vous-mêmes.	Vous vous brossez l'un l'autre[1].
Ils se brossent eux-mêmes.	Ils se brossent l'un l'autre[1].
Elles se brossent elles-mêmes.	Elles se brossent l'une l'autre[1].

Exercise.—*(Reflective and reciprocal verbs.)*

PASSÉ INDÉFINI.

Have I cut myself?	*I have not hurt myself.*
Me suis-je coupé?	Je ne me suis pas blessé.
T'es-tu coupé?	Tu ne t'es pas blessé.
S'est-il coupé?	Il ne s'est pas blessé.
S'est-elle coupée?	Elle ne s'est pas blessée.
Nous sommes-nous coupés?	Nous ne nous sommes pas blessés.
Vous êtes-vous coupés?	Vous ne vous êtes pas blessés.
Se sont-ils coupés?	Ils ne se sont pas blessés.
Se sont-elles coupées?	Elles ne se sont pas blessées.

RFFLECTIVE VERBS.

PASSÉ INDÉFINI.—1. Did you take a walk in the woods?—No, I walked on the river side. 2. At what o'clock did Richard* rise?—He rose at dawn. 3. Did you dry your *face* with this towel?—No, I used the towel which was (*imp.*) on the stand. 4. Did Alfred* brush himself?—No, his coat was (*imp.*) not dirty.

5. Where did you catch cold?—I caught cold in the wood. 6. Did you get wet on the river side?—No, I got wet in the marsh. 7. Where did Charles* scratch his face?—In the wood, running after a rabbit. 8. Did you go to bed late?—I went to bed on returning from the hunt.

RECIPROCAL VERBS.

1. Do you MEET EACH OTHER in the village* (m.)?—No, we SEE[2] EACH OTHER in the wood. 2. Where do Joseph* and Victor* MEET (EACH OTHER)?—They MEET (EACH OTHER) on coming out of (the) church. 3. Do Fanny* and Constance* RESEMBLE EACH OTHER?—No, but their cousins (f.) do[3]. 4. Where do your cousins* (m.) FIGHT?—They FIGHT on coming-out of (the) school.

---

[1] When *several* persons are acting upon each other, *les uns les autres, les unes les autres,* should be preferred to *l'un l'autre, l'une l'autre.* (See 102d Conversation.)
[2] Voyons.
[3] Se ressemblent.

72. Soixante-douzième conversation.

IMPERSONAL VERBS USED IN SPEAKING OF THE WEATHER.

I. TONNER, *to thunder:* tonnant; tonné.   II. PLEUVOIR; pleuvant;   III. FAIRE; fai-
plu.   sant; fait.

1.	IND. PRES.	Il tonne.	1. Il pleut.		1. Il fait.	
2.	IMP.	Il tonnait.	2. Il pleuvait.		2. Il faisait.	
3.	PAST DEF.	Il tonna.	3. Il plut.		3. Il fit.	
4.	PAST INDEF.	Il a tonné.	4. Il a plu.		4. Il a fait.	
5.	PLUP.	Il avait tonné.	5. Il avait plu.		5. Il avait fait.	
6.	PAST ANT.	Il eut tonné.	6. Il eut plu.		6. Il eut fait.	
7.	FUT. ABS.	Il tonnera.	7. Il pleuvra.		7. Il fera.	
8.	FUT. ANT.	Il aura tonné.	8. Il aura plu.		8. Il aura fait.	
9. COND.	PRES.	Il tonnerait.	9. Il pleuvrait.		9. Il ferait.	
10.	PAST.	Il aurait tonné.	10. Il aurait plu.		10. Il aurait fait.	
11. SUBJ.	PRES.	Qu'il tonne.	11. Qu'il pleuve.		11. Qu'il fasse.	
12.	PAST.	Qu'il ait tonné.	12. Qu'il ait plu.		12. Qu'il ait fait.	
13.	IMP.	Qu'il tonnât.	13. Qu'il plût.		13. Qu'il fît.	
14.	PLUP.	Qu'il eût tonné.	14. Qu'il eût plu.		14. Qu'il eût fait.	

Conjugate according to *tonner* the following: *il bruine, il gèle, il dégèle, il
éclaire, il grêle, il grésille, il neige, il tombe de la pluie,* &c.

I.—1. Fait-il beau temps aujourd'hui ?—Il fait assez beau.   2. Fait-il
froid ce matin ?—L'air est un peu vif.   3. Fait-il mauvais dans ce
pays-là ?—Oui, il y pleut presque constamment.   4. A-t-il beaucoup
plu la semaine dernière ?—Non, il a fait très sec.

5. A-t-il neigé pendant la nuit ?—Non, mais je crois qu'il va neiger.
6. Neige-t-il souvent dans ce pays-ci ?—Certains hivers nous n'avons
presque pas de neige.   7. Pleuvra-t-il cette après-midi ?—Je pense que
oui ; j'aperçois là-bas de grands nuages noirs qui n'annoncent rien de bon.
8. Va-t-il pleuvoir ?—J'en ai peur.   9. A-t-il plu hier ?—Nous avons
eu deux ou trois ondées le matin ; mais l'après-midi a été très belle.

II.—1. Fera-t-il beau temps aujourd'hui ?—Non, le temps est à
l'orage; je viens de voir un éclair.   2. Va-t-il tonner ?—Oui, le tonnerre
va éclater, je l'entends rouler au-dessus de nous.   3. Cette petite fille
a-t-elle peur parce qu'il tonne ?—Oui, elle a une peur terrible du tonnerre.   4. Ne fait-il pas beaucoup de brouillard à Londres ?—Si ; en hiver
le brouillard est quelquefois si épais que le gaz reste allumé toute la
journée.   5. Fait-il du vent ? — Non, l'air est très calme.   6. Quand
mettez-vous votre paletot imperméable ?—Je le mets toutes les fois que
je sors, car les ondées sont très fréquentes dans cette saison.

7. Pleuvait-il dans le village ?—Oui, il est survenu une si grande
averse que le jardin de la maison où nous étions à l'abri, avait l'air
d'un étang.   8. Quel temps fait-il à Paris en novembre ?—Les belles
journées sont rares ; le soleil ne paraît plus qu'à travers (*p. 26, foot*)
les brouillards, et les pluies sont déjà fréquentes.   9. A-t-il fait beaucoup
de vent la nuit dernière ?—Oui, le vent a abattu presque toutes nos poires.

Exercise.—(*The weather, &c.—Revise the 12th Lesson, page* 15.)

Fait-il chaud aujourd'hui ?	Ne fait-il pas clair ?
Faisait-il froid ce jour-là ?	Ne faisait-il pas sombre ?
Fit-il sec cet été-là ?	Ne fit-il pas humide ?
A-t-il fait du vent ?	N'a-t-il fait ni chaud ni froid ?
Fera-t-il beau demain ?	Ne fera-t-il pas trop de soleil ?
Ferait-il jour à 8 heures ?	Ne ferait-il pas clair de lune ?
Pensez-vous qu'il fasse nuit ?	N'est-il pas fâcheux qu'il fasse du vent ?
Était-il possible qu'il fît de la boue ?	N'était-il pas possible qu'il fît du verglas ?

1. Is it bad weather this morning ?—No, it is very fine.   2. Is it cold
to-day ?—No, it is warm.   3. Is it going *to* rain ?—I think that it WILL-RAIN

this afternoon. 4. *Does* it snow often in that province* (f.) ?—No, but it rains
very often. 5. *Does* it thunder ?—No, but it is-going *to* thunder.
6. Is it windy this morning ?—No, it is very calm. 7. Is it stormy ?—I
have just seen a flash-of-lightning, and it is-going *to* thunder. 8. What *sort of*
weather is it in London in winter ?—It is very foggy. 9. What weather has
it been during the night ?—It has rained and thundered. 10. What weather
was (*past indef.*) it yesterday ?—It (has) rained in the morning, but we (have)
had a very fine afternoon.

73. Soixante-treizième conversation.—(*See p. 96.*)

LA TEMPÉRATURE.—(*The weather.*)

I.—1. Fait-il grand jour ?—Il y a longtemps ; levez-vous, nous irons
patiner sur l'étang. 2. Faisait-il jour quand vous vous êtes levé ?—A
peine ; je me suis levé de grand matin, car je me mourais d'envie de
savoir si la glace portait. 3. Fait-il sombre dans le corridor ?—Non, il
y fait très clair ; je vais y aller chercher vos patins.

4. Fait-il très froid ?—Oui, mais nous allons nous réchauffer en
patinant. 5. Gèle-t-il souvent ici ?—Oui, mais rarement assez fort pour
que la glace porte. 6. Pensez-vous qu'il dégèle demain ?—Mon oncle,
qui s'y connaît, dit que la gelée durera plusieurs jours. 7. Tombe-t-il
souvent de la grêle dans ce pays-ci ?—Oui, malheureusement ; l'été
dernier, la grêle a ravagé tout le canton. 8. Neige-t-il souvent ?—J'ai
habité des pays où il neige plus souvent.

II.—9. Fait-il doux dehors ?—Oui, et je crois que vous pouvez sortir
sans paletot. 10. Fait-il de la boue ?—Oui, car il a plu toute la nuit ;
il faut mettre de plus grosses chaussures. 11. Pensez-vous qu'il pleuve
aujourd'hui ?—Je ne le crois pas ; mais il fera du vent, car les nuages
marchent avec grande vitesse. 12. Étiez-vous dans le village pendant
la grande averse ?—Oui, nous sommes entrés dans une grange, d'où
nous ne sommes sortis que lorsque le temps s'est remis au beau.

13. Vous êtes-vous couché quand le tonnerre a commencé à gronder ?
—Oui, et le tonnerre m'a empêché de dormir. 14. Ne faisait-il pas
très chaud à Paris l'été dernier ?—Il faisait une chaleur étouffante, et
tout le monde était enchanté quand une bonne ondée venait rafraîchir
l'air et abattre la poussière. 15. Faisait-il plus froid hier qu'aujour-
d'hui ?—L'air était un peu plus vif qu'aujourd'hui. 16. Pensez-vous
qu'il fasse aussi doux demain ?—Dans cette saison, le temps est très
variable, et le vent pourrait bien changer dans la nuit.

Exercise.—(*Translation and Reading.*)

LA NEIGE ET LES AVALANCHES.

1. Il arrive assez souvent que pendant l'hiver l'eau se précipite de l'atmosphère, non sous forme de grêle, comme on l'observe fréquemment en été (*p.* 10,
note 1), mais en flocons plus ou moins épais, auxquels on donne le nom de *neige.*

2. Si l'air est agité, la neige tombe sous forme de flocons blancs irréguliers ;
mais s'il est parfaitement calme, c'est sous la forme d'étoiles à six rayons.

3. La neige est un véritable bienfait de la nature : elle garantit les racines
des plantes des cruels effets d'un froid rigoureux ; elle humecte lentement les
terres où la pluie ne pourrait pénétrer.

4. Dans les pays septentrionaux, tels qu'en Laponie, en Russie, elle fraie aux
habitants des routes commodes, agréables, et sur lesquelles ils voyagent rapide-

ment en traîneaux, sans qu'elles demandent aucuns frais de construction ou d'entretien.

5. On appelle *glaciers* des amas de glace et de neiges durcies qui se forment sur quelques grandes chaînes de montagnes, et qui, se fondant et se renouvelant sans cesse, fournissent une grande abondance d'eau. Les glaciers les plus connus sont ceux des Alpes ; on les regarde comme les réservoirs des eaux du Rhône et du Rhin.

6. On nomme *avalanche* une masse de neige qui se détache du sommet des hautes montagnes, roule avec une vitesse effrayante dans les vallées, renversant, détruisant tout ce qui se trouve sur son passage, les arbres, les rochers, les habitations. Les avalanches sont surtout très fréquentes dans les Alpes. Pendant l'hiver, c'est le vent qui en détermine la chute ; au printemps, c'est la fonte des neiges ; quelquefois la moindre commotion atmosphérique, la détonation des armes à feu, le chant des montagnards peut provoquer une avalanche.

74. Soixante - quatorzième conversation.

FALLOIR, "TO BE NECESSARY, WANTED," ETC.

Il faut.	Il ne faut pas.	Faut-il ?
Il fallait.	Il ne fallait pas.	Fallait-il ?
Il fallut.	Il ne fallut pas.	Fallut-il ?
Il a fallu.	Il n'a pas fallu.	A-t-il fallu ?
Il avait fallu.	Il n'avait pas fallu.	Avait-il fallu ?
Il eut fallu.	Il n'eut pas fallu.	Eut-il fallu ?
Il faudra.	Il ne faudra pas.	Faudra-t-il ?
Il aura fallu.	Il n'aura pas fallu.	Aura-t-il fallu ?
Il faudrait.	Il ne faudrait pas.	Faudrait-il ?
Il aurait fallu.	Il n'aurait pas fallu.	Aurait-il fallu ?
Qu'il faille.	Qu'il ne faille pas.	*Interrogative with a negation.*
Qu'il ait fallu.	Qu'il n'ait pas fallu.	Ne faut-il pas ?
Qu'il fallût.	Qu'il ne fallût pas.	Ne fallait-il pas ?
Qu'il eût fallu.	Qu'il n'eût pas fallu.	N'a-t-il pas fallu ?

Il me faut un sac.	Il nous faut des amis.	Me faut-il de l'or ?	Nous faut-il du poivre ?
Il te faut un habit.	Il vous faut des chiens.	Te faut-il du bois ?	Vous faut-il du fer ?
Il lui faut des bas.	Il leur faut du pain.	Lui faut-il du sel ?	Leur faut-il du blé ?

I.—1. Que lui faut-il ?—Il lui faut du chocolat. 2. Vous faut-il du thé ?—Non, il me faut du café et du sucre. 3. Lui faut-il une chandelle ? —Non, il lui faut des mouchettes. 4. Nous faut-il du cuir ?—Non, il nous faut de la toile cirée pour recouvrir nos malles. 5. Leur faut-il de l'eau ?—Ils demandent de l'abondance[1]. 6. Faut-il à vos ouvriers des vêtements et des chaussures ?—Oui, et il faudra que je leur avance une partie de leur salaire. 7. Faut-il à vos sœurs des aiguilles et du fil ? —Non, il leur faut à chacune un dé et des ciseaux.

II.—8. Faut-il qu'il arrive à 3 heures ?—Oui, et pour cela il faut qu'il prenne le train de grande vitesse. 9. Faut-il qu'elle finisse de bonne heure ?—Oui, car il faut que nous sortions tous ensemble avant le dîner. 10. Pourquoi faut-il être patient ?—Parce qu'on gâte souvent les choses pour ne pas l'être. 11. Qui est-ce qui vous a dit qu'il me faut un avoué ? —C'est votre notaire. 12. Qui est-ce qui vous a dit qu'il lui faut un passeport ?—C'est le consul de France. 13. Nous faut-il du charbon ? —Oui, car il n'y en a presque plus.

14. Qui est-ce qui a dit qu'il nous faut un cordonnier ?—C'est votre frère ; il prétend que vous êtes très mal chaussés. 15. Vous faut-il un avoué ? —Non, il me faudrait un avocat pour plaider ma cause. 16. Leur faut-il des graines ?—Oui, il leur en faut pour leur nouveau jardin. 17. Que

---

[1] *Or, de l'eau rougie, i.e., water mixed with a little wine.*—French Studies, p. 90, note.

faut-il à vos cousins?—Il leur faut des bêches, des râteaux et des houes. 18. Vous faudra-t-il un passeport pour aller à Venise?—Il faudra simplement que je fasse viser celui avec lequel j'ai déjà voyagé.

Exercise.—(FALLOIR, *to be necessary, wanted, required.*)

1. What do you want?—I want a wax candle and snuffers. 2. What does he want?—He wants some coffee. 3. What does she want?—She wants a thimble and scissors. 4. What do you want?—We want our trunks. 5. What do they want?—They want some leather and some waxcloth. 6. Do your cousins* (m.) want clothes?—No, they want boots and shoes.

7. Must he take the express train* (m.)?—Yes, for he must arrive* at six* o'clock. 8. Must we go-out early?—We must go-out before dinner. 9. Do you want a passport to go to France*?—No, but I shall require a passport to go to Venice. 10. Do you want boots-and-shoes?—No, but I should require some clothes. 11. Do your sisters require scissors?—No, they require needles and thread. 12. What will you require?—I shall require a wax candle, some coals, tea and sugar.

75. Soixante-quinzième conversation.

Y AVOIR, "THERE TO BE."

There is *or* are,	Il y a.	Il n'y a pas.
There was *or* were,	Il y avait.	Il n'y avait pas.
There was *or* were,	Il y eut.	Il n'y eut pas.
There has been,	Il y a eu.	Il n'y a pas eu.
There had been,	Il y avait eu.	Il n'y avait pas eu.
There had been,	Il y eut eu.	Il n'y eut pas eu.
There will be,	Il y aura.	Il n'y aura pas.
There will have been,	Il y aura eu.	Il n'y aura pas eu.
There would be,	Il y aurait.	Il n'y aurait pas.
There would have been,	Il y aurait eu.	Il n'y aurait pas eu.
That there may be,	Qu'il y ait.	Qu'il n'y ait pas.
That there may have been,	Qu'il y ait eu.	Qu'il n'y ait pas eu.
That there might be,	Qu'il y eût.	Qu'il n'y eût pas.
That there might have been,	Qu'il y eût eu.	Qu'il n'y eût pas eu.

Forme interrogative.

Y a-t-il,	is *or* are there?	Y a-t-il eu,	has *or* have there been?
Y avait-il,	was *or* were there?	Y avait-il eu,	had there been?
Y eut-il,	was *or* were there?	Y eut-il eu,	had there been?
Y aura-t-il,	will there be?	Y aura-t-il eu,	will there have been?
Y aurait-il,	would there be?	Y aurait-il eu,	would there have been?

I. NUMBER.—1. N'y a-t-il pas eu plusieurs naufrages (m.) près de Boulogne?—Si, trois navires anglais ont fait naufrage entre Boulogne et Étaples. 2. N'y a-t-il pas un matelot à la porte?—Si, il y a un pauvre naufragé qui demande des secours. 3. N'y avait-il pas 12 personnes à votre dîner?—Nous n'étions que dix. 4. N'y a-t-il pas des soldats à l'arsenal?—Il y a des canonniers qui font la manœuvre. 5. N'y a-t-il pas eu un incendie dans votre rue?—Si, mais personne n'a péri et toutes les maisons étaient assurées.

6. N'y aura-t-il pas un grand dîner ce soir?—Nous attendons quinze personnes. 7. N'y a-t-il pas des chanteurs à la porte?—Si, et ce n'est guère plus amusant que l'orgue de Barbarie. 8. Combien y a-t-il de capitaines dans ce régiment?—Il y en a vingt-quatre. 9. Y avait-il des officiers à la gare?—Il y avait un colonel, deux capitaines et un lieutenant. 10. N'y avait-il pas un maréchal de France à votre dîner?—Non, il y avait un général de brigade.

II. TIME.—1. Y a-t-il longtemps que nous sommes ici?—Je pense

qu'il y a trois quarts d'heure. 2. Y avait-il longtemps que vous étiez à Venise lorsque votre cousin est mort ?—Nous y étions depuis deux mois. 3. Y a-t-il longtemps que vous demeurez ici ?—Nous y demeurons depuis Pâques. 4. Est-ce qu'il n'y a pas une demi-heure que nous sommes ici ?—Nous y sommes depuis plus longtemps.

5. Combien y a-t-il que vous avez quitté Milan ?—Il y a plus d'un an. 6. Combien y a-t-il que La Fontaine est mort ?—Il y a plus d'un siècle et demi. 7. Y a-t-il longtemps que votre cousin est à Milan ?—Il y est depuis le départ des Autrichiens, c'est-à-dire depuis 1859. 8. Y a-t-il longtemps que les Français sont à Nice ?—Ils y sont depuis 1860. (See 65th Lesson, top of page 86.)

III. DISTANCE.—1. Y a-t-il loin d'ici à la caserne ?—Il y a deux milles, et c'est dans un vilain quartier. 2. Combien y a-t-il de Paris à Milan ?—Il y a 835 kilomètres par Genève et le Simplon. 3. Combien y avait-il de la caserne à l'église ?—Il y avait un mille et demi. 4. Y aura-t-il encore loin quand nous serons à l'arsenal ?—Il y aura encore un demi-mille.

5. Croyez-vous qu'il y ait loin de l'arsenal aux fortifications ?—Non, l'arsenal est tout près. 6. Y a-t-il un demi-mille d'ici à la Bourse ?—Il y a moins que cela. 7. N'y a-t-il pas très loin d'ici à la cascade ?—Il y a cinq milles; nous ferons bien cela à pied. 8. Y a-t-il aussi loin de la caserne à l'église que de l'arsenal à la Bourse ?—Je crois qu'il y a à peu près la même distance.

Exercise.—(Y avoir.)

I.—1. Is there a soldier at the door ?—No, there are two sailors. 2. Were there vessels in the port (m.) ?—There were six* English vessels. 3. Has there been a shipwreck ?—Yes, but no-one has perished. 4. How many officers will there be at your dinner-party ?—There will-be six*.

II.—1. Have you been (pres.) here long ?—I have been two months. 2. Had you been (imp.) long in France* when the captain died (past indef.) ?—More than a year. 3. Have the English been (pres.) long in Gibraltar* ?—They have been (pres.) since 1704. (See 65th Lesson, page 86, top.)

III.—1. How far is it hence to the barracks (sing.) ?—It is four miles. 2. How far was (imp.) it from the village* (m.) to the church ?—It was (imp.) a mile and a half. 3. Will it still be far when we are (future) at the waterfall ?—It will still be half a mile. 4. Do you think that it is as far from the barracks to the church as from the church to the arsenal* ?—It is nearly the same distance* (f.).

76. Soixante-seizième conversation.—(Première partie.)

IL S'AGIT, "THE MATTER IS," &c.

IL S'AGIT, &c.

The subject of the conversation or action				
is,	Il s'agit de...	S'agit-il de moi ?	Am I concerned ? &c.
was,	Il s'agissait de...	S'agissait-il de toi ?	Wast thou concerned ?
was,	Il s'agit de...	S'agit-il de lui ?	Was he concerned ?
will be,	Il s'agira de...	S'agira-t-il de nous ?	Shall we be concerned ?
would be,	Il s'agirait de...	S'agirait-il de vous, d'elle, de lui, de votre précepteur ?	
may be,	Qu'il s'agisse de...	Would you, she, he, your tutor be concerned ?	
might be,	Qu'il s'agit de...		

IL S'AGIT, &c.—1. De quoi s'agit-il à l'arsenal ?—Le capitaine d'artillerie y passe la revue. 2. De quoi s'agissait-il au collége ?—Il y avait un incendie. 3. S'agira-t-il de notre proposition ?—Oui, on s'en occupera sérieusement. 4. S'agit-il de votre fortune ?—Il s'agit de notre réputa-

tion, monsieur. 5. S'agissait-il de votre honneur?—Il s'agissait de notre vie (f.). 6. S'agit-il de moi?—Non, il s'agit de votre frère aîné. 7. S'agit-il de lui?—Oui, on parle de le renvoyer. 8. S'agit-il d'elle?—Oui, on parle de sa dot. 9. S'agit-il de nous?—Oui, et tout le monde vous donne tort. 10. S'agit-il de vous?—Non, mon tour est passé. 11. S'agit-il de Colin?—Oui, et on a l'intention de l'inviter ce soir. 12. S'agit-il des créanciers?—Oui, on voudrait trouver le moyen de les calmer, car ils sont furieux. 13. S'agit-il d'eux?—Oui, il s'agit de les réunir demain. 14. S'agit-il d'elles?—Oui, il s'agit de les inviter à la grande soirée de mercredi. 15. S'agit-il d'étudier?—Oui, et d'étudier ferme, car les examens approchent. 16. S'agissait-il de jouer?—Non, il s'agissait de travailler. 17. S'agit-il de notre liberté?— Oui, et nous saurons la défendre. 18. De qui s'agit-il?—Il s'agit de vos parents.

Exercise.—(Il s'agit, &c.)

1. What is the matter in the village* (m.)?—There is a fire. 2. What was (imp.) the matter on the esplanade*?—There was a review. 3. Is my reputation at stake?—No, but your fortune* is. 4. Am I concerned in this?—No, but your cousin* (m.) is. 5. Were (imp.) we concerned in this conversation?—No, but your eldest brother was. 6. Are they concerned in this?—No, you are. 7. Is this the time for playing?—No, it is now the time for working. 8. Is my life at stake?—No, but your honour is. 9. Who is concerned in this?—Fanny* and Caroline*. 10. Who formed (imp.) the subject of that conversation?—Your relatives.

Soixante-seizième conversation.—(Seconde partie.)

CELA M'EST ÉGAL, "IT IS A MATTER OF INDIFFERENCE TO ME," OR "I DO NOT CARE."

Cela m'est égal.	Cela m'est-il égal?	Cela m'est indifférent.
Cela t'est égal.	Cela t'est-il égal?	Cela t'est indifférent.
Cela lui est égal.	Cela lui est-il égal?	Cela lui est indifférent.
Cela nous est égal.	Cela nous est-il égal?	Cela nous est indifférent.
Cela vous est égal.	Cela vous est-il égal?	Cela vous est indifférent.
Cela leur est égal.	Cela leur est-il égal?	Cela leur est indifférent.

Que les élèves répètent ces différentes formes avec les temps les plus importants du verbe être.

CELA M'EST ÉGAL, &c.—1. Vous est-il égal de dîner à 4 heures?—Oui, cela m'est égal. 2. Vous était-il égal de coucher dans la petite chambre?—J'aurais préféré la grande, car elle donne sur le jardin. 3. Vous sera-t-il égal de revenir par le chemin de fer?—J'aimerais mieux revenir par le bateau à vapeur.

4. Vous serait-il égal de revenir par le train de 6 heures?—Non, cela ne nous serait pas égal, car on nous attend à 5 heures. 5. Lui est-il égal de venir une demi-heure plus tôt?—Oui, cela lui est égal. 6. Pensez-vous qu'il lui soit égal de dîner à 3 heures?—Cela lui est parfaitement égal.

   *** *Indifférent* could supply *égal* in all these sentences.

Exercise.—(Translation and Reading.)

UN VIEUX DE LA VIEILLE[1].

Un matin Napoléon et Alexandre (*page 63*), alors réunis à Erfurth (Prusse), étaient allés faire une promenade dans l'intérieur du parc. En rentrant au palais, Napoléon qui avait passé familièrement son bras sous celui d'Alexandre,

---

[1] *i. e.*, Un vieux (soldat) de la vieille (garde de Napoléon).

s'arrête devant le grenadier de sa garde qui, posé en faction au pied du grand escalier, leur présente les armes. Napoléon regarde un moment ce soldat en secouant la tête avec orgueil, et fait remarquer au czar son visage orné d'une cicatrice qui part du front et descend jusqu'au milieu de la joue :

"Que pensez-vous, mon frère," lui dit-il alors, "des soldats qui survivent à de pareilles blessures ?"

"Et vous, mon frère," répond Alexandre, "que pensez-vous des soldats qui les font ?"

"Ils sont morts, ceux-là !..." murmura le factionnaire d'une voix grave, mais sans rien perdre de son immobilité.

Cependant Alexandre, que la réponse de ce factionnaire avait un moment embarrassé, dit à Napoléon :

"Mon frère, ici comme ailleurs, la victoire vous reste."

"Mon frère, c'est qu'ici comme ailleurs mes grenadiers ont donné," dit encore Napoléon.

Et, en s'éloignant, il fit un geste de remercîment au vieux soldat, qui ne détourna même pas les yeux.—Marco de Saint-Hilaire.

77. Soixante-dix-septième conversation.

TEMPS IDIOMATIQUES.—(*Première partie.*)

I. Past Just Elapsed.	II. Past Definite Anterior.
I have just spoken, &c.	*I had just spoken, &c.*
je viens de parler.	je venais de parler.
tu viens de parler.	tu venais de parler.
il vient de parler.	il venait de parler.
nous venons de parler.	nous venions de parler.
vous venez de parler.	vous veniez de parler.
ils viennent de parler.	ils venaient de parler.

III. Future Proximate.	IV. Future Indefinite.	V. Future Imp. Anterior.
I am going to speak, &c.	*I am to speak, &c.*	*I was going to speak, &c.*
je vais parler.	je dois parler.	j'allais parler.
tu vas parler.	tu dois parler.	tu allais parler.
il va parler.	il doit parler.	il allait parler.
nous allons parler.	nous devons parler.	nous allions parler.
vous allez parler.	vous devez parler.	vous alliez parler.
ils vont parler.	ils doivent parler.	ils allaient parler.

Je dois parler (the 4th tense) may also mean, "I must speak," or "I intend to speak."

I.—1. Venez-vous de lire la description de l'île d'Arran ?—Oui, et quand j'irai en Écosse, je ne manquerai pas de visiter cette île. 2. Robert ne vient-il pas d'acheter le journal ?—Si, et il vient de me dire qu'on annonce un train de plaisir pour l'Écosse. 3. Ces romans viennent-ils de paraître ?—Oui, et ils ont beaucoup de succès. 4. Le dentiste vient-il de vous plomber une dent ?—Oui, malgré cela je crois que je serai obligé de la faire arracher.

II.—1. Veniez-vous de dessiner quand je suis entré ?—Je venais de finir ce paysage. 2. Madame votre tante venait-elle d'arriver ?—Il y avait une heure qu'elle était rentrée. 3. Votre domestique venait-il de desservir ?—Oui, et l'on allait offrir du café et du thé. 4. Veniez-vous d'arriver lorsque nous sommes entrés ?—Nous avions à peine eu le temps de nous asseoir. 5. Le dentiste venait-il de vous arracher une dent ?—Oui, mais il m'avait laissé un chicot.

III.—1. Allez-vous peindre ?—Non, je vais écrire. 2. Maria va-t-elle broder ?—Non, elle va coudre. 3. Le médecin va-t-il encore rester une

demi-heure?—Je crois qu'il va s'en aller. 4. Vos sœurs vont-elles rester
à la maison?—Oui, l'aînée a la migraine, et la cadette ne sort jamais
sans sa sœur. 5. Vos cousins vont-ils voyager en Suisse?—Oui, et de
là ils iront en Italie. 6. Vos tantes vont-elles aller au concert aujourd'hui?—Oui, car les Italiens vont chanter.

IV.—1. Devez-vous partir aujourd'hui pour Naples?—Oui, et nous
devons revenir dans un mois. 2. Votre frère ne doit-il pas aller demain
à Liverpool?—Si, et après-demain il doit s'embarquer pour les États-
Unis. 3. Votre cousin Gustave ne doit-il pas rester une quinzaine de
jours dans l'île d'Arran?—Il y restera plus longtemps; il y fait des
études géologiques et minéralogiques. 4. Devez-vous passer l'été en
Écosse?—Oui, mon grand-père a loué une jolie maison aux environs
d'Ayr, dans le pays de Burns. 5. Devez-vous revenir pour le mariage
de votre cousin?—Oui, car je dois être son garçon d'honneur.

V.—1. Alliez-vous écrire quand nous sommes arrivés?—Oui, j'allais
répondre à votre lettre. 2. Allaient-ils établir une ligne de bateaux à
vapeur lorsque la grande faillite a eu lieu?—Non, tous leurs capitaux
étaient engagés dans l'exploitation d'une mine de fer. 3. Alliez-vous
descendre à cet hôtel lorsque je vous ai aperçu?—Non, j'allais à l'hôtel
qui se trouve en face. 4. Gustave allait-il s'embarquer pour la Sicile
lorsque vous l'avez aperçu?—Oui, et toutes ses malles étaient déjà
parties pour Palerme. 5. N'alliez-vous pas faire un voyage en Calabre
(f.) lorsque votre cousin est tombé malade?—Si, car c'est un pays que
j'ai grande envie de voir.

Exercise.—(*Idiomatic Tenses.*)

I. *I have not just laughed.*	II. *Had I just arrived?*
Je ne viens pas de rire.	Venais-je d'arriver?
Tu ne viens pas de rire.	Venais-tu d'arriver?
Il ne vient pas de rire.	Venait-il d'arriver?
Nous ne venons pas de rire.	Venions-nous d'arriver?
Vous ne venez pas de rire.	Veniez-vous d'arriver?
Ils ne viennent pas de rire.	Venaient-ils d'arriver?

III. *Am I going to lose?*	IV. *Am I to read?*	V. *Was I going to see?*
Vais-je perdre?	Dois-je lire?	Allais-je voir?
Vas-tu perdre?	Dois-tu lire?	Allais-tu voir?
Va-t-il perdre?	Doit-il lire?	Allait-il voir?
Allons-nous perdre?	Devons-nous lire?	Allions-nous voir?
Allez-vous perdre?	Devez-vous lire?	Alliez-vous voir?
Vont-ils perdre?	Doivent-ils lire?	Allaient-ils voir?

I.—1. Have you just read the description* (f.) of the *island of* Sicily?—No, I
have just read the description* (f.) of (the) Calabria. 2. Has not Arthur* just
bought a piano* (m.)?—No, he has just bought an harmonium* (m.).

II.—1. Had you just arrived when I came in (*past indef.*)?—I had scarcely
had time to take a seat. 2. Had your cousins* (m.) just been reading when we
came in (*past indef.*)?—No, they had just been sketching.

III.—1. Are you going *to* write?—No, I am going *to* paint. 2. Are they
(f.) going *to* travel in Calabria?—Yes, and thence they (f.) will-go to Sicily.

IV.—1. Do your sisters intend *to* sail for Naples*?—No, they intend sailing
for Palermo. 2. Do you intend *to* remain long in (the island of) Arran*?—I
intend *to* remain a fortnight.

V.—1. Were you going *to* put-up at the hôtel* opposite when I (have) perceived you?—No, I was-going *to* put-up at this hôtel* (m.). 2. Were you not
going *to* Ayr*?—Yes, we were-going *to* see (*voir*) the land of Burns*.

78. Soixante-dix-huitième conversation.

IDIOMATIC TENSES.—(*Seconde partie.* Voyez p. 102.)

I. *I was* or *intended to speak, &c.*	II. *I ought* or *should speak, &c.*	III. *I ought* or *should have spoken.*	IV. *I have been obliged to answer, &c.*
je devais parler.	je devrais parler.	j'aurais dû parler.	j'ai dû répondre.
tu devais parler.	tu devrais parler.	tu aurais dû parler.	tu as dû répondre.
il devait parler.	il devrait parler.	il aurait dû parler.	il a dû répondre.
nous devions parler.	nous devrions parler.	nous aurions dû parler.	nous avons dû répondre.
vous deviez parler.	vous devriez parler.	vous auriez dû parler.	vous avez dû répondre.
ils devaient parler.	ils devraient parler.	ils auraient dû parler.	ils ont dû répondre.

I.—1. Deviez-vous arriver à 6 heures ?—Non, je devais arriver par le paquebot de 8 heures. 2. Ne deviez-vous pas partir par le train de poste?—Si, et nous devions arriver à Paris à 9 heures du matin. 3. Votre cousin ne devait-il pas vous accompagner en France ?—Si, mais sa maladie a dérangé tous nos projets. 4. Le dentiste ne devait-il pas vous arracher une dent ce matin?—Si, mais il a trouvé que c'était assez de la plomber. 5. Richard ne devait-il pas partir aujourd'hui pour Rome ?—Si, mais une affaire importante le retient à Londres.

II.—1. Notre voisin ne devrait-il pas mettre son fils aîné dans la marine?—C'est ce qu'il aurait de mieux à faire, car son fils a toujours aimé la mer. 2. Devrions-nous partir à 2 heures?—Si vous partiez plus tard, vous n'arriveriez pas à temps. 3. Devrais-je revenir pour l'heure du dîner ?—Oui, à moins que vous ne vouliez vous passer de dîner. 4. Ne devraient-ils pas renvoyer ces domestiques?—C'est ce que nous leur disons tous les jours; mais ils s'obstinent à les garder.

III.—1. Est-ce qu'Alfred prétend que j'aurais dû partir plus tôt ?—C'est son idée fixe. 2. Aurais-je dû prendre le train d'une heure ?—C'était le seul moyen d'arriver à l'heure voulue. 3. N'aurait-on pas dû envoyer Raoul plus tôt à Pau ?—Si, mais on n'a pas voulu écouter les médecins. 4. Aurions-nous dû dîner chez votre oncle aujourd'hui ?—Oui, mais l'invitation est arrivée trop tard.

IV.—1. Avez-vous dû partir tout de suite pour Londres ?—Oui, mon départ a été si précipité, qu'arrivé à Londres j'avais à peine de quoi aller à l'hôtel. 2. Votre cousin a-t-il dû passer un mois dans ce village? —Oui, et il s'y est bien ennuyé; les environs sont jolis, mais il pleuvait presque toujours. 3. Vos oncles ont-ils dû partir pour l'Australie ?— Oui, leurs spéculations ont si mal tourné qu'ils se sont faits éleveurs de moutons. 4. N'ont-ils pas dû bien s'ennuyer pendant le voyage?—Ils m'ont écrit que la traversée n'a pas été trop désagréable.

Exercise.—(*Idiomatic tenses.*)

I.—1. WERE you *to* arrive by the 9 o'clock train* (m.)?—No, I WAS *to* arrive by the mail train* (m.). 2. WAS not the dentist *to* stuff one of your teeth?—No, he WAS *to* extract it.

II.—1. SHOULD not your eldest brother dismiss his servant (m.)?—It is the best *thing* he could do. 2. SHOULD you not leave by the mail train* (m.)?— Yes, or else (*ou bien*) you would not arrive in time.

III.—1. SHOULD I HAVE GONE by the 8 o'clock packet ?—You SHOULD HAVE GONE sooner. 2. SHOULD we HAVE TAKEN the mail train* (m.)?—It was (*imp.*) the only way to arrive in time.

IV.—1. HAVE you BEEN OBLIGED *to* leave at 9 o'clock ?—I HAVE BEEN OBLIGED *to* leave sooner. 2. HAS your cousin* (m.) BEEN OBLIGED *to* spend *a month* in that province* (f.)?—Yes, and he (has) wearied very much.

79. Soixante-dix-neuvième conversation.—(*Première partie.*)

LE SUBJONCTIF.—(HAVET'S Complete French Class-Book, p. 320.)

(*Read the second note of page 12 of this work.*)

PRÉSENT OU FUTUR.

Il faut	que je march-e,	je bât-isse,	je d-oive,	je vend-e,
Il ne faut pas	que tu march-es,	tu bât-isses,	tu d-oives,	tu vend-es,
Faut-il	qu'il march-e,	il bât-isse,	il d-oive,	il vend-e,
Ne faut-il pas	que nous march-ions,	nous bât-issions,	nous d-evions,	nous vend-ions,
	que vous march-iez,	vous bât-issiez,	vous d-eviez,	vous vend-iez,
	qu'ils march-ent.	ils bât-issent.	ils d-oivent.	ils vend-ent.

☞ Any verb *subjoined* to another verb, or to an expression implying *doubt* or *uncertainty* as to what is thought, wished, or expected, is in the SUBJUNCTIVE.

The first tense of the Subjunctive Mood is used to mark PRESENT or FUTURE actions or states, as dependent upon some expression implying doubt.

Première et deuxième conjugaison.

Iᵉʳᵉ CONJUGAISON.— 1. Faut-il que nous *débarquions* ici?—Oui, c'est une île charmante. 2. Permettez-vous que nous *chassions* dans cette île? —Oui, il y a énormément de lapins sur lesquels vous pouvez tirer. 3. Monsieur votre oncle permet-il que vous *emportiez* ces fleurs?—Non; il veut bien que nous les *regardions*, mais il défend que nous y *touchions*. 4. Faudra-t-il que nous *sautions* par-dessus la haie?—Oui, mais prenez garde que vous ne *tombiez* dans le fossé. 5. Avez-vous apporté cet arrosoir pour que nous *arrosions* ces rosiers?—Oui, car ils vont périr si vous ne leur donnez pas d'eau. 6. Pensez-vous que nous *arrivions* à temps?—Oui, mais dépêchez-vous, car le train va passer. 7. Madame votre tante permet-elle que vous vous *promeniez* à cheval dans le village? —Oui, mais elle ne veut pas que nous *galopions*. 8. Faut-il que nous *repassions* la leçon d'hier?—Non, il faut que vous *commenciez* la suivante.

IIᵉ CONJUGAISON (*see p. 77*).— 1. A quelle heure faut-il que nous *finissions*?—Monsieur votre père désire que vous *finissiez* à trois heures. 2. Pourquoi faut-il que les enfants *dorment*?—Parce qu'ils sont fatigués. 3. M'avez-vous donné cette clef pour que j'*ouvre* cette armoire?—Oui, afin que vous y *choisissiez* des livres. 4. Votre cousin désire-t-il que nous *revenions* par ce train?—Oui, car si vous prenez l'autre, vous serez en retard. 5. Monsieur votre oncle préfère-t-il que nous *partions* à sept heures précises?—Oui, car il craint que vous ne manquiez le train. 6. Pensez-vous que les enfants *dorment*?—Oui, ils sont habitués à dormir en voyageant. 7. Pensez-vous que nous *obtenions* la permission? —Oui, mais il faut que vous la demandiez tout de suite. 8. Pensez-vous que nous *réussissions*?—Oui, mais il faut prendre des précautions. 9. Désirez-vous que nous *sortions* à neuf heures?—Oui, la journée est très belle, et nous irons nous promener dans les bois. 10. Avez-vous apporté ces roses pour que nous *choisissions* celles qui nous plaisent?— Oui, mettez-en chacun une à votre boutonnière.

Exercise.—(*The subjunctive mood.*)

DIRECTION.—*In these sentences the second verb is to be in the subjunctive.*

I. PREMIÈRE CONJUGAISON.—1. Is it necessary that we SHOULD-REVISE yesterday's lesson?—No, we must BEGIN the next lesson. 2. Must I LAND in this island?—Yes, and you may shoot at the rabbits. 3. Does your aunt allow you

to TAKE-AWAY these fruits*?—Yes, but she forbids us TOUCHING these melons*.
4. Will you require to[1] WATER these rose-trees?—Yes, or else[2] they will die.
II. DEUXIÈME CONJUGAISON.—1. At what o'clock must I FINISH?—You must
FINISH at six o'clock. 2. Do you wish that we SHOULD-COME-BACK at nine
o'clock?—I prefer that you SHOULD-RETURN at seven o'clock. 3. Does your cousin
wish that we SHOULD-SUCCEED?—I think so[3]. 4. Must we LEAVE at nine o'clock?
—Yes, but you must first[4] obtain (the) permission* (f.).

[1] Faudra-t-il que.
[3] Je le pense, or Je pense que oui.

[2] Ou bien.
[4] D'abord.

Soixante-dix-neuvième conversation.—(*Seconde partie.* *See* p. 105.)
LE SUBJONCTIF.
Troisième et quatrième conjugaison.

IIIe CONJUGAISON.—1. Pensez-vous que Richard *doive* 450 francs à son
tailleur?—Il lui doit davantage. 2. Faut-il que nous marchions jusqu'à
ce que nous *apercevions* le château?—Oui, et quand vous serez au
château, on vous indiquera le presbytère. 3. Croyez-vous que je reçoive
la réponse aujourd'hui?—Non, mais il peut se faire que vous la *receviez*
demain. 4. Pensez-vous que votre cousin nous *reçoive* avec plaisir?—
Oui, car il m'a toujours parlé de vous tous avec beaucoup d'amitié.
5. Est-il possible que vous ne *conceviez* pas cela?—Oui, cela me passe.
6. Combien pensez-vous que je *redoive* à mon carrossier?—J'ai été
fâché d'apprendre que vous lui devez encore 2500 francs.

IVe CONJUGAISON.—1. Désirez-vous que j'*attende* votre cousin?
—Non, il nous rejoindra dans une demi-heure. 2. Faut-il que le
fermier *vende* les foins?—Oui, mais surtout qu'il les *vende* plus cher
que l'année dernière. 3. Faut-il que les bergers *tondent* les brebis?
—Oui, leurs toisons sont assez fournies pour cela. 4. Voulez-vous que
les bûcherons *fendent* le bois demain?—Oui, et dites au fermier de faire
mettre le bois dans le bûcher. 5. Faut-il que je *descende* ce vin?—Oui,
et puisque vous allez à la cave, vous monterez trois bouteilles de Chambertin. 6. Pensez-vous que mes cousins me *reconnaissent* sous ce
déguisement?—Non, pourvu que vous déguisiez aussi votre voix.
7. Faudra-t-il que je *comparaisse* devant les tribunaux le mois prochain?
—Oui, car vous avez été témoin de l'affaire qui va se juger.

8. Désirez-vous que je *traduise* cet article?—Oui, car il contient
quelque chose qui vous intéresse. 9. Est-il possible que Robert *conduise*
aussi bien que votre cocher?—Oui, et comme mon cocher va me quitter,
Robert le remplacera. 10. Désirez-vous que j'*éteigne* le gaz?—Laissez-
en un bec allumé. 11. Aimez-vous mieux que je *teigne* cette robe en
brun?—Non, je préfère que vous la *teigniez* en violet. 12. Voulez-vous
que nous *peignions* la porte en vert?—Non, peignez-la en noir.
13. Désirez-vous que cet artiste vous *peigne* en pied?—Oui, pourvu que
ça ne prenne pas trop longtemps. 14. Ne préférez-vous pas que je vous
peigne en buste?—Au fait, cela m'est égal. (*See* p. 101.)

Exercise.—(*The subjunctive.*)
PRÉSENT OU FUTUR DU SUBJONCTIF.

Troisième conjugaison.	*Quatrième conjugaison.*
Il n'est pas certain que je *doive* tant.	Faut-il que je *descende* ma malle?
Est-il certain que tu *doives* tant?	Faudra-t-il que tu *vendes* tes bois?
Je doute qu'il *reçoive* aujourd'hui.	Aimez-vous mieux qu'il vous *peigne* en buste?
Il faudra que nous *recevions* demain.	Faudra-t-il que nous *vendions* nos moutons?
Il est fâcheux que vous *deviez* tant.	Ne préfère-t-il pas que vous le *peigniez* en pied?
*Est-il possible qu'ils *doivent* tant?*	Faudra-t-il qu'ils *peignent* les fenêtres?

Frequently when the French employ the tenses of the subjunctive, the English use those of the indicative, the infinitive, and even the present participle, &c.:

1. Croyez-vous qu'il *doive* cette somme?   Do you believe that he *owes* that sum?
2. Je désire qu'elle *descende*.   I wish her *to come down*.
3. Je n'aime pas que vous *riiez*.   I do not like your *laughing*.
4. Je désirerais qu'il *vînt*.   I wish that he *would come*.

THIRD CONJUGATION: *oive, oives, oive; evions, eviez, oivent.*—1. Is it possible* that you OWE your coach-builder 2000 francs*?—I owe him more. 2. *Do* you believe that you WILL-RECEIVE the 2500 francs* on (p. 8) Tuesday?—It is possible* that I MAY-RECEIVE them on Monday. 3. Is it certain* that the colonel* WILL-RECEIVE company on Wednesday (p. 8)?—No, but it is possible* that he MAY-RECEIVE company on Thursday.

FOURTH CONJUGATION: *e, es, e; ions, iez, ent.*—1. Must I WAIT *for* the farmer? —I prefer that you SHOULD not WAIT *for* him. 2. Must the coachman TAKE this wine *into* the cellar?—No, but I wish him to TAKE-DOWN these bottles of champagne*. 3. *Do* you wish us to SELL these woods?—No, I wish you to SELL this country-seat. 4. *Do* you wish me to PAINT you half-length?—No, I wish you to PAINT me full-length. 5. *Do* you wish the farmer to SELL these sheep? —No, I wish him to SELL the mule* (f.). 6. Must the shepherd APPEAR in court next month?—Yes, he must APPEAR as *a* witness.

80. Quatre-vingtième conversation.—(*Première partie.*)

IMPARFAIT DU SUBJONCTIF.

		je fin-isse,	je d-usse,	je vend-isse.
Il fallait	que je port-asse,	tu fin-isses,	tu d-usses,	tu vend-isses.
Il ne fallait pas	que tu port-asses,	il fin-ît,	il d-ût,	il vend-ît.
Fallait-il	qu'il port-ât,	nous fin-issions,	nous d-ussions,	nous vend-issions.
Ne fallait-il pas	que nous port-assions,	vous fin-issiez,	vous d-ussiez,	vous vend-issiez.
	que vous port-assiez,	ils fin-issent.	ils d-ussent.	ils vend-issent.
	qu'ils port-assent.			

Iʳᵉ CONJUGAISON.—1. Fallait-il que vous *parlassiez* au colonel?—Oui, car je ne pouvais rien faire sans le consulter. 2. Ne fallait-il pas que Charles *étudiât?*—Si, car il avait des examens à passer. 3. Pourquoi vouliez-vous que votre neveu *voyageât?*—Parce qu'il avait besoin de se dégourdir. 4. Pourquoi votre oncle ne voulait-il pas que je *prêtasse* mes livres?—Parce qu'il craignait qu'on ne vous les salît. 5. Pourquoi craignait-il que le petit Charles ne *tombât* dans le puits?—Parce qu'il n'y avait pas de garde-fou alentour.

IIᵉ CONJUGAISON.—1. Pourquoi désiriez-vous que je *choisisse* cette couleur?— Parce qu'elle était moins salissante et plus distinguée que l'autre. 2. Pourquoi votre oncle désirait-il que vous *sortissiez* avec moi?—Parce qu'il voulait que je vous fisse voir la ville. 3. Pourquoi craigniez-vous que Charles ne *salît* vos livres?—Parce qu'il avait les mains sales. 4. Pourquoi fallait-il qu'on *punît* ces élèves?—Parce qu'ils étaient malpropres et paresseux.

IIIᵉ CONJUGAISON.—1. Était-il possible que votre frère aîné *dût* tant? — Oui, et sans son oncle il n'aurait jamais pu tout payer. 2. A quelle heure faudrait-il que Robert *reçût* le vin pour pouvoir l'emporter?—Il faudrait qu'il le *reçût* avant 4 heures. 3. Serait-il possible que mes cousins ne *reçussent* pas mes lettres?—Ils n'en ont *reçu* qu'une, et elle était décachetée. 4. Votre oncle ne doutait-il pas que vous *dussiez* tant? —Si, et ce n'est qu'en voyant les comptes qu'il a voulu le croire.

IVE CONJUGAISON.—1. Parlait-il assez haut pour que tout le monde l'*entendît?*—Oui, il était en colère. 2. Thomas ne désirait-il pas que le petit Alfred *descendît* du cerisier?—Si, il craignait que le petit imprudent ne se laissât tomber. 3. Faudrait-il que vous *vendissiez* votre propriété?—Non, mais il faudrait que je *vendisse* mes actions du chemin de fer du nord. 4. Fallait-il qu'il *répondît* si tôt?—Non, il aurait pu attendre jusqu'au lendemain.

Exercise.—(*Imperfect of the subjunctive.*)

I. PREMIÈRE CONJUGAISON.—1. Why did not your uncle wish that I SHOULD-SPEAK to-the colonel*?—Because he was-afraid (*imp.*) you WOULD-SPEAK of Charles*. 2. Why did you wish (*imp.*) Joseph* *to* TRAVEL?—Because his wits required sharpening. (*See answer to No. 3 of 1st paragraph of Conversation.*)

II. DEUXIÈME CONJUGAISON.—1. Why did you wish (*imp.*) me *to* PUNISH (the) little Richard*?—Because he was (*imp.*) always dirty. 2. Why did you wish us *to* SELECT that colour?—Because it (f.) was (*imp.*) more genteel than the other.

III. TROISIÈME CONJUGAISON.—1. At what o'clock would you require *to* RECEIVE the indigo* (m.)?—We should-require *to* RECEIVE it at six o'clock. 2. Was (*imp.*) it possible* that your brother OWED 10,000 francs*?—Yes, and without his uncle's *assistance* he could never have paid the whole.

IV. QUATRIÈME CONJUGAISON.—1. Why did the colonel* speak so loud?—That everybody MIGHT-HEAR him. 2. Did not your eldest brother wish you *to* SELL your property?—No, he wished me *to* SELL my shares.

Quatre-vingtième conversation.—(*Seconde partie.*)

I. PASSÉ DU SUBJONCTIF.

Il est possible	que j'aie.	payé,	fini,	reçu,	perdu, &c.
Il n'est pas possible	que tu aies.	payé,	fini,	reçu,	perdu.
Est-il possible	qu'il ait.	payé,	fini,	reçu,	perdu.
N'est-il pas possible	que nous ayons.	payé,	fini,	reçu,	perdu.
	que vous ayez.	payé,	fini,	reçu,	perdu.
	qu'ils aient.	payé,	fini,	reçu,	perdu.

II. PLUS-QUE-PARFAIT DU SUBJONCTIF.

Il était possible	que j'eusse.	caché,	trahi,	conçu,	tordu, &c.
Il n'était pas possible	que tu eusses.	caché,	trahi,	conçu,	tordu.
Était-il possible	qu'il eût.	caché,	trahi,	conçu,	tordu.
N'était-il pas possible	que nous eussions.	caché,	trahi,	conçu,	tordu.
	que vous eussiez.	caché,	trahi,	conçu,	tordu.
	qu'ils eussent.	caché,	trahi,	conçu,	tordu.

I. PASSÉ DU SUBJONCTIF.—1. Etes-vous surpris que Joseph n'*ait* pas *répondu* à votre lettre?—Oui, cela me passe. 2. Votre frère aîné regrette-t-il que nous *ayons quitté* le village?—Oui, et depuis votre départ il s'ennuie tant qu'il en maigrit. 3. Etes-vous bien aise que le médecin vous *ait ordonné* d'aller à Nice?—Oui, et j'espère qu'après ma guérison j'aurai le temps d'aller en Italie. 4. Est-il possible que vous n'*ayez* pas encore *commencé* votre composition?—Je vous promets de la faire demain matin. 5. Est-il vrai que votre cousin *ait perdu* toute sa fortune?—Peu s'en faut; mais c'est un garçon d'esprit, il saura se tirer d'affaire.

II. PLUS-QUE-PARFAIT DU SUBJONCTIF. — 1. Avait-on l'air de douter que j'*eusse répondu* à vos lettres?—Oui, j'ai été obligé de montrer vos réponses pour faire cesser les doutes. 2. Saviez-vous, avant que j'en *eusse parlé*, que Fanny va se marier?—Oui, je le savais depuis long-

temps. 3. Pensez-vous qu'Alexis vous *eût payé*, si je ne lui avais pas dit que vous aviez besoin de votre argent ?—J'en doute, car il est très gêné. 4. Croyez-vous que Victor *eût obtenu* le grade de capitaine sans la protection du colonel ?— Oui, car c'est un officier de mérite. 5. Était-il vrai que vos oncles *eussent vendu* leurs mines et leurs hauts-fourneaux ?—Ils n'y avaient même pas songé.

Exercise.—(*Passé et plus-que-parfait du subjonctif.*)

I. PASSÉ.—1. Are you glad that Richard* HAS LOST his place* (f.) ?—Far from it[1]. 2. Are you surprised that we HAVE LEFT Bristol* ?—Yes, that is beyond my comprehension. 3. Is it true that you HAVE LOST all your fortune* (f.) ?—Very nearly. 4. Is it true that Albert* HAS LEFT the village* (m.) without[2] regret* ?—I doubt it.

II. PLUS-QUE-PARFAIT.—1. Was it possible* that your eldest brother HAD LOST all his fortune* (f.) in Italy ?—Yes, and that is beyond my comprehension. 2. Is it true that Charles* WOULD-HAVE OBTAINED the rank of lieutenant* without the marquis's patronage ?—Yes, for he is a clever[3] fellow. 3. Are you not surprised to hear that Malvina* is-going *to* marry ?—No, for I knew it before you HAD SPOKEN about it. 4. Is it possible* that Victor* HAD SOLD his aquarium* (m.) ?—Yes, for he was (*imp.*) short-of-cash.

[1] Tant s'en faut. [2] Sans. [3] See the answer to No. 5 of 1st paragraph of French lesson.

81. Quatre-vingt-unième conversation.—(*Première partie.*)

LE PARTICIPE PASSÉ.—(*Terminations: é, i, u, s, t.*)

☞ In English the past participle never changes; in French, on the contrary, there are frequent instances in which it must vary according to the gender and number of the noun or pronoun to which it refers.

HAVET's Complete French Class-Book, pages 164 and 328.

I. The past participle used without *être* or *avoir* follows the same rule as the adjective (*page* 40), that is, *agrees* in gender and number with the noun or pronoun to which it refers:

1. M. S. Voici un ouvrage bien *écrit*.	1. This is a well *written* work.
2. M. P. Voici des ouvrages bien *écrits*.	2. These are well *written* works.
3. F. S. Voici une lettre bien *écrite*.	3. Here is a well *written* letter.
4. F. P. Voici des lettres bien *écrites*.	4. Here are well *written* letters.

☞ *In English the participle used as an adjective precedes the noun.*

II. The past participle of intransitive verbs conjugated with *avoir*† never agrees:

1. Nous avons *joué* dans le bois.	1. We have *played* in the wood.
2. Ont-ils *couru* très vite?	2. Have they *run* very fast?

III. The past participle of passive verbs, and of intransitive conjugated with *être*‡, *agrees* with the subject:

PASSIVE.	1. Le château a été *détruit*.	1. The castle has been *destroyed*.
	2. Les châteaux ont été *détruits*.	2. The castles have been *destroyed*.
	3. La ville a été *détruite*.	3. The town has been *destroyed*.
	4. Les villes ont été *détruites*.	4. The towns have been *destroyed*.
INTRANSITIVE.	1. Mon oncle est *mort*.	1. My uncle is *dead*.
	2. Mes oncles ont *morts*.	2. My uncles are *dead*.
	3. Ma tante est *morte*.	3. My aunt is *dead*.
	4. Mes tantes sont *mortes*.	4. My aunts are *dead*.

† AVOIR forms the compound tenses of the following intransitive verbs:—*courir*, to run; *contrevenir*, to act contrarily; *dormir*, to sleep; *languir*, to languish; *marcher*, to walk; *paraître*, to appear; *périr*, to perish; *subvenir*, to supply; *succomber*, to sink; *survivre*, to survive; *triompher*, to triumph; *vivre*, to live, &c.

‡ ÊTRE forms the compound tenses of the following intransitive verbs:—*aller*, to go; *arriver*, to arrive; *mourir*, to die; *naître*, to spring up, to be born; *partir*, to set out; *tomber*, to fall; *sortir*, to go out; *venir*, to come, and most of its derivatives—*devenir*, to become; *parvenir* to reach, to succeed; *revenir*, to return, &c. (*p.* 79, *top.*)

1. Avez-vous jamais vu des gravures mieux *coloriées?*—Non, le coloris en est d'une délicatesse et d'un brillant remarquables. 2. Avez-vous des livres mieux *reliés?*—J'ai quelques reliures de luxe mieux *finies.* 3. Connaissez-vous des maisons mieux *bâties?*—Non, mais j'en connais de mieux *distribuées.*

II.—1. Vos cousins ont-ils *chanté* et *dansé?*—Oui, ils ont *chanté* et *dansé* toute la soirée. 2. Vos nièces ont-elles *dansé?*—Oui, elles ont *dansé* à ravir. 3. Vos frères ont-ils *voyagé* jusqu'au Caire?—Oui, ils ont visité toute l'Égypte. 4. Vos oncles ont-ils *parlé* de leurs hauts-fourneaux?—Oui, et ils ont *parlé* des fontes qu'ils ont à livrer.

III. VERBES PASSIFS.—1. Cette maison a-t-elle été *bâtie* par votre architecte?—Elle a été *construite* d'après un plan que j'ai fourni. 2. Toutes les portes sont-elles *finies?*—Oui, excepté les serrures. 3. Les fenêtres sont-elles *peintes?*—Non, je les ferai peindre le mois prochain.

VERBES INTRANSITIFS.—4. Vos nièces sont-elles *arrivées* par le bateau de 5 heures?—Oui, et elles sont déjà *reparties.* 5. Vos cousins sont-ils *partis* par l'express?—Oui, et je crois qu'ils sont déjà rendus à Paris.

Exercise.—(*Past participles.*)

DIRECTION.—*The verbs are in the infinitive; the pupil will have to put them in the past participle, and make it agree when required.*

I.—1. Que lisez-vous?—Je lis une histoire *traduire* du français. 2. Avez-vous jamais lu une description mieux *écrire?* 3. Avez-vous jamais vu des tableaux mieux *peindre?* 4. Connaissez-vous une dame mieux *mettre* que Mme Fleury?

II.—1. Tous les matelots ont-ils *périr* dans ce naufrage? 2. Jusqu'où vos oncles ont-ils *voyager?*

III. VERBES PASSIFS.—1. Sa maison a-t-elle été *brûler?* 2. Ces chanteurs ont-ils été *siffler?* 3. Ces cantatrices ont-elles été *applaudir?* 4. Vos nièces ont-elles été bien *recevoir?*

VERBES INTRANSITIFS.—1. Vos oncles sont-ils *aller* à Paris par la Seine? 2. A quelle heure les demoiselles sont-elles *sortir?*

Quatre-vingt-unième conversation.—(*Seconde partie.*)

LE PARTICIPE PASSÉ.—(Voyez p. 109.)

No Agreement.

IV. The past participle of transitive verbs never *agrees* with the subject, nor does it agree with the direct object, when that object follows:—

1. Ma sœur a REÇU vos lettres.
   My sister has received your letters.
2. Elles ont PEINT ces fleurs.
   They have painted those flowers.

Agreement.

V. The past participle of transitive verbs *agrees* in gender and number with the DIRECT OBJECT, when that direct object *precedes* the verb:—

1. Voici les lettres *que* ma sœur a REÇUES[1].
   These are the letters which my sister has received.
2. Madame, je *vous* ai VENGÉE[2].
   Madam, I have avenged you.

N.B.—Before reading the two following rules bear in mind that in pronominal verbs *être* means *avoir.* (*See page 92.*)

---

[1] *Reçues* is feminine plural to agree with the direct object *que,* which represents the feminine plural noun *lettres.*
[2] *Vengée* is feminine singular to agree with *vous,* which is feminine singular; as a lady is spoken to.

VI. The past participle of pronominal verbs (p. 94) does not agree when it is not preceded by a direct object:—

1. Elles *se* sont PARLÉ.
They have spoken to one another.
2. Ils se sont ÉCRIT de longues lettres.
They have written long letters to one another.

VII. The past participle of pronominal verbs agrees in gender and number with the DIRECT OBJECT, when the direct object precedes the verb:—

1. Elles *se* sont COMPRISES[1].
They have understood one another.
2. Voici les lettres qu'ils se sont ÉCRITES[2].
These are the letters which they have written to one another.

VIII. The past participle of impersonal verbs (p. 96), whether conjugated with *avoir* or *être*, never agrees:—1. Quelle chaleur il a *fait* l'été dernier! 2. Il est *arrivé* de grands malheurs. 3. Il s'*est trouvé* dix personnes chez moi.

IV.—1. Avez-vous *découvert* ces bouquins dans la bibliothèque?—Non, je les ai eus (No. V.) chez un bibliophile de ma connaissance. 2. Avez-vous jamais *vu* autant de lions?—Non, ni d'aussi magnifiques lionceaux. 3. Avez-vous *invité* Fanny et Caroline?—Oui, mais elles ne se soucient pas de venir. 4. Avez-vous *vu* les enfants au jardin des Tuileries?—Oui, leurs bonnes les promenaient (p. 93) dans l'allée des orangers.

V.—1. Qu'avez-vous fait des bouquins *que* je vous ai *donnés?*—Je *les* ai *envoyés* chez le relieur. 2. Où sont les romans *que* vous avez *achetés?* —Je *les* ai *prêtés* à Raphaël, qui est fou de romans. 3. Où sont les gravures *que* j'ai *coloriées?*—Je *les* ai *mises* dans votre album. 4. Où sont les demoiselles *que* nous avions *invitées?*—Elles n'ont pu (No. II.) venir.

VI.—1. Vos cousins se sont-ils *répondu?*—Oui, ils se sont *écrit* des choses très agréables. 2. Vos nièces se sont-elles *écrit?*—Oui, elles se sont *adressé* plusieurs lettres. 3. Vos amis se sont-ils *parlé?*—Ils ne se sont pas *adressé* la parole une seule fois. 4. Alexis et Charles ne se sont-ils pas *nui?*—Non, ils se sont *fait* tout le bien qu'ils ont pu.

VII.—1. Vos cousins se sont-ils *regardés* quand vous leur avez dit cela?—Oui, et je leur ai trouvé l'air bien sot. 2. A quelle heure les enfants se sont-ils *couchés?*—A 8 heures, et ils se sont *endormis* tout de suite. 3. Vous et vos amis vous êtes-vous *promenés* dans les fortifications?—Oui, nous nous y sommes *promenés* toute l'après-midi. 4. Vos frères se sont-ils *levés* à neuf heures?—Oui, car ils s'étaient *couchés* très tard.

VIII.—1. Lui est-il *arrivé* des malheurs?—Oui, il a perdu toute sa fortune dans l'Inde. 2. Ne s'est-il pas *trouvé* six personnes chez vous ce soir-là?—Si, et je n'attendais personne. 3. Est-il *tombé* de la neige ce matin?—Oui, mais très peu. 4. Ne s'est-il pas *trouvé* plusieurs de vos amis chez vous ce matin?—Si, et nous avons déjeuné tous ensemble.

Exercise.—(*Past participles.*)

DIRECTION.—*The verbs are all in the infinitive; the pupil will put them in the past participle, and make it agree when necessary.*

IV.—1. Avez-vous *recevoir* mes lettres? 2. Vos voisins ont-ils *vendre* leurs chevaux?
V.—1. Où sont les journaux?—Je les ai *envoyer* à la poste. 2. Où avez-vous

---

[1] *Comprises* is feminine plural to agree with *se*, which is plural.
[2] *Écrites* agrees with *que*, which represents the feminine plural noun *lettres*.

vu (No. **IV.**) mes sœurs?—Je les ai *rencontrer* au Bois (de Boulogne). 3. Où sont les gravures que vous avez *acheter?* 4. Mesdames, ne disiez-vous pas que je ne vous ai pas *saluer?*

VI.—1. Vos cousines se sont-elles *répondre?* 2. Vos oncles se sont-ils *écrire?*

VII.—1. Où vos domestiques se sont-ils *rencontrer?* 2. A quelle heure vos sœurs se sont-elles *lever?*

VIII.—1. Quelle tempête il a *faire!* 2. Quelle averse il est *tomber!* 3. Il y a *avoir* deux incendies dans notre rue. 4. Il s'est *glisser* trois fautes dans ma lettre.

ABSTRACT OF THE RULES FOR THE PAST PARTICIPLE.—(*Four rules.*)

I. The past participle used without *être* or *avoir* AGREES with the noun or pronoun to which it refers.

II. The past participle used with *être* AGREES with the subject.

III. The past participle used with *avoir* does not agree with the subject, but when it is preceded by a direct object, it *agrees* with that direct object.

☞ In pronominal verbs (*i.e.* reflective and reciprocal verbs), *être* means *avoir;* therefore, when the past participle of a pronominal verb is preceded by a direct object, the past participle agrees with that direct object.

IV. The past participle of impersonal verbs never agrees.

The participle in "ant."

PARTICIPLES.		VERBAL ADJECTIVES.		
	M. S.	M. PL.	F. S.	F. PL.
1. *Obliger*, obligeant,	Obligeant,	obligeants;	obligeante,	obligeantes.
2. *Mugir*, mugissant,	Mugissant,	mugissants;	mugissante,	mugissantes.

No agreement.

The participle in ANT imparts to the word to which it relates the idea of an *action*. It is generally preceded by *en*, or can be turned into another tense of the verb with *qui*, or *lorsque, parce que, puisque, quand*. It *never* agrees:—

1. Elle vint en TREMBLANT.
2. Plus de la moitié de la terre est peuplée d'animaux VIVANT et MOURANT sans le savoir.

In No. 1, TREMBLANT is a *verb* and therefore does not agree. The sentence may be turned into: Elle TREMBLAIT quand elle vint.

No. 2 means: Plus de la moitié de la terre est peuplée d'animaux QUI VIVENT et QUI MEURENT sans le savoir.

Agreement.

Often the form in ANT expresses a *state* or *habitual action*, and then becomes what grammarians call a *verbal adjective*, and as such *agrees* in gender and number with the noun or pronoun which it qualifies:—

1. Elle était toute TREMBLANTE.
2. L'hiver, on prend sans peine les oiseaux VIVANTS.

In No. 1 TREMBLANTE is a mere adjective meaning CRAINTIVE, EFFRAYÉE.

In No. 2 VIVANTS is also a mere adjective, as may be seen by the English translation: In winter we catch without difficulty LIVING birds, *or* birds ALIVE.

HAVET's Complete French Class-Book, p. 327.

Exercise.—(*Translate and explain.*)

1. Voyez-vous ces débris *flottant* vers la côte? 2. C'est une excellente personne, *obligeant* tout le monde quand elle le peut. 3. Les troupeaux de bœufs rentraient en *mugissant*. 4. Elle est tombée en *courant*. 5. J'ai vu ces personnes *souffrant* cruellement. 6. Nous avons vu ces enfants *intéressant* leurs

1. La déesse aperçut des cordages *flottants* sur la côte. 2. Connaissez-vous Malvina?—Oui, c'est une personne très *obligeante*. 3. Les grands troupeaux *mugissants* erraient sur le bord du fleuve. 4. Elle m'a payé en monnaie *courante*. 5. Je n'ai vu à Vichy que des personnes *souffrantes*. 6. Les rues sont remplies

maîtres, *tremblant* de leur déplaire, et *pleurant* quand ils en recevaient le moindre reproche.

de ces enfants *intéressants, tremblants* de froid, *mourants* de faim, et sans cesse *pleurants.*

82. Quatre-vingt-deuxième conversation.

LES PRÉPARATIFS DU DÎNER.—(*Preparations for a dinner.*)

(*Conversation entre une maîtresse de maison et sa domestique.*)

I.—1. La cuisinière est-elle dans la cuisine?—Oui, madame, elle va mettre les poulets au feu. 2. Avez-vous mis la table?—Non, je la mettrai aussitôt que madame (*p.* 36, *note*) m'aura dit combien il faut de couverts. 3. Les serviettes damassées sont-elles avec les nappes?— Oui, tout le linge de table est dans la grande armoire. 4. Avez-vous des petits pois et des haricots verts?—Oui, madame; je viens d'écosser les petits pois. 5. La cuisinière a-t-elle acheté des choux et des navets? —Oui, elle a rapporté des choux de Bruxelles et des navets jaunes. 6. Avez-vous commandé des fraises?—Oui, on a apporté des fraises des bois.

7. La fruitière a-t-elle envoyé un melon?—Oui, elle a envoyé un magnifique cantaloup. 8. M. Martin préfère-t-il le fromage de Gruyère? —La dernière fois qu'il a dîné avec monsieur, il a pris du fromage de Roquefort. 9. Avons-nous du parmesan pour le macaroni?—Oui, j'en ai râpé 100 grammes, que j'ai mélangés avec 200 grammes de fromage de Gruyère. 10. La cuisinière a-t-elle oublié le macaroni?—Non, elle va s'en occuper. 11. Avez-vous apporté des épices pour la cuisinière? —Oui, madame, je lui ai donné du girofle, du poivre noir, de la cannelle, &c. 12. L'épicier a-t-il envoyé de la muscade?—Non, il y en a encore dans la boîte aux épices.

II.—1. Le gibier est-il dans la cuisine?—Oui, l'aide de cuisine vient de le plumer. 2. Monsieur a-t-il envoyé des perdrix?—Oui, madame; monsieur a fait dire qu'il les veut à la broche. 3. Où sont les cailles que monsieur a tuées?—On les a servies rôties au dîner d'hier. 4. Le boulanger a-t-il envoyé une douzaine de petits pains?—Il en a envoyé une douzaine et demie. 5. Le pâtissier est-il dans la cuisine?—Oui, il vient d'apporter une tarte aux cerises. 6. Les gâteaux sont-ils dans l'office?—Oui, madame, il y a un gâteau de Savoie et une brioche.

7. La fruitière a-t-elle envoyé de la chicorée?—Non, elle a envoyé de la laitue pommée. 8. Avez-vous oublié l'huile?—Non, madame, il y a d'excellente huile d'Aix. 9. Y a-t-il du vinaigre dans le vinaigrier? —J'y ai mis du vinaigre à l'estragon. 10. Les assiettes à dessert sont-elles dans l'office?—Oui, on est en train de les essuyer. 11. Y a-t-il de la laitue dans le saladier?—Oui, et je vais l'assaisonner.

12. Les cailles et les perdrix sont-elles dans le garde-manger?— Monsieur a mangé les cailles pendant l'absence de madame; les perdrix vont être mises à la broche. 13. A-t-on lavé la vaisselle?—Oui, les assiettes sont rangées par piles dans l'office. 14. L'argenterie est-elle dans l'office?—Oui, je l'y ai mise après l'avoir nettoyée au blanc d'Espagne. 15. Les cristaux sont-ils avec l'argenterie?—Oui; madame ignore peut-être que l'on a cassé presque tous les verres à Champagne. 16. La cuisinière est-elle neuve?—On ne s'en est servi que deux ou trois fois; monsieur aime mieux les rôtis à la broche. 17. Les marmitons

écurent-ils les casseroles ?—Ils ont écuré hier presque toute la batterie de cuisine. 18. Ont-ils écuré la marmite ?—Oui, ils l'ont écurée avec du grès pilé et des feuilles d'oseille. 19. Le sommelier a-t-il reçu le vin de Champagne que j'ai commandé ?—Il est venu deux paniers de Champagne et deux douzaines de grands vins. 20. Le marchand de poisson a-t-il du turbot ?—Non, il a du saumon et des truites saumonées. 21. Y avait-il des huîtres chez le marchand (de poisson)?—Oui, et il va envoyer cinq douzaines d'huîtres de Cancale. 22. Y avait-il des homards ?—Il y avait des langoustes (f.).

Colloquial Exercise.

1. Le pain rassis.	9. Un plat.	17. Le bœuf rôti.
2. La croûte.	10. Une assiette.	18. Du veau à la casserole.
3. Une brosse (de table).	11. Un verre.	19. Un haricot de mouton.
4. La soupière.	12. Le vin.	20. La viande bien cuite.
5. Une cuillère.	13. Le premier service.	21. Les pommes de terre.
6. Une serviette.	14. Le second service.	22. De la laitue.
7. Un couteau.	15. Un morceau de pain.	23. Un saladier.
8. Une fourchette.	16. Le poisson bouilli.	24. Une cuillère à dessert.

(The following questions may be answered by using the words of the preceding list in the order they stand.)

1. Aimez-vous le pain tendre ? 2. Aimez-vous la mie ? 3. Avec quoi la domestique enlève-t-elle les miettes (f.) ? 4. Dans quoi sert-on la soupe ? 5. Avec quel ustensile mange-t-on le potage? 6. Avec quoi vous essuyez-vous la bouche ? 7. Avec quoi coupez-vous votre viande ? 8. Avec quel ustensile porte-t-on les morceaux à la bouche ? 9. Sur quoi sert-on les différents mets ? 10. Sur quoi vous sert-on votre part ? 11. Dans quoi buvez-vous? 12. Quelle est votre boisson ordinaire ?

13. Quand sert-on le potage ? 14. Quand sert-on le poisson en Angleterre ? 15. De quelle manière mange-t-on le poisson ? 16. Aimez-vous le poisson frit ? 17. Aimez-vous le bœuf bouilli ? 18. Mangez-vous quelquefois du veau rôti ? 19. Vous sert-on du mouton bouilli ? 20. Aimez-vous le rôti saignant ? 21. Quels sont les légumes que vous mangez le plus souvent ? 22. Mangez-vous souvent de la salade ? 23. Dans quoi sert-on la salade ? 24. Comment mange-t-on les mets sucrés ?

83. Quatre-vingt-troisième conversation.

LE DÎNER.—(Dinner.)

I.—1. Dînez-vous à 5 heures?—Non, je dîne à 6 heures précises. 2. Dînez-vous seul?—Non, je dîne avec mes parents. 3. Avez-vous dîné au restaurant hier?—Non, j'ai dîné chez le banquier de mon père, où nous avons été admirablement servis. 4. Y a-t-il longtemps que vous connaissez le banquier?—Voilà dix-huit mois que mon père place son argent chez lui. 5. Avez-vous mangé des soles frites hier?—Non, on nous a servi un superbe saumon d'Écosse. 6. Où dînent ces dames aujourd'hui?—Ma mère et ma sœur dînent chez mon grand-père; ma tante est invitée chez son beau-fils. 7. Voulez-vous dîner avec nous demain?—Je regrette de ne pouvoir accepter votre aimable invitation; je dîne chez le comte de Roussent.

II.—8. Votre amphitryon attend-il beaucoup de monde?—Nous serons cinq ou six; c'est un dîner d'amis. 9. Le comte a-t-il un cordon bleu?—Il a mieux que cela; son cuisinier est un second Carême. 10. Avez-vous encore l'invitation dans votre portefeuille ?—Le comte ne nous *invite jamais* par écrit; il vient lui-même ou nous envoie son valet de

chambre. 11. Connaissez-vous le menu ?—Non, mais je sais d'avance que ce sera parfait ; nulle part on ne fait plus fine chère. 12. Votre banquier vit-il grandement ?—Oui, car sa fortune le lui permet ; il y a autant de luxe que chez le marquis. 13. Est-ce que le marquis a table ouverte ?—La table est toujours mise pour douze personnes. 14. Attendez-vous beaucoup de monde aujourd'hui ?—Je crois que nous serons une douzaine de personnes. 15. Les convives sont-ils dans la salle à manger ?—Non, on fait un tour de jardin en attendant le dîner. 16. Jean, y a-t-il du feu dans la salle à manger ?—Oui, monsieur, il y a un très bon feu depuis deux heures.

Invitation à dîner.

M. et Mme Vermont prient Monsieur Raoul Feugère de leur faire l'honneur de dîner chez eux jeudi, 27 septembre, à six heures.

M. et Mme Vermont seront charmés si Monsieur Raoul Feugère veut bien amener les deux jeunes messieurs qu'ils ont eu le plaisir de voir chez lui vendredi dernier.

20 septembre 1866.

Réponse.

M. Raoul Feugère sera charmé de se rendre avec ses deux élèves à l'aimable invitation de Monsieur et de Madame Vermont. Il les prie de vouloir bien agréer ses compliments et les remercie d'avoir eu la bonté de penser à ses jeunes amis, qui ont le plus vif désir de faire connaissance avec la famille de Monsieur et de Madame Vermont.

21 septembre 1866.

Exercise.—(Dinner.)

1. Do you dine at six* o'clock ?—No, I dine at five. 2. Do you dine with your cousins* ?—No, I dine alone to-day. 3. Did you eat (past indef.) salmon yesterday ?—No, they (have) served us fried soles*. 4. Will you dine with us to-morrow ?—I regret that I cannot accept your kind invitation*, for I dine at the colonel*'s.

5. Does your host expect many people ?—We shall be a dozen. 6. Has he a good cook (m.) ? — Yes, and the bill-of-fare will be excellent*. 7. Are the guests in the dining-room ?—No, they are-taking a turn in the garden. 8. Does the baron* keep open table* (f.) ?—Yes, he lives in-great-style.

84. Quatre-vingt-quatrième conversation.

LE POISSON, ETC.—(Fish, &c.)

I.—1. D'où vient ce turbot ?—Il a été pêché sur la côte de Normandie. 2. Ces saumons viennent-ils d'Écosse ?—Non, ils ont été pêchés dans le lac de Genève. 3. Ces soles viennent-elles de Dieppe ?—Non, elles ont été pêchées dans le Pas-de-Calais. 4. Ces harengs viennent-ils d'Écosse ? —Oui, ce sont des harengs pecs du Lochfine. 5. La marchande de poisson a-t-elle des truites saumonées ?—Elle a des truites blanches et des truites saumonées. 6. Cette morue vient-elle de Terre-Neuve ?—Oui, c'est de la morue blanche ; j'aime mieux le cabillaud. 7. Aimez-vous le maquereau ? —Oui, la chair du maquereau est excellente, mais un peu indigeste[1].

II.—8. Est-ce que les maquereaux habitent les eaux douces ?—Non, ils habitent la mer. 9. Les carpes vivent-elles dans la mer ?—Non, elles affectionnent les eaux douces, surtout les eaux stagnantes. 10. Où

---

[1] En France, on assaisonne quelquefois les maquereaux avec une espèce de grosses groseilles vertes, appelées à cause de cela groseilles à maquereau.

sont les carpes que votre cousin a pêchées dans l'étang?—On vient de les porter à la cuisine; ce sont de très vieilles carpes.   11. Où est le gros brochet que vous avez pêché dans la rivière?—Je l'ai donné à l'homme qui portait mon attirail de pêche.   12. Le marchand de poisson a-t-il des harengs saurs?—Il a des harengs saurs et des harengs pecs.   13. Connaissez-vous le thon?—Oui, la chair du thon est toujours savoureuse, qu'elle soit fraîche, salée ou conservée dans l'huile.   14. Ces sardines viennent-elles de Nantes?—Non, elles ont été préparées à Bordeaux. 15. D'où vient le mot *sardine?*—Il est dérivé de *Sardaigne* (p. 86), parce que la sardine abonde surtout dans les parages de cette île.   16. D'où vient que vous parlez si bien anglais?—J'ai habité l'Angleterre pendant plus de douze ans.

Exercise.—(*Translation and Reading.*)

LE PETIT POISSON ET LE PÊCHEUR.

Petit poisson deviendra grand,
Pourvu que Dieu lui prête vie.
Mais le lâcher en attendant,
Je tiens pour moi que c'est folie:
Car de le rattraper il n'est pas trop certain.

Un carpeau, qui n'était encore que fretin,
Fut pris par un pêcheur au bord d'une rivière.
"Tout fait nombre," dit l'homme, en voyant son butin;
"Voilà commencement de chère et de festin:
    Mettons-le en notre gibecière."—
Le pauvre carpillon lui dit en sa manière:
"Que ferez-vous de moi? je ne saurais fournir,
    Au plus qu'une demi-bouchée.
    Laissez-moi carpe devenir:
    Je serai par vous repêchée;
Quelque gros partisan m'achètera bien cher.
    Au lieu qu'il vous en faut chercher
    Peut-être encore cent de ma taille
Pour faire un plat! quel plat! croyez-moi, rien qui vaille."—
"Rien qui vaille! eh bien! soit," repartit le pêcheur:
"Poisson, mon bel ami, qui faites le prêcheur:
Vous irez dans la poêle; et, vous avez beau dire,
    Dès ce soir on vous fera frire."

Un tiens vaut, ce dit-on, mieux que deux *tu l'auras*[1].
    L'un est sûr, l'autre ne l'est pas.—LA FONTAINE.

85. Quatre-vingt-cinquième conversation.

I. QUAND, "WHEN?"
II. A QUELLE ÉPOQUE, "WHEN," "IN WHAT SEASON?"

I. QUAND.—1. Quand irez-vous en Écosse?—Nous irons au commencement d'août, à l'ouverture de la chasse.   2. Quand M. votre père vous enverra-t-il en France?—Je dois y aller avec lui en automne.   3. Quand commence-t-il à faire chaud en France?—Les grandes chaleurs se font sentir dès le mois de juin.   4. Quand commence-t-il à faire froid dans

---

[1] "*A gift is better than two promises*," or "A bird in the hand is worth two in the bush."

ce pays-ci ?—Les matinées et les soirées sont très fraîches dès le mois de septembre.   5. Quand quitte-t-on le bord de la mer?—En septembre. 6. Quand avez-vous vu le prince de Galles?—Je l'ai vu l'automne dernier au château de Balmoral; il était avec la reine.

II. A QUELLE ÉPOQUE.—1. A quelle époque Paris est-il le plus brillant?—Pendant l'hiver; à Londres, au contraire, la saison commence au printemps.   2. A quelle époque la moisson commence-t-elle en France?—Dans le midi, elle se fait dès le mois de juillet; dans le nord, elle ne commence qu'au mois d'août.   3. A quelle époque commence la chasse aux perdrix?—Lorsque les blés sont coupés.   4. A quelle époque la chasse commence-t-elle en Écosse?—La grande chasse, qui est celle de la *grouse*, s'ouvre le 12 du mois d'août.   5. A quelle époque votre cousin partira-t-il pour les montagnes de l'Écosse?—Dès les premiers jours du mois d'août, pour l'ouverture de la chasse.   6. A quelle époque ira-t-il dans les îles Shetland?—Il ira au mois de septembre, pour y acheter des poneys.   7. A quelle époque devez-vous aller à Dieppe?—Nous devons nous y installer au mois de juillet.   8. A quelle époque vous proposez-vous de quitter Paris pour Chantilly?— Nous partirons au mois d'octobre.   9. Quand M. votre oncle quittera-t-il Londres pour Brighton?— Vers le commencement de novembre.   10. Quand les harengs abondent-ils dans la Manche?—Au mois d'octobre; la pêche dure jusqu'à la fin de décembre.

Exercise.—(I. *Quand*. II. *A quelle époque*.)

I. QUAND.—1. WHEN will you go to France*?—I intend *to* go in autumn. 2. WHEN will your cousin* (m.) send you to Scotland?—In the beginning of August.   3. WHEN does it begin to be cold in Scotland?—As-early-as[1] the month of October.   4. WHEN did you see (*past indef.*) the queen?—Last autumn, with the prince of Wales, at Windsor* Castle.

II. A QUELLE ÉPOQUE.—1. WHEN will your father go to Balmoral* Castle?— In the first days of August.   2. WHEN does your cousin* intend *to* buy poneys*?—In September, when he is[2] in Shetland*.   3. WHEN do you intend *to* go to Windsor* Castle?—We shall go in spring.

[1] Dès.   [2] Sera.

86. Quatre-vingt-sixième conversation.

I. JUSQU'A QUAND; JUSQU'A QUELLE HEURE, ETC.
II. DEPUIS QUAND; DEPUIS QUELLE ÉPOQUE, ETC.

I. JUSQU'A QUAND, "how long," or "till what time?"—1. Jusqu'à quand apprendrez-vous le latin?—Jusqu'à ce que j'aie passé mes examens. 2. Jusqu'à quand resterez-vous dans ce village?— Jusqu'à ce que je parte pour la France.   3. Jusqu'à quelle époque Gibraltar appartint-il aux Espagnols?—Jusqu'en 1704, époque à laquelle les Anglais surprirent cette ville.   4. Jusqu'à quand resterez-vous à Londres?—Jusqu'à la† Saint-Jean.   5. Jusqu'à quelle heure y a-t-il des trains pour Paris?—Le dernier convoi part à 9 heures et demie.   6. Resterez-vous à la campagne jusqu'à la fin de septembre?—Non, nous reviendrons d'aujourd'hui en quinze.

II. DEPUIS QUAND, &c.—1. Depuis quand sommes-nous ici?—Nous y

† *i.e.*, à la *fête de* Saint-Jean, *i.e.*, the festival of St. John the Baptist, on the 24th of June (Midsummer).

sommes depuis une demi-heure.   2. Depuis quand votre frère apprend-il
l'histoire d'Angleterre ?—Il l'apprend depuis six semaines.   3. Depuis
quand avez-vous un coupé ? — Depuis que j'ai hérité de mon oncle.
4. Depuis quand monsieur votre père fait-il des affaires avec la France?
—Depuis le traité de commerce de 1860.   5. Depuis quand ce filateur
reçoit-il ses cotons par le Havre (*page* 65) ?—Depuis qu'il a acheté une
filature aux environs de Rouen.   6. Depuis quand votre cousin reçoit-il
des télégrammes de Glasgow ?—Depuis qu'il est dans le commerce des
fontes.   7. Depuis quand avez-vous un bureau à Liverpool ?—Depuis
que nous faisons des affaires avec les États-Unis.   8. Depuis quand
Malte et Gibraltar appartiennent-ils à l'Angleterre ?—Nous avons dit
(page 117) que Gibraltar appartient aux Anglais depuis 1704; et ils
sont à Malte depuis 1800.   (*See the* 65*th Lesson*, page 85.)

Exercise.—(I. *Jusqu'à quand, &c.*—II. *Depuis quand.*)

DIRECTION.—The present tense is required in all the sentences of paragraph II.

I. JUSQU'A QUAND, &c.—1. How LONG will you remain in the country ?—Till
Midsummer.   2. TILL what o'clock are there trains* for that village* (m.) ?—
Till half-past nine o'clock.   3. How LONG did (the) Canada* (m.) belong to
(the) France* (f.) ?—Till 1760.   4. How long will you learn (the) French ?—Till
I go to France* (f.).
II. DEPUIS QUAND, &c. — 1. How LONG has your brother been learning
Latin* (m.) ?—He has-been-learning it for *the last* six* weeks.   2. How LONG
have you *had* a piano* (m.) ?—For *the last* fortnight.   3. How LONG has your
father been doing business with Glasgow* ?—Since he has been in the pig-iron
trade.   4. How long has Nice* (f.) belonged to France* (f.) ?—Since 1860.

87. Quatre-vingt-septième conversation.

CONNAÎTRE, "TO KNOW," "TO BE ACQUAINTED WITH," ETC.

1. Conn-aître ; 2. conn-aissant ; 3. conn-u.

4. Je conn-ais, tu conn-ais, il conn-aît ; nous conn-aissons, vous conn-aissez,
ils conn-aissent.
5. Je conn-aissais, tu conn-aissais, il conn-aissait ; nous conn-aissions, vous
conn-aissiez, ils conn-aissaient.
6. Je conn-us, tu conn-us, il conn-ut ; nous conn-ûmes, vous conn-ûtes, ils
conn-urent.
7. Je conn-aîtrai, tu conn-aîtras, il conn-aîtra ; nous conn-aîtrons, vous conn-
aîtrez, ils conn-aîtront.
8. Je conn-aîtrais, tu conn-aîtrais, il conn-aîtrait ; nous conn-aîtrions, vous
conn-aîtriez, ils conn-aîtraient.
9. Il est possible que je conn-aisse, que tu conn-aisses, qu'il conn-aisse ; que
nous conn-aissions, que vous conn-aissiez, qu'ils conn-aissent.
10. Il était possible que je conn-usse, que tu conn-usses, qu'il conn-ût ; que
nous conn-ussions, que vous conn-ussiez, qu'ils conn-ussent.
11. Conn-ais, conn-aissons, conn-aissez.

I.—1. *Connaissez*-vous tout le monde ici ?—Non, je ne connais guère
que la moitié des invités.   2. Votre maître de dessin *connaît*-il ce
peintre ?—Oui, et il dit que c'est un artiste d'avenir.   3. Cet artiste
connaît-il les tableaux de Raphaël ?—Oui, l'autre jour il m'a mené au

Louvre pour me faire admirer la *Sainte-Famille*, le chef-d'œuvre du genre. 4. Ce peintre *connaît*-il les paysages de Poussin ?—Oui, et il admire la richesse et le moelleux de son pinceau. 5. Vous *connaissez*-vous en tableaux ?—J'ai visité quelques beaux musées, et j'ai souvent entendu causer peinture. 6. *Connaissez*-vous la France ?—J'y ai fait un voyage artistique l'année dernière. 7. *Connaissez*-vous Paris ?—J'y ai passé six semaines ; j'étais presque toujours dans les musées.

8. Cet artiste *connaît*-il l'Italie ?—Il a habité Florence pendant long-temps ; il allait tous les jours à la magnifique galerie (de tableaux) du palais Pitti. 9. *Connaissez*-vous la fresque du *Jugement dernier* de Michel-Ange[1] ?—J'en ai vu la copie à l'École des Beaux-Arts à Paris. 10. Votre ami *connaît*-il les sculptures de ce grand artiste ?—Oui, il m'a souvent parlé de la statue de Moïse pour le tombeau de Jules II. 11. Votre maître de dessin se *connaît*-il en sculpture ?—Oui, et il sculpte sur bois avec assez de succès. 12. *Connaissez*-vous cette maison blanche à trois étages ?—Oui, c'est celle de l'architecte de la ville. 13. D'où *connaissez*-vous cet architecte ?—Je l'ai vu chez un peintre de mes amis. 14. Comment ce jeune artiste *s'est*-il *fait connaître ?*—Il a exposé quelques jolis paysages au Salon, et depuis plusieurs grandes dames lui ont fait faire leurs portraits qu'il a parfaitement réussis. 15. Pourquoi ne m'avez-vous pas *reconnu* au Louvre ?—Votre séjour en Italie vous a tellement changé que vous n'êtes plus *reconnaissable*.

Exercise.—(*Translation and Reading.*)

RAPHAËL MOURANT.

(Raphaël Sanzio, le plus grand des peintres modernes, naquit à Urbin en 1483, et mourut en 1520.)

1. Raphaël sentant ses forces s'affaiblir, et voyant sa dernière heure approcher avec une effrayante rapidité, voulut, avant de quitter la vie, passer quelques instants dans son atelier, et travailler d'une main mourante aux chefs-d'œuvre qu'il laissait imparfaits. Il s'avance, appuyé sur le bras de ses fidèles élèves, et, quand il se voit dans le sanctuaire de son génie, quand il aperçoit plusieurs ébauches répandues çà et là, et surtout cette magnifique image de la Transfiguration qu'il ne doit pas terminer, il se sent défaillir, et tombe en pleurant dans les bras qui le soutenaient. Ses yeux sont fermés, son visage est pâle ; tout son corps est immobile, et l'on croirait qu'il vient d'expirer en présence de son chef-d'œuvre. Un profond silence règne dans toute la salle.

2. Cependant Raphaël fait quelques mouvements ; sa figure se colore d'un feu subit ; une étincelle divine brille dans ses yeux ; il demande ses pinceaux : "Je suis encore peintre !" s'écrie-t-il. En effet, il s'approche du tableau ; un de ses élèves tient la palette, un autre lui présente le pinceau, et l'artiste, retrouvant la vigueur qu'il semblait avoir perdue, ajoute quelques traits sublimes à l'image du Sauveur. A l'approche de la mort, son génie, déjà si pur, avait dépouillé ce qui lui restait d'humain ; il contemplait d'avance l'éternelle beauté, et sa main, conduite par un pouvoir mystérieux, exprimait fidèlement ce que voyait son âme. Cependant il se hâtait ; car peu d'instants lui étaient donnés. Bientôt sa vue se trouble, sa main tremble, et le pinceau lui échappe. Le mal inexorable, qui paraissait assoupi, se réveille dans son sein ; on le transporte sur son lit ; il n'a plus même la force de regretter ni la vie ni son art, et à ce rapide éclair qui avait ranimé son existence, succède une nuit éternelle.—A. FILON.

---

[1] *See* Michel-Ange in HAVET'S *French Studies*, p. 192.

88. Quatre-vingt-huitième conversation.

SAVOIR, "TO KNOW," "TO UNDERSTAND," "TO BE AWARE OF," "TO KNOW HOW TO," "TO BE ABLE," ETC.—(Voyez *connaître*, p. 118.)

1. Savoir; 2. sachant; 3. su (sus, sue, sues).

4. Je sais, tu sais, il sait ; nous savons, vous savez, ils savent.

5. Je savais, tu savais, il savait ; nous savions, vous saviez, ils savaient.

6. Je sus, tu sus, il sut ; nous sûmes, vous sûtes, ils surent.

7. Je saurai, tu sauras, il saura ; nous saurons, vous saurez, ils sauront.

8. Je saurais, tu saurais, il saurait ; nous saurions, vous sauriez, ils sauraient.

9. Il est possible que je sache, que tu saches, qu'il sache ; que nous sachions, que vous sachiez, qu'ils sachent.

10. Il était possible que je susse, que tu susses, qu'il sût ; que nous sussions, que vous sussiez, qu'ils sussent.

11. Sache, sachons, sachez.

I.—1. Quand *saurai*-je votre opinion ?—A l'instant même, si vous le désirez. 2. Votre cousin *sait*-il l'allemand ?—Il le comprend assez bien, mais il le parle mal. 3. Caroline *sait*-elle l'Italien ?—Oui, elle l'a appris à Bologne ; elle a une très bonne prononciation. 4. *Savez*-vous le latin ?—Je l'ai appris, mais je commence à l'oublier. 5. *Savez*-vous parler allemand ?—Un peu ; j'ai appris pendant un trimestre, et j'ai passé un mois à Hanovre. 6. Votre voisin *sait*-il parler italien ?—Il parle aussi bien qu'un Italien ; il a passé dix ans à Livourne. 7. Ce soldat *sait*-il un métier ?—Il était accordeur de pianos avant de s'engager ; ce talent lui est peu utile au régiment. 8. Votre cousin Victor *sait*-il un métier ? —Il tourne assez bien le bois et l'ivoire. 9. *Savez*-vous dessiner ?—Je dessine souvent au crayon et quelquefois à la plume. 10. Robert *sait*-il tourner ?—Oui, il fait de très jolies toupies, &c.

II.—11. *Savez*-vous le numéro du professeur de musique ?—Je crois qu'il demeure au No. 25, au coin de la rue. 12. Ne vous ai-je pas dit hier que tout finit par *se savoir* ?—Si, et je vois maintenant que vous aviez raison. 13. Votre sœur *sait*-elle peindre ?—Oui, elle peint à l'aquarelle. 14. *Savez*-vous ce passage par cœur ?—Je n'en suis pas sûr, je vais essayer de le réciter. 15. *Savez*-vous cette symphonie ?—Je ne saurais pas la jouer, mais je l'ai déjà entendue. 16. Que *savez*-vous sur Beethoven ?— Je *sais* que c'était un grand compositeur et qu'il excella dans la musique instrumentale. 17. *Saviez*-vous que Beethoven naquit à Bonn ?—Oui, j'ai aussi lu quelque part qu'il alla à Vienne se former sous Haydn et qu'il devint l'égal de son maître. 18. *Sauriez*-vous me dire où je pourrais trouver un bon orgue ?—Je vous recommande les orgues de la maison Debain à Paris. 19. *Savez*-vous que Mozart, à peine âgé de 8 ans, était excellent musicien ?—Oui, j'ai lu qu'à cet âge il toucha l'orgue de la chapelle de Versailles (*p.* 15), à la grande admiration de toute la cour.

Exercise.—(*Connaître* and *savoir*. See pp. 118 and 119.)

1. Do you KNOW this young man ?—Yes, he is a promising painter. 2. Does he KNOW Poussin*'s paintings ?—Yes, and he admires his landscapes. 3. Do you KNOW Italian ?—I have learnt it, but I am beginning to forget it. 4. CAN he paint ?—He paints in water-colours.

5. Do you KNOW Italy ?—I KNOW Leghorn and Florence*. 6. Do you *KNOW the* Italian master's house ?—Yes, it is the white house at the corner of

the street. 7. Do you KNOW the number ?—No, but my cousin* KNOWS it. 8. COULD you tell me where I could find a good harmonium* (m.) ?—I KNOW Alexandre's harmoniums* ; the professor of music at the corner of the street has some on sale (*en a à vendre*).

89. Quatre-vingt-neuvième conversation.—(*Première partie.*)

LA PARENTÉ.—(*Relationship.—See* pp. 20 and 21.)

I.—1. Comment se porte votre grand-oncle ?—Il est un peu souffrant. 2. Comment se porte votre grand'tante ?—Elle se porte à merveille. 3. Comment se portent vos frères et vos sœurs ?—Ils se portent très bien, je vous remercie. 4. N'avez-vous jamais vu ma tante Fanny ?— Si, j'ai eu le plaisir de la voir au dernier concert. 5. Ne connaissez-vous pas mon grand-père ?—Si, j'ai eu l'avantage de dîner avec lui chez mon oncle. 6. Pourquoi votre cousine Marguerite demeure-t-elle chez son frère ?—La femme de son frère est malade ; c'est Marguerite qui dirige la maison. 7. Votre cousin Henri est-il orphelin ?—Oui, mais il a trouvé un second père dans son oncle Gaspard.

II.—8. Votre cousine Clara est-elle orpheline ?—Oui, son père et sa mère ont été enlevés par le choléra. 9. Comment s'appellent vos sœurs ? —L'aînée se nomme Virginie, la cadette Pauline. 10. Voulez-vous me dire les noms de vos oncles ?—Mon oncle paternel s'appelle Frédéric, mon oncle maternel se nomme Alexandre. 11. Votre beau-frère est-il Allemand ?—Oui, il est de Hambourg. 12. Est-ce que votre tante Maria est Espagnole ?—Oui, mais il y a très longtemps qu'elle a quitté l'Espagne. 13. Combien de cousins avez-vous du côté paternel ?—J'en ai cinq, et autant du côté maternel. 14. Avez-vous des cousines du côté maternel ?—Oui, j'en ai deux. 15. Votre frère aîné est-il marié ? —Oui, il a épousé une Française. (See *marier* and *épouser* in the dictionary at the end of this work.)

Exercise.—(*Relationship.*)

I.—1. How is your grand*-father ?—He is quite well. 2. Do you not know my brother-in-law ?—Yes, I have had the pleasure of dining with him at your grand*-uncle's. 3. How are your aunts ?—They are very well, I thank you. 4. Why does your cousin* Henry live at his father's ?—Because his wife and (his) children are at Brighton*.

II.—5. Why does your cousin Fanny* live at her grand-uncle's ?—She is *an* orphan. 6. Will you tell me your sisters' names ?—The elder is called Louise*, and the younger Clara*. 7. Is your eldest sister married ?—Yes, she has married a German. 8. How-many cousins* (m.) have you on your father's side ? —Six*, and five on my mother's side.

Quatre-vingt-neuvième conversation.—(*Seconde partie.*)

LA PARENTÉ.—(*Relationship.—See* p. 20.)

I.—1. Votre sœur cadette demeure-t-elle chez votre grand-oncle ?— Oui, elle y demeure depuis l'année dernière. 2. Votre frère cadet ne demeure-t-il pas chez votre beau-frère ?—Si, il y demeure depuis un an. 3. Tous vos parents demeurent-ils dans le Pays de Galles ?—Non, j'ai aussi des parents en Angleterre. 4. Avez-vous des cousins en Écosse ?

—J'en ai deux: l'un est dans les affaires à Glasgow, l'autre étudie la médecine à Édimbourg. 5. Votre tante Caroline laissera-t-elle son immense fortune à ses neveux?—Nous l'espérons, mais c'est une personne si capricieuse! 6. Votre grand-oncle ne demeure-t-il pas avec son fils adoptif?—Si, et l'on croit qu'il en fera son légataire universel. 7. Votre sœur aînée vous ressemble-t-elle?—Non, nous ne nous ressemblons pas du tout. 8. Ressemblez-vous à votre frère cadet?—Oui, nous nous ressemblons comme deux gouttes d'eau.

II.—9. Pensez-vous que mes sœurs se ressemblent beaucoup?—Je trouve entre elles une ressemblance frappante. 10. Votre grand-père est-il veuf?—Oui, et il parle de se remarier. 11. Votre grand'tante est-elle veuve?—Oui, son mari est mort aux Indes après trois ans de mariage. 12. Votre cousin Robert ne demeure-t-il pas chez un parent éloigné de votre père?—Si, et comme ce parent est un vieux garçon très riche, on croit qu'il léguera toute sa fortune à Robert. 13. Quel est le plus grand de vos cousins?—C'est Alexandre; il a six pieds. 14. Marie est-elle aussi grande que sa tante?—Je crois qu'elle est plus grande. 15. Alfred est-il aussi grand que sa sœur aînée?—Oui, et cependant il n'a pas la taille militaire.

Exercise.—(*Relationship.*)

I.—1. Does your younger brother live in Wales?—No, he lives in Scotland with our brother-in-law. 2. Have you any relatives in France*?—I have an uncle in Touraine* (p. 59). 3. Will your uncle leave all his fortune* (f.) to his adopted son?—Yes, it is believed that he will make him his residuary legatee. 4. Does Richard* resemble his sister Constance*?—No, he is like his sister Alice*.

II.—5. Is not your cousin *a* widow?—Yes, her husband died (*past indef.*) last year. 6. Does not your cousin* Alexander live with a distant relative of his mother?—Yes, he lives with a very wealthy old bachelor who will bequeath all his fortune* (f.) *to* him. 7. Where did his sister die (*past indef.*)?—She died (*past indef.*) in Wales after three years' marriage. 8. Who is the tallest of your cousins?—It is Mary; she is taller than her brother.

90. Quatre-vingt-dixième conversation.

LA PARENTÉ.—UN MARIAGE.

I.—1. Savez-vous que l'oncle de Richard vient de se marier en secondes noces?—Oui, et cela ne m'étonne pas, car il est encore jeune. 2. Qui a-t-il épousé?—Une Anglaise que l'on dit très jolie. 3. Qui est-ce qui les a mariés?—C'est un ministre anglican. 4. Quel âge a la mariée? —On lui donne vingt-quatre ans. 5. Quel âge peut avoir le marié?—C'est un homme de 40 ans. 6. Avez-vous vu les demoiselles d'honneur?—Non, mais ma sœur, qui les connaît, a vu leurs toilettes. 7. Y avait-il beaucoup de monde à la noce?—On avait invité les parents et les amis intimes. 8. Avez-vous vu la belle-mère?—Oui, c'est une personne très agréable. 9. Est-elle veuve?—Oui, son mari est mort il y a deux ans. 10. Est-elle plus jeune que son gendre?—Je ne la crois pas beaucoup plus âgée. 11. La belle-fille de votre oncle n'était-elle pas au mariage? —Si, c'est elle qui était la première demoiselle d'honneur. 12. Ne va-t-elle pas se marier?—On m'a dit qu'elle doit épouser le frère aîné *de la nouvelle mariée*.

II.—1. Le mariage a-t-il eu lieu à l'église paroissiale ?—Non, il s'est fait dans la chapelle du château. 2. N'avez-vous pas vu la corbeille la veille du mariage ?—Non, mais ma sœur, qui l'a vue, m'en a fait un récit merveilleux; il y avait une rivière de diamants, deux parures, &c. 3. Alexis était-il au mariage ?—Oui, et tout le monde a admiré ses chevaux et le bon goût de ses livrées. 4. Vivait-il aussi grandement avant la mort de son père adoptif ?—Tant s'en faut; depuis quelque temps on ne parle que du train qu'il mène. 5. Ne va-t-il pas épouser une héritière ?—On parle de son mariage avec Mlle de Milly. 6. Quelle peut être la fortune de Mlle de Milly ?—On m'a dit qu'après la mort de ses grands parents, elle aura 50,000 francs (£2000) de rentes. 7. Le marquis ne doit-il pas lui léguer toute sa fortune ?—Non, il a son propre neveu pour héritier. 8. Qui est-ce qui sera le légataire universel de votre cousin ?—Il a fait son testament en faveur de ses nièces.

Exercise.—(*Relationship, &c.*)

1. Has not your cousin* David* just married for the second time ?—Yes, he has married a widow. 2. What age is the bridegroom ?—He is a man of 36 years *of age*. 3. What age may the bride be ?—She is 25 years *of age*. 4. Were there[1] many bridesmaids ?—There were[2] six*. 5. Have you not seen the mother-in-law ?—Yes, I have seen her in the parish church where the marriage took place[3]. 6. Do you know that Albert* is-going *to* marry an heiress ?—I have been told that he is-going *to* marry Miss Sommerville* who is-worth[4] £2000 a year. 7. Is she not older than her intended[5] ?—She is much younger. 8. Does not Mr. Vincent* intend *to* bequeath his fortune* (f.) to Albert* ?—He will bequeath it to Albert* and to his cousin* Ernest*.

[1] Y avait-il.   [2] Il y en avait.   [3] a eu lieu.   [4] a.   [5] futur.

91. Quatre-vingt-onzième conversation.

LES PARTIES DU CORPS.—(*The parts of the body.*)

I.—1. La tête n'est-elle pas couverte de cheveux ?—Si, mais tous les hommes n'ont pas les cheveux de la même couleur; les uns les ont bruns, les autres noirs, ceux-ci blonds, ceux-là roux. 2. Le visage ne comprend-il pas les yeux, le nez et la bouche ?—Si, et le front, qui se ride quand on est effrayé, en colère, &c. 3. Les yeux ne sont-ils pas bordés de cils ?—Si, et ils sont surmontés de sourcils. 4. N'est-ce pas par les oreilles que l'on entend ?—Si, et cet organe est celui qui, après les yeux, influe le plus sur les rapports des hommes entre eux. 5. Ne prend-on pas les objets avec les mains ?—Si, elles servent à saisir et à toucher les différents objets. 6. Combien de doigts a-t-on ?—On en a dix, cinq à chaque main : le pouce, l'index (m.), le majeur, l'annulaire (m.) et le petit doigt. 7. Combien le pouce a-t-il de phalanges ?—Il n'en a que deux, tandis que les autres doigts en ont trois.

II.—8. Comment les orteils peuvent-ils se ployer ?—Au moyen de certaines charnières que l'on nomme phalanges. 9. Combien le gros orteil a-t-il de phalanges ?—Il n'en a que deux, comme le pouce, tandis que les autres doigts en ont trois. 10. Avez-vous mal au talon ?—Non, mais j'ai la plante des pieds fatiguée. 11. Avez-vous mal au coude-pied ?—Oui, le bottier m'a fait des chaussures qui me blessent. 12. Avez-vous mal au petit orteil ?—Oui, j'ai un cor et un œil de perdrix; je vais envoyer chercher le pédicure. 13. Faut-il amputer la jambe du pauvre matelot ?—Oui, le chirurgien vient d'arriver avec son aide et ses instruments. 14. Avez-vous mal au dos ?—Oui, j'ai le lumbago.

RACES DIVERSES DES HOMMES.—*(Première partie.)*

1. Il y a, dans l'espèce humaine, de grandes différences pour la couleur, les traits du visage, la forme de la tête, les cheveux, le langage et d'autres particularités.

2. D'après les principales différences, on a distribué les hommes en trois grandes *races*.

3. La race à laquelle nous appartenons est la race *blanche*, appelée aussi *caucasique*, parce qu'elle paraît avoir habité d'abord vers la chaîne du Caucase, entre la Mer Caspienne et la Mer Noire. Elle occupe l'est de l'ancien continent, c'est-à-dire l'Europe, la moitié occidentale de l'Asie et le nord de l'Afrique ; elle a formé de grandes colonies en Amérique.

4. Les hommes de cette race se distinguent par leur couleur généralement blanche et rosée ; cependant leur teint est fort brun, et même presque noir, dans les contrées chaudes de l'ancien continent ; ils ont la tête ovale, les yeux grands, le nez aquilin, la bouche peu fendue, les lèvres petites, les dents placées verticalement, les cheveux fins et souvent bouclés. C'est la seule race chez laquelle on trouve des cheveux blonds et des yeux bleus.

5. La race blanche est active et entreprenante ; c'est aujourd'hui la plus civilisée.—CORTAMBERT. (*La fin à la prochaine leçon.*)

92. Quatre-vingt-douzième conversation.

LES PARTIES DU CORPS.—*(Suite. Voyez p. 123.)*

I.—1. Votre frère est-il gaucher ?—Oui, mais je crois qu'il est plus adroit que bien des droitiers. 2. N'êtes-vous pas droitier ?—Si, mais j'ai été gaucher pendant longtemps. 3. Quelle taille votre capitaine a-t-il ?—Il a cinq pieds onze pouces. 4. N'avez-vous pas cinq pieds neuf pouces ?—Je me suis mesuré hier, et je me suis aperçu que j'ai près de cinq pieds dix pouces. 5. Les bourgeois se coiffent-ils comme les militaires ?—En France, les militaires ont les cheveux très courts ; dans la vie civile, on se coiffe comme on l'entend. 6. Les militaires français ont-ils des favoris ?—Non, mais ils ont tous des moustaches, et dans certains régiments, ils y ajoutent l'impériale. 7. Etes-vous myope ?—Non, je suis presbyte.

II.—8. Votre cousin n'a-t-il pas les cheveux noirs ?—Non, il a les cheveux blonds. 9. Votre lieutenant porte-t-il l'impériale ?—Non, il n'a que des moustaches. 10. Joseph n'est-il pas manchot ? — Si, il a perdu le bras gauche à la bataille de Solferino. 11. Votre frère a-t-il la figure ovale ?—Non, il a le visage rond, c'est une vraie lune. 12. Votre cousin a-t-il le visage rond ?—Non, il a la figure longue. 13. Victor n'a-t-il pas le teint très brun ?—Au contraire, il l'a très clair. 14. Les prêtres se coiffent-ils comme les laïques ?—Non, ils ont ordinairement les cheveux courts par devant, longs par derrière, et rasés au haut de la tête. 15. Votre capitaine n'a-t-il pas perdu un bras dans la dernière guerre ?—Non, il a perdu une jambe à la bataille de Magenta.

RACES DIVERSES DES HOMMES.—*(Seconde partie.)*

1. Une autre race, qu'on appelle race *jaune* habite la moitié orientale de l'Asie et les régions les plus boréales de cette partie du monde. On la trouve aussi un peu dans le nord de l'Amérique et de l'Océanie.

2. Les hommes de cette race ont la peau généralement jaunâtre ou olivâtre, le visage large et plat, la tête grosse et ronde, la bouche grande et le nez écrasé à sa racine ; leurs yeux sont très longs, mais fort étroits, et relevés en dehors. Leurs cheveux sont noirs, lisses, raides et peu fournis.

3. Cette race est nommée aussi *mongolique*, à cause de la grande nation des Mongols, qui en fait partie.

4. La partie de la race jaune qui habite dans l'est de l'Asie est civilisée depuis fort longtemps ; mais les hommes de cette race qui se trouvent dans les régions boréales sont encore de misérables sauvages.

5. La troisième race est la race *nègre*, répandue dans le milieu et dans le sud de l'Afrique, dans la Nouvelle-Hollande et dans quelques autres terres méridionales de l'Océanie. Sa couleur est noire ou noirâtre, quelquefois d'un gris d'ardoise, ou d'un brun assez semblable au café au lait. Les nègres ont le front aplati, les mâchoires avancées, les lèvres grosses, les dents plus longues que celles des deux premières races, la bouche grande, le nez large et épaté ; leurs cheveux, généralement laineux, sont toujours noirs et épais.

6. Cette race est moins civilisée que les deux précédentes. Les peuples de la race blanche, fiers de leur civilisation plus avancée ont souvent le tort de la mépriser, et ils ont réduit beaucoup de nègres à un rude esclavage, surtout pour les faire travailler dans leurs colonies d'Amérique.—CORTAMBERT.

93. Quatre-vingt-treizième conversation.

LES PARTIES DU CORPS.—(*Suite.*)

I. Bernard s'aperçoit-il que *ses* cheveux grisonnent?	I. Does Bernard perceive that *his* hair is getting gray?
II. Edmond a-t-il toujours mal à *son* bras?	II. Has Edmund still that pain in *his* arm?
III. Alexis, ouvrez *la* bouche et fermez *les* yeux.	III. Alexis, open *your* mouth and shut *your* eyes.

(See HAVET's Complete French Class-Book, p. 280.)

I. THE POSSESSIVE.—1. Avez-vous remarqué que *ses* cheveux grisonnent?—Cela ne m'étonne pas, il a quarante ans. 2. Regardez-vous *vos* mains?—Oui, et je m'aperçois que je vais avoir des engelures. 3. Se jeta-t-elle à *vos* genoux[1]?—Oui, et elle m'attendrit par *ses* larmes. 4. *Leurs* pieds[2] étaient-ils enflés?—Oui, et ils ne pouvaient plus marcher. 5. Se jeta-t-il dans *vos* bras?—Oui, aussitôt qu'il m'aperçut.

II. THE POSSESSIVE.—1. A-t-il toujours mal à *son* genou?—Oui, et il n'en guérira pas de sitôt. 2. Le capitaine a-t-il toujours mal à *sa* pauvre jambe?—Oui, et je crois qu'il ne sortira pas de longtemps. 3. Avez-vous toujours mal à *votre* bras?—Oui, j'éprouve les mêmes douleurs qu'autrefois. 4. Parieriez-vous *votre* tête?—Oui, car je suis presque sûr du fait.

III. No POSSESSIVE.—1. Baissez-vous *la* tête pour lire?—Oui, car mon livre est imprimé en très petits caractères. 2. Fanny baissa-t-elle *les* yeux en apercevant le marquis?—Oui, et elle devint rouge comme une cerise. 3. Pourquoi ouvrez-vous *les* yeux?—J'ai cru le jeu fini et pouvoir regarder ; assez de colin-maillard pour aujourd'hui. 4. Pourquoi Adolphe ouvre-t-il *la* bouche?—Pour montrer sa dent gâtée. 5. Votre capitaine a-t-il perdu *le* bras gauche?—Non, c'est *le* bras droit qu'il a perdu. 6. Votre colonel a-t-il perdu *la* jambe droite?—Non, sa jambe n'était pas assez gravement atteinte pour être amputée.

---

[1] Se jeta-t-elle à genoux? means, "Did she kneel down?"—Se jeta-t-elle à *ses* genoux? signifies, "Did she throw herself at *his* knees?" [2] Or, Avaient-ils les pieds enflés.

Exercise.—(*The parts of the body.*)

I. THE POSSESSIVE.—1. What age is Thomas*?—He is forty, and HIS hair (*pl.*) is-getting-gray. 2. Are you looking *at* THEIR feet?—No, I am-looking *at* THEIR hands.

II. THE POSSESSIVE.—1. Has she still *that* pain in HER arm?—Yes, she feels the same pain as before. 2. Would he stake HIS head?—Yes, for he is almost sure of the fact.

III. No POSSESSIVE.—1. Why do you bend YOUR head?—Because the page* (f.) is in very small print. 2. Has your major* lost his left arm?—No, he has LOST HIS right arm. 3. Did Malvina* cast-down HER eyes on seeing Constance*?—No, she threw herself in her arms. (*See No. 5 of first paragraph of Conversation.*)

Quatre-vingt-treizième conversation.—(*Seconde partie. Voyez* p. 125.)

LES PARTIES DU CORPS.—(*Fin.*)

I. Allez-vous *vous* laver la figure?	I. Are you going to wash *your* face?
II. Le coiffeur *vous* a-t-il coupé les cheveux?	II. Has the hair-dresser cut *your* hair?
III. Avez-vous mal au pied?	III. Is your foot sore?
IV. Clara a-t-elle *les* cheveux bruns et *les* yeux bleus?	IV. Has Clara dark hair and blue eyes?

I. THE REFLECTIVE VERB AND THE ARTICLE. — 1. Allez-vous *vous* laver *les* mains?—Je viens de *me* les laver. 2. Allez-vous *vous* nettoyer *les* dents?—Oui, je viens d'acheter une brosse et de la poudre dentifrice. 3. Allez-vous *vous* couper les ongles?—Oui, je vais *me* les couper avec ces ciseaux. 4. Allez-vous *vous* couper *les* cheveux?—Non, le coiffeur va *me* les couper. 5. Vous êtes-vous coupé *au*[1] doigt avec mon rasoir?—Oui, en le repassant. 6. Vous êtes-vous blessé *au* bras?—Oui, et le chirurgien m'a pansé.

II. — THE PERSONAL PRONOUN AND THE ARTICLE. — 1. Le médecin *vous* a-t-il tâté *le* pouls?—Oui, et il m'a dit que *mon* pouls bat très vite. 2. Est-ce le coiffeur du coin qui *vous* a coupé *les* cheveux?—Oui, et il *me* les a coupés un peu courts. 3. Qui est-ce qui *vous* a coupé *les* cors? —C'est le pédicure de l'établissement des bains. 4. Votre sœur vous a-t-elle coupé les ongles?—Non, je *me* les suis coupés moi-même. 5. Qui est-ce qui *vous* a donné un coup dans le dos?—C'est Richard; c'était pour rire. 6. Qui est-ce qui *lui* a tiré *les* oreilles?—C'est moi, c'est un petit signe d'amitié en retour de son coup de poing. 7. Qui est-ce qui *lui* a barbouillé *la* figure d'encre?—C'est son petit frère; affaire de rire. 8. Qui est-ce qui *vous* a marché sur *le* pied?—C'est Raoul, il m'a fait un mal affreux *au* petit orteil.

III. THE DEFINITE ARTICLE.—1. Avez-vous mal à *la* tête?—Non, j'ai mal à *l'*oreille gauche. 2. Charles a-t-il mal à *la* gorge?—Non, il a la fièvre. 3. Avez-vous mal *au* pied?—Oui, je me suis brûlé en visitant les hauts-fourneaux. 4. Avez-vous mal à *l'*ongle?—Oui, je *me* suis presque écrasé *l'*index en enfonçant des clous. 5. Robert a-t-il mal *aux* oreilles?—Oui, elles lui font un mal affreux. 6. Avez-vous mal *aux* dents?—Oui, je vais me faire arracher une grosse dent.—7. Bernard a-t-il mal *au* doigt?—Oui, il s'est coupé en jouant avec les outils du menuisier. 8. Avez-vous mal *au* dos?—J'ai un mal de reins affreux.

---

[1] *Vous êtes-vous coupé LE* doigt? *means*, "Have you cut off your finger?"

IV. "AVOIR" AND THE DEFINITE ARTICLE.—1. A-t-il *les* cheveux tout gris ?—Oui, bien qu'il n'ait pas plus de 30 ans. 2. A-t-il *les* yeux trop petits ?— Oui, sans cela il serait assez joli garçon. 3. A-t-il *les* jambes trop longues ?—Oui, il a l'air d'être monté sur des échasses. 4. A-t-il *la* tête trop grosse ?—Elle est beaucoup trop grosse pour son corps. 5. A-t-il *le* corps trop petit ?—Oui, il est tout bras et tout jambes. 6. A-t-il le nez très rouge ?—Oui, il l'a tout bourgeonné.

Exercise.—(*The parts of the body.*)

I. Je *me* frotte *le* bras.
Tu *te* frottes *le* bras.
Il *se* frotte *le* bras.
Nous *nous* frottons *les* mains.
Vous *vous* frottes *les* mains.
Ils *se* frottent *les* mains.

II. Le médecin *me* tâte *le* pouls.
Le chirurgien *te* coupe *le* bras.
Le docteur *lui* ausculte *la* poitrine.
Robert *nous* marche sur *le* pied.
Luc vous tire *les* oreilles.
Marc leur prend *le* menton.

III. J'ai mal *au* coude.
Tu as mal *à l'*œil.
Il a mal *à la* gorge.
Nous avons mal *aux* yeux.
Vous avez mal *aux* dents.
Ils ont mal *à la* tête.

IV. J'ai *les* yeux bruns.
Tu as *les* mains sales.
Il a *la* figure ovale.
Nous avons *les* cheveux blonds.
Vous avez *le* front haut.
Ils ont *le* nez retroussé.

1. **THE REFLECTIVE VERB AND THE ARTICLE.**—1. Have you cut YOUR nails ? —No, but I am-going *to* cut them with these scissors. 2. Is the hair-dresser going *to* cut YOUR hair (*pl.*) ?—No, I am-going *to* cut it (*pl.*) myself[1].

II. **THE PERSONAL PRONOUN AND THE ARTICLE.**—1. Who has pulled YOUR ears ?—It is Robert[2]. 2. Who has besmeared YOUR face with ink ?—It is Charles[2]; in return I have pulled HIS ears.

III. **THE DEFINITE ARTICLE.**—1. Have you a sore ear ?—No, I have a sore cheek[2]. 2. Has Richard[2] sore eyes ?—No, he has sore ears.

IV. **"AVOIR" AND THE DEFINITE ARTICLE.**—1. Are HIS legs too long ?— Yes, and HIS head is too small[3]. 2. Are HIS eyes blue (*p. 39, note*) ?—Yes, and HIS hair (*pl.*) is fair.

[1] Moi-même.   [2] Joue (f.)   [3] Petite.

94. Quatre-vingt-quatorzième conversation.

LES COULEURS ET LES NUANCES.—(*Colours and shades.*)

Black, le noir.
Blue, le bleu.
Brown, le brun.
Gray, le gris.

Green, le vert.
Orange, l'orangé (m.).
Purple, le pourpre.
Red, le rouge.

Scarlet, l'écarlate (f.).
White, le blanc.
Violet, le violet.
Yellow, le jaune.

As nouns, the colours are masculine, except *l'écarlate*. When they are used as adjectives, they follow the noun (*see* p. 40):—

1. *A black coat,* un habit *noir*.
2. *Blue eyes,* des yeux *bleus*.
3. *Brown cloth,* du drap *brun*.
4. *Gray cats,* des chats *gris*.
5. *A green fruit,* un fruit *vert*.
6. *Orange-coloured rays,* des rayons *orangés*.
7. *A purple mantle,* un manteau *pourpre*.
8. *Red birds,* des oiseaux *rouges*.
9. *Scarlet cloth,* du drap *écarlate*.
10. *A white curtain,* un rideau *blanc*.
11. *Violet-coloured gloves,* des gants *violets*.
12. *A yellow dress,* une robe *jaune*.

I.—1. Votre encre est-elle noire ?— Non, j'écris toujours avec de l'encre bleue. 2. Votre costume de voyage est-il bleu ?—C'est un costume à carreaux blancs et noirs. 3. Votre ombrelle est-elle jaune ?— Non, c'est une ombrelle rose. 4. Votre cravate est-elle blanche ?—Non, c'est une cravate bleue. 5. Vos gants sont-ils noirs ?—Non, ce sont des gants verts. 6. Aimez-vous les yeux bleus ?—Je préfère les yeux noirs.

7. Les bruns sont-ils communs en France?—Ils sont plus communs que les blonds. 8. Aimez-vous les blonds?—Je préfère les bruns. 9. Aimez-vous les yeux noirs?—Je les préfère aux yeux bleus.

II.—10. Étiez-vous en noir pour l'enterrement?—Certainement, et je porterai le deuil pendant plusieurs semaines. 11. Marie était-elle en blanc pour la noce?—Oui, elle était tout en blanc. 12. Clara a-t-elle acheté une ombrelle verte?—Non, elle a choisi une ombrelle gris-perle. 13. De quelle couleur est votre parapluie?—Il est vert foncé. 14. Le prince portait-il une robe de pourpre?—Oui, il portait une robe de pourpre, brodée d'or. 15. Le voyageur avait-il un paletot brun?—Non, il avait un paletot gris. 16. Quel costume cet acteur avait-il dans ce rôle? —Une longue redingote bleue, un gilet écarlate, et un chapeau blanc; le tout accompagné de breloques monstrueuses. 17. Le paysan a-t-il du pain bis pour le voyageur?—Oui, et un certain petit vin du pays qui n'est pas à dédaigner. 18. Avez-vous vu des foulards bleus dans ce magasin?—Oui, et nous y avons acheté des mousselines roses, des jaconas blancs et des taffetas lilas.

DÉRIVÉS DES ADJECTIFS DE COULEUR.

blanc,	blanchâtre,	*whitish.*	bleu,	bleuâtre,	*bluish.*
noir,	noirâtre,	*blackish.*	gris,	grisâtre,	*grayish.*
rouge,	rougeâtre,	*reddish.*	vert,	verdâtre,	*greenish.*
jaune,	jaunâtre,	*yellowish.*	brun,	brunâtre,	*brownish.*

Exercise.—(*Colours.*)

I.—1. Is your parasol GREEN?—No, it is BLUE, and my umbrella is BLACK. 2. Are your gloves BLACK?—No, they are WHITE. 3. Do you like BLUE ink?— Yes, but I always write with BLACK ink. 4. Are FAIR *people* common in England?—I think that they are more common than DARK *people.*

II.—1. What dress had (*imp.*) Robert*?—He wore (*imp.*) a BLACK frock-coat, a WHITE waistcoat, and a WHITE hat. 2. Do you like BROWN bread?—I prefer WHITE bread. 3. Have you bought any PINK muslins?—No, I have bought RED jaconets. 4. Had (*imp.*) the traveller a GRAY greatcoat?—No, he had (*imp.*) a BROWN greatcoat, a WHITE hat, and a GREEN umbrella.

95. Quatre-vingt-quinzième conversation.—(*Première partie.*)

LES COULEURS ET LES NUANCES.—(*Suite.*)

☞ In French the adjective of colour *follows* the noun (p. 127.)

I.—1. De quelle couleur est le drapeau[1] anglais?—Il est rouge. 2. De quelle couleur est l'uniforme anglais?—L'habit est rouge, et le pantalon est bleu ou noir. 3. Les soldats anglais portent-ils des habits bleus?— Oui, dans quelques régiments; mais en général, l'habit et la tunique sont rouges. 4. Avez-vous jamais vu des souris blanches?—Oui, ce matin il est venu un petit Savoyard qui avait deux souris blanches aux yeux rouges. 5. Avez-vous des lapins blancs?—Oui, nous avons aussi des lapins noirs. 6. Quelle est la plus belle et la plus éclatante des couleurs?—C'est l'écarlate (f.). 7. Aimez-vous l'écarlate?—Je l'aime dans certaines draperies et dans les costumes de théâtre.

---

[1] *PAVILLON* is used at sea instead of *drapeau:* Il n'y a que l'amiral qui porte le *pavillon* au grand mât.

II.—8. Aimez-vous les couleurs vives.—En général, je préfère les couleurs modestes. 9. Votre tante aime-t-elle les couleurs modestes? —Je crois qu'elle a un faible pour les couleurs éclatantes. 10. Le bleu de ciel va-t-il bien aux blondes?—Oui, c'est la couleur qui leur sied le mieux. 11. Fanny et Augusta sont-elles blondes?—Non, elles sont très brunes. 12. Caroline et Maria sont-elles brunes?—Non, elles sont blondes; deux vrais types allemands. 13. Y a-t-il un perroquet cendré dans votre volière?—Oui, nous avons aussi de jolies petites perruches vertes et de magnifiques aras bleus. 14. Y a-t-il des (chevaux) alezans dans les écuries du duc?—Oui, il y a aussi des chevaux gris-prommelé. 15. Le marquis a-t-il des chevaux bais?—Non, il a des chevaux isabelle, &c. 16. Avez-vous des chevaux gris-pommelé dans vos écuries?—Non, nous avons des chevaux café au lait.

Exercise.—(*Colours.*)

I.—1. What is the colour of the French flag?—It is TRICOLORED. 2. What is the colour of the French uniform?—The tunic is BLUE and the trowsers (*sing.*) are RED. 3. Have you any WHITE mice?—Yes, I have WHITE mice with RED eyes. 4. Do you like SCARLET?—Yes, it is the brightest of (the) colours.

II.—1. Do you like plain colours?—I prefer them to gaudy colours. 2. Is Caroline* fond of bright colours?—Yes, the other day she had (*imp.*) a YELLOW dress[1] and a RED bonnet[2]. 3. Are there any DAPPLED-GRAY horses in your stable? —No, but we have CHESTNUT horses. 4. Have you any BLUE macaws?—No, we have an ASH-GRAY parrot.

[1] Robe (f.)　　　　　　　　[2] Chapeau (m.)

Quatre-vingt-quinzième conversation.—(*Seconde partie.*)

LES COULEURS ET LES NUANCES.—(*Suite et fin.*)

OBSERVATIONS.—1. When colour is expressed by a compound adjective—for instance, *des étoffes* bleu clair, "light blue fabrics"—both adjectives are uninflected; for it is the same as if we said: *des étoffes d'un* bleu *qui est clair.*

Des habits bleu foncé.	Des cheveux châtain clair.	Des rubans rose tendre.
Des taffetas gros vert.	Des châles cramoisi vif.	Des robes violet pâle.

2. But when *both* adjectives qualify the noun, both take its gender and number. So the French write: *des étoffes bleues claires,* when they speak of fabrics blue in colour and light in texture.

3. When the colour is expressed by a noun—for instance *des gants* paille, "straw-coloured gloves"—the noun is uninflected; for the meaning is *des* gants *couleur de* paille.

Des ceintures *orange.*	Des pantoufles *ponceau.*	Des fichus *serin.*
Des gants *soufre.*	Des manteaux *olive.*	Des robes *noisette.*

I.—1. Le marquis a-t-il des chevaux alezans?—Non, il a des chevaux gris-pommelé. 2. Le duc aime-t-il les chevaux gris-pommelé?—Il préfère les alezans. 3. Le pape porte-t-il des vêtements rouges?—Non, il est tout en blanc. 4. Est-ce que les cardinaux portent des vêtements blancs?—Non, ils ont tout rouge, même le chapeau. 5. De quelle couleur est la soutane du simple prêtre?—Elle est noire; celle de l'évêque est violette. 6. Votre domestique a-t-il les cheveux roux?—Non, ils sont d'un blond ardent. 7. Votre garde-chasse a-t-il la barbe rousse?— Non, il a une longue barbe brune. 8. Les cerfs et les daims ne sont-ils pas fauves?—Si, et les chasseurs les appellent bêtes fauves. 9. De

quelle couleur sont les renards?—Ils ont le pelage fauve, semé de poils blanchâtres et de taches noires; le devant du cou et le museau sont roux.

II.—10. Mettrez-vous votre habit bleu de ciel aujourd'hui?—Oui, et mon gilet de piqué blanc. 11. Mettrai-je ma redingote marron?—Non, mettez votre habit de chasse à carreaux blancs et noirs. 12. Votre garde-chasse a-t-il les cheveux roux?—Non, il a les cheveux blonds. 13. Le marquis a-t-il les sourcils châtains?—Non, il les a noirs et très épais. 14. Maria a-t-elle le teint clair?—Non, elle a le teint très brun. 15. Fanny a-t-elle les yeux gris bleus?—Non, elle les a noirs, avec des sourcils très arqués. 16. Le duc a-t-il la barbe rousse?—Non, il l'a blonde. 17. Montiez-vous un cheval gris-pommelé?—Non, je montais un alezan brûlé. 18. Le duc montait-il le cheval gris-pommelé?—Non, il montait le cheval café au lait.

Exercise.—(*Translation and Reading.*)

LES COULEURS.

1. La lumière est composée de sept couleurs, qui sont: le *rouge*, l'*orangé*, le *jaune*, le *vert*, le *bleu*, l'*indigo*, le *violet*. Mais parmi ces couleurs principales, il n'y en a que trois qui ne soient pas le résultat d'un mélange; on les nomme *simples* ou *primitives*. Ce sont: le *rouge*, le *jaune*, et le *bleu*.

2. Quant aux quatre autres couleurs, elles sont produites par la combinaison des couleurs premières; on les nomme *secondaires*. En effet: le *vert* est formé par le mélange du jaune et du bleu; l'*orangé*, par le mélange du rouge et du jaune; le *violet*, par le mélange du bleu et du rouge; l'*indigo* n'est qu'un bleu très foncé; le *blanc* est la réunion de toutes les couleurs; le *noir* est l'absence de toute couleur.

3. La même couleur passe par des degrés différents que l'œil saisit facilement; elle ira progressivement du *foncé* au *clair*, du *vif* au *tendre*; en s'affaiblissant ainsi, elle donnera des *teintes*, des *nuances* distinctes. La nature a répandu dans ses tableaux une richesse et une variété de couleurs que l'art est impuissant à reproduire. Comment imiter les teintes vives et pures de la corolle des fleurs, les reflets éclatants du plumage de ces beaux oiseaux d'Amérique! Quel pinceau pourrait saisir les nuances changeantes que les nuages promènent au ciel, ou que reflètent les eaux de la mer!

4. Cependant, l'industrie extrait de certaines plantes ou de certains minéraux des substances dont elle réussit à faire des couleurs que la peinture emploie avec succès.

96. Quatre-vingt-seizième conversation.

ADJECTIFS INDÉFINIS.

1. **Quel,**	**quelle;**	**quels,**	**quelles,**	*what or which.*
2. **Quelque** (m. and f.);		**quelques** (m. and f.),		*some, any, a few.*
3. **Tel,**	**telle;**	**tels,**	**telles,**	*such.*
4. **Pareil,**	**pareille;**	**pareils,**	**pareilles,**	*such.*

QUEL, QUELQUE, TEL and PAREIL, which all agree with the noun to which they relate, are always placed before it, with the exception of *pareil*, which may go before or after it.

"What," often takes "A" or "AN" before a noun, but QUEL (f. quelle) requires no article: 1. "What a steeple!" QUEL clocher! 2. "What a church!" QUELLE église!

When the English exclamation begins by *what*, followed by *a*, and goes on to use a verb before it has done, the difference between the two languages is great indeed; as—

1. What a good boy Richard is!	1. Le bon garçon que Richard!
2. What a fine country Italy is!	2. Le beau pays que l'Italie!

PAREIL and *TEL* are *preceded* by un or une, whereas "such" is followed by "a" or "an."

I. (*En chemin de fer.* See *p.* 61.)—QUEL, QUELLE, QUELS, QUELLES.
—1. *Quel* jour partirez-vous ?—Je pars aujourd'hui par le chemin de fer.
2. A *quelle* heure partirez-vous ?—Je pars par le train de neuf heures ;
nous aurons le plaisir de faire route ensemble. 3. *Quels* journaux avez-
vous achetés ?—J'ai pris la *Presse*, le *Journal des Débats*, &c. 4. *Quelles*
familles connaissez-vous dans cette ville ?—Je connais les premières
familles de la ville ; nous serons reçus à bras ouverts. 5. Quel train !
—C'est un train de plaisir. 6. Quelle vieille tour !—C'est une tour du
quatorzième siècle.

II. QUELQUE, QUELQUES.—1. Avez-vous *quelque* monnaie ?—Oui, je
viens de changer une pièce de 20 francs. 2. Avez-vous *quelques* livres
pour lire en route ?—J'ai *quelques* romans d'Edmond About. 3. Connaissez-vous *quelques* villes sur cette ligne ?—J'en connais plusieurs que
je vous indiquerai à mesure. 4. Avez-vous *quelques* francs dans votre
portemonnaie ?—Je vous ai dit que je viens de changer une pièce de
20 francs.

III. TEL, TELLE, TELS, TELLES.—1. Avez-vous jamais vu un *tel* journal ?
—Je trouve comme vous qu'il est très mal rédigé. 2. Avez-vous jamais
vu une *telle* fumée ?—Vous oubliez que j'ai habité Manchester et Glasgow. 3. Avez-vous jamais vu de *tels* soldats ?—Ce sont de beaux hommes,
mais j'en ai vu d'aussi beaux. 4. Le vieux château est-il *tel* qu'il était
avant l'ouverture de la ligne ?—Non, une des tours s'est écroulée.

IV. PAREIL, PAREILLE, PAREILS, PAREILLES.—1. Avez-vous jamais
entendu *pareil* bruit à une station ?—C'était bien pis le jour du train de
plaisir. 2. Avez-vous jamais vu une *pareille* cheminée ?—Non, jamais.
3. Avez-vous jamais entendu de *pareils* contes ?—En voyage on en
entend de toutes les sortes. 4. Avez-vous jamais entendu de *pareilles*
sottises ?—Jamais.

Jamais, with *ne*, means "never ;" without *ne*, it means "ever." But in
replying to questions, JAMAIS may stand for "never."

1. Allez-vous *jamais* à l'opéra ?	1. Do you *ever* go to the opera ?
2. Je *ne* vais *jamais* à l'opéra.	2. I never go to the opera.
3. Allez-vous quelquefois à l'opéra ? —Jamais.	3. Do you sometimes go to the opera ? —Never.

Exercise.—(*Quel, quelque, tel* and *pareil.*)

I. QUEL, ETC.—1. WHAT newspaper have you bought to-day ?—I have
bought the *Times** (m.). 2. By WHAT train* (m.) will you start to-day ?—By
the six* o'clock train* (m.). 3. WHAT a newspaper ! 4. WHAT a family !

II. QUELQUE, QUELQUES, ETC.—1. Have you a FEW novels to read on *the*
way ?—I have SOME of Walter* Scott*'s novels. 2. Do you know ANY families
in this town ?—I know the first families.

III. TEL, ETC.—1. Have you ever seen SUCH men ?—I have seen our grena-
diers*. 2. Have you ever seen SUCH towns ?—I have seen Rome* and Naples*.
3. Such a noise ! 4. Such a smoke !

IV. PAREIL, ETC.—1. Have you ever seen SUCH a castle ?—Never. 2. Have
you ever seen SUCH a smoke ?—It was far worse at the other station*. 3. Have
you ever seen SUCH soldiers ?—They are fine men, but I have seen as fine. 4.
Have you ever seen SUCH chimneys ?—I have seen the Manchester* and
Glasgow* chimneys. (*Transpose.*)

97. Quatre-vingt-dix-septième conversation.

VOYAGE PAR LE CHEMIN DE FER DE PARIS A BOULOGNE.—(See p. 61.)

(La conversation a lieu à Boulogne; la personne qui répond arrive de Paris.)

I.—1. Etes-vous arrivé par le train qui quitte Paris à 11 heures?—Non, je suis venu par le train mixte qui part de Paris à midi précis. 2. N'avez-vous pas pris un verre de vin au buffet de Creil?—Non, j'y ai pris un potage. 3. N'avez-vous pas perdu votre chapeau dans le voyage?—Si, j'ai eu la maladresse de le laisser tomber entre Montreuil et Étaples. 4. Où sont les deux messieurs qui étaient dans votre compartiment?—Ils sont au bureau des bagages.

5. Etes-vous venu par l'express?—Non, je suis venu par un train-omnibus. 6. Votre bagage arrivera-t-il par le train de marchandises?—Oui, il arrivera demain par un des trains du matin. 7. N'avez-vous pas laissé votre petite valise à la gare?—Non, je l'ai fait porter à l'hôtel par un commissionnaire. 8. Votre bulletin est-il dans votre sacoche?—Oui, et je le donnerai au garçon de l'hôtel pour qu'il aille réclamer mes malles.

II.—1. Avez-vous un billet de retour?—Oui, et il n'est valable que jusqu'à demain. 2. Où est le chef de train?—Je viens de le voir entrer à la buvette. 3. Un des chauffeurs n'est-il pas tombé en bas du tender?—Si, et il a eu la jambe écrasée; cet accident a eu lieu à la station d'Abbeville. 4. Les actions de chemins de fer sont-elles en hausse?—Non, elles baissent depuis un mois; les actionnaires sont désespérés.

5. N'avez-vous pas oublié votre Indicateur (des Chemins de fer) dans la salle d'attente?—Non, j'y tiens trop. 6. Etes-vous venu par la première classe?—Oui, quoique sur les lignes françaises toutes les voitures de 2ᵉ classe soient assez confortables. 7. Votre bulletin d'assurance est-il dans votre sacoche?—Je n'ai pas eu le temps de me faire assurer ce voyage-ci. 8. Par quel paquebot partirez-vous?—Nous nous embarquerons sur le bateau de 9 heures; je vais aller au bureau des passeports pour avoir mon permis[1].

Exercise.—(*Railway travelling.* Revise p. 61.)

I.—1. Did you come† by the mixed train* (m.)?—I came by the express*. 2. Did you take† a *basin of* soup at the Amiens* refreshment-room?—No, I took† a glass of wine. 3. Where is your small portmanteau?—It is in the omnibus*. 4. Will your luggage arrive by one of the morning trains* (m.)?—Yes, it will arrive by the goods train. 5. Where is the porter?—I have left him at the railway-station.

II.—1. Where is your luggage-ticket?—It is in my money-bag with my return ticket. 2. Where is the guard?—He is in the third-class-refreshment-room. 3. Are railway shares going-down?—No, they are up. 4. Where is your insurance ticket?—It is in my money-bag with my railway-guide. 5. Will you sail by the six o'clock boat?—No, we shall-go by the nine o'clock packet.

† The past indefinite is the tense required here.

---

[1] Before leaving Paris the passport must be *visé* by the police authorities, and before *embarking* at a French port the traveller must be furnished with a separate *permis d'embarquement*, which *is given* gratis immediately before the sailing of the vessel.

98. Quatre-vingt-dix-huitième conversation.—(*Première partie.*)

ADJECTIFS INDÉFINIS.

1. Aucun†,	aucune;	aucuns,	aucunes,	*any, not any.*
2. Autre,		autres,		*other, different, else.*
8. Certain,	certaine;	certains,	certaines,	*certain, some.*
4. Chaque,				*each, or every.*

I.—1. Est-ce que Marie ne prend aucun¹ soin ?—Elle est on ne peut plus négligente. 2. Le nouvel élève ne prend-il *aucune* peine ?—Non, aussi ne devriez-vous avoir *aucune* indulgence pour lui. 3. Pouvez-vous faire ce voyage sans *aucuns* frais ?—Oui, et c'est une occasion qu'il faut prendre aux cheveux. 4. N'irons-nous *nulle* part ?—Si, nous irons à Versailles, ou toute autre part. 5. N'avez-vous pas trouvé un *certain* Allemand dans le salon ?—Si, et il m'a appris *certaines* choses qui m'ont fort étonné. 6. N'avez-vous pas trouvé une *certaine* dame dans la voiture ? —Si, et je n'ai pas eu de mal à reconnaître ma tante, quoiqu'elle eût baissé son voile. 7. A-t-il un gilet pour *chaque* jour de la semaine ?—Oui, sa garde-robe est des mieux montées.

II.—8. Y a-t-il un café dans *chaque* rue de Paris ?—Je connais *certaines* rues où il y en a plusieurs, et sur les boulevards on ne voit que cela. 9. Où est l'*autre* grenadier ?—Il prend une tasse de café avec son sergent. 10. Où sont les *autres* zouaves ?—Ils montent la garde devant l'ambassade. 11. Où sont les *autres* dames ?—Elles viennent d'entrer à l'ambassade avec leurs maris. 12. Où avez-vous mis mon *autre* bouteille ? —Je l'ai mise dans le panier avec les spiritueux. 13. Où avez-vous mis mes *autres* journaux ?—Ils sont dans la poche de mon *autre* paletot. 14. Avez-vous un *autre* neveu dans cette ville ?—Non, mon *autre* neveu est en garnison à Versailles. 15. Avez-vous une *autre* nièce dans ce village ?—Non, mon *autre* nièce est en pension à Saint-Cloud.

(In the plural, Nos. 14 and 15 would be :—14. Avez-vous *d'autres* neveux dans cette ville ?—Non, mes autres neveux sont en garnison à Versailles. 15. Avez-vous *d'autres* nièces dans ce village ?—Non, &c.)

DE often appears before *certains* or *certaines* :—1. J'ai rencontré *de* certains hommes. 2. J'ai entendu *de* certaines choses ;—but the sentences would be correct without *de*.

Exercise.—(*Aucun, certain, autre, chaque.*)

1. Is Alice* careless ?—Yes, she does not take ANY trouble. 2. Shall you go¹ to Versailles* ?—Yes, because we can² go that journey without ANY expense. 3. Where have you seen that German ?—On the boulevard* (m.) with a CERTAIN* baron*. 4. Whom³ have you seen in the drawing-room ?—A CERTAIN lady who has told me CERTAIN things, &c. 5. Where is the OTHER major* ?—He is with the colonel*. 6. Where have you put my OTHER bottles ?—In the basket with the spirits. 7. Is there a piano* in EACH room⁴ ?—No, there is an harmonium* (m.). 8. Is there a consul* in EVERY port* (m.) ?—There is *either* a consul* or a vice-consul*.

¹ Irez-vous. ² Pouvons. ³ qui. ⁴ pièce.

† NUL, NULLE, &c., is also used for *aucun*. See HAVET's Complete French Class-Book, page 294, No. 602.

Quatre-vingt-dix-huitième conversation.—(*Seconde partie.*)

ADJECTIFS INDÉFINIS.

| 1. **Autre,** | autres, | *other, different, else.* |
| 2. **Même,** | mêmes, | *same, very, self.* |

1. Nous jouons les *mêmes* airs.	1. We play the *same* tunes.
2. Nous faisons tout nous-*mêmes*.	2. We do everything *ourselves*.
3. Nos réponses sont les *mêmes*.	3. Our answers are the *same*.
4. Les rochers *mêmes* étaient sensibles à ses accords.	4. The *very* rocks were touched by his strains.

| 1. Nous irons le *même* jour. | 1. We shall go the *same* day. |
| 2. Nous irons le jour *même*. | 2. We shall go the *very* day. |

Même, as an adverb, means "even," "also": Leurs vertus et *même* leurs noms étaient ignorés.

I.—1. Avez-vous vu *d'autres* (*page* 133) villages sur la route?—Nous avons vu quelques (*page* 130) petits hameaux. 2. Avez-vous trouvé *d'autres* bouteilles dans la cave?—J'y ai vu quelques bouteilles de Chambertin. 3. Avez-vous encore le *même* vin?—Non, je l'ai rendu au marchand, qui l'a remplacé par un excellent vin de Bordeaux. 4. Avez-vous encore la *même* intention?—Non, j'ai un tout *autre* projet en tête. 5. Avez-vous trouvé les *mêmes* Allemands dans la rue?—Oui, et ils ont chanté les *mêmes* airs. 6. Avez-vous trouvé les *mêmes* dames à Boulogne (*page* 68)?—Oui, elles y vont tous les ans pour les bains. 7. Augusta est-elle toujours la *même*?—Tout le monde la trouve embellie.

II.—8. Avez-vous remarqué que le colonel est tout *autre*?—Oui, sa dernière maladie l'a bien secoué. 9. Avez-vous remarqué que la marquise est tout *autre*?—On dit qu'elle a de grands chagrins. 10. Etes-vous arrivé le *même* jour que le major?—Non, je suis arrivé le lendemain. 11. Avez-vous remarqué que ses amis ne sont plus les *mêmes*?—Oui, il ne reçoit plus que des jeunes gens. 12. L'empereur a-t-il récompensé les grenadiers le jour *même* de la bataille?—Oui, il les a décorés sur le champ de bataille *même*. 13. Si vous ne trouvez pas de maison meublée à Saint-Cloud, irez-vous *autre* part?—Je crois que nous irons nous installer à Viroflay. 14. Avez-vous rencontré les *mêmes* zouaves sur la route?—Oui, je les ai reconnus tout de suite.

Exercise.—(*Autre, même, &c.*)

Je fais cela moi-même.	Nous faisons cela nous-mêmes.
Tu fais cela toi-même.	Vous faites cela vous-mêmes[1].
Il fait cela lui-même.	Ils font cela eux-mêmes.
Elle fait cela elle-même.	Elles font cela elles-mêmes.

On fait cela soi-même.

I. AUTRE.—1. Have you seen OTHER pianos*?—No, but I have seen OTHER harmoniums*. 2. Have you not remarked that Albert* is quite DIFFERENT?—Yes, he is very diligent*. 3. Have you remarked that Malvina* is quite DIFFERENT?—Yes, I think her much[2] improved. (*See 7th No. of French lesson.*) 4. Shall we go to Pau*?—No, we shall go somewhere ELSE.

II. MÊME.—1. Have you still the SAME piano* (m.)?—No, we have[2] another. 2. Have you still the SAME house?—No, we have[2] another. 3. Is Constance* still the SAME?—No, she is quite different. 4. Did you arrive (*past indef.*) the SAME day as the marquis*?—No, I arrived (*past indef.*) the next-day. 5. Did

---

[1] *Or vous-même, in addressing one person.*   [2] Je la trouve fort.   [3] en avons.

you arrive (*past indef.*) the VERY day?—Yes†, *I did.* 6. Do you do that YOURSELF?—No†, *I do not.* 7. Have you still the SAME intentions*?—No, we have quite another plan in our heads (*sing.*). 8. Do they (m.) do that them. selves?—No†, they do not.

† OUI (or NON) is sufficient in such answers, still it is more polite to add, MONSIEUR, MADAME, or MADEMOISELLE, as the case may be.

99. Quatre-vingt-dix-neuvième conversation.

ADJECTIFS INDÉFINIS.—(HAVET'S Complete French Class-Book, p. 292.)

I. **Plusieurs,**	...	...	...	*several.*
II. **Maint,**	**mainte;**	**maints,**	**maintes,**	*many, many a.*
III. **Quelque,**	...	**quelques,**	...	*whatever.*
IV. **Quel que,**	**quelle que;**	**quels que,**	**quelles que,**	*whatever.*
V. **Quelconque,**	...	**quelconques,**	*any, whatever, some....or other.*

I. PLUSIEURS.—1. N'avez-vous pas visité *plusieurs* parties de la France?—Si, je connais les bords de la Loire et le Dauphiné.- 2. Avez-vous vu cette opinion dans *plusieurs* historiens?—Oui, c'est celle des historiens les plus dignes de foi. 3. Avez-vous été *plusieurs* fois en Prusse? —Oui, j'ai passé *plusieurs* étés à Berlin. 4. Avez-vous lu l'histoire de France *plusieurs* fois?—Non, je ne l'ai lue qu'une fois.

II. MAINT, &c.—1. N'avez-vous pas lu dans *maint* historien qu'Aix-la-Chapelle était la capitale de l'empire de Charlemagne?—Si, et j'ai appris que son tombeau est dans la cathédrale de cette ville. 2. N'avez-vous pas lu dans *mainte* histoire que Memphis fut la première capitale de l'Égypte?—Si, mais la conquête de l'Égypte par Cambyse, et plus tard la fondation d'Alexandrie, portèrent des coups mortels à Memphis. 3. N'avez-vous pas lu dans cette histoire que Louis IX défit les musulmans dans *mainte* bataille?—Si, il fit deux croisades contre eux; dans la seconde la peste s'étant mise dans son armée, il en mourut lui-même. 4. Ne vous ai-je pas dit *mainte* fois qu'Aix-la-Chapelle est une ville de la Prusse Rhénane?—Si, mais je me figure toujours que c'est en France. (*Plusieurs* is more generally used than *maint*.)

III. QUELQUE, "whatever."—1. Ne vous ai-je pas dit que vous ne réussirez pas, *quelque* mérite que vous ayez?—Si, mais, comme dit le proverbe —"Qui ne risque rien, n'a rien." 2. Ne vous ai-je pas dit qu'il ne réussira pas, *quelque* fortune qu'il ait?—Si, mais il ne veut écouter personne. 3. Ne vous ai-je pas dit que vous ne réussirez pas en Égypte, *quelques* recommandations que vous ayez?—Si, mais si peu encourageant que cela soit pour mes amis et pour moi, je pars aujourd'hui même.

IV. QUEL QUE, QUELLE QUE, &c.—1. Me conseillez-vous de louer cette maison, *quel* qu'en soit le loyer?—Oui, elle ferait parfaitement votre affaire. 2. Me conseillez-vous de ne pas m'établir à Londres, *quelle que* soit ma fortune[1]?—Oui, je vous conseille de vous fixer sur le continent; le climat est meilleur et la vie moins chère. 3. Me conseillez-vous de garder mon commis, *quels que* soient mes soupçons[2]?— Gardez-le au moins jusqu'à ce que vous en ayez trouvé un, en qui vous puissiez avoir confiance. 4. Lui conseillez-vous d'aller en Égypte, *quelles que* soient ses craintes[3]?—Oui, c'est le seul climat qui lui convienne.

---

[1] *i.e., Quelle* fortune que soit votre fortune. [2] *i.e., Quels* soupçons que soient mes soupçons. [3] *i.e., Quelles* craintes que soient ses craintes.

V. QUELCONQUE.—1. Lui conseillez-vous d'apprendre un instrument *quelconque?*—Oui, pourvu que ce ne soit pas un instrument à vent. 2. Vous citerai-je deux discours *quelconques?*—Oui, mais qu'ils ne soient pas longs. 3. Vous apporterai-je deux livres *quelconques?*—Oui, pourvu qu'ils soient intéressants. 4. Avez-vous un plan *quelconque?*—Oui, je crois avoir trouvé le moyen de nous tirer d'embarras.

Exercise.—(*Plusieurs, maint, quelque, quel que, quelconque.*)

I. PLUSIEURS.—1. Have you been SEVERAL times in France*?—Yes, I have spent SEVERAL summers on the banks of the Rhône* (m.). 2. Have you not read *Gil Blas*?—Yes, I have read it[1] SEVERAL times.

II. MAINT, ETC.—1. Have you not read in MANY histories that Louis IX. undertook[2] two crusades against the Mussulmans?—Yes; and I have learnt that he died near[3] Tunis*. 2. Have I not told you MANY a time that Cairo[4] is the capital of Egypt?—Yes, but I am always thinking of[5] Alexandria.

III. QUELQUE, ETC.—1. What[6] have I told you?—That he will not succeed, WHATEVER merit he may-have. 2. What[6] have I told you?—That Albert* will not succeed, WHATEVER friends he may-have.

IV. QUEL QUE, QUELLE QUE, ETC.—1. What[6] do you advise me *to do?*—Not to take that house, WHATEVER the rent may be. 2. Do you advise us to go to Egypt?—Yes, WHATEVER your fears may be.

V. QUELCONQUE, ETC.—1. What[6] do you advise him *to do?*—To learn SOME instrument* (m.) or OTHER. 2. What[6] shall I quote *to* you?—ANY two passages* from Racine* (*p.* 180).

[1] l'ai lu. [2] fit, *or* entreprit. [3] près de. [4] le Caire. [5] je pense toujours à. [6] Que.

100. Centième conversation.

TOUT.—(*Première partie.*)

I. Tout,	...	...	...	all, everything.
II. Tout le monde,	...	...	...	everybody.
III. Tout le,	tous les;	toute la,	toutes les,	all, all the.
IV. Tout,	tous;	toute,	toutes,	all.
V. Tout,	tout le;	toute la,	...	all, the whole of.
VI. Tout un,	toute une;	...	...	a whole.

I. TOUT.—1. Aimez-vous *tout?*—J'aime *tout* ce qui est bon. 2. Vous donnerai-je *tout?*—Non, gardez-en pour les enfants. 3. Avez-vous tout† laissé pour les domestiques?—Oui, ils trouveront *tout* ce qu'il leur faut. 4. Consentez-vous à *tout?*—Je ne consens à rien.

II. TOUT LE MONDE.—1. *Tout le monde* dit-il cela?—Oui, cela vole de bouche en bouche depuis hier. 2. Se moque-t-il de *tout le monde?*—Oui, et en revanche *tout le monde* se moque de lui. 3. Connaît-il *tout le monde* ici?—Non, il ne connaît que peu de monde. 4. *Tout le monde* connaît-il votre position?—Oui, et nous ferons bien de quitter cette ville. 5. S'habille-t-il comme *tout le monde?*—Non, *tout le monde* s'habille comme lui; c'est lui qui donne le ton ici.

III. TOUT LE, TOUTE LA, TOUS LES, TOUTES LES.—1. Les domestiques ont-ils bu *tout le* café?—Oui, mais il reste du thé. 2. Les enfants ont-ils

---

† TOUT, TOUS and RIEN go between the auxiliary and the participle, when the tense of the verb is compound; 1. Avez-vous *tout* perdu. 2. Les avez-vous *tous* rendus. 3. N'avez-vous *rien* laissé?

mangé *toute la* cassonade ?—Oui, et ils ont fini la mélasse. 3. *Tous les* vers à soie sont-ils sur le mûrier ?—Oui, et ils en auront bientôt rongé *toutes les* feuilles. 4. *Toutes les* chenilles sont-elles sur les branches ?— Oui, et elles ont déjà dévoré bien des feuilles.

IV. TOUT, TOUS, TOUTE, TOUTES.—1. Placerez-vous *tout* votre argent à la banque ?—Non, je vais acheter des actions. 2. Connaissez-vous *tous* ses cousins ?—Oui, mais je n'ai vu aucune de ses cousines. 3. Emmènerez-vous *toutes* vos cousines ?—J'emmènerai celles qui voudront voir mes mûriers. 4. Attendez-vous *toute* sa famille ?—J'attends *tous* ses enfants. 5. Etes-vous *tous* cousins ?—Nous sommes alliés. 6. Etes-vous *toutes* cousines ?—Oui, nous sommes cousines germaines. 7. Sont-ils *tous* Français ? — Oui, ils sont *tous* Normands. 8. Sont-elles *toutes* Anglaises ?—Les deux plus grandes sont Anglaises, les autres sont Écossaises.

V. TOUT, TOUT LE, TOUTE LA.—1. Passez-vous *toute l'*année à la campagne ?—Nous y passons la belle saison (*p. 10, note* 2). 2. Passerez-vous *tout l'*été en France ?—Non, il y fait trop chaud. 3. Passerez-vous *toute la* nuit sur la route ?—Oui, nous voyagerons au clair de lune. 4. Connaissez-vous *toute la* Provence ?—Oui, j'y ai passé tout un été. 5. Connaissez-vous *tout†* Marseille ?—Non, mais j'y connais du monde.

VI. TOUT UN, TOUTE UNE.—1. Votre médecin occupe-t-il *tout un* étage ? —Oui, il occupe *tout un* premier (étage). 2. Occupez-vous *toute une* maison ?—Non, nous n'occupons que le rez-de-chaussée. 3. Avez-vous mangé *tout un* turbot ?—Nous n'en avons mangé que la moitié. 4. Avez-vous bu *toute une* bouteille de porter ?—Oui, mais c'était une très petite bouteille. 5. Les voyageurs ont-ils mangé *tout un* chevreau ?—Non, ils n'en ont mangé qu'un quartier. 6. Avez-vous passé *tout un* hiver en Provence ?—Oui, nous demeurions à Cannes.

Exercise.—(*Tout.*)

I. TOUT.—1. Do you consent to nothing ?—I consent to EVERYTHING. 2. Have you left nothing ?—I have left ALL. (See *footnote, p. 136*.)

II. TOUT LE MONDE.—1. Does EVERYBODY laugh at him ?—Yes, and in return he laughs at EVERYBODY. 2. Whom (*see p. 60*) does he know in that town ?— He knows EVERYBODY.

III. TOUT LE, TOUTE LA, ETC.—1. Have the children drunk ALL THE tea ?— Yes, and they have left ALL THE treacle. 2. Have ALL THE silkworms eaten ? —Yes, they have eaten ALL THE mulberry leaves. (*Transpose*).

IV. TOUT, TOUS, TOUTE, TOUTES.—1. Have you finished ALL your tea ?—Yes, and we have finished ALL our treacle. 2. Are you ALL English ?—No, we are ALL Scotch.

V. TOUT, TOUT LE, TOUTE LA.—1. Do you spend THE WHOLE summer in England ?—No, we go to France*. 2. Do you know THE WHOLE of Provence* (f.) ? —No, but I know THE WHOLE *of* Marseilles.

VI. TOUT UN, TOUTE UNE.—1. Does your physician occupy A WHOLE house ? —No, he only occupies the ground floor. 2. Have you eaten A WHOLE melon* (m.) ?—We have only eaten the half.

---

† TOUT before the name of a town of the feminine gender does not vary, because it refers to the masculine word *peuple* understood. *Connaissez-vous* tout Marseille (f.)? means *Connaissez-vous* tout le peuple, tout le monde *à Marseille*?

101. Cent unième conversation.

TOUT.—(*Seconde partie.* Voyez p. 136.)

I. Tout, toute, *all, every.*   IV. Tout autre, toute autre, *any*
II. Tous les[1], toutes les, *every.*   *other.*
III. Tous deux, toutes deux, *both (together).*   V. Tout, *quite, entirely, all.*
Tous les deux, toutes les deux, *both.*   VI. Tout, *however, although.*

N.B.—The last two words, although adverbs, become *toute,* or *toutes,* before a consonant or *h* aspirated.—HAVET's Complete French Class-Book, p. 293, No. 684.

I. TOUT, TOUTE.—1. Pourquoi m'interrompt-il à *tout* propos?—Il a la mauvaise habitude de contredire les gens. 2. Disiez-vous que *tout* flatteur vit aux dépens de celui qui l'écoute?—Oui, c'est la morale de la fable intitulée *le Corbeau et le Renard.* 3. Est-il venu en *toute* occasion? —Oui, je n'ai jamais connu d'homme plus serviable. 4. Est-il venu à *toute* heure?—Oui, même par les soirées les plus froides.

II. TOUS LES, TOUTES LES.—1. N'allez-vous pas à la campagne *tous les* soirs?—Si, et nous en revenons *tous les* matins. 2. Le médecin ne venait-il pas *tous les* matins?—Non, il ne venait que *tous les* deux jours. 3. N'allez-vous pas à la campagne *tous les* quinze jours?—Nous y allons *tous les* huit jours. 4. N'allez-vous pas à Douvres *toutes les* trois semaines? —Si, et de temps en temps nous allons faire un tour à Calais.

III. TOUS DEUX[1], TOUS LES DEUX, ETC.—1. Viendront-ils *tous deux* à midi et demi?—Ils n'arriveront que par le train d'une heure et demie. 2. Irez-vous les voir *toutes deux?*—Oui, elles m'ont prié de leur porter de vos nouvelles. 3. Reviendront-ils *tous les deux* à six heures?—Non, Armand reviendra par le train de sept heures; Achille n'arrivera qu'à onze heures. 4. Sont-elles venues *toutes deux* demander de mes nouvelles? —Oui, et elles reviendront demain. 5. Les inviterez-vous *tous les six?* —Oui, car ce sont des jeunes gens charmants.

IV. TOUT, TOUTE.—1. Ne préfère-t-il pas *tout* autre vin à celui-là?—Si, et vous ferez bien d'en aller chercher à la cave. 2. Ne préférez-vous pas *toute* autre méthode à celle-là?—Si, monsieur. 3. Voulez-vous que j'amène *toute* autre personne que Caroline?—Amenez-la, si vous voulez; mais nous aimerions mieux sa sœur. 4. Ne préfère-t-il pas *toute* autre chose à cela?—Non, il est peu difficile et d'un appétit modéré.

V. TOUT (and for euphony's sake TOUTE, TOUTES).—1. Les voyageurs sont-ils *tout* mouillés?—Oui, et dites qu'on fasse un grand feu dans la salle à manger. 2. Marguerite et Caroline sont-elles *toutes* mouillées? —Les pauvres enfants sont trempées jusqu'aux os. 3. Mettra-t-elle ⌐

---

[1] TOUS DEUX, TOUS LES DEUX, signify "both," with this difference, that TOUS DEUX means "both together," whereas TOUS LES DEUX means only "both:"—

1. *Tous deux* sont venus; (or, Ils sont venus   1. *They* both came (together).
    tous deux).
2. *Tous les deux* sont morts.   2. Both *are* dead.

OTHER EX.—1. César et Sylla furent *tous les deux* funestes à la liberté de Rome. 2. Les consuls gouvernèrent *tous deux* simultanément. 3. Venez ici *tous deux;* j'ai à vous donner des ordres que vous exécuterez ponctuellement. 4. Ils sont partis *tous les deux* pour l'Italie, l'un s'y rend par la Suisse, et l'autre par Marseille.

This remark applies to *tous trois, tous les trois, tous quatre, tous les quatre;* but beyond *quatre, les* is seldom suppressed:—Ils sont venus nous voir *tous les cinq, tous les six,* &c.—HAVET's *Complete French Class-Book,* p. 297.

une robe *toute* neuve?—Oui, car celle qu'elle porte est *toute* tachée.
4. Était-elle *toute* honteuse?—Oui, elle ne savait que dire. 5. Trouvez-
vous cette observation *toute* naturelle?—Non, elle a de quoi étonner.
6. Trouve-t-il nos observations *toutes* naturelles?—Non, il dit que
nous avons l'esprit à l'envers. 7. Avez-vous retrouvé vos haies *toutes*
verdoyantes de feuilles?—Oui, et *toutes* pleines d'oiseaux et de nids.
8. A-t-on servi les crêpes *toutes* chaudes?—Non, elles étaient *toutes*
froides; nous les avons trouvées bonnes tout de même.

VI. TOUT (and for euphony's sake TOUTE, TOUTES).—1. *Tout* malades
qu'ils sont, veulent-ils partir?—Oui, ils prétendent que leur présence à
Paris est tout à fait nécessaire. 2. *Toutes* malades qu'elles sont, veulent-
elles partir?—Oui, mais le médecin s'y oppose formellement. 3. TOUT
vieux (*or* usés) qu'ils sont, ces habits serviront-ils?—Non, faites-les
porter chez le fripier. 4. TOUTES vieilles qu'elles sont, ces robes
serviront-elles?—Envoyez-les chez la marchande à la toilette.

Other constructions.—1, (a) Si malades qu'ils soient; (b) Quelque malades qu'ils
soient. 2, (a) Si malades qu'elles soient; (b) Quelque malades qu'elles soient.
8 (a) Si vieux qu'ils soient; (b) Quelque vieux qu'ils soient, &c.

Masculine Singular.	*Feminine Singular.*
1. *Tout* amusant qu'il est, *amusing as he is.*	1. *Tout* amusante qu'elle est.
2. *Tout* habile qu'il est, *clever as he is.*	2. *Tout* habile qu'elle est.
3. *Tout* malade qu'il est, *sick as he is.*	3. *Toute* malade qu'elle est.
4. *Tout* hardi qu'il est, *bold as he is.*	4. *Toute* hardie qu'elle est.
Masculine Plural.	*Feminine Plural.*
1. *Tout* amusants qu'ils sont.	1. *Tout* amusantes qu'elles sont.
2. *Tout* habiles qu'ils sont.	2. *Tout* habiles qu'elles sont.
3. *Tout* malades qu'ils sont.	3. *Toutes* malades qu'elles sont.
4. *Tout* hardis qu'ils sont.	4. *Toutes* hardies qu'elles sont.

Exercise.—(*Tout.*)

I. TOUT, TOUTE.—1. What is the moral of that fable* (f.)?—" EVERY flatterer
lives at the expense of him who listens *to* him." 2. Did you ever (*p.* 131) know
a more obliging man?—No, he came (*past indef.*) on every occasion* (f.) and at
EVERY hour.

II. TOUS LES, TOUTES LES.—1. Do you not go to-the village* EVERY fortnight?
—We go EVERY week. 2. Do you not go to Paris* EVERY six* weeks?—We go
EVERY three weeks.

III. TOUS DEUX, TOUS LES DEUX, &c.—1. Will they (m.) BOTH come by the one
o'clock train* (m.)?—They will only arrive by the six* o'clock train* (m.). 2.
Will they (f.) BOTH come to-morrow?—Yes, Fanny* will arrive at one o'clock,
and Augusta* at seven.

IV. TOUT, TOUTE.—1. Do you not prefer ANY other thing?—Yes, *I do.*
2. Shall I bring Victor*?—We should prefer ANY other person.

V. TOUT, TOUTE, &c.—[*Fill up the blank with the correct form of* TOUT.]—1.
Cette maison est-elle   neuve? 2. Leurs robes n'étaient-elles pas
usées? 3. Ne dites-vous pas que l'herbe (f.) était   humide? 4. Pourquoi
avez-vous servi la soupe   froide? 5. Pourquoi ces petites filles sont-elles
          hébétées? 6. Pourquoi ses nièces étaient-elles   honteuses?

VI. TOUT, &c.—[*Fill up the blank with the correct form of* TOUT.]—1. Elle
veut aller au bal,   souffrante qu'elle est. 2. Mes nièces veulent aller au
concert,   enrhumées qu'elles sont. 3. Ma tante ne sait comment s'y
prendre,   habile qu'elle est. 4. Elles n'ont su que répondre,
hardies qu'elles sont.

102. Cent-deuxième conversation.

PRONOMS INDÉFINIS.

I.	L'un,	l'une;	les uns,	les unes;	the one, the former, &c.
	L'autre,	...	les autres,	...	the other, the latter, &c.
II.	L'un l'autre,		les uns les autres,		} each other, one other.
	L'une l'autre;		les unes les autres,		
III.	L'un et l'autre,		les uns et les autres,		} both.
	L'une et l'autre;		les unes et les autres,		
IV.	L'un ou l'autre,		les uns ou les autres,		} either.
	L'une ou l'autre,		les unes ou les autres,		
V.	Ni l'un ni l'autre,		ni les uns ni les autres,		} neither.
	Ni l'une ni l'autre,		ni les unes ni les autres,		

1. L'UN, LES UNS, &c.; L'AUTRE, LES AUTRES.—1. Ne disiez-vous pas de ces deux ouvriers que *l'un* est Savoyard, et *l'autre* Basque?—Si, et voici leurs femmes: *l'une* est Auvergnate, *l'autre* est Languedocienne. 2. Ne disiez-vous pas de la Loire et de la Seine, que *l'une* est plus longue que *l'autre*?—Si, la Loire a 1100 kilomètres de cours; la Seine en a 800 environ. 3. Vous connaissez ces Basques et ces Savoyards, les *uns* ne sont-ils pas meilleurs soldats que les *autres*?—Je les crois aussi bons soldats les uns que les autres. 4. N'admirez-vous pas comme tous ces oiseaux vivent en paix *les uns* avec *les autres*?—Si, mais cela ne m'étonne pas: il y a des bêtes féroces qui vivent en paix *les unes* avec *les autres*.

II. L'UN L'AUTRE, &c.—1. Racine (p.180) et Boileau s'estimaient-ils *l'un l'autre*?—Oui, ils avaient beaucoup d'estime et d'amitié *l'un* pour *l'autre*. 2. Votre sœur et votre cousine s'obligent-elles *l'une l'autre*?—Oui, elles sont très complaisantes *l'une* pour *l'autre*. 3. Ces Anglais et ces Écossais s'estiment-ils *les uns les autres*?—Oui, ils sont grands amis. 4. Ses sœurs et ses cousines ne se tourmentent-elles pas *les unes les autres*?—Au contraire, elles s'entendent très bien.

III. L'UN ET L'AUTRE, &c.—1. Ne disiez-vous pas d'Avignon et de Beaucaire que *l'un et l'autre* se trouvent sur le Rhône?—Si, je disais qu'Avignon est sur la rive gauche, et Beaucaire sur la droite. 2. Ne disiez-vous pas du Pays de Galles et de l'Écosse que *l'un et l'autre* sont montagneux?—Si, mais les montagnes de l'Écosse sont plus hautes que celles du Pays de Galles. 3. Voici des romans français et des romans anglais, voulez-vous les lire *les uns et les autres*?—Je n'ai guère le temps de lire des romans. 4. Voici des pêches et des prunes, vous les enverrai-je *les unes et les autres*?—Envoyez-moi la moitié des unes et le quart des autres. 5. Voici mes sœurs et mes cousines, voulez-vous les voir *les unes et les autres*?—Oui, je désire leur parler *aux unes et aux autres*. 6. Voici des melons et des figues, les laisserai-je *les uns et les autres*?—Non, emportons les uns et mangeons les autres.

IV. L'UN OU L'AUTRE, &c.—1. Voici un Basque et un Savoyard, vous enverrai-je *l'un ou l'autre*?—Envoyez-moi le Basque. 2. Voici une pêche et une figue, voulez-vous manger *l'une ou l'autre*?—Ma foi, je les mangerai bien l'une et l'autre. 3. Voici des journaux et des romans, voulez-vous lire *les uns ou les autres*?—Je ne me soucie ni des uns ni des autres. 4. Voici des romances anglaises et des romances françaises, voulez-vous chanter *les unes ou les autres*?—Je ne sais (p. 120) ni les unes ni les autres.

V. NI L'UN NI L'AUTRE, &c.—1. Lequel de ces deux livres voulez-vous *lire?—Ni l'un ni l'autre.* 2. Laquelle de ces deux romances voulez-vous

chanter ?—*Ni l'une ni l'autre.* 3. Ne disiez-vous pas de ces livres latins et de ces livres grecs, que *ni les uns ni les autres* ne vous plaisent ? —Si, et je vais les renvoyer au bouquiniste. 4. Ne disiez-vous pas de ces romances françaises et de ces romances anglaises que *ni les unes ni les autres* ne vous plaisent ?—Si, et je vous prie de les reporter chez le marchand (de musique).

Exercise.—(*L'un, l'autre, l'un l'autre, l'un et l'autre, &c.*)

I. L'UN, L'AUTRE, &c.—1. Do you know these two Gascons* ?—Yes, THE ONE is a soldier, THE OTHER is a workman. 2. Were you not saying that you know these workmen ?—Yes, SOME are English, and the OTHERS are Scotch.

II. L'UN L'AUTRE, &c.—1. Do these (two) Gascons* esteem EACH OTHER ?— Yes, they are very great friends. 2. Do not Albert* and Robert* tease EACH OTHER ?—On the contrary, they agree very well.

III. L'UN ET L'AUTRE, &c.—1. Were you not saying that Greenock* (m.) and Dumbarton* (m.) are BOTH on the Clyde* (f.) ?—Yes, Dumbarton* is on the right bank and Greenock* on the left. 2. Here-are melons* (m.) and peaches, shall I send you BOTH ?—I care for neither.

IV. L'UN OU L'AUTRE, &c.—1. Here-are French and English novels, will you read EITHER ?—I have not (the) time to read novels. 2. Here-are a melon* (m.) and a pompion[1], shall I send you EITHER ?—Send me the pompion[1].

V. NI L'UN NI L'AUTRE, &c.—1. Which of these two novels will you read ? —NEITHER. 2. Which of these two songs will you sing ?—NEITHER. 3. Here-are Englishmen and Scotchmen, which[2] do you know ?—NEITHER. 4. Here-are peaches and figs, which[3] shall I send you ?—NEITHER.

[1] citrouille, f. [2] lesquels. [3] lesquelles.

103. Cent-troisième conversation.

PRONOMS INDÉFINIS.

I. {Un de,   une de,   } *one of.*
  {L'un de,   l'une de,   }

II. Quelqu'un, quelqu'une; quelques-uns, quelques-unes, *somebody, any-body, some, a few, any.* (*See* QUELQUE, p. 135.)

III. Chacun, chacune, *each, every one, &c.* (*See* CHAQUE, p. 133.)

L'un de is perhaps more precise than *un de*, and may be preferred when the *number* of persons or things spoken of is stated in the sentence.

I. UN DE, UNE DE.—1. Allez-vous lire *un de* ces passages ?—Oui, et ensuite je l'apprendrai par cœur. 2. Saint-Malo n'est-il pas *un des* meilleurs ports de la Bretagne ?—C'est un port sûr, mais de difficile accès. 3. La Bretagne n'est-elle pas *une des* provinces les plus pittoresques de la France ?—Si, c'est aussi celle où l'on trouve le plus de ruines druidiques; la civilisation y est très arriérée. 4. Le Calvados n'est-il pas *l'un des* cinq départements de la Normandie ?—Si, il tire son nom de la chaîne de rochers du Calvados† dans la Manche.

II. QUELQU'UN, QUELQUES-UNS, QUELQUES-UNES, &c.—1. Connaissez-vous *quelqu'un* en Bretagne ?—Je connais un armateur à Nantes. 2. Avez-vous vu *quelqu'un* dans le village ?—J'ai vu le facteur et le maître d'école qui causaient politique. 3. Allez-vous lire *quelques-uns* de ces passages ?—Je les ai déjà lus, et ils me paraissent si beaux que j'ai envie de les copier. 4. Avez-vous lu *quelques-unes* de ces descriptions ?—Oui, et je les ai trouvées si belles que je les ai apprises par cœur.

—————

† Les rochers du *Calvados* furent ainsi appelés d'un vaisseau espagnol qui y échoua.

1II. CHACUN, CHACUNE.—1. Ces volumes ont-ils coûté 5 francs *chacun ?* —Oui, et chaque volume va me coûter 2 francs de reliure.   2. Ces villes ont-elles 100,000 âmes *chacune ?*—D'après le dernier recensement elles ont *chacune* 120,000 habitants, sans compter la population flottante.   3. *Chacun* de vous doit-il rester un mois en Normandie ?—Nous avons à Rouen et au Havre des affaires qui nous retiendront au moins six semaines.   4. *Chacune* de vos sœurs doit-elle rester un mois en Bretagne ? —Oui, elles sont invitées à y passer le mois de septembre.   5. *Chacun* de nous doit-il lire six pages de Lamennais ?—Oui, et demain le professeur nous les fera traduire et analyser.

Chaque, Chacun.—The difference between these words is that CHAQUE is followed by a noun, and called an adjective, whereas CHACUN is used in a relative sense, and called a pronoun :

1. *Chaque* tableau vaut 500 francs.	Ces tableaux valent 500 francs *chacun.*
2. *Chaque* maison coûte 20,000 francs.	Ces maisons coûtent 20,000 francs *chacune.*

There is even a third construction :

1. *Chacun* de ces tableaux vaut 500 francs.   2. *Chacune* de ces maisons coûte 20,000 francs.

CHACUN is often used absolutely in the sense of *toute personne :* 1. *Chacun* pense à sa manière.   2. *Chacun* prend son plaisir où il le trouve.

Exercise.—(*Un de, l'un de, quelqu'un, chacun.*)

I. UN DE, L'UN DE.—Is not Glasgow* (m.) ONE of the best harbours in Scotland[1] ?—Yes, and it is at the same time[2] the most important*. 2. Do you know (the) Jutland* (m.) ?—Yes, it is one of the three smaller peninsulas[3] of (the) Europe.*

II. QUELQU'UN, &c.—Do you know ANYBODY in the village* (m.) ?—I know the schoolmaster. 2. Do you know ANYBODY in Brittany ?—I have a cousin (f.) in Nantes*. 3. Have you read these fables* (f.) ?—Yes, and I am-going[4] to copy SOME *of them.* 4. Have you read ANY of these passages* (m.) ?—Yes, and I am-going[4] to copy SOME *of them.*

III. CHACUN, &c.—1. Have these volumes* (m.) 250 pages* EACH ?—They (m.) have[5] 300 each. 2. Have these towns 25,000 inhabitants EACH ?—They (f.) have[5] EACH 30,000. 3. Is EACH (m.) of us *to* translate a page* (f.) to-morrow ?— Yes, and the master will-make us parse it. 4. Is EACH of your cousins (f.) *to* spend a month in Touraine* (*p. 59*)?—Yes, they are invited to spend September.

[1] De l'Écosse. [2] c'est en même temps. [3] petites presqu'îles. [4] vais en. [5] en ont.

104. Cent-quatrième conversation.

PRONOMS INDÉFINIS.

I. **Personne†,**	...	*anybody, nobody.*
II. **Aucun,**	**aucune,**	*any, not any.*
III. **Nul,**	**nulle,**	*any, not any.*
IV. **Pas un,**	**pas une,**	*not one.*
V. **Plusieurs,**	...	*several.*

Aucun (p. 133), *nul, pas un* and *plusieurs* (p. 135), have appeared already as *adjectives,* that is, immediately before nouns; in the following lesson they will be used by themselves, either in an absolute sense, or with reference to nouns mentioned in the sentence.

Personne, "anybody," "nobody."

1. *Personne* est-il malade ?	5. Il le fait mieux que *personne.*
2. *Personne* n'est-il arrivé ?	6. Il ne le ferait pour *personne.*
3. Je ne vois *personne.*	7. Il viendra sans *personne.*
4. Je n'ai vu *personne.*	8. Qui vient ?—*Personne.*

† PERSONNE, as an indefinite pronoun, is masculine : *Personne* n'a-t-il été blessé ?—*Personne,* as a noun, is feminine, whether we allude to a man or a woman; *Cette personne* a-t-elle été blessée ?

I. PERSONNE.—1. Y a-t-il *personne*† dans la cabine ?—Il y a une damè et deux enfants avec leur bonne. 2. *Personne* n'a-t-il été noyé ?—Si, un des matelots s'est noyé en sauvant la vie à l'un des passagers. 3. Ne connaissez-vous *personne* sur le pont ?—Si, je connais plusieurs passagers. 4. *Personne* n'oserait-il rester sur le pont ?—Non, l'eau entre de tous côtés. 5. N'y a-t-il *personne* sur le pont ?—Il y a le capitaine et son équipage. 6. N'avez-vous trouvé *personne* dans le bateau de Newhaven ? —Si, mais je n'y ai trouvé *personne* de ma connaissance.

II. AUCUN, AUCUNE.—1. *Aucun* de vos cousins n'avait-il assez d'argent pour le voyage de Normandie ?—Non, et ils ont tous été obligés de revenir sans avoir vu Rouen. 2. *Aucune* de ses sœurs n'avait-elle assez d'argent pour le voyage d'Alsace ?—Non, et elles sont revenues sans avoir vu Strasbourg. 3. Ne connaissez-vous *aucun* des ports de Normandie ?—Si, je connais le Havre (*p.* 65), Dieppe et Cherbourg. 4. Ne connaissez-vous *aucune* des villes d'Alsace ?—Si, j'ai vu Strasbourg, Colmar et Mulhouse.

III. NUL, NULLE.—1. Est-il convenu que *nul* de vos cousins ne doit voyager cet été ?—Oui, ils sont encore trop jeunes pour voyager. 2. Est-il convenu que *nulle* de ces demoiselles ne doit se marier cet été ?—Oui, leurs parents trouvent qu'elles doivent encore rester un an en pension. 3. *Nul* de vous n'est-il assez riche pour voyager cet été ?—Non, nous avons trop dépensé l'hiver dernier.

IV. PAS UN, PAS UNE.—1. Savez-vous que de tous ces bateaux, *pas un* n'allait à Dunkerque ?—Vous auriez dû prendre celui qui allait à Boulogne (*p.* 68). 2. Ne savez-vous pas que de toutes ces demoiselles, *pas une* ne doit se marier cet été ?—Non, vraiment; je croyais l'époque des noces fixée, du moins pour l'une d'elles. 3. Ne savez-vous pas que *pas une* de mes pêches n'est restée ?—Si, mais pourquoi vous avisez-vous d'inviter toute une pension à passer une après-midi dans votre jardin !

V. PLUSIEURS.—1. Avez-vous lu *plusieurs* de ces volumes ?—Oui, mais aucun ne m'a intéressé. 2. Inviterai-je *plusieurs* de ces élèves ?—Vous pouvez les inviter tous. 3. Voici vos sœurs, *plusieurs* d'entre elles n'ont-elles pas préparé leur traduction ?—Si, et elles vont la lire. 4. Pourquoi ces enfants ont-ils mangé *plusieurs* des pêches que j'avais apportées ?— Vous les aviez laissées à leur merci.

Exercise.—(*Personne, aucun, nul, pas un, plusieurs.*)

I. PERSONNE.—1. Is there ANYBODY on (the) deck ?—There is the captain. 2. Do you know ANYBODY in the cabin ?—No, I know NOBODY.

II. AUCUN, &c.—1. Do you not know ANY of the *seaports** (m.) of France* ? —Yes, I know Calais*, Boulogne* and Dunkirk. 2. Do you not know ANY of the Irish towns[1] ?—Yes, I know Dublin*, Belfast* and Cork*.

III. NUL, &c.—1. Is NO ONE amongst[2] you *to* go to (en) Normandy this winter ?—No, we (have) spent too-much last summer. 2. Is NONE of these young-ladies *to* marry this winter ?—No, their relatives think that they (f.) are too young.

IV. PAS UN, &c.—1. Do you know all his cousins* ?—I do not know[3] ANY ONE *of them.* 2. Do you know all these young-ladies ?—I do NOT know[3] ONE of them.

V. PLUSIEURS.—1. Have you read these volumes* ?—I have read[4] SEVERAL. 2. Shall I invite these young-ladies ?—You may invite[5] SEVERAL.

[1] Des villes (f.) d'Irlande. [2] de. [3] n'en connais. [4] en ai lu. [5] pouvez en inviter.

† PERSONNE, in interrogative sentences, may be expressed by quelqu'un : Y a-t-il quelqu'un qui veuille rester sur le pont ?

105. Cent-cinquième conversation.

PRONOMS INDÉFINIS.

1. **Quiconque,**   *whoever* (i.e., *he* or *she who*).
2. **Qui que ce soit,**   *whoever it may be, any one.*
3. **Tel, telle,**   *such, such a one.*

(*Tel, telle,* as an adjective, has been illustrated in p. 131.)

I. QUICONQUE.—1. Qui est-ce qui a dit: "*Quiconque* est riche est tout?"—C'est Boileau, poète du XVIIe siècle. 2. Qui est-ce qui a dit: "*Quiconque* est pauvre n'est rien?"—Je ne me souviens pas du nom de l'auteur. 3. Le professeur n'a-t-il pas dit: "*Quiconque* de vous, mesdemoiselles, ne sera pas attentive, sera punie?"—Si, et depuis, toutes les petites sont sages comme des images. 4. Les flatteurs ne vivent-ils pas aux dépens de *quiconque* veut les écouter?—Si, ils savent que ceux qui sont avides de louanges sont prodigues d'argent.

II. QUI QUE CE SOIT.—1. Monsieur (*p. 36, note*) n'a-t-il pas dit: "*Qui que ce soit* qui me demande, dites que je suis occupé?"—Si, aussi dirai-je à tous ceux qui se présenteront que monsieur n'est pas visible. 2. Amènerai-je *qui que ce soit*?—Oui, pourvu que ce soit quelqu'un d'aimable.

III. TEL, TELLE, &c.—1. Voulez-vous me dire où vous avez lu: "*Tel* rit aujourd'hui qui pleurera demain?"—C'est un proverbe que l'on trouve partout. 2. Que feriez-vous si *un tel* quittait Paris?—Je mettrais la police à ses trousses. 3. Avez-vous vu M. *un tel* aujourd'hui?—Je ne sais qui vous voulez dire. 4. N'avez-vous pas écrit ces vers pour Mme *une telle*?—Si, car c'est aujourd'hui sa fête. 5. Avez-vous remarqué que Mlle *une telle* est tout dans cette maison?—Cela n'a rien d'étonnant; elle est ici chez sa tante, qui est trop malade pour diriger elle-même la maison.

Exercise.—(*Translation and Reading.*)

PYRRHUS ET CINÉAS, OU LE CONSEIL INUTILE.

(Pyrrhus, roi d'Épire, fit deux expéditions en Italie et une en Sicile, et soumit deux fois la Macédoine. Il avait des talents militaires, mais il était ambitieux, inconstant. Il fut tué au siège d'Argos par une tuile, qu'une vieille femme jeta sur lui du haut d'un toit, 272 ans avant J.-C.)

"Pourquoi ces éléphants, ces armes, ce bagage,
Et ces vaisseaux tout prêts à quitter le rivage?"
Disait au roi Pyrrhus un sage confident,
Conseiller très sensé d'un roi très imprudent.—
"Je vais," lui dit ce prince à Rome où l'on m'appelle."—
"Quoi faire?"—"L'assiéger."—"L'entreprise est fort belle,
Et digne seulement d'Alexandre ou de vous:
Mais Rome prise enfin, seigneur, où courons-nous?"—
"Du reste des Latins la conquête est facile."—
"Sans doute on les peut vaincre: est-ce tout?"—"La Sicile
De là nous tend les bras, et bientôt sans effort,
Syracuse reçoit nos vaisseaux dans son port."—
"Bornez-vous là vos pas?"—"Dès que nous l'aurons prise,
Il ne faut qu'un bon vent, et Carthage est conquise.
Les chemins sont ouverts: qui peut nous arrêter?"—
"Je vous entends, seigneur, nous allons tout dompter:
Nous allons traverser les sables de Libye,
Asservir, en passant, l'Égypte et l'Arabie,

Courir delà le Gange en de nouveaux pays,
Faire trembler le Scythe aux bords du Tanaïs,
Et ranger sous nos lois tout ce vaste hémisphère.
Mais, de retour enfin, que prétendez-vous faire ?"—
"Alors, cher Cinéas, victorieux, contents,
Nous pourrons rire à l'aise et prendre du bon temps."—
"Hé! seigneur, dès ce jour, sans sortir de l'Épire,
Du matin jusqu'au soir qui vous défend de rire ?"

Le conseil était sage et facile à goûter :
Pyrrhus vivait heureux, s'il eût pu l'écouter.—BOILEAU (1636–1711).

106. Cent-sixième conversation.

EXPRESSIONS INDÉFINIES.

1. **Quelque chose**[1],	*something, anything.*
2. **Autre chose,**	*something else, any other thing.*
3. **Peu de chose,**	*little, not much, a trifle.*
4. **Pas grand'chose,**	*not much, little, &c.*
5. **Rien,**	*anything, nothing.*

I. QUELQUE CHOSE.—1. Savez-vous *quelque chose* sur la Corse (p. 86) ?—Je sais que c'est une île où l'on parle italien, bien qu'elle appartienne à la France, &c. 2. Savez-vous *quelque chose* par cœur ?—Je sais une fable de La Fontaine. 3. Savez-vous *quelque chose* de nouveau aujourd'hui ?—Je viens de lire un télégramme qui annonce que le roi de Prusse est mort. 4. Le médecin vous a-t-il dit *quelque chose* de triste ?—Non, il m'a raconté *quelque chose* de très gai.

II. AUTRE CHOSE.—1. Savez-vous *autre chose* par cœur ?—Je sais encore un morceau de Boileau. 2. Vous enverrai-je *autre chose* ?—Envoyez-moi des bougies et des allumettes chimiques. 3. Avez-vous trouvé *autre chose* dans la malle ?—Il y avait un costume de chasse et des pistolets. 4. Le médecin vous a-t-il dit *autre chose* d'amusant ?—Oui, et j'ai failli mourir de rire; mais, comme dit Molière, lorsque le médecin fait rire le malade, c'est le meilleur signe du monde.—(Page 185.)

III. PEU DE CHOSE.—1. N'avez-vous pas dit que Bernard sait *peu de chose* ?—Si, il n'a jamais voulu rien apprendre. 2. Le médecin n'a-t-il pas dit que votre maladie est *peu de chose* ?—Si, et j'en suis bien aise, car je me désolais déjà. 3. Le marquis n'a-t-il pas dit que la fortune de Fanny est *peu de chose* ?—Si, et il ne l'épousera pas, car la dot est insuffisante pour redorer son blason. 4. Le colonel n'a-t-il pas dit que Robert sait *peu de chose* sur la Corse ?—Si, par exemple il l'accuse d'ignorer ce que c'est que la vendetta et le mouflon (*p.* 86).

IV. PAS GRAND'CHOSE. — 1. N'avez-vous pas dit qu'il n'y a *pas grand'chose* dans sa malle ?—J'y ai trouvé quelques bouquins et quelques nippes, bonnes pour le fripier. 2. N'avez-vous pas dit que le jeune marquis n'a *pas* appris *grand'chose* à Paris ?—Il s'est borné à faire des études de mœurs sur les boulevards et aux Champs-Élysées (*p.* 78). 3. Disiez-vous que vous n'avez *pas* appris *grand'chose* dans ce collège ?—Oui, j'avoue que j'étais très nonchalant. 4. Votre cousin pense-t-il que mon indisposition n'est *pas grand'chose* ?—Oui, il dit que vous vous écoutez trop.

---

[1] *Quelque chose,* "something," is masculine ; but quelque chose, "whatever," is feminine.

K

V. Rien.—1. Votre frère aîné sait-il *rien* de cette affaire ?—Jusqu'à présent je ne lui en ai *rien* dit. 2. Le major sait-il *rien* de nouveau ?—Il dit que le général viendra passer la revue demain. 3. Ne savez-vous *rien* par cœur ?—Si, j'ai appris les morceaux que j'ai traduits hier. 4. N'avez-vous pas dit que Bernard ne sait *rien ?*—C'est un âne bâté. 5. Avez-vous eu ce piano pour *rien ?*—Oui, mais c'est un véritable chaudron. 6. Y a-t-il *rien* de plus amusant que ce passage ?—Non, il y a de quoi se pâmer de rire.

Exercise.—(*Quelque chose, autre chose, peu de chose, pas grand'chose, rien.*)

I. Quelque chose.—1. Do you know ANYTHING merry ?—No, I know SOMETHING very sad. 2. Has the doctor told you ANYTHING new ?—He has told me that Martin* is dead.

II. Autre chose.—1. Do you know this fable* (f.) ?—No, but I know SOMETHING ELSE. 2. Has your cousin* (m.) told you *any* OTHER amusing THING ?—Yes, and I nearly died with laughing. (*See answer to No. 4 of paragraph II. of French Conversation, p. 145.*)

III. Peu de chose.—1. Does Charles* know something ?—He knows very LITTLE. 2. Has Caroline* any[1] fortune* (f.) ?—Yes, but it is[2] very LITTLE.

IV. Pas grand'chose.—1. Is there anything in his trunk ?—There is NOT MUCH. 2. Have you found anything in those old-books ?—I have NOT found[3] MUCH.

V. Rien.—1. Does the physician know ANYTHING of this matter ?—No, I have told him NOTHING. 2. Do you know ANYTHING new ?—No, I know NOTHING.

[1] de la.   [2] mais c'est.   [3] n'ai pas trouvé.

107. Cent - septième conversation.

LA TOILETTE. (POUR LES MESSIEURS).

I.—1. Où avez-vous fait faire ce paletot ?—Chez un tailleur de Londres; il est un peu court, mais il va assez bien. 2. Portez-vous un gilet croisé ?—Non, je porte un gilet montant. 3. Avez-vous une redingote ?—Oui, voici une redingote noire à collet de velours. 4. Les pans n'en sont-ils pas un peu longs ?—Si, mais c'est la mode. 5. Portez-vous un chapeau de paille à la campagne ?—Oui, c'est une coiffure très légère. 6. Votre chapelier a-t-il un bon assortiment ?—Vous trouverez dans son magasin des chapeaux et des casquettes de tous les genres. 7. Les chapeaux ne sont-ils pas très incommodes en voyage ?—Si ; quand je voyage, je porte toujours un bonnet écossais.

II.—8. Votre tailleur tient-il beaucoup d'articles pour hommes ?—Oui, on trouve chez lui non-seulement toutes les nouveautés pour vêtements, mais encore des cravates, des chapeaux, &c. 9. Où avez-vous acheté cette jolie garniture de boutons d'or ?—Chez un bijoutier du Palais Royal. 10. Avez-vous fait faire ce costume de voyage à Londres ?—Non, je l'ai fait faire à Édimbourg. 11. Votre tailleur de Londres a-t-il un coupeur allemand ?—Non, il a un coupeur anglais. 12. Portez-vous un paletot quand il fait froid ?—Oui, je porte un paletot bien doublé. 13. Votre tailleur est-il exact ?—Oui, il envoie toujours les habits le jour fixé. 14. Ne vous fait-il pas à présent un paletot d'été ?—Si, je lui ai commandé un paletot sac en alpaga. 15. Ses prix sont-ils raisonnables ?—Il s'entend assez à grossir le mémoire. 16. Le payez-vous comptant ?—Nous réglons tous les six mois.

Exercise.—(*Dressing.*)

1. Does this waistcoat[1] fit well?—It fits you very well. 2. Where have you had this frockcoat made?—At (*page* 25) a Paris* tailor's. 3. Are not the SKIRTS rather short?—It is the fashion. 4. Has your hatter straw hats?—He has hats and caps of every style.

5. Where have you bought that set of studs?—At (*page* 25) your jeweller's. 6. Where have you bought this Scotch bonnet* (m.)?—In Edinburgh. 7. Has your tailor an English cutter?—No, he has a German cutter. 8. Is your frockcoat lined?—Yes, it is very well lined. 9. Where have you had this summer overcoat made?—I have had it made in London. 10. Do you pay your London tailor cash?—No, we settle every year[2].

[1] Ce gilet me va-t-il.　　　　　　　　　[2] an, m.

108. Cent-huitième conversation.—(*Première partie.*)
LA TOILETTE. (POUR LES MESSIEURS).—(*Suite.*)

I.—1. Portez-vous toujours des chaussettes?—Oui, les bas sont peu commodes. 2. Votre bonnetier tient-il des bas de laine?—Vous trouverez chez lui des bas et des chaussettes de laine, de coton, de fil, &c. 3. Combien vend-il ses chaussettes de coton?—Il les vend 2 francs la paire. 4. Connaissez-vous un bon chemisier?—Oui, j'en connais un qui taille très bien les chemises. 5. Qui vous a fait ces chemises?—C'est une lingère de Paris; elles m'ont coûté beaucoup moins que celles que m'a faites le chemisier. 6. Quel est le prix de ces chemises?—Elles reviennent à 16 francs chacune.

7. Portez-vous des cols rabattus?—Oui, je les trouve plus commodes que les cols droits. 8. Où avez-vous acheté ces boutons d'or?—On m'en a fait cadeau. 9. Votre blanchisseuse repasse-t-elle bien?—Elle ne laisse pas un pli; je trouve quelquefois que les faux-cols ne sont pas assez empesés. 10. Est-elle chère?—Elle a les mêmes prix que les autres blanchisseuses. 11. Se charge-t-elle de raccommoder le linge?—Non, les blanchisseuses des grandes villes n'ont guère le temps de raccommoder. 12. Blanchit-elle les pantalons d'été?—Oui, et elle les repasse dans la perfection.

II.—1. Votre cordonnier vend-il des chaussures toutes faites?—Oui, il a des bottes (f.), des bottines, des souliers et des pantoufles de toutes les grandeurs. 2. Où avez-vous acheté ces bottes vernies?—Je les ai achetées chez un bottier de Paris. 3. Portez-vous des souliers à double semelle?—Oui, j'en porte l'hiver, et quand il fait mauvais temps. 4. Ces bottes vous vont-elles bien?—Elles chaussent on ne peut mieux.

5. Les chaussures françaises sont-elles solides?—Elles sont peut-être moins solides que les chaussures anglaises, mais je les trouve plus élégantes. 6. Ne portez-vous jamais de guêtres?—Si, j'en porte quelquefois quand je vais à la campagne. 7. Me conseillez-vous d'envoyer ces souliers chez le savetier?—Oui, et tout savetier qu'il est, il vous les raccommodera très proprement. 8. Avez-vous des chaussures minces pour l'été?—Non, aussi ai-je commandé des souliers légers.

Exercise.—(*Dressing.*)

I.—1. Do you wear stockings?—No, I wear socks. 2. What does your hosier sell his cotton socks *at*?—He sells them *at* 2 francs* A pair. 3. Who has made you these shirts?—A Paris* shirtmaker. 4. How do you wear your collars?—Turned down. 5. Does your washerwoman undertake to mend the linen?—No, but *she irons it* to perfection* (f.).

II.—1. Does your bootmaker sell ready-made boots?—Yes, he keeps ready-made boots-and-shoes of all sizes. 2. Where have you bought these boots?—At the bootmaker's where you (have) bought your slippers and your patent-leather boots. 3. Are they strong?—Yes, and they fit to perfection* (f.). 4. When do you wear gaiters?—When I go to the country; sometimes I wear double-soled shoes. 5. Will the cobbler mend these shoes?—Yes, and cobbler though he be, he will mend them very neatly.

Cent-huitième conversation.—(*Seconde partie.*)
LA TOILETTE. (POUR LES MESSIEURS). — (*Suite et fin.*)

I.—1. Avez-vous trouvé ces gants chez votre parfumeur?—Non, ce sont des gants glacés que j'ai reçus de Paris. 2. Y a-t-il un bon gantier dans votre rue?—Il y a un marchand qui vend des gants, mais il n'en fabrique pas. 3. Ses gants sont-ils solides et bien faits?—Il a des gants français d'excellente qualité. 4. Charles ne change-t-il pas de gants plusieurs fois par jour?—Il lui en faut deux paires par jour. 5. Avez-vous remarqué comme il est bien ganté?—Oui, et comme il est bien chaussé, bien cravaté et bien coiffé!

II.—1. Ce chapeau me coiffe-t-il bien?—Il vous va à ravir; regardez-vous dans la glace. 2. Ces gants me vont-ils bien?—Ils vous gantent admirablement. 3. Vos bottines vous chaussent-elles bien?—Elles me gênent un peu; il faudra que je les mette sur l'embouchoir pour les élargir. 4. Ce linge est-il fin?—Oui, mais il n'est pas bien repassé. 5. Ce gilet va-t-il bien?—Les entournures en sont un peu étroites. 6. Qui est-ce qui vous habille?—C'est toujours le même tailleur; depuis qu'il est devenu à la mode, il néglige un peu ses pratiques. 7. Où avez-vous acheté cette robe de chambre?—C'est mon tailleur qui me l'a faite; la doublure en est très chaude.

Colloquial Exercise.—(*Dressing.*)
(DIRECTION.—*The questions should first be answered by the teacher.*)

1. A quelle heure vous habillez-vous? 2. Où vous habillez-vous? 3. Avec quoi vous brossez-vous les cheveux? 4. Avec quoi faites-vous votre raie? 5. De quelle pommade vous servez-vous? 6. De quel savon vous servez-vous? 7. Avec quoi vous nettoyez-vous les ongles? 8. Avec quoi vous essuyez-vous les mains? 9. Faites-vous votre toilette en pantoufles? 10. Qui est-ce qui fait votre nœud de cravate? 11. Avec quoi brossez-vous vos habits? 12. Que est-ce qui cire vos chaussures?—(*The pupil should write answers of his own.*)

109. Cent-neuvième conversation.—(*Première partie.*)
LA TOILETTE.—(*Pour les dames.*)
PRINCIPAUX OBJETS DE LA TOILETTE D'UNE DAME.

Une robe, *a dress.*	Un châle, *a shawl.*	Un col, *a collar.*
Le corsage, *the body.*	Un manteau, *a cloak.*	Un peigne, *a comb.*
La jupe, *the skirt.*	Des mitaines, *mittens.*	Un peignoir, *a morning-gown.*
Un jupon, *a petticoat.*	Des gants, *gloves.*	Des manchettes (f.), *cuffs.*
Des manches (f.), *sleeves.*	Un éventail, *a fan.*	Une ceinture, *a band, a sash.*
Des volants, *flounces.*	Une ombrelle, *a parasol.*	Une boucle, *a buckle.*
Des plis, *tucks.*	Une mantille, *a mantilla.*	Une broche, *a brooch.*
Un chapeau, *a bonnet.*	Une sortie de bal, *an opera cloak.*	Un collier, *a necklace.*
Une capote, *a drawn bonnet.*	Une écharpe, *a scarf.*	Une bague, *a ring.*
Un voile, *a veil.*	Un fichu, *a neckerchief.*	Des boucles d'oreilles, *ear-rings.*
Un ruban, *a ribbon.*	De la fourrure, *fur.*	Un flacon, *a scent-bottle.*
Des plumes (f.), *feathers.*	Un manchon, *a muff.*	Des bracelets (m.), *bracelets.*
Un bonnet, a cap.	Un boa, *a boa.*	Des épingles (f.), *pins.*
De la dentelle, lace.	Des bottines (f.), *boots.*	Une pelote, *a pin-cushion.*

I.—1. Etes-vous contente de votre couturière?—Non, elle m'habille rarement bien. 2. Aimez-vous les manches ouvertes?—Pour une .robe habillée je les préfère aux manches fermées. 3. Les manches fermées ne sont-elles pas très chaudes?—Si, je les trouve même incommodes l'été. 4. Portez-vous un bonnet dans la maison?—Je porte un bonnet-coiffure très léger.

5. Où se fabriquent les meilleures dentelles françaises?—A Valenciennes, à Alençon, à Chantilly, &c. 6. Fabrique-t-on de beaux châles à Paisley?—Oui, on y fait de très belles imitations de cachemires français. 7. Les gants français ne sont-ils pas les meilleurs?—Si, ce sont les meilleurs pour la qualité, la coupe et les nuances. 8. N'aimez-vous pas la manière dont les Françaises se chaussent?—Si, le pied de ces dames gagne beaucoup à l'élégance de leurs chaussures. 9. Les volants ne sont-ils pas très gracieux?— Si, surtout quand on est grande. 10. Aimez-vous les plis dans une jupe?—Oui, c'est très joli dans une jupe de mousseline ou de toute autre étoffe claire.

II.—1. Quelle robe portez-vous en soirée?—Je porte une robe décolletée si l'on doit danser. 2. N'aviez-vous pas une robe décolletée à la dernière soirée musicale?—Non, j'avais une robe montante. 3. Quelle robe aviez-vous au concert?—J'avais une robe de soie de couleur claire. 4. Quelle toilette faites-vous pour aller à l'opéra?—Je mets une robe décolletée, de la dentelle ou quelques fleurs dans mes cheveux, et j'emporte ma sortie de bal, que je mets s'il fait froid. 5. Votre marchande de modes a-t-elle un bel assortiment de coiffures?—Oui, il y a du choix chez elle: rubans, dentelle, fleurs, tout y est fort joli. 6. Où sont votre éventail et votre ombrelle?—Je les ai laissés sur la banquette de la voiture. 7. Votre voile est-il en dentelle?—Oui, il est en (dentelle de) Chantilly.

8. En quoi est votre manchon?—Il est en martre-zibeline. 9. Qui vous a vendu ce boa?—C'est le pelletier chez lequel vous avez acheté votre palatine. 10. Est-il en zibeline?—Il est de la même fourrure que mon manchon. 11. Votre pelletier a-t-il un grand choix d'hermines?—Oui, il est on ne peut mieux monté en fourrures de tout genre. 12. N'avez-vous pas perdu votre bracelet en or?—Non, c'est mon collier de perles fines que j'ai perdu. 13. En quoi est cette broche?—Elle est en corail, j'ai toute la parure assortie. 14. Avez-vous choisi cette boucle en or pour votre cousine Esther?—Non, c'est pour moi; je lui destine des boucles d'oreilles en diamants. 15. Ne va-t-elle pas se marier mercredi?—Si, je suis une des demoiselles d'honneur. 16. Avez-vous vu son trousseau?—Oui, il est très beau, elle me l'a montré en détail.

Exercise.—(*Translation and Reading.*)

ROUENNERIES, NOUVEAUTÉS, SOIERIES, FOURRURES, ETC.

1. Aujourd'hui, mes chères enfants, nous allons nous rendre chez le marchand de nouveautés. Voyez l'enseigne : A LA VILLE DE PARIS. Quel éclat, quelle splendeur, quelles salles vastes et hautes! on dirait un bazar; les tiroirs, les comptoirs, les montres sont travaillés d'une manière admirable. Que de glaces, de dorures! le velours, le satin, l'or, l'argent brillent de toutes parts. On foule aux pieds des tapis dignes de l'empereur de Turquie, et les siéges, les causeuses ne seraient pas déplacés dans le palais d'un roi. Ici, sont les toiles de Hollande, de Bretagne ; les cotons, les cretonnes, les percales, les calicots, les jaconas, les organdis, les mousselines unies, brochées ; les batistes, les linons, les gazes, les

madapolams, les guingans, les coutils, les cotonnades; là, des mouchoirs de tous prix, de toutes grandeurs, des cols de toutes formes, depuis le col plat piqué ou brodé d'un point de chaînette, jusqu'au col de mousseline brodé au plumetis et garni d'une riche valenciennes. Plus loin, s'étalent les produits de la bonneterie; des bas de coton blanc, bleu, gris, écru; fins, gros, minces, unis, à jours ou brodés.

2. Voici l'article des soieries : quelle variété de couleurs! quelle fraîcheur éclatante! voyez ces levantines, ces marcelines, ces taffetas, ces gros de Naples, ces pous de soie marron, gorge de pigeon, amarante, orange, cerise; et ces soies chinées, brochées; ces reps si fermes, si forts, aux riches nuances, et ces velours simulés, épinglés. Je suis tout éblouie de l'éclat de ces nouveautés. Voyez aussi ces manteaux, ces burnous, ces écharpes, ces châles tout ouatés, doublés de soie grise, rose, bleue ; et ces camails garnis de passementerie, d'effilés, de dentelles si riches, si hautes. Mais voici l'endroit des fourrures : voyez le cygne, la martre, l'hermine, le renard des Pyrénées réunis en masse; puis des manchons, des boas, des palatines, le tout superbe et de belle qualité. Mais voici les stoffs, l'alépine, l'escot, le mérinos uni, lisse, croisé; le cachemire, le satin de laine, le châlis, le pékin, le pou de laine. Regardez bien, mes enfants; un autre jour nous verrons la mercerie, la ganterie et les rubans.—Mᵐᵉ DEBIERNE-REY.

110. Cent-dixième conversation.—(*Première partie.*)

PROMENADE A LA CAMPAGNE.—(*A walk in the country.*)

I.—1. Connaissez-vous le fermier?—Oui, c'est un très brave homme; allons le voir. 2. La ferme ne se trouve-t-elle pas au coin d'un bois?— Si, elle est abritée par un très joli bois. 3. Où va ce charretier?—Il va porter de l'engrais dans les champs. 4. Prendrons-nous ce chemin de traverse? — Oui; nous allons nous trouver dans un pays charmant, plein de petits ruisseaux et de haies d'aubépine. 5. Faut-il sauter par-dessus la barrière? — Non, il y a un tourniquet. 6. Serons-nous obligés de traverser la grand'route?—Oui; ensuite nous pourrons aller le long des haies jusqu'au hameau.

II.—7. Où ce cantonnier trouve-t-il toutes ces pierres?—Elles viennent de la carrière que vous voyez de l'autre côté de la route. 8. Connaissez-vous l'église du village?— Oui, c'est une petite église couverte en ardoise; nous apercevrons le clocher tout à l'heure. 9. Voulez-vous venir au presbytère?—Oui, c'est une jolie habitation au milieu d'un beau jardin. 10. Connaissez-vous le pasteur?—Oui, il a été mon professeur; il sera charmé de voir un de ses anciens élèves. 11. L'église n'est-elle pas dans ce bouquet de sapins?—Si, et derrière l'église se trouve le presbytère. 12. Lirons-nous quelques-unes des épitaphes du cimetière?—Oui, et il y en a d'assez curieuses et de très anciennes.

Exercise.—(*Translation and Reading.*)

SI LES HOMMES NE TE VOIENT PAS, DIEU TE VOIT.

M. DE LA FERRIÈRE se promenait un jour dans les champs avec Fabien, son plus jeune fils. C'était un beau jour d'automne, et il faisait encore grand chaud.

"Mon papa," lui dit Fabien, en tournant la tête du côté d'un jardin, le long duquel ils marchaient alors, "j'ai bien soif."

"Et moi aussi, mon fils," lui répondit M. de la Ferrière. "Mais il faut prendre patience, jusqu'à ce que nous arrivions à la maison."

Fabien.—Voilà un poirier chargé de bien belles poires. Voyez, c'est du doyenné. Ah! que j'en mangerais une avec plaisir!

M. de la Ferrière.—Je le crois sans peine ; mais cet arbre est dans un jardin fermé de toutes parts.

Fab.—La haie n'est pas trop fourrée, et voici un trou par où je pourrais bien passer.

M. de la Fer.—Et que dirait le maître du jardin, s'il était là !

Fab.—Oh ! sûrement, il n'y est pas, et il n'y a personne qui puisse nous voir.

M. de la Fer.—Tu te trompes, mon enfant. Il y a quelqu'un qui nous voit, et qui nous punirait avec justice, parce qu'il y aurait du mal à faire ce que tu me proposes.

Fab.—Et qui serait-ce donc, mon papa ?

M. de la Fer.—Celui qui est présent partout, qui ne nous perd jamais un instant de vue, et qui voit jusque dans le fond de nos pensées, Dieu.

Fab.—Ah ! vous avez raison : je n'y songe plus.—BERQUIN.

(La suite à la prochaine leçon.)

Cent-dixième conversation.—*(Seconde partie.)*

PROMENADE A LA CAMPAGNE.—*(Suite et fin.* See p. 150.)

I.—1. Est-ce là l'école du village ?—Oui, et voilà les écoliers qui sortent ; sont-ils heureux ! 2. Connaissez-vous le maître d'école ?—Je l'ai vu à l'église ; c'est lui qui est le chantre. 3. Est-ce le maire qui demeure dans cette maison à contrevents verts ?—Non, c'est le médecin du village. 4. Qui est-ce qui habite cette jolie maisonnette blanche ?—C'est le maître d'école. 5. Que pensez-vous de ces chaumières avec leurs vergers ?—Elles ont un air de propreté qui respire le bien-être. 6. Demeurez-vous dans un pays montagneux ?—Non, j' habite un pays plat, un peu monotone, mais admirable de fertilité et de culture. 7. Voulez-vous venir nous reposer chez le meunier ?—Avec plaisir ; nous prierons la meunière de nous donner du laitage. 8. N'entendez-vous pas le tic-tac du moulin ?—Si ; on l'entend de bien plus loin. 9. Quand apercevrons-nous les grands ormes ?—Quand nous aurons passé la rivière à gué.

II.—10. Ces canards sont-ils au meunier ?—Oui, ainsi que ces oies et ces deux beaux cygnes. 11. Voyez-vous la chute d'eau ?—Oui, c'est une très jolie cascade. 12. Traverserons-nous le marais ?—Oui, prenons garde aux tourbières. 13. Y a-t-il des canards sauvages dans ce marais ?—Oui, il y vient aussi des sarcelles, des bécassines, &c. 14. Où est le bois ?—Nous y arriverons dans une demi-heure ; il y a des fraises délicieuses. 15. Y a-t-il une source dans le bois ?—Il y a une source d'eau excellente dans la clairière. 16. Vous désaltérerez-vous à cette fontaine ?—Oui, et nous y ferons un petit repas composé de pain et de fraises. 17. La clairière est-elle au milieu du bois ?—Non, mais elle est assez avant dans le bois. 18. Habitez-vous un pays plat ?—Non, nous habitons un pays très accidenté.

Exercise.—*(Translation and Reading.)*

SI LES HOMMES NE TE VOIENT PAS, DIEU TE VOIT.—*(Fin.)*

Au même instant, il se leva de derrière la haie, un homme qu'ils n'avaient pu voir, parce qu'il était étendu sur un banc de gazon. C'était un vieillard à qui appartenait le jardin, et qui parla de cette manière à Fabien :

"Remercie Dieu, mon enfant, de ce que ton père t'a empêché de te glisser dans mon jardin, et d'y venir prendre une chose qui ne t'appartenait pas.

Apprends qu'au pied de ces arbres, on a tendu des piéges pour surprendre les voleurs ; tu t'y serais cassé les jambes, et tu serais resté boiteux pour toujours. Mais, puisque au premier mot de la sage leçon que t'a faite ton père, tu as témoigné de la crainte de Dieu, et que tu n'as pas insisté plus longtemps sur le vol que tu méditais, je vais te donner avec plaisir des fruits que tu désires."

A ces mots, il alla vers le plus beau poirier, secoua l'arbre, et porta à Fabien son chapeau rempli de poires.

M. de la Ferrière voulait tirer de l'argent de sa bourse, pour récompenser cet honnête vieillard ; mais il ne put l'engager à céder à ses instances. "J'ai eu du plaisir, monsieur, à obliger votre enfant, et je n'en aurais plus, si je m'en laissais payer. Il n'y a que Dieu qui paye ces choses-là."

M. de la Ferrière lui tendit la main par-dessus la haie ; Fabien le remercia aussi dans un assez joli compliment ; mais il lui témoignait sa reconnaissance d'une manière encore bien plus vive, par l'air d'appétit avec lequel il mordait dans les poires, dont l'eau ruisselait de tous côtés.

"Voilà un bien brave homme," dit Fabien à son papa, lorsqu'il eut fini la dernière poire, et qu'ils se furent éloignés du vieillard.

M. de la Ferrière. Oui, mon ami: il l'est devenu, sans doute, pour avoir pénétré son cœur de cette grande vérité, que Dieu ne laisse jamais le bien sans récompense, et le mal sans châtiment.

Fabien. Dieu m'aurait donc puni si j'avais pris les poires ?

M. de la Fer. Le bon vieillard t'a dit ce qui te serait arrivé.

Fab. Mes pauvres jambes l'ont échappé belle ! Mais ce n'est pas Dieu qui a tendu lui-même ces piéges ?

M. de la Fer. Non sans doute, ce n'est pas lui-même ; mais les piéges n'ont pas été tendus à son insu, et sans sa permission. Dieu, mon cher enfant, règle tout ce qui se passe sur la terre, et il dirige toujours les événements de manière à récompenser les gens de bien de leurs bonnes actions, et à punir les méchants de leurs crimes.—BERQUIN. (*See* HAVET'S *French Studies*, p. 27.)

111. Cent-onzième conversation.—(*Première partie.*)

UNE MAISON DE CAMPAGNE ET SES DÉPENDANCES.—(*A country house, &c.*)

I.—1. Habitez-vous cette maison de campagne depuis le commencement de l'été ?—Nous y sommes depuis le printemps. 2. Vos chevaux sont-ils dans l'écurie (f.) ?—Oui, et si vous avez envie de vous promener (à cheval), ils sont à votre disposition. 3. Les vaches sont-elles dans l'étable (f.) ?—Oui, la laitière est à[1] les traire. 4. Le vacher est-il dans le pré ?—Oui, mais il va revenir avec les veaux. 5. Le jardinier est-il dans la serre ?—Non, il est dans le jardin fleuriste ; il arrose les plates-bandes. 6. La jardinière est-elle dans la serre-chaude ?—Non, elle cueille des légumes dans le potager.

7. Votre palefrenier est-il dans la remise ?—Oui, il y nettoie les harnais. 8. Votre puits est-il près du colombier[2] ?—Oui, à droite, en entrant dans la basse-cour. 9. Voulez-vous venir boire une tasse de lait dans la laiterie ?—Avec plaisir ; j'aimerais bien à voir battre le beurre. 10. Voulez-vous venir tirer un seau d'eau ?—Oui, allons, c'est un excellent exercice. 11. Y a-t-il des chiens courants dans votre chenil ?—Oui, vous y verrez aussi des chiens d'arrêt, des lévriers, &c. 12. Le poulain est-il dans le pré ?—Le voilà qui gambade le long de la haie.

---

[1] *i.e.*, La laitière est *occupée* à les traire.
[2] *On dit aussi* le pigeonnier, *mais* colombier *est d'un emploi plus général.*

Exercise.—(*A country house, &c.*)

1. Have you been living (*present*) *in* this country house since spring ?—No, we came¹ at the beginning of summer. 2. Is the colt in the stable ?—No, it is in the meadow with the horses. 3. Are the calves in the meadow ?—No, they are in the cow-house. 4. Is the dairy-maid in the cow-house ?—No, she is in the garden.
5. Is the gardener's wife in the garden ?—No, she is in the hot-house. 6. Is the gardener in the green-house ?—No, he is in the kitchen garden. 7. Is the groom cleaning the harness² (pl.) ?—Yes, he is cleaning it (pl.) in the coach-house. 8. Where is your well ?—In the poultry-yard, near the pigeon-house.

¹ Nous sommes arrivés.   ² Le palefrenier nettoie-t-il.

Cent-onzième conversation.—(*Seconde partie.*)

UNE MAISON DE CAMPAGNE ET SES DÉPENDANCES.—(*A country house, &c.*)

1. Le jardinier a-t-il sarclé le potager ?—Oui, et demain il taillera les haies et émondera les arbres. 2. Y a-t-il beaucoup de cerisiers dans votre verger (m.) ?—Oui, il y a aussi beaucoup de pruniers et de poiriers. 3. Se trouve-t-il des plantes exotiques dans votre serre chaude ?—Il y a des arbustes et des fleurs très rares que mon oncle a rapportés de ses voyages. 4. Vos paons sont-ils dans la basse-cour ? —Non, en voilà un sur le toit de la maison ; l'autre vient de s'envoler sur la serre. 5. Vos oies (f.) et vos canards (m.) sont-ils sur l'étang ?— Oui, ils nagent autour de la cabane des cygnes. 6. Voulez-vous me montrer vos daims ?—Oui, allons dans le parc ; vous verrez comme ils sont légers à la course. 7. N'y a-t-il pas un bois au bout de votre propriété ?—Si, il y a un grand bois plein de gibier. 8. Y a-t-il beaucoup de faisans dans votre parc ?—Il y en a quelques-uns dans le bois au bout du parc. 9. Y a-t-il de beaux arbres dans votre parc ?—Il y a des arbres séculaires dont tout le monde admire la hauteur et la ramure. 10. Votre verger est-il entouré de palissades ?—Oui, cela n'empêche pas les maraudeurs de venir prendre nos plus beaux fruits. 11. Y a-t-il beaucoup de lapins sur votre propriété ?—Oui, et je vous en ferai tirer quelques-uns ; il nous vient aussi des lièvres. 12. Voulez-vous venir pêcher dans l'étang ?—Oui, j'y ai mis des lignes dormantes ; allons voir si les carpes (f.) ont mordu. 13. Comment les dames passent-elles leur temps ici ?—Elles se promènent (*p.* 93) à cheval, peignent, dessinent, font des confitures, &c. 14. Retournerez-vous habiter votre maison de ville en automne ?—Oui, et ce sera avec grand regret que nous quitterons notre maison de campagne.

Exercise.—(*A country house.*)

1. Are there many pear-trees in the orchard ?—Yes, and there are also many cherry-trees. 2. Are there any rare shrubs in your hot-house ?—We have many exotics which my cousin* (m.) (has) brought from his travels. 3. Is the pea-cock on the roof ?—No, it is in the poultry-yard. 4. Where are your ducks ?— They are in the pond with the swans and the geese. 5. Are there any pheasants in your park ?—Yes, there are pheasants and deer. 6. Is there not much game on your estate ?—Yes, there are rabbits, hares, &c. 7. Are there any carps in your pond ?—There are many ; will you come *and* fish ? 8. When will you return to Paris* ?—In autumn ; we shall leave this property with much regret*.

112. Cent-douzième conversation.—*(See p. 18, top.)*

LES LÉGUMES.—(*Vegetables.*)

L'ail (m.), *garlic.*	Le chou-fleur, *cauliflower.*	L'ognon (m.), *onion.*
L'artichaut (m.), *the artichoke.*	Le concombre, *cucumber.*	L'oseille (f.), *sorrel.*
L'asperge (f.), *the asparagus.*	La citrouille, *pumpkin.*	Le poireau, *leek.*
La betterave, *the beetroot.*	Les épinards (m.), *spinage.*	Le persil, *parsley.*
La carotte, *the carrot.*	Les fèves (f.), *(broad) bean.*	Le panais, *parsnip.*
La pomme de terre, *the potato.*	Les haricots (m.), *(kidney) beans.*	Les pois (m.), *peas.*
Le cerfeuil, *the chervil.*	Les lentilles (f.), *lentils.*	Les radis (m.), *radishes.*
Le céleri, *the celery.*	La laitue, *lettuce.*	Les salsifis (m.), *salsify.*
La chicorée, *chicory.*	Le melon, *melon.*	Les tomates (f.), *tomato.*
Le chou, *cabbage.*	Le navet, *turnip.*	Le raifort, *horse-radish.*

I.—1. Mangez-vous souvent des haricots verts ?—Oui, car nous en récoltons beaucoup dans notre potager. 2. Aimez-vous les artichauts crus ? —Je les aime mieux bouillis. 3. Mangez-vous les pommes de terre au naturel ?—C'est ainsi qu'on nous les sert le plus souvent, mais nous les mangeons quelquefois frites. 4. Comment vous sert-on les petits pois ? —On nous les sert à l'anglaise. 5. Quelle salade préférez-vous ?—J'aime toutes les salades, cependant je crois avoir un faible pour le céleri. 6. Que faut-il pour assaisonner la salade ?—Il faut de l'huile, du vinaigre, du poivre, du sel, des fines herbes, des œufs durs, &c.

II.—7. Comment mangez-vous le melon?—Je le mange avec un peu de poivre, ou avec un peu de sucre. 8. Aimez-vous les concombres ?— Oui, je les aime confits dans le vinaigre; ils sont très rafraîchissants. 9. Vous sert-on souvent des asperges ?—Oui, il en pousse abondamment dans notre légumier ; nous les mangeons à la sauce blanche. 10. Comment se mangent les choux-fleurs ?—Ils se mangent ordinairement bouillis ; la cuisson les débarrasse de leur âcreté. 11. Y a-t-il beaucoup d'épinards dans ce pays-ci ?—On en cultive dans tous les potagers ; j'aime les épinards presque autant que les petits pois. 12. Le céleri est-il abondant?—On en sème beaucoup, et on le mange en salade, mélangé avec des tranches de betterave. 13. Que fait-on avec les poireaux ?—On s'en sert pour relever les potages, et pour donner du goût aux sauces et à certains mets. 14. Le goût de l'ognon est-il agréable ?—Lorsqu'il est cuit, c'est un aliment aussi agréable que salutaire ; quand il est cru, il a une odeur pénétrante, qui irrite les yeux et les force à pleurer. 15. Avec quelle viande aimez-vous le raifort ?—Nous le mangeons comme condiment avec le bœuf rôti.

Exercise.—(*Gardening, &c.*)

1. Arracher; 2. arroser; 3. bêcher; 4. cueillir; 5. cultiver; 6. émonder; 7. greffer; 8. planter; 9. ratisser; 10. récolter; 11. replanter; 12. sabler; 13. sarcler; 14. semer; 15. tailler.—(*All these verbs, except cueillir, are conjugated according to border, p. 71.*)

(DIRECTION.—*The sentences are to be said, first, negatively: secondly, interrogatively: and thirdly, interrogatively with a negation.*)

I. PRÉSENT.—1. Le jardinier arrache des carottes. 2. La jardinière arrose les choux-fleurs. 3. Elle bêche mes plates-bandes. 4. Vous cueillez des fraises. 5. Nous cultivons des épinards et des asperges. 6. Le jardinier émonde nos cerisiers. 7. Les pêchers se greffent sur les pruniers. II. IMPARFAIT.—8. Vous plantiez de la rhubarbe. 9. Le jardinier ratissait les allées du jardin. 10. Mes voisins récoltaient beaucoup de petits pois. 11. Mon oncle replantait des groseillers. 12. Vous sabliez vos allées. 13. Les ouvriers sarclaient les mauvaises herbes de notre potager. 14. Nous semions du persil. 15. Le jardinier taillait notre haie.

113. Cent-treizième conversation.

LES FLEURS.—(*Flowers.*)

La rose, *the rose.*	L'héliotrope (m.), *the turnsole.*	La verveine, *the vervain.*
Le lilas, *the lily.*	La marguerite, *the daisy.*	La pervenche, *the periwinkle.*
L'œillet (m.), *the pink.*	La pivoine, *the peony.*	Le chèvrefeuille, *the honeysuckle.*
La violette, *the violet.*	La girofiée, *the gilliflower.*	La renoncule, *the ranunculus.*
La jacinthe, *the hyacinth.*	Le muguet, *the lily of the valley.*	L'anémone (f.), *the wind-flower.*
Le lilas, *the lilac.*	La belle-de-nuit, *the marvel of Peru.*	La clématite, *the clematis.*
Le narcisse, *the narcissus.*	La belle-de-jour, *the day-lily.*	La bruyère, *heath.*
Le réséda, *the mignionette.*	La perce-neige (f.), *the snowdrop.*	La balsamine, *touch-me-not.*
Le jasmin, *the jasmin.*	La primevère, *the primrose.*	L'immortelle (f.), *the everlasting.*

I.—1. Aimez-vous les fleurs?— J'en raffole, j'en ai presque toujours dans ma chambre. 2. Quelle est la reine des fleurs ?—C'est la rose, sa beauté et son parfum la placent à juste titre au-dessus des autres fleurs. 3. Voulez-vous me nommer une fleur inodore?—La tulipe, qui est cependant une très belle fleur. 4. Avez-vous des pots de fleurs sur votre fenêtre?—Oui, j'ai du jasmin et du réséda; ce sont mes parfums favoris.

5. Quelles fleurs avez-vous dans votre serre?— Nous avons des camélias, du géranium, des fuchsias, &c. 6. Vous amusez-vous quelquefois à faire des guirlandes?—Oui, j'en fais souvent avec des roses, du muguet, du lilas, &c. 7. Avez-vous jamais vu une houblonnière en fleurs?— Oui, j'ai parcouru le Kent à l'époque de la récolte du houblon. 8. Quelles fleurs aimez-vous à sentir?—J'aime l'odeur de la violette, de la jacinthe, de la girofiée, du chèvrefeuille, &c. 9. Quelles fleurs trouve-t-on dans les prés?—On y trouve des marguerites, des pâquerettes, des bassinets, &c.

II.—10. Quelles fleurs choisiriez-vous pour faire un bouquet?—Je mettrais au milieu quelques roses que j'entourerais de marguerites, de jasmin, de géranium, de réséda, d'œillets, de girofiées, &c. 11. Les fleurs fleurissent-elles toutes en même temps ?--Non, les perce-neige, les primevères, la violette, le lilas, &c., viennent au printemps; la rose, les œillets, la scabieuse, &c., fleurissent l'été; le dahlia, les chrysanthèmes, &c., fleurissent en automne. 12. Quel est le symbole de la gloire ?—C'est le laurier. 13. Qu'exprime la fleur appelée souci?—C'est l'emblème des chagrins, de l'inquiétude. 14. Quelle est la fleur nationale des Irlandais ? —C'est le trèfle. 15. Les Anglais et les Écossais n'ont-ils pas aussi leurs fleurs nationales?—Si, la rose est celle des Anglais; le chardon est l'emblème de l'Écosse. 16. Avez-vous étudié la botanique ?—Non, pas encore; j'ai le plus grand désir de l'étudier. 17. Aimez-vous à herboriser?— Oui, et l'été dernier j'ai orné mon herbier de beaucoup de plantes rares. 18. Mettez-vous quelquefois une fleur à votre boutonnière[1]?—J'y mets quelquefois un bouquet de violettes, j'aime le parfum qu'elles exhalent. (*See* HAVET's *French Studies,* p. 262.)

Exercise.—(*Translation and Reading.*)

LES FLEURS.

1. Dans une fleur considérée extérieurement, on trouve d'abord le *calice*, première enveloppe florale, ensuite la *corolle*, seconde enveloppe, puis les *étamines*, et au milieu des étamines le *pistil*. Maintenant que nous connaissons la fleur et les parties qui la composent, étudions la fleur en général.

---

[1] *Ou* à votre corsage, si l'élève est une jeune personne.

2. Les fleurs apparaissent d'abord sous la forme de *bourgeons* un peu plus gros que ceux des feuilles et connus sous le nom de *boutons*. Elles restent ainsi contractées et, pour ainsi dire, emprisonnées pendant un espace de temps plus ou moins long; puis, quand elles sont arrivées au terme de leur croissance, elles s'épanouissent sous l'influence de l'air, de la lumière et de la chaleur, et ce phénomène est appelé la *floraison* des plantes. On désigne par ce mot non-seulement la dilatation des enveloppes florales, mais aussi l'époque où chaque espèce de plante fleurit. Tous les végétaux ne portent pas de fleurs au même âge; la plupart des plantes herbacées fleurissent dans la première année de leur vie; pour les arbustes, il faut trois ou quatre ans; et pour les arbres, un temps plus long encore. Plus on s'avance vers les pays froids, plus la floraison est retardée. Ainsi l'amandier, qui dans la Syrie commence à fleurir en février, ne fleurit en Suède qu'au mois de juin.

3. Les plantes fleurissent chacune en leur temps; les unes au printemps, les autres en automne, celles-ci en été, celles-là en hiver. Dans nos climats, c'est en mai et en juin qu'il y a le plus de fleurs épanouies. Quoique l'humidité et la chaleur réunies hâtent l'apparition des fleurs, et que le froid la retarde, les variations qui résultent de ces influences ne sont jamais très grandes d'une année à l'autre dans le même pays: chaque mois a ses fleurs.

114. Cent-quatorzième conversation.

LA CHASSE AU TIR.—(*Shooting.*)

I.—1. Votre cousin est-il bon tireur?—Il manque rarement son coup. 2. Etes-vous chasseur?—Oui, j'aime beaucoup la chasse. 3. Avez-vous un port d'armes?—Oui, j'en ai pris un l'été dernier. 4. Est-il permis de chasser sans port d'armes?—Non, celui qui chasse sans être muni d'un port d'armes est passible d'une amende. 5. Y a-t-il beaucoup de gibier en France?—Il y en a moins qu'autrefois; depuis que tant de monde chasse, les pays les plus giboyeux commencent à se dépeupler. 6. Où avez-vous acheté vos chiens?—Je les ai fait venir d'Angleterre.

7. Quel costume portez-vous à la chasse?—J'ai une veste de velours à boutons de cuivre, une casquette de peau, des chaussures très solides et de grandes guêtres. 8. Les perdrix abondent-elles dans ce pays-ci?—Oui, nous y tuons aussi des cailles, des bécasses, des lapins et des lièvres. 9. N'y a-t-il pas eu une rixe entre les braconniers et les garde-chasse?— Si, les garde-chasse ont surpris les braconniers à l'affût et en ont blessé un mortellement. 10. Vos lévriers sont-ils dans le chenil?—Oui, et demain nous les ferons sortir pour chasser le lièvre.

II.—1. Avez-vous tué beaucoup de perdrix rouges en France?—J'en ai tué dans le centre; la perdrix grise est beaucoup plus commune. 2. Les braconniers n'ont-ils pas tué deux compagnies de perdreaux?—Si, et si cela continue, il n'y aura bientôt plus de gibier. 3. Votre garde-chasse n'a-t-il pas tué beaucoup de pigeons ramiers?—Si, et la cuisinière en a fait plusieurs pâtés. 4. Avez-vous acheté ce fusil à deux coups chez votre armurier?—Non, c'est un chasseur de mes amis qui m'en a fait cadeau. 5. Où avez-vous tué ces bécasses?—Dans la plaine qui se trouve entre le bois et le marais. 6. Aimez-vous le gibier?—Oui, quand il n'est pas trop faisandé.

7. Aimez-vous le pâté de bécasses?—Oui, c'est délicieux; je vous recommande aussi le pâté de bécassines. 8. Allez-vous quelquefois à la *chasse au marais?*—Oui, et nous y tuons des bécassines, des hérons, &c. *9. Avez-vous tué beaucoup de canards sauvages?*—Ils ont été très rares

cette année; cependant j'en ai abattu quelques-uns. 10. Avez-vous tiré avec une canardière?—Oui, j'en ai une qui a une portée immense. 11. Avez-vous trouvé beaucoup de faisans dans le bois?—Oui, nous y avons tué des faisans dorés que j'ai empaillés. 12. Avez-vous tué beaucoup de lièvres l'année dernière?—Oui; nous aimons beaucoup à chasser le lièvre au chien courant.

Exercise.—(Translation and Reading.)

LE LIÈVRE ET LA PERDRIX.

Le lièvre et la perdrix, concitoyens d'un champ,
Vivaient dans un état, ce semble, assez tranquille;
   Quand une meute s'approchant
Oblige le premier à chercher un asile;
Il s'enfuit dans son fort, met les chiens en défaut,
   Sans même en excepter Brifaut[1].
   Enfin il se trahit lui-même
Par les esprits[2] sortant de son corps échauffé.
Miraut, sur leur odeur ayant philosophé,
Conclut que c'est son lièvre, et d'une ardeur extrême
Il le pousse; et Rustaut[3], qui n'a jamais menti;
   Dit que le lièvre est reparti.
Le pauvre malheureux vient mourir à son gîte.
   La perdrix le raille et lui dit:
   "Tu te vantais d'être si vite[4]!
Qu'as-tu fait de tes pieds?" Au moment qu'elle rit,
Son tour vient; on la trouve. Elle croit que ses ailes
La sauront garantir à toute extrémité;
   Mais la pauvrette avait compté
   Sans l'autour[5] aux serres cruelles.—LA FONTAINE.

115. Cent-quinzième conversation.

LA GRANDE CHASSE.—(Hunting, &c.)

1. Y a-t-il des sangliers en France?—On en trouve dans les forêts; la chasse du sanglier est fort dangereuse: il tient tête aux chiens et se précipite au milieu de la meute. 2. Le comte chasse-t-il le sanglier?—Oui, il aime beaucoup cette chasse, toute dangereuse qu'elle est. 3. Y a-t-il des cerfs dans la forêt voisine?—Oui, et il y a eu une très belle chasse la semaine dernière. 4. Comment les chasseurs nomment-ils les daims, &c.?—Ils les appellent *bêtes fauves*.

5. Comment appelle-t-on les renards?—Les chasseurs les nomment *bêtes rousses;* les sangliers et les marcassins sont appelés *bêtes noires*. 6. Le comte a-t-il une meute?—Oui, il a de très beaux chiens courants, qui ont tous le même pied et presque la même robe. 7. Connaissez-vous les rendez-vous de chasse de la forêt?—Oui, je me souviens surtout de la maison du garde où nous nous sommes donné rendez-vous à la dernière battue. 8. Monsieur votre oncle a-t-il des chevaux de chasse dans ses écuries?—Oui, il en a deux qu'il a achetés à son dernier voyage en Angleterre.

---

[1] *Brifaut* signifie en vieux français *glouton.* [2] *Esprits* veut dire *émanations, odeurs.* [3] *Rustaut,* nom de chien, qui équivaut à *campagnard,* rustique. [4] *Vite* (aujourd'hui adverbe) est ici synonyme de l'adjectif *léger,* "swift," &c. [5] *La pauvrette avait compté sans l'autour* signifie que la pauvre perdrix n'avait pas songé à l'autour. On dit familièrement *compter sans son hôte,* pour *se tromper dans ses calculs.* L'hôte compte autrement que le voyageur qu'il héberge.

9. Combien de lévriers a-t-il ?—Il a une dizaine de lévriers d'Écosse.
10. Avez-vous un couteau de chasse ?—Oui, j'ai aussi acheté un cor de
chasse.   11. Où est votre habit rouge ?—Il est dans le vestibule avec
mon ceinturon et mon cor de chasse.   12. Avez-vous une casquette de
chasse ?—Oui, j'ai une casquette anglaise.   13. Savez-vous donner du
cor ?—Je sais quelques fanfares.   14. Aimez-vous le pâté de venaison ?
—J'aime mieux le pâté de gibier.   15. Étiez-vous à la dernière chasse au
renard ?—Oui, c'est une chasse très suivie dans nos environs ; je n'en
manque pas une.   16. Avez-vous sauté par-dessus les haies ?—Oui, et je
suis tombé dans un fossé, d'où je suis sorti couvert de boue, mais sans la
moindre égratignure.

Exercise.—(*For Translation and Reading.*)

LE CERF SE VOYANT DANS L'EAU.

Dans le cristal d'une fontaine
Un cerf se mirant autrefois
Louait la beauté de son bois,
Et ne pouvait qu'avecque peine
Souffrir ses jambes de fuseaux,
Dont il voyait l'objet se perdre dans les eaux.
" Quelle proportion de mes pieds à ma tête !
Disait-il en voyant leur ombre avec douleur :
" Des taillis les plus hauts mon front atteint le faîte ;
" Mes pieds ne me font point d'honneur."
Tout en parlant de la sorte,
Un limier le fait partir,
Il tâche à se garantir ;
Dans les forêts il s'emporte :
Son bois, dommageable ornement,
L'arrêtant à chaque moment,
Nuit à l'office que lui rendent
Ses pieds, de qui ses jours dépendent.
Il se dédit alors, et maudit les présents
Que le ciel lui fait tous les ans.

Nous faisons cas du beau, nous méprisons l'utile ;
Et le beau souvent nous détruit.
Ce cerf blâme ses pieds qui le rendent agile ;
Il estime un bois qui lui nuit.—LA FONTAINE.

116. Cent-seizième conversation.

LA MER, ETC.—(*The sea.*)

I.—1. Etes-vous né dans un port de mer ?—Oui, je suis né à Douvres.
2. Aimez-vous la mer ?—Oui, et nous passons toujours l'été au bord de
la mer.   3. Avez-vous jamais traversé la Manche ?—Oui, j'ai été très
souvent de Newhaven à Dieppe, &c.   4. Avez-vous eu le mal de mer ?
—Non, je suis habitué à aller sur mer.   5. Quand vous traversez la
Manche, restez-vous sur le pont ?—Toujours ; j'ai le pied marin, et puis
je n'aime pas à m'enfermer dans la cabine.

6. Avez-vous jamais passé la saison des bains à Boulogne ?—Oui,
c'est une ville très agréable à cette époque de l'année (*p.* 68).   7. Vous

baignez-vous à la mer montante ?—Nous nous baignons ordinairement lorsque la mer est étale. 8. La plage est-elle unie ?—Oui, on a sous les pieds un sable très fin. 9. Vous amusez-vous à ramasser des plantes marines ?—Oui, nous ramassons des varechs et des coquillages. 10. Y a-t-il beaucoup de coquillages sur le rivage ?—Oui, il y en a de très jolis, et nous nous amusons à en faire des collections.

II.—1. Avez-vous jamais vu un naufrage ?—Oui, un jour que j'étais à Calais j'ai vu un navire en détresse ; la mer était si mauvaise que le navire a sombré en face du port. 2. Y a-t-il des mouettes sur vos côtes ? --Oui, et nous en tuons quelquefois à coups de fusil. 3. Y a-t il beaucoup de galets sur la plage ?—Non, elle est très unie ; il faudra que vous veniez vous y baigner demain. 4. Connaissez-vous la jetée de Brighton ? —Oui, c'est une très belle jetée ; je m'y suis souvent promené. 5. Vos cousins nagent-ils bien ?—Ils sont assez bons nageurs.

6. Etes-vous bon rameur ?—Je manie assez bien la rame, mais je me fatigue vite. 7. Y a-t-il des phares sur votre côte ?—Oui, il y a un très beau phare que le gardien m'a fait voir. 8. Y a-t-il beaucoup de lapins dans vos dunes?—Oui, et nous en tuons bon nombre tous les ans. 9. Est-ce que la marée descendait lorsque vous vous êtes promené sur la plage ?—Non, elle montait. 10. Vous baignez-vous à la mer montante (ou quand la mer monte) ?—Toujours ; nous n'aimons pas à nous baigner quand la mer descend.

Exercise.—(The sea, &c.)

Shall I row with my oar? &c.

Ramerai-je avec mon aviron ?
Rameras-tu avec ton aviron ?
Ramera-t-il avec son aviron ?
Ramerons-nous avec nos avirons?
Ramerez-vous avec vos avirons?
Rameront-ils avec leurs avirons?

Shall I bathe at low tide? &c.

Me baignerai-je à la mer basse ?
Te baigneras-tu à la mer basse?
Se baignera-t-il à la mer basse?
Nous baignerons-nous à la mer montante ?
Vous baignerez-vous à la mer montante ?
Se baigneront-ils à la mer montante?

Shall I remain on deck? &c.

Me tiendrai-je sur le pont?
Te tiendras-tu dans la cabine?
Se tiendra-t-il sur le gaillard d'arrière?
Nous tiendrons-nous dans le salon ?
Vous tiendrez-vous dans la dunette ?
Se tiendront-ils près du gouvernail ?

Shall I gather sand? &c.

Ramasserai-je du sable?
Ramasseras-tu des coquillages?
Ramassera-t-il des débris?
Ramasserons-nous des épaves?
Ramasserez-vous des galets?
Ramasseront-ils du varech?

1. Were you born in Brighton* ?—No, I was born in Dover. 2. Are you accustomed to the sea ?—Yes, I have crossed the *British* Channel very often. 3. Have you been sick from Dover to Calais* ?—I am never sick. 4. Do you like to remain in the cabin ?—No, I always remain[1] on (the) deck. 5. Where do you spend the bathing-season ?—We generally go[2] to Boulogne* (p. 68). 6. Are there many shingles on the beach?—No, the beach is very smooth. 7. When do you bathe?—We bathe at high tide. 8. Are you a good swimmer? —I swim pretty well. 9. Are your cousins* (m.) good oarsmen ?—Yes, they row very well. 10. Was the sea going-down when you bathed (*past indef.*)? —No, it (f.) was-going-up. 11. Was the sea stormy last night[3] ?—Yes, and there has been[4] a shipwreck on our coast. 12. Do you know the light-house keeper ?—Yes, he has shown me the light-house.

[1] Je me tiens toujours. [2] allons. [3] la nuit dernière, not to be confounded with hier au soir, "last evening." [4] il y a eu.

117. Cent-dix-septième conversation.

LES POISSONS.—(*Fish.*)

La perche, *the perch.*	Le mulet, *the mullet.*	Le turbot, *the turbot.*
Le maquereau, *the mackerel.*	La truite, *the trout.*	La sole, *the sole.*
Le thon, *the tunny-fish.*	Le hareng, *the herring.*	L'anguille (f.), *eel.*
La carpe, *the carp.*	Les anchois (m.), *anchovies.*	L'esturgeon (m.), *the sturgeon.*
La carpe dorée, *the gold-fish.*	Les crevettes (f.), *shrimps.*	Le requin, *the shark.*
Le brochet, *the pike.*	La morue, *the cod-fish.*	La raie, *the skate.*
Le saumon, *the salmon.*	Le merlan, *the whiting.*	La limande, *Dutch plaice.*

I.—1. Les pêcheurs sont-ils dans le bateau ?—Oui, et ils vont prendre le large pour aller pêcher. 2. Vont-ils pêcher des merlans ?—Non, ils vont pêcher des maquereaux. 3. Les filets sont-ils dans le bateau ?—Oui, et dans quelques instants, les pêcheurs vont les jeter. 4. Ces turbots sont-ils pour notre marché ?—Non, on va les expédier à Paris par le train du soir.

5. Avez-vous un maquereau dans votre panier ?—Non, j'ai un rouget que j'ai acheté sur le port. 6. Avez-vous acheté des harengs pour le déjeuner de monsieur (*p.* 36, *note*) ?—Non, j'ai acheté des merlans. 7. Quel poisson avez-vous pour le dîner ?—J'ai acheté quatre livres de saumon. 8. Avez-vous acheté des soles ?—Non, il n'y en avait pas à la poissonnerie.

II.—1. Comment aimez-vous les huîtres ?—Je les aime dans la coquille avec quelques gouttes de jus de citron. 2. Que pensez-vous des moules ?—Elles ont une chair assez agréable, mais beaucoup de personnes les trouvent indigestes. 3. Pourquoi ne mangez-vous jamais de harengs ?—Les harengs ont tant d'arêtes que je crains de m'étrangler. 4. De quelle couleur est le homard ?—Il est brun verdâtre, avec les filets des antennes rougeâtres ; cuit, il est d'un rouge vif. 5. Aimez-vous la salade de homard ?—Oui, mais ce n'est pas de facile digestion.

6. Mangez-vous quelquefois des sardines ?—Oui, nous commençons souvent par là pour nous mettre en appétit. 7. Aimez-vous les crevettes ?—C'est un mets délicat, mais assez ennuyeux à manger. 8. Y a-t-il des brochets dans votre rivière ?—Oui, il y a des brochets et des truites. 9. Votre frère pêche-t-il beaucoup de truites ?—Oui, l'autre jour il a rapporté dans son panier des truites saumonées qui pesaient deux kilogrammes chacune. 10. Etes-vous bon pêcheur ?—Je pêche quelquefois à la ligne, mais je n'ai pas assez de patience pour être bon pêcheur.

Exercise.—(*Translation and Reading.*)

LES POISSONS ET LA MANIÈRE DE LES ASSAISONNER.

J'ai peu de pitié des poissons ; en général, ces vertébrés sont si gloutons qu'ils n'ont d'autre instinct que celui de leur conservation et de leur nourriture. Aussi je vous permets de manger sans scrupule le turbot, la barbue, l'alose, la raie, la sole, l'anchois, le rouget, le maquereau, les écrevisses, les homards, les huîtres, les moules. N'ayez pas plus de pitié pour les brochets, les truites, la tanche, la lotte, la brème, le barbillon, le goujon. Faites-les accommoder avec du vin rouge ou avec du vin blanc. Mettez dans la sauce : du poivre, du sel, du persil, de la ciboule, de l'ail, des clous de girofle, du thym, du laurier, du basilic ; faites-les frire, faites-les mariner, farcir comme bon vous semblera ; gardez-vous seulement d'avaler les arêtes, et je ne m'inquiéterai nullement du sort de ces animaux créés sans aucun sentiment et incapables de la moindre affection.—M^ᵐᵉ DEBIERNE-REY.

(*Revise* Le pêcheur et le petit poisson, p. 116.)

118. Cent-dix-huitième conversation.

UN NAVIRE MARCHAND.—(*A merchant vessel.*)

I.—1. Voulez-vous que je vous montre le port?—J'accepte votre offre avec plaisir; je tiens à voir un de mes navires qui a dû entrer aujourd'hui dans le port. 2. Votre navire est-il assuré?—Oui, nous n'expédions jamais nos bâtiments sans les assurer. 3. Votre navire est-il dans le bassin?—On est venu me dire qu'il est amarré près de la grande grue.

4. Le capitaine est-il expérimenté?—C'est un loup de mer, qui a fait de longs voyages aux Antilles. 5. La cabine est-elle grande?—Non, mais il y a une dunette assez spacieuse. 6. Le courtier a-t-il un frêt pour Nantes?—Oui, il a un chargement de fontes et de fer d'Écosse. 7. Voulez-vous venir voir le chantier?—Avec d'autant plus de plaisir que j'y ai une goëlette en construction.

II.—8. Où votre navire a-t-il été construit?—Il sort d'un des meilleurs chantiers de la Clyde. 9. Où est l'équipage?—Le capitaine et quelques-uns des matelots sont à terre; le second est dans l'entre-pont avec le reste de l'équipage. 10. Avez-vous remarqué le gréement?—Oui, il est très bien entretenu. 11. Le capitaine a-t-il un chargement?—On lui offre un chargement pour Barcelone; mais le frêt n'est pas assez élevé.

12. Les passagers sont-ils dans la dunette?—Non, ils sont tous à terre. 13. Ce navire est-il destiné au cabotage?—Non, il est destiné aux voyages de long cours. 14. Est-il bon voilier?—C'est le plus fin voilier du port. 15. Ce capitaine a-t-il fait des voyages de long cours?—Oui, il a été plusieurs fois aux Indes et en Chine.

Exercise.—(*Translation and Reading.*)

LE VAISSEAU.—(*Allégorie.*)

1. Voulez-vous avoir l'image d'un grand homme longtemps méconnu, et dont la gloire ne commence qu'au moment où il va quitter la vie? regardez ce navire qui se balance à l'entrée du port. Destiné à un voyage de long cours, il n'attend, pour s'éloigner, que les vents favorables; mais combien le souffle, si ardemment attendu, tarde à enfler la voile! Le découragement est dans tout l'équipage; la terre, toujours la terre! toujours ces côtes hérissées d'écueils! Les gens du rivage se rient du bâtiment qu'ils voient depuis si longtemps à la même place. "Il est trop lourd," dit l'un. "Il n'ose pas s'aventurer," dit l'autre. "Non," dit un troisième, "il est là en sentinelle pour garder l'entrée du port." Ainsi peut-être, dans les chaudes matinées d'août 1492, resta longtemps en vue de Palos le vaisseau qui portait Colomb et sa fortune. Mais il arrive un moment où les regards cherchent en vain le navire qui semblait enchaîné au rivage; il flotte au loin entre le ciel et les abîmes. Ce n'est point le pilote, c'est une main mystérieuse qui tient le gouvernail, qui détourne les écueils, et qui apaise les tempêtes.

2. Un jour, après avoir erré longtemps sur des mers orageuses, le vaisseau reviendra dans le port d'où il est parti; il sera triomphant, couronné de guirlandes, chargé des dépouilles d'un nouveau monde. Les bords seront remplis d'une foule curieuse, et ceux qui insultaient à son départ seront les premiers à saluer son retour. Mais alors sa carène fracassée sera près de faire eau de toutes parts; ses cordages seront usés, ses mâts brisés par la tempête. Tel est le destin des grands hommes: pour eux, le jour du triomphe est la veille de la mort, quand il n'en est pas le lendemain.—A. FILON.

119. Cent-dix-neuvième conversation.

UN NAVIRE MARCHAND.—(*A merchant vessel.*)   *Seconde partie.*

I.—1. Le capitaine connaît-il la Méditerranée ?—Oui, il connaît aussi les échelles du Levant. 2. Y a-t-il un chirurgien à bord ?—Oui, il y a un jeune homme qui a fait de très bonnes études à l'école de chirurgie de Paris. 3. Le mousse connaît-il le charpentier ?—Oui, ce sont les deux meilleurs amis du bord. 4. Le subrécargue est-il dans la cabine ? —Non, il est allé chez l'armateur avec le voilier.

5. Le capitaine connaît-il les actionnaires ?—Oui, ils sont venus visiter le bâtiment l'autre jour. 6. Qui est-ce qui sert de domestique au capitaine ?—C'est le mousse; à bord de ce navire c'est un négrillon très alerte. 7. Est-ce que le cuisinier est nègre ?—Oui, et il y a peu de blancs qui sachent aussi bien faire la cuisine. 8. Le capitaine dîne-t-il avec les passagers ?—Oui, c'est lui qui fait les honneurs de la table. 9. Dîne-t-on sur le pont ?—Oui, toutes les fois que le temps le permet.

II.—10. Ces sacs contiennent-ils des biscuits de mer ?—Oui, et plus loin il y a des sacs de riz. 11. Y a-t-il de la morue salée dans ces barils ? —Non, il y a des harengs pecs. 12. Où est le porte-voix ?—Il est accroché au-dessus du hamac du capitaine. 13. Où est la chaloupe ?— On l'a envoyée à terre pour être goudronnée à neuf. 14. D'où viennent ces caboteurs ?—Ils viennent de Normandie; ils sont chargés d'œufs.

15. Monsieur votre oncle n'a-t-il pas armé un brick et une goëlette dernièrement ?—Si, le brick est allé chercher du soufre en Sicile; la goëlette va prendre un chargement de garance à Marseille. 16. Les matelots parlent-ils anglais ?—Non, l'équipage ne sait pas un mot d'anglais. 17. Le capitaine va-t-il signer la charte-partie ?—Oui, le courtier va le conduire chez l'expéditeur. 18. Qui sert d'interprète ?— C'est le courtier: il parle anglais, français, espagnol, italien, &c.

Exercise.—(*Translation and Reading.*)

LE VAISSEAU.—(*Ode.*)

1. Je vois aux plaines de Neptune,
Un vaisseau brillant de beauté,
Qui, dans sa superbe fortune,
Va d'un pôle à l'autre porté.
De voiles au loin ondoyantes,
De banderoles éclatantes
Il se couronne dans les airs,
Et seul, sur l'humide domaine,
Avec orgueil il se promène,
Et dit: "Je suis le roi des mers."

2. Des lieux où l'onde sarmatique
Frappe des rivages glacés[1],
Aux lieux où le pied de l'Afrique
Repousse les flots courroucés,
Et des magnifiques contrées
Que nos pères ont ignorées
Aux lointains et fertiles bords
Où la vieille nature étale,
Avec sa pompe orientale
Toute sa gloire et ses trésors,

3. Il porte sa vaste espérance.
Héritier des peuples divers,
Il recueille en sa route immense
Les richesses de l'univers.
Il va chercher l'or au Potose,
Aux champs que l'Amazone arrose,
Et jusques au berceau du jour ;
Et se pare au milieu de l'onde
Des riches tributs de Golconde
Du Bengale et du Visapour.

4. Cependant la mer azurée,
Sans vagues et sans aquilons,
Réfléchit sa poupe dorée
Et l'éclat de ses pavillons.
Ses matelots, vêtus de soie,
Sous un ciel pur boivent la joie,
Et chantent leur prospérité,
Tandis que, renversant sa coupe,
Le vieux pilote sur la poupe,
S'endort plein de sécurité.

---

[1] *i.e., les contrées situées entre la Mer Baltique et la Mer Caspienne, au nord du Pont Euxin, contrées que les anciens nommaient Sarmatie.*

5. Il n'a pas lu dans les étoiles
Les menaces de l'avenir ;
Il n'aperçoit pas que ses voiles
Ne savent plus quels vents tenir ;
Que le ciel est devenu sombre,
Que des vents s'est accru le nombre,
Que la mer gronde sourdement ;
Et que, messager de tempête,
L'alcyon [1] passe sur sa tête
Avec un long gémissement.

6. Du milieu des plaines profondes
Un cri soudain s'est élancé.
Qu'est devenu ce roi des ondes ?
C'en est fait: l'orage a passé.
Les flots qui tremblaient sous un maître
Aux lieux qui l'ont vu disparaître
Venant sans bruit se réunir,
Roulent avec indifférence,
Et de sa superbe existence
N'ont plus même le souvenir.

PIERRE LEBRUN, né en 1785.

120. Cent-vingtième conversation.

LES LIVRES ET LA LECTURE.—(*Books and reading.*)

I.—1. Aimez-vous la lecture ?—Oui, je ne m'ennuie jamais quand j'ai un bon livre. 2. Aimez-vous à lire les journaux ?—Oui, mais ce n'est pas là ma lecture favorite. 3. Etes-vous abonné à un journal ?—Je suis abonné à une feuille quotidienne et à deux journaux hebdomadaires. 4. Avez-vous commencé quelque livre intéressant dernièrement ?—Je suis en train de lire un ouvrage d'une lecture très attachante. 5. Finissez-vous tous les livres que vous commencez ?—Non, certains livres me paraissent si ennuyeux que je les abandonne dès les premières pages.

6. Aimez-vous à lire dans les bois ?—Oui, c'est un plaisir que je me donne tous les étés. 7. Lisez-vous en voyage ?—Oui, à moins que je ne me trouve avec des compagnons agréables. 8. N'est-il pas agréable de lire au coin du feu ?—Si, et je passe la plupart de mes soirées d'hiver à lire au coin du feu. 9. Tous vos livres sont-ils reliés ?—Mes meilleurs sont reliés ; ceux auxquels je tiens peu sont cartonnés ou simplement brochés. 10. Connaissez-vous un bon relieur ?—Oui, et je vais vous faire voir quelques-unes de ses reliures de luxe.

II.—11. Vos livres de classe ne sont-ils pas cartonnés ?—Non, ils sont tous reliés très solidement. 12. Avez-vous reçu des livres pour vos étrennes ?—Ma tante m'a donné un magnifique exemplaire illustré de *Paul et Virginie*. 13. Aimez-vous les ouvrages illustrés ?—Oui, et je vais vous montrer quelques éditions illustrées par nos meilleurs artistes ; voici un Molière avec de charmantes vignettes. 14. Aimez-vous qu'on vous fasse la lecture ?—Oui, quand on sait lire avec sentiment et qu'on a un timbre de voix agréable. 15. Aimez-vous à faire la lecture ?—Je l'aime assez, mais pas pendant longtemps.

16. Lisez-vous souvent du français ?—Oui, et j'espère que bientôt je pourrai lire le français avec autant de facilité que l'anglais. 17. Votre libraire tient-il des livres français ?—Oui, on trouve dans son magasin toutes les nouveautés littéraires ; il a aussi d'excellents livres de fonds. 18. Avez-vous visité quelques-unes des grandes bibliothèques de Londres ?—Je vais souvent à la bibliothèque du Musée Britannique ; je connais plusieurs des bibliothécaires. 19. N'avez-vous pas une bibliothèque vitrée ?—Non, notre bibliothèque est simplement grillagée. 20. Recevez-vous des ouvrages par livraisons ?—Je suis abonné à une encyclopédie dont il paraît une livraison tous les quinze jours.

---

[1] L'alcyon, oiseau de mer, était consacré à Thétis, divinité marine. Pendant que l'alcyon couvait ses œufs, le calme, disait-on, régnait sur la mer.

Exercise.—(*Translation and Reading.*)

LA BIBLIOTHÈQUE.—(*Fable.*)

On entendit un jour un grand bruit dans la bibliothèque d'un homme riche. C'étaient les livres eux-mêmes qui, profitant de l'absence de leur maître, étaient sortis de leurs rayons, et tenaient ensemble la conversation suivante :—

UN IN-QUARTO (*d'une voix sonore quoique un peu cassée*).—Avouez, mes amis, que nous jouons ici un rôle bien superflu. Celui qui nous possède fait enlever de temps en temps par ses domestiques la poussière qui nous déshonore ; mais jamais il ne nous touche du bout du doigt, et, s'il vient par hasard ici, c'est pour nous montrer à ses amis, non pour nous lire lui-même.

UN IN-FOLIO (*d'une voix qui retentit dans toute la chambre*).—Vous avez bien raison, cher compagnon, et je m'indigne comme vous du repos auquel nous sommes condamnés. Croiriez-vous que depuis dix ans je n'ai pas changé de place ! J'avoue que je ne suis pas facile à remuer, et que les livres d'aujourd'hui sont plus élégants et plus commodes ; mais est-ce une raison pour abandonner ma vieillesse aux outrages des rats ?

UN LIVRE DE PHILOSOPHIE.—Pour moi, on me fait quelquefois l'honneur de me déplacer, et je reste des mois entiers sur le bureau de monsieur ; mais je n'en suis pas plus avancé, car il ne m'ouvre pas : pourtant il se pique d'être philosophe !

UN LIVRE LATIN.—Il se pique aussi de savoir le latin, et Dieu sait s'il me comprendrait quand même il me lirait. J'ai appartenu jadis à un homme pauvre et laborieux, qui s'est fait un nom par des travaux utiles : alors j'étais feuilleté le jour, j'étais feuilleté la nuit ; et cependant je n'avais pour couverture qu'un modeste parchemin. Maintenant qu'on m'a fait l'honneur de m'habiller en veau, je suis couvert de poudre et mangé des vers.

UN NOUVEAU LIVRE BROCHÉ.—Passe encore pour vous, livres antiques, qui figurez à toutes les ventes depuis l'invention de l'imprimerie ; on vous lit deux fois par siècle, mais enfin on vous lit. C'est moi qui suis à plaindre : mon papier humide sent encore la presse, et déjà je languis dans un coin obscur. Cependant j'ai été présenté à monsieur par mon père en personne, et l'on peut lire sur ma première page : *offert par l'amitié.* Eh bien, non-seulement je ne suis pas lu, mais je ne suis pas coupé.

PLUSIEURS LIVRES.—Cet homme ne lit rien.

UN IN-DOUZE.—Pardonnez-moi ; car il me lit tous les soirs, et je fais ses délices, quoique je ne sois, dit-on, qu'un roman mal écrit, où la fadeur des sentiments se mêle à l'invraisemblance des faits.

UN IN-TRENTE-DEUX (*d'une voix très aiguë*).—Et moi aussi, je suis un des favoris de notre maître.

L'IN-FOLIO.—Quel est ce nain !

L'IN-TRENTE-DEUX.—J'ai l'honneur d'être une compilation portative de citations et d'anecdotes. C'est moi qui fournis à monsieur tout son esprit : il m'apprend par cœur le matin, et le soir il me récite.

L'IN-FOLIO.—Voilà donc l'usage qu'il fait de tous ses trésors ! que d'hommes pourraient devenir instruits et spirituels, qui ne sont toute leur vie que des ignorants et des perroquets !—FILON.

121. Cent-vingt et unième conversation.

HOW TO ANSWER QUESTIONS. — *(See p. 73, 9th line.)*

I. In English, questions are often asked with some part of the auxiliary "to be" followed by a present participle, and answered with the auxiliary alone; but in French the interrogation and the reply are expressed with the verb in its *simple* form :—

Are you suffering ?—I am.	Souffrez-vous ?—Oui, je souffre†.
Is Charles sleeping ?—Yes, he is.	Charles dort-il ?—Oui, il dort.

II. When the tense of the verb is compound, the English do not use the participle in the answer; whilst the French reply with both the auxiliary and the participle :—

Have you dined ?—Yes, I have.	Avez-vous dîné ?—Oui, j'ai dîné†.

III. *Le, la, l', or les.*—When a question is asked with a verb governing a direct object, that object is represented in the answer by *le, la, l',* or *les,* which must be placed immediately before the verb :—

Connaissez-vous le médecin ? — Oui, je *le* connais†.	Do you know the physician ?—I do.
Récompenserez-vous Fanny ?—Oui, je *la* récompenserai.	Will you reward Fanny ?—I will.
Entendez-vous Olivier ?—Oui, je *l'*entends.	Do you hear Oliver ?—I do.
Copie-t-il ma lettre ?—Oui, il *la* copie.	Is he copying my letter ?—He is.
Avez vous vendu mes esclaves ?—Oui, je *les* ai vendus.	Have you sold my slaves ? — I have (sold them).

Conversation I.—1. Dessinez-vous ?—Oui, je dessine ; quand j'aurai fini ce paysage, je vous le montrerai. 2. Armand chasse-t-il dans le bois ?—Oui, il y chasse ; je l'entends tirer.

II.—1. Avez-vous déjeuné ?— Oui, j'ai déjeuné ; maintenant je vais aller chasser dans la plaine. 2. Le garde a-t-il entendu ?— Oui, il a entendu ; le voici qui vient. 3. Votre chien a-t-il aboyé ?—Non, il n'a pas aboyé. 4. La perdrix s'est-elle envolée ?—Oui, elle s'est envolée ; mais nous la retrouverons.

III.—1. Le boulanger enverra-t-il le gâteau ?—Oui, il l'enverra. 2. Connaissez-vous l'épicier ?—Oui, je le connais ; son magasin est très bien fourni. 3. Saluez-vous cette dame ?—Oui, je la salue, et elle me rend toujours mon salut on ne peut plus gracieusement. 4. La bonne habille-t-elle Adolphe ?—Oui, elle l'habille ; quand il sera prêt, il sortira avec sa grand'maman. 5. Aimez-vous ces prunes ?—Oui, je les aime; je vais en acheter deux ou trois kilogrammes. 6. Vendez-vous ce vin ?—Oui, nous le vendons.—Combien le vendez-vous ?— Nous le vendons deux francs le‡ litre.

Exercise.—*(How to answer questions.)*

PRINCIPLE.—In French, the answer to a question, unless given with merely OUI, or NON, MONSIEUR, &c., is less elliptical than in English.

I. 1. Are you singing ?—I am. 2. Are you shooting[2] ?—We are. 3. Is Victor* drawing ?—He is. 4. Is Constance* singing ?—She is.

II.—1. Have you heard ?—I have. 2. Have the dogs barked?—They have. 3. Has the game-keeper shot[3] ?—He has. 4. Have they breakfasted ?—They have.

III.—1. Will the grocer send the oranges* ?—He will. 2. Do you sell these cakes ?—I do. 3. How much do you sell them ?—I sell them one franc* (m.) a pound‡. 4. Do you know that lady?—I do. 5. Is Alice* dressing Charles* and Richard* ?—She is. 6. Do you like this cake ?—I do.

[1] Chanter.	[2] Chasser.	[3] Tirer.

---

† The question can generally be answered by merely saying OUI, or NON, MONSIEUR, &c.; but the pupil must not indulge in that brevity, which becomes irksome.

‡ The *definite* article appears in French before nouns expressing weight, measure and number; whereas the English use what they call the *indefinite* article :—

Cinq francs *la* livre, Five francs *a* pound.	Huit francs *la* bouteille, Eight francs *a* bottle.
Six francs *le* litre, Six francs *a* litre.	Dix francs *le* cent, Ten francs *a* hundred.

122. Cent-vingt-deuxième conversation.

EN, IN ANSWERING QUESTIONS.

I. *En* is said of animals, things, and places when the verb governs *de*. Often *en* is not required in English, and when it is, it generally means *of* or *from it*, *of* or *from them:*—

Parlez-vous du zèbre ?—Oui, j'en parle.

Are you speaking of the zebra ?—I am (speaking of it).

Avez-vous besoin de nos chiens ?—Oui, j'en ai besoin.

Have you need of our dogs ?—I have (need of them).

Venez-vous du lac ?—Oui, j'en viens.

Are you coming from the lake ?—I am (coming from it).

II. *En* is required in the answer when the question is formed with a verb governing a noun taken in a partitive (*p. 36*) sense :—

Avez-vous du papier ?—Oui, j'en ai.

Have you any paper ?—I have (some).

A-t-il de la gomme ?—Oui, il en a.

Has he any gum ?—He has (some).

A-t-elle des gants ?—Oui, elle en a.

Has she any gloves ?—She has (some).

Avez-vous acheté des montres ?—Oui, j'en ai acheté trois.

Have you bought any watches ?—I have bought three (of them).

III. *En* is also used in reply to questions asked with a verb having for its direct object a noun preceded by *un* or *une:*—

Avez-vous un portefeuille ?—Oui, j'en ai un.

Have you a pocket-book ?—I have (one).

A-t-elle une broche ?—Oui, elle en a une.

Has she a brooch ?—She has (one).

Observe that *un* or *une* is repeated in the answer.

IV. *En* (without *un* or *une*) appears when the reply is negative:—

Avez-vous un portefeuille ?—Non, je n'en ai pas.

Have you a pocket-book ?—No, I have none.

A-t-elle une broche ?—Non elle n'en a pas.†

Has she a brooch ?—No, she has none.

† Observe that *it is, he is, she is, they are,* used in answer to a question preceded by *un* or *une,* are rendered by *c'en est un, c'en est une;* or, negatively, *ce n'en est pas un, ce n'en est pas une :*—

1. *Was it a French newspaper you were perusing ?—Yes,* it was.
2. *Is he a pupil of yours ?—No,* he is not.

1. Était-ce un journal français que vous parcouriez ?—Oui, *c'en était un.*
2. Est-ce un de vos élèves ?—Non, *ce n'en est pas un.*

Conversation.—I.—1. Causiez-vous de notre partie de campagne ?—Oui, nous *en* causions. 2. Avez-vous parlé du pique-nique ?—Oui, nous *en* avons parlé ; ce sera charmant. 3. Aurez-vous besoin de l'âne ?—Oui, nous *en* aurons besoin. 4. Ce pâté vient-il de Strasbourg ?—Oui, il *en* vient. 5. Ces jambons ne viennent-ils pas de Mayence ?—Si, ils *en* viennent.

II.—1. Avez-vous des fourchettes ?—Oui, nous en avons. 2. Et des cuillères, en avez-vous ?—Non, nous n'en avons pas ; nous nous en passerons facilement. 3. Y a-t-il du poivre ?—Oui, il y en a. 4. Y a-t-il encore du vin ?—Non, il n'y en a plus.

III.—1. Avez-vous un tire-bouchon ?—Oui, j'en ai un. 2. Avez-vous apporté une serpette ?—Oui, j'en ai apporté une.

IV.—1. Avons-nous une salière ?—Non, nous n'en avons pas ; nous nous en passerons bien. 4. Avez-vous apporté un casse-noisettes ?—Non, je n'en ai pas apporté.

Exercise.—(EN, in answering questions.)

I.—1. Were you talking of our pic-nic ?—We were. 2. Have you spoken of the pie and of the ham ?—We have. 3. Does this ass come from the village* (m.) ?—It does. 4. Do these oranges* (f.) come from Seville ?—They (f.) do.

II.—1. Have you any spoons ?—I have. 2. And nut-crackers, have you any ?—I have none. 3. Is there any ham ?—There is. 4. Is there any pie ?—There is no more.

III.—1. Have you brought a nut-cracker ?—I have. 2. Have you brought a salt-cellar ?—We have.

IV.—1. Have you a pruning-knife ?—I have not. 2. Have you a cork-screw ?—*I have not.*

123. Cent-vingt-troisième conversation.

I.—Y, IN SPEAKING OF THINGS, ETC.
II.—EN AND Y WITH REFERENCE TO PERSONS.

Y is said of things and places, when the verb governs *à, en, dans,* or *sur.* *Y* generally means *to, at, in, on,* &c., *it* or *them:*—

Allez-vous à Paris?—Oui, nous y allons.	Are you going to Paris?—Yes, we are (going there).
N'êtes-vous pas en Europe?—Si, j'y suis.	Are you not in Europe?—Yes, I am.
Sommes-nous dans la classe?—Oui, nous y sommes.	Are we in the class-room?—Yes, we are.
Le bateau est-il sur le lac?—Oui, il y est.	Is the boat on the lake?—Yes, it is.

☞ *En* and *y* also appear with reference to *persons,* especially in replying to questions, to avoid the repetition of the noun or of any pronoun:—

Parliez-vous de moi?—Oui, j'en parlais (*i.e.* je parlais de vous).	Were you speaking of me?—I was (speaking of you).
Etes-vous content de lui?—Oui, j'en suis content.	Are you pleased with him?—I am (pleased with him).
Vous fiez-vous à cet homme?—Non, je ne m'y fie pas (*i.e.* je ne me fie pas à lui).	Do you trust that man?—I do not.
Pensez-vous à eux?—Oui, j'y pense (*i.e.* je pense à eux).	Are you thinking of them?—I am.

Conversation I.—1. Allez-vous à Nîmes?—Oui, j'y vais; j'irai ensuite à Marseille. 2. Etes-vous né à Tours?—Oui, j'y suis né. 3. Ne sommes-nous pas en Angleterre?—Si, nous y sommes. 4. Madame votre tante est-elle dans la maison?—Oui, elle y est. 5. Grimperez-vous sur l'orme?—Oui, j'y grimperai. 6. Avez-vous pêché là?—Oui, j'y ai pêché, mais je n'y ai presque rien pris. 7. Quand reviendrez-vous ici?—J'y reviendrai le 14 du mois prochain. 8. L'omnibus passe-t-il devant votre porte?—Oui, il y passe toutes les demi-heures.

II.—*En.*—1. Se plaint-elle de lui?—Oui, elle s'en plaint tous les jours. 2. Valentin se souvient-il de moi?—Oui, il s'en souvient très bien. 3. Le médecin a-t-il parlé de nous?—Oui, il en a beaucoup parlé; il va vous écrire. 4. Le professeur est-il content d'eux?—Non, il n'en est pas content.

Y.—1. Pensez-vous à votre frère?—Oui, j'y pense. 2. Songeait-il à elle?—Non, il n'y songeait pas. 3. Vous fiez-vous à eux?—Non, nous ne nous y fions pas. 4. Pensez-vous à moi?—Oui, j'y pense.

Exercise.—(*Y, &c., in answering questions.*)

I.—*Y.*—1. Were you born in England?—I was. 2. Are we not in Paris*? —We are not. 3. Is the cage* (f.) on the table* (f.)?—It (f.) is. 4. Have you fished here?—I have. 5. Does the train* (m.) pass in-front-of your house? —It does. 6. Are you going there?—I am.

II.—*En.*—1. Does the physician remember him?—He does. 2. Does the master complain of her?—He does. 3. Has Alfred* spoken of Clara*?—He has. 4. Is your cousin* (m.) pleased with me?—He is.

Y.—1. Was she thinking of her brother?—She was. 2. Do you trust (to) him?—We do. 3. Was he thinking of them (m.)?—He was. 4. Do you trust (to) me?—We do.

124. Cent-vingt-quatrième conversation.

"LE," ETC., EMPLOYED TO SUPPLY THE PLACE OF THE NOUN, ADJECTIVE, ETC.

I. *Le, la, les.*—The pronoun *le* supplying the place of a noun is changeable; in other words, *it* becomes *la* for the feminine, and *les* for the plural:—

Etes-vous Raoul?—Oui, je *le* suis.
Etes-vous Louise?—Oui, je *la* suis.
Etes-vous la sœur de mon ami?—Oui, je *la* suis?
Etes-vous la malade?—Oui, je *la* suis.
Etes-vous les médecins?—Oui, nous *les* sommes.
Mesdames, êtes-vous les malades?—Oui, nous *les* sommes.

Are you Ralph?—I am (he).
Are you Louisa?—I am (she).
Are you my friend's sister?—I am (she).
Are you the patient?—I am (she).
Are you the physicians?—We are (they).
Ladies, are you the patients?—We are (they).

Le becomes *la* for the feminine, or *les* for the plural, whenever it has the meaning of the personal pronoun *elle, eux,* or *elles:* Etes-vous Louise?—Oui, je la suis (*i.e.* je suis elle). Etes-vous les médecins?—Oui, nous les sommes (*i.e.* nous sommes eux). Mesdames, êtes-vous les malades?—Oui, nous les sommes (*i.e.* nous sommes elles).

II. *Le* is unchangeable when it supplies the place of an adjective, of a noun used adjectively, or whenever it can be expressed by *cela* ("that," or "so"), or by *tel, tels, telle, telles* ("such") :—

Madame, êtes-vous malade?—Oui, je *le* suis.
Etes-vous institutrice?—Oui, je *le* suis.
Etes-vous artistes?—Oui, nous *le* sommes.
Etes-vous encore mes amis?—Oui, nous *le* sommes toujours.
Ces villes étaient des places fortes et elles ne *le* sont plus.

Madam, are you ill?—I am (so).
Are you a governess?—I am.
Are you artists?—We are.
Are you still my friends?—We are still.
These cities were once fortified towns, but they are no longer so.

POSITION OF THE PRONOUN GOVERNED BY THE IMPERATIVE.

1. The Imperative used affirmatively (*foot of page* 29) is followed by the pronoun which it governs; and when there are two pronouns, the *direct* precedes the indirect object.—(*See page* 28.)

But when the Imperative is used negatively, the objective pronouns go first, the *indirect* preceding the direct.

Affirmative form.	*Negative form.*
Montrez-*le-moi*.	Ne *me le* montrez pas.
Montrez-*la-lui*.	Ne *la lui* montrez pas.
Montrez-*les-leur*.	Ne *les leur* montrez pas.

2. ME and TE not being used after the Imperative, are supplied by the disjunctive forms MOI and TOI, except before *en*, when M' or T' is employed :—

1. Payez-*moi*. 2. Réserve-*toi* une partie de ta fortune. 3. Si vous ne pouvez pas me rendre tout, payez-*m'en* du moins une partie. 4. Ne lui donne pas toute ta fortune, mais réserve-*t'en* la moitié.

Exercise.—(LE, LA, *or* LES.)

(DIRECTION.—The blank is to be filled up by *le, la,* or *les,* as required.)

1. Vos cousins sont-ils majeurs?—Oui, ils ___ sont. 2. Mademoiselle, êtes-vous Anglaise?—Non, je ne ___ suis pas. 3. Etes-vous la nièce de ce monsieur?—Oui, je ___ suis. 4. Élise, êtes-vous encore enrhumée?—Non, je ne ___ suis plus. 5. Ses nièces sont-elles mariées?—Oui, elles ___ sont. 6. Etes-vous les mariées?—Oui, nous ___ sommes. 7. Ces dames sont-elles veuves?—Non, elles ne ___ sont pas. 8. Etes-vous Émilie?—Non, je ne ___ suis pas. 9. Etes-vous frères? —Oui, nous ___ sommes. 10. Etes-vous les frères de cette demoiselle?—Oui, nous ___ sommes. 11. Messieurs, êtes-vous avocats?—Nous ___ sommes. 12. Etes-vous les avocats qui doivent plaider aujourd'hui?—Nous ___ sommes.

LECTURES FRANÇAISES.

Anecdotes sur les perroquets.

On (*sce p.* 55) raconte l'histoire d'un perroquet qui, tombé dans la Tamise, appela les bateliers à son secours, comme il avait entendu les passagers les appeler du rivage. On parle aussi d'un perroquet qui, lorsqu'on lui disait, *Riez, perroquet*, riait effectivement, et l'instant après s'écriait avec un grand éclat: *O le grand sot qui me fait rire.* Nous en avons vu un autre qui avait vieilli avec son maître, et partageait avec lui les infirmités du grand âge; accoutumé à ne plus guère entendre que ces mots, *Je suis malade*, lorsqu'on lui demandait: *Qu'as-tu, perroquet? qu'as-tu?*—*Je suis malade*, répondait-il d'un ton douloureux et en s'étendant sur le foyer, *je suis malade.*—BUFFON, 1707–1788.

La faim.

(ALPHONSE V, surnommé le *Magnanime*, régna de 1416 à 1458.)

Alphonse V, roi de Sicile et d'Aragon, campait un jour sur le bord d'un fleuve, en présence de l'ennemi. La nuit approchait; l'armée manquait de vivres; les soldats n'avaient rien mangé depuis le matin, ni le roi non plus. Un de ses officiers lui offrit un morceau de pain, un radis et un peu de fromage; dans la circonstance, il y avait là de quoi faire un festin délicieux. "Je vous remercie," dit le prince, "mais j'attendrai après la victoire, comme tous mes braves soldats."—T. H. BARRAU, auteur vivant, pé à Toulouse en 1794.

Le collégien et son morceau de pain.

Comment déjeune-t-on dans les colléges de France?—Un de mes amis qui était au collége Rollin, à Paris, me disait l'autre jour que le déjeuner se compose d'un morceau de pain sec que l'on peut arroser d'eau fraîche à discrétion.—Est-ce que tous les collégiens se contentent de ce frugal déjeuner?—Ils y joignent ordinairement des confitures ou des fruits qu'ils reçoivent de chez leurs parents, ou qu'ils achètent chez le concierge.—HAVET'S "French Studies," p. 90.

On distribuait le déjeuner dans un collége, et, par extraordinaire, le pain était tendre. Les élèves, qu'on voit toujours autour du panier, se pressaient cette fois alentour, pour regarder non pas dessus ni dessous, mais dedans, si tout le pain était aussi croquant que les morceaux distribués auparavant. Combien d'entre eux eussent voulu voir à travers le panier! Mais enfin ils n'eussent pas été plus satisfaits qu'ils ne le furent quand tout ce pain fut donné; car tout était bien tendre et ne pouvait l'être davantage. Toutefois, un écolier, quoique la récréation fût près de finir, n'était pas prêt à manger; mais il prit son parti, et, mettant son croûton dans sa poche: "Bon!" dit-il; "du pain tendre, on n'en donne pas tous les jours. Je garde le mien pour demain."—Le Dr. JULLIEN, auteur vivant, né à Paris en 1798.

Le dîner dans la cour.

Un homme avait l'habitude de s'abandonner sans motif à des transports de colère. C'était surtout son domestique qui avait à souffrir de ses emportements. Il y avait des jours où tout ce que faisait ce pauvre garçon était mal fait, et il lui fallait porter la peine de beaucoup de fautes dont il était innocent. Un jour son maître rentra de très mauvaise humeur et se mit à table pour dîner. La soupe se trouva trop chaude, ou trop froide, ou peut-être ni l'un ni l'autre; mais le maître était de mauvaise humeur: il n'en fallut pas davantage. La fenêtre était ouverte; il prit la soupière et la jeta dans la cour. Alors le domestique, de l'air du monde le plus tranquille, fit voler aussi par la fenêtre le plat qu'il allait mettre sur la table; puis le pain, le vin, tout le couvert, et enfin la nappe. "Malheureux, que signifie cette conduite?" demanda le maître en se levant d'un air furieux. "Monsieur," repartit le domestique avec le plus grand sang-froid, "pardonnez-moi si je n'ai pas deviné votre pensée; j'ai cru que vous vouliez dîner aujourd'hui dans la cour."

Le maître comprit la leçon; il sourit de la présence d'esprit de son domestique, et cessa dès ce jour de se livrer à ses ridicules emportements.—T. H. BARRAU.

Les deux renards.

Deux renards entrèrent la nuit par surprise dans un poulailler; ils étranglèrent le coq, les poules et les poulets; après ce carnage, ils apaisèrent leur faim. L'un, qui était jeune et ardent, voulait tout dévorer; l'autre, qui était vieux et avare, voulait garder quelques provisions pour l'avenir. Le vieux disait: "Mon enfant, l'expérience m'a rendu sage; j'ai vu bien des choses depuis que je suis au monde. Ne mangeons pas tout notre bien en un seul jour. Nous avons fait fortune; c'est un trésor que nous avons trouvé, il faut le ménager." Le jeune répondait: "Je veux tout manger pendant que j'y suis, et me rassasier pour huit jours; car, pour ce qui est de revenir ici, chansons! Il n'y fera pas bon demain: le maître, pour venger la mort de ses poules, nous assommerait." Après cette conversation, chacun prend son parti. Le jeune mange tant, qu'il peut à peine aller mourir dans son terrier. Le vieux, qui se croit bien plus sage de modérer ses appétits et de vivre d'économie, veut le lendemain retourner à sa proie, et est assommé par le maître.

Ainsi chaque âge a ses défauts: les jeunes gens sont fougueux et insatiables dans leurs plaisirs; les vieux sont incorrigibles dans leur avarice.—FÉNELON, 1651–1715.

La France—(38 millions d'habitants).

1. La France, située dans une partie du globe où il ne fait ni trop chaud ni trop froid, est une des plus riches contrées de la terre. Aucun sol ne produit en plus grande abondance le blé qui fait le pain, et la vigne dont on retire le vin; aucun ne se prête plus facilement à tous les genres de culture. Les communications sont faciles d'un bout à l'autre de la France, au moyen de la navigation sur les grands et beaux fleuves et des chemins de fer qui la traversent en tous sens. L'Océan et la Méditerranée, qui entourent la France en partie, voient s'ouvrir

sur nos côtes des ports magnifiques et commodes pour recevoir les vaisseaux. Des campagnes riantes, un beau ciel, une capitale qui est aujourd'hui la plus belle ville du monde, un nombre prodigieux d'autres grandes villes, riches et industrieuses, tels sont les biens que possèdent les Français.

2. Toute l'étendue de la France est divisée en 89 départements, qui sont administrés chacun par un magistrat civil, qui a le titre de *préfet*. Ce magistrat réside dans une ville du département, qui en est le *chef-lieu*.

3. La France est entourée, au *nord* par la Belgique; à l'*est* par l'Allemagne, dont le Rhin la sépare; par la Suisse et par l'Italie, dont elle est séparée par les Alpes; au *sud*, par la Méditerranée et par l'Espagne, dont les Pyrénées la séparent; enfin à l'*ouest* par l'Océan.

4. Les principaux fleuves qui arrosent la France sont: la *Seine*, la *Loire* et la *Garonne*, qui se jettent dans l'Océan; le *Rhône*, qui se jette dans la Méditerranée; le *Rhin*, qui traverse les Pays-Bas et va se perdre dans les sables de la Hollande.—LAURENT DE JUSSIEU, né en 1792.

Jacques Amyot (1513–1593.)

Avec du zèle et de la persévérance on parvient à surmonter les plus grands obstacles.

1. JACQUES AMYOT, qui par ses écrits a rendu de si grands services à la langue française, est un exemple remarquable de ce que peut l'application à l'étude. Il naquit à Melun, en 1513, d'une famille obscure et pauvre, qui put à peine lui faire donner une instruction élémentaire. Le jeune Amyot partit pour Paris avec seize sous dans sa bourse. Là, il continua ses études, n'ayant d'autre secours de ses parents qu'un pain que sa mère lui envoyait chaque semaine par les bateliers de Melun. Pour suppléer à ce qui lui manquait, il fut obligé de servir de domestique à quelques écoliers de son collége; mais son amour pour la science lui fit vaincre les nombreuses difficultés que lui offrait sa situation. L'étude était sa passion, l'occupation de tous ses instants; et on raconte que la nuit, faute d'huile ou de chandelle, il étudiait à la lueur de quelques charbons embrasés. Enfin, après avoir terminé ses études sous les plus habiles professeurs du collége de France, nouvellement fondé, il obtint une chaire de grec et de latin dans l'université de Bourges[1], où il professa pendant douze ans avec beaucoup de succès; mais les soins qu'il donnait à ses élèves ne l'empêchaient point de se livrer à ses études favorites et à la traduction des auteurs grecs. Plus tard il fut choisi pour être le précepteur des fils du roi de France, Henri II; comblé de biens et de dignités par ses élèves, qui se firent toujours un plaisir et un honneur de l'appeler *leur maître*, il devint grand aumônier de France et évêque d'Auxerre.—G. BELÈZE, auteur vivant, né en 1803.

2. On doit à Amyot une traduction complète des *Œuvres de Plutarque;* mais la partie que l'on estime le plus dans ce vaste travail, ce sont les *Vies des grands hommes;* on en admire universellement le style simple et naïf; c'est le plus intéressant monument de la langue française au XVIe siècle.—M. N. BOUILLET.

---

[1] Il n'y a plus aujourd'hui d'autre université que l'Université de France, dont le siège est à Paris.

Philippe II et le jeune lieutenant.

(PHILIPPE II, roi d'Espagne, succéda à son père Charles-Quint en 1556, et mourut en 1598, après un règne mêlé de succès et de revers. On accuse ce prince sombre et soupçonneux d'avoir follement consumé le trésor de son royaume dans de vains projets de monarchie universelle. Il protégea les lettres et les arts; le palais de l'Escurial lui doit sa fondation; et c'est lui qui fit de Madrid la capitale de l'Espagne.)

Philippe II, roi d'Espagne, s'étant rendu à l'Escurial avec une suite nombreuse, dans le dessein d'y passer quelques semaines, défendit qu'aucun soldat de sa garde allât à Madrid sans en avoir obtenu la permission du roi lui-même. Un jeune lieutenant, peu curieux de faire connaître les motifs d'un petit voyage qu'il se proposait de faire, partit sans rien dire et revint trois jours après, espérant qu'on ne se serait pas aperçu de son absence; mais il se trompait, car, à peine était-il arrivé, que le roi le fit appeler, et lui demanda d'un ton sévère pourquoi il était allé à Madrid sans sa permission, "Parce que Votre Majesté ne me l'aurait pas donnée," répondit-il avec un sang-froid si parfait, que le roi ne put s'empêcher de rire, et se contenta de l'inviter à se montrer désormais un peu plus soumis à la discipline.—LE DR. JULLIEN.

Madame Dacier.

(Mme DACIER (1651–1720) est surtout connue par ses traductions de *l'Iliade* et de *l'Odyssée*. Elle commenta avec son mari les auteurs anciens pour l'usage du dauphin—*ad usum Delphini.*)

Madame Dacier était une femme très instruite et célèbre par ses ouvrages; un savant allemand, qui les avait lus et qui en faisait grand cas, vint lui rendre visite à Paris et lui présenta son album pour qu'elle voulût bien y écrire quelque chose. Ayant vu dans cet album les signatures des plus célèbres littérateurs de l'Europe, elle dit qu'elle n'oserait jamais mettre son nom parmi tant de noms illustres. L'Allemand ne se rebuta pas: plus elle se défendait, plus il la pressait; enfin, vaincue par ses instances, elle prit la plume et inscrivit son nom avec cette sentence d'un auteur grec: "Le silence est l'ornement des femmes."— T. H. BARRAU.

Remercîments à un ami.

AU GÉNÉRAL * * * À NAPLES.

Mon général, j'ai chargé M. Desgoutins de vous payer en or 945 fr. Je vous prie d'agréer en même temps mes remercîments. Le service que vous m'avez rendu, quoique venant fort à propos, m'a bien moins touché que les manières pleines de bonté dont vous l'accompagnâtes[1]. Je sens qu'en vous rendant votre argent je ne suis pas quitte envers vous, et malheureusement je ne pourrai jamais vous être bon à rien. Mais ma reconnaissance, tout impuissante qu'elle est, ne me pèse point du tout, et je trouve du plaisir à vous être obligé toute ma vie.— P.-L. COURIER.   (See HAVET's "French Studies," p. 164.)

---

[1] *On dirait aujourd'hui—Vous l'avez accompagné.*—HAVET's "French Class-Book," p. 317.

Charles-Édouard dans l'île de Skye[1].

(CHARLES-ÉDOUARD STUART, dit le *Prétendant*, naquit à Rome en 1720. Il débarqua en Écosse en 1745, entra dans Édimbourg, battit les Anglais à Prestonpans, et s'avança jusqu'à Derby à deux journées de Londres. Mais l'irrésolution des chefs écossais le força à la retraite. De retour en Écosse, il gagna la bataille de Falkirk; vaincu à Culloden (1746) par le duc de Cumberland, il se trouva dès lors sans ressource, erra dans les montagnes de l'Écosse pendant quelques mois, et parvint enfin à gagner la France, puis l'Italie, où il mourut en 1788.)

Après la bataille de Culloden, le prince Charles-Édouard était dans la maison d'un gentilhomme de l'île de Skye[1], lorsque cette maison est tout à coup investie par les milices ennemies. Le prince ouvre lui-même la porte aux soldats. Il eut le bonheur de ne pas être reconnu; mais bientôt après on sut dans l'île qu'il était dans ce château. Alors il fallut se séparer de ses compagnons, et s'abandonner seul à sa destinée. Il marcha dix milles, suivi d'un simple batelier. Enfin, pressé par la faim, et près de succomber, il se hasarda d'entrer dans une maison dont il savait bien que le maître n'était pas de son parti.

"Le fils de votre roi," lui dit-il, "vient vous demander du pain et un habit. Je sais que vous êtes mon ennemi; mais je vous crois assez de vertu pour ne pas abuser de ma confiance et de mon malheur. Prenez les misérables vêtements qui me couvrent, gardez-les; vous pourrez me les apporter un jour dans le palais des rois de la Grande-Bretagne."

Le gentilhomme auquel il s'adressait fut touché comme il devait l'être. Il s'empressa de le secourir, autant que la pauvreté de ce pays peut le permettre, et lui garda le secret.—VOLTAIRE (1694–1778) *Siècle de Louis XV*. (See "French Studies," p. 97.)

La petite guerre[2].

1. Amédée était un aimable enfant; et quoiqu'il n'eût que six ans et demi, il savait déjà lire, écrire et calculer passablement. La seule chose qu'on pût lui reprocher était son humeur querelleuse. Il cherchait souvent dispute à ses camarades, et se battait pour les motifs les plus frivoles.

Un jour, ayant vu passer un régiment, il demanda à son père pourquoi ces hommes se promenaient ainsi dans les rues avec de beaux habits et des fusils sur l'épaule.—"Ces hommes sont des soldats," lui répondit son père; "ils sont chargés de nous défendre, si les gens des autres pays nous attaquaient. Tu les vois passer quand ils se rendent au Champ de Mars[3], où ils font l'exercice tous les matins, pour s'accoutumer à marcher en ordre et à se servir adroitement de leurs armes sans se gêner les uns les autres."

"Et ceux qui n'ont que des sabres?" demanda Amédée.

"Ce sont les officiers qui commandent la troupe."

"Ah! papa, que je voudrais être officier!"

Depuis cette conversation, Amédée ne fit que rêver de soldats et de guerre. Il imagina de se fabriquer un sabre avec deux morceaux de bois, et de se coiffer d'un grand chapeau de papier. Ainsi équipé, il alla trouver ses camarades.

---

[1] L'île de Skye est située à l'occident de l'Écosse. [2] LA PETITE GUERRE, i.e., war on a small scale, sham fight. [3] C'est au Champ de Mars à Paris que se font les grandes revues.

2. "A quel jeu jouerons-nous?" lui dirent ceux-ci, qui le consultaient toujours et suivaient ordinairement tous ses avis.

"Jouons à la guerre," répondit Amédée; "nous sommes huit; nous nous partagerons en deux régiments, et nous nous battrons."

"Ça va," s'écrièrent-ils; "tu seras le capitaine d'un régiment, et Prosper commandera l'autre."

Ils coururent aussitôt prendre des baguettes, des bâtons, des manches à balai, et ne manquèrent pas de se faire de longues moustaches avec du charbon, pour avoir un air martial. Au moment où ils commençaient le combat, la bonne d'Amédée voulut leur adresser des reproches; mais au lieu de l'écouter, ils l'environnèrent en la frappant de leurs bâtons; si bien qu'elle se retira pour aller raconter à leurs parents ce qui se passait. Dès qu'elle fut partie, les deux troupes s'avancèrent l'une contre l'autre en poussant de grands cris. Celle d'Amédée se plaça sur une petite butte, et celle de Prosper monta à l'assaut. Pendant quelque temps, ils firent semblant de se frapper; mais insensiblement les combattants s'échauffèrent, se donnèrent de rudes coups, et ramassèrent des pierres pour se les jeter. Lorsque le père d'Amédée parut, il trouva son fils blessé à la tête et renversé sur la terre.

Amédée resta longtemps au lit, et portera toujours la cicatrice de sa blessure. Il a appris à ses dépens la valeur du proverbe: *Jeux de mains, jeux de vilains*[1].—ÉMILE DE LA BÉDOLLIÈRE.

Merveilles de la nature physique.

1. Si je passe de mon corps aux autres corps qui m'environnent, nonseulement j'aperçois un grand nombre d'autres corps semblables au mien, mais encore je vois de tous côtés des animaux faits, pour ainsi dire, sur divers patrons[2]. Les uns marchent à quatre pieds, les autres ont des ailes pour voler dans l'air, les autres des nageoires pour nager dans l'eau. Les navires que les hommes construisent avec tant d'art suivant des règles si savantes, ne sont que des copies faites d'après ces oiseaux et ces poissons qui voguent dans deux éléments liquides dont l'un est un peu plus épais que l'autre. De ces animaux, les uns nous servent à porter des fardeaux, comme le cheval et le chameau: d'autres servent par leur force, comme les bœufs, à suppléer ce qui manque à notre force bornée; puis ce même animal devient notre aliment: d'autres, comme les brebis, nous nourrissent de leur lait, et nous vêtent de leur laine. L'homme sait dominer par force ou par industrie sur tous les animaux, et les plier à son usage. Un vermisseau, une fourmi, un moucheron montrent cent fois plus d'art que l'horloge la plus parfaite.

2. La terre qui nous porte tire de son sein fécond tout ce qu'il faut pour notre nourriture; tout en sort, tout y entre, tout y renaît chaque année; elle ne s'use jamais. Plus vous déchirez ses entrailles, plus elle vous comble de ses largesses pour vous récompenser de votre travail. Elle se couvre de moissons, elle se pare de verdure, elle nourrit avec l'homme les animaux qui le servent et qui le nourrissent.

3. Les arbres qu'elle forme sont de grands bouquets plantés dans son sein, qui l'ornent comme les cheveux ornent la tête de l'homme. Ces

---

[1] *Jeux de mains, jeux de vilains*, "Rough play is bad."   [2] Modèles.

arbres nous donnent leur ombre pour nous rafraîchir en été, et leur bois pour nous réchauffer en hiver. Leurs fruits pendants à leurs rameaux tombent dans nos mains dès qu'ils sont assez mûrs. Les plantes ont une variété infinie : elles ont toutes un ordre qui les rend uniformes jusqu'à un certain point ; mais, au delà de ce point, tout est varié, et il n'y a pas deux feuilles sur un arbre entièrement semblables. Les fleurs, qui embellissent toute la nature, promettent les fruits, et les fruits, qui couronnent l'année, répandent l'abondance immédiatement avant la saison dont la rigueur suspend le travail. Les ruisseaux tombent des montagnes. Les rivières, après avoir arrosé les divers pays, et facilité le commerce, vont se précipiter dans la mer, qui, loin de priver les hommes de toute société, est au contraire le centre du commerce entre les nations les plus éloignées. Les vents qui purifient l'air et qui tempèrent les saisons, sont l'âme de la navigation et du commerce des nations entre elles. Si l'air était un peu plus épais, nous ne pourrions le respirer, et nous nous y noierions comme dans la mer[1].—FÉNELON, 1651-1715.

La soif.

Pendant une marche longue et pénible dans un pays aride, Alexandre et son armée souffraient extrêmement de la soif. Quelques soldats envoyés à la découverte trouvèrent un peu d'eau dans le creux d'un rocher, et l'apportèrent au roi dans un casque. Alexandre montra cette eau à ses soldats, pour les encourager à supporter la soif avec patience, puisqu'elle leur annonçait une source voisine. Ensuite, au lieu de la boire, il la jeta par terre aux yeux de toute l'armée. Quel est le soldat qui, sous un tel chef, se serait plaint des privations et des fatigues ? quel est celui qui ne l'aurait pas suivi avec joie ?—T. H. BARRAU.

L'abbé de l'Épée.

L'abbé de l'Épée, fondateur de l'institution des Sourds-Muets, naquit à Versailles (p. 15) en 1712, et mourut à Paris en 1789. Touché du sort de deux jeunes filles sourdes et muettes qui vivaient à Paris près de leur mère, il tenta, comme il le dit, de faire entrer par les yeux dans leur esprit, au moyen du dessin et de l'alphabet manuel, ce qui est entré dans le nôtre par les oreilles. Il réussit au-delà de ses espérances, et résolut dès lors de se consacrer au soulagement de ce genre d'infortune. Seul, sans appui, avec ses propres deniers, il parvint à fonder une institution de sourds-muets, la première qui ait existé, et se plaça ainsi au rang des bienfaiteurs de l'humanité. Il sacrifia pour ses élèves sa modique fortune, et dépensa des sommes considérables pour rétablir dans ses droits un jeune sourd-muet, héritier d'une famille opulente, que d'avides parents avaient dépouillé. On a de lui : *Véritable manière d'instruire les sourds-muets.* Versailles lui a élevé une statue. Il eut pour disciple et pour successeur l'abbé SICARD (1742-1822).—M. N. BOUILLET, auteur vivant, né à Paris en 1798.

Le berger d'Ettrick.
(Ettrick est une paroisse du comté de Selkirk, en Écosse.)

James Hogg, connu sous le nom du berger d'Ettrick, est un poète estimé en Angleterre. Quand il commença à se livrer à l'étude, il avait

---

[1] See "French Studies," pp. 50 and 52.

vingt ans et ne savait encore ni lire ni écrire. La volonté et le travail vinrent à bout de tout. Sa jeunesse avait été pauvre et misérable; il l'avait passée à garder les troupeaux dans les montagnes d'Écosse. Vivant dans la plus profonde solitude, il avait fini par aimer d'affection les sources, les ruisseaux, les grottes, les montagnes, le ciel, les nuages... Forcé, pour exister, de renoncer au commerce de ses semblables, il s'était passionné pour les beautés de la nature. Mais serait-il jamais devenu capable de les peindre si, par la force de sa volonté et par son application au travail, il n'avait acquis une instruction variée et un remarquable talent? Son exemple nous apprend qu'un jeune homme dont l'enfance a été négligée, même complétement, peut réparer ce malheur, s'il sait vouloir et persévérer.—T. H. BARRAU.

Le départ des hirondelles.

Le ciel était beau le matin, mais avec un vent qui soufflait de la Vendée[1]. Peu à peu le temps se voila, le ciel devint fort gris, le vent tomba, tout devint morne. C'est alors, vers quatre heures, qu'en même temps de tous les points, et du bois, et de l'Erdre[2], et de la ville, et de la Loire, de la Sèvre[3], je pense, d'infinies légions à obscurcir le jour vinrent se condenser sur l'église, avec mille voix, mille cris, des débats, des discussions. Sans savoir cette langue, nous devinions très bien qu'on n'était pas d'accord. Peut-être les jeunes, retenus par ce souffle tiède d'automne, auraient voulu rester encore. Mais les sages, les expérimentés, les voyageurs éprouvés insistaient pour le départ. Ils prévalurent; la masse noire, s'ébranlant à la fois comme un immense nuage, s'envola vers le sud-est, probablement vers l'Italie. Ils n'étaient pas à trois cents lieues (quatre ou cinq heures de vol) que toutes les cataractes du ciel s'ouvrirent pour abîmer la terre; nous crûmes un moment au déluge. Retirés dans notre maison qui tremblait aux vents furieux, nous admirions la sagesse des devins ailés qui avaient si prudemment devancé l'époque annuelle.—MICHELET, auteur vivant né à Paris en 1798.

La barque de l'émigré.

(On entend par *émigrés* les prêtres, les nobles, &c., qui quittèrent la France pendant la révolution (1789) pour éviter les persécutions qu'ils redoutaient de la part des républicains.)

On dit qu'un Français, obligé de fuir pendant la Terreur[4], avait acheté de quelques deniers qui lui restaient une barque sur le Rhin; il s'y était logé lui et ses deux enfants. N'ayant point d'argent, il n'y avait point pour lui d'hospitalité. Quand on le chassait du rivage, il passait, sans se plaindre, à l'autre bord. Souvent, poursuivi sur les deux rives, il était obligé de jeter l'ancre au milieu du fleuve. Il pêchait pour nourrir sa famille; mais les hommes lui disputaient encore les secours de la Providence. La nuit, il allait cueillir des herbes sèches,

---

[1] La Vendée est un département formé de l'ancienne province nommée le Poitou.
[2] L'Erdre est une petite rivière qui se jette dans la Loire.
[3] La Sèvre est un des affluents de la Loire.
[4] LA TERREUR est l'époque de la Révolution française pendant laquelle les républicains exaltés se maintinrent au pouvoir, en couvrant la France de ruines, de prisons et d'échafauds. *On peut dire que* le régime de la terreur finit avec Robespierre, qui périt par la guillotine *le 27 juillet 1794.*

pour faire un peu de feu, et sa femme demeurait dans de mortelles angoisses jusqu'à son retour. Obligée de se faire sauvage entre quatre nations civilisées, cette famille n'avait pas sur le globe un seul coin de terre où elle osât mettre le pied : toute sa consolation était, en errant dans le voisinage de la France, de respirer quelquefois un air qui avait passé sur son pays.—CHÂTEAUBRIAND, 1768–1848. (See HAVET's "French Studies," p. 292.)

Sixte-Quint.

(SIXTE-QUINT, né en 1521 à Montalte, près d'Ascoli, dans les États Romains, pape de 1585 à 1590, régna avec gloire ; dans son enfance, il avait gardé les pourceaux.)

La première fois que le jeune Félix Péretti, qui devint ensuite pape, sous le nom de Sixte-Quint, vint à Rome, il était dans une extrême détresse, et ne possédant que très peu d'argent, il délibérait en lui-même s'il l'emploierait à apaiser sa faim, ou s'il s'en servirait pour acheter des souliers. Dans cette consultation intérieure, son visage exprimait les divers mouvements de son âme. Un marchand qui vint à passer, voyant son embarras, lui en demanda la raison. Le jeune homme la lui avoua ingénument d'une manière si agréable, que, charmé de son esprit, le marchand l'emmena chez lui, le fit bien dîner, et par ce moyen mit un terme à son irrésolution. Félix devenu pape, bien loin de rougir de cette aventure, aimait à la raconter. A son tour, il invita le marchand à dîner, et, non content de lui avoir accordé cet honneur, il le combla de bienfaits.—T. H. BARRAU.

Le berger et le troupeau.

Quand vous voyez quelquefois un nombreux troupeau qui, répandu sur une colline vers le déclin d'un beau jour, paît tranquillement le thym et le serpolet, ou qui broute dans une prairie une herbe menue et tendre qui a échappé à la faux du moissonneur, le berger, soigneux et attentif, est debout auprès de ses brebis ; il ne les perd pas de vue, il les suit, il les conduit, il les change de pâturage ; si elles se dispersent, il les rassemble ; si un loup avide paraît, il lâche son chien qui le met en fuite ; il les nourrit, il les défend ; l'aurore le trouve déjà en pleine campagne, d'où il ne se retire qu'avec le soleil. Quels soins ! quelle vigilance ! quelle servitude ! Quelle condition vous paraît la plus délicieuse et la plus libre, ou du berger, ou des brebis ? C'est une image naïve des peuples, et du prince qui les gouverne.—LA BRUYÈRE, 1646–1696.

Junot au siége de Toulon (1793).

(Toulon, magnifique port militaire sur la Méditerranée, avait été livré aux Anglais. Les troupes françaises reprirent cette ville après un siége célèbre, où Bonaparte, encore peu connu, commanda l'artillerie.)

Au siége de Toulon, Bonaparte[1], alors commandant d'artillerie, faisait établir, sous le feu de l'ennemi, une des premières batteries du siége ; ayant un ordre à donner, il demanda autour de lui un sergent ou un caporal qui sût écrire. Un jeune homme sortit des rangs, et, sur

---

[1] Au commencement de sa carrière, Napoléon 1er est désigné sous le nom de Bonaparte, qui était celui de sa famille.

l'épaulement même de la batterie, écrivit sous sa dictée.   La lettre était
à peine finie, qu'un boulet couvrit de terre le papier et l'écritoire: "Tant
mieux," dit gaiement le jeune homme, " je n'aurai pas besoin de sable."
La plaisanterie, le calme avec lequel elle fut faite, fixèrent l'attention de
Bonaparte.   Ce sergent était Junot, qui devint ensuite un des plus
célèbres lieutenants de l'empereur.—T. H. BARRAU. (See in HAVET'S
" French Class-Book," Anecdotes sur Charles XII.)

Le renne.

1. Le renne est devenu domestique chez le dernier des peuples; les
Lapons sous leur climat glacé n'ont pas d'autre bétail.   En comparant
les avantages qu'ils tirent du renne apprivoisé avec ceux que nous
retirons des nos animaux domestiques, on verra que cet animal en vaut
seul deux ou trois.   On s'en sert comme du cheval, pour tirer des
traîneaux, des voitures; il marche avec bien plus de diligence et de
légèreté, fait aisément trente lieues par jour, et court avec autant
d'assurance sur la neige gelée que sur une pelouse.   La femelle donne
du lait plus substantiel et plus nourrissant que celui de la vache; la
chair de cet animal est très bonne à manger; son poil fait une excellente
fourrure, et la peau passée devient un cuir très souple et très durable;
ainsi le renne donne seul tout ce que nous tirons du cheval, du bœuf et
de la brebis.
2. Le bois du renne, beaucoup plus grand, plus étendu, et divisé en
un bien plus grand nombre de rameaux que celui du cerf, est une espèce
de singularité admirable et monstrueuse.   La nourriture de cet
animal, pendant l'hiver, est une mousse blanche qu'il sait trouver sous
les neiges épaisses en les fouillant avec son bois et en les détournant avec
ses pieds; en été, il vit de boutons et de feuilles d'arbres, plutôt que
d'herbe, que les rameaux de son bois, avancés en avant, ne lui permettent
pas de brouter aisément.   Ces animaux sont doux, on en fait des troupeaux qui rapportent beaucoup de profit à leurs maîtres; le lait, la peau,
les nerfs, les os, les cornes des pieds, les bois, le poil, la chair, tout est
bon et utile.—BUFFON, 1707-1788. (See " French Studies," p. 79.)

La vanité singulièrement placée.

Un vaisseau français ayant relâché à la côte de Guinée, quelques
hommes de l'équipage voulurent aller à terre acheter quelques moutons.
On les mena au roi, qui rendait la justice à ses sujets, sous un arbre.   Il
était sur son trône, c'est-à-dire sur un morceau de bois, aussi fier que
s'il eût été assis sur celui du Grand Mogol; il avait trois ou quatre
gardes avec des piques de bois; un parasol en forme de dais le couvrait
de l'ardeur du soleil; tous ses ornements et ceux de la reine sa femme
consistaient en leur peau noire et quelques bagues.   Ce prince, plus
vain encore que misérable, demanda à ces étrangers si l'on parlait beaucoup de lui en France.   Il croyait que son nom devait être porté d'un
pôle à l'autre; et à la différence de ce conquérant de qui on a dit qu'il
avait fait taire toute la terre, il croyait, lui, qu'il devait faire parler tout
l'univers.—MONTESQUIEU, 1689-1755. (See " French Studies," p. 113.)

Le travailleur infirme.

1. Il y a peu d'années, dans la ville d'Ayr, en Écosse, vivait un homme fort remarquable, nommé Jacques Sandy. Il était né pauvre et avait perdu de bonne heure l'usage de ses jambes; mais il sut échapper à la misère et à l'ennui, et parvint même à se rendre utile. Réduit à ne jamais quitter son lit, il s'occupa de mécanique. Entouré d'outils de toutes sortes, il se livrait à un travail assidu: il savait tourner aussi bien que le tourneur le plus habile; il fabriquait des horloges et des instruments de musique et d'optique d'une perfection si rare, qu'ils ne le cédaient en rien à ceux des premiers ouvriers de Londres. D'après ses conseils, on améliora les machines dans la filature de chanvre. Il joignait à ses autres connaissances celle du dessin et de la gravure.

2. Pendant cinquante ans, il ne quitta son lit que trois fois, et ce fut pour échapper à l'inondation, et ensuite au feu, dont sa maison était menacée.

3. Sandy était gai et spirituel; les notables de la ville venaient souvent le voir et se plaisaient à sa conversation. Cet homme, remarquable par son industrie et par l'indépendance qu'il sut acquérir, tout infirme qu'il était, mourut possesseur d'une fortune assez considérable, entièrement acquise par son travail.—T. H. BARRAU.

Antiques vertus du peuple romain.

1. Il n'y eut jamais de peuple où[1] la frugalité, où l'épargne[2], où la pauvreté aient été plus longtemps en honneur. Les sénateurs les plus illustres, à ne regarder que[3] l'extérieur, différaient peu des paysans, et n'avaient d'éclat ni de majesté qu'en public et dans le sénat. Du reste, on les trouvait occupés du labourage et des autres soins de la vie rustique quand on les allait quérir[4] pour commander les armées. Ces exemples sont fréquents dans l'histoire romaine: Curius et Fabricius, ces grands capitaines qui vainquirent Pyrrhus (page 144), un roi si riche, n'avaient que de la vaisselle de terre; et le premier, à qui les Samnites en offraient d'or et d'argent, répondit que son plaisir n'était pas d'en avoir, mais de commander à qui en avait. Après avoir triomphé, et avoir enrichi la république des dépouilles de ses ennemis, ils n'avaient pas de quoi se faire enterrer.

2. Cette modération durait encore pendant les guerres puniques[5]. Dans la première, on voit Régulus, général des armées romaines, demander son congé au sénat pour aller cultiver sa métairie abandonnée pendant son absence. Après la ruine de Carthage, on voit encore de grands exemples de la première simplicité. Émilius Paulus[6], qui augmenta le trésor public par le riche trésor des rois de Macédoine, vivait selon les règles de l'ancienne frugalité, et mourut pauvre. Mummius, en ruinant Corinthe, ne profita que pour le public des richesses de cette ville opulente et voluptueuse. Ainsi les richesses étaient méprisées: la modération et l'innocence des généraux romains faisaient l'admiration des peuples vaincus.—BOSSUET, 1627-1704.

---

[1] Chez lequel.   [2] L'économie.   [3] Si l'on ne considère que, &c.
[4] Chercher a remplacé quérir.
[5] C'est-à-dire les guerres entre les Romains et les Carthaginois.   [6] Paul Émile.

Le prix du temps.

(FRANÇOIS D'AGUESSEAU (1668–1751) est principalement célèbre comme magistrat intègre et comme orateur éloquent ; mais il n'était pas moins remarquable par ses qualités sociales, par ses sentiments religieux et par son instruction immense. On estime encore ses ouvrages, entre lesquels on remarque des *Méditations métaphysiques*, &c.)

Le chancelier d'Aguesseau, un des hommes qui avaient su le mieux mettre le temps à profit, et qui, par conséquent était très exact et toujours prêt à l'heure précise pour chaque chose, avait remarqué que, lorsqu'il se rendait à table pour le dîner au premier avis, sa femme le faisait toujours attendre pendant dix minutes. Au lieu de s'en plaindre, ce qui aurait bien pu être inutile, il prit un autre parti pour ne pas perdre chaque jour ces dix minutes. Il entreprit un travail avec la résolution d'y consacrer seulement et exclusivement ce temps-là. Le manuscrit était toujours ouvert sur une table à part ; au moment où l'on annonçait au chancelier qu'il était servi, au lieu de se rendre à la salle à manger, il se mettait à son manuscrit, posait sa montre devant lui, et écrivait juste pendant dix minutes, après quoi il allait dîner.

Au bout de quelques années, ce travail a formé plusieurs volumes, dont la postérité est redevable à l'inexactitude de la femme du chancelier, qui ne se doutait pas qu'elle fît une si belle œuvre.—LAURENT DE JUSSIEU.

Lettre de Racine à son fils.

(JEAN RACINE, l'un des plus grands poètes du siècle de Louis XIV, naquit à la Ferté-Milon en 1639. A l'exception de ses deux premières tragédies, il n'a écrit que des chefs-d'œuvre, parmi lesquels on admire surtout *Britannicus, Iphigénie, Phèdre* et *Athalie*. Il écrivait en prose presque aussi bien qu'en vers, comme on peut s'en assurer en lisant ses *Lettres*, qui sont remplies de naturel. Il mourut en 1699.)

PARIS, le 3 juin 1695.

MON CHER FILS,—C'est tout de bon[1] que nous partons pour notre voyage de Picardie. Comme je serai quinze jours sans vous voir, et que vous êtes continuellement présent à mon esprit, je ne puis m'empêcher de vous répéter encore deux ou trois choses que je crois très importantes pour votre conduite.

La première, c'est d'être extrêmement circonspect dans vos paroles, et d'éviter la réputation d'être un parleur, qui est la plus mauvaise réputation qu'un jeune homme puisse avoir dans le pays où vous entrez[2]. La seconde est d'avoir une extrême docilité pour les avis de M. et de Mme Vigan, qui vous aiment comme leur enfant.

N'oubliez point vos études, et cultivez continuellement votre mémoire, qui a grand besoin d'être exercée. Je vous demanderai compte à mon retour de vos lectures, et surtout de l'histoire de France, dont je vous demanderai à voir vos extraits.

Vous savez ce que je vous ai dit des opéras et des comédies : on en doit jouer à Marly[3]. Il est très important pour vous et pour moi-même qu'on ne vous y voie point, d'autant plus que vous êtes présentement à Versailles pour y faire vos exercices, et non point pour assister à toutes

---

[1] *i.e.*, sérieusement.   [2] *i.e.*, A Versailles, où se tenait la cour de Louis XIV (*voyez* p. 15).
[3] *Marly* est un bourg près de Paris ; ce fut le séjour favori de Louis XIV dans sa vieillesse.

ces sortes de divertissements. Le roi et toute la cour savent le scrupule que je me fais d'y aller; et ils auraient très méchante[1] opinion de vous, si, à l'âge où vous êtes, vous aviez si peu d'égard pour moi et pour mes sentiments. Je devrais avant toutes choses vous recommander de songer toujours à votre salut, et de ne point perdre l'amour que je vous ai vu pour la religion. Le plus grand déplaisir qui puisse m'arriver au monde, c'est s'il me revenait[2] que vous êtes un indévot et que Dieu vous est devenu indifférent. Je vous prie de recevoir cet avis avec la même amitié que je vous le donne. Adieu, mon cher fils: donnez-moi souvent de vos nouvelles.   JEAN RACINE.

Suscription:—A Monsieur Racine le jeune, gentilhomme ordinaire du roi, chez Monsieur Vigan, à Versailles.

Le retour dans la patrie.

Je me rappelle que lorsque j'arrivai en France sur un vaisseau qui venait des Indes, dès que les matelots eurent distingué la terre de la patrie, ils devinrent pour la plupart incapables d'aucune manœuvre. Les uns la regardaient sans pouvoir en détourner les yeux, d'autres mettaient leurs beaux habits, comme s'ils avaient été au moment de descendre; il y en avait qui parlaient tout seuls, et d'autres qui pleuraient. A mesure que nous approchions, le trouble de leurs têtes augmentait: comme ils en étaient absents depuis plusieurs années, ils ne pouvaient se lasser d'admirer la verdure des collines, le feuillage des arbres, et jusqu'aux rochers du rivage couverts d'algues et de mousse, comme si tous ces objets leur eussent été nouveaux. Les clochers des villages où ils étaient nés, qu'ils reconnaissaient au loin dans les campagnes, et qu'ils nommaient les uns après les autres, les remplissaient d'allégresse. Mais quand le vaisseau entra dans le port, et qu'ils virent sur les quais, leurs amis, leurs pères, leurs mères, leurs enfants, qui leur tendaient les bras en pleurant, et qui les appelaient par leurs noms, il fut impossible d'en retenir un seul à bord. Tous sautèrent à terre, et il fallut suppléer, suivant l'usage de ce port, aux besoins du vaisseau par un autre équipage.—BERNARDIN DE SAINT-PIERRE. (See HAVET'S "French Studies," p. 121.)

Extrait d'une lettre de Victor Hugo à Louis Boulanger[3].

VÉVEY, 21 septembre 1838.

Je vous écris cette lettre, cher Louis, à peu près au hasard, ne sachant pas où elle vous trouvera, ni même si elle vous trouvera. Où êtes-vous en ce moment? que faites-vous? Etes-vous à Paris? êtes-vous en Normandie? Avez-vous l'œil fixé sur les toiles[3] que votre pensée fait rayonner? Je ne sais ce que vous faites; mais je pense à vous, je vous écris et je vous aime.

Je voyage en ce moment comme l'hirondelle. Je vais devant moi cherchant le beau temps. Où je vois un coin de ciel bleu, j'accours. Les nuages, les pluies, la bise, l'hiver viennent derrière moi comme des ennemis qui me poursuivent, et recouvrent les pauvres pays à mesure

---

[1] *i.e.*, mauvaise.   [2] *i.e.*, si j'apprenais.
[3] Louis Boulanger, peintre français né en 1806, a illustré les œuvres de Victor Hugo, et lui a emprunté les sujets de plusieurs de ses meilleurs tableaux.

que je les quitte. Il pleut maintenant à verse sur Strasbourg[1], que je visitais il y a quinze jours; sur Zurich[2], où j'étais la semaine dernière; sur Berne[2], où j'ai passé hier. Moi, je suis à Vévey[2], jolie petite ville, blanche, propre, anglaise, confortable, chauffée par les pentes méridionales du mont Chardonne comme par des poêles et abritée par les Alpes comme par un paravent. ` J'ai devant moi un ciel d'été, le soleil, des coteaux couverts de vignes mûres, et cette magnifique émeraude du Léman[3] enchâssée dans des montagnes de neige comme dans une orfèvrerie d'argent.—Je vous regrette.—VICTOR HUGO, auteur vivant, né à Besançon en 1802.

Bernadotte à la cour de Vienne (1798).

(BERNADOTTE, célèbre général français, naquit à Pau en 1764, et devint roi de Suède, en 1818, sous le nom de Charles-Jean ou Charles XIV. Il mourut en 1846; son fils Oscar lui succéda.)

Le général Bernadotte, devenu plus tard roi de Suède, avait été envoyé par la république française en qualité d'ambassadeur à Vienne. On sut dans cette cour altière qu'il avait servi comme simple soldat dans un régiment dont était colonel M. de Béthizy. On crut humilier le guerrier français en lui rappelant qu'il avait commencé sa carrière par être simple soldat. Un jour, dans un cercle brillant et nombreux, le baron de Thugut, ministre autrichien, lui dit: "Monsieur l'ambassadeur, nous avons ici un ancien officier émigré qui prétend vous avoir beaucoup connu autrefois."—"Puis-je vous demander quel est cet officier?" —"Il se nomme M. de Béthizy."—"Oui, je le connais parfaitement; c'était mon colonel, et j'ai eu l'honneur d'être simple soldat sous ses ordres; je le déclare, si je suis devenu quelque chose, je le dois aux bontés et surtout aux encouragements que ce brave chef a bien voulu me donner. Je regrette que ma position actuelle ne me permette pas de l'accueillir à l'hôtel de l'ambassade de France, comme je le désirerais;[4] mais dites-lui bien, je vous prie, que Bernadotte, son ancien soldat, a toujours conservé pour lui des sentiments de respect et de reconnaissance." Qui demeura stupéfait de cette noble franchise? Ce fut le sot ministre qui, en croyant humilier le général français, lui avait donné l'occasion de faire connaître l'élévation de ses sentiments. —T. H. BARRAU.

Les infiniment petits.

L'autre jour, que j'étais couché à l'ombre, je m'avisai de remarquer la variété des herbes et des animaux que je trouvai sous mes yeux. Je comptai, sans changer de place, plus de vingt sortes d'insectes dans un fort petit espace, et pour le moins autant de diverses plantes. Je pris un de ces insectes, dont je ne sais point le nom, et peut être n'en a-t-il point; je le considérai attentivement, et je ne crains point de vous dire de lui ce que Jésus-Christ assure des lis champêtres: que Salomon dans toute sa gloire n'avait point de si magnifiques ornements. Après que

---

[1] Strasbourg est la capitale de l'Alsace.
[2] Zurich, Berne et Vévey sont des villes de Suisse.
[3] Le Léman se nomme aussi le lac de Genève.
[4] L'ambassadeur de la république française ne devait avoir aucun rapport avec les émigrés (voyez p. 176).

j'eus admiré quelque temps cette petite créature si injustement méprisée, et même si indignement et si cruellement traitée par les autres animaux, à qui apparemment elle sert de pâture, je me mis à lire un livre que j'avais sur moi et j'y trouvai une chose fort étonnante : c'est qu'il y a dans le monde un nombre infini d'insectes pour le moins un million de fois plus petits que celui que je venais de considérer, cinquante mille fois plus petits qu'un grain de sable.—MALEBRANCHE, 1638–1715.

La classe en voyage.

1. Le temps des fréquents voyages de mon père était favorable pour nous. Il nous menait presque toujours avec lui, et son carrosse[1] devenait une espèce de classe où nous avions le bonheur de travailler sous les yeux d'un si grand maître. On y observait une règle presque aussi uniforme que si nous eussions été dans le lieu de son séjour ordinaire.

2. Après la prière des voyageurs par laquelle ma mère commençait toujours sa marche, nous expliquions les auteurs grecs et latins[2] qui étaient l'objet actuel de notre étude. Mon père se plaisait à nous faire bien pénétrer le sens des passages les plus difficiles ; et ses réflexions nous étaient plus utiles que cette lecture même. Nous apprenions par cœur un certain nombre de vers qui excitaient en lui, lorsque nous les récitions, cette espèce d'enthousiasme qu'il avait naturellement pour la poésie ; souvent même il nous obligeait à traduire du français en latin pour suppléer aux thèmes que le voyage ne nous permettait pas de faire. Une lecture commune de quelque livre d'histoire ou de morale succédait à ces exercices, ou bien chacun suivait son goût dans une lecture particulière ; car une des choses qu'il nous inspirait le plus, sans l'exiger absolument, était que nous eussions toujours quelque livre de choix pour le lire après nos études ordinaires, afin de nous accoutumer par là à nous passer du secours d'un maître, et à contracter non-seulement l'habitude, mais l'amour du travail.—F. D'AGUESSEAU. (*Voyez* p. 180.)

Qui ne dit mot consent[3].—(Anecdote.)

1. On m'a conté une anecdote assez singulière sur l'empereur Napoléon. Un homme d'esprit, qui était à la fois assez instruit et très malheureux, songea qu'il remplirait une petite place un peu lucrative, aussi bien qu'une multitude de sots bien payés, et qui n'ont pour eux que leur bonheur. Il demanda donc un emploi : mais il n'avait point de protecteurs ; et l'on sait que le mérite seul ne protége personne. Il essaya vainement trois ou quatre pétitions qui, selon l'usage, ne furent pas remises[4] au monarque.

2. Fatigué, impatient, et toujours plus pauvre, il s'avisa d'un strata-gème, qui ne serait pas indigne d'un courtisan. La nécessité donne souvent d'heureuses idées. Il écrivit avec beaucoup de soin un petit placet[5] qu'il adressa *à sa majesté le roi de Rome*. Il ne demandait qu'un emploi de six mille francs ; ce qui était très modeste.

3. Le cœur plein de l'espoir du succès, il alla trouver un officier

---

[1] *Voiture* in modern French.
[2] Or *better* les auteurs grecs et les auteurs latins. HAVET's "French Class-Book," p. 253, note.
[3] "Silence is consent."
[4] *Voyez remettre* dans le dictionnaire.   [5] Placet, "petition."

général attaché à la personne de l'empereur; il lui avoua sa détresse,
lui montra son placet, et lui dit: "Monsieur, vous feriez encore une
action généreuse, et vous auriez droit à ma reconnaissance éternelle, si
vous me donniez le moyen de présenter ce papier à l'empereur." Le
général, qui était accessible autant que brave, conduisit le pétitionnaire
devant Napoléon.

4. L'empereur prit le placet, remarqua l'adresse, et en parut agréablement étonné.—"Sire," lui dit-on, "c'est une pétition pour sa majesté le
roi de Rome."[1]—"Eh bien!" répondit l'empereur, "qu'on porte la
pétition à son adresse." . . . . . . Le roi de Rome avait alors six mois.
Quatre chambellans eurent ordre de conduire le pétitionnaire devant
la petite majesté. Le solliciteur ne se démonta pas[2]: il voyait la fortune
sourire. Il se présenta devant le berceau du prince, déplia son papier,
et en fit lecture à haute et intelligible voix, après les plus respectueuses
révérences. L'enfant-roi balbutia quelques sons pendant cette lecture,
et ne répondit point à la demande. Le cortége salua le petit monarque;
et l'empereur demanda quelle réponse on avait obtenue?—"Sire, sa
majesté n'a rien répondu."—"*Qui ne dit rien, consent*[3]," reprit Napoléon:
"la place est accordée."—COLLIN DE PLANCY, auteur vivant né à Plancy,
près d'Arcis-sur-Aube, en 1793.

Le décisionnaire[4]. Fragment d'une lettre de Rica à Usbek.

(Ce morceau est extrait d'une des LETTRES PERSANES où de prétendus Persans,
voyageant en France, expriment d'une manière spirituelle leurs opinions, ou
plutôt celles de Montesquieu, sur les mœurs de ce pays, et sur beaucoup de
questions graves.)

Je me trouvais l'autre jour dans une compagnie où je vis un homme
bien content de lui. Dans un quart d'heure il décida trois questions de
morale, quatre problèmes historiques, et cinq points de physique. Je
n'ai jamais vu un décisionnaire[4] aussi universel; son esprit ne fut jamais
suspendu par le moindre doute. On laissa les sciences; on parla des
nouvelles du temps: il décida sur les nouvelles du temps. Je voulus
l'attraper, et je dis en moi-même: "Il faut que je me mette en mon
fort; je vais me réfugier dans mon pays." Je lui parlai de la Perse:
mais à peine lui eus-je dit quatre mots, qu'il me donna deux démentis,
fondés sur l'autorité de Tavernier[5] et de Chardin[6]. "Ah!" dis-je en moi-
même, "quel homme est cela? Il connaîtra tout à l'heure les rues
d'Ispahan[7] mieux que moi." Mon parti fut bientôt pris, je me tus, je
le laissai parler, et il décide encore.—MONTESQUIEU. (P. 178.)

Désespoir d'Harpagon à qui l'on a volé son argent.

Au voleur! au voleur! à l'assassin! au meurtrier! Justice, juste
ciel! je suis perdu, je suis assassiné; on m'a coupé la gorge: on m'a
dérobé mon argent. Qui peut-ce être? Qu'est-il devenu? Où est-il?

---

[1] Napoléon (II), duc de Reichstadt, né à Paris en 1811.—Nommé roi de Rome à sa naissance, on l'emmena en Autriche en 1814, où il fut placé sous bonne garde. Il mourut en 1832
au château de Schœnbrunn, près de Vienne.

[2] "Was not nonplussed," "did not lose his wits."

[3] "Silence is consent."

[4] Le décisionnaire est celui qui décide rapidement et avec assurance. Ce mot est inusité.

[5] TAVERNIER (1605-1686), auteur des *Voyages en Turquie, en Perse et aux Indes.*

[6] *CHARDIN* (1643-1713), auteur du *Voyage en Perse.*

[7] *Ispahan*, ville de Perse dont elle était jadis la capitale.

Où se cache-t-il? Que ferai-je pour le trouver? Où courir? Où ne
pas courir? N'est-il point là? N'est-il point ici? Qui est-ce? Arrête.
[*A lui-même, se prenant le bras.*] Rends-moi mon argent, coquin . . . .
Ah! c'est moi! Mon esprit est troublé, et j'ignore où je suis, qui je suis, et
ce que je fais. Hélas! mon pauvre argent! mon pauvre argent! mon cher
ami! on m'a privé de toi; et, puisque tu m'es enlevé, j'ai perdu mon support, ma consolation, ma joie: tout est fini pour moi, et je n'ai plus que
faire au monde. Sans toi, il m'est impossible de vivre. C'en est fait; je
n'en puis plus; je me meurs; je suis mort; je suis enterré. . . . N'y a-t-il
personne qui veuille me ressusciter, en me rendant mon cher argent, ou
en m'apprenant qui l'a pris? Euh! que dites-vous? Ce n'est personne.
Il faut, qui que ce soit qui ait fait le coup[1], qu'avec beaucoup de soin on
ait épié l'heure; et l'on a choisi justement le temps où je parlais à mon
traître de fils. Sortons. Je veux aller quérir[2] la justice, et faire donner
la question[3] à toute ma maison; à servantes, à valets, à fils, à fille, et à
moi aussi. Que de gens assemblés! Je ne jette mes regards sur personne qui ne me donne des soupçons, et tout[4] me semble mon voleur.
Hé! de quoi est-ce qu'on parle là? de celui qui m'a dérobé? Quel
bruit fait-on là-haut? Est-ce mon voleur qui y est? De grâce, si l'on
sait des nouvelles de mon voleur, je supplie que l'on m'en dise. N'est-il
point caché là parmi vous? Ils me regardent tous, et se mettent à rire.
Vous verrez qu'ils ont part, sans doute, au vol que l'on m'a fait. Allons
vite, des commissaires, des archers[5], des prévôts[6], des juges, des gênes[7],
des potences et des bourreaux. Je veux faire pendre tout le monde[8];
et, si je ne retrouve mon argent, je me pendrai moi-même après.—
MOLIÈRE, *l'Avare.*

MOLIÈRE, le plus célèbre des auteurs comiques français, naquit en 1622 à
Paris et y mourut en 1673. Parmi ses nombreuses pièces, qui sont presque
toutes des chefs-d'œuvre, on admire surtout *le Tartufe, le Misanthrope, les Femmes savantes* et *l'Avare.*

Les montagnes de la Suisse.

(La SUISSE, le pays le plus élevé de l'Europe, est une république divisée en
22 cantons. Le climat est généralement froid ou humide, et le sol stérile ou
peu fertile. Cependant, les plateaux de médiocre hauteur et les vallées pro-
duisent des grains et offrent d'admirables pâturages. Les principales industries
de la Suisse sont l'horlogerie, les soieries et la fabrication des fromages.)

1. Tantôt d'immenses roches pendaient en ruines au-dessus de ma tête;
tantôt de hautes et bruyantes cascades m'inondaient de leurs épais
brouillards; tantôt un torrent éternel ouvrait à mes côtés un abîme dont
les yeux n'osaient sonder la profondeur. Quelquefois je me perdais dans
l'obscurité d'un bois touffu; quelquefois, en sortant d'un gouffre, une
agréable prairie réjouissait tout à coup mes regards. Un mélange étonnant de la nature sauvage et de la nature cultivée montrait partout la
main des hommes, où l'on eût cru qu'ils n'avaient jamais pénétré. A
côté d'une caverne, on trouvait des maisons; on voyait des pampres

---

1 "Whoever has done the deed."   2 *i.e.* Chercher.
3 Faire donner la question, "to put to the rack.
4 *i.e.* tout le monde. HAVET'S "French Class-Book," p. 297, no. 631.
5 "police-officers."   6 "chief justices."   7 "tortures," "racks."
8 "I will have every body hanged."

secs, où l'on n'eût cherché que des ronces, des vignes dans des terres
éboulées, d'excellents fruits sur des rochers, et des champs dans des
précipices.

2. Ce n'est pas seulement le travail des hommes qui rendait ces pays
étranges si bizarrement contrastés; la nature semblait encore prendre
plaisir à s'y mettre en opposition avec elle-même, tant on la trouvait
différente en un même lieu sous divers aspects! Au levant, les fleurs
du printemps; au midi, les fruits de l'automne; au nord, les glaces de
l'hiver. Elle réunissait toutes les saisons dans le même instant, tous
les climats dans le même lieu, des terrains contraires sur le même sol,
et formait l'accord, inconnu partout ailleurs, des productions des plaines
et de celles des Alpes.—J.-J. ROUSSEAU (1712–1778.)

Venise.

(VENISE, sur l'Adriatique, est la capitale de la Vénétie, qui appartient à
l'Autriche. Elle est bâtie sur environ cent petites îles, au milieu des lagunes;
elle semble sortir des eaux et offre un aspect unique: 9000 gondoles parcourent
les nombreux canaux que ces îles laissent entre elles: on compte dans cette ville
environ 140 ponts. On y remarque la magnifique place Saint-Marc."—BOUILLET.
(See "French Studies," p. 153.)

Un sentiment de tristesse s'empare de l'imagination, en entrant dans
Venise. On prend congé de la végétation: on ne voit pas même une
mouche en ce séjour; tous les animaux en sont bannis, et l'homme est
là seul pour lutter contre la mer. Le silence est profond dans cette ville,
dont les rues sont des canaux, et le bruit des rames est l'unique interruption à ce silence. Ce n'est pas la campagne, puisqu'on n'y voit pas
un arbre; ce n'est pas la ville, puisqu'on n'y entend pas le moindre mouvement; ce n'est pas même un vaisseau, puisqu'on n'avance pas: c'est
une demeure dont l'orage fait une prison; car il y a des moments où l'on
ne peut sortir ni de la ville ni de chez soi. On trouve des hommes du
peuple à Venise qui n'ont jamais été d'un quartier à l'autre, que n'ont
pas vu la place Saint-Marc, et pour qui la vue d'un cheval ou d'un arbre
serait une véritable merveille. Ces gondoles noires, qui glissent sur les
canaux, ressemblent à des cercueils ou à des berceaux. Le soir, on ne
voit passer que le reflet des lanternes qui éclairent les gondoles; car, de
nuit, leur couleur noire empêche de les distinguer. On dirait que ce
sont des ombres qui glissent sur l'eau, guidées par une petite étoile.—
Mme DE STAËL, née à Paris en 1766, morte en 1818.

Le filou et le notaire.

1. La ville de Milan a été, au mois de juin 1829, le théâtre d'un tour
d'escroquerie[1] assez singulier.

2. Un filou[2], vêtu en paysan, cherchait des dupes sur la place publique,
lorsqu'il vit venir à lui un notaire, chargé d'un gros sacs d'écus. C'était
un assez bel homme; mais son sac était bien plus beau. Le filou qui
l'avait vu quelquefois l'accosta:—"Monsieur," lui dit-il, en prenant le
ton d'un villageois bien simple, "pardon si je vous arrête un moment.
Je viens d'un bourg voisin (qu'il nomma) en ma qualité de marguillier[3]
de la paroisse, chercher un notaire pour arranger de grands débats qui

---

[1] *Escroquerie,* "swindling."   [2] *Filou,* "pickpocket," "swindler."
[3] *Marguillier,* "churchwarden."

nous sont survenus, et une chape[1] pour M. le curé qui a brûlé la sienne cet hiver, en se chauffant dans la sacristie.[2] Si c'était un effet de votre bonté de m'indiquer où je trouverai tout cela, vous me rendriez bien reconnaissant."

3. Le notaire ouvrit de grandes oreilles, et répondit du ton le plus poli qu'il était l'homme qu'on cherchait, et qu'il écrirait tous les actes et ferait toutes les affaires de la paroisse au prix le plus modéré.—"A ce que je vois," dit le filou, "vous êtes notaire?"—"Justement."—"Eh bien! c'est bon, car vous me revenez. Savez-vous que vous allez gagner là deux ou trois cents écus?"—"Allons tant mieux."—"Mais en récompense de la pratique que je vous donne, il faut que vous me rendiez un vrai service. Notre curé est absolument de votre taille. Menez-moi chez un honnête marchand; essayez la chape[1]; ce qui vous ira bien, ira bien."

4. Le notaire ne put se refuser à cette petite complaisance. Il conduisit le prétendu marguillier chez un vendeur d'ornements d'église; on choisit une belle chape, et le notaire se la mit sur le dos. Il avait déposé pour cette opération son sac d'écus sur le comptoir. Pendant qu'il avait le dos tourné, le filou empoigna le sac, ouvrit la porte, et prit la fuite. Le notaire se retourna brusquement, et voyant partir son sac, il se mit à hurler, en courant du côté où il avait vu tourner son homme, et en criant de toutes ses forces *au voleur*. Le marchand courut de son côté après le notaire en poussant les mêmes cris. Le filou, qui n'était pas hors de péril, courait toujours en criant aussi: "Arrêtez le voleur! c'est un sacrilége! il a pris la chape de Saint Ambroise! il est fou! arrêtez-le avec précaution; je vais aller chercher la justice."

5. La populace qui voyait un notaire courir les rues avec une chape sur le dos, ne douta pas un instant que ce ne fût l'homme dont il s'agissait[3]. On l'arrêta malgré ses clameurs; on le gourma[4] de quelques coups de poing; les bonnes gens à qui le filou venait d'apprendre qu'on emportait la chape de Saint Ambroise, se hâtèrent d'en déchirer des lambeaux, pour en faire des reliques et des amulettes[5]; si bien qu'elle disparut en un clin d'œil.

6. On reconduisit enfin le notaire chez le marchand; toute l'affaire s'expliqua; mais le voleur était sauvé avec le sac; et le notaire fut encore obligé de payer la chape.—COLLIN DE PLANCY.

Les progrès du genre humain.

DIEU a destiné l'homme à travailler, à travailler rudement, d'un soleil à un autre soleil, à arroser la terre de ses sueurs. *Nu sur la terre nue*, tel est l'état dans lequel il l'a jeté sur la terre, dit un ancien. C'est à force de travail que l'homme pourvoit à tout ce qui lui manque. Il faut qu'il se vêtisse[6], en arrachant au tigre et au lion la peau qui les recouvre pour en recouvrir sa nudité; puis les arts se développant, il faut qu'il file la toison de ses moutons, qu'il en rapproche les fils par le tissage, pour en faire une toile continue qui lui serve de vêtement. Cela ne lui suffit pas: il faut qu'il se dérobe aux variations de l'atmosphère, qu'il se construise une demeure où il échappe à l'inégalité des saisons, aux tor-

---

[1] *Chape*, "cope," *i.e.* sacerdotal cloak.
[2] *Sacristie*, "vestry,"
[3] *i.e.* l'homme en question.
[4] *Gourmer*, "to beat," "to deal (blows)," "to box."
[5] *Amulette*, amulet, charm.
[6] *Ou qu'il se vête*, "French Class-Book," p. 172.

rents de la pluie, aux ardeurs du soleil, aux rigueurs de la gelée. Après avoir vaqué à ces soins, il faut qu'il se nourrisse, qu'il se nourrisse tous les jours, plusieurs fois par jour, et tandis que l'animal privé de raison, mais couvert d'un plumage ou d'une fourrure qui le protége, trouve, s'il est oiseau, des fruits mûrs suspendus aux arbres, s'il est quadrupède herbivore, une table toute servie dans la prairie, s'il est carnassier, un gibier tout préparé·dans ces animaux qui pâturent; l'homme est obligé de se procurer des aliments en les faisant naître, ou en les disputant à des animaux plus rapides ou plus forts que lui. Cet oiseau, ce chevreuil dont il pourrait se nourrir, ont des ailes ou des pieds agiles. Il faut qu'il prenne une branche d'arbre, qu'il la courbe, qu'il en fasse un arc, que sur cet arc il pose un trait, et qu'il abatte cet animal pour s'en emparer, puis enfin qu'il le présente au feu, car son estomac répugne à la vue du sang et des chairs palpitantes. Voici des fruits qui sont amers, mais il y en a de plus doux à côté: il faut qu'il les choisisse, afin de les rendre, par la culture, plus doux et plus savoureux. Parmi les graius il y en a de vides ou de légers, mais dans le nombre quelques-uns de plus nourrissants: il faut qu'il les choisisse, qu'il les sème dans une terre grasse qui les rendra plus nourrissants encore, et que par la culture il les convertisse en froment. Au prix de ces soins l'homme finit par exister, par exister supportablement[1], et Dieu aidant, beaucoup de révolutions s'opérant sur la terre, les empires croulant les uns sur les autres, les générations se succédant, se mêlant entre elles du nord au midi, de l'orient à l'occident, échangeant leurs idées, se communiquant leurs inventions, de hardis navigateurs allant de cap en cap, de la Méditerranée à l'Océan, de l'Océan à la mer des Indes, d'Europe en Amérique, rapprochant les produits de l'univers entier, l'espèce humaine arrive à ce point, que sa misère s'est changée en opulence, qu'au lieu de peaux de bêtes elle porte des vêtements de soie et de pourpre, qu'elle vit des aliments les plus succulents, les plus variés, produits souvent à quatre mille lieues du sol où ils sont consommés: et que sa demeure, pas plus élevée d'abord que la cabane du castor, a pris les proportions du Parthénon[2], du Vatican[3], des Tuileries[4].—ADOLPHE THIERS, auteur vivant, né à Marseille en 1797.

Lettre de Robert Dimeux de Fousseron à Tony Vatinel.

FOUSSERON, *avril* 18...

Voici faites, mon cher Tony, les réparations à notre château[5] de Fousseron. Pierre Meglou m'avait alarmé, il ne s'agissait que de quelques tuiles à remettre. Le mois d'avril va finir, et avec lui le froid, la neige et la pluie; je suis sûr qu'à Paris on s'étonne cette année comme tous les ans qu'il fasse mauvais au mois d'avril.

Le temps s'est tout à coup radouci[6], les sureaux et les sorbiers[7] sont en feuilles et seront bientôt en fleurs; les églantiers de mes haies ont déchiré l'enveloppe qui emprisonnait leurs feuilles dans les bourgeons.

---

[1] *i.e.*, d'une manière supportable, tolérable.
[2] Les restes du Parthénon, temple de Minerve, existent encore à Athènes.
[3] Le Vatican est le palais des papes à Rome.
[4] Le palais des Tuileries à Paris se nomme ainsi parce qu'il a été bâti dans un emplacement où l'on faisait autrefois des *tuiles* ("tiles").
[5] *i.e.*, Les réparations à faire à notre château de Fousseron sont finies.
[6] "*Has become* milder."   [7] "Elders and sorbs."

Tout le jour le ciel a été gris, mais à cette heure, deux heures avant de se coucher, le soleil a remporté la victoire sur les nuages, le printemps commence. Une petite fauvette grise à tête noire chante sur la plus haute branche d'un de mes pommiers. Il y a presque un an qu'on n'a entendu cette voix pleine et vibrante[1]. La voix de la fauvette, c'est aussi printanier[2] que la première violette qu'on trouve sous la mousse ; mais cela vous remue encore plus le cœur ; quelle touchante chanson ! Charmant héraut qui annonce que la fête de la nature commence ; que le soleil et les frais ombrages, et les fleurs et les amours, vont reparaître. Douce chanson qui réveille les pensées du printemps endormies dans le cœur comme les pâquerettes étaient cachées sous la terre noire, et qui refleurissent avec elles.

Viens ici, mon Vatinel, viens avec moi voir fleurir nos pommiers. Que fais-tu à Paris ?...Paris s'attriste, les gens qui ont dépensé trop d'argent à Paris pendant l'hiver ont déjà fait comme moi, ils ont fait semblant de prendre un moineau pour la première hirondelle, et ils sont partis pour la campagne ; la saison du Théâtre-Italien est finie ; viens voir fleurir nos pommiers. ROBERT.—ALPHONSE KARR, auteur vivant, né à Paris en 1808.

Générosité délicate et reconnaissance.

Il y a à Paris, dans les environs du Pont-Neuf un café qui est aujourd'hui d'assez belle et élégante apparence, mais qui était autrefois des plus simples et des plus modestes qui fussent dans cette grande ville, où le luxe est devenu si général.

Un jour, il y a quelque trente-cinq ou quarante ans, un homme entre, vers midi, dans ce simple et modeste café, se place à une table, et demande poliment une tasse de café au lait et deux petits pains sans beurre. Les vêtements de cet homme étaient loin d'être neufs, mais très proprement brossés, et il les portait d'une façon qui annonçait des habitudes et une éducation distinguées. Son air était grave et triste, mais empreint d'une certaine dignité. Lorsqu'il eut achevé son déjeuner, il se retira sans payer, et cependant sans manifester un trop grand embarras.

Le garçon vint aussitôt avertir le maître du café de ce qui se passait ; mais celui-ci avait lui-même observé et la personne et le fait, et il répondit au garçon: " C'est bien ; laissez aller, et ne dites rien."

Le lendemain, le même individu revient, la même chose se passe, et encore le surlendemain, et ainsi pendant deux mois ; et toujours même ordre au garçon, de la part du maître, de servir et de ne faire aucune observation.

" Cet homme," se disait-il, "paraît bien élevé ; il ne prend que ce qui est rigoureusement[3] nécessaire pour apaiser la faim, et il revient tous les jours avec confiance, donc ce n'est pas un escroc[4]; mais il faut qu'il soit bien malheureux, je ne veux pas le priver de la ressource qu'il a trouvée chez moi, et encore moins l'humilier."

Deux mois donc s'écoulèrent ainsi, après lesquels l'habitué gratuit[5] du café cessa de se montrer.

Cinq ans avaient passé par-dessus cette petite aventure, et le maître du café n'y pensait plus, suivant sa routine quotidienne[6], mais faisant

---

[1] shrill. [2] spring-like, vernal. [3] strictly. [4] swindler, cheat. [5] non-paying. [6] daily.

toutefois d'assez médiocres affaires, et n'étant pas exempt de quelques embarras financiers; voilà qu'un jour il reçoit une lettre apportée par un inconnu qui se refuse à dire de quelle part elle vient.   Cette lettre était conçue en ces termes:

"Monsieur, vous avez peut-être oublié un homme qui, il y a cinq ans, a déjeuné chez vous pendant deux mois sans vous payer, et à qui vous avez eu la générosité et la délicatesse de ne rien refuser et de ne rien demander.   Il était alors bien malheureux; mais depuis lors, la fortune lui a souri, ou plutôt Dieu a béni son travail et ses efforts, et il lui rend grâces de pouvoir enfin aujourd'hui acquitter sa dette envers vous, et vous offrir le prix des soixante déjeuners qui ont été pour lui un si grand bienfait dans la position où il se trouvait.   Le porteur de cette lettre est chargé de vous remettre trente billets de mille francs, dont vous n'avez aucun reçu à donner.   Veuillez les accepter : vous le pouvez sans aucun scrupule ; sans craindre de causer aucune gêne à celui qui vous les envoie.   S'ils se trouvaient être pour vous un superflu, vous lui avez prouvé que vous en sauriez faire au besoin un noble et charitable usage.

"Recevez, Monsieur, l'expression de sa reconnaissance et de ses sentiments bien vrais d'estime et de considération."

LAURENT DE JUSSIEU.

₊ *Selections from the best writers will be found in* HAVET's "French Studies, *which may be had from the publishers of the present work.*

HAVET'S DICTIONARY

OF THE

MOST USEFUL WORDS AND IDIOMS

OF THE FRENCH LANGUAGE,

AND ESPECIALLY OF THOSE WHICH APPEAR IN THIS VOLUME.

₊ Words which in French and in English are exactly the same in spelling and meaning are not given.

A METHOD for LEARNING a GREAT NUMBER of FRENCH WORDS.

1. Most words having the following terminations are spelt alike, and generally used with the same meanings, in the French and English languages:—

al	...cardinal, principal, fatal.		*ége*	...collége, privilége, sacrilége.
ble	...capable, bible, double.		*ge*	...doge, barge, refuge, vestige.
ace	...préface, grimace, face.		*ule*	...globule, formule, animalcule.
ance	...chance, complaisance.		*ude*	...multitude, latitude.
ence	...absence, continence.		*ile*	...bile, ductile, agile.
ice	...avarice, justice.		*ine*	...mine, carabine, famine.
acle	...oracle, tabernacle, miracle.		*ion*	...fraction, union.
ade	...esplanade, brigade.		*ant*	...constant, élégant, arrogant.
age	...adage, bandage, image.		*ent*	...accident, absent, compliment.

2. Many French words, to become English, require only change of termination in the following manner:—

aire	into	*ary*	...nécessaire, militaire.		eur	into	*our, or*	...faveur, horreur.
oire	,,	*ory*	...gloire, accessoire.		eur	,,	*or*	...acteur, empereur.
ce	,,	*cy*	...constance, clémence.		in	,,	*ine*	...clandestin, divin.
té	,,	*ty*	...beauté, témérité.		if	,,	*ive*	...attentif, expressif.
eux	,,	*ous*	...dangereux, ingénieux.		rie	,,	*ry*	...furie, copie.
ique	,,	*ic*	...logique, musique.		ien	,,	*ian*	...Indien, Italien.
isme	,,	*ism*	...despotisme, absolutisme.		iste	,,	*ist*	...artiste, touriste.

3. Proper names of women ending in *a* in English, generally end in *e* in French: Henrietta, *Henriette*; Virginia, *Virginie*; Julia, *Julie*, &c.—

4. Many English verbs ending in *fy, ate, ish, ise, use,* and *ute,* become French by changing their terminations thus:—

fy	into	*fier,*	to pacify, . .	pacifier.		ise ⎫		to realise,	réaliser.
ate	,,	*er,*	to abrogate,. .	abroger.		use ⎬ by adding r	to abuse,	abuser.
ish	,,	*ir,*	to abolish, . .	abolir.		ute ⎭		to refute,	réfuter.

5. The greater part of the French verbs ending in *er* in the infinitive are derived from Latin verbs ending in *are* in the same mood, or those of the first conjugation; as—

	Latin.			Latin.
Aimer, *to love,*	amare.		Espérer, *to hope,*	sperare.
Appeler, *to call,*	appellare.		Humecter, *to moisten,* . .	humectare.
Considérer, *to consider,* . .	considerare.		Laver, *to wash,*	lavare.
Déclarer, *to declare,* . . .	declarare.		Narrer, *to relate,*	narrare.
Dicter, *to dictate,*	dictare.		Porter, *to carry,*	portare.
Douter, *to doubt,*	dubitare.		Révoquer, *to revoke,* . .	revocare.
Édifier, *to edify,*	ædificare.		Triompher, *to triumph,* . .	triumphare.

A.

A, or à (with a grave accent), *prep.*, to, at, in, with, from, on, after, under, &c.—Je demeure à Londres, I live *in* London. Une maison à deux étages, A house *with* two storeys (a two storey house). A l'encre, *au* crayon, *In* ink, *in* pencil. Oter quelque chose à quelqu'un, To take anything *from* any one. A la mode, *After* the fashion. A l'abri, *Under* shelter. Je pense à vous, I think *of* you.

A · (without any accent), has (AVOIR). — Robert *a* de l'or, Robert *has* gold. Il y *a*, There *is*, or there *are*. Il y a dix ans, It *is* ten years since.

Abaissement, *n. m.*, lowering, sinking, stooping, depression, abasement.

Abaisser, to lower, to bring down, to humble.

s'Abaisser, to stoop, to go down, to subside, to lower one's self.

Abandon, *n. m.*, abandonment, desertion, giving over, ease, unconstraint, confidence.

Abandonner, to give up, to forsake, to desert, to abandon.

Abasourdir, to stun, to deafen.

Abat-jour, *n. m.*, shade, reflector.

Abattement, *n. m.*, prostration, dejection, faintness.

Abattoir, *n. m.*, slaughter-house.

Abattre, to knock or pull down, to overthrow, to bring down, to slaughter, to depress.—La pluie *abat* la poussière, The rain lays the dust.

s'Abattre, to fall down, to break down, to abate, to alight.

Abattu, depressed. (See *abattre*.)

Abbaye, *n. f.*, abbey.

Abbé, *n. m.*, abbot, abbé.

Abdiquer, to abdicate.

Abécé, *n. m.*, a, b, c.

Abeille, *n. f.*, bee.

Abîme, *n. m.*, abyss.

Abîmer, to cast into an abyss, to ruin, to cut up, to spoil.

Abjurer, to abjure.

Ablette, *n. f.*, ablet, white bait.

Abnégation, *n. f.*, self-denial.

Aboi (pl. abois), aboiment (*or* aboiement), *n. m.*, bark, barking.—Aux *abois*, At bay, hard up.

Aboie, barks (ABOYER). — Le chien *aboie*, The dog barks.

Abolir, to abolish.

Abondamment, *adv.*, plentifully.

Abondance, *n. f.*, 1. abundance, plenty; 2. wine and water.

Abondant, -e, *a.*, plentiful.

Abonder (from *onde*, a wave), to overflow, to abound.

Abonné, *n. m.*, subscriber.

Abonnement, *n. m.*, subscription.

Abonner, to subscribe for.—Je

vous ai *abonné*, I have subscribed for you.

s'Abonner, to subscribe, to become a subscriber.

Abord, *n. m.*, approach, access.

Abord (d'), *adv.*, at first, at once.

Abordable, *a.*, accessible, approachable.

Aborder, to approach, to touch, to land, to board, to broach.

Aboutir, to end, to come to.

Aboyer, to bark.

Abrégé, *n. m.*, abridgment.

Abréger, to shorten.

Abreuver, to water, to drink, to soak, to fill with, to refresh.

Abreuvoir, *n. m.*, horse-pond.

Abri (from *arbre*, tree), *n. m.*, shelter.—A l'*abri*, Under shelter, sheltered.

Abricot, *n. m.*, apricot.

Abricotier, *n. m.*, apricot tree.

Abriter, to shelter.

Abrutir, to brutalize, to stupify, to besot.

Abruzzes (les), *n. f. p.*; the Abruzzi.

Absent, -e, *a.*, absent, away, not at home, missing.

Absinthe, *n. f.*, worm-wood, bitters.

Absolu, *adj.* absolute.

Absolument, *adv.*, absolutely.

Absorber, to absorb, to drink in, to take up, to engross.

Absoudre (absolvant, absous, absoute; j'absous, nous absolvons, j'absoudrai; que j'absolve, &c.), to absolve, to acquit, to forgive.

s'Abstenir, to abstain. (See *Tenir*.)

Abus, *n. m.*, abuse.

Abusassent, imp. of the *subj.* of

Abuser, to abuse, to make an ill use of, to take advantage.

s'Abuser, to delude, to deceive one's self.

Abyssinie, *n. f.*, Abyssinia.

Abyssinien, *n.*, Abyssinian.

Académicien, *n. m.*, academician.

Académie, *n. f.* academy (of learned men—*not a school*).

Acajou, *n. m.*, mahogany.

Acariâtre, *a.*, crabbed, cross.

Accablant, *a.*, overwhelming, oppressive, tiresome.

Accablement, *n. m.*, heaviness, dejection, depression.

Accabler, to weigh down, to overwhelm, to depress, to harass, &c.

Accéléré, quick, fast.

Accepter, to accept.

Accès, *n.m.*, access, approach, fit.

Accident, *n. m.*, accident, undulation (of the ground).

Accidenté, undulated, varied, picturesque.

Acclamation, *n. f.*, shout, cheer.

Acclimater, to accustom to a climate.

Accolade, *n. f.*, (from *col*, the obsolete form of *cou*, neck), embrace, hug.

Accommoder, to suit, to adapt, to prepare, to dress.

s'Accommoder, to put up with, to be pleased with.—Ne p s'accommoder, Not to like, not relish. Ils ne s'accommode pas des bombes, They did n relish the shells.

Accompagner, to accompany.

Accompli, accomplished, perfe

Accomplir, to accomplish, to fulf

Accord, *n. m.*, harmony, unio strain, agreement. — Être d'a cord, To agree. Mettre d'accor To adjust, to reconcile, to tun Mon piano n'est pas d'accor My piano is not in tune.

Accorder, to grant, to agree, tune.

s'Accorder, to agree, to be of or mind.

Accordeur, *n. m.*, tuner.

Accoster, to accost.

s'Accouder (from *coude*, elbow to lean on one's elbow.

Accourcir, to shorten.

Accoure, may hasten or come u —Il est possible que j'*accoure*.

Accourez, hasten, come up.

Accourir (from *courir*, to run), run, to hasten, to come up.

Accours (j'), I hasten, rush, &c

Accourus (j'), I hastened, &c.

Accoutumer (from *coutume*, cu tom), to accustom.

Accroc, *n. m.*, rent, tear.

Accrocher, to hook, to hang.

s'Accrocher, to cling, to lay hol of.

Accroire, to believe.—Faire a croire, To make believe. En fai accroire, To impose upon. S'e faire *accroire*, To be self-con ceited.

Accroissement, *n. m.*, increase.

Accroître (accroissant, accru), t grow, to increase.

s'Accroupir, to squat, to cower.

Accrus (j'), I increased (ACCRO TRE).

Accueil, *n. m.*, reception, wel come, acceptance.

Accueillir (accueillant, j'accueille j'accueillerai), to receive (wel or ill), to welcome, to honour (bill, &c.).

Accusé, *n. m.*, culprit.

Accuser, to accuse, to charge.— *Accuser* réception, To acknow ledge receipt.

Acerbe, *a.*, harsh, rough.

Acéré, *a.*, steeled, sharp, keen.

Achalandé, having customers.— Une maison bien *achalandée*, / good business. Une maison pe *achalandée*, A poor, indifferen business.

Achalander, to get custom (from *chaland*, customer).

Acharnement, *n. m.*, animosity rabidness, tenacity.

Acharner, to set on, to excite, to enrage, &c.

s'Acharner, to become excited enraged, &c., to be set upon.

Achat, *n. m.*, purchase.

2

Acheminer, to forward, to despatch.

s'Acheminer, to progress.

Acheter, to buy, to purchase.

Acheteur, -se, n., buyer.

Achèvement, n. m., finishing.

Achever, to finish, to perfect.

Achille, n. m., Achilles.

Achoppement, n. m., stumbling, rub. — Pierre d'achoppement, Stumbling-block.

Acide, a., acid, sour.

Acidulé, a., acidulous.

Acier, n. m., steel.—Fil d'acier, Wire. Plume d'acier, Steel pen.

Acompte (à compte), n. m., instalment, money paid to account.

Açores (les), the Azores.

Acquérir (acquérant, acquis; j'acquiers, j'acquerrai; que j'acquière, &c.), to acquire.

Acquière, may acquire.

Acquiers (j'), I acquire.

Acquis, -e, pp., acquired.—Du bien mal acquis, Ill-acquired wealth.

Acquitter, to fulfil, to pay, to discharge, to acquit.

Acre, a town of Syria.

Acre (âcre), a., acrid, tart, sour.

Acreté (âcreté), n. f., acridness, acrimony.

Acte, n. m., act, deed.

Acteur, -rice, n., actor, actress.

Actif, -ve, a., active, brisk, industrious.

Activité, n. f., activity, spirit.

Action, n. f., action, deed, share.

Actionnaire, n. m., shareholder.

Actuel, -le, a., actual, present, modern.

Actuellement, adv., now, at present.

Addition, n. f., summing up, bill (in restaurants, &c.).

Adepte, n. m., adept (one skilled in some art, &c.).

Adieu (à Dieu), good bye (God be with you), farewell.—Faire ses adieux, To take one's leave, to say good bye.—Sans adieu, I shall see you again.

Adjectif, n. m, adjective.

Adjoindre, to adjoin, to assign.

Adjoint, n. m., assistant, deputy-mayor.

Adjudant, n. m. adjutant.

Adjuger, to adjudge, to knock down. Adjugé! Gone! sold.

Admet, admits (ADMETTRE).

Admettre, to admit, to allow of.

Administrateur, n. m., administrator, manager, statesman.

Administrer, to govern, to administer.

Administration, n. f., government, management, office.

Admirateur, -rice, n., admirer.

Admirer, to admire.

Admirons, let us admire.

Admis, -e, pp., admitted, allowed.

s'Adonner, to give one's self up to, to be addicted to.

Adopter, to adopt.

Adoptif, -ve, a., adopted, adoptive.

Adorer, to adore, to worship.

Adosser (from dos, back), to set back to back, to place against.

Adoucir (from doux, douce, which see), to soften, to smooth, to soothe.

s'Adoucir, to soften, to grow gentle, to be soothed.

Adoucissant, a., emollient, softening.

Adoucissement, n. m., softening, assuagement, relief.

Adresse, n. f., address, skill, direction.

Adresser, to address, to direct, to offer up.—Adresser la parole, To speak, to address.

s'Adresser, to apply, to look to.

Adriatique, n. f., the Adriatic Sea.

Adroit, -e, a., skilful, clever, expert, dexterous. — Ce chasseur est adroit, This sportsman is a good shot.

Aéré, a., aired, airy.

Aérer, to air, to renew the air.

Aérien, -ne, a., aerial, airy.

Affabilité, n. f., affability, kindness.

Affaiblir, to weaken.

Affaire, n. f., business, matter.—Mauvaise affaire, Bad business, scrape. Un voyage d'affaires, A business journey. Ses affaires vont bien, He is doing well. Se tirer d'affaire, To get out of a difficulty. Où en est l'affaire? How does the matter stand?

Affairé, a., busy, engaged.

Affaisser (from faix, burden), to sink, to depress.

Affaler, to overhaul, to run ashore.

Affamé, p., starving.

Affamer (see Faim), to starve, to famish.

Affecter, to affect.

Affectionner, to be fond of.

Affectueux, a., affectionate, loving.

Affermir, to strengthen.

Affiche, n. f., placard, bill.

Afficher, to placard, to stick bills, to stick up, to make a show of.

Affilé, sharp.—Vous avez le caquet bien affilé, You are very nimble-tongued.

Affiler, to sharpen, to whet.

Affirmer, to affirm.

Affligeant, a., distressing.

Affliger, to afflict, to grieve.

Affluent, n. m., tributary (river).

Affranchir, to free, to liberate, to prepay (letters or parcels).

Affreusement, frightfully.

Affrètement, n. m., chartering.

Affréter, to freight, to charter.

Affreux, -se, a., frightful, fearful, dreadful.

Affronter, to brave.

Affublement, n. m., odd or ridiculous style of dress, muffling up.

Affubler, to dress up ludicrously.

s'Affubler, to muffle one's self up.

Affût, n. m., watch, carriage (of a gun).—Etre à l'affût, To be upon the watch, to lie in wait.

Afin de, in order to.—Afin de comprendre, In order to understand.

Afin que, so that, in order that. —Afin que vous compreniez, So that you may understand.

Africain, -e, n., African.

Afrique, n. f., Africa.

Aga, n. m. (Turkish) officer.

Agacer, to teaze, to provoke, to anger.

Agacerie, allurement, enticement. —Faire des agaceries, To allure, to entice, to flirt.

Age (âge), n. m., age.—Quel âge avez-vous? What age are you? Le moyen âge, The middle ages. Un homme de moyen âge, a middle-aged man. Un auteur du moyen âge, A medieval writer.

Agé, -e, a., aged, old.—C'est un homme âgé, He is a man up in years. Cet enfant est âgé de dix ans, That child is ten years old.

Agence, n. f., agency.

Agenda, n. m., memorandum-book.

s'Agenouiller, to kneel down.

Agent, n. m., agent.—Agent de change, Stock-broker.

Aggraver, to aggravate.

Agile, a., nimble, quick.

Agir, to act, to operate.—Il s'agit de votre vie, Your life is at stake. De qui s'agit-il? Who is concerned in this? De quoi s'agit-il? What is the matter?

Agité, pp., agitated, in agitation, disturbed, restless.—La mer est agitée, The sea is rough.

Agiter, to move, to brandish, to toss, to shake, to agitate.

Agneau, n. m., lamb.

Agonie, n. f., agony, death-struggles, pang, anguish.—A l'agonie, Dying.

Agrafe, n. f., hook, clasp.

Agrafer, to hook, to clasp.

Agrandir, to enlarge, to aggrandize.

Agréable, pleasant. (See Plaisant.)

Agréablement, adv., pleasantly.

Agréer, to accept, to approve, to allow, to please.

Agrément, n. m., consent, agreeableness, pleasingness, pleasure, convenience, ornaments.—Arts d'agrément, Accomplishments.

Agrès, n. m., rigging.

Agreste, a., wild, rustic.

Agricole, a., agricultural.

Agriculteur, n., husbandman, a., agricultural.

Aguerrir (guerre), to inure.

AIM

Aguets, n. m. p., watch, wait. —Etre, se tenir aux aguets, To lurk, to be upon the watch.

Ai, have (AVOIR).—Qu'est-ce que j'ai? What is the matter with me? J'ai vingt ans, I am twenty years of age.

Aide, n. f., help, assistance, aid. —A l'aide de, With the help of.

Aide, n., helper, assistant.—Un aide (m.), une aide (f.).

Aide-de-camp, n. m., aid de camp.

Aider, to help, to aid, to relieve. s'Aider, 1. to assist one another; 2. to avail one's self.

Aïe, int., oh!

Aie, aies, aient, may or should have (AVOIR).

Aïeul, -e, grandfather, grandmother. In the pl., aïeuls, -es.

Aïeul, n. m., ancestor. In the pl., aïeux, ancestors, forefathers.

Aigle, 1. n. m., eagle; 2. n. f., female eagle.

Aigle, n. f., (standard) eagle.

Aiglon, n. m., eaglet.

Aigre, a., sour, acid, musty, harsh, crabbed, sharp, shrill.

Aigre-doux, a., sour-sweet, sourish.

Aigrelet, -te, a., sourish.

Aigrement, adv. sharply, sourly.

Aigrette, n. f., tuft, crest, egret.

Aigreur, n. f., sourness, acidity, bitterness, harshness, crabbedness. In the pl., acidity of stomach.

Aigrir, to make sour, to embitter, to exasperate, to increase.

s'Aigrir, to turn sour, to become exasperated or incensed, to exasperate each other, to increase.

Aigu, -ë, a., sharp, pointed, acute, shrill.

Aigue-marine, n. f., aqua marina, a stone of bluish green.

Aiguille, n. f., 1. needle; 2. of clocks, &c., hand; 3. spire; 4. spindle; 5. pointer.—Aiguille aimantée, Magnetic needle. Ouvrage à l'aiguille, Needlework. De fil en aiguille, From one thing to another. Enfiler une aiguille, To thread a needle.

Aiguillon, n. m., goad, sting, spur, stimulus.

Aiguillonner, to goad, to spur.

Aiguiser, to sharpen, to whet, to quicken.

Ail (pl. ails or aulx), n. m., garlic.

Aile, n. f., wing, fan, fly, aisle.

Ailé, a., winged.

Aille, aillent, may, should, or would go (ALLER).

Ailleurs, adv., elsewhere.—D'ailleurs, Besides.

Aimable, a., amiable, lovely, kind.

Aimant, -e, a., loving, affectionate.

Aimant, n. m., loadstone.—L'aimant attire le fer à soi, The loadstone attracts iron to itself.

ALE

Aimanté, a., magnetic.

Aimer, to love, to like, to be fond of.—J'aime à croire, I trust, I hope.

Aimerais (j'), I should like.— J'aimerais mieux, I would rather.

Aîné, -e, first-born, elder, eldest, senior.

Aînesse, n. f., primogeniture.— Droit d'aînesse, Birth-right.

Ainsi, so, thus, therefore.—Ainsi de suite, And so on. Ainsi soit-il, So be it! amen! Ainsi que, As well as, even as, along with.

Air, n. m, air, look, appearance, way, manner.—Courant d'air, Draught. En l'air, In the air. Paroles en l'air, Empty words. En plein air, In the open air. Avoir l'air, To look. Donner de l'air, To air. Prendre l'air, To take an airing, to breathe. Se donner des airs, To give one's self airs. Une maison qui se donne des airs de château, A house of baronial pretensions.

Airain, n. m., brass; rhetorically, a bell. — L'âge d'airain, The brazen age.

Aire, n. f., area, space, aery (of eagles, &c.), nest.

Ais, n. m., plank, board.

Aisance, n. f., ease, freedom, comfort, competency.

Aise, a., glad, pleased.

Aise, n. f., ease, convenience, gladness, comfort.—Etre à son aise, 1. To be comfortable; 2. To be well off. A l'aise, at ease.

Aisé, a., easy, convenient, well off.

Aisément, adv., easily.

Aisselle, n. f., armpit.

Ajonc, n. m., furze.

Ajoupa, n. m., hut, shed.

Ajourner, to adjourn.

Ajouter, to add. — Ajouter foi, To credit.

Ajustement, n. m., adjustment, fitting, attire, dress, settlement.

Ajuster, to adjust, to fit, to dress, to settle, to reconcile.

Alarmant, a., alarming.

Alarme (à l'arme), n. f., alarm, fear. — Sonner l'alarme, To sound an alarm.

Alarmer, to alarm.

s'Alarmer, To take alarm.

Albâtre, n. m., alabaster.

Albinos, n. m., albino, unnaturally white.

Album, n. m., album, scrap-book, sketch-book.

Alchimie, n. f., alchemy.

Alchimiste, n. m., alchemist.

Alcool, n. m., alcohol.

Alcôve, n. f., recess, alcove.

Alcyon, n. m., halcyon, kingfisher.

Alentour, adv., around, about.

Alentours, n. m. pl., neighbourhood, environs, connections.

Alépine, n. f., bombazine.

ALL

Alerte, a., quick, brisk.

Alexandre, n. m., Alexander.

Alexandrie, n. f., Alexandria.

Alezan, a., chestnut; n. m., chestnut-horse.

Algèbre, n. f., algebra.

Alger, Algiers.

Algérie, n. f., Algiers, Algeria.

Algérien, -ne, n. and a., Algerine.

Algue, n. f., sea-weed, wrack.

Aliéné, n. and a., lunatic, insane.—Maison d'aliénés, Lunatic asylum.

Aliéner, to alienate.

Alignement, n. m., line.

Aligner, to lay out in a line, to dress.

Aliment, n. m., food, fuel, &c.

Alimentation, n. f., feeding.

Alimenter, to feed, to supply.

Alinéa, n. m., paragraph.

Aliter (lit), to confine to one's bed, to lay up.

Alizé, a.—Vents alizés, tradewinds.

Allai, alla, allâmes, allâtes, allèrent, went.

Allais, allaient, did go, went.

Allaiter, to nurse, to suckle.

Allant, pp., going (ALLER).

Allant, n. m., goer.—Allants et venants, goers and comers.

Allasse, allât, allassions, might, should, or would go (ALLER).

Allé, allés, allée, allées, p., gone (ALLER).

Allécher, to allure, to entice.

Allée, n. f., passage, walk.—Allée couverte, Shady walk.

Allées et venues, going in and out.

Allégement, n. m., lightening, relief.

Alléger, to lighten, to relieve.

Allégorie, n. f., allegory.

Allègre, a., quick, lively, sprightly.

Allégresse, n. f., liveliness, gladness, joy.

Alléguer, to allege, to adduce.

Allemagne, n. f., Germany.

Allemand, -e, n. and a. German.

Aller (allant, allé, je vais, ils vont, j'allais, j'irai; que j'aille, va, allons, allez), to go, to proceed, to do, to be about, to get on, to tend, to extend, to fit, to become, to suit, to come (to amount), &c.—Faire aller, To set going. Se laisser aller, To abandon one's self, to give way. Je vais dîner, I am going to dine. Il va revenir, He is coming back. Ses affaires vont bien, His business is doing well. Cela n'ira pas, That will not do. Le commerce ne va pas, Business is bad. Cet habit vous va bien, This coat fits you well. Comment allez-vous, (or familiarly) Comment ça va-t-il? How are you? Je vais mieux, I am doing better. Cela va sans dire, Of course. Y aller de, To be at stake. Il y va de la vie, Life is

4

ce. *Aller* et venir, To go to
o.
ler, to go away, to evapo-
o vanish, to run over, to
away.—*Allez*-vous-en! or
a, Go away! be off! *Allons-
n*, Let us go! come!
o! depend upon it!—Vous
oir, You will see.
, n. m., alloy.
e, n., ally, relative.
t., allied, akin.
to ally, to match, to unite.
allions, did go, went
R).
s, lengthened, drawn out.
er, to lengthen, to stretch,
w, to strike (a blow).
(nous), we go, we are
(ALLER).
let us go.—Allons! Come!
along. Well! now!
, to grant, to allow.
r, to light, to kindle.
tte, n. f., match, lucifer.
ur, n. m., lighter.
(aller), n. f., gait, pace,
n, way, manner, turn.
ach, n. m., almanac.
n. m., aloe.
. m., standard, quality.—
andises de mauvais *aloi*,
of bad quality.
adv., then, at that time.
ors, Of that time. Jus-
rs, Till then.
. f., shad.
e, n. f., lark.
ir, to make heavy or dull,
pify.
, n. m., sirloin (of beef).
alpaga, n. m., alpaca.
. f., p., Alps.
e, a., Alpine.
étique, a., alphabetical.
ordre *alphabétique*, Al-
tically.
se, n. m., Alphonsus.
a, -ne, n. and a., belong-
Alsace.
t, causing thirst.
ion, n. f., deterioration,
ration, impairing, thirst.
a., thirsty.
, to alter, to adulterate,
pair, to distort, to make
r.
tive, n. f., alternative.
tivement, alternately.
r, to alternate, to take in

, n. f., highness.
-ère, a., lofty, proud.
. m., alum.
ité, n. f., amiability,
ess, kindness.
1, n. m., tinder.
ir, to make or get thin.
e, n. f., almond, kernel.
ier, n. m., almond-tree.
-e, n., lover, votary.
ate, n., amaranth, pur-
olour; a. amaranthine.
, n. f., mooring, cable.

Amarrer, to moor, to make fast.
Amas, n. m., heap, mass.
Amasser, to heap, to hoard, to amass, to gather.
Amateur, n., lover, amateur.
Amazone, n. f., 1. Amazon; 2. a masculine or warlike woman; 3, a riding-habit.
Ambassade, n. f., embassy.
Ambassadeur, n.m., ambassador.
Ambassadrice,n.f.,ambassadress.
Ambidextre, n. and a., having the faculty of using both hands with equal ease.
Ambigu, a., ambiguous,doubtful.
Ambitieux, a., ambitious.
Ambition, to be ambitious of, to aspire to.
Ambre, n. m., amber.—*Ambre* gris, Ambergris.
Ambroisie, n. f., ambrosia.
Ambulant, a.,itinerant,strolling.
Ame (âme), n. f., soul, mind, ghost, spirit, life.—*Ame* bien née, Noble mind. Avoir la mort dans l'*âme*, To be sick at heart. Rendre l'*âme*, To give up the ghost.
Amélioration,n.f.,improvement.
Améliorer, to improve.
Amende, n. f., fine. — *Amende* honorable, Apology. Mettre à l'*amende*, To fine.
Amender, to amend, to improve, to manure.
Amener, to bring (without carrying), to cause, to induce, to pull (a boat).
Aménité, n. f., amenity.
Amer, -ère, a., bitter, briny.
Amèrement, bitterly.
Américain, -e, n. and a., American.
Amertume, n. f., bitterness.—Abreuver d'*amertume*, To embitter.
Améthyste, n. f., amethyst.
Ameublement, n. m., furniture.
Ameuter (meute),to train hounds, to stir up.
s'Ameuter, to rise, to riot.
Ami, -e, n., friend. — *Ami* de cœur, Bosom friend. *Ami* de cour, False friend. Mon *ami*, My dear. L'*ami*! Good man!
Ami, -e, a., friendly.
A mi, half (A demi).—*A mi*-chemin, Half-way.
Amiable, a., friendly, courteous. —A l'*amiable*, 1. amicably; 2. private (of sales, &c.).
Amical, -e, a., friendly.
Amicalement, amicably.
Amidon, n. m., starch.
Amidonner, to starch.
Amincir, to make thin.
Amiral (amiraux), n. m., admiral.
Amirauté, n.f., admiralty.
Amitié, n. f., friendship, love.—Mes *amitiés* à votre frère, My kind regards to your brother.—Faire l'*amitié*,To do the pleasure, the kindness of.
Amoindrir, to lessen.

Amoindrissement, n. m., lessening, diminution.
A moins de, à moins que, unless.
Amollir, to soften, to mollify, to enervate.
Amonceler (monceau), to heap up, to pile up, to gather.
Amoncellement, n. m., gathering.
Amont (en), up the river.
Amorce, n. f., bait, allurement, prime.
Amorcer, to bait, to allure, to prime.
Amortir, to deaden, to weaken, to pay off, to redeem, &c.
Amour, n. m., love. — *Amour* propre, Self-love, vanity. Avec amour, Lovingly. Pour l'*amour* de, For the sake of.
Amoureux, -se, a., in love, enamoured, &c.—Etre *amoureux* de, To be in love with.
Amphibie, n. and a., amphibian, amphibious.
Amphithéâtre, n. m., amphitheatre.
Amphitryon, n. m., host, entertainer.
Ample, a., full, spacious, copious.
Amplement, amply, fully.
Ampleur, n. f., fulness, ampleness.
Amplifier, to amplify.
Ampoule, n. f., blister.
Ampoulé, a., bombastic.
Amputer, to amputate, to cut off.
Amusant, a., amusing, entertaining.
Amuser, to amuse, to entertain, to deceive, to trifle with.
s'Amuser, to amuse one's self, to play, to trifle one's time away, to enjoy one's self.
Amusette, n. f., child's play.
Amusons (nous nous), we amuse or enjoy ourselves.
An, n. m., year.—Jour de l'*an*, New-year's day. Par an, A year. Tous les ans, Every year. Une fois l'an, Once a year De deux ans en deux ans,Every two years. Avoir vingt ans, To be 20 years old.
Analogie,n.f.,analogy,similarity.
Analogue, a., analogous, similar.
Analyse, n. f., analysis, parsing.
Analyser, to analyse, to parse.
Ananas, n. m., pine-apple.
Anathème,n.m.,anathema,curse.
Ancêtres, n., forefathers.
Anchois, n. m., anchovy.
Ancien, -ne, a., old, ancient, former, senior.—*Ancien* ami, Old friend. Un *ancien* professeur, A former professor. Les *anciens*, The ancients.
Anciennement, of old, formerly.
Ancienneté, n. f., ancientness, age, antiquity, seniority.
Ancre, n. f., anchor.—A l'*ancre* At anchor. — Jeter l'*ancre*, To cast anchor. Lever l'*ancre*, To weigh anchor.
Ancrer, to anchor.

s'Ancrer, to anchor one's self, to be anchored, to get a footing.
André, n. m., Andrew.
Ane (âne), n. m., ass, donkey, dunce.—C'est le pont aux ânes, It is the easiest thing in the world, every fool knows it.
Anéantir, to annihilate, to ruin, to destroy.
s'Anéantir, to come to nothing, to humble one's self.
Anéantissement, n. f., annihilation, prostration, &c.
Anémone, n. f., anemone.
Anesse (ânesse), n. f., she-ass.
Ange, n. m., angel.—Etre aux anges, To be overjoyed.
Anglais, -e, n. and a., English.—Byron était Anglais, Byron was an Englishman. Un poète anglais, An English poet. Parlons anglais, Let us speak English. A l'anglaise (i.e.à la mode anglaise), After the English fashion.
Angle, n. m., corner.
Angles, n. m. p., Angli.
Angleterre, n. f., England.
Anglican, -e, n. and a., belonging to Church of England, Anglican.
Angoisse, n. f., anguish, pang.
Anguille, n. f., eel.—Anguille de haie, snake. Anguille sous roche, snake in the grass, mystery.
Angulaire, a., angular.—Pierre angulaire, Corner-stone.
Anguleux, a., angular.
Animal (pl.animaux), n.,animal, blockhead, fool.
Animé, a., animated, lively, spirited, brisk, gay.
Animer, to animate, to enliven, to incite.
s'Animer, to get animated or excited, to encourage one another, to cheer up, &c.
Animosité, n. f., spite, rancour, animosity.
Anis, n. m., anise, aniseed.
Anisette, n. f., anisette (cordial).
Annales, n. f. pl., annals.
Annaliste, n. m., annalist.
Anneau, n. f., ring, link.
Année, n. f., year.—Année bissextile, Leap-year. Année prochaine, qui vient, Next year. Année scolaire, Scholastic year. Les belles années, The prime of life. Souhaiter la bonne année, To wish one a happy new year.
Annexer, to annex.
Annexion, n. f., annexation.
Annihiler, to annihilate.
Anniversaire, n. m., anniversary.—Anniversaire de sa naissance, One's birth-day.
Annonce, n. f., advertisement.
Annoncer, to announce, to inform, to foretell, to advertise.—Se faire annoncer, To send one's name in.
s'Annoncer, to present one's self.—S'annoncer bien, To be promising. S'annoncer mal, To be unpromising.
Annoter, to annote.

Annuel, -le, a., annual, yearly.
Annuellement, adv., annually.
Annulaire, a. and n., 1. annular; 2. ring-finger.
Annuler, to annul, to cancel.
Anoblir, to ennoble, to title.
s'Annoblir, to assume a title.
Anodin, -e, a., anodyne, soothing.
Anon (ânon), n. m., ass's colt, young ass.
Anse, n. f., handle, creek.
Antenne, n. f., horn, feeler.
Antérieur, -e, a., fore, previous.
Antérieurement, previously.
Antichambre, n.f., antechamber.
Anticiper, to anticipate.
Antimoine, n. m., antimony.
Antique,a.ancient,old-fashioned.
Antoine, n. m., Anthony.
Antre, n. f., cave, den.
Anxiété, n. f., anxiety.
Août, n. m., August.
Apaiser, to appease, to pacify, to assuage, to allay, to soothe, to quench (thirst).
s'Apaiser, to abate, to get calm.
Apathie, n. f., listlessness.
Apathique, apathetic, indolent.
Apercevoir, to perceive, to descry.
s'Apercevoir, to perceive, to become aware of.
Aperçois-je, if I perceive.
Aperçu, part. of apercevoir.
Aperçu, n. m., glance, cursory view, sketch, idea.
Apéritif, -ve, a., aperient.
A peu près, nearly.
Apitoyer, to move with pity.
s'Apitoyer, to be moved to pity.
Aplanir, to level, to smooth.
Aplanissement, n. m., making smooth.
Aplati, -e, a., flattened, flat.
Aplatir, to flatten.
Aplatissement, n. m., flattening, flatness.
Aplomb, n. m., perpendicularity, equilibrium, fig. assurance, self-possession.—D'aplomb, Perpendicular, in equilibrium.
Apogée n. m., apogee, height.
Apologie, n. f., apology.
Apologue, n. m., apologue, fable.
Apoplectique, apoplectic.
Apoplexie, n. f., apoplexy.—Attaque d'apoplexie, Apoplectic stroke or fit.
Apostolat, n. m., apostleship.
Apostropher, to address.
Apothicaire, n. m., apothecary.
Apôtre, n. m., apostle.—Bon apôtre, Saint, jolly fellow.
Apparaître, to appear.
Apparat, n. m., pomp, show.
Appareil,n.m.,preparation,state, attire, apparatus, dressing.
Appareiller, to match, to sail.
Apparemment, adv., apparently.
Apparence, n. f., appearance.
Apparition, n.f., apparition, appearance.
Appartement, n. m., apartments, suite of rooms, house.
Appartenant, p. belonging.

Appartenir, to belong.
Appartenu, belonged.
Appartiendra, will belong.
Appartint, belonged.
Appas, n.m. charms, allurements.
Appât, n. m., bait, allurement.
Appauvrir, to impoverish.
Appel, n. m., call, appeal.
Appela, appelait, called.
Appelé, pp., called.
Appeler, to call.—Comment appelez-vous cela? What do you call that?
s'Appeler, to be called or named.—1. Comment vous appelez-vous? —Je m'appelle Norval. What is your name?—My name is Norval. 2. Cette ville s'appelle Cette, This town is called Cette.
Appendre, to hang up.
Appendu, suspended, hanging.
Appesantir, to make heavy, to weigh down, to dull, to impair.
s'Appesantir, to become heavy, to lie heavy, to dwell upon.
Appétissant, -e, exciting, tempting.
Appétit, n. m., appetite.—Se sentir appétit, To feel hungry.
Applaudir, to applaud, to cheer.
s'Applaudir, to congratulate one's self (on).
Applaudissement,n.m.,applause, cheering.
Application, n. f., diligence, applying.
Application d'Angleterre, Honiton lace.
Appliqué, -e, diligent, attentive.
Appliquer, to apply, to put, to lay, to give (a slap).
s'Appliquer, to apply one's self, to set to.
Appointements, n. m. salary, pay.
Apporter, to bring (by carrying), to use.
Appréciation, n. f., estimate, valuation.
Apprécier, to value, to appreciate.
Apprendre, to learn, to hear, to teach, to inform.
Apprendrez-vous? Will you learn!
Apprends (j'), I learn.
Apprenez-vous? Do you learn?
Apprennent (qu'ils), let them learn.
Apprenti, -e, n., apprentice.
Apprentissage, apprenticeship.
Apprêt, preparation, dressing.
Apprêté, -e, prepared, studied, affected.
Apprêter, to get ready, to dress.
Appris (j'), I learnt.
Appris, -e, pp., learnt, studied.
Apprivoisé, tamed, callous.
Apprivoisement, n. m., taming.
Apprivoiser, to tame, to make sociable.
s'Apprivoiser, to become tame, to become sociable.
Approbateur, -trice, approving.
Approbateur, -trice, n., approver.
Approchant, -e, a., like, somewhat like.

Approche, *n. f.*, approach.
Approcher, to approach, to resemble, to draw near.
s'Approcher, to come near, to advance.
Approfondir, to deepen, to examine closely.
Approprié, -e, *a.*, appropriate, suitable.
Approprier, to adapt.
s'Approprier, to appropriate.
Approprier, to clean.
Approuver, to approve.
Approvisionnement, *n. m.*, supply of provisions.
Approvisionner, to supply, to store.
Appui, *n. m.*, support, prop, stay.
s'Appuyait (il), he was leaning.
Appuyé, *p.*, leaning, resting.
Appuyer, to support, to back, to press (on), to lay stress.
s'Appuyer, to lean, to rely, to dwell.
Apre (âpre), *a.*, rough, rugged, hard, sour, tart, eager, greedy.
Aprement (âprement), roughly, eagerly.
Après, *prep.*, after, next to.—Ci-après, Hereafter. D'après, From, according to. L'an d'après, The following year.
Après-demain, the day after to-morrow.
Après-dîner, *n. m.*, Après-dînée, *n. f.*, after-dinner, afternoon.
Après-midi, *n. f.*, afternoon.
Apreté (âpreté), *n. f.*, ruggedness, harshness, sharpness, acidity.
A-propos, *n. m.*, appropriateness.
Apte, *a.*, apt, fit.
Aptitude, *n. f.*, aptness, fitness.
Aquarelle, water-colour painting.
Aquatique, *a.*, aquatic, watery.
Aqueduc, *n. m.*, aqueduct.
Aqueux, -se, *a.*, aqueous, watery.
Aquilin, *a.*, aquiline, Roman.
Aquilon, *n. m.*, north wind, any cold wind. (See *Zéphyr*).
Ara, *n. m.*, macaw, parrot.
Arabe, *n.* and *a.*, Arab, Arabian.
Arabie, *n. f.*, Arabia.
Arabie Heureuse, Arabia Felix.
Arabique (golfe), the Red Sea.
Araignée, *n. f.*, spider. — Toile d'araignée, Cobweb, spider-work.
Aratoire, *a.*, farming.
Arbalète, *n. f.*, cross-bow.
Arbalétrier, *n. m.*, cross-bowman.
Arbitraire, *a.*, arbitrary.
Arbitraire, *n. m.*, arbitrary government.
Arbitre, arbitrator, umpire.
Arborer, to set up, to hoist.
Arbre, *n. m.*, tree, shaft, beam.
—Arbre en plein vent, Standard. Arbre en espalier, Wall-tree. Arbre fruitier, Fruit-tree.
Arbrisseau, *n. m.*, shrub.
Arbuste, *n. m.*, shrub, plant.
Arc, *n. m.*, bow, arch, arc.—Arc de triomphe, Triumphal arch. Arc-en-ciel, Rainbow. A portée d'arc, Within bow-shot.

Avoir plusieurs cordes à son *arc*, To have two strings to one's bow.
Arcade, *n. f.*, arcade, piazza.
Arceau, *n. m.*, arch, vault.
Arc-en-ciel, *n. m.*, rainbow.
Archaïsme, *n. m.*, archaism.
Archange, *n. m.*, archangel.
Arche, *n. m.*, arch, ark.
Archer, *n. m.*, archer, bowman.
Archet, *n. m.*, bow (of violins).
Archevêché, *n. m.*, archbishopric.
Archevêque, *n. m.*, archbishop.
Archiduc, *n. m.*, archduke.
Archiduchesse, *n. f.*, archduchess.
Archipel, *n. m.*, archipelago.
Architecte, *n. m.*, architect.
Archives, *n. f. pl.*, archives, records.
Arçon, *n. m.*, saddle-bow, bow.
Arctique, *a.*, arctic.
Ardemment, ardently, fervidly.
Ardent, -e, *a.* ardent, burning, earnest, eager, spirited, red (hair).
Ardeur, *n. f.*, ardour, heat, eagerness, spirit, mettle.
Ardoise, *n. f.*, slate.—Couvreur en ardoise, Slater.
Ardoiser, to slate.
Ardu, -e, *a.*, arduous.
Arène, *n. f.*, sand, arena.
Arête, fish-bone, edge. (See *Os*.)
Argent, *n. m.*, silver, money.—Argent blanc, Silver. Argent comptant, Cash, ready-money. Argent doré, Silver-gilt. Vif argent, Quicksilver. Feuille d'argent, Silver-leaf. Vaisselle d'argent, Plate, silver plate. A pomme d'argent, Silver-headed. Monté en argent, Silver-mounted. Placer de l'argent, To put money out to interest. Toucher de l'argent, To receive money. Je n'ai pas d'argent sur moi, I have no money about me.
Argenté, -e, *a.*, plated, silvery.
Argenter, to plate, to silver.
Argenterie, *n. f.* plate, silver-plate.
Argentin, -e, *a.*, silvery, silver.
Argile, *n. f.*, clay, argil.
Argot, *n. m.*, slang.
Aride, *a.*, arid, dry, barren.
Aridité, *n. f.*, dryness, barrenness.
Aristocrate, *n. m.*, aristocrat.
Aristocratie, *n. f.*, aristocracy.
Arithméticien, -ne, *n.*, arithmetician.
Arithmétique, *n. f.*, arithmetic.
Arlequin, *n. m.*, harlequin.
Armateur, shipowner, fitter-out.
Arme, *n. f.*, weapon, arm.
Armes, war, fencing, coat of arms. — Armes blanches, Side arms (sword, bayonet). Armes à feu, Fire-arms. Maître d'armes, Fencing-master. Port d'armes, 1. carrying arms; 2. shooting-licence. Salle d'armes, 1. armoury; 2. fencing-school. Faire des armes, To fence.
Armé, e, armed, provided. — Armé de pied en cap, Armed from head to foot.
Armée, *n. f.*, army, fleet.—Armée de terre, Land forces.

Armement, *n. m.*, armament, fitting out.
Arménien, -ne, Armenian.
Armer, to arm, to fit out.
s'Armer, to arm one's self, to provide, to secure one's self.
Armoire, *n. f.* cupboard, closet, wardrobe.
Armoiries, *n. f.* armorial bearings.
Armure, *n. f.*, armour.
Armurier, *n. m.*, gunsmith, sword-cutler.
Aromatique, *a.*, aromatic.
Aromatiser, to scent, to perfume.
Arôme, *n. m.*, aroma, flavour.
Arpentage, *n. m.*, land-surveying.
Arpenter, to survey, to walk fast over.
Arpenteur, *n. m.*, surveyor.
Arqué, -e, arched, curved, bent.
Arquer, to arch, to bend.
Arracher, to pluck, to pick, to draw, to extort, to rescue, to snatch.
Arracheur, *n. m.*, drawer.
Arranger, to arrange, to put in order, to mend, to contrive, to settle, to fit, to dress, to give it to, to treat ill.
s'Arranger, to settle one's self, to make arrangements, to contrive, to put up (with). — Arrangez-vous! Manage it as you can! Do as best you can.
Arrestation, *n. f.*, apprehension.
Arrêt, *n. m.*, decree, arrest, stop. —Chien d'arrêt, Pointer.
Arrêté, *n. m.*, resolution, order.
Arrêté, -e, *part.*, stopped, fixed.— L'emploi de notre journée était arrêté, We had made our arrangements for the day.
Arrêter, to stop, to arrest, to detain, to hold back, to fasten, to fix the attention.
s'Arrêter, to stop, to stand, to rest, to be embarrassed, to determine.—S'arrêter tout court, to stop short.
Arrière (in compounds), hinder, back, after, rear.
Arrière, behind; *exclam.*, away! far!—En arrière, Backward, behind, in arrears (of payments).
Arrière, *n. m.*, back part; *nav.* stern, quarter.
Arriéré, -e, *a.*, backward, behind hand, due, owing.
Arrière-boutique, *n. f.*, back-shop.
Arrière-garde, *n. f.*, rear-guard.
Arrière-goût, *n. m.*, after-taste.
Arrière-neveu, *n. m.* grand-nephew, descendant.
Arrière-neveux, *n. pl.*, latest posterity.
Arrière-pensée, *n. f.*, mental reservation.
Arrière-petit-fils, *n. m.*, great-grandson.
Arrière-plan, *n. m.*, back-ground.
Arrière-saison, *n. f.*, end of the season, end of autumn, old age.
Arrivage, *n. m.*, arrival.
Arrivée, *n. f.*, arrival, coming.

Arriver, to arrive, to come, to reach, to happen.—Raoul nous *arrive*, Ralph returns. *Arriver* à bon port, To arrive, to come safe. *Arriver* à ses fins, To gain one's point. Il *arrive* tous les jours, It happens every day. Quoiqu'il *arrive*, Come what may. Il m'*arrive* souvent de manquer le train, I often happen to miss the train. Qu'*arrive*-t-il quand vous êtes en retard? What happens when you are late?

Arrogamment, *adv.*, haughtily.

Arrogance, *n. f.* haughtiness.

Arrogant, -e, *a.* arrogant, haughty.

Arrondi, -e, *a.* rounded, round, full.

Arrondir, to round, to increase.

s'Arrondir, to get round.

Arrondissement, *n. m.* district, division of a French department.

Arrosage, *n. m.* watering, irrigation.

Arrose (il), he or it waters.

Arrosement, *n. m.*, watering.

Arroser, to water, to sprinkle, to irrigate, to wash down.

Arrosoir, *n. m.*, watering-pot.

Art, *n. m.*, art.—Beaux *arts*, Fine arts. *Art* d'agrément, Accomplishment.

Artère, *n. f.*, artery.

Artésien, -ne, *n.* and *a.*, Artesian, belonging to Artois.—Puits *artésien*, Artesian well.

Artichaut, *n. m.*, artichoke.

Article, *n. m.*, article, goods, matter.—Faire l'*article*, To praise up one's goods. C'est un *article* à part, That is a separate concern.

Articulaire, *a.*, articular.

Articulation, *n. f.*, articulation, joint.

Articulé, -e, *a.*, jointed, articulate, articulated.

Articuler, to articulate, to utter.

Artifice, *n. m.*, art, contrivance, deceit. — Feu d'*artifice*, Firework, fire-works.

Artificiel, -le, *a.*, artificial.

Artificiellement, *adv.*, artificially.

Artificieusement, *adv.*, artfully.

Artificieux, -se, *a.*, artful, cunning.

Artillerie, *n. f.*, artillery, guns.

Artilleur, *n. m.*, artillery-man.

Artimon, *n. m.*, mizzen, mizzen-mast.

Artisan, *n. m.*, artisan, mechanic, author.

Artiste, *n. m.*, artist, performer.

Artistement, artistly, skilfully.

Artistique, *a.*, artistic, artist-like.

As, hast.—Qu'*as*-tu? What is the matter with you?

Ascendant, -e, *a.*, ascending.

Ascendant, *n. m.*, ascendency.

Ascension, *n. f.*, ascent.

Asiatique, *n. m.*, Asiatic.

Asie, *n. f.*, Asia.

Asile, *n. m.*, asylum, sanctuary,

shelter, home.—Salle d'*asile*, infant-school.

Aspect, *n. m.*, aspect, look, air, point of view.

Asperge, *n. f.*, asparagus.

Asperger, to sprinkle.

Aspérité, *n. f.* asperity, roughness.

Asphalte, *n. m.*, asphalt.

Asphodèle, *n. m.*, daffodil.

Aspic, *n. m.*, asp.

Aspirant, candidate, midshipman.

Aspirer, to inhale, to aspirate.

Aspirer, to inspire, to aspire.

Assaillir, (assaillant, assailli; j'assaille, j'assaillis), to assail, to assault, to attack, to beset.

Assainir, to render healthy.

Assaisonnement, *n. m.*, seasoning.

Assaisonner, to season.

Assassin, *n. m.*, murderer, assassin.—A l'*assassin!* Murder!

Assassin, -e, murderous, killing.

Assassinat, *n. m.*, murder.

Assassiner, to murder.

Assaut, *n. m.*, assault, attack.—Prendre d'*assaut*, To take by storm. Faire *assaut* de, To vie in. Livrer l'*assaut*, to storm.

Assemblage, *n. m.*, gathering.

Assemblée, *n. f.*, meeting.

Assembler, to assemble.

s'Assembler, to assemble, to meet.

Asséner, to strike (a blow).

Assentiment, *n. m.*, assent.

Assentir, to assent.

Asseoir (asseyant, assis: j'assieds, j'assis, j'assiérai, or j'asseyerai), to seat, to set, to lay, to found, to settle, to pitch.

s'Asseoir, to sit down, to take one's seat. — Etre *assis*, To be seated, situated, to stand.—*Asseyez*-vous! Sit down!

Asservir, to enslave, to subject.

Asservissement, *n. m.*, inthralment, subjection.

Assez, *adv.*, enough, sufficiently, pretty.—C'est *assez* bien, It is pretty well. C'est bien *assez*, It is quite enough. Marie est *assez* jolie, Mary is rather pretty. C'est *assez*! en voilà *assez*! That's enough! *Assez* bien, Pretty well. Etre *assez* bon pour, To be so good as.

Assidu, -e, *a.*, assiduous.

Assiduité, *n. f.*, assiduity.

Assidûment, *adv.*, assiduously.

Assied (il s'), he sits down.

Assiégé, *n. m.*, besieged.

Assiégeant, *n. m.*, besieger.

Assiéger, to besiege, to beset.

Assiette, *n. f.*, plate, situation, state, disposition.—*Assiette* blanche, propre, Clean plate. *Assiette* à soupe, Soup-plate. *Assiette* à dessert, Dessert-plate. N'être pas dans son *assiette*, Not to feel as usual, not to be in one's usual state.

Assiettée, *n. f.*, plateful.

Assigner, to assign, to summon.

Assimiler, to assimilate, to compare.

Assirent (ils s'), they sat down.

Assis, -e (ASSEOIR), seated, sitting, established.

Assistance, *n. f.*, aid, help, attendance, audience.

Assistant, beholder, spectator.

Assister, to help, to attend, to be present.

Associé, *n. m.*, associate, partner.

Associer, to give a share (in), to join, to take into partnership.

s'Associer, to associate one's self, to associate, to keep company (with), to enter into partnership.

Assoit (il s'), he sits down.

Assombrir, to darken, to obscure.

s'Assombrir, to darken, to become gloomy.

Assommant, -e, *a.*, overwhelming, tiresome.

Assommer, to knock down, to kill, to beat unmercifully, to overwhelm, to weary to death.

Assorti, -e, *a.*, sorted, matched, stocked.

Assortiment, *n. m.* assortment, set.

Assortir, to match, to stock.

Assoupi, -e, drowsy, asleep.

Assoupir, to make drowsy, to lull, to hush, to still.

s'Assoupir, to be drowsy, to slumber.

Assoupissant, -e, drowsy, sleepy.

Assoupissement, *n. m.*, drowsiness.

Assouplir, to make supple, to soften, to bend, to break.

s'Assouplir, to get supple.

Assourdir, to deafen, to stun.

Assourdissant, -e, *a.*, deafening.

Assouvir, to satiate, to glut, to gorge.

Assouvissement, *n. m.*, satiating.

Assujétir, Assujettir, to subdue, to conquer, to compel, to fasten.

Assujettissant, -e, *a.*, that ties down.

Assujettissement, *n. m.* subjection.

Assurance, *n. f.*, assurance, insurance.

Assuré, -e, secure, bold, impudent, insured.

Assurément, assuredly, surely.

Assurer, to secure, to assure, to assert, to fasten, to insure.

s'Assurer, to secure, to ascertain.

Assureur, *n. m.*, insurer.

Aster, *n. m.*, star-wort.

Astérisque, *n. m.*, asterisk, star.

Astracan, or Astrakhan, a province and town of Russia.—Fourrure d'*Astracan*, drap d'*Astracan*, Astrakhan fur, Astrakhan cloth.

Astragale, *n. m.*, astragal.

Astre, *n. m.*, star, luminary.

Astreindre (astreignant, astreint; j'astreins, j'astreignis), to bind, to compel.

Astrologie, *n. f.*, astrology.

Astrologue, *n. m.*, astrologer.

Astronome, *n. m.*, astronomer.

Astronomie, *n. f.*, astronomy.

Astuce, cunning, craft, guile.

Astucieux, -se, *a.*, cunning, crafty

Asturies, *n. f.*, Asturias in Spain.
Atelier, *n. m.*, workshop, manufactory, studio.—*Atelier* de construction, Factory.
Athénée, *n. m.*, athenæum.
Athènes, *n. f.*, Athens.
Athénien, -ne, Athenian.
Athlète, *n. m.*, athlete, wrestler.
Athlétique, *a.*, athletic.
Atlantique, *a.* and *n.*, Atlantic.
Atlas, *n. m.*, atlas.
Atmosphère, *n. f.*, atmosphere.
Atmosphérique, *a.*, atmospheric.
Atome, *n. m.*, atom.
Atours, *n. m. pl.*, attire.
Atre(âtre),*n.m.*,fireplace,hearth.
Atroce, *a.*, atrocious, cruel.
Atrocement, *adv.*, atrociously.
Atrocité, *n. f.*, atrocity.
Attablé, -e, *a.*, at table.
Attabler, to set at table.
s'Attabler, to sit down at table.
Attachant, -e, *a.*, attractive, engaging.
Attache, *n. f.*, tie, string, tether.
Attaché, -e, *p.*, fastened, tied.
Attaché, *n. m.*, one attached to an ambassador.
Attachement, attachment, tie.
Attacher, to attach, to fasten, to fix, to tie.
s'Attacher, to fasten, to tie, to cling, to attach one's self, to strive, to apply one's self.
Attaque, *n. f.*, attack, fit.
Attaquer, to attack, to begin.
s'Attaquer, to attack, to fall.
Attardé, -e *a.*, belated, late.
s'Attarder, to be belated.
Atteignent (ils), they reach.
Atteignit (il), he reached, &c.
Atteindre (atteignant, atteint; j'atteins, j'atteignis), to reach, to hit, to strike.
Atteint, -e (atteindre), hit, struck, affected, attacked, reached.
Atteinte, *n. f.*, blow, hit, injury, breach, fit, offence. — Hors d'*atteinte*, Out of reach. Porter *atteinte* à, To injure, to violate.
Attelage, *n. m.* team, yoke, set.
Atteler, to put to, to put the horses to, to yoke, to harness.— Voiture *attelée* de quatre chevaux, Carriage drawn by four horses.
Attenant, -e, *a.*, adjoining.
Attendant (en), meanwhile.—En *attendant* que, Until.
Attendons, let us wait.
Attendre, to wait, to expect.— Je vous *attends*, I am waiting for you. *Attendre* du monde, To expect company. Faire *attendre*, to keep waiting. Se faire *attendre*, to keep one waiting.
s'Attendre, to expect, to rely.— Je m'y *attendais*, I expected it. *Attendez*-vous-y! Do not expect it! I wish you may get it!
Attendrir, to make tender, to affect, to move.
s'Attendrir, to get tender, to be affected or moved.

Attendrissant, -e, *a.*, affecting, moving.
Attendrissement, *n. m.*, feeling, emotion.
Attends (j'), I wait, &c.
Attendu, -e, (*part.* of ATTENDRE).
Attendu, *prep.*, considering.— *Attendu* que, Considering that, whereas, as.
Attentat, *n. m.*, attempt, crime.
Attente, *n. f.*, waiting, expectation.—Salle d'*attente*, Waiting-room.
Attenter, to attempt.
Attentif, -ve, *a.*, attentive.
Attention, *n. f.*, attention, care, heed, regard. Attentions, *pl.*, kindness. — Faire *attention*, To pay attention, to mind. N'y faites pas *attention!* Do not name it! never mind!
Attentivement,*adv.*, attentively.
Atténuant, -e, *a.*, extenuating.
Atténuer, to attenuate, to extenuate.
Atterrer, to throw down, to overwhelm, to startle, to astound.
Attestation, *n. f.*, attestation, assurance.
Attester, to attest.
Attiédir, to make lukewarm, to cool.
Attirail, *n. m.*, implements, apparatus, gear, tackle, train, equipage.
Attirer, to attract, to draw, to allure.
s'Attirer, to bring upon one's self, to attract each other.
Attiser, to stir, to poke.
Attouchement, touch, feeling.
Attrait, *n. m.*, attraction, taste.
Attrape, *n. f.*, trick, bite, catch.
Attraper, to catch, to overtake, to cheat, to hit.
Attrayant,-e,attractive, alluring.
Attribuer, to attribute, to ascribe.
s'Attribuer, to attribute to one's self, to claim.
Attribut, *n.m.* attribute, quality.
Attribution, *n. f.*, privilege; *pl.*, duties, department.
Attrister, to sadden, to grieve.
s'Attrister, to become sorrowful.
Attroupement,*n.m.*, crowd, mob.
Attrouper, to assemble, to gather.
s'Attrouper, to congregate.
Au, *art. m. sing.* (contraction of A LE) to the, at the, in the, from the, &c.
Aubaine,*n.f.*,windfall,God-send.
Aube, *n. f.*, dawn, day-break.
Aubépine, *n. f.*, hawthorn, May.
Auberge, *n. f.*, inn.
Aubergiste, *n. m.*, innkeeper.
Aubier, *n. m.*, white, sapwood.
Aucun, -e, any; (with a negation) no, none, not one, not any.
Aucunement, *adv.*, not at all, by no means.
Audace, *n. f.*, boldness, daring.
Audacieusement, boldly, daringly.

Audacieux, -se, *a.*, audacious, bold.
Au-deçà, *prep.*, on this side.
Au-delà, *prep.*, on the other side, beyond.
Audience, *n. f.*, hearing, court, sitting.
Auditeur, *n. m.*, hearer, auditor.
Audition, *n. f.*, hearing.
Auditoire, *n. m.*, audience.
Auge, *n. f.*, trough, hod.
Augmentation, *n. f.*, increase, rise.
Augmenter, to increase, to extend.
Augure, *n. m.*, augury, omen.
Augurer, to augur.
Auguste, *a.*, illustrious, august, noble.
Auguste, *n. m.*, Augustus.
Aujourd'hui, *adv.*, to-day, now. —D'*aujourd'hui* en huit, This day week. D'*aujourd'hui* en un mois, This day month.
Aumône, *n. f.*, alms, charity.— Demander l'*aumône*, To beg. Faire l'*aumône*, To give (alms) to the poor.
Aune, *n. m.*, alder, alder-tree.
Aune, *n. f.*, ell.
Auparavant, *adv.*, previously, before.
Auprès, *prep.* near, close, in comparison with.
Auquel, to whom, to which.
Aurai (j'), I shall or will have.
Auréole, *n. f.*, glory, halo.
Aurez (vous), you will have.
Auriculaire, *a.*, auricular.—Témoin *auriculaire*, Ear-witness. Doigt *auriculaire*, Little finger.
Aurons, auront, shall or will have.
Aurore, *n. f.*, dawn, twilight, morning, east, Aurora, gold colour.—*Aurore* boréale, Aurora borealis.
Ausculter, to auscultate.
Aussi, *adv.* and *conj.*, also, too, likewise, so, therefore, as.— *Aussi* bien que, As well as.
Aussitôt, *adv.*, immediately, directly.—*Aussitôt* que, As soon as. *Aussitôt* dit, *aussitôt* fait, No sooner said than done.
Austère, *a.*, austere, stern, rigid.
Austérité, *n. f.*, austerity, sternness.
Australie, *n. f.*, Australia.
Autant, *adv.*, as much, as many; *pl.*, so much, so many; *pl.*, the same, the like.—*Autant* d'Anglais que d'Espagnols, As many Englishmen as Spaniards.— D'*autant* mieux, So much the better, the more, the rather. D'*autant* moins, So much the less, the less. D'*autant* plus, So much the more, the more so. D'*autant* que, For as much as; as, more especially as. Tout *autant*, Quite as much or many. Une fois *autant*, As much again. Faites-en *autant*, Do as much, the same or the like.

Autel, *n. m.*, altar.
Auteur, *n. m.*, author, writer.
Authenticité, *n.f.*, authenticity.
Authentique, *a.*, authentic.
Automate, *n. m.*, automaton.
Automne, *n. m.*, autumn.
Autorisation, *n.f.*, authorization. consent.
Autoriser, to authorize.
Autorité, *n. f.*, authority, power.
Autour, *n. m.* goshawk.
Autour, *prep.*, around, round, about.
Autre, *a.* and *pron.*, other, different, else. — Tout *autre*, 1. quite different; 2. any other. Un *autre*, Another. Nul, aucun *autre*, No other, no one else. Ni l'un ni l'*autre*, Neither. L'un l'*autre*, Each other, one another. L'un et l'*autre*, Both. L'un ou l'*autre*, Either. L'un après l'*autre*, One after another. L'un dans l'*autre*, One with another. Nous *autres* Français, We French people. Comme dit cet *autre*, As the saying is. A d'*autres* (*i.e.*, Allez dire cela à d'*autres* personnes), Tell that to the marines, or Very like a whale! Autre chose, something else.— Bien *autre chose*, Quite another thing.
Autrefois, *adv.*, formerly.
Autrement, *adv.*, otherwise, else, or else.—*Autrement* dit, alias, in other words.
Autriche, *n. f.*, Austria.
Autrichien, -ne, Austrian.
Autruche, *n. f.*, ostrich, a stupid person.
Autrui, others, other people.
Aux, *art. pl.* (contraction of *A les*), to the, at the, in the, from the, &c.
Auxiliaire, *n. m.*, auxiliary.
Auxquels, to whom, to which, &c.
Avait, had. — Il y *avait* beaucoup de monde, There were many people. Y *avait*-il longtemps que vous étiez à Lyon? Had you been long in Lyons?
Aval, down the river.
Avalanche, *n. f.*, avalanche.
Avaler, to swallow.
Avaleur, *n. m.*, swallower.
Avançage, *n. m.*, coach-stand.
Avance, *n.f.*, projection, advance. —A l'*avance*, d'*avance*, In advance, beforehand. Avoir l'*avance* sur, To have the start of.
Avancé, -e, *a.*, advanced, forward, protruding, late, tainted. —Je n'en suis pas plus *avancé*, I am not any better off.
Avancement, *n. m.*, advancement, promotion.
Avancer, to advance, to protrude, to put or bring forward, to promote, (of clocks) to go too fast.
s'Avancer, to advance, to step *forward*, to progress.
Avanie, *n. f.*, affront, outrage.
Avant, *adv.*, far, deep, forward.

Avant, *prep.*, before, ere, till.—Bien *avant*, Long before.
Avant, *n. m.*, (of the ship) head, bow.
Avantage, *n. m.*, advantage, benefit, pleasure, favour.
Avantager, to benefit, to favour.
Avantageusement, advantageously.
Avantageux, -se, *a.*, advantageous, favourable, becoming.
Avant-bras, *n. m.*, fore-arm.
Avant-coureur, *n. m.*, forerunner.
Avant-dernier, -ère, *a.* last but one.
Avant-garde, *n. f.*, vanguard.
Avant-goût, *n. m.*, foretaste.
Avant-hier, *adv.*, the day before yesterday.
Avant-poste, *n. m.*, outpost.
Avant-veille, *n.f.* two days before.
Avare, *a.*, avaricious, miserly, sparing.
Avare, *n. m.*, miser.
Avarice, *n.f.*, avarice, stinginess.
Avec, *prep.*, with, by means of.
Aveline, *n. f.*, filbert.
Avenant, -e, *a.*, prepossessing.
Avénement, *n. m.*, accession.
Avenir, *n. m.*, future, future prospects.—Jeune homme d'*avenir*, Promising young man. A l'*avenir*, In future, henceforth.
Aventure, *n. f.*, adventure.— D'*aventure*, Per-chance. Dire la bonne *aventure*, To tell fortunes. Se faire dire la bonne *aventure*, To have one's fortune told.
Aventurer, to adventure, to venture.
s'Aventurer, to venture.
Aventureux, -se, *a.*, adventurous.
Aventurier, -ère, adventurer.
Avérer, to prove.
Averse, *n. f.*, shower.
Avertir, to inform, to warn.— Faire *avertir*, To send notice.
Avertissement, *n.m.*, notice, warning.
Aveu, *n. m.*, confession, avowal.
Aveugle, *a.*, blind.
Aveugle, *n.*, blind man or woman.
Aveuglement, *n. m.*, blindness.
Aveuglément, *adv.*, blindly.
Aveugler, to blind, to dazzle.
Avez-vous, Have you? — *Avez-vous* mal à la tête? Have you a headache? Quel âge *avez-vous*, What age are you?
Avide, *a.*, greedy, eager, thirsty.
Avidement, greedily, eagerly.
Avidité, *n. f.*, avidity, greediness.
Avilir, to debase, to disgrace.
Avilissant, -e degrading, debasing.
Aviron, *n. m.*, oar.
Avis, *n. m.*, opinion, mind, advice, news, notice, warning.— A mon *avis*, In my opinion. Changer d'*avis*, To alter one's mind. Donner *avis*, To give notice or warning. Etre d'*avis*, To be of opinion.
Avisé, -e, *a.*, prudent, wise, circumspect.—Bien, mal avisé, Well, ill advised.

Aviser, to see, to inform.
s'Aviser, to bethink one's self, to take it into one's head.
Avocat, *n.m.*, barrister, advocate.
Avoine, *n. f.*, oats.
Avoir (ayant, eu; j'ai, j'eus), to have, to get, to have on, (idiomatic) to be. —*Avoir* chaud, froid, To be warm, cold. *Avoir* faim, soif, To be hungry, thirsty. *Avoir* raison, tort, To be in the right, in the wrong. *Avoir* vingt ans, To be twenty years of age. Qu'*avez*-vous? What is the matter with you?—Je n'ai rien, There is nothing the matter with me.
Y *avoir*, 1. There to be; 2. To be the matter.—Il y *a* (impers.) 1. There is; 2. There are; 3. It is; 4. Since, ago. Il y *a* un homme, There is a man. Il y *a* des hommes, There are men. Il y *a* dix ans, It is ten years, or ten years since or ago. Qu'y *a*-t-il? What is it? Il y en *a* encore, There are still some left. Combien y *a*-t-il d'ici à Paris? How far is it from here to Paris?
Avoir (en), to complain, to blame. —A qui *en* *avez*-vous? Whom do you complain of?
Avoisiner, to be adjacent or near.
Avons (nous), we have.
Avoué, *n. m.*, attorney, solicitor.
Avouer, to avow, to own.
Avril, *n. m.*, April. — Poisson d'*avril*, April fool.
Axe, *n. m.*, axis, axle.
Ayant (*part. of* AVOIR), having.
Ayons (que nous), that we may have.
Ayons, let us have.
Azur, *n. m.*, azure, blue, or sky colour.
Azuré, -e, azured, sky coloured.
Azurer, to give a sky blue colour.

B.

Babil, *n. m.*, prattle, chatter.
Babillage, *n. m.*, prattling.
Babillard, -e, *n. m. f.*, chatterer.
Babillard, -e, *a.*, talkative.
Babiller, to chatter, to prattle.
Bâbord, *n. m.*, larboard.
Bac, *n. m.*, ferry-boat.
Baccalauréat, *n.m.*, bachelorship.
Bachelier, bachelor (of arts).
Bâcler, to hurry over, to patch up.
Badaud, *n.m.*, lounger, cockney.
Bade, *n.*, Baden.
Badin, -e, *a.*, playful, jocular.
Badinage, *n.m.*, play, sport, joke.
Badine, *n. f.*, switch.
Badiner, to sport, to joke.
Badois, -e, belonging to Baden.
Bafouer, to baffle, to mock.
Bagage, *n. m.*, luggage, baggage.
Bagatelle, *n. f.*, trinket, trifle.
Bagatelle, *int.*, pshaw! stuff!
Bague, *n. f.*, ring.

Baguette, *n. f.*, wand, rod, stick.
Bah! *interj.*, pshaw! nonsense!
Bahut, *n. m.*, trunk.
Bai, -e, *a.*, bay.
Baie, *n. f.*, berry, bay.
Baie, *n. f.*, cheat, trick.
Baigner, to bathe, to wash.
Baigneur, -se, *n. m. f.*, bather.
Baignoire, *n. f.*, bath.—Voiture *baignoire*, Bathing-machine.
Bail, *n. m.* (*pl.* Baux), lease.
Bâillement, *n. m.*, yawning.
Bâiller, to yawn, to gape.
Bâillon, *n. m.*, gag.
Bâillonner, to gag, to wedge.
Bain, *n. m.*, bath, bathing.—Bains, *pl.*, baths, bathing establishment,waters.—*Bains* de mer, Sea-bathing. Ville de *bains*, Watering town.
Baïonnette, *n. f.*, bayonet.—La *baïonnette* au bout du fusil, With the bayonet fixed.
Baiser, to kiss, to embrace.
Baiser, *n. m.*, kiss.
Baisse, *n. f.*, fall, going down.
Baissé, -e, *pp.*, lowered, downcast.
Baisser, to lower, to put down, to hang, to fall off, to ebb.
se Baisser, to stoop, to hang down, to lower.
Bal, *n. m.*, ball.—*Bal* masqué, Masked ball. *Bal* paré, Dress-ball.
Balafre, *n. f.*, gash, scar.
Balai, *n. m.*, broom, brush.—Coup de *balai*, Sweep. Manche à *balai*, Broom-stick.
Balance, *n. f.*, balance, scales, Libra (ast.)
Balancement, *n. m.*, balancing, poising, swinging, rocking.
Balancer, to balance, to poise, to swing, to rock, to hesitate.
Balancier, *n. m.*, pendulum, balance, pole, beam.
Balançoire, *n. f.*, see-saw, swing.
Balayer, to sweep.
Balayeur, -se, *n. m. f.*, sweeper.
Balbutiement, *n. m.*, stammering.
Balbutier, to stammer, to lisp.
Balcon, *n. m.*, balcony.
Baleine, *n. f.*, whale, whalebone.
Baleinier, *n. m.* whaler.
Balle, *n. f.*, ball, bullet, bale.—Prendre la *balle* au bond, To seize the opportunity.
Ballon, *n. m.*, balloon, foot-ball.
Ballot, *n. m.*, bale.
Ballotter, to toss, to shake.
Balourd, *n. m.*, numskull, dolt.
Balourdise, *n. f.*, nonsense.
Balsamine, *n. f.*, touch-me-not.
Baltique, *n. f.*, the Baltic.
Balustrade, *n. f.* balustrade, fence.
Balustre, *n. m.*, baluster, railing.
Bamboche, *n. f.*, puppet.
Bambou, *n. m.*, bamboo.
Banal, -e, *a.* commonplace, hackneyed.
Banalité, *n. f.*, commonplace.
Banane, *n. f.*, banana.
Bananier, *n. m.*, plantain.
Banc, *n. m.*, bench, form, bank.

Bande, *n. f.*, band, shred, troop, gang.
Bandeau, *n. m.*, head-band, fillet, bandage.—Avoir un *bandeau* sur les yeux, To be blindfolded.
Bander, to bind up, to put a bandage.
Banderole, *n. f.*, streamer.
Bandit, *n. m.*, bandit, ruffian.
Bandoulière, *n. f.*, shoulder-belt.—En *bandoulière*, Slung over one's shoulders.
Banlieue, *n. f.*, suburbs.
Bannière, *n. f.*, banner.
Bannir, to banish.
Bannissement, *n. m.*, banishment.
Banque, *n. f.*, bank, banking.—Billet de *banque*, Bank-note. Maison de *banque*, Banking-house.
Banqueroute, *n. f.*, bankruptcy.
Banquette, *n. f.*, bench.
Banquier, *n. m.*, banker.
Baptiser, to baptize, to christen.
Baptistère, *n. m.*, baptistery, font.
Baquet, *n. m.*, tub, bucket.
Baragouin, *n. m.*, gibberish.
Baragouiner, to jabber.
Baragouineur, -se, jabberer.
Barbare, *n.* and *a.*, barbarian, barbarous.
Barbaresque, *a.*, of Barbary.
Barbarie, *n. f.*, barbarity, cruelty.
Barbarie, *n. f.*, Barbary.—Orgue de *Barbarie*, Street organ.
Barbe, *n. f.*, beard.—Rire dans sa *barbe*, To laugh in one's sleeve.
Barbeau, *n. m.*, barbel.
Barbier, *n. m.*, barber.
Barbillon, *n. m.*, little barbel.
Barboter, to dabble, to muddle.
Barbouiller, to daub, to besmear, to scribble.
Barbu, -e, *a.*, bearded.
Barbue, *n. f.*, brill.
Barcelone, *n. f.*, Barcelona.
Barège, *n. m.*, barege, a thin woollen stuff not twilled.
Baril, *n. m.*, barrel, cask, tub.
Barioler, to speckle.
Baromètre, *n. m.*, barometer.
Baron, *n. m.*, baron.
Baronne, *n. f.*, baroness.
Baroque, *a.*, odd, strange.
Barque, *n. f.*, boat, barge.
Barrage, *n. m.*, barrier, dam.
Barre, *n. f.*, bar, tiller, stroke.
Barreau, *n. m.*, bar.
Barrer, to bar, to stop up, to strike out.
Barrière, *n. f.*, barrier, fence, gate, turnpike, stile.
Barrique, *n. f.*, cask, hogshead.
Baryton, *n. m.*, barytone.
Bas, -se, *a.*, low, lower, inferior, mean, vile.—Avoir la vue *basse*, To be short-sighted.
Bas, *n. m.*, bottom, lower part, foot.
Bas, *adv.*, low, down.—A bas, Down, down with! Ici bas, Here below. Là bas, Yonder.

En *bas*, Down, below, downstairs. Mettre bas, To lay down.
Tout *bas*, In a whisper.
Bas, *n. m.*, stocking.—*Bas* à jour, Open-worked stockings. *Bas* bleu, Blue stocking.
Bas-Breton, *n.* and *a.*, belonging to Lower Brittany.
Basalte, *n. m.*, basalt.
Basane, *n. f.*, sheep's leather.
Basané, -e, sun-burned, swarthy.
Bascule, *n. f.*, see-saw, swing-gate, rocking.
Basculer, to rock, to balance up and down, to swing.
Base, *n. f.*, basis, foundation.
Baser, to base, to ground.
Bas-fond, *n. m.*, shallow water.
Basilic, *n. m.*, basil (plant).
Basilique, *n. f.*, basilica, a magnificent church.
Basque, *n. f.*, skirt (of a coat).
Bas-relief, *n. m.*, basso-relievo.
Bassement, basely.
Bassesse, *n. f.*, baseness.
Basse-taille, *n. f.*, base, bass.
Bassin, *n. m.*, basin, dock, haven, river-system.
Bassinet, *n. m.*, crow-foot, wort.
Baste, *int.*, pshaw! nonsense!
Bastide, *n. f.* country house (in the south of France), villa.
Bastille, *n. f.*, 1. fortress; 2. Bastille (state prison in Paris).
Bât, *n. m.*, pack-saddle.
Bat (il), he beats.
Bataille, *n. f.*, battle.—*Bataille* navale, Sea-fight. *Bataille* rangée, Pitched battle. Champ de *bataille*, Field of battle. En ordre de *bataille*, In battle-array.
Batailler, to fight, to struggle.
Bataillon, *n. m.*, battalion.—Chef de *bataillon*, Major.
Bateau, *n. m.*, boat, wherry.—*Bateau* à vapeur, Steamer.
Batelet, *n. m.*, small boat.
Batelier, *n.*, boatman, waterman.
Bâter, to put a pack saddle on.—Ane *bâté*, ignoramus.
Bâti, -e, *p.* built, made, shaped.
Bâtiment, *n. m.*, building, ship, vessel.—*Bâtiment* marchand, Merchant-man. *Bâtiment* de guerre, Man-of-war.
Bâtir, to build (with stones and mortar).
Batiste, *n. f.*, cambric.
Bâton, *n. m.*, stick, cudgel, staff.—*Bâton* de maréchal, Marshal's baton. Coup de *bâton*, Blow with a stick.
Bats (je), I beat.
Battant, beating.
Battant, *n. m.*, 1. (of bells) clapper; 2. (of doors) fold, leaf; 3. (of flags) fly.—Porte à deux *battants*, Folding-door.
Battement, *n. m.*, beating, clapping, stamping, throbbing, flapping.
Batterie, *n. f.*, scuffle, beating, battery.—Batterie de cuisine, Kitchen utensils, coppers.

Batteur, n. m., beater, thrasher.

Battre (battant, battu; je bats, je battis), to beat, to strike, to thrash, to defeat, to churn (milk), to flap.—*Battre* la campagne, To rove, to scour. *Battre* des mains, To clap one's hands. *Battre* la mesure, To beat time. Machine à *battre*, Thrashing mill.

se Battre, to fight.

Battu, -e, beaten, fought.

Battue, n. f., battue. — Faire une *battue* dans, To beat (a wood).

Baudet, n. m., donkey, ass.

Baudrier, n. m., belt, cross-belt.

Bauge, n. f., lair, soil.

Baume, n. m., balm, balsam.

Bavard, -e, n. m. f., prattler.

Bavardage, n. m., prattle.

Bavarder, to prate, to prattle.

Bavarois, -e, a. and n., Bavarian.

Bavière, n. f., Bavaria.

Béant, -e, a., gaping.

Béarn, n. m., a province of Southern France, having Pau for its chief town.

Beau, Bel, Belle, a., fine, beautiful, fair, handsome.—Le *beau* monde, The fashionable world. Le *beau* sexe, The fair sex. Faire *beau*, (of the weather) To be fine. Se faire *beau*, To make one's self smart. Beau clerc, fair scholar: Henri Beauclerc.

Beau, Bel, Belle, adv., finely.— Tout *beau!* Fair and softly! gently! De plus *belle*, More than ever. Avoir *beau*, To be in vain. Vous avez *beau* dire, It is in vain for you to say.

Beaucoup, adv., much, many, a great deal, far, much.—A *beaucoup* près, By far, near. A *beaucoup* moins, For much less. De *beaucoup*, By much, by far.

Beau-fils, n., step-son, son-in-law.

Beau-frère, n. m., brother-in-law.

Beau-père, n. m., father-in-law, step-father.

Beaupré, n. m., bowsprit.

Beauté, n. f., beauty, fineness.

Bec, n. m., beak, bill, nib, (of lamps, gas) burner, socket.— Blanc-*bec*, Green-horn. Coup de *bec*, Blow with the beak, by-stroke, fling.

Bécasse, n. f., woodcock, idiot.

Bécasseau, n. m., young woodcock.

Bécassine, n. f., snipe.

Bec-figue, n. m., fig-pecker.

Bêche, n. f., spade.

Bêcher, to dig.

Becquée, n. f., billful, beakful.

Becqueter, to peck, to pick.

Bedeau, n. m., beadle.

Bédouin, n. m., Bedouin, Arab.

Bégaiement, n. m., stammering.

Bégayer, to stammer, to stutter, to lisp.

Bègue, n. m. f., stammerer.

Beignet, n. m., fritter.

Béjaune, n. m., ninny.

Bel (beau), fine, &c.; before a vowel or h mute: bel enfant, bel homme.

Bêlant, -e, a., bleating.

Bêlement, n. m., bleating.

Bêler, to bleat.

Bel-esprit, n. m., wit (pl. beaux-esprits).

Belette, n. f., weasel.

Belge, n. and a., Belgian.

Belgique, n. f., Belgium.

Bélier, n. m., ram.

Bélître, n. m., scoundrel, rascal.

Belle, n. f., fair lady, beauty.

Belle-de-jour, n. f., day-lily.

Belle-de-nuit, n. f., marvel of Peru.

Belle-fille, n. f., daughter-in-law, step-daughter.

Bellement, adv., softly, gently.

Belle-mère, n. f., mother-in-law, step-mother.

Belle-sœur, n. f., sister-in-law, step-sister.

Belliqueux, -se, a., warlike.

Bellot, -te, a., pretty.

Bémol, n. m. and a. (mus.) flat.

Bénédictin, -e, n. m. f., Benedictine.

Bénédiction, n. f., blessing.

Bénéfice, n. m., benefit, profit, living.

Benêt, n. m., simpleton.

Béni, -e, a., blessed, blest.

Bénin, bénigne, a., kind.

Bénir, to bless, to consecrate.

Bénit, -e, a., consecrated, holy.

Béquille, n. f., crutch.

Bercail, n. m., sheep-fold, fold.

Berceau, n. m., cradle, arbour.

Bercer, to rock, to lull, to delude.

se Bercer, to lull one's self. [net.

Béret, n. m. (Basque) cap or bonnet.

Bergamotte, n. f., bergamot (pear, orange).

Berge, n. f., bank.

Berger, n. m., shepherd, swain.

Bergère, n. f., shepherdess, easy chair.

Bergerie, n. f., sheepfold.

Bergeron, n. m., short frock (worn by labourers).

Bergeronnette, n. f., wagtail.

Berlue, n. f., dimness (of sight).

Besace, n. f., wallet.

Besacier, n. m., wallet-bearer, beggar.

Besicles, n. f. pl., spectacles.

Besogne, n. f., work, job.

Besoin, n. m., need, want.—Avoir *besoin* de, To want.

Bestiaux, n. m. pl., cattle.

Bétail, n. m., cattle.

Bête, n. f., beast, animal, a stupid person.—*Bête* fauve, deer. *Bête* à cornes, horned cattle. *Bête* de somme, beast of burden.

Bête, a., stupid, foolish.

Bêtise, n. f., folly, stupidity.

Betterave, n. f., beet-root.

Beuglement, n. m., bellowing.

Beugler, to bellow, to low.

Beurre, n. m., butter.—Tartine de *beurre*, Slice of bread and butter.

Beurré, n. m., butter-pear.

Beurrer, to butter.

Bévue, n. f., blunder.

Biais, n. m., bias, slope, shift.— De *biais*, Sloping, aslant. Prendre le bon, le mauvais *biais*, To take the right, the wrong way.

Bibi, n. m., small (lady's) bonnet.

Bibliomane, n. m., one who has a rage for books.

Bibliomanie, n. f., rage for books.

Bibliophile, n. m., lover of books.

Bibliothécaire, n. m., librarian.

Bibliothèque, library, bookcase.

Biche, n. f., hind, roe.

Bichon, -ne, n. m. f., lap-dog.

Bien, n. m., good, boon, welfare, blessing, property, estate. — *Biens*, Good things, goods, chattels. Homme de *bien*, good, honest man. Vouloir du *bien*, to wish good, to bear good-will.

Bien, adv. (comp. Mieux), well, right, properly, very, much, far, quite, certainly, indeed, surely, easily, fully. Applied to persons, good-looking, proper, &c. Assez *bien*, Pretty well. Eh *bien!* Well! Ou *bien*, Or else. Si *bien* que, So that, so much so that. Tout va *bien*, All is right. *Bien* bon, Very good. Etre *bien* avec quelqu'un, To be on good terms with one. Nous sommes *bien* ici, We are comfortable here.

Bien-aimé, -e, a. and n., beloved.

Bien-être, n. m., welfare, well-being, comfort.

Bienfaisance, n. f., benevolence, charity.

Bienfaisant, -e, a., charitable, kind, salutary, grateful.

Bienfait, n. m., benefit, kindness.

Bienfaiteur, n. m., benefactor.

Bienfaitrice, n. f., benefactress.

Bienheureux, -se, a., happy, blessed.

Bien que, although.

Bienséance, n. f., decency, propriety.

Bienséant, -e, proper, becoming.

Bientôt, adv., soon, shortly.

Bienveillance, n. f., kindness, good-will.

Bienveillant, -e, kind, friendly.

Bienvenu, -e, a., welcome.—Soyez le *bienvenu!* Welcome!

Bière, n. f., 1. beer; 2. coffin.

Biffer, to cancel, to cross off.

Bijou, n. m., jewel, trinket.

Bijouterie, n. f., jewellery.

Bijoutier, -ère, n. m. f., jeweller.

Bile, n. f., bile, gall, anger.

Bilieux, -se, a., bilious, choleric.

Billard, n. m., billiards.

Bille, n. f., ball, marble.

Billet, n. m., bill, note, ticket.— *Billet* de banque, Bank-note. *Billet* d'aller, (rail.) Single ticket. *Billet* d'aller et retour, Return-ticket.

Billion, n. m., thousand millions.

Billon, n. m., 1. copper coin; 2. base coin.

Billot, *n. m.* block.
Binocle, *n. m.* double eye-glass.
Biographe, *n. m.* biographer.
Bis, -e, *a.* brown ; (pers.) tawny.
Bis, twice, encore !
Bisaïeul, *n.m.* great-grandfather.
Bisaïeule, great-grandmother.
Biscotin, *n. m.* hard biscuit.
Biscuit,*n.m.* biscuit, sponge-cake.
 —*Biscuit* de mer, Sea-biscuit.
Bise, *n. f.* north wind.
Bissac, *n. m.* wallet.
Bissextil, -e, *a.* bissextile.—Année *bissextile*, Leap-year.
Bizarre, odd, strange, whimsical.
Bizarrement, *adv.* oddly.
Bizarrerie, *n. f.* strangeness.
Blafard, -e, *a.* pale, wan.
Blaireau, *n. m.* badger.
Blâmable, *a.* blamable, faulty.
Blâme, *n. m.* blame, censure.
Blâmer, to blame.
Blanc, blanche, *a.* white, clean (not dirty), blank. — Argent *blanc*, Silver money. Gelée *blanche*, Hoar frost. Cheveux *blancs*, Gray, hoary hair.
Blanc, *n.m.* white (colour), blank. —*Blanc* d'Espagne, Whiting.
Blanchâtre, *a.* whitish.
Blancheur, *n. f.* whiteness.
Blanchir, to whiten, to bleach, to whitewash, to clear, to wash.
Blanchissage, *n. m.* washing.
Blanchissant, -e, *a.* that whitens, foaming.
Blanchisserie, *n. f.* bleachworks.
Blanchisseuse,*n.f.* washerwoman.
Blason, *n. m.* heraldry, coat of arms.
Blé, *n. m.* corn, wheat. — Manger son *blé* en herbe, To anticipate one's revenues.
Blême, *a.* pale, sallow, wan.
Blessant, -e, offensive, shocking.
Blesser, to hurt, to wound, to offend, to shock.
se Blesser, to hurt one's self, to take offence (at).
Blessure, *n. f.* wound, injury.
Bleu, -e, *a.* blue.
Bleuâtre, *a.* bluish, dark blue.
Bleuet,or Bluet,*n.m.* blue-bottle.
Bloc, *n. m.* block, log, lump.
Blond, -e, *a.* fair, flaxen, golden.
Blond, -e, *n. m. f.* fair person.
Blond, *n. m.* fairness, lightness (of colour).—*Blond* ardent, Sandy colour.
Blonde, *n. f.* blond (lace).
Blondin, -e, *n. m. f.* light-haired person.
se Blottir, to squat.
Blouse, *n.f.* smock-frock, blouse, pinafore.
Bluet, *n. m.* corn-flower, blue-bottle.
Bocage, *n. m.* grove.
Bocal, *n. m.* bottle, jar, globe.
Bœuf, *n. m.* ox, beef.—Le *bœuf* gras, The fat ox, the prize ox.
Bohème, *n. f.* Bohemia.
Bohémien, -ne, *n.* and *a.* Bohemian, gipsy.

Boire (buvant, bu; je bois, je bus), to drink.—A *boire*, Something to drink.
Boire, *n. m.* drink, drinking.
Bois (je), I drink.
Bois, *n. m.* wood, timber, stock, staff, horns (of a deer).—*Bois* blanc, Deal. *Bois* à bruler, Fire-wood, fuel. *Bois* de charpente, Timber. *Bois* de haute futaie, Lofty trees. *Bois* de lit, Bed-stead. *Bois* de teinture, Dyeing-wood. Cheval de *bois*, hobby horse. Train de *bois*, float of wood.
Bois-gentil, *n. m.* mezereon.
Boisé, -e, *a.* woody, wooded.
Boiser, to do the wood-work, to wainscot.
Boiserie, *n. f.* wainscoting.
Boisseau, *n. m.* bushel.
Boisson, *n. f.* drink, drinking.
Boit (il), he drinks.
Boîte, *n. f.* box, case.—*Boîte* aux lettres, Letter - box. *Boîte* à ouvrage, Work - box. *Boîte* à thé, Tea-caddy.
Boitement, *n. m.* halting, limping.
Boiter, to halt, to limp, to be lame.—En *boitant*, haltingly; lamely, limping.
Boiteu-x, -se, *a.* lame, limping, halt.
Boiteux, boiteuse, *n. m. f.* limper, halter.
Bolivar, *n. m.* a kind of hat.
Bologne, *n. f.* Bologna.
Bombe, *n. f.* shell, bomb.
Bomber, to make convex, to bulge.
Bon, -ne, *a.* good, kind, silly, fit, proper, right.—*Bon* à rien, Good for nothing. A quoi *bon ?* To what purpose ? Si *bon* vous semble, If you think proper. Tout de *bon*, In earnest. Trouver *bon*, To think proper, fit, to approve. Faire *bon*, To be comfortable.
Bon, *n. m.* good, fun, joke, order, bond.—Le *bon* de l'affaire, The best of the joke.
Bon, *int.* well ! nonsense !
Bonbon, *n. m.* sweetmeat, sugar-plums.
Bonbonnière, *n. f.* sweetmeat-box.
Bond, *n. m.* bound, skip.
Bondir, to bound, to leap.
Bondissant, -e, *a.* bounding.
Bonheur, *n. m.* happiness, good luck, welfare, blessing. — Par *bonheur*, Happily. Avoir du *bonheur*, To be lucky or fortunate. Porter *bonheur*, To bring good luck.
Bonhomie, *n. f.* good nature, simplicity, humour.
Bonhomme, *n. m.* simple or good-natured man, old man.—Petit *bonhomme*, Little fellow. Vieux *bonhomme*, Old fellow.
Bonifier, to improve, to better.
se Bonifier, to improve.

Bonite, *n. f.* bonito (fish).
Bonjour, *n. m.* good day, good morning. — Dire, souhaiter le *bonjour* à quelqu'un, To wish, to bid any one good morning, good day. Dire un petit *bonjour* à quelqu'un, To look in.
Bonne, *n. f.* servant, maid. — *Bonne* d'enfant, Nurse-maid.
Bonnement, simply, candidly.
Bonnet, *n. m.* cap.
Bonnet-coiffure, *n.m.* dressed cap.
Bonneterie, *n. f.* hosiery.
Bonnetier, *n. m.* hosier.
Bonsoir, *n. m.* good evening or night.
Bonté, *n. f.* goodness, kindness.
Bord, *n. m.* border, edge, verge, brink, brim, skirt, side, rim, bank, shore, board, tack.—Plein jusqu'aux *bords*, Brimful. — A *bord*, On board. A *bord* de, On board. A larges *bords*, Broad-brimmed. Sur le *bord*, On the edge.
Bordeaux, *n. m.* Bordeaux wine, claret.
Bordée, *n. f.* broadside, tack, shower.—Courir des *bordées*, To tack about.
Bordelais, -e, *a.* of Bordeaux.
Border, to border, to bind, to line, to edge.
Bordure, *n. f.* border, edging, binding, frame.
Boréal, -e, *a.* boreal, northern.
Borgne, *a.* and *n.* blind of one eye.
Borne, *n. f.* boundary, milestone.
Borné, -e, *a.* bounded, limited, confined, shallow, narrow.
Borne-fontaine, *n. f.* water-post.
Borner, to bound, to confine.
se Borner, to keep within bounds, to confine one's self.
Bosphore, *n. m.* Bosphorus.
Bosquet, *n. m.* grove, thicket.
Bossage, *n. m.* embossment.
Bosse, *n. f.* hump, bump, swelling, bruise, bust, embossment. —Ne demander que plaie et *bosse*, To delight in mischief.
Bosselage, *n. m.* embossing.
Bosselé, -e, *a.* bruised, indented, embossed.
Bosseler, to bruise, to indent.
Bossu, -e, *n. m. f.* hunchback.
Bossuer, to bruise, to indent.
Bot, *a.*—Pied *bot*, Club-footed.
Botanique, *n. f.* botany.
Botaniser, to botanize.
Botte, *n. f.* boot, Wellington boot, bundle, truss, bunch, hank, thrust, lunge. — *Bottes* fortes, Thick boots. *Bottes* fines, Light boots. *Bottes* à l'écuyère, Hessian boots. Tire-*botte*, Boot-jack. A propos de *bottes*, 1. For nothing; 2. not to the purpose. Mettre du foin dans ses *bottes*, To feather one's nest. Porter, pousser une *botte*, To make a thrust.
Botté, -e, *a.* in boots.
Botter, to make boots for, to put on (any one's) boots.

se Botter, to put one's boots on.
Bottier, n. m. boot-maker.
Bottine, n. f. half boot, lady's boot.
Bouc, n. m. goat.—Bouc émissaire, Scape-goat.
Bouche, n. f. mouth. — Bonne bouche, Tit bit. Dire tout ce qui vient à la bouche, To talk at random. Faire la petite bouche, 1. To eat very little; 2. to be difficult to please. Faire venir l'eau à la bouche, To make one's mouth water. Garder pour la bonne bouche, To keep the best bit for the last.
Bouché, -e, a. stupid, stunted.
Bouchée, n. f. mouthful.
Boucher, to stop, to cork.
Boucher, n. m. butcher.
Bouchère, n. f. butcher (woman), butcher's wife.
Boucherie, n. f. shambles, butchery, butcher's shop.
Bouchon, n. m. cork, stopper.
Boucle, n. f. buckle, ring, curl, lock.
Boucler, to buckle, to curl.
Bouclier, n. m. shield, buckler.
Bouder, to pout, to sulk.
Bouderie, n. f. pouting, sulking.
Boudeur, -se, a. pouting, sulky.
Boudin, n. m. black pudding.
Boudoir, n. m. boudoir (private room).
Boue, n. f. mud, dirt.
Boueu-x, -se, a. muddy, miry.
Bouffant, -e, a. puffing, puffed.
Bouffe, n. m. buffoon.
Bouffée, n. f. puff, whiff.
Bouffer, to puff, to swell.
Bouffi, -e, a. puffed up.
Bouffir, to puff up, to inflate.
Bouffissure, n. f. puffing up, swelling.
Bouffon, -ne, n. m. f. buffoon, clown.
Bouffon, -ne, a. facetious.
Bouffonnerie, n. f. buffoonery.
Bougeoir, n. m. chamber-candlestick.
Bouger, to move, to stir, to budge.
Bougie, n. f. waxlight, taper.
Bouillant, -e, a. boiling, burning, ardent, fiery, hasty.—Tout bouillant, Boiling hot.
Bouille-à-baisse, n. f. Provençal soup made up of fish, &c.
Bouilli, n. m. boiled beef.
Bouilli, -e, a. boiled.
Bouillie, n. f. pap, porridge.
Bouillir, (bouillant, bouilli; je bous, je bouillis) to boil, to burn.—Faire bouillir, To boil.
Bouilloire, n. f. boiler, kettle.
Bouillon, n. m. broth, soup, tea, bubble.—Prendre un bouillon, To take a basin of soup.
Bouillonnant, -e, a. bubbling.
Bouillonnement, n. m. bubbling.
Bouillonner, to bubble, to boil up.
Bouillotte, n. f. boiler, kettle.
Boulanger, -ère, n. m. f. baker, baker's wife.

Boulangerie, n. f. bread-making, bakehouse, baker's shop.
Boule, n. f. ball, bowl.
Bouleau, n. m. birch-tree.
Boule-dogue, n. m. bulldog.
Boulet, n. m. bullet, ball, shot.
Boulette, n. f. ball, blunder.
Boulevard, n. m. bulwark, walk.
Bouleversement, n. m. overthrow, confusion.
Bouleverser, to upset.
Boulin, n. m. pigeon-hole.
Bouquet, n. m. nosegay, bunch, cluster, flavour.
Bouquetière, n. f. flower-girl.
Bouquetin, n. m. wild goat.
Bouquin, n. m. old goat, old book.
Bouquiner, to hunt after old books.
Bouquiniste, n. m. dealer in old books.
Bourbe, n. f. mud, mire.
Bourbeu-x, -se, a. muddy, miry.
Bourbier, n. f. slough.
Bourdonnant, -e, a. buzzing.
Bourdonnement, n. m. buzz, hum.
Bourdonner, to hum, to buzz.
Bourg, n. m. borough.
Bourgade, n. f. small borough, market-town, village.
Bourgeois, -e, n. m. f. citizen, commoner, landlord, burgess. — Etre en bourgeois, To be dressed in plain clothes (not military).
Bourgeoisie, n. f. citizenship, middle classes.
Bourgeon, n. m. bud, shoot, tiller, pimple.
Bourgeonné, -e, a. pimpled.
Bourgeonner, to bud, to tiller.
Bourgmestre, n. m. burgomaster.
Bourgogne, n. f. Burgundy.
Bourgogne, n. m. Burgundy-wine.
Bourguignon, -ne, n. and a. Burgundian.
Bourrasque, n. f. squall, fit of anger.
Bourre, n. f. hair, flock.
Bourreau, n. m. executioner, hangman, tormentor, unfeeling person.
Bourrée, n. f. small faggot.
Bourreler, to sting, to goad.
Bourrelier, n. m. harness-maker.
Bourrer, to stuff, to wad, to ram, to cram, to beat.
se Bourrer, to cram one's self.
Bourriche, n. f. basket (for game).
Bourrique, n. f. she-ass, stupid ass (person).
Bourru, -e, a. cross, crabbed.
Bourse, n. f. purse, exchange.
Boursouflé, -e, a. swollen, bombastic.
Boursoufler, to swell, to puff up.
Bousculer, to upset.
Boussole, n. f. compass.
Bout, n. m. end, tip, bit.—A bout portant, Close to the muzzle. A tout bout de champ, Every instant. Au bout du compte, After all. D'un bout à l'autre, all over, throughout. Etre à bout, 1. To

be at the end of one's tether; 2. to be out of patience. Mettre à bout, To put to a nonplus. Pousser à bout, To drive to extremities. Venir à bout de, To succeed in, to manage.
Boutade, n. f. whim, freak.
Bouteille, n. f. bottle.
Boutique, n. f. shop.
Boutiquier, -ère, n. m. f. shopkeeper.
Bouton, n. m. button, bud, pimple, stud, knob, handle. — Bouton d'or, butter-cup.
Boutonné, -e, a. buttoned.
Boutonner, to button, to bud.
Boutonnière, n. f. button-hole.
Bouvier, n. m. cowherd, ox driver.
Bouvreuil, n. m. bullfinch.
Boxe, n. f. boxing.
Boxer, to box.
Boxeur, n. m. boxer.
Boyau, n. m. gut. — Corde à boyau, Cat-gut.
Braconnage, n. m. poaching.
Braconner, to poach.
Braconnier, n. m. poacher.
Braire, to bray.
Braise, n. f. embers, wood-cinders.
Bramement, n. m. belling (of stags).
Bramer, to bell.
Brancard, n. m. litter.
Branchage, n. m. branches.
Branche, n. f. branch, bough.
Brandir, to brandish.
Brandon, n. m. wisp of lighted straw, firebrand.
Branlant, -e, a. swinging, shaking, loose, tottering.
Branle, n. m. swinging, shaking.
Branler, to swing, to shake.
Braque, n. m. brach or setting-dog.
Braquer, to point, to direct.
Bras, n. m. arm, hands.—Cette filature occupe beaucoup de bras, This spinning-mill has work for many hands. A bras ouverts, With open arms. A bras-le-corps, Round the waist. Demeurer les bras croisés, To be idle.
Brasier, n. m. coal-fire, coal-pan.
Brasser, to stir up, to brew.
Brasserie, n. f. brewery.
Brasseur, n. m. brewer.
Bravade, n. f. bravado, boast.
Brave, a. brave, gallant, honest, good, kind.—Un homme brave, A courageous man. Un brave homme, An honest man.
Bravement, bravely, ably.
Braver, to brave.
Bravo, bravo, or encore!
Bravoure, n. f. bravery, valour.
Brebis, n. f. ewe, sheep.
Brèche, n. f. breach, gap, notch.
Bredouiller, to sputter, to jabber.
Bref, brève, a. short, quick.
Bref, adv. in short.
Breloque, n. f. trinket.
Brème, n. f. bream.
Brésil, n. m. Brazils.

Bretagne, n. f. 1.Britain; 2. Brittany.

Bretelle, n. f. brace, strap.

Breton, -ne, n. m. f. 1. Briton; 2. native of Brittany.

Breuvage, n. m. beverage, drink.

Brevet, n. m. patent, diploma.

Breveter, to patent.

Bréviaire,n.m. breviary,a Roman Catholic priest's prayer-book.

Bribe, n. f. hunch; Bribes (pl.) leavings, scraps.

Brick, n. m. brig.

Bride, n. f. bridle, string.—A bride abattue, à toute bride, At full speed, headlong. Lâcher la bride, To give head, to let loose. Mettre la bride sur le cou à quelqu'un, To let one go on his own way.

Brider, to bridle.

Brief, briève, a. short, brief.

Brièvement, adv. briefly.

Brièveté, n. f. brevity, shortness.

Brigand, n. m. robber, ruffian.

Brigandage, n. m. robbery, plunder.

Brigue, n. f. cabal.

Briguer, to solicit, to canvass.

Brillant, -e, a. bright, glittering. —Londres est très brillant en juin, London is very gay in June.

Brillant, n. m. brightness, diamond, brilliancy.

Briller, to shine, to glitter.

Brimborion, n. m. knicknack.

Brin, n. m. blade, sprig, bit, jot. —Brin à brin, Blade by blade.

Brioche, n. f. cake, blunder.

Brique, n. f. brick.

Briquet, n. m. steel, tinder-box. —Battre le briquet, To strike a light.

Briqueterie, n. f. brick-field.

Brisant, n. m. breaker, breakwater.

Brise, n. f. breeze.

Brisé, -e, a. broken, over-tired.

Brisées, n. f. pl. boughs cut off, footsteps.—Aller sur les brisées de quelqu'un, To tread on any one's heel, to walk in any one's shoes.

Briser, to break, to smash.

Britannique, a. British.

Broc, n. m. jug.

Brocantage, n. m. broker's trade.

Brocanteur, -se, n. m. f. broker.

Brocarder, to taunt, to scoff at.

Brocart, n. m. brocade.

Brochage, n. m. stitching (of books).

Broche, n. f. spit, brooch.

Broché, -e, a. embossed, stitched.

Brocher, to figure, to stitch.

Brochet, n. m. pike, jack.

Brochure, n. f. stitching, pamphlet, stitched or sewed book.

Brodequin, n. m. half-boot, buskin.

Broder, to embroider.

Broderie, n. f. embroidery.

Broiement, n. m. grinding, crushing.

Broncher, to trip, to do wrong.

Bronzé, -e, a. bronzed, sunburned.

Bronzer, to bronze, to tan.

Brosse, n. f. brush.

Brosser, to brush, to rub.

Brouette, n. f. wheel-barrow.

Brouhaha, n. m. uproar.

Brouillard, n. m. fog.

Brouillard, a. blotting.—Papier brouillard, Blotting-paper.

Brouille, n. f. disagreement.

Brouillé, -e, jumbled, fallen out.

Brouiller, to throw into confusion, to embroil, to set at variance.

se Brouiller, to disagree, to quarrel, to be out (in speaking).

Brouillon, n. m. mar-all.

Brouillon, n. m. draught, rough copy.

Broussailles, n. f. pl. brushwood.

Brouter, to browse, to crop.

Broyer, to pound, to grind.

Bru, n. f. daughter-in-law.

Brugnon, n. m. nectarine.

Bruiner, to drizzle.

Bruire, to rustle, to roar.

Bruissement, n. m. rustling, roaring.

Bruit, n. m. noise, sound, report, din. — Bruit sourd, Rumbling noise. A grand bruit, With pomp or fuss. A petit bruit, Gently. Le bruit court, It is reported. [hot.

Brûlant, -e, a. burning, glowing.

Brûlé, -e, a. burnt, deep, dark.

Brûlement, n. m. burning.

Brûle-pourpoint (A), with one's pistol or gun close up, to one's face.

Brûler, to burn, to scorch.

Brûlot, n. m. fire-ship.

Brûlure, n. f. burn, scald.

Brume, n. f. mist, fog.

Brumeux, -se, a. misty, foggy.

Brun, -e, a. brown.

Brun, n. m. 1. brown; 2. dark man.

Brunâtre, a. brownish.

Brune, n. f. dusk of the evening, dark girl or woman.—A or sur la brune, In the dusk of evening.

Brunette, n. f. dark female.

Brunir, to darken, to brown.

Brusque, a. blunt, gruff, abrupt.

Brusquer, to treat roughly, to do abruptly.

Brusquerie, n. f. bluntness, gruffness.

Brut, -e, a. raw, rough, rude.

Brutal, -e, a. brutal, brutish.

Brutalement, adv. brutally, roughly.

Bruxelles, n. f. Brussels.

Bruyamment, noisily.

Bruyant, -e, a. noisy.

Bruyère, n. f. heath.

Bu, pp. drunk.—Nous avons bu du vin, We have drunk wine. Bu does not mean, 'intoxicated.' (See Gris, Ivre).

Buanderie, n. f. laundry.

Bucéphale, n. m. Bucephalus.

Bûche, n. f. log, stock.

Bûcher, n. m. wood-shed, pile.

Bûcheron, n. m. wood-cutter.

Buffet, n.m. cupboard, sideboard, refreshment-room.

Buffle, n. m. buffalo, buff.

Buis, n. m. boxwood.

Buisson, n. m. bush, thicket.

Buissonnier, -ère, a. (of rabbits), bush. — Faire l'école buissonnière, To play truant.

Bulletin, n. m. bulletin, ticket.

Bure, n. f. drugget.

Bureau,n. m.writing-table,office. —Bureau de placement, Registry office. Bureau de poste, Post-office. Garçon de bureau, Porter. Prendre l'air du bureau, To see how matters stand. J'ai du crédit dans les bureaux, I have influence(interest) in the government offices.

Burette, n. f. cruet.

Burnous, n. m. cloak and hood.

Bus (je), I drunk.

Buse, n. f. buzzard, blockhead.

Buste, n. m. bust. — En buste, Half-length.

But, n. m. butt, mark, aim.

But (il), he drank.

Butin, n. m. booty, spoil.

Butiner, to pilfer.

Butte, n. f. knoll, hill.—Etre en butte à, To be exposed to.

Buvais (je), I was drinking.

Buvant, drinking.

Buvard, n. m. blotting-case, or book.

Buvetier, n. m. tavern-keeper.

Buvette, n. f. tap-room, refreshment-room (3d class).

Buveur, -se, n. m. f. drinker.

Buvez (vous), you drink.

Buvions, buviez, drank.

Byzance, Byzantium.

C.

Ç' (instead of ce), it, &c.—Quand ç'aurait été la mule du pape, il y aurait trouvé à redire, Had it been the pope's mule, he would have found some defect in it.

Ç', contraction of ce (which see). —C'est bien, It is well. C'est un homme instruit, He is a well-informed man.

Çà, adv. here.—Çà et là, Here and there, up and down, to and fro.

Çà, int. come! now !—Or çà, Well now !

Ça, pron. (for Cela),that.—Comme ça, So, so so, as it is, this way.

Caballero, n. m. (Spanish), cavalier. — Señor caballero, Noble cavalier.

Cabane, n. f. cabin, hut.

Cabaret, n. m. public-house, restaurant, tea-service.

Cabaretier, n. m. tavern-keeper.

Cabas, n. m. basket, work-bag.

Cabillaud, *n. m.* keeling, cod.

Cabine, *n. f.* cabin.

Cabinet, *n.m.* closet, office, study.—*Cabinet* de lecture, Reading-room, circulating library. *Cabinet* de toilette, Dressing-room. Homme de *cabinet*, Studious man.

Câble, *n. m.* cable.

Cabotage, *n. m.* coasting-trade.

Caboter, to coast.

Caboteur, *n. m.* coaster.

Cabotin,-e,*n.m.f.* strolling player.

se Cabrer, to rear, to prance.

Cabrioler, to caper.

Cabriolet, *n. m.* gig, cab.

Cache, *n. f.* hiding-place.

Cache-cache, *n. m.* hide and seek.

Cachemire, *n. m.* cashmere.

Cache-nez, *n. m.* comforter.

Cacher, to hide, to conceal.

Cachet, *n. m.* seal, stamp.

Cacheter, to seal.

Cachette, *n. f.* hiding-place.—En *cachette*, Secretly, underhand.

Cachot, *n. m.* cell, dungeon.

Cadavre, *n. m.* corpse.

Cadeau, *n. m.* present, gift.

Cadédis! zounds!

Cadenas, *n. m.* padlock.

Cadet, -te, *a.* younger, junior.

Cadix, *n. f.* Cadiz.

Cadran, *n. m.* dial.

Cadre, *n. m.* frame, border, list.

Cadrer, to suit, to agree.

Caduc, caduque, *a.* decaying.

Café, *n. m.* coffee, coffee-house.—*Café* au lait, 1. Coffee with milk. 2. cream colour. Tasse à *café*, Coffee-cup.

Café-concert, *n.m.* singing saloon.

Caféier, *n. m.* coffee-tree.

Cafeté, mixed with coffee.

Cafetier,*n.m.* coffee-house-keeper.

Cafetière, *n. f.* coffee-pot.

Cafrerie, *n. f.* Kaffirland.

Cage, *n. f.* cage, coop.

Cahier, *n. m.* copybook, manuscript, exercise-book.

Cahot, *n. m.* jolt.

Cahoter, to jolt, to toss.

Caille, *n. f.* quail.

Cailler, to curd.

Caillou, *n. m.* flint, pebble, stone.

Caire (le), *n. m.* Cairo.

Caisse, *n. f.* case, box, chest, cash-box, drum. — *Caisse* d'épargne, Savings' bank.

Caissier, *n. m.* cashier, teller.

Cajoler, to wheedle, to fawn.

Calabre, *n. f.* Calabria.

Calcaire, *n.* and *a.* lime, limy.

Calcul, *n. m.* calculation, ciphering.

Calculateur, *n.m.* reckoner.

Calculer, to calculate.

Cale, *n. f.* wedge, hold, chock.

Calédonie, *n. f.* Caledonia.

Calebasse, *n. f.* calebash, gourd.

Calèche, *n. f.* calash, carriage.

Caleçon, *n. m.* drawers.

Calemande (or calmande), *n. f. calamana*, glossy woollen stuff.

Calembour, n. m. pun, calembour.

Calendes, *n. f. pl.* calends.—Aux *calendes* grecques, Never.

Calendrier, *n. m.* calendar.

Calepin,*n.m.* memorandum-book.

Calibre, *n. m.* bore, size.

Calice, *n. m.* cup, calyx.

Calicot, *n. m.* calico.

Califat,*n.m.* a caliph's dominions.

Calife, *n. m.* caliph.

Californie, *n. f.* California.

Calligraphie, *n. f.* penmanship.

Calmant, -e, *a.* soothing.

Calme, *a.* quiet, still, cool.

Calme, *n. m.* calm, stillness.

Calmer, to still, to appease.

Calomniateur, -trice, *n. m. f.* slanderer.

Calomnie,*n. f.* calumny, slander.

Calomnier, to slander.

Calorique, *n. m.* caloric, heat.

Calotte, *n. f.* cap, bottom.

Calquer, to counterdraw, to copy.

Calvitie, *n. f.* baldness.

Calycanthe, *n. m.* calycanthus.

Camail, *n. m.* cardinal.

Camarade, *n. m.* comrade, mate.

Camaraderie, *n. f.* fellowship.

Camélia, *n. m.* camellia.

Camériste, *n. f.* chambermaid.

Camp, *n. m.* camp.

Campagnard, -e, *a.* rustic.

Campagnard, e, *n. m. f.* countryman, countrywoman.

Campagne, *n. f.* country, fields, seat, country-house, campaign. —Battre la *campagne*, To scour the country, to wander from the subject. Se mettre en *campagne*, To take the field. Etre à la *campagne*, To be in the country. Etre en *campagne*, To be in the field, to be from home. Tenir la *campagne*, To keep the field. (See *Pays*.)

Camper, to encamp.

Camphre, *n. m.* camphor.

Canadien, -ne,*n.* and *a.* Canadian.

Canaille, *n. f.* rabble, scoundrel.

Canal, *n. m.* canal, channel, tube.

Canaliser, to canalize.

Canapé, *n. m.* sofa.

Canard, *n. m.* duck, hoax.

Canardière, *n. f.* duck-gun.

Canaries (Iles), Canary islands.

Cancer, *n. m.* (ast.) Crab.

Candélabre, *n. m.* sconce.

Candeur, *n. f.* candour, frankness.

Candi (sucre), *n. m.* sugar-candy.

Candidat, *n. m.* candidate.

Candide, *a.* fair, open, frank.

Cane, *n. f.* duck (female).

Caneton, *n. m.* duckling (male).

Canevas, *n. m.* canvas, sketch.

Caniche, *n. m.* poodle.

Canif, *n. m.* pen-knife.

Canne,*n.f.* cane, stick.—*Canne* à sucre, Sugar-cane. Coups de *canne*, Caning.

Cannelle, *n. f.* cinnamon.

Canon, *n. m.* cannon, gun. — A portée de *canon*, Within cannon shot. Tirer le *canon*, To fire a gun.

Canonicat, *n. m.* canonship.

Canonnier, *n. m.* gunner.

Canot, *n. m.* boat, canoe.

Canotier, *n. m.* rower.

Cantaloup, *n. m.* musk-melon.

Cantatrice, *n. f.* singer.

Cantique, *n. m.* canticle, song.

Canton, *n. m.* canton, district.

Cantonnier, *n. m.* road-labourer.

Caoutchouc, *n. m.* india rubber.

Cap, *n. m.* cape, head.—De pied en *cap*, From top to toe.

Capable, *a.* able, qualified, apt.

Capacité, *n. f.* capacity, skill, talent, capaciousness.

Capitaine, *n. m.* captain.

Capital, *n. m.* capital, stock.

Capitale, *n. f.* capital, chief city.

Capitaliste, *n. m.* fundholder.

Capiteux, -se, *a.* heady, strong.

Capitulaire, *a.* and *n.* capitulary.

Caporal (caporaux),*n.m.* corporal.

Capote, *n. f.* cloak, pea-coat, hood, drawn bonnet.

Câpre, *n. f.* caper.

Caprice, *n. m.* whim, freak.

Capricieux, -se, *a.* capricious, whimsical.

Capricorne, *n. m.* capricorn, goat.

Capsule, *n. f.* percussion-cap.

Captiver, to captivate, to charm.

Capucin, *n. m.* capuchin friar.

Capucine, *n. f.* nasturtium, Indian cress.

Caquet, *n. m.* cackle, prattle.

Caqueter, to cackle, to prattle.

Car, *conj.* for, because.

Carabine, *n. f.* carabine, rifle.

Caractère, *n. m.* character, temper, disposition, characteristic, nature.

Caractériser, to characterize.

Carafe, *n. f.* decanter.

Caravane, *n. f.* caravan.

Carcasse, *n. f.* carcase, skeleton.

Cardinal (cardinaux), *n. m.* cardinal.

Cardon, *n. m.* cardoon, artichoke.

Carême, *n. m.* Lent.

Carême-prenant, *n. m.* Shrovetide, Shrove-Tuesday, Shrovetide revellers.

Carême, *n. f.* a famous cook.

Carène, *n. f.* keel, bottom.

Caressant, -e, *a.* caressing.

Caresse,*n.f.* endearment, fawning.

Caresser, to fondle, to fawn.

Cargaison, *n. f.* cargo, freight.

Carillon, *n. m.* chime, peal.

Carmin, *n.* and *a.* carmine, crimson.

Carnassier, -ère, *a.* carnivorous.

Carnassière, *n. f.* game-bag.

Carnaval, *n. m.* carnival.

Carnivore, *a.* carnivorous.

Carotte, *n. f.* carrot.

Carpe, *n. f.* carp.

Carpeau, *n. m.* young carp.

Carpillon, *n. m.* young carp.

Carrare, *n. m.* Carrara marble.

Carré, -e, *a.* square.

Carré, *n. m.* square, floor, landing-place, stair-head.

Carreau, *n. m.* square, paving-tile or brick, floor, cushion, pane of glass.

ur, *n. m.* cross-way.
er, to strut.
e, *n. f.* career, race-course,
oope, quarry.—Avoir libre
re, To have full scope.
ie, *n. m.* coach (obsolete).
ier, *n. m.* coach-maker.
n. f. card, map, bill (of
—Perdre la *carte,* To lose
rits. *Carte géographique,*
Donner *carte* blanche, To
all powers.
ginois, -e, *n.* and *a.* Car-
lian.
, *n. m.* pasteboard, band-
ortfolio, box.—*Carton à*
au, Hat-box.
né, -e, *a.* in boards.
ner, to put in boards.
che, *n. f.* cartridge.
m. case, esteem, value.—
en *cas* que, In case that.
ut *cas,* At all events. Le
héant, Should such be the
Faire *cas* de, To value, to
1. Faire peu de *cas* de, To
light of.
e, *n. f.* coat, cloak.
e, *n. m.* waterfall.
. f. hut, cabin, box.
to place, to find a place.
e, *n. f.* barrack.
ine (la Mer), *n. f.* the
an Sea.
r, *n. m.* kerseymere.
, *n. m.* cassowary.
, *n. m.* helmet.
tte, *n. f.* cap.
t, -e, *a.* brittle.
on, annulment.—Cour de
ion, Court of appeal.
oisette, *n. m.* nut-cracker.
to break, to crack, to
ole, *n. f.* saucepan.
e, *n. f.* casket, cash-box.
n. m. black currant, ratafia.
ade, *n. f.* brown or moist

n. f. caste, tribe.
n. m. beaver.
, *n. f.* Catania (in Sicily).
cte, *n. f.* waterfall.
rie, *n. f.* category, division.
rale, *n. f.* cathedral.
ique, *n.* and *a.* catholic.
n. m. Cato.
e, *n. m.* Caucasus.
ique, *a.* Caucasian.
mar, *n. m.* nightmare.
n. f. cause, motive, case.—
se de, On account of. Avec
issance de *cause,* On good
ds. Et pour *cause,* For a
good reason. Pour *cause*
1 account of.
, to cause, to occasion.
, to talk, to converse.
ie, *n. f.* talk, chat, gossip.
-r, -se, *n.* talker.
use, *n. f.* sofa.
n, *n. f.* bail, security.—
à *caution,* Not to be trusted.
(or jument), *n. f.* mare.

Cavalerie, *n. f.* cavalry.
Cavalier, *n. m.* horseman, rider.
Cavalier, -ère, *a.* easy, free.
Cave, *n. f.* cellar.
Caveau, *n. m.* cellar, vault.
Caverne, *n. f.* cave, den.
Cavité, *n. f.* hollow.
Ce, *a. dem.* this, that.—*Ce livre-
ci,* This book. *Ce livre-là,* That
book.
Ce (c'), *pron. dem. m.* this, that,
it, they, those; (pers.) he, she,
they.—*C'est vrai,* That or it is
true. *Ce sont des soldats,* They
or these are soldiers.
Ce dont, that of which.
Ce que (object), that which, what.
—Montrez-moi *ce que* vous avez,
Show me *that which* (what) you
have.
Ce qui (subject), that which,
what.—Donnez-moi *ce qui* est
sur la table, Give me *that which*
(what) is on the table.
Céans, *adv.* within, here.
Ceci, *pron. dem.* this. — Prenez
ceci et donnez-moi *cela,* Take *this*
and give me *that.*
Cécité, *n. f.* blindness.
Céder, to yield, to give up.
Cédille, *n. f.* cedilla.
Cèdre, *n. m.* cedar.
Ceindre (ceignant, ceint; je ceins,
je ceignis), to surround, to in-
close, to gird.
Ceint (*part. of* CEINDRE), in-
closed, encircled.
Ceinture, *n. f.* girdle, belt, sash,
band, inclosure, zone.
Ceinturon, *n. m.* belt.
Cela, *pron. dem.* that.—*C'est cela!*
That is it! Comme *cela,* So,
so so. Comment *cela?* How is
that? how so?
Célèbre, *a.* celebrated.
Célébrer, to celebrate, to praise.
Célébrité, *n. f.* celebrity, fame.
Céler, to conceal, to hide.
Céleri, *n. m.* celery.
Célérité, *n. f.* speed, despatch.
Céleste, *a.* heavenly. — Bleu
céleste, sky blue.
Célibat, *n. m.* celibacy, single life.
Célibataire, *n. m.* bachelor.
Celle, *pron. f.* she, her, that, the
one.
Cellule, *n. f.* cell.
Celte, *n. m. f.* Celt.
Celtique, *a.* Celtic.
Celui, *pron.* (*pl.* ceux), he, him,
the one, that.
Celui-ci, the latter, this, this one.
Celui-là, the former, that one, he,
him, that, that one.
Cendre, *n. f.* ashes, embers.—
Mercredi des *Cendres,* Ash-Wed-
nesday. Réduire en *cendres,* To
burn to ashes.
Cendré, -e, *a.* ash-coloured, ashy.
Censé, -e, *a.* reputed.
Censurer, to censure, to criticize.
Cent, *n. m.* hundred.—*Cent* pour
cent, 100 per cent.
Centaine, *n. f.* a hundred or so.

Centenaire, *n.* and *a.* person one
hundred years old.
Centenier, *n. m.* centurion.
Centième, *a.* hundredth.
Centime, *n. m.* centime, the
hundredth part of a franc.
Cep, *n. m.* vine, vine-stock.
Cependant, *adv.* in the mean-
time, yet, however, still.—*Ce-
pendant* que (obsolete), Whilst,
whereas.
Cerceau, *n. m.* hoop.
Cercle, *n. m.* circle, ring, hoop,
orb, club.
Céréales, *n. f. pl.* edible grain,
corn.
Cérémonie, *n. f.* ceremony.—En
cérémonie, In state, ceremoni-
ously. Faire des *cérémonies,* To
stand on ceremony.
Cerf, *n. m.* stag, deer.
Cerfeuil, *n. m.* chervil.
Cerf-volant, *n. m.* horn-beetle,
kite.
Cerise, *n. f.* cherry.
Cerise, *a.* cherry colour.
Cerisier, *n. m.* cherry-tree.
Cerner, to encircle, to hem in.
Certain, -e, *a.* certain, sure, fixed,
some.—*Une chose certaine,* A
sure thing. *Certaines* choses,
Certain things.
Certainement, *adv.* certainly.
Certes, *adv.* surely, indeed.
Certificat, *n. m.* certificate, tes-
timonial.
Certifier, to certify.
Certitude, *n. f.* certainty.
Cerveau, *n. m.* brain.—*Cerveau
brulé,* Disordered brain. *Cerveau
creux,* Visionary. *Cerveau fêlé,*
timbré, Crack-brained.
Cervelle, *n. f.* brains.—Brûler la
cervelle à, To blow any one's
brains out. Se brûler la *cervelle,*
To blow one's brains out.
Ces, *a. dem.* these or those, before
any noun in the plural.
César, *n. m.* Cæsar.
Cessai (je), I ceased.
Cesse, *n. f.* ceasing.—Sans *cesse,*
Without ceasing.
Cesser, to cease, to leave off.—
Faire *cesser,* To put a stop to.
C'est-à-dire, that is to say.
Cet (see *ce*), this or that, before a
vowel or *h* mute: *cet* enfant, *cet*
homme.
Cette, *a. dem.* this or that, before
any feminine noun in the sin-
gular: *Cette* femme, *cette* ou-
vrière, *cette* Hollandaise.
Ceux, *dem. pron.* (*pl.* of *celui*)
those, they, them.
Ceux-ci (*pl.* of *celui-ci*), these, the
latter, some.
Ceux-là (*pl.* of *celui-là*), those,
the former, others.
Chacal, *n. m.* jackal.
Chacun, *a. pron.* each, every one.
Chagrin, *n. m.* grief, chagreen.
Chagrin, -e, *a.* sorrowful, fretful,
surly.
Chagrinant, -e, *a.* sad, vexatious

17

Chagriner, to grieve, to vex.

se Chagriner, to grieve, to fret.

Chaîne, n. f. chain, ridge.

Chaînette, n. f. chain-stitch.

Chair, n. f. flesh, meat, skin.— N'être ni chair ni poisson, To be neither fish, flesh, nor fowl.

Chaire, n. f. pulpit, desk, chair.

Chaise, n. f. chair, chaise.—Chaise à porteurs, Sedan-chair.

Chaland, -e, n. m. f. customer.

Chaldée, n. f. Chaldea.

Chaldéen, -ne, n. m. f. Chaldean.

Châle, n. m. shawl.

Chalet, n. m. Swiss cottage.

Chaleur, n. f. heat, warmth, ardour.

Chaleureu-x, -se, a. glowing, ardent.

Châlis, n. m. challis.

Chaloupe, n. f. ship's boat, longboat.

Chalumeau, n. m. pipe, reed.

Chambellan, n. m. chamberlain.

Chambre, n. f. room, chamber. —Chambre garnie, Furnished lodgings. Chambre à coucher, Bed-room. Chambre à deux lits, Double-bedded room.

Chambrière, n. f. chamber-maid.

Chameau, n. m. camel.

Chamelier, n. m. camel-driver.

Chamelle, n. f. she-camel.

Champ, n. m. field, space, room, &c.—A travers champ, Across the fields. Sur-le-champ, Immediately. Avoir le champ libre, To have a clear stage. Avoir la clef des champs, To be at liberty.

Champagne, n. f. Champaign, a province of France.

Champagne, n. m. champaign (wine).—Champagne mousseux, Sparkling champaign.

Champêtre, a. rural, rustic.

Champignon, n. m. mushroom.

Champs-Elysées, Elysian fields, public walk in Paris.

Chance, n. f. chance, luck.

Chancelant, -e, a. tottering, unsteady.

Chanceler, to totter, to waver.

Chancelier, n. m. chancellor.

Chancellerie, n. f. chancery.

Chanceu-x, -se, a. lucky, doubtful.

Chandelier, n. m. candlestick.

Chandelle, n. f. candle.

Change, n. m. change, exchange. —Agent de change, Stockbroker. Bureau de change, Exchange-office. Lettre de change, Bill of exchange.

Changeant, -e, a. changeable, fickle.

Changement, n. m. change.

Changer, to change, to alter.— Changer d'habit, To change one's clothes.

Changeur, n. m. money-changer.

Chanoine, n. m. canon.

Chanson, n. f. song.

Chansons, int. nonsense.

Chant, n. m. singing, song, canto, crowing.

Chantant, -e, a. singing, fit to be sung.

Chanter, to sing, to warble, to crow, to celebrate, to praise, to say.

Chanteur, -se, n. m. f. singer.

Chanteur, -se, a. singing (of birds).

Chantier, n. m. woodyard, dock-yard, building-yard, stock.

Chantre, n. m. singer, poet, songster, precentor.

Chanvre, n. m. hemp.

Chapeau, n. m. hat, bonnet.— Chapeau à cornes, Cocked hat. Chapeau bas! Hats off!

Chapelain, n. m. chaplain.

Chapelier, n. m. hatter.

Chapelle, n. f. chapel.

Chapellerie, n. f. hat-trade, hat-making.

Chapitre, n. m. chapter (of canons).

Chapon, n. m. capon, fowl.

Chaque, a. each, every.

Char, n. m. car, chariot.

Char à bancs, n. m. pleasure-car.

Charbon, n. m. coal.—Charbon de bois, Charcoal. Charbon de terre, Pit-coal.

Charbonnier, n. m. coalman, charcoal-burner.

Charcuterie, n. f. pork-butcher's meat.

Charcutier, n. m. pork-butcher.

Chardon, n. m. thistle.

Chardonneret, n. m. goldfinch.

Charge, n. f. load, burden, office, shot.—Femme de charge, House-keeper. A charge, Burdensome, chargeable.

Chargé, -e, loaded, burdened.

Chargé d'affaires, n. m. a diplomatic agent of the third class.

Chargement, n. m. cargo.

Charger, to load, to burden, to entrust, to commission.

se Charger, to burden one's self, to undertake.

Chariot, n. m. waggon, chariot.

Charitable, a. benevolent.

Charité, n. f. charity, alms.— Demander la charité, To beg.

Charivari, n. m. discordant music, clatter, rattle, Punch (newspaper).

Charlatan, n. m. quack, mountebank.

Charmant, -e, a. charming, delightful.

Charme, n. m. charm, spell, yoke-elm.

Charmé, a. delighted.

Charmer, to charm, to delight.

Charmille, n. f. hedge of yoke-elm.

Charnière, n. f. hinge.

Charnu, -e, a. fleshy.

Charpente, n. f. timber-work, carpenter's work, framework.

Charpentier, n. m. carpenter, wright.

Charretée, n. f. cart-load.

Charretier, n. m. carter.

Charrette, n. f. cart.

Charrier, to cart, to drift ice, &c.

Charron, n. m. wheelwright.

Charrue, n. f. plough.—Garçon, valet de charrue, Ploughboy. Soc de charrue, Ploughshare. Mettre la charrue devant les bœufs, To put the cart before the horse.

Charte, n. f. charter.

Charte-partie, n. f. charter-party.

Chartreux, n. m. Carthusian friar.

Chasse, n. f. chase, pursuit, hunting, sporting, shooting.—Chasse à courre, Coursing. Chasse aux oiseaux, Fowling. Chasse au tir, au fusil, Shooting. Cheval de chasse, Hunter. Chien de chasse, Sporting dog.

Chasser, to drive away, to pursue, to chase, to dismiss, to dispel, to hunt, to shoot.

Chasseur, n. m. hunter, huntsman, sportsman, shot.

Châssis, n. m. sash, frame, housing.

Chaste, a. chaste, pure.

Chasteté, n. f. chastity, purity.

Chat, chatte, n. m. f. cat.—A bon chat bon rat, Tit for tat.

Châtaigne, n. f. chestnut.

Châtaignier, n. m. chestnut-tree.

Châtain, a. chestnut, auburn.

Château, n. m. castle, palace, seat. —Faire des châteaux en Espagne, To build castles in the air.

Châtelain, n. m. lord of a manor.

Châtelaine, n. f. lady of a manor.

Châtelet, n. m. small castle.

Chat-huant, n. m. screech owl.

Châtier, to chastise.

Châtiment, n. m. chastisement.

Chatoiement, n. m. glittering.

Chaton, n. m. kitten, catkin.

Chatouiller, to tickle, to please.

Chatouilleu-x, -se, ticklish, touchy.

Chatoyer, (from chat), to sparkle, like a cat's eyes.

Chaud, -e, a. hot, warm, hasty. —Avoir chaud, To be warm. Pleurer à chaudes larmes, to weep bitterly.

Chaud, n. m. heat, warmth.

Chaudement, warmly.

Chaudière, n. f. copper, boiler.

Chaudron, n. m. kettle.

Chaudronnier, n. m. coppersmith, tinker.

Chauffage, n. m. fuel, firing.— Bois de chauffage, Firewood.

Chauffer, to heat, to warm.

Chauffeur, n. m. fireman, stoker.

Chaume, n. m. stubble, thatch.

Chaumière, n. f. cottage (thatched).

Chaumine, n. f. small cottage.

Chausse, stocking, hose.

Chaussé, pp. Etre bien chaussé, To have on shoes that fit well.

Chaussée, n. f. bank, causeway, road.—Rez-de-chaussée, ground-floor.

Chausse-pied, n. m. shoe-horn.

Chausser, to put on stockings, shoes, boots, to make any one's shoes or boots, to fit.

se Chausser, to put on one's shoes, boots, or stockings.

Chausses, *n. f. pl.* (old) hose, breeches. — Haut de *chausses*, Hose, breeches, small clothes.
Chaussette, *n. f.* sock.
Chausson, *n. m.* sock, pump.
Chaussure, *n. f.* shoes, boots, &c.
Chauve, *a.* bald.
Chauve-souris, *n. f.* bat.
Chaux, *n. f.* lime, limestone.
Chavirer, to capsize, to upset.
Chef, *n. m.* head, leader, principal. — *Chef* de train, Railway guard. De son *chef*, Of one's own accord.
Chef-d'œuvre, *n. m.* master-piece, standard work.
Chef-lieu, *n. m.* chief town.
Chemin, *n. m.* way, road, path. — *Chemin* détourné, By-way. Grand *chemin*, Highway. *Chemin* à ornières, Tram road. *Chemin* de traverse, Cross road. Au bord du *chemin*, By the road side. *Chemin* passant, Great thoroughfare. A mi-*chemin*, à moitié *chemin*, Half-way, mid-way. En *chemin*, By or on the way. *Chemin* faisant, By the way. Faire son *chemin*, To make one's way. Passer son *chemin*, To go along, to go one's way.
Chemin de fer, *n. m.* railway.
Cheminée, *n. f.* chimney, fireplace, mantel-piece.
Cheminer, to go along, to progress.
Chemise, *n. f.* shirt, shift. — *Chemise* blanche, Clean shirt. — *Chemise* de nuit, Night-shirt or gown.
Chemisier, -ère, *n.* shirt-maker.
Chêne, *n. m.* oak, oak-tree.
Chenet, *n. m.* fire-dog.
Chènevis, *n. m.* hemp-seed.
Chenil, *n. m.* dog-kennel.
Chenille, *n. f.* caterpillar.
Cher, chère, *a.* dear.
Cher, *adv.* dearly, dear. — Vous me les faites trop *cher*, You ask too much for them. Il fait *cher* vivre à Londres, Living is dear in London.
Chercher, to search, to seek, to look for, to try. — Aller *chercher*, To go for, to go and fetch. Envoyer *chercher*, To send for. Venir *chercher*, To come for.
Chercheu-r, -se, *n. m. f.* seeker, hunter.
Chère, *n. f.* cheer, fare. — Faire bonne *chère*, To fare well. Faire maigre *chère*, To have poor fare.
Chèrement, dearly.
Chéri, -e, *a.* beloved, cherished.
Chérir, to cherish, to love.
Cherté, *n. f.* dearness.
Chétif, -ve, *a.* mean, pitiful, thin.
Cheval (Chevaux), *n. m.* horse. — A *cheval*, On horseback. *Cheval* de course, Race-horse, racer. *Cheval* de selle, Saddle-horse. *Cheval* de trait, Draft-horse. Aller, monter à *cheval*, To ride, to ride on horseback.
Chevaleresque, *a.* chivalrous.
Chevalerie, *n. f.* knighthood, chivalry.

Chevalet, *n. m.* horse, stand, easel.
Chevalier, *n. m.* knight. — Créer, faire *chevalier*, To knight. *Chevalier* errant, Knight-errant.
Chevaucher, to ride.
Chevelu, -e, *a.* hairy, long haired.
Chevelure, *n. f.* hair, head of hair.
Chevet, *n. m.* bolster, pillow, head. — Epée de *chevet*, Advice friend, hobby.
Cheveu, *n. m.* hair ; Cheveux, *pl.* The hair (of the human head). — Rester en *cheveux*, To wear no cap.
Cheville, *n. f.* pin, peg, bolt. — *Cheville* du pied, Ankle-bone.
Chèvre, *n. f.* she-goat.
Chevreau, *n. m.* kid.
Chèvrefeuille, *n. m.* honeysuckle.
Chevrette, *n. f.* roe, doe.
Chevreuil, *n. m.* roe, buck.
Chevrier, *n. m.* goatherd.
Chevrillard, *n. m.* young roe-buck.
Chez, *prep.* at, to, in the house or business place of ; among, with. — *Chez* vous, At or to your house. *Chez* moi, At my house, at home. *Chez* mon oncle, At my uncle's. *Chez* le banquier, At the banker's (office). *Chez* le boulanger, At the baker's (shop). *Chez* les Anglais, Among the English. J'ai un *chez* moi, I have a house of my own.
Chic, *n. m.* knack, style.
Chiche, *a.* stingy, poor.
Chicorée, *n. f.* chicory, endive.
Chicot, *n. m.* stump.
Chien, *n. m.* (Chienne, *f.*) dog.
Chiffon, *n. m.* rag, scrap.
Chiffonner, to rumple, to ruffle.
Chiffonnier, *n. m.* rag-picker.
Chiffre, *n. m.* figure, cipher, sum.
Chiffrer, to cipher.
Chimère, *n. f.* chimera, fancy.
Chimérique, *a.* fanciful.
Chimie, *n. f.* chemistry.
Chimique, *a.* chemical.
Chimiste, *n. m.* chemist.
Chine, *n. f.* China.
Chiner, to colour, to dye.
Chinois, -e, *a. & n. f. m.* Chinese.
Chirurgie, *n. f.* surgery.
Chirurgien, *n. m.* surgeon.
Chloroforme, *n. m.* chloroform.
Choc, *n. m.* shock, collision, clashing, onset, blow.
Chocolat, *n. m.* chocolate.
Chœur, *n. m.* choir, chorus.
Choir, to fall (obsolete).
Choisi, -e, *a.* choice, select.
Choisir, to choose, to select.
Choisissez, choose (imperative).
Choix, *n. m.* choice, selection.
Chômer, to stand still, not to work, to keep (as a holiday).
Choquant, -e, *a.* shocking, offensive.
Choquer, to shock, to offend, to strike (glasses).
Chose, *n. f.* thing. — *Chose* qui va sans dire, Matter of course. Mille *choses* à votre cousin, My regards to your cousin. Peu de

chose, Trifle, trifling matter. Quelque *chose*, Something, anything. C'est autre *chose*, That is another thing.
Chou (Choux), *n. m.* cabbage. — *Choux* de Bruxelles, Brussels sprouts.
Chouan, *n.* the name given to the royalists during the Vendean war (1793). They were so styled because their rallying cry was first an imitation of the screech of the owl, which the peasants of Brittany called *chouan*.
Choucroute, *n. f.* sourkraut.
Chouette, *n. f.* (common) owl.
Chou-fleur, *n. m.* cauliflower.
Choyer, to fondle, to nurse.
Chrestomathie, *n. f.* select extracts.
Chrétien, -ne, *a. & n.* Christian.
Chrétienté, *n. f.* Christendom.
Christianisme, *n. m.* Christianity.
Chrome, *n. m.* chrome, chromium.
Chronique, *n. f.* chronicle.
Chroniqueur, *n. m.* chronicler.
Chrysalide, *n. f.* chrysalis, grub.
Chrysanthème, *n. m.* chrysanthemum.
Chuchotement, *n. m.* whispering.
Chuchoter, to whisper.
Chut, *int.* hush !
Chute, *n. f.* fall, failure, decay.
Ci (ici), *adv.* here, this. — *Ci-après*, Hereafter. *Ci-dessous*, Underneath, hereafter. *Ci-dessus*, Above. *Ci-devant*, Hitherto, formerly. *Ci-gît*, Here lies.
Ciboule, *n. f.* ciboul, young onion.
Cicatrice, *n. f.* scar.
Cicatriser, to heal, to scar.
Cicérone, *n. m.* cicerone (guide).
Cidre, *n. m.* cider.
Ciel (*pl.* Cieux), *n. m.* heaven, sky ; *pl.* Ciels, (of beds), tester ; (of quarries) ceiling, roof. — *Ciel* de lit, Tester or top of a bed Juste *ciel* ! Good heavens !
Cierge, *n. m.* wax taper or candle.
Cigale, *n. f.* grasshopper.
Cigare, *n. m.* cigar.
Cigogne, *n. f.* stork.
Ciguë, *n. f.* hemlock.
Cil, *n. m.* eye-lash.
Cime, *n. f.* top, summit.
Ciment, *n. m.* cement.
Cimenter, to cement.
Cimeterre, *n. m.* scimitar, sword.
Cimetière, *n. m.* burying-ground, churchyard.
Cingler, to sail, to lash.
Cinq, *num. a.* five, fifth. — Venez le *cinq*, Come on the 5th. Henri Cinq, Henry the Fifth.
Cinquantaine, *n. f.* fifty or so.
Cinquante, *a.* fifty.
Cinquantième, fiftieth.
Cinquième, fifth.
Cintre, *n. m.* semicircle, centering. — En plein *cintre*, Semicircular.
Cirage, *n. m.* waxing, blacking.
Circonscrire, to circumscribe.
Circonspect, -e, *a.* cautious.

Circonstance, *n. f.* circumstance.
Circonvenir, to circumvent, to deceive.
Circulation, *n. f.* circulation, currency, traffic.
Circuler, to circulate, to go round.
Cire, *n. f.* wax.—*Cire à cacheter,* Sealing-wax.
Ciré, -e, *a.* waxed ; (of boots) clean.—Toile *cirée,* Oil-cloth.
Cirer, to wax, to clean, to black.
Ciron, *n. m.* flesh-worm.
Cirque, *n. m.* circus.
Ciseau, *n. m.* chisel.
Ciseaux, *n. m. pl.* scissors, shears.
Ciseler, to carve, to cut.
Ciselure, *n. f.* carving.
Citadelle, *n. f.* citadel.
Citadin, *n. m.* citizen, cit.
Citation, *n. f.* quotation.
Cité, *n. f.* city.
Citer, to summon, to quote, to mention.
Citerne, *n. f.* cistern, reservoir.
Citoyen, -ne, *n. m., f.* citizen.
Citron, *n. m.* citron, lemon.
Citronnier, *n. m.* lemon tree.
Citrouille, *n. f.* pumpkin.
Civet, *n. m.* hare-ragout.
Civil, -e, *a.* civil, polite.
Civilement, *adv.* civilly.
Civilisateur, -trice, *a.* civilizing.
Civilisation, *n. f.* civilization.
Civilisé, -e, *a.* civilized.
Civiliser, to civilize.
Civilité, *n. f.* civility.
Claie, *n. f.* hurdle, screen.
Clair, -e, *a.* clear, bright, light.—Faire *clair,* To be light.
Clair, *n. m.* light, light part.—*Clair* de lune, Moonlight.
Clair, *adv.* clearly, plainly.—*Clair* et net, Clearly.
Clairement, *adv.* clearly.
Clairière, *n. f.* glade.
Clairon, *n. m.* clarion.
Clair-semé, *a.* thin sown, scarce.
Clairvoyance, *n. f.* perspicacity, clear-sightedness.
Clairvoyant, *a.* perspicacious, clear-sighted.
Clameur, *n. f.* clamour, outcry.
Clandestin, -e, *a.* clandestine, secret.
Claque, *n. f.* slap, clog, clappers.
Claquer, to clap, to snap, to chatter, to smack, to crack.
Clarifier, to clarify, to clear.
Clarté, *n. f.* clearness, brightness.
Classe, *n. f.* class, form, class-room, school-time. — Dans la *classe,* In the class-room. En *classe,* At school, during the lesson. Heures de *classe,* School-time. Rentrée des *classes,* Re-opening of the classes. Faire ses *classes,* To be educated. Faire une *classe,* To take (to teach) a class.
Classer, to class.
Classifier, to classify.
Classique, *a.* educational, classical; (of books, etc.) standard.
Clavier, *n. m.* key-ring, key-board.

Clé, Clef, *n. f.* key.—Sous *clé,* locked up. Fermer à *clé,* To lock. Mettre, tenir sous *clé,* To lock up.
Clématite, *n. f.* clematis, virgin's bower.
Clémence, *n. f.* clemency, mercy.
Clément, -e, *a.* merciful.
Clerc, *n. m.* clergyman, scholar (obs.); lawyer's clerk. (See *Commis.*) Un pas de *clerc,* Blunder.
Clergé, *n. m.* clergy.
Client, -e, *n. m. f.* client, customer, patient.
Clientèle, *n. f.* practice, custom.
Clignement, *n. m.* winking.
Cligner, to wink.
Climat, *n. m.* climate.
Clin, *n. m.* wink.—*Clin* d'œil, Twinkling of an eye, trice.
Clinquant, *n. m.* tinsel, foil, glitter.
Cliquetis, *n. m.* clang, jingle.
Cloche, *n. f.* bell.
Cloche-pied (A), *adv.* hopping.
Clocher, *n. m.* steeple, belfry.
Clocher, to limp, to hobble.
Clocheton, *n. m.* bell-turret.
Clochette, *n. f.* bell, hand-bell.
Cloison, *n. f.* partition, film.
Cloître, *n. m.* cloister.
Clopin-clopant, hobbling along.
Clore [clos ; je clos], to close, to shut.
Clos, -e, *part.* closed, shut. — Champ *clos,* lists, tilt-yard.
Clos, *n. m.* close, enclosure.
Clôture, *n. f.,* enclosure, fence, close.
Clou, *n. m.* nail (metallic), stud, boil, clove.—*Clou* de girofle, Clove. Enfoncer un *clou,* To drive a nail.
Clouer, to nail, to confine.
Cloyère, *n. f.* basket (for oysters).
Coassement, *n. m.* croaking.
Coasser, to croak.
Cocarde, *n. f.* cockade.
Cocasse, *a.* funny, comical.
Coche, *n. m.* coach (obsolete).
Cochenille, *n. f.* cochineal.
Cocher *n. m.* coachman, driver.—*Cocher* de cabriolet, de fiacre, Cabman.
Cochère, *a. f.* — Porte *cochère,* Carriage gate.
Cochon, *n. m.* hog, pig, swine.—*Cochon* de lait, Sucking pig.
Coco, *n. m.* cocoa.
Cocon, *n. m.* cocoon.
Cocotier, *n. m.* cocoa tree.
Cœur, *n. m.* heart, mind, spirit, courage, depth, core.—A *cœur* joie, To one's heart's content. Avoir mal au *cœur,* To be sick. A contre *cœur,* Reluctantly. Au *cœur* de l'hiver, In the depth of winter. De *cœur,* From one's heart. Par *cœur,* By heart.
Coffre, *n. m.* chest, trunk.
Coffrer, to lock up.
Cognac, *n. m.* (Cognac) brandy.
Cognée, *n. f.* axe, hatchet.
Cogner, to knock, to drive in.
Cohue, *n. f.* rout, crowd.

Coi, coite, *a.* quiet, snug.
Coiffe, *n. f.* caul, lining.
Coiffer, to put on one's head, to dress the hair of, to infatuate—Un chapeau qui *coiffe* bien A hat or bonnet that fits well. Etre bien *coiffé,* To have one hair well dressed, to have a head that fits well. Etre né *coif* To be born with a silver spoon in one's mouth.
se Coiffer, to wear, to dress one hair.
Coiffeur, *n. m.* hair-dresser.
Coiffure, *n. f.* head-dress, manner of dressing the hair.
Coin, *n. m.* corner, wedge, stamp—Au *coin* du feu, By the fireside
Coing, *n. m.* quince.
Col, *n. m.* neck, stock, collar.—*Col* droit, Stand-up collar. Faux *col,* Shirt collar.
Colère, *n. f.* anger, passion.—En *colère,* Angry, in a passion Mettre en *colère,* To make angry Se mettre en *colère,* To get angry
Colère, *a.* passionate, hasty.
Colibri, *n. m.* humming-bird.
Colifichet, *n. m.* trinket, gewgaw
Colimaçon, *n. m.* snail.
Colin-maillard, *n. m.* blind man buff.
Colis, *n. m.* package.
Collaborateur, -trice, *n. m. f.* fel low-labourer, contributor.
Collation, *n. f.* refreshment, meal
Collationner, to compare.
Colle, *n. f.* paste, glue, size.
Collége, *n. m.* college, grammar school, assembly.
Collégien, *n. m.* collegian, school boy.
Collègue, *n. m.* colleague.
Coller, to paste, to glue, to size to stick, to fix.
Collerette, *n. f.* collar.
Collet, *n. m.* collar (of a coat).—*Collet* monté, Grave and pedantic person.
Collier, *n. m.* necklace, ring.
Colline, *n. f.* hill, hillock.
Colloque, *n. m.* colloquy, dialogue
Colombe, *n. f.* dove.
Colombier, *n. m.* pigeon-house.
Colon, *n. m.* planter, settler.
Colonial, -e, *a.* colonial.—Den rées *coloniales,* Colonial produce sugar, coffee, &c.
Colonie, *n. f.* colony, settlement.
Coloniser, to colonize.
Colonne, *n. f.* column, pillar, monument, post.
Colorant, -e, *a.* colouring.
Coloré, -e, *a.* coloured, ruddy.
Colorer, to colour, to disguise.
Colorier, to colour (prints, &c.).
Coloris, *n. m.* colouring, colour.
Colosse, *n. m.* colossus.
Colporter, to hawk, to spread.
Colporteur, *n. m.* hawker, pedlar.
Colza, *n. m.* colza, rape.
Combat, *n. m.* fight, battle, combat.—Fort du *combat,* Thick of the fight. Hors de *combat,* Dis-

abled. Mettre hors de *combat*, To disable.

Combattant, *n. m.* fighting man.

Combattre (BATTRE), to fight, to contend with, to strive against.

Combien, *adv.* how much? how many? how long? how far?— *Combien* y a-t-il? (of time), How long is it? (of distance), How far is it?

Combinaison, *n. f.* combination.

Combiner, to combine, to contrive.

Comble, *n. m.* completion, height. —Au *comble*, Complete, to the full, at the height of. De fond en *comble*, From top to bottom, utterly. Pour *comble* de, To complete, to crown.

Comblé, *a.* heaped, full.

Combler, to heap, to fill, to complete, to load, to overwhelm.

Combustible, *n. m.* fuel, firing.

Comédie, *n. f.* comedy, play.

Comédien, -ne, *n. m. f.* comedian.

Comestible, *n. m.* eatable; *pl.* provisions, victuals.—Magasin de *comestibles*, Provision warehouse.

Comète, *n. f.* comet.

Comique, *a.* comical.

Commande, *n. f.* order.

Commandement, *n. m.* command, commandment.

Commander, to command, to order.

Comme, as, like, nearly, as if, how.—Faites *comme* moi, Do like me. *Comme* il court, How he runs! *Comme* cela, So, so so, middling. *Comme* ça, This way, as it is.

Commençant, -e, *n. m. f.* beginner.

Commencement, *n. m.* beginning.

Commencer, to begin.

Commensal, *n. m.* mess-mate.

Comment, *adv.* how, what, why. —*Comment* cela? How is that! how so? *Comment* cela se fait-il? How is it? *Comment* appelle-t-on cela? What do they call that?

Commentaire, *n. m.* commentary, remark.

Commerçant, *n. m.* trader, tradesman.

Commerce, *n. m.* commerce, trade, business, intercourse.—Maison de *commerce*, Firm, commercial house. Faire du *commerce*, To do business. Faire un grand *commerce*, To carry on large business.

Commercer, to trade, to traffic.

Commercial, -e, *a.* commercial.

Commère, *n. f.* gossip, godmother.

Commettre (METTRE), to commit, to intrust.

Commis, *n. m.* any clerk, but a lawyer's clerk. (See *Clerc*).— *Commis* voyageur, Traveller.

Commissaire, *n. m.* commissary, commissioner.—*Commissaire priseur*, Appraiser, auctioneer.

Commission, *n. f.* commission, errand, percentage.

Commissionnaire, *n. m.* porter, errand-porter, agent.

Commode, *a.* commodious, convenient, comfortable, handy.

Commode, *n. f.* chest of drawers.

Commodément, *adv.* conveniently.

Commodité, *n. f.* convenience, accommodation, comfort.

Commun, -e, *a.* common, vulgar. —Lieu *commun*, Common-place.

Commun, *n. m.* generality.—Le *commun des hommes*, The vulgar.

Communauté, *n. f.* community.

Commune, *n. f.* parish; in the *pl.* commons, the Commons.

Communément, commonly.

Communier, to receive the sacrament.

Communiquer, to communicate, to convey, to impart, to lead.

Compacte, *a.* compact.

Compagne, *n. f.* (female) companion, wife.

Compagnie, *n. f.* company, society, covey (of birds).—Hachette et *Cie*, Hachette & Co. Dame, demoiselle de *compagnie*, Companion. De bonne *compagnie*, Gentlemanlike, proper. De mauvaise *compagnie*, Ungentlemanly.

Compagnon, *n. m.* companion, mate.

Comparaison, *n. f.* comparison.— Hors de *comparaison*, Beyond comparison.

Comparaître, to appear.

Comparer, to compare.

Compartiment, *n. m.* compartment.

Compas, *n. m.* compass, compasses.

Compatir, to sympathize.

Compatissant, -e, *a.* compassionate.

Compatriote, *n.* fellow-countryman or country-woman.

Compère, *n. m.* godfather, fellow, crony.

Complainte, *n. f.* complaint, ballad, wailing.

Complaire, to please, to humour. se Complaire, to delight (in).

Complaisance, *n. f.* complacency, kindness.—Avoir de la *complaisance* pour, To be kind to. Avoir la *complaisance* de, To be kind enough to. Par *complaisance*, By way of obliging.

Complaisant, -e, *a.* obliging.

Complet, -ète, *a.* complete, full.— L'omnibus est au *complet*, The omnibus is full.

Complétement, completely.

Compléter, to complete.

Complexion, *n. f.* constitution, disposition.

Complice, *n. m. f.* accomplice.

Compliment, *n. m.* compliment. —Mes *compliments* affectueux à, My kind regards to. Faire ses *compliments*, To give one's compliments.

Complimenter, to congratulate.

Compliqué, -e, *a.* complicated.

Complot, *n. m.* plot.

Comporter, to admit of. se Comporter, to behave.

Composer, to compose.

se Composer, to be composed, to consist (of), to compose one's demeanour.

Compositeur, *n. m.* composer, compositor.

Compote, *n. f.* stewed fruit, stew.

Comprenais (je), I understood.

Comprenant, understanding, including.

Comprendre (PRENDRE), to comprehend, to understand, to include.—Se faire *comprendre*, To make one's self understood.

Comprenez-vous? Do you understand?

Comprimer, to compress, to check.

Compris, -e, *part.* understood, included.

Compromettre, to compromise, to expose, to implicate.

se Compromettre, to commit one's self.

Comptabilité, *n. f.* accounts, book-keeping.

Comptant, *a.* (of money) ready, cash.

Compte, *n. m.* account, reckoning, number, rate.—Chambre des *Comptes*, Audit Office. A *compte*, To account. A bon *compte*, Cheap. A ce *compte*, At this rate. Au bout du *compte*, After all. Faire *compte*, To pay attention, to notice. Il ne fit pas grand *compte*, He did not pay great attention. Sur mon *compte*, Concerning me. En voilà assez sur son *compte*, That is quite enough about him.

Compter, to count, to consider, to expect, to intend, to depend.

Comptoir, *n. m.* counter, bar, office.

Compulser, to look over.

Comtat, *n. m.* county.

Comte, *n. m.* count, earl.

Comté, *n. m.* earldom, county.

Comtesse, *n. f.* countess.

Concéder, to grant, to yield.

Concentrer, to concentrate.

Concernant, *prep.* concerning.

Concerner, to concern, to relate.

Concerter, to concert, to contrive.

Concevable, *a.* conceivable.

Concevoir, to conceive, to understand, to word.

Concierge, *n. m.* porter, doorkeeper.

Conciliant, -e, *a.* conciliatory.

Concilier, to conciliate.

Concis, -e, *a.* concise, brief.

Concitoyen, -ne, *n. m. f.* fellow-citizen.

Concluant, -e, *a.* conclusive.

Conclure, to conclude, to infer.

Concombre, *n. m.* cucumber.

Concorde, *n. f.* concord, union.

Concorder, to agree.
Concourir (Courir), to concur, to co-operate, to compete.
Concours, n. m. concourse, co-operation, aid, competition.
Conçu, pp. conceived, expressed, couched.
Concurrence, n. f. competition.
Concurrent, n. m. competitor.
Concussion, n. f. embezzlement.
Condamnation, n. f. condemnation.
Condamner, to condemn, to convict, to stop up.
Condescendre, to condescend.
Condisciple, n. m. class or schoolfellow.
Condition, n. f. condition, rank, service, terms.—A or sous condition que, On, upon condition that, provided. En condition, In service.
Conditionné, -e, a. conditioned. —Bien conditionné, well-conditioned or well-made.
Condoléance, n. f. condolence.
Condor, n. m. condor.
Conducteur, -trice, n. m. f. conductor, guide, manager, guard.
Conduire, to conduct, to lead, to take, to drive.
se Conduire, to find one's way, to behave.
Conduise (que je), that I may conduct.
Conduit, n. m. pipe, conduit tube.
Conduit, -e, pp. conducted, led.
Conduite, n. f. behaviour, management, direction.
Confectionner, to make.
Conférer, to confer, to bestow.
Confesser, to confess, to own.
Confiance, n. f. confidence, trust, presumption.—Homme de confiance, Trusty, confidential man. Place de confiance, Trust.
Confiant, -e, confident, confiding.
Confidemment, in confidence.
Confidence, n. f. confidence, secrecy.—Faire une confidence, To tell a secret.
Confident, -e, n. m. f. confidant.
Confier, to confide, to intrust.
Confiner, to confine, to shut up.
Confins, n. m. pl. confines, borders.
Confire (confisant, confis; je confis, je confia), to preserve, to pickle.
Confirmer, to confirm.
Confiseur, n. m. confectioner.
Confisquer, to confiscate.
Confit, -e, pp. preserved, pickled.
Confiture, n. f. preserve.
Conflit, n. m. conflict, clashing.
Confluent, n. m. confluence, junction.
Confondre, to confound, to mix.
se Confondre, to be confounded, to mingle, to become confused, to be lost (in apologies).
Conforme, a. conformable.
Conformé, -e, a. formed.
Conformément, conformably.
Conformer, to conform.

Confort, n. m. comfort.
Confortable, a. comfortable.— Peu confortable, Uncomfortable.
Conforter, to comfort.
Confrère, n. m. brother, fellowmember, colleague.
Confrérie, n. f. brotherhood.
Confronter, to confront.
Confus, -e, a. confused, nonplussed, crest-fallen.
Confusément, adv. confusedly.
Congé, n. m. leave, discharge, notice, warning, holiday, furlough.—En congé, On leave, on a holiday. Donner congé, To give warning, to give a holiday.
Congédier, to discharge, to dismiss.
Congeler, to congeal, to freeze.
Congrès, n. m. congress.
Conjugaison, n. f. conjugation.
Conjuguer, to conjugate.
Conjuration, n. f. conspiracy.
Conjuré, n. m. conspirator.
Conjurer, to conjure, to conspire.
Connais (je), I know.
Connaissais (je), I knew.
Connaissance, n. f. knowledge, acquaintance, senses; in the plural, learning, acquirements. —A ma connaissance, To my knowledge. Avec or en connaissance de cause, Knowingly. Sans connaissance, Senseless. Avoir connaissance de, To be aware of. En pays de connaissance, Among old acquaintances. Faire connaissance avec, To get acquainted with. Perdre connaissance, To faint, to become senseless. Prendre connaissance de, To take notice of, to inquire into. Reprendre connaissance, To recover one's senses.
Connaissement, n. m. bill of lading.
Connaisseur, -se, n. m. f. judge.
Connaissez-vous? Do you know?
Connaître (connaissant, connu; je connais, je connus), to know, to be acquainted with. — Connaître de nom, de vue, To know by name, by sight. Faire connaître, To make known. Se faire connaître, To make one's self known, to become known.
se Connaître, to know one's self, to be acquainted.—Se connaître à, en, To understand, to be a good judge of.
Connu, -e, known.
Conquérant, n. m. conqueror.
Conquérant, -e, a. conquering, victorious.
Conquérir (conquérant, conquis; je conquiers, je conquis), to conquer.
Conquête, n. f. conquest.
Consacrer, to consecrate, to devote.
Conscience, n. f. conscience, consciousness.
Conscription, n. f. recruiting.
Conscrit, n. m. conscript, freshman, raw recruit.
Conseil, n. m. advice, counsel,

council.—Suivre le conseil de, To take any one's advice. Tenir conseil, To hold counsel.
Conseiller, to advise, to counsel.
Conseiller, -ère, n. m. f. adviser.
Consens (je), I consent.
Consentement, n. m. consent.
Consentir, to consent.
Conséquemment, consequently.
Conséquent, -e, a. consistent.
Conséquent, n. m. consequent.— Par conséquent, Consequently, therefore.
Conservation, n. f. preservation.
Conservatoire, n. m. conservatory, academy of music.
Conserve, n. f. preserve, pickle, convoy.—Naviguer de conserve, To go in company.
Conserver, to preserve, to keep.
Considération, n. f. consideration, regard, esteem.
Considérer, to consider.
Consister, to consist.
Consolant, -e, a. consoling, comforting.
Consolateur, -trice, n. and a. comforter, comforting.
Console, n. f. consol, pier-table.
Consoler, to console, to comfort.
Consommateur, n. m. consumer.
Consommation, n. f. consumption, using.
Consommer, to consummate, to use.
Consomption, n. f. consumption.
Consonne, n. f. consonant.
Conspirer, to conspire, to concur.
Constamment, adv. with constancy, constantly, always.
Constater, to ascertain, to prove.
Consterner, to dismay.
Constituer, to constitute.
Constructeur, n. m. builder.
Construction, n. f. building, making.
Construire, to construct, to build, to construe.
Consulat, n. m. consulate.
Consultation, n. f. consultation.
Consulte, n. f. (provincialism), consultation.
Consulter, to consult.
Consumer, to consume, to devour.
Contagieu-x, -se, a. contagious, catching, infectious.
Conte, n. m. tale, story.
Contempler, to contemplate, to behold.
Contemporain, -e, n. and a. contemporary.
Contenance, n. f. countenance, look, posture, extent, capacity. — Faire bonne contenance, To put a good face on the matter.
Contenant, n. m. container.
Contenir, to contain, to check.
se Contenir, to restrain one's self.
Content, -e, a. satisfied, pleased.
Content (ils), they relate, tell. (See Conter.)
Contentement, n. m. content, satisfaction.
Contenter, to satisfy, to please.

se Contenter, to be satisfied.
Contenu, -e, pp. contained.
Contenu, n. m. contents.
Conter, to relate, to tell. —En conter, To tell stories.
Contester, to contest.
Conteur, -se, n. m. f. teller.
Contient (il), it contains.
Contigu, -ë, a. adjoining.
Continu, -e, a. continued, continuous.
Continuel, -le, a. continual.
Continuellement, continually.
Continuer, to continue, to go on.
Contour, n. m. outline, circuit.
Contracter, to contract.
Contraignais (je), I compelled.
Contraindre, to compel.
Contrainte, n. f. compulsion, constraint, restraint.
Contraire, a. contrary, injurious.
Contraire, n. m. contrary. —Au contraire, On the contrary. Tout le contraire, tout au contraire, Quite the contrary.
Contrariant, -e, a. provoking, vexing.
Contrarier, to contradict, to vex.
Contrariété, n. f. vexation, annoyance.
Contrat, n. m. deed, agreement.
Contre, prep. and adv. against, close by. —Tout contre, Quite close.
Contrebalancer, to counterbalance.
Contrebande, n. f. smuggling.
Contrebandier, n. m. smuggler.
Contrecarrer, to thwart, to cross.
Contre-coup, n. m. rebound, consequence.
Contredire, to contradict.
Contredit, n. m. reply, rejoinder. —Sans contredit, Unquestionably.
Contrée, n. f. country, region.
Contrefaçon, n. f. counterfeiting, piracy.
Contrefaire, to counterfeit, to forge, to imitate, to mimic, to disguise, to disfigure, to pirate.
Contrefait, -e, a. disfigured, ill-shaped, &c. (See Contrefaire.)
Contre-sens, n. m. wrong sense. —A contre-sens, In a wrong way, on the wrong side. Faire un contre-sens, To mistranslate.
Contre-signer, to countersign.
Contre-temps, n. m. mischance, disappointment, mishap.
Contrevenir, to infringe, to offend.
Contrevent, n. m. outside shutter.
Contribuer, to contribute.
Contribution, n. f. contribution, tax.
Contrister, to afflict, to grieve.
Contrôle, n. m. control, stamp.
Contrôler, to control, to stamp.
Contusionner, to bruise.
Convaincant, -e, a. convincing.
Convaincre, to convince, to convict.
Convaincu, -e, pp. convinced, convicted.

Convenable, a. proper, fit, suitable, expedient, seasonable. —Peu convenable, Improper, unfit. Juger convenable, To think proper.
Convenablement, properly.
Convenance, n. f. suitableness, fitness, propriety, decorum.
Convenir, to agree, to acknowledge, to suit.
se Convenir, to suit each other.
Convenu, -e, pp. agreed. (See Convenir.)
Conversation, n. f. conversation, talk. —Faire la conversation, To carry on a conversation. Lier conversation, To enter into conversation.
Converser, to converse, to talk.
Convertir, to convert, to turn.
Convient (il), it suits or becomes.
Convier, to invite, to incite.
Convive, n. m. f. guest.
Convoi, n. m. funeral, convoy, train. —Convoi de marchandises, Luggage - train. Convoi de grande vitesse, Fast train. Convoi de petite vitesse, Slow train. Convoi de voyageurs, Passenger train. (See Train.)
Convoiter, to covet.
Convoquer, to convene.
Convoyer, to convoy.
Coopérer, to co-operate, to concur.
Copeau, n. m. chip, shaving.
Copie, n. f. copy.
Copier, to copy, to mimic.
Copieusement, adv. copiously.
Copieu-x, -se, a. copious, hearty.
Copiste, n. m. copier, copyist.
Coq, n. m. cock. — Coq-à-l'âne, Cock and bull story. Etre comme un coq en pâte, To live in clover.
Coque, n. f. shell, hull. —Œufs à la coque, Boiled eggs.
Coquelicot, n. m. corn-poppy.
Coqueluche, n. f. hooping-cough.
Coquet, -te, a. coquettish, elegant.
Coqueter, to coquet, to flirt.
Coquetier, n. m. egg-cup.
Coquette, n. f. coquette, flirt.
Coquetterie, n. f. coquetry, flirtation.
Coquillage, n. m. shell, shell-fish.
Coquille, n. f. shell.
Coquin, n. m. rogue, rascal.
Cor, n. m. corn, horn. — Cor de chasse, French horn. Donner du cor, To blow a horn.
Corail, n. m. coral.
Coran, n. m. Koran.
Corbeau, n. m. crow, raven.
Corbeille, n. f. basket, wedding-presents.
Cordage, n. m. rope, rigging.
Corde, n. f. string, cord, rope, halter, thread. —Corde à boyau, Catgut. A cordes, Stringed. Danseur de corde, Rope-dancer. Avoir deux cordes à son arc, To have two strings to one's bow. Montrer la corde, To be threadbare.

Cordeau, n. m. line, string.
Cordelier, n. m. cordelier, gray friar.
Corder, to cord.
Cordialité, n. f. cordiality, heartiness.
Cordier, n. m. ropemaker.
Cordon, n. m. twist, string, line, row, girdle, ribbon, edge. —Cordon bleu, Blue ribbon, knight of the Holy Ghost, any distinguished person, first-rate cook. Cordon de sonnette, Bell-pull.
Cordonnier, n. m. shoemaker.
Corinthien, -ne, n. and a. Corinthian.
Cormoran, n. m. cormorant.
Cornac, n. m. elephant-driver.
Corne, n. f. horn, dog's ear. — Faire des cornes à un livre, To dog-ear a book. Montrer les cornes, To show one's teeth.
Corneille, n. f. crow.
Cornemuse, n. f. bagpipe.
Corner, to blow a horn, to make dog's ears (in a book).
Cornet, n. m. horn, cornet.
Corniche, n. f. cornice.
Cornichon, n. m. little horn, gherkin.
Cornouiller, n. m. dogberry-tree.
Corolle, n. f. corolla, the inner covering of a flower.
Corps, n. m. body, frame. —A bras le corps, Round the waist. Drôle de corps, Queer fellow. En corps, In a body.
Correspondance, n. f. correspondence, intercourse.
Correspondre, to correspond.
Corridor, n. m. corridor, gallery.
Corrigé, n. m. corrected copy, key.
Corriger, to correct, to amend.
Corrompre, to corrupt, to taint, to spoil, to bribe, to fester.
Corrompu, -e, p. of CORROMPRE.
Corroyer, to curry (leather).
Corrupteur, n. m. corrupter, briber.
Corruption, n. f. corruption, taint, bribery.
Corsage, n. m. trunk, shape, body.
Corsaire, n. m. privateer, captain of a privateer.
Corse (la), n. f. Corsica.
Corse, n. and a. Corsican.
Corset, n. m. stays, corset.
Cortége, n. m. retinue, train.
Corvée, n. f. statute labour, forced labour, bore, drudgery.
Corvette, n. f. sloop of war.
Cosse, n. f. pod, hull, shell, husk.
Cossu, -e, a. podded, husky, rich, substantial, smart.
Costume, n. m. costume, dress. — Grand costume, Full dress.
Costumer, to dress.
Côte, n. f. rib, hill, coast. —A mi-côte, Half way up the hill.
Côté, n. m. side, way, quarter, part. —Côté faible, Weak side. A côté, By, near. A côté l'un de l'autre, By the side of one other. De côté, Sidewise.

côté et d'autre, On all sides. De ce *côté*-ci, This way. De ce *côté*-là, That way. Des deux *côtés*, On both sides. De l'autre *côté*, On the other side, over the way. De mon *côté*, On my part. De tout *côté*, de tous *côtés*, In all directions, from all quarters. De quel *côté?* Which way. Du *côté* maternel *or* paternel, By the mother's *or* father's side. Donner à *côté*, To miss. Mettre de *côté*, To lay aside.

Coteau, *n. m.* hillock, hill.

Côtelette, *n. f.* chop, cutlet.

se Cotiser, to join, to club.

Coton, *n. m.* cotton, down.—*Coton* brut, Raw cotton. Fil de *coton*, Cotton yarn. Filature de *coton*, cotton mill.

Cotonnade, *n. f.* cotton-cloth.

Cotonnier, *n. m.* cotton plant.

Côtoyer, to coast, to go or walk by the side of.

Cotret, *n. m.* small fagot.

Cou, *n. m.* neck.—Prendre ses jambes à son *cou*, To take to one's heels. Se jeter au *cou* de, To fall on one's neck.

Couchant, *a.* setting. — Chien *couchant*, Setting dog. Soleil *couchant*, Setting sun. Faire le chien *couchant*, To cringe.

Couchant, *n. m.* west, decline.

Couche, *n. f.* bed, couch, layer, coating.

Couché, -e, *part.* (COUCHER), lying down, in bed.

Coucher, *v. t.* to lay down, to put to bed, to bend, to lay flat.— *Coucher* en joue, To aim at. *Coucher* par écrit, To write, to take down, to put down.

se Coucher, to lie down, to go to bed, to set (of the sun).

Coucher, *v. i.* to lie down, to sleep.—*Coucher* en ville, To sleep out. *Coucher* à la belle étoile, To sleep in the open air. *Coucher* sur la dure, To sleep on the bare floor or ground.

Coucher, *n. m.* bed-time, night's lodging, bed, setting.

Coucheu-r, -se, *n.m.f.* bedfellow.

Coucou, *n. m.* cuckoo, cowslip, one-horse chaise, small omnibus.

Coude, *n. m.* elbow, turn, angle, (mach.)knee.—Donner des coups de *coude* à, To elbow. Faire le *coude*, To form a turning, a bend.

Coudé, -e, *a.* kneed.

Coudée, cubit, arm's length. —Avoir ses *coudées* franches, To have elbow-room, to have full play.

Coude-pied, *n. m.* instep.

Coudoyer, to elbow, to jostle.

Coudre (cousant, cousu; je couds, je cousis), to sew, to stitch.

Coudrier, *n. m.* filbert-tree.

Coulant, -e, *a.* flowing, fluent, *smooth*, *easy*.

Couler, to flow, to run, to stream, *to glide*, *to leak*, *to cast*, *to sink*.

Couleur, *n. f.* colour.—De quelle *couleur* est votre cheval? What is the colour of your horse? Chemise de *couleur*, Coloured shirt.

Couleuvre, *n. f.* snake, adder.

Coulisse, *n. f.* groove, running-string, slip-board, slide.—A *cou-lisse*, Sliding.

Couloir, *n. m.* strainer, passage.

Coup, *n. m.* blow, stroke, knock, slap, deed, action, gash, kick, thump, thrust, throw,dash,aim, trick, event, shot, report, beat. —*Coup* d'éclat,Brilliant exploit. *Coup* d'épée, Thrust. *Coup* d'essai, Trial. *Coup* de feu, Shot. *Coup* de fouet, Lash. *Coup* de main, Surprise. *Coup* de maître, Masterly stroke. *Coup* de mer, Billow. *Coup* d'œil, Glance. *Coup* de poing, Cuff, thump. *Coup* de soleil, Sunstroke. *Coup* de tête, Inconsiderate act. *Coup* de vent, Gust of wind. *Coup* de vin, Draught of wine. Pour le *coup*, This time. A *coup* sûr, To a certainty. Après *coup*, Too late, afterwards. A tous *coups*, At every turn. *Coup* sur *coup*, One after another. Encore un *coup*, Once more. Tout à *coup*, Suddenly. Tout d'un *coup*, At once, without interruption. Manquer son *coup*, To miss one's aim or shot. Tirer un *coup*, To fire a shot.

Coupable, *a.* guilty, culpable.

Coupant, -e, *a.* cutting, sharp.

Coupe, *n. f.* cutting, cut, cup.

Coupé, -e, *n. m.* sort of brougham.

Coupe-gorge, *n. m.* cut-throat place, den of thieves.

Couper, to cut, to cut off.

Coupeur, -se, *n. m. f.* cutter.

Couple, *n. f.* couple, brace.

Couple, *n. m.* couple, pair.

Couplet, *n. m.* stanza, verse.

Coupole, *n. m.* cupola.

Coupure, *n. f.* cut, gash.

Cour, *n. f.* yard, court, courtship. —Basse cour, poultry-yard,backyard. Faire la *cour* à, To court.

Courage, *n. m.* courage, gallantry, mettle, spirit, heart.—*Courage!* or bon *courage!* Cheer up! courage!

Courageusement, *adv.* courageously.

Courageu-x, -se, *a.* courageous, spirited, industrious.

Couramment, *adv.* off-hand, fluently.

Courant, -e, *a.* running, flowing, current, present,instant.—Monnaie *courante*, Current coin. L'année *courante*, The present year. Chien *courant*, Hound.

Courant, *n. m.* stream, current, tide, course, present month.— J'ai reçu votre lettre du 6 ct. (courant), I have received your letter of the 6th instant. Courant d'air, Draught. Dans le *courant* de,

In the course of. Être au *courant* de, To be aware of, to be acquainted with, to be conversant with. Se mettre au *courant* de, To acquaint one's self with. Tenir au *courant* (des choses), To inform any one of events as they occur.

Courbé, -e, *a.* bent, bowed, curved, crooked.

Courber, to bend, to bow, to curve, to crook.

Coure (que je), that I may run.

Coureur, *n. m.* runner, racer, courser, stroller, rover.

Courir (courant, couru ; je cours, je courus, je courrai), to run, to circulate, to prevail. — En *courant*, Hastily. Faire *courir*, run, to spread. Le bruit *court*, There is a report. Par le temps qui *court*, As times go. *Courir* le pays, To stroll about, to ramble. *Courir* les bals, To frequent balls.

Couronne, *n. f.* crown.

Couronnement, *n. m.* coronation.

Couronner, to crown.

Courons (nous), we run.

Courrai (je), I shall run.

Courrais (je), I should run.

Courre, to hunt.

Courre, *n.m.* starting-place, hunting country.

Courrier, *n. m.* courier, post-boy, messenger, mail, post.—L'heure du *courrier*, Post-time. Par le *courrier*, By post. Par le retour du *courrier*, By return of post. Faire son *courrier*, To write one's letters.

Courroie, *n. f.* strap, thong.

Courroucer, to make wroth.

Courroux, *n. m.* anger, wrath.

Cours, *n. m.* course, flow, class, walk, length, progress, lapse, market-price, currency.—*Cours* public, Lecturing. Libre *cours*, Vent. Avoir *cours*, To be current. Faire un *cours*, To give a course, to lecture, to teach.

Cours (je), I run.

Course, *n. f.* run, race, course, ride, inroad, fare, cruise. — *Course* à l'heure, Fare by time. *Course* au clocher, Steeple-chase. *Course* de chevaux, Horse-race. A la *course* (of hackney coaches), By the journey. Aller aux *courses*, To go to the races. Faire des *courses*, To make calls (generally on business).

Coursier, *n. m.* courser, steed.

Court, -e, *a.* short, limited.

Court, *adv.* short.—Tout *court*, Short, bluntly. Couper *court* à, To cut short. Demeurer, rester *court*, To stop short.

Court (il), he runs.

Courtier, *n. m.* broker.—*Courtier* maritime, Ship-broker.

Courtil, *n. m.* croft.

Courtisan, *n. m.* courtier.

Courtois, -e, *a.* courteous, civil,

Courtoisie, n. f. courtesy.

Couru, run, &c.—Il n'y a pas ssez de cette marchandise tant elle est courue, That article is so much in demand, that there is not enough of it.

Courus (je), I ran.

Cousais, cousit, sewed, was sewing.

Cousant, sewing.

Cousin, -e, n. m. f. cousin.—Cousin germain, First cousin.

Cousin, n. m. gnat.

Cousis, &c., sewed.

Coussin, n. m. cushion, bolster.

Cousu, -e, part. sewed, stitched.—Cousu d'or, Made of money.

Coût, n. m. cost.

Coûtant, a.—Prix coûtant, Cost price.

Couteau, n.m. knife.—Couteau de chasse, Hunting-knife. A couteaux tirés, At daggers drawn. Coup de couteau, Cut with a knife, stab.

Coutelas, n. m. cutlass.

Coutelier, n. m. cutler.

Coutellerie, n. f. cutlery.

Coûter, to cost.—Il en coûte de, It is painful to.

Coûteu-x, -se, a. expensive, costly.

Coutil, n. m. tick, drill.

Coutume, n. f. custom, habit.—De coutume, Usually.

Couture, n. f. Sewing, seam.—A plate couture, Soundly.

Couturière, n. f. dressmaker, seamstress.

Couvée, n. f. nest of eggs, covey, brood.

Couvent, n.m. convent, monastery.

Couver, to brood on, to pore over.

Couvercle, n. m. cover, lid.

Couvert, n. m. cloth, spoon and fork, shelter, lodging, shady place, cover.—A couvert, Under shelter. Mettre le couvert, To lay the cloth. Mettre à couvert, To shelter, to screen. Oter le couvert, To remove the cloth. Table de dix couverts, Table laid for ten. Je trouvais mon couvert mis, I found the cover laid.

Couvert, -e, a. covered, overcast.

Couverture, n. f. cover, covering, wrapper, blanket, roof.

Couvrais (je), I covered.

Couvre (je), I cover.

Couvre-feu, n. m. curfew, bell.

Couvreur, n. m. tiler, slater.—Couvreur en chaume, Thatcher.

Couvrez-vous, put on your hat.

Couvrir (couvrant, couvert; je couvre, je couvris), to cover, to shelter.

se Couvrir, to cover one's self, to put one's hat on.

Cracher, to spit, to sputter.

Craie, n. f. chalk.

Craignais (je), I feared.

Craignent (ils), they fear.

Craignez-vous? Do you fear?

Craindre (craignant, craint; je crains, je craignis), to fear, to

dread. — Je crains qu'il ne vienne, I fear he will come. Je crains qu'il ne vienne pas, I fear he will not come.

Crains (je), I fear.

Crainte, n. f. fear, dread, awe.—De crainte de, For fear of. De crainte que . . , for fear, lest.

Crainti-f, -ve, a. fearful, timorous.

Cramoisi, n. and a. crimson.

se Cramponner, to cling.

Cran, n. m. notch, cog.

Crâne, n. m. skull.

Crâne, a. swaggering.

Crapaud, n. m. toad.

Craquement, n. m. cracking.

Craquer, to crack, to creak.

Crassane, n. f. crassane (pear).

Cravache, n. f. horse-whip.

Cravate, n. f. cravat, neckcloth.

se Cravater, to put on a necktie.

Crayon, n. m. pencil, crayon.

Crayonner, to pencil, to sketch.

Créance, n. f. credit, trust, debt.

Créancier, n. m. creditor.

Créateur, n. m. creator, maker.

Créature, n. f. creature, tool.

Crédit, n. m. credit, repute, influence, patronage.

Crédule, a. credulous.

Crédulité, n. credulity.

Créer, to create, to make.

Crémaillère, n. f. pot hanger or hook.—Pendre la crémaillère, To give a house warming.

Crème, n. f. cream, custard, best.

Crémer, to cream. [house.

Crèmerie, n. f. milk-shop, coffee-

Crémier, n. m. milk-man.

Crémière, n. f. milk-woman.

Créneau, n. m. battlement.

Créneler, to embattle.

Créole, n. m. f. creole.

Crêpe, n. m. crape.

Crêpe, n. f. pancake.

Crépu, -e, a. (of hair) woolly.

Crépuscule, n. m. twilight.

Cresson, n. m. cress.

Crête, n. f. crest, comb, ridge.

Crétin, n. m. cretin, idiot.

Cretonne, n. f. cotton cloth.

Creuser, to dig, to hollow, to scoop, to dive into.

se Creuser, to become hollow, to rack (one's brain).

Creuset, n. m. crucible, test.

Creux, hollow, deep, empty.

Creux, n. m. hollow, pit.

Crevasse, n. f. crevice, chink.

Crevassé, -e, a. creviced, chinky.

Crevasser, to crevice, to chink.

Crève-cœur, n. m. heart-break.

Crever, to burst, to break, to split, to put out (the eyes).—Crever de rire, To split one's sides with laughing.

Crevette, n. f. shrimp, prawn.

Cri, n. m. cry, shout, screech, scream, clamour.

Criant, -e, p. crying.

Criard, -e, a. clamorous, shrill.

Crible, n. m. sieve, riddle.

Cribler, to sift, to riddle, to pierce all over, to overwhelm.—

Criblé de dettes, over head and ears in debt.

Cric, n. m. jack, screw-jack.

Crier, to cry, to shout, to clamour, to creak, to shriek.

Crime, n. m. crime, guilt.

Crimée (la), n. f. the Crimea.

Criminel, -le, n. and a. criminal, guilty.

Crin, n.m. hair (of animals). (See Cheveu.)

Crinière, n. f. mane.

Crique, n. f. creek.

Crise, n. f. crisis.

Crist-al, -aux, n.m. crystal, glass.

Crystallin, -e, a. crystalline.

Crystallin, n. m. crystalline.

Critique, a. critical, censorious.

Critique, n. f. criticism.

Critique, n. m. critic.

Critiquer, to criticize.

Croassement, n. m. croaking.

Croasser, to croak.

Croc, n. m. hook, tusk, tooth.

Crochet, n. m. hook, clasp.

Crocheteur, n. m. street porter.

Crochu, -e, a. hooked.

Crocus, n. m. crocus, saffron-flower.

Croient (ils), they believe.

Croirai (je), I shall believe.

Croire (croyant, cru; je crois, je crus), to believe, to trust to, to think, to deem.—A l'en croire, If he is to be believed. Je crois que oui, I believe so. Je crois que non, I believe not. Je n'en crois rien, I do not believe a word of it. Je crois bien! I believe you!

Croisade, n. f. crusade.

Croisant, crossing, cruising.

Croisé, n. m. crusader.

Croisé, -e, a. crossed, double-breasted.—Les bras croisés, With folded arms, doing nothing.

Croisée, n. f. window, casement.

Croisement, n. m. crossing.—Entre-croisement, Part of a line where rails cross each other.

Croiser, to cross, to cruise.

Croiseur, n. m. cruiser.

Croisière, n. f. cruise.

Croissance, n. f. growth.

Croissant, -e, a. growing.

Croissant, n. m. crescent.

Croissons, croissez, croissent, grow.

Croit (il), he believes.

Croît (il), he grows.

Croître (croissant, crû; je crois, je crûs), to grow, to increase, to swell, to rise.

Croix, n. f. cross.—En croix, Cross-ways. Jouer à croix ou à pile, To toss up.

Croquant, -e, a. crisp.

Croquer, to crunch, to eat up.

Croquis, n.m. sketch, rough draft.

Crotte, n. f. dirt, mud.

Crotté, -e, a. dirty. — Il est crotté, It is dirty.

Crotter, to dirt.

Croulant, a. falling, crumbling

Crouler, to fall, to sink.
Croupe, n. f. crupper, rump, ridge.
—Monter en croupe, To ride behind. Porter en croupe, To carry behind.
Croupir, to stagnate.
Croupissant, -e, a. stagnating.
Croûte, n. f. crust.—Casser une croûte, To eat a crust of bread.
Croûton, n. m. crust.
Croyable, a. credible.
Croyais (je), I believed.
Croyance, n. f. belief, persuasion.
Croyant, believing.
Croyant, n. m. believer.
Croyez-vous? do you believe?
Croyons (nous), we believe.
Cru (part. of CROIRE), believed.
Crû (part. of CROÎTRE), grown.
Crû, n. m. growth, growing, invention, vineyard.—Vin du crû, Wine of the country. De son crû, Of one's own growth.
Cru, -e, a. raw, crude, rough, harsh, blunt, bare.
Cruauté, n. f. cruelty.
Cruche, n. f. pitcher, jug, jar.
Crudité, n. f. crudity, rawness.
Crue, n. f. growth, rising.
Cruel, -le, a. cruel, painful.
Crûment, adv. bluntly, crudely.
Crus (jo), I believed.
Crut (on), people believed,
Cueille (je), I gather, &c.
Cueilli, gathered, pulled.
Cueillir, to gather, pluck, pull.
Cuillère, n. f. spoon.—Cuillère à café, Tea-spoon. Cuillère à potage, Ladle, soup-ladle.
Cuillerée, n. f. spoonful.
Cuir, n. m. hide, leather.
Cuirasse, n. f. breast-plate.
Cuire (cuisant, cuit; je cuis, je cuisis), to cook, to roast, to bake, to boil.—Faire cuire, To cook, to dress.
Cuisant, -e, a. smarting, severe.
Cuisine, n. f. kitchen, cooking.—Chef de cuisine, Head cook. Faire la cuisine, To cook.
Cuisiner, to cook.
Cuisinier, n. m. man-cook.
Cuisinière, n. f. woman-cook, Dutch oven.
Cuisse, n. f. thigh, leg.
Cuisson, n. f. cooking, roasting, baking, boiling.
Cuit, -e (pp. of CUIRE), cooked, baked, done.
Cuivre, n. m. copper. — Fil de cuivre, Copper-wire.
Cuivré, -e, a. copper-coloured.
Cuivrer, to copper.
Culbuter, to tumble head over heels, to overthrow.
Culte, n. m. worship, religion.
Cultivateur, n. m. husbandman, farmer.
Cultiver, to cultivate, to till.
Culture, n. f. culture, cultivation.
Cumuler, to hold several offices.
Cupidité, n. f. cupidity.
Curaçao, n. m. curaçao (liquor).
Cure, n. f. cure, living.

Curé, n. m. parish priest or rector (in Roman Catholic countries).
—Monsieur le curé, Reverend Sir.
Cure-dents, n. m. tooth-pick.
Curée, n. f. quarry, part of the entrails of a beast taken, given to hounds.
Curieusement, curiously.
Curieu-x, -se, a. curious, inquisitive, desirous.—Peu curieux, Not desirous. Etre curieux de savoir, To wonder.
Curieux, n. m. spectator, inquirer.
Curiosité, n. f. curiosity, inquisitiveness.
Cuve, n. f. vat, tub.
Cuvette, n. f. basin.
Cuvier, n. m. washing-tub.
Cygne, n. m. swan.
Cylindre, n. m. cylinder, roller, mangle, calender.
Cynégétique, n. f. hunting.
Cynégétique, a. relating to sport, sporting.
Cynique, n. m. cynic.
Cynisme, n. m. cynicalness, cynicism.
Cyprès, n. m. cypress.
Cytise, n. m. cytisus, laburnum.

D.

D' for de, before a vowel or h mute.—Le courage d'Achille. Les travaux d'Hercule.
Da, indeed!—Oui da, Yes, indeed.
D'abord, adv. at first, first.
Dada, n. m. horse, hobby.
Dague, n. f. dirk.
Daguerréotype, n. m. daguerreotype.
Daguerréotyper, to daguerreotype.
Daigner, to deign.
D'ailleurs, adv. besides.
Daim, n. m. deer, buck.
Daine, n. f. doe, deer.
Dais, n. m. canopy.
Dalle, n. f. flag-stone.
Damas, n. Damascus.
Damas, n. m. damask, damson, blade.
Damasser, to damask.
Dame, n. f. lady.—Notre Dame, 1. Our Lady (the Virgin Mary); 2. the name of many churches, esp. the Cathedral of Paris. Dame d'honneur, Maid of honour.
Dame, nay! indeed! well!
Damner, to damn.
Danemark, n. m. Denmark.
Danger, n. m. danger, peril.
Dangereusement, dangerously.
Dangereu-x, -se, a. dangerous.
Danois, -e, n. and a. Dane, Danish.
Dans, prep. in, into, within, with.
—Dans un but utile, With a useful end in view. Il fume dans ma pipe, He smokes out of my pipe.

Dansant, -e, a. dancing.—Soiré dansante, Dancing-party.
Danse, n. f. dance, dancing.—Salle de danse, Dancing-room.
Danser, to dance.—Ne savoir su quel pied danser, To be at one' wit's end.
Danseu-r, -se, n. m. f. dancer.
Dard, n. m. dart, sting.
Darder, to dart, to shoot.
Date, n. f. date. — D'ancienn date, Of long standing. D fraîche date, Recently.
Dater, to date.
Datte, n. f. (fruit) date.
Dattier, n. m. date-tree.
Dauphin, n. m. dolphin, dauphin
Dauphine, n. f. dauphiness.
D'autant. (See Autant.)
Davantage, adv. more, most.—Que faut-il davantage? Wha more is needed?
De, prep. of, from, in, with, by upon, for, at, to (before an in finitive), since (for).—La parole de Dieu, The Word of God L'eau vient de la rivière, Th water comes from the river. D jour, In the day. Couvert d sang, Covered with blood. Connaître de vue, To know by sight Vivre de riz, To live upon rice. Sauter de joie, To leap for joy. Rire de, To laugh at. Demandez-lui de chanter, Ask him to sing. Il semblait n'avoir man de trois jours, He seemed not to have tasted for three whole days
De, 1. some; 2. any, before an adjective preceding a noun used in a partitive sense. — 1. Je mange de bon pain; 2. Avez-vous de bon beurre?
De, after a verb negatively, is not expressed in English. — Je ne mange pas de pain, I eat no bread.
Dé, n. m. thimble, die.—Le dé en est jeté, The die is cast.
Déballer, to unpack.
Débander, to unbind, to unbend. se Débander, to slacken, to disband.
Débarbouiller, to wash the face.
Débarcadère, n. m. wharf, terminus.
Débarqué, n. m. person landed.
Débarquement, n. m. landing.
Débarquer, to land, to disembark.
Débarras, n. m. riddance.
Débarrasser, to clear, to free, to rid of, to disentagle.
se Débarrasser, to get rid of, to shake off.
Débat, n. m. debate, contest.
Débattre, to debate, to discuss.
se Débattre, to struggle, to strive.
Débauche, n. f. debauch, riotous living.
Débaucher, to debauch.
Débile, a. weak, feeble.
Débit, n. m. sale, shop.
Débitant, -e, n. m. f. dealer.
Débiter, to sell, to utter.

Débi-teur, -trice, *n. m. f.* debtor.

Déboiser, to fell the trees of a forest, &c.—Un pays *déboisé*, A tract of land whose trees have been cut down.

Déboîter, to dislocate.

Débordement, *n. m.* overflow, flood.

Déborder, to overflow, to run over.

Débouché, *n. m.* issue, opening, market.

Déboucher, to open, to uncork.

Déboucher to pass out, to run into.

Déboucler, to unbuckle, to uncurl.

Debout, on end, standing, up.

Déboutonner, to unbutton.

Débris, *n. m.* remains, wreck.

Début, *n. m.* beginning, first appearance.—Faire son *début*, To make one's first appearance.

Débutant, -e, *n. m. f.* beginner, performer making his first appearance.

Débuter, to lead, to play first, to begin, to start, to make one's first appearance.

Deçà, *prep.* and *adv.* on this side (of).—Au *deçà*, en *deçà*, par *deçà*, On this side.

Décacheter, to unseal.

Décadence, *n. f.* decay, decline.

Décamper, to decamp, to run away.

Décapiter, to behead.

Décéder, to die, to decease.

Déceler, to disclose, to reveal.

Décembre, *n. m.* December.

Décemment, *adv.* decently.

Décence, *n. f.* decency.

Décerner, to adjudge, to award.

Décès, *n. m.* death, demise.

Décevoir, to deceive.

Déchaînement, *n.m.* letting loose, wildness, violence.

Déchaîner, to unchain, to let loose.

Décharge, *n. f.* unloading, discharge.

Décharger, to unload, to relieve, to give vent, to fire off, to empty.

Décharné, -e, *a.* emaciated, lean.

Déchéance, *n. f.* forfeiture, fall.

Déchiffrer, to decipher.

Déchiqueter, to slash, to cut up.

Déchirant, -e, *a.* heart-rending.

Déchirement, *n. m.* tearing, anguish.

Déchirer, to tear, to rend, to revile, to mangle.

Déchirure, *n. f.* tear, rent.

Déchoir (déchéant, déchu; je déchois, je déchus, je décherrai), to fall, to sink, to forfeit, to lose.

Déchu, -e, fallen, decayed.

Décidé, -e, *a.* decided, determined.

Décidément, *adv.* decidedly.

Décider, to decide, to persuade.

se Décider, to make up one's mind.

Décimer, to kill one out of every ten, to carry off, to thin.

Déclamer, to declaim, to spout.

Déclarer, to declare, to proclaim.

Déclin, *n. m.* decline, decay.

Décliner, to decline, to fall off.

Décoiffer, to take off the head-dress, to disorder the hair.

Décolleté, -e, *a.* in a low dress, low.

Décombres, *n. m. pl.* ruins.

Décommander, to countermand.

Décomposer, to discompose.

Déconcerter, to disconcert, to baffle.

Décor, *n. m.* decoration, scenery.

Décorateur, *n. m.* ornamental painter, decorator.

Décoration, *n. f.* order, star, badge, scenery.

Décoré, wearing the insignia of the Legion of Honour, or of any other order.

Décorer, to decorate, to adorn, to confer the knighthood of the Legion of Honour, &c.

Découdre, to unsew, to unstitch.

Découler, to flow, to proceed.

Découper, to cut out, to carve.

Découragé, -e, *a.* disheartened.

Décourageant, -e, *a.* disheartening.

Décourager, to dishearten.

Décousu (DÉCOUDRE), unsewed, unconnected.

Découvert, -e, uncovered, discovered, open. A *découvert*, openly.

Découverte, *n. f.* discovery.— Aller à la *découverte*, To reconnoitre.

Découvrais (je), I discovered.

Découvre (je), I discover.

Découvrir, to uncover, to discover, to disclose.

se Découvrir, to uncover one's self, to take off one's hat, to make one's self known.

Décret, *n. m.* decree.

Décrire, to describe.

Décrit, -e, described.

Décrit (il), he, it describes.

Décrivant, describing.

Décroître, to decrease.

Décrotteur, *n. m.* shoe-black, boots.

Déçu, *pp.* deceived (DÉCEVOIR).

Dédaigner, to scorn, to disdain.

Dédaigneusement, scornfully.

Dédaigneu-x, -se, *a.* disdainful.

Dédain, *n. m.* scorn, disdain.

Dedans, *adv.* in, within.—Au *dedans* et au dehors, At home and abroad.

Dedans, *n. m.* inside, interior, home.

Dédier, to dedicate.

Dédire, to contradict, to disown.

se Dédire, to retract.

Dédommagement, *n. m.* compensation.

Dédommager, to indemnify.

Déduire, to deduct, to infer.

Déesse, *n. f.* goddess.

Défaillance, *n. f.* fainting, exhaustion.

Défaillant, -e, *a.* fainting, weak.

Défaillir (défaillant, défailli), to fall, to decay, to faint.

Défaire, to undo, to unmake, to untie, to unpack, to annul, to rid (of), to defeat.

se Défaire, to get loose, to get rid (of).

Défait, -e, *a.* undone, pale, ghastly.

Défaite, *n. f.* defeat, shift.

Défalquer, to deduct.

Défaut, *n. m.* defect, flaw, fault. —A or au *défaut* de, For want of. Mettre en *défaut*, To baffle, to foil, to put on the wrong scent.

Défavorable, *a.* unfavourable.

Défendre, to defend, to protect, to prevent, to shelter, to forbid.

se Défendre, to defend one's self, to refrain. [tusk.

Défense, *n. f.* defence, prohibition.

Défenseur, *n. m.* defender.

Déférer, to bestow, to accuse.

Défi, *n. m.* challenge, defiance.

Défiance, *n. f.* distrust, mistrust.

Défiant, *a.* suspicious.

Défier, to defy, to challenge.

se Défier, to distrust.

Défigurer, to disfigure.

Défilé, *n. m.* defile, pass.

Défini, -e, *a.* definite.

Définir, to define, to determine.

Définiti-f, -ve, *a.* decisive, positive. En *définitive*, *adv.* definitively.

Définitivement, *adv.* definitively.

Défis (je), I unmade, &c. (Défaire.)

Déformé, out of shape.

Déformer, to deform, to distort.

Défrayer, to defray, to entertain.

Défroque, *n. f.* property, cast-off clothes.

Défunt, -e, *a.* and *n. m. f.* deceased, late.

Dégagé, *a.* easy, free, loose, slender.

Dégager, to redeem, to extricate, to separate.

Dégarnir, to unfurnish, to strip.

Dégât, *n. m.* ravage, damage.

Dégel, *n. m.* thaw.

Dégeler, to thaw.

Dégénérer, to degenerate.

Dégourdir, to remove numbness, to sharpen the wits, to polish.

se Dégourdir, to lose one's benumbedness, to get polish.

Dégoût, *n. m.* distaste, dislike.

Dégoûter, to disgust, to give a dislike, to take away appetite.

se Dégoûter, to take a dislike, &c.

Dégoutter, to drop, to trickle.

Dégrader, to degrade, to debase.

Dégrafer, to unclasp.

Dégraisseur, *n. m.* scourer.

Degré, *n. m.* degree, step, stair.

Déguenillé, -e, *a.* ragged, in rags.

Déguisement, *n. m.* disguise.

Déguiser, to disguise, to conceal.

Dehors, *adv.* out, outside, without.

Dehors, *n. m.* outside, appearances.

Déjà, *adv.* already.

Déjeuner, *n. m.* breakfast.—Déjeuner à la fourchette, M.

breakfast. Second *déjeuner*, Luncheon.

Déjeuner, to breakfast.

Déjouer, to counteract, to baffle.

Delà, *pr. & adv.* beyond, hence.—Au-*delà*, Beyond, upwards, more.

Délabrement, *n. m.* dilapidation, decay.

Délabrer, to tatter, to shatter.

Délai, *n. m.* delay.

Délaisser, to forsake, to abandon.

Délasser, to refresh, to relax.

se Délasser, to refresh one's self.

Délayer, to dilute, to temper.

Délibérer, to deliberate, to resolve.

Délicat, -e, *a.* delicate, nice, tender, fastidious, refined, dainty.

Délicatement, *adv.* delicately.

Délicatesse, *n. f.* delicacy, nicety.

Délice, *n. m.* (*f.* in *pl.*), delight.

Délicieu-x, -se, *a.* delicious, delightful.

Délié, -e, *a.* untied, loose, slender, easy, light, sharp.

Délier, to untie, to unbind.

Délire, *n. m.* delirium, frenzy.

Délirer, to be delirious, to rave.

Délit, *n. m.* offence.—En flagrant *délit*, In the very act.

Délivrer, to deliver, to rid (of).

Déloger, to turn out, to decamp.—*Déloger* sans tambour ni trompette, To steal away.

Déluge, *n. m.* deluge, flood.

Demain, to-morrow. (See *Lendemain*.)—De *demain* en huit, To-morrow week. A *demain*, Till to-morrow. Après-*demain*, The day after to-morrow.

Demande, *n. f.* question, request, inquiry.

Demander, to ask, to want, to desire, to require.—*Demander* des nouvelles de, To inquire after. Ne pas *demander* mieux, To be quite willing. On *demande* un commis sachant bien l'anglais, Wanted a clerk well acquainted with English. Que *demande*-t-on? What is wanted? Qui *demande*-t-on? Who is wanted?

Démarche, *n. f.* gait, step.—Faire une *démarche*, To take a step, proceeding.

Démasquer, to unmask, to show up.

Démêler, to separate, to disentangle, to unravel, to distinguish.

Démembrement, *n. m.* dismembering.

Démembrer, to dismember.

Déménager, to remove, get away.

Démence, *n. f.* insanity, madness.

se Démener, to struggle.

Démenti, *n. m.* contradiction, disappointment.—Donner un *démenti* à, To give the lie to, to contradict. En avoir le *dementi*, To get the worst of it, to be disappointed.

Démentir, to contradict, to deny, to belie.

se Démentir, to belie one's-self, to be inconsistent, to fail.

Démettre, to dislocate, to put out of joint.

se Démettre, to dislocate, to resign.—Paul s'est *démis* l'épaule. Paul has dislocated his shoulder.

Demeure, *n. f.* abode, dwelling.—Fixer sa *demeure*, To take up one's abode.

Demeurer, to live, to dwell, to stop, to remain, to stand.

Demi, -e, *a.* half.—Une *demi* heure, Half an hour. Une heure et *demie*, An hour and a half. *Demi* cercle, Semi-circle. *Demi* dieu, Demi-god.

Demi, *adv.* half.—A *demi*, Half, by halves.

Demie, *n. f.* half-hour.

Demis, &c., *p. def.* of DÉMETTRE.

Démocrate, *n. m.* democrat.

Demoiselle, *n. f.* young lady, unmarried lady.

Démolir, to demolish.

Démonstrati-f, -ve, *a.* demonstrative, manifest.

Démonter, to dismount, to unhorse, to take down, to foil.

Démontrer, to demonstrate.

Dénaturer, to misrepresent, to alter, to disfigure.

Dénicher, to take out of the nest, to run away.

Denier, *n. m.* denarius, penny; denier, money.

Dénigrer, to disparage.

Dénombrement, *n. m.* enumeration, numbering.

Dénoncer, to denounce, to inform against.

Dénonciation, *n. f.* denunciation.

Dénouer, to untie.

Dénoûment, *n. m.* issue, catastrophe.

Denrée, *n. f.* commodity, food.

Densité, *n. f.* density, thickness.

Dent, *n. f.* tooth, notch.—*Dent* gâtée, Decayed tooth. Avoir mal aux *dents*, To have the toothache. Etre sur les *dents*, To be tired out, knocked up.

Dentelle, *n. f.* lace.

Dentifrice, *a.* dentifrice.—Poudre *dentifrice*, tooth-powder.

Dentiste, *n. m.* dentist.

Dénué, *a.* destitute, devoid.

Départ, *n. m.* departure, starting.

Département, *n. m.* department.

Dépasser, to go beyond, to exceed, to excel, to surpass.

Dépêche, *n. f.* despatch.—*Dépêche* télégraphique, Telegram.

se Dépêcher, to hasten, to make haste.

Dépeindre, to describe, to paint.

Dépendance, *n. f.* dependence, outhouse.

Dépendre, to depend (on).

Dépens, *n. m. pl.* expense, cost.

Dépense, *n. f.* expense, outlay.

Dépenser, to spend, to consume.

Dépérir, to decay, to waste, to wither.

Dépêtrer, to extricate, to disentangle.

Dépeupler, to depopulate, to unstock.

se Dépeupler, to become depopulated (deprived of animals, &c.) to get unstocked.

Dépit, *n. m.* despite, spite.

Dépiter, to spite, to vex.

Déplacé, *p.* misplaced, out of place, unbecoming.

Déplacer, to displace, to remove.

Déplaire, to displease.

Déplaisir, *n. m.* displeasure, dislike, sorrow, grief, trouble.

Déplier, to unfold, to open.

Déplorer, to lament, to bewail.

Déployer, to unfold, to display.

Déplu, *pp.* of DÉPLAIRE.

Déplus (je), *p. déf.* of DÉPLAIRE.

Déposer, to put or lay down, to testify.

Dépositaire, *n. m.* guardian, treasurer.

Dépôt, *n. m.* deposit, trust, depôt.

Dépouille, *n. f.* spoil, remains.

Dépouiller, to strip, to spoil, to throw off.

Dépourvu, *a.* unprovided, destitute.—Au *dépourvu*, Unawares.

Déprécier, to undervalue, to disparage.

Depuis, *prep. & adv.* since, from, for, after.—*Depuis* peu, Lately, not long since. *Depuis* quand? How long?

Depuis que, *conj.* since, ever since.

Député, *n. m.* delegate, representative.

Déraciner, to uproot.

Déranger, to derange, to upset, to disorder, to inconvenience, to disturb.

Dérider, to unwrinkle, to smooth.

se Dérider, to cheer up.

Dérisoire, derisive, mocking.

Derni-er, ère, *a.* last, final, latest.—L'année *dernière*, Last year. La *dernière* année, The last year.

Dernièrement, *adv.* lately.

Dérober, to steal, to deprive, to conceal.

Déroger, to derogate.

Dérouler, to unroll, to unfold.

Déroute, *n. f.* rout, defeat, disorder, ruin.

Derrière, *prep.* and *adv.* behind.—Porte de *derrière*, Back-door.

Derrière, *n. m.* back, back part.

Derviche, *n. m.* dervis, Mahometan monk.

Des, *art. pl.* 1. of the, of; 2. from the; 3. some, any.—1. Je parle *des* enfants, I speak of the children. 2. Je viens *des* champs, I come from the fields. 3. Nous avons *des* amis à Londres, We have some friends in London. Avez-vous *des* livres? Have you any books?

Dès, *prep.* from, since, as early as.—*Dès* aujourd'hui, From this day. *Dès* lors, from then. *Dès* que, As soon as, whenever.

rd, n. m. disagreement.—
1 désaccord, To disagree.
able, a. unpleasant.
ment, n. m. unpleasant-

:er, to quench the thirst.
ltérer, to quench one's

ointement, n. m. disap-
ient.

endre, to unlearn, to for-

ouver, to disapprove of.
;, n. m. disaster.
ou-x, -se, a. disastrous.
tage, n. m. disadvantage.
er, to disavow, to disown.
re, to descend, to come
to take or bring down.
arquer, to land.
ir, to make less full.
yer, to dispel the tedium
ivert, to amuse.
nnuyer, to divert one's

n. m. desert, wilderness.
, to desert, to abandon.
é, -e, a. desperate, hope-
isheartened. — En déses-
esperately.
:er, to despair, to give

:er, to drive to despair.
r, n. m. despair, hope-
.
llé, n. m. undress.—En
llé, In an undress.
ller, to undress.
:, to designate, to indi-
point out.
essement, n. m. disinte-
ess.
m. desire, wish.
to desire, to wish.
:, a. desirous, anxious.
', to disobey.
sance, n. f. disobedience.
sant, -e, a. disobedient.
eant, a. disobliging, un-

é, -e, a. unoccupied, idle.
e, a. distressed, vexed.
to desolate, to waste, to

ar, to lament.
, n. m. disorder, disturb-

is, adv. henceforth.
n. m. despot.
es (pl. of de laquelle), of
whom, or which.
i, -e, dried up, withered.
r, to dry up, to wither.
n. m. design, purpose.—
in, On purpose. Avoir
le dessein de, To intend.
n. m. dessert.
, n. f. leavings (table).
r, to clear the table, to
ll office, to officiate.
n. m. drawing, sketch.
, pattern. — Dessin au
Pencil drawing. Dessin
ume, Pen and ink draw-

ing. Dessin linéaire, Mechani-
cal or geometrical drawing.
Dessinateur, n. m. draughtsman,
drawer.
Dessiner, to draw, to sketch, to
delineate.
Dessous, adv. and prep. under,
below.—Au-dessous, Under, below. Là-dessous, Underneath.
Dessous, n. m. under part, bottom, worst.
Dessus, adv. and prep. on, over,
above, upwards. — Au-dessus,
Above. Là-dessus, Thereupon.
Dessus, n. m. top, advantage,
best.
Destin, n. m. destiny, fate, doom.
Destinée, n. f. destiny, fate.
Destiner, to destine, to intend.
se Destiner, to be destined or in-
tended.
Destruc-teur, -trice, n. destroyer;
a. destructive.
Détacher, to detach, to loosen,
to untie, to send off, to disen-
gage.
Détail, n. m. detail, particulars.
—Acheter, vendre en détail, To
buy, to sell retail. Raconter en
détail, To tell all the particulars.
Détaillé, a. minute, lengthened.
Détailler, to retail, to tell the
particulars.
Détaler, to pack up, to scamper
away.
Déteindre, to take out the colour.
se Déteindre, to lose one's colour.
Détendre, to unbend, to slacken.
Détenu, -e, n. m. f. prisoner.
Déterminant, a. efficient, deter-
minative, inducing.
Déterminer, to determine, to
ascertain, to induce, to lead.
Déterrer, to dig up, to disinter.
Détester, to detest, to abhor.
Détonation, n. f. detonation,
report.
Détour, n. m. winding, turning,
by-way, circuitous road.
Détourner, to lead astray, to turn
aside, to divert, to embezzle.
se Détourner, to go out of the
road or way, to turn aside.
Détresse, n. f. distress, sorrow.
Détroit, n. m. strait, sound.
Détromper, to undeceive.
se Détromper, to be undeceived.
Détruire (détruisant, détruit; je
détruis, je détruisis), to destroy.
Dette, n. f. debt.
Deuil, n. m. mourning, grief.—
Demi-deuil, petit-deuil, Half,
second mourning. Grand-deuil,
Deep mourning.
Deule (la), river of French Flan-
ders, on which is Lille.
Deux, a. and n. m. two, second.
— Charles Deux, Charles II.
Venez le deux, Come on the
second. Tous deux, Both.
Deuxième, a. second.
Deuxièmement, adv. secondly.
Devait, owed, was, intended,
should. (See Devoir.)
29

Devancer, to precede, to outstrip,
to anticipate.
Devant, prep. before, in front of.
Devant, adv. before, forward.—
Par devant, Before, in front.
Devant, n. m. forepart, front.—
Jambes de devant, Fore-legs.
Aller au-devant de, To go to meet.
Dévasta-teur, -trice, a. destruc-
tive; n. destroyer.
Dévaster, to lay waste, to spoil.
Développement, n. m. unfolding,
development.
Développer, to unfold, to unwrap,
to enlarge, to display.
se Développer, to expand, to grow.
Devenir, to become, to grow.—
Que deviendra-t-il? What will
become of him? Qu'est devenu
...? What is become of ...?
Devenu, pp. of DEVENIR.
Devers, prep. towards, about,
near.
Dévidage, n. m. winding.
Dévider, to wind (into skeins).
Dévier, to deviate, to swerve.
Devin, -eresse, n. m. f. soothsayer.
Deviner, to divine, to guess.
Devineu-r, -se, n. m. f. guesser.
Devise, n. f. device, motto.
Dévoiler, to unveil, to disclose.
Devoir, n. m. duty, exercise.—Se
mettre en devoir de, To set about.
Devoir (devant, dû; je dois, je
devais, je dus, je devrai; que je
doive), to owe, to be indebted.
Devoir, must, to be, to intend, &c.
—Il doit être riche, He must be
rich. Je dois partir demain, I
intend to leave to-morrow. Nous
devons y aller ce soir, We are to
go this evening.
Dévorer, to devour, to consume.
Dévoué, a. devoted.—Votre dé-
voué, Yours truly.
Dévouer, to devote.
Devrai, devra, &c.: 1. will owe;
2. will be obliged.
Devrais (je), I should owe, I
should or ought.
Devrions, devriez, should or
ought.
Dextérité, n. f. dexterity, skill.
Diable, n. m. devil, deuce.—
Diable boiteux, Devil on two
Sticks.
Diamant, n. m. diamond.—
Rivière de diamants, Stream of
diamonds.
Diane, n. f. Diana, reveille,
morning-gun.
Diantre, int. deuce!
Diaphane, a. transparent.
Dictée, n. f. dictation.
Dicter, to dictate.
Dictionnaire, n. m. dictionary.
Didactique, a. didactic, teaching.
Diète, n. f. diet.—Diète absolue,
Strict diet.
Dieu, n. m. God, deity.—Grâce à
Dieu! Thank God. A Dieu ne
plaise! God forbid! Plût à
Dieu! Would to God!
Différend, n. m. difference.

Différent, -e, a. different, unlike.
— *Différents* articles, Sundry articles.
Différent (ils), they differ.
Différer, to defer, to put off.
Différer, to differ.
Difficile, a. difficult, particular.
—Peu *difficile*, Not very particular.
Difficilement, adv. with difficulty.
Difficulté, n.f. difficulty.
Difforme, a. deformed.
Digitigrade, a. walking upon the toes, as the lion, cat, &c.
Digne, a. worthy, dignified.
Dignement, adv. worthily.
Digue, n.f. dike, obstacle.
Dilatation, n.f. dilatation, expansion.
se Dilater, to expand, to enlarge.
Diligence, n.f. diligence, speed, stage-coach.
Diligent, a. industrious, speedy.
Dimanche, n.m. Sunday, sabbath.
—*Dimanche* des Rameaux, Palm Sunday.
Dîme, n.f. tithe.
Diminuer, to diminish, to lessen.
Dinde, n.f. turkey-hen.
Dindon, n.m. turkey.
Dindonneau, n.m. young turkey.
Dîner, v. to dine; n.m. dinner.
—*Dîner* en ville, To dine out.
Diocèse, n.m. diocese.
Diogène, Diogenes.
Diplomatique, a. diplomatic.
Dire (disant, dit; je dis, je dis, je dirai, je dirais; que je dise, que je disse), to say, to tell, to bid.—Pour ainsi *dire*, So to say. Cela va sans *dire*, That is a matter of course. *Dis* donc ! *dites* donc ! I say ! On *dit*, It is said. Que voulez-vous *dire ?* What do you mean? En *dire* long sur le compte de, To say much about. En *dire* de belles sur le compte de quelqu'un, To tell fine things a person (ironical). Faire *dire*, To send word.
Dire, n.m. saying, opinion.
Directeur, n.m. director, manager.
Direction, n.f. direction, side, management.
Directrice, n.f. directress, principal.
Diriger, to direct, to guide.
se Diriger, to direct one's steps, to proceed, to govern one's self.
Discerner, to discern, to discriminate.
Discipliner, to discipline, to drill.
Disconvenir, to deny, to disown.
Discordance, n.f. discordancy.
Discourir, to discourse, to descant.
Discours, n.m. speech, lecture.
Discr-et, -ète, a. discreet.
Discrétion, n.f. prudence, mercy.
—A *discrétion*, At discretion, at pleasure or will. La *discrétion* en personne, Discretion personified.
Disse (que je), pr. subj. (See Dire.)

Disette, n.f. dearth, scarcity.
Diseu-r, -se, n. speaker, teller.—*Diseur* de bonne aventure, Fortune-teller.
Disgrâce, n.f. disgrace, misfortune.
Disgracieux, a. ungraceful, awkward.
Disons (DIRE).—Nous *disons*, We say. *Disons*, Let us say.
Disparaître, to disappear, to vanish.
Dispendieu-x, -se, a. expensive.
Dispenser, to exempt, to bestow.
se Dispenser, to dispense (with).
Disperser, to disperse, to scatter.
Dispos, a.m. active, nimble, well.
Disposé, -e, a. disposed, inclined, ready.
Disposer, to dispose, to arrange, to order.
Disposition, n.f. disposition, arrangement, disposal.
Disputer, to dispute, to contend, to quarrel, to deny.
se Disputer, to strive for, to quarrel.
Disque, n.m. disk.
Disse (que je), imp. subj. (See Dire.)
Dissipé, a. not attentive, not studious, trifling.
Dissiper, to dissipate, to scatter, to waste, to squander, to divert.
Dissoudre (dissolvant, dissou-s, m., -te, f.; je dissous), to dissolve, to break up.
Distance, n.f. distance.—A *distance*, At a distance.
Distinctement, adv. distinctly.
Distincti-f, -ve, a. distinctive, characteristic.
Distinction, n. f. distinction, eminence.
Distingué, -e, a. distinguished, eminent, noble, gentlemanly, ladylike, genteel.
Distinguer, to distinguish, to discern.
Distraction, n.f. absence of mind, recreation.—Par *distraction*, By way of amusement, inadvertently.
Distraire, to divert, to entertain.
Distrait, -e, a. heedless, absent.
Distrait (part. of DISTRAIRE), diverted, &c.
Distribuer, to distribute, to deal out, to dispose.
Dit (part. of DIRE), said, called, surnamed.—Aussitôt *dit*, aussitôt fait, No sooner said than done.
Dites (vous), you say.
Diverger, to diverge.
Divers, -e, a. various, sundry.
Diversement, adv. diversely.
Diversifier, to diversify, to vary.
Divertir, to divert, to entertain.
se Divertir, to amuse one's self.
Divertissement, entertainment.
Divin, -e, a. divine, heavenly.
Divinement, adv. divinely.
Divinité, n.f. divinity, deity.

Diviser, to divide, to part.
se Diviser, to be divided, to split into portions.
Division, n.f. partition, quarrel.
Divulguer, to divulge.
Dix, a. ten, tenth.
Dix-huit, eighteen, eighteenth.
Dix-huitième, a. eighteenth.
Dixième, a. tenth.
Dixièmement, adv. tenthly.
Dix-neuf, a. nineteen, 19th.
Dix-neuvième, a. nineteenth.
Dix-sept, a. and n.m. seventeen, 17th.
Dix-septième, a. seventeenth.
Dizaine, n.f. ten (or so).
Docile, a. docile, obedient.
Docilité, n.f. docility, tractableness.
Docte, a. learned.
Docteur, n.m. doctor.—*Docteur* en droit, en médecine, en théologie, Doctor of law, of physic, of divinity.
Dodu, -e, a. plump.
Dogme, n.m. dogma, tenet.
Dogue, n.m. mastiff, house-dog.
Doigt, n.m. finger, toe (of the foot).—*Doigt* du pied, Toe. *Doigt* annulaire, Ring-finger.
Dois (je), I owe, am, must, intend, &c. (DEVOIR.)
Domaine, n.m. domain, estate, province, lands.
Domestique, a. domestic, home-bred, tame.
Domestique, n.m.f. servant, domestic.
Domestique, n.m. household, home.
Domicile, n.m. dwelling, home.
Dominer, to rule, to overlook, to predominate, to hang over.
Domingue, Domingo.
Dominical, -e, a. dominical.—Oraison *dominicale*, Lord's prayer.
Dommage, n.m. damage, harm, pity. — C'est *dommage*, grand *dommage*, It is a pity, it is a great pity.
Dommageable, a. injurious, hurtful.
Dompter, to subdue, to tame.
Don, n.m. gift, present.
Donc, conj. then, therefore, consequently, so; adv. hence, accordingly. (Donc is often expletive.—Appelez-le *donc*, Do call him. Asseyez-vous *donc*, Do sit down.)
Donjon, n.m. keep, turret, pavilion.
Donner, to give, to impart, to look, to play, to ascribe, to charge (in a battle).—*Donner* à dîner, To receive company at dinner. *Donner* à quelqu'un, 20 ans, 30 ans, To take one to be 20, 30 years of age. S'en *donner* à cœur joie, To indulge one's self to one's heart's content. Cette porte *donne* dans le jardin, This door goes into the garden. Me

fenêtre donne sur la rue, My window looks into the street.

Dont, pron. whose, of whom, of which, with which.

Dorénavant, adv. henceforth.

Doré, -e, a. gilt, golden.—Doré sur tranches, Gilt-edged.

Dorer, to gild.

Doreu-r, -se, n. m. f. gilder.

Dormant, -e, a. sleeping, stagnant, unemployed. — La belle au bois dormant, The sleeping beauty of the woods.

Dormir (dormant, dormi; je dors, je dormis), to sleep, to lie still, dormant, or stagnant.

Dortoir, n. m. dormitory, bedroom.

Dorure, n. f. gilding.

Dos, n. m. back.

Dossier, n. m. back, brief.

Dot, n. f. dowry, portion.

Doter, to endow, to give a portion.

D'où, adv. whence, from which, how.—D'où vient que vous parlez si bien français? How is it that you speak French so well?

Douane, n. f. custom-house, duty.

Double, a. double, deceitful.

Double, n. m. two-fold, duplicate, coin worth one twelfth of a penny.

Doubler, to double, to line, to fur.

Doublure, n. f. lining.

Doucement, adv. gently, mildly.

Douceur, n. f. sweetness, softness, gentleness, meekness.

Doué, -e, a. endowed, gifted.

Douer, to endow, to gift.

Douillet, -te, a. soft, delicate, effeminate.

Douillette, n. f. wadded great-coat.

Douleur, n. f. pain, sorrow.

Douloureusement, adv. painfully.

Douloureu-x, -se, a. sore, sorrowful.

Doura, n. m. millet.

Doute, n. m. doubt, fear.—Révoquer en doute, To call in question.

Douter, to doubt, to question.

se Douter, To suspect, to imagine. —Je ne m'en serais jamais douté, I should never have suspected it. Vous ne vous douteriez jamais de ce qui est arrivé, You would never imagine what happened.

Douvres, Dover.

Douteu-x, doubtful, questionable.

Dou-x, -ce, a. sweet, soft, gentle, pleasant, (of water) fresh.

Douzaine, n. f. dozen.

Douze, a. twelve, twelfth.—In-douze, Duodecimo, 12mo.

Douzième, a. and n. twelfth.

Doyen, n. m. dean.

Doyenné, n. m. sort of pear.

Drachme, n. f. (coin) drachma.

Dragée, n. f. sugar-plum.

Dragon, n. m. dragon, dragoon.

Drainage (desséchement), n. m. draining.

Drainer (DESSÉCHER), to drain.

Dramatique, a. dramatic.

Drame, n. m. drama.

Drap, n. m. cloth, sheet.

Drapeau, n. m. flag, standard.

Draperie, n. f. drapery, hangings.

Drapier, n. m. woollen-draper.

Dressé, part. pointed, standing, erected, &c. (DRESSER.)

Dresser, to raise, to teach, to dress, to train, to arrange.

Drogue, n. f. drug, trash.

Droguerie, n. f. drugs, drug-trade, drysaltery.

Droguiste, n. m. druggist.

Droit, -e, a. straight, right, upright, erect, righteous.

Droit, adv. straight, directly, justly.—Tout droit, Straight.

Droit, n. m. right, claim, title, law, due, duty.—Points de droit, Matters of law. Droit des gens, Law of nations. Docteur en droit, Doctor of laws. Faire son droit, To study the law.

Droite, n. f. right, right hand.

Droiti-er, -ère, a. right-handed.

Droiture, n. f. uprightness, rectitude.

Drôle, a. droll, funny.—Drôle de corps, Queer fellow.

Drôle, n. m. rogue, scoundrel.

Dromadaire, n. m. dromedary.

Druide, n. m. Druid.

Druidique, a. druidic.

Du, art. m. (contraction of De le), of or from the, some, any.—Je parle du bois, I speak of the wood. Je viens du bois, I come from the wood. J'ai du bois, I have some wood. Avez-vous du bois? Have you any wood?

Dû, pp. (DEVOIR), owed, been obliged.—Je n'ai jamais dû tant d'argent, I have never owed so much money. J'ai dû partir, I have been obliged to go. J'aurais dû, I should have.

Duo, n. m. duke, horned owl.

Ducat, n. m. ducat.

Duché, n. m. duchy, dukedom.

Duchesse, n. f. duchess.

Duègne, n. f. duenna, governess (in Spain and Portugal).

Dune, n. f. down; pl. downs.

Dunette, n. f. poop, cabin.

Dunkerque, Dunkirk (French seaport, north).

Duo, n. m. duet, duetto.

Dupe, n. f. dupe, gull.

Duper, to dupe, to gull.

Duquel, pron. of or from whom, or which.

Dur, -e, a. hard, tough, harsh.

Durable, a. lasting.

Durant, prep. during.

Durcir, to harden, to get hard.

Durée, n. f. duration.

Durement, adv. harshly.

Durent (DURE), last.—Vos habits durent longtemps, Your clothes last long.

Durent (DEVOIR), 1. owed; 2. were obliged, had to.—Ils durent cent francs, They owed 100 francs. Ils durent payer, They were obliged to pay.

Durer, to last, to remain, to stand.

Du reste, adv. besides, on other respects.

Dureté, n. f. hardness, harshness, toughness, stiffness.

Dus (je), p. def. of DEVOIR.—1. Je dus mille francs, I owed 1000 francs. 2. Je dus partir, I was obliged to go.

Dussé-je, though I should, were I to.

Dusse (que je), imp. subj. of DEVOIR, I might or should owe, I might or should be obliged.

Duvet, n. m. down.

E.

Eau, n. f. water, rain.—Eau douce, Fresh or soft water. Faire eau, To leak. Faire venir l'eau à la bouche, To make the mouth water. L'eau me vient à la bouche, My mouth waters. Les eaux sont basses, We are not in funds. Faire venir l'eau au moulin, To bring grist to the mill.

Eaux, n. f. p. watering-place, water works.—Aller aux eaux, To go to a watering place. Prendre les eaux, To take the (mineral) waters. Ville d'eaux, Watering place.

Eau de vie, n. f. brandy.

Ébauche, n. f. sketch, rough draught or cast, outline.

Ébaucher, to sketch, to rough-hew.

Ébène, n. f. ebony.

Ébéniste, n. m. cabinet-maker.

Ébénisterie, n. f. cabinet-making.

Éblouir, to dazzle.

Éblouissant, -e, a. dazzling.

Éblouissement, n. m. dazzling.

Éboulement, n. m. falling down, sinking.

Ébouler, to fall down or in, to sink.

Ébranlement, n. m. shaking, shock.

Ébranler, to shake, to disturb.

s'Ébranler, to shake, to give way, to move.

Ébrécher, to notch, to impair.

Écaille, n. f. scale, shell.

Écarlate, n. f. and a. scarlet.

Écart, n. m. step aside, digression, flight, fault.—A l'écart, Aside.

Écarté, -e, a. remote, lonely, secluded.

Écarter, to divert, to remove, to wave, to scatter, to dispel, to keep out, to ward off.

s'Écarter, to deviate, to step aside, to swerve, to wander, to leave, to ramble.

Ecclésiastique, a. ecclesiastical.

Ecclésiastique, n. m. clergyman, churchman, priest.

Échafaud, n. m. scaffold, stage.

Échange, n. f. exchange, barter. Libre échange, Free trade.

Échanger, to exchange, to barter.

Échantillon, n.m. sample, pattern.

Échapper, to escape, to get out, to fall, to slip, to avoid.—L'échapper belle, To have a narrow escape.

Écharpe, n.f. scarf, sling.

Échasse, n.f. stilt.

Échassier, n. m. wading bird.

Échauffer, to warm, to heat, to excite.

s'Échauffer, to get warm, to wax wroth, to get excited.

Échec, n. m. check, repulse, loss.

Échelle, n. f. ladder, scale, standard.—Échelles du Levant, Seaports in the Levant.

Échine, n. f. spine, back-bone.

Échoir (échéant, échu; il échoit, j'échus, j'écherrai), to happen, to become due, to fall.

Échoppe, n. f. stall.

Échouer, to strand, to fail, to founder.

Éclair, n. m. lightning, flash.—Il fait des éclairs, It lightens.

Éclairage, n. m. lightning.—Éclairage au gaz, Gas-lighting.

Éclaircir, to clear up, to solve, to thin.

Éclaircissement, n. m. clearing up, information, explanation.

Éclairer, to light, to illuminate, to enlighten. — Il éclaire, It lightens.

Éclat, n. m. piece, splinter, burst, shout, lustre, glitter.—Rire aux éclats, To burst out laughing.

Éclatant, -e, a. bright, shining.

Éclater, to shiver, to burst out, to explode, to blaze out, to be displayed, to be made conspicuous.

Éclore (éclos; il éclot, ils éclosent, il éclora), to hatch, to blow, to dawn.

Éclos, éclose, pp. of Éclore.

Écluse, n. f. sluice, floodgate, dam.

École, n. f. school.—École libre, Private school. École de natation, Swimming-school. Camarade d'école. School-fellow. Maître d'école, Schoolmaster. Maîtresse d'école, Schoolmistress. Faire l'école buissonnière, To play truant.

Écoli-er, -ère, n. m. f. school-boy, school-girl.

Éconduire, to refuse, to show out.

Économe, a. saving, economical.

Économie, n. f. economy, savings.—Faire des économies, To save, to put by. Économie domestique, Domestic economy, household matters.

Économique, a. economical, cheap.

Économiser, to economize, to save.

Écorce, n. f. bark, rind, peel.

Écorcher, to flay, to skin, to gall.—Écorcher une langue, To murder a language.

Écossais, a. Scotch.

Écossais, -e, n. m. f. Scotchman, Scotchwoman.

Écosse, n. f. Scotland.—La Haute

Écosse, The Highlands. La Basse Écosse, The Lowlands.

Écosser, to shell, to husk.

Écoulé (Il s'est), there has (or have) elapsed.

s'Écouler, to flow away, to pass away, to elapse, to go off.

Écouter, to listen, to hear, to mind.

s'Écouter, to like to hear one's self, to indulge one's self.

Écran, n. m. screen.

Écrasé, -e, crushed, flat, squat, short.

Écraser, to crush, to bruise, to squash.

Écrémer, to cream off, to skim.

Écrevisse, n. f. cray or craw fish.

s'Écrier, to cry out, to exclaim.

Écrin, n. m. jewel-box, casket.

Écrire (écrivant, écrit; j'écris, j'écrivis, j'écrirai; que j'écrive, que j'écrivisse), to write.—Comment s'écrit ce mot? How is that word spelt?

Écrit, n. m. writing, work.—On admire ses écrits, His works are admired. Par écrit, In writing.

Écriteau, n. m. bill, board, ticket.

Écritoire, n.f. inkstand, ink-horn.

Écriture, n. f. writing, Scripture (Bible).—On admire son écriture, His penmanship is admired. Maître d'écriture, Writing-master.

Écrivain, n. m. Writer.

s'Écrouler, to fall in, to fall down, to crumble.

Écru, -e, a. unbleached, raw.—Soie écrue, Raw silk. Toile écrue, Brown Holland.

Écu, n. m. shield, crown.—Petit écu, halfcrown.

Écueil, n. m. rock, breaker, reef, danger.

Écuelle, n. f. porringer.

Éculer, to tread down at the heel.

Écumant, -e, a. foaming, frothy.

Écume, n. f. foam, froth, scum.

Écumer, to foam, to froth.

Écumer, to skim, to scour.

Écurer, to scour, to cleanse.

Écureuil, n. m. squirrel.

Écurie, n. f. stable. (See Étable.)

Écuyer, n. m. squire, esquire, equerry, rider, horseman.

Écuyère, n. f. horsewoman, rider.—Bottes à l'écuyère, Hessian boots.

Édifice, n. m. edifice, building.

Édifier, to build, to edify.

Édimbourg, n. m. Edinburgh.

Édition, n. f. edition.—L'édition est épuisée, The book is out of print. [Edmunda.

Edmond, f. Edmée, Edmund,

Édredon, n. m. eider-down.

Éducation, n. f. education, manners, rearing, training.—Maison d'éducation, Boarding-school. Faire l'éducation, To educate.

Effacer, to efface, to rub out, to blot out, to scratch out, to eclipse, to outshine.

Effaroucher, to scare, to shock.

Effectivement, really, indeed.

Effectuer, to effect.

Efféminé, -e. a. effeminate.

Effet, n. m. effect, impression, intent, purpose.—En effet, in fact in reality, indeed.

Efficace, a. efficacious, efficient.

Effilé, -e, a. slender, slim.

Effilé, n. m. fringe.

Effleurer, to skim over, to glance at, to dip into.

s'Efforcer, to strive, to endeavour to try.

Effort, n. m. exertion, endeavour.

Effraction, n.f. breaking open.—Vol avec effraction, Burglary.

Effrayant, -e, a. frightful, dreadful

Effrayer, to frighten, to dismay.

s'Effrayer, to take fright.

Effréné, -e, a. unbridled.

Effroi, n. m. fright, dismay.

Effroyable, a. frightful, dreadful, horrible.

Égal, -e, a. (m. pl. égaux), equal, even, all one.—Cela m'est égal It is indifferent, all one, or all the same to me.

Égal, -e, n. m. f. equal. — Sans égal, Unparalleled, peerless.

Également, adv. equally, alike.

Égaler, to equal, to match, to come up to.

Égalité, n. f. equality, evenness.

Égard, n. m. regard, respect.—À votre égard, With regard to you. A tous égards, In all respects.

Égaré, -e, a. strayed, wandering, wild.

Égarer, to mislead, to lead into error, to mislay, to disorder, to impair.

s'Égarer, to lose one's way, to wander, to stray, to err.

Égaux. (See Égal.)

Égayer, to enliven, to cheer.

Églantier, n. m. dog rose-tree, brier.—Églantier odorant, Sweet brier.

Église, n. f. church. — Homme d'église, Churchman. Livre d'église, Prayer-book.

Égoïsme, n. m. selfishness.

Égoïste, a. selfish.

Égorger, to slaughter, to murder.

s'Égosiller, to make one's self hoarse, to sing loud.

Égratigner, to scratch.

Égratignure, n. f. scratch.

Égyptien, -ne, n. and a. Egyptian.

Égypte, n. f. Egypt.

Eh, interj. ah! alas!—Eh bien Well! how now.

s'Élaborer, to be worked out.

Élan, n. m. start, flight, burst dash, spirit, glow, elk.

Élancé, -e, a. slender, slim.

s'Élancer, to dash, to spring, to start, to shoot forth, to pounce

Élargir, to widen, to enlarge, to stretch, to release.

s'Élargir, to widen, to enlarge.

Élargissement, n. m. widening, enlarging.

9, a. elastic.
1e, a. electric.
1ent, adv. elegantly.
1, n. f. elegance.
-e, a. elegant, fashion-

-e, n. m. f. fashionable
lady.
, n. m. element, compo-
1rt.
t, n. m. elephant.
1, n. f. height, eminence.
m. f. pupil, scholar.
f. rearing, breeding.
3, a. and part. raised,
1alted, bred, brought up.
3 raise, to exalt, to build,
g up, to rear, to educate.
n. m. breeder, grazier.—
de moutons, Sheep-

isant, élu; j'élis, j'élus;
1se, que j'élusse), to elect,
n.
n. she, her, it.
, n. m. hellebore.
on. they, them.
10, a. elliptical.
. m. praise, eulogy. —
éloge de, To praise. Cela
re éloge, That is to your

-e, part. and a. distant,
far, absent, away,

1ent, n. m. removal, dis-
strangement, dislike.
, to remove, to send
o keep away or off, to
, to defer, to divert, to
3.
r, to go away, to with-
3 wander, to keep off, to
to deviate, to recede.
1e, n. f. eloquence, ora-

part. elected, elect

o elude, to evade.
a. Elysian. — Champs
Elysian fields, a public
Paris.
1aux), n. m. enamel.—
1l, Enamelled.
e, n. f. enamelling.
1nt, becoming enamelled,
, diversified.
to enamel.
e, n. f. enamelling.
, to pack up.
1dère, n. m. wharf, ter-

tion, n. f. boat, craft,
1rs.
1ement, n. m. shipping,
1ation.
1er, to embark, to ship,
3e.
1uer, to embark, to sail.
3, n. m. encumbrance,
1ion, embarrassment,
1lty, trouble. — Dans
1as, At a loss, in a scrape,
1lties. Avoir l'embarras

du choix, Not to know what to
choose. Faire de l'embarras, To
make a fuss. Mettre dans l'embarras, To draw into a scrape.
Se mettre dans l'embarras, To
get one's self into a scrape. Se
tirer d'embarras, To get out of a
scrape.
Embarrassé, a. confused, perplexed, at a loss, awkward.
Embarrasser, to encumber, to
trouble, to perplex, to puzzle.
s'Embarrasser, to be entangled,
to become confused or perplexed,
to trouble one's self.—Ne vous
embarrassez pas du reste, Do not
trouble yourself about the con-
sequences.
Embaumer, to embalm, to perfume.
Embéguiner, to infatuate, to
bewitch.
Embellir, to embellish, to adorn,
to beautify, to improve.
Embellissement, n. m. improve-
ment.
Emblématique, a. symbolical.
Emblème, n. m. emblem.
Emboîter, to fit, to set.
Embonpoint, n. m. stoutness,
plumpness.
Embouchoir, n. m. boot-tree.
Embouchure, n. f. mouth, es-
tuary.
Embranchement, n. m. branch.
Embrasser, n. f. embrace.
Embrasser, to embrace, to in-
clude.
Embûche, n. f. ambush, snare.
Embuscade, n. f. ambush, lurk-
ing-place.—Se tenir en embus-
cade, To lie in wait.
Émeraude, n. f. emerald.
Émerillon, n. m. merlin.
Émettre, to put forth, to emit.
Émeute, n. f. riot, disturbance.
Émigré, -e, n. m. f. emigrant,
refugee.
Émigrer, to emigrate.
Émile, Emilius.
Éminence, n. f. eminence, rising
ground.
Emmener, to take away.
Émollient, -e, a. softening.
Émonder, to prune, to lop, to trim.
Émouchet, n. m. sparrow-hawk.
Émoudre (émoulant, émoulu;
j'émouds, j'émoulus), to grind,
to whet.—Frais émoulu, Fresh,
well up, just off the wheel.
Émousser, to blunt, to deaden.
Émouvoir (émouvant, ému;
j'émeus, j'émus), to move, to
agitate, to excite.
s'Émouvoir, to become excited.
Empailler, to pack up in straw,
to stuff.
s'Emparer, to seize, to take possession of.
Empêcher, to hinder, to prevent,
to impede.
s'Empêcher, to forbear, to help.
—Je ne puis m'empêcher de rire,
I cannot help laughing.

Empereur, n. m. emperor.
Empesé, a. starched, stiff.
Empeser, to starch.
Emphase, n. f. bombast.
Empiéter, to encroach.
Empire, n. m. empire, command,
sway.—Empire d'Occident, Wes-
tern Empire. Bas empire,
Lower Empire.
Empirer, to get worse.
Emplacement, n. m. site, ground.
Emplette, n. f. purchase.
Emplir, to fill, to fill up.
Emploi, n. m. employment, use.
Employé, n. m. clerk.
Employer, to employ, to use.
s'Employer, to apply one's self,
to exert one's self, to be used.—
Ce mot s'emploie dans ce sens,
This word is used in this sense.
Empocher, to pocket.
Empois, n. m. starch.
Empoisonner, to poison.
Empoisonneu-r, -se, n. m. f. poi-
soner.
Emporté, -e, a. passionate, hasty.
Emportement, n. m. passion, has-
tiness.
Emporter, to carry away or off.
—L'emporter sur, To prevail, to
surpass. S'emporter, To run
away, to fly into a passion.
Empreindre (empreignant, em-
preint; j'empreins, j'emprei-
gnis), to imprint, to stamp, to
impress.
Empreinte, n. f. impression,
stamp.
Empressé, -e, a. eager, earnest,
ready.—Compliments empressés,
Best compliments.
Empressement, n. m. eagerness.
s'Empresser, to be eager, to hasten.
Emprisonner, to imprison.
Emprunt, n. m. borrowing, loan.
Emprunté, -e, a. borrowed, as-
sumed.
Emprunter, to borrow.
Ému, -e, excited, moved, affected,
nervous (ÉMOUVOIR).
En, prep. in, into, within, like,
as a, by, at, on.—En quoi est
ce dé? What is this thimble
made of?—Il est en or, It is
made of gold. En ami, Like, as
a friend. Etre en paix, To be
at peace.
En, pron. m. f. of him, of her, of
it, of them, from him, from her,
from it, from them, by him, by
her, by it, by them, for it, some,
any.—J'en parle, I am speaking
of it. J'en viens, I come from
it. J'en suis fâché, I am sorry
for it. J'en ai, I have some. Il
en est de lui comme des autres,
It is with him as with others.
Encadrement, n. m. framing.
Encadrer, to frame.
Encadreur, n. m. framer.
Encaissé, incased, inclosed, em-
banked, hollow.
Encaisser, to pack, to case, to
embank.

Enceindre (enceignant, enceint; j'enceins, j'enceignis; que j'enceigne), to inclose, to surround, to encompass.

Enceinte, n. f. inclosure, walls.

Enchaîner, to chain, to tie down, to captivate, to connect.

Enchantement, n. f. enchantment, delight, witchery.

Enchanter, to enchant, to delight.

Enchanteresse, n. f. enchantress.

Enchanteur, n. m. enchanter.

Enchan-teur, -teresse, a. enchanting.

Enchâsser, to enshrine.

Enchère, n. f. bidding, auction.

Enclin, -e, a. prone, apt, given.

Enclos, n. m. inclosure, close.

Encolure, n. f. neck and shoulders, look, mien.

Encombrer, to obstruct, to encumber, to crowd.

Encore (encor in poet.), adv. also, still, yet, again, besides, one more, longer, however. — Ou bien encore, Or else, or again. Encore une fois, Once more. Encore que, although, though.

Encorné, -e, a. horned.

Encourageant, a. encouraging.— Peu encourageant, Not very encouraging.

Encouragement, n.m. encouragement.

Encourager, to encourage.

Encourir, to incur.

Encre, n. f. ink.

Encrier, n. m. inkstand.

Encyclopédie, n. f. encyclopædia.

s'Endimancher, to put on one's Sunday clothes.

Endommager, to damage, to injure.

Endormi, -e, a. asleep, sleeping.

Endormir, to lull asleep, to send to sleep, to wheedle.

s'Endormir, to fall asleep, to be sleepy.

Endroit, n. m. place, passage, (right) side, spot. — De quel endroit? From what place? Par quel endroit? Through what place? Jusqu'à quel endroit? How far? A l'endroit, The right side.

Enduire, to lay over, to coat.

Énergie, n. f. energy, spirit.

Énergique, a. energetic, energetical, spirited.

Enfance, n. f. infancy, childhood.

Enfant, n. m. f. child, infant, offspring, youth.—Petits enfants, Little children, grand-children. Bon enfant, Good fellow.

Enfanter, to bring forth.

Enfantin, -e, a. childish.

Enfer, n. m. hell.

Enfermer, to shut up, to inclose.

Enfin, adv. in short, at last.

Enflammer, to set on fire, to inflame.

Enfler, to swell, to inflate.

Enfoncé, -e, part. broken open, sunken, driven in.

Enfoncement, n. m. sinking, recess.

Enfoncer, to sink, to thrust, to break in, to drive in, to force in.

s'Enfoncer, to sink down, to break down, to give way.

Enfouir, to bury, to hide.

Enfreindre, to infringe.

s'Enfuir, to flee, to run away.

Enfumer, to smoke.

Engagement, n. m. engagement, enlistment.

Engager, to pledge, to induce, to advise, to engage, to enlist.

s'Engager, to engage one's self, to enlist.

Engelure, n. f. chilblain.

Engloutir, to swallow up.

Engourdi, -e, a. benumbed, dull.

Engourdir, to benumb.

Engourdissement, n. m. benumbing, torpor.

Engrais, n. m. pasture, manure.

Engraisser, to fatten, to manure.

Enhardir, to embolden.

Enharnacher, to harness.

Enivré, -e, a. intoxicated.

Enivrement, n. m. intoxication.

Enivrer, to intoxicate, to elate.

Enjôler, to wheedle, to coax.

Enjoué, -e, a. playful, sprightly.

Enjouement, n. m. playfulness.

Enlèvement, n. m. carrying off.

Enlever, to raise, to take away, to remove, to rescue, to rub out, to sweep off.

Ennemi, -e, n. m. f. enemy, foe.

Ennemi, -e, a. hostile, injurious.

Ennoblir, to ennoble, to exalt.

Ennui, n. m. tediousness, weariness, annoyance.—Pour tromper son ennui, To beguile his weariness.

Ennuyant, -e, a. tiresome, annoying.

Ennuyer, to weary, to tease, to annoy, to bore.

s'Ennuyer, to be wearied, to feel dull, to be home-sick.

Ennuyeu-x, -se, a. tiresome, wearisome, vexing, tedious.

Énoncer, to state, to utter.

Enorgueillir, to make proud, to elate.

Énorme, a. enormous, huge.

Énormément, adv. enormously.

s'Enquérir (s'enquérant, enquis; je m'enquiers, je m'enquis, je m'enquerrai; que je m'enquière, que je m'enquisse), To inquire, to ask.

Enraciner, to take root, to root.

Enragé, -e, a. mad, rabid, enraged.

Enragé, n. m. madman.

Enrager, to be mad, to be enraged.—Faire enrager, To enrage, to vex.

Enregistré, -e, part. registered.

Enregistrer, to book, to record.

Enrhumé, -e, part. with a cold. —Etre enrhumé, To have a cold. Etre enrhumé du cerveau, To have a cold in the head.

Enrhumer, to give a cold.

s'Enrhumer, to catch cold.

Enrichi, n. m. upstart.

Enrichir, to enrich, to adorn.

Enrouer, to make hoarse.

Ensanglanter, to stain with blood.

Enseigne, n. m. ensign, midshipman.

Enseigne, n. f. sign-board, ensign.

Enseignement, n. m. teaching.

Enseigner, to teach.

Ensemble, adv. together.

Ensemble, n. m. whole, uniformity.

Ensemencer, to sow.

Ensevelir, to bury, to inter.

Ensuite, adv. afterwards, then.

Entamer, to cut the first piece, to begin, to impair, to encroach on.

Entasser, to heap up, to hoard up.

Entendement, n. m. understanding.

Entendre, to hear, to understand, to mean, to intend.—Entendre parler de, To hear of. Qu'entendez-vous par là? What do you mean by that? On s'habille comme on l'entend, Every one dresses after his own way.

s'Entendre, to hear one another, to come to an understanding, to be understood, to concert, to agree (with).—Ne pas s'entendre, Not to hear each speak, not to agree. Un bruit à ne pas s'entendre, Deafening noise. Entendons-nous, Let us come to an understanding. Cela s'entend, That is understood, of course, as a matter of course.

Entendu, -e, part. heard, understood, intelligent.—Bien entendu, Of course. Sous-entendu, Understood.

Enterrement, n. m. burial, funeral.

Enterrer, to bury, to inter.

Entêté, -e, a. obstinate, stubborn.

Enthousiasme, n. m. enthusiasm.

Enthousiasmer, to enrapture.

Enthousiaste, n. m. enthusiast.

Enthousiaste, a. enthusiastic.

Entiché, -e, a. tainted, overfond.

Ent-ier, -ière, a. entire, whole.

Entièrement, adv. entirely, wholly.

Entonner, to begin to sing, to strike up.

Entorse, n. f. sprain.—Se donner une entorse, To sprain one's foot.

Entourer, to surround.

Entournure, n. f. (of sleeves) sloping.

Entr'acte, n. m. interval between the acts, interlude.

Entrailles, n. f. bowels, feeling.

Entraînant, -e, a. seducing, captivating, overpowering.

Entraîner, to carry away, to hurry away, to draw along, to animate, to entail.

Entraver, to shackle, to fetter, to hinder.

n. f. trammels, fetters.
tp. between, among, in.
autres, Among others

×, -e, *part.* broken, in-
interspersed with, in-
d.
isement, *n. m.* crossing.
, *f.* entrance, entry.—
ntrée, Admission-ticket.
r, to interlace, to inter-

ar, to intermingle.
i, *n.m.* dishes served in
nd and third courses,
oming between roast
i dessert.
e, *n.f.* medium, agency.
it, *n. m.* between decks.
n. m. bonded ware-
iart, bond.—A l'entre-
ntrepôt, In bond.
iant, -e, *a.* enterprising.
idre, to undertake.
ieur, *n. m.* contractor.
e, *n. f.* undertaking.
) enter, to go or come
ike or bring in, to be
d in.—Faire entrer, To
o show in. Entrer en
o get angry. Entrer de
iit, To have every claim
nitted.
n. m. apartments be-
e ground floor and the
y.
r, to keep up, to main-
support, to entertain,
with, to hold a conver-

iir, to hold together, to
's self, to converse.
i, kept.
, *n. m.* keeping in re-
ntenance, conversation.
, to have a glimpse.
irt, -e, half open, ajar.
iir, to half open.
rrir, to half open, to be

er, to enumerate.
to invade.
e, *n. f.* cover, envelope.
ement, *n. m.* envelop-

ar, to wrap up, to fold
irround.
per, to wrap one's self up.
(j'), (Envoyer), I will

(J'), I would send.
rep. towards, to.
i. *m.* wrong side. — A
Inside outward, upside
Avoir l'esprit à l'envers,
ong-headed, to have lost
s.
i, with emulation, vying
h other, eagerly.
, *f.* envy, inclination,
iging.—Avoir envie de,
nclined to, to have a
Faire envie, To raise
'orter envie à, To envy.

Envier, to be envious of, to envy.
Envieu-x, -se, *a.* envious.
Environ, about.
Environnant, -e, *a.* surrounding.
Euvironner, to surround.
Environs, *n.m.pl.* neighbourhood.
Envoi, *n. m.* sending, parcel.
s'Envoler, to fly away.
Envoyer (envoyant, envoyé; j'en-
voie, j'enverrai), to send, to for-
ward. — Envoyer chercher, To
send for. Envoyer promener, To
send about one's business.
Envoyeur, *n. m.* sender.
Épagneul, *n. m.* spaniel.
Épais, -se, *a.* thick, dull.
Épaisseur, *n. f.* thickness.
s'Épancher, to overflow, to open
one's heart.
Épanouir, to expand. — Faire
épanouir, to blow.
s'Épanouir, to blow, to open.
Épanouissement, *n. m.* blowing,
expansion.
Épargne, *n. f.* economy, saving.—
Caisse d'épargne, Savings' bank.
Épargner, to save, to spare.
Éparpiller, to scatter, to disperse.
Épars, -e, *a.* scattered, dispersed.
Épaté, -e, *a.* flat.
Épaule, *n. f.* shoulder, flank.
Épaulette, *n. f.* epaulet.
Épaulement, *n. m.* epaulment.
Épave, *a.* stray, strayed.
Épée, *n. f.* sword, steel.—Coup
d'épée, Stab. Passer au fil de
l'épée, To put to the sword. C'est
son épée de chevet, His constant
companion, his hobby.
Éperdu, -e, distracted, desperate.
Éperon, *n. m.* spur.
Épervier, *n.m.* sparrow-hawk, net.
Épi, *n. m.* ear, spike.
Épice, *n. f.* spice.—Pain d'épice,
Ginger-bread.
Épicerie, *n. f.* grocery.
Épic-ier, -ière, *n. m. f.* grocer.
Épidémie, *n. f.* epidemic.
Épier, to spy, to watch.
Épinard, *n. m.* spinage.
Épine, *n. f.* thorn, spine.—Épine
blanche, Hawthorn.
Épineu-x, -se, *a.* thorny.
Épingle, *n. f.* pin ; épingles (pl.)
pin-money.—Épingle à cheveux,
Hair-pin. Attacher avec une
épingle, To pin.
Épingler, to pin.
Épire, *n. f.* Epirus.
Épistolaire, *a.* epistolary.
Épistolaire, *n. m.* letter-writer.
Épitaphe, *n. f.* epitaph.
Épître, *n. f.* epistle, letter.
Éploré, -e, *a.* in tears, weeping.
Éplucher, to pick, to sift.—S'éplu-
cher, To clean one's self.
Éponge, *n. f.* sponge.
Époque, *n. f.* time, period.—A
quelle époque partirez - vous?
When will you start?
Épouse, *n. f.* spouse, wife.
Épouser, to marry, to wed, to es-
pouse, to embrace, to take up.
—Raoul a épousé Nathalie, Ralph

---

has married Nathalie. Marie
doit épouser son cousin, Mary is
to marry her cousin. Il a épousé
nos intérêts, notre querelle, He
has taken up our interests, our
quarrel. (See Marier.)
Épouvantable, frightful, dreadful.
Épouvantail, *n. m.* scarecrow.
Épouvante, *n. f.* fright, terror.
Épouvanter, to frighten, to scare.
Époux, *n. m.* husband, spouse ;
époux (pl.) married couple, hus-
band and wife.
Épreuve, *n. f.* trial, proof, test.—
A l'épreuve, On trial. Faire
l'épreuve, To test. Mettre à
l'épreuve, To put to the test. A
l'épreuve de, Proof to or against.
Épris, -e, *a.* smitten, enamoured.
Éprouver, to try, to experience.
Épuisé, -e, exhausted, worn out.
Épuiser, to exhaust, to drain.
Équestre, *a.* equestrian.
Équilibre, *n. m.* equilibrium, ba-
lance.
Équipage, *n.m.* equipage, carriage,
dress, plight, crew, turnout.
Équiper, to fit out, to equip.
Équitation, *n. f.* horsemanship,
riding.—École d'équitation, Rid-
ing-school.
Équivoque, *a.* ambiguous, doubt-
ful.
Érable, *n. m.* maple-tree.
Ère, *n. f.* era, epoch.
Ériger, to erect, to raise.
s'Ériger, to set one's self up.
Ermite, *n. m.* hermit.
Errant, -e, *a.* wandering, roving.—
Chevalier errant, Knight-errant.
Errer, to wander, to err.
Erreur, *n. f.* error, mistake.
Érudit, -e, *a.* erudite, learned.
Érudition, *n. f.* learning.
Éruption, *n. f.* eruption.
Escadre, *n. f.* squadron, fleet.
Escadron, *n. m.* squadron, (of
cavalry) troop.
Escalader, to scale.
Escalier, *n. m.* staircase, stairs.—
Escalier dégagé, Back-staircase.
Escalier dérobé, Private stairs.
Escarpé, -e, *a.* steep.
Escarpin, *n. m.* pump.
Escaut, *n. m.* the Scheldt.
Esclave, *n.* and *a.* slave, slavish.
Escopette, *n. f.* carbine.
Escorte, *n. f.* escort, convoy.
Escorter, to escort.
Escot, *n. m.* woollen fabric.
Escrime, *n. f.* fencing.—Maître
d'escrime, Fencing-master.
Escroc, *n. m.* swindler.
Escroquer, to swindle, to steal.
Escroquerie, *n. f.* swindling.
Espace, *n.m.* space, room.
Espagne, *n. f.* Spain.—Faire des
châteaux en Espagne, To build
castles in the air.—Blanc d'Es-
pagne, *n. m.* Spanish whiting.
Espagnol, e, *n.* and *a.* Spaniard,
Spanish.
Espagnolette, *n. f.* (of windows)
French casement fastening.

Espalier, n. m. fruit-wall.—Arbre en *espalier*, Wall-tree.

Espèce, n. f. species, kind, nature.

Espèces (pl.), cash.—Payer en *espèces* sonnantes, To pay in cash.

Espérance, n. f. hope, expectation.—De grande *espérance*, Very promising.

Espérer, to hope, to expect, to trust.

Espiègle, a. frolicsome, waggish.

Espion, n. m. spy.

Espionner, to spy, to pry into.

Esplanade, n. f. esplanade, parade.

Espoir, n. m. hope, expectation.

Esprit, n. m. spirit, soul, ghost, mind, wit, meaning, temper, humour. — Garçon d'*esprit*, Clever fellow. — Petit *esprit*, Narrow mind. Trait d'*esprit*, Witticism, flash of wit. Avoir de l'*esprit*, To be intelligent, witty, clever.

Esquif, n. m. skiff.

Esquisse, n. f. sketch, outline.

Esquisser, to sketch.

Esquiver, to avoid, to shun, to evade.

s'Esquiver, to steal away, to escape.

Essai, n. m. trial, attempt.—A l'*essai*, On trial. Coup d'*essai*, First attempt.

Essaim, n. m. swarm, host.

Essayer, to try, to attempt.

Essor, n. m. flight, strain, play, scope.—Prendre l'*essor*, To soar. Prendre son *essor*, To take one's flight. Arrêter l'*essor*, To check the progress.

Essuie-mains, n. m. towel.

Essuyer, to wipe, to undergo.

Est, n. m. east.

Est (il), he or it is, there is or are.

Est-ce que? form of interrogation. — *Est-ce que* vous êtes étranger? Are you a foreigner?

Estampe, n. f. print, engraving, stamp. — Magasin d'*estampes*, Print-shop. Marchand d'*estampes*, Print-seller.

Estimation, n. f. valuation.

Estime, n. f. esteem, estimation.

Estimer, to value, to esteem.

Estomac, n. m. stomach, breast.

Estrade, n. f. platform, stage.

Estragon, n. m. tarragon.

Estropié, -e, n. and a. cripple, crippled.

Estropier, to maim, to mutilate.

Et, conj. and, both (when repeated).

Étable, n. f. cattle-house, sty.

Établi, n. m. bench, board.

Établir, to settle, to establish.

Établissement, n. m. establishment.

Étage, n. m. story, floor, flight, degree.—Au premier, au second *étage*, On the first, second floor. Gens de haut, de bas *étage*, People of high, low degree.

Étagère, n. f. what not.

Étain, n. m. tin, pewter.

Étais (j'), I was (ETRE).

Étalage, n. m. exposing for sale, shop - window, play, stall.— Mettre à l'*étalage*, To expose for sale. Faire *étalage* de, To make a show of.

Étale, a. slack, still, steady.

Étaler, to expose for sale, to spread out, to display.

Étamine, n. f. stamen.

Étang, n. m. pond, pool.

Étant, being (ETRE).

État, n. m. state, profession, trade. —Les *États-Unis*, The United States. Homme d'*état*, Statesman. Hors d'*état*, Unable. Mettre en *état* de, To enable to.

Été, n. m. summer, prime.

Été, pp. been (no feminine).

Éteindre (éteignant, éteint; j'éteins, j'éteignis, j'éteindrai; que j'éteigne, que j'éteignisse), to extinguish, to put out, to abolish.

Éteint, -e, part. and a. out, extinct, dull, dim.

Étendard, n. m. standard, flag.

Étendre, to extend, to spread, to stretch, to expand, to enlarge.

Étendu, -e, extended, extensive.

Étendue, n. f. extent, duration.

Éternel, -le, a. everlasting, endless.

Éternel, n. m. Eternal, Almighty.

Éternité, n. f. everlastingness.

Éternuer, to sneeze.

Etes (ETRE). — Vous *êtes* Anglais, You are an Englishman. Y *êtes*-vous? Are you ready? Vous n'y *êtes* pas, You do not see it, that is not it.

Éther, n. m. ether.

Éthiopie, n. f. Ethiopia.

Étinceler, to sparkle, to glitter.

Étincelle, n. f. spark, sparkle.

Étiquette, n. f. label, etiquette.

Étoffe, n. f. stuff, cloth, sort.

Étoffé, -e, stuffed, comfortably off, full, plump.

Étoile, n. f. star.—Coucher à la belle *étoile*, To sleep in the open air.

Étoilé, -e, a. starry.

Étole, n. f. stole.

Étonnant, -e, a. astonishing, amazing.

Étonnement, n. m. astonishment, wonder.

Étonner, to astonish, to astound.

s'Étonner, to wonder.

Étouffant, -e, a. suffocating, sultry.

Étouffer, to suffocate, to stifle, to choke, to deaden.

Étourderie, n. f. giddiness, thoughtlessness, stupidity.

Étourdi, -e, a. giddy, thoughtless.

Étourdir, to stun, to din, to make giddy.

Étourdissement, n. m. giddiness, stunning.

Étourneau, n. m. starling, giddy fellow.

Étrange, a. strange, odd, novel.

Étrang-er, -ère, a. strange, foreign.

Étrang-er, ère, n. m. f. stranger, foreigner.—A l'*étranger*, Abroad, in a foreign country. Passer à l'*étranger*, To go abroad.

Étrangler, to strangle, to choke.

Etre (étant, été; je suis, je fus, je serai; que je sois, que je fusse), to be, to lie, to stand, to belong, to consist of, to go, to take part in, to have.—*Être* mieux, To feel better, to have a better appearance, better manners. Ce livre *est* à moi, That book belongs to me. Y *être*, To have hit it. Il en *sera* de vous comme des autres, It will be with you as with others. Qu'*est-ce*? qu'est-ce que c'est? What is it? (See *Etes*.)

Etre, n. m. being, existence.

Étreindre (étreignant, étreint; j'étreins, j'étreignis, j'étreindrai; que j'étreigne, que j'étreignisse) to bind, to tie up, to clasp, to grasp.

Étreinte, n. f. grasp.

Étrennes, n. f. pl. New Year's gift.

Étrier, n. m. stirrup.

Étrille, n. f. curry-comb.

Étriller, to curry, to thrash.

Étroit, -e, a. narrow, tight, close. —Etre à l'*étroit*, To be straitened.

Étude, n. f. study, office.—Maître d'*étude*, Usher. Salle d'*étude*, Study-room. Faire ses *études*, To study.

Étudiant, n. m. student.

Étudier, to study, to practise.

Étui, n. m. case, box, sheath.

Eu, eue, eus, eues, pp. had (AVOIR).

Eugène, Eugenius.

Eugénie, Eugenia.

Eûmes, eûtes, had.

Euphonie, n. f. euphony.

Euphonique, a. euphonic.

Européen, -ne, a. European.

Européen, -ne, n. m. f. European.

Eusse (j'), I would or should have (AVOIR).

Eusse (que j'), that I might have (AVOIR).

Eut (il), he had (AVOIR).

Eût (qu'il), that he might, &c. have.

Eux, pron. pl. they, them.

Eux-mêmes, pron. themselves.

Évangile, n. m. Gospel

s'Évanouir, to faint, to swoon, to vanish, to fade.

Évanouissement, n. m. fainting, swoon.

s'Évaporer, to evaporate.

Évasement, n. m. width, splay.

Évaser, to widen, to spread, to extend.

Évasion, n. f. escape.

Éveil, n. m. warning, hint.

Éveillé, -e, a. awake, lively, watchful.

Éveiller, to awake, to rouse, to enliven.

s'Éveiller, to awake, to rouse, to

'Éveiller en sursaut,
om sleep.
, *n. m.* event.
. *m.* fan.
n. m. flat basket.
air, to injure by expo-
air, to fan, to divulge.
m. bishop.
it, *adv.* evidently, ob-
. sink.
oust.
void, to shun.
t. punctual, precise.
t, *adv.* exactly.
, *n. f.* punctuality.
o exaggerate.
. exalted, over-excited,
ic.
o exalt, to elate, to
ver-excite.
. *m.* examination.
ur, -trice, *n. m. f.* ex-
to examine.
to exasperate.
hear, to grant.
exceed, to wear out.
excel, to surpass.
ep. except, save, but.
o except.
n. f. exception.—A
de, With the excep-
cept.
el, -le, *a.* exceptional.
ent, *adv.* excessively.
excite, to stir.
exclude.
f. excuse, apology.—
xcuses, To apologize.
o execute, to fulfil.
n.f. execution, perfor-
ievement, fulfilment.
, *n. m.* (of books) copy.
.m. example, pattern,
copy.—Par *exemple*,
ice. Indeed! Bless
t is good! Who ever
our *exemple*, As an in-
rêcher d'exemple, To
elf up as a precedent.
to free.
exercise, to use, to
o drill.
o practise.
m. exercise, exertion,
use, service. — Faire
fo drill. Prendre de
o take exercise.
exhale, to give forth.
admonish.
, *a.* difficult to please,
articular.
require, to demand,
xile.
and *f.* exile.
rile, to banish.
xist, to live.
. exotic, foreign.
, *n. f.* expectation.
o despatch, to send.
semaine on *expédie*
besogne, We can go

through a great deal of work in a week.
Expéditeur, *n.m.* sender, shipper.
Expédition, *n.f.* expedition, despatch, forwarding.
Expérience, *n.f.* experience, trial. —Faire l'*experience* de, To experience, to try. Faire une *expérience*, To make an experiment.
Expérimenté, -e, *a.* experienced.
Expert, *a.* skilful, skilled.
Expiation, *n. f.* atonement.
Expier, to atone.
Expirer, to expire, to die.
Expliquer, to explain, to translate.
Exploit, *n. m.* exploit, deed.
Exploitation, *n. f.* working, using.
Exploiter, to work, to improve, to farm, to employ, to serve a writ, to prosecute.
Exposer, to expose, to exhibit, to endanger, to disclose.
Exposition, *n. f.* exposition, exposure, exhibition, situation.
Exprès, -se, *a.* express, positive.
Exprès, *adv.* on purpose.—Tout *exprès*, Expressly, intentionally.
Express, *n. m.* express (train).
Exprimer, to express, to utter.
Expulser, to expel.
Exquis, -e, *a.* exquisite.
Extase, *n. f.* ecstasy, rapture.
s'Extasier, to be in raptures.
Extérieur, -e, *a.* exterior, external, outward, foreign.
Extérieur, *n. m.* exterior, outside, foreign countries, abroad.
Extérieurement, *adv.* externally.
Exterminer, to exterminate.
Externat, *n. m.* day-school.
Externe, *n. m. f.* day-scholar.
Extinction, *n. f.* extinction, suppression, loss.
Extirper, to extirpate.
Extorquer, to extort.
Extraire (extrayant, extrait; j'extrais, j'extrairai), to extract, to draw.
Extrait, *n. m.* extract, abstract.
Extraordinaire, *a.* extraordinary.
Extrêmement, *adv.* extremely.
Extrémité, *n. f.* extremity, extreme.

F.

Fabien, *n. m.* Fabian.
Fable, *n. f.* fable, story, Mythology.—Etre la *fable* de, To be the laughing-stock.
Fabricant, *n. m.* manufacturer.
Fabricateur, *n. m.* fabricator, maker, forger.
Fabrication, *n. f.* manufacture, making, forgery.
Fabrique, *n.f.* manufacture, manufactory, make.
Fabriquer, to manufacture, to make.
Fabuliste, *n. m.* fabulist.
Façade, *n. f.* front.

Face, *n. f.* face, front, state.—En *face*, Opposite, over the way.
Facétie, *n. f.* joke, jest.
Facétieux, *a.* droll, merry.
Fâché, -e, *a.* angry, sorry.—Etre *fâché* contre, To be angry with. Etre *fâché*, To be sorry for.
Fâcher, to offend, to grieve, to vex.
se Fâcher, to get angry, to take offence.
Fâcheu-x, -se, *a.* grievous, sad, vexatious, unpleasant, troublesome.—Il est *fâcheux* qu'il soit malade, It is a pity that he is ill.
Facile, *a.* easy, compliant, yielding, flowing.
Facilement, *adv.* easily, readily.
Facilité, *n. f.* easiness, ease, facility, readiness, fluency.
Faciliter, to make easy.
Façon, *n. f.* making, workmanship, make, shape, manner, ceremony.—En aucune *façon*, By no means. Avoir bonne *façon*, To look well. Faire des *façons*, To stand on ceremonies. Conter un tour de sa *façon*, To tell one of his pranks.
Façonner, to make, to shape.
Facteur, *n. m.* postman, factor, agent, maker.
Factice, *a.* factitious.
Faction, *n. f.* faction, sentry.
Factionnaire, *n. m.* sentry, sentinel.—Poser un *factionnaire*, To post a sentry.
Facture, *n.f.* invoice.
Faculté, *n. f.* faculty, power, means, ability.
Fade, *a.* insipid, tasteless.
Fadeur, *n.f.* insipidity, unsavouriness, tastelessness, silliness, insipid compliment.
Fagot, *n. m.* fagot, bundle.
Faible, *a.* weak, faint, slight, slender.—Côté *faible*, Weak side or part.
Faible, *n. m.* weak side, weak part, weakness.
Faiblement, *adv.* feeling weakly.
Faiblesse, *n. f.* weakness, faintness, slightness, slenderness, helplessness.
Faiblir, to get weak, to slacken, to flag, to give way.
Faïence, *n. f.* crockery.
Faïenci-er, -ère, *n.m.f.* crockeryware man or woman.
Faillir (faillant, failli; je faillis), to err, to mistake, to transgress, to fail, to be near.—J'ai *failli* tomber, I was near falling down.
Faillite, *n.f.* failure, bankruptcy. —Faire *faillite*, To fail.
Faim, *n.f.* hunger, thirst.—Avoir *faim*, To be hungry. Mourir de *faim*, To starve.
Faîne, *n. f.* beech-nut.
Fainéant, -e, *n. m.f.* lazy person.
Faire (faisant, fait; je fais, je fis, je ferai; que je fasse, que je fisse), to make, to do, to perform, to form, to inure, to play, to get,

to have, to cause, to compel, to allow, to write, to pay (attention), to carry on (a trade), to take (a walk, drive, ride), and many other meanings, which no dictionary can give, but which are seen from the context of the sentence.— Faire *faire*, To get made or done, to bespeak. *Faire* savoir, To let know. *Faire* venir, To send for. C'en est *fait*, It is all over. On ne saurait qu'y *faire*, It cannot be helped. Qu'y *faire*, What is to be done? how can it be helped? N'en rien *faire*, Let it alone, not to mind it. *Faire* des armes, To fence. *Faire* bon marché de, To hold cheap. *Faire* sur, To show, to point at. *Faire* connaissance, To get acquainted with. Faire *faire* connaissance, To make people acquainted with one another. *Faire* entrer, To show some one in. *Faire* bonne chère, To live well. *Faire* le service, To ply on the road. *Faire* une lieue, To walk a league. *Faire* son chemin, To make one's way, to thrive. *Faire* l'affaire de quelqu'un, To suit any one. Cela ne *fait* rien, That does not signify or matter. Cela *fait* bien, That looks well. Qu'est-ce que cela *fait?* What does that signify? Qu'est-ce que cela vous *fait?* What is that to you? Il *fait* froid, It is cold. Il ne *fait* que sortir et rentrer, He does nothing but go out and in. Il ne *fait* que de sortir, He has just gone out.

se Faire, to be done, to happen, to take place, to become, to grow, to acquire, to earn.—*Se faire* à tout, To accustom one's self to everything. Comment cela *se fait*-il? How is that? *Se faire* celer, To conceal one's self (Molière).

Fais (je), I do make, &c.

Faisais (je) I was doing, &c.

Faisan, *n. m.* pheasant.

Faisande, Faisane, *n. f.* hen-pheasant.

Faisandé, *a.* high (game).

Faisandeau, *n. m.* young pheasant.

Faisceau, *n. m.* bundle, sheaf, pile.

Faiseu-r, -se, *n. m. f.* maker, doer.

Fait, -e, *part.* made, done, shaped, fit, full-grown, used.—Aussitôt dit aussitôt *fait*, No sooner said than done. C'en est *fait* de, It is all over with. C'est comme un *fait* exprès, It seems done on purpose. Tout *fait*, Ready made. Un homme bien *fait*, A good-looking man.

Fait, *n. m.* fact, deed, doing, feat, point, matter. — *Faits* divers, Miscellaneous facts, news of the day. Au *fait*, In fact, indeed. Dire à quelqu'un son *fait*, To tell any one his own. Etre au *fait*

de, To know, to be acquainted. Mettre au *fait*, To acquaint. En *fait* de, With regard to.

Faîte, *n. m.* top, summit, pinnacle, height, ridge.

Faites (vous), You do.

Faites (*imper.* of FAIRE), do, &c. —Ne le *faites* plus, Do so no more.

Faix, *n. m.* burden, weight.

Falaise, *n. f.* cliff, bluff shore.

Falloir (fallu); il faut, il fallut, il faudra; qu'il faille, qu'il fallût), to be necessary, must, to be obliged, ought, to want, to need. (*Falloir* assumes in the context many meanings which a dictionary cannot give).—Il me *fallut* payer, I was obliged to pay. Combien vous *faut*-il? How much do you want? Comme il *faut*, As it should be, gentlemanly, ladylike. Un homme comme il *faut*, A gentleman. Il *faut* payer, We (or you) must pay. Il *faudra* répondre ce soir, I must reply this evening. Il *fallait* partir plus tôt, You should have left sooner. Il nous *faudrait* une voiture, We should require a conveyance.

s'en Falloir, to be far, to be wanting.—Il *s'en faut* de beaucoup There wants much, very far from it.

s'en Falloir (with *ne*), to be near. —Il *s'en faut* peu qu'il ne soit ruiné, He has nearly lost all his fortune.

Fameu-x, -se, *a.* famous, famed.

Familiarisé, *a.* conversant, acquainted with.

Familiariser, to familiarize, to acquaint.

Famili-er, -ère, *a.* familiar, homely.

Familièrement, *adv.* familiarly.

Famille, *n. f.* family, household, kindred, relatives.—Enfant de *famille*, A gentleman's son. De *famille*, Domestic. En *famille*, With one's family. Air de *famille*, Family likeness.

Fanal (Fanaux), *n. m.* lantern, light, beacon.

Faner, to fade, to tarnish.

se Faner, To fade away.

Faneu-r, -se, *n. m. f.* haymaker.

Fanfare, *n. f.* flourish.—Sonner une *fanfare*, To strike up a flourish.

Fanfaron, *n. m.* blusterer, boaster.

Fange, *n. f.* mire, dirt.

Fantaisie, *n. f.* fancy, whim, humour. — Objets de *fantaisie*, Fancy articles.

Fantastique, *a.* fantastic, fanciful.

Fantôme, *n. m.* ghost, phantom.

Farce, *n. f.* stuffing, farce, joke.

Farcir, to stuff, to cram.

Fardeau, *n. m.* burden, load.

Farine, *n. f.* flour, meal.

Farineu-x, -se, *a.* mealy, farinaceous.

Farouche, *a.* wild, fierce.

Fasse (que je), *pr. subj. of* FAIRE. —*Fasse* le ciel ! Pray to heaven.

Faste, *n. m.* pomp, magnificence, display.

Fastes, *n. m. pl.* records, annals.

Fastueu-x, -se, pompous, stately.

Fat, *n. m.* fop, coxcomb.

Fatigant, -e, fatiguing, irksome.

Fatigue, *n. f.* fatigue, weariness, toil, hardship.

Fatiguer, to tire, to fatigue, to wear out.

Fatuité, *n. f.* conceitedness, foppishness.

Faubourg, *n. m.* outskirts, suburbs.

Faucher, to mow, to cut down.

Faucheur, *n. m.* mower.

Faucille, *n. f.* sickle, reaping hook.

Faucon, *n. m.* falcon, hawk.

Fauconnerie, *n. f.* hawking.

Fauconnier, *n. m.* falconer.

Faudra (il), *fut.* faudrait (il), *cond.* (See *Falloir.*)

Faudrait (il), it would be necessary, &c.

Fausset, *n. m.* falsetto, shrill voice.

Fausseté, *n. f.* untruth, duplicity, treachery.

Faut (il), (See *Falloir*).—Tant s'en *faut*, Far from it. Peu s'en *faut*, Very near. Il s'en *faut* de beaucoup, Very far from it. Il me *faut*, I want.

Faute, *n. f.* fault, error, mistake, want.—*Faute* de, For want of. Sans *faute*, Without fail.

Fauteuil, *n. m.* arm-chair.

Fauve, *a.* fallow, tawny, red, reddish.—Bête *fauve*, Fallow-deer.

Fauvette, *n. f.* warbler (genus).— *Fauvette* à tête noire, Black cap.

Faux, *n. f.* scythe.

Fau-x, sse, *a.* false, wrong, deceitful, unsound, artificial, fictitious.

Faux, *adv.* wrongly, falsely.— Raisonner *faux*, To argue wrong. Chanter *faux*, To sing out of tune.

Faveur, *n. f.* favour, boon, ribbon. —A la *faveur* de, By means of, under cover of. En *faveur* de, In behalf of, for the sake of.

Favori, -te, *a.* favourite.

Favori, -te, *n. m. f.* favourite.

Favori, *n. m.* whisker.

Favoriser, to favour, to befriend, to assist, to aid.

Fécond, -e, *a.* fruitful, fertile.

Féconder, to fertilize.

Fécondité, *n. f.* fruitfulness.

Fée, *n. f.* fairy.

Feindre, to feign, to sham.

Feint, -e, feigned, pretended.

Féliciter, to congratulate.

Femelle, *a.* female.

Féminin, -e, *a.* feminine, womanish.

Féminin, *n. m.* feminine.

Femme, *n. f.* woman, wife.— *Femme* de chambre, Lady's maid. Femme de charge, House

. *Femme* de ménage, woman.
r, *n. m.* cleaver.
  to cleave, to split.
  pp. cleft, split. — Peu Not very wide.
, *n. f.* window, casement.
e cintrée, Bow-window.
e à coulisse, Sash-window.
n. f. cleft, crack, chink.
-e, *a.* feudal.
. *m.* iron, head, shoe.
min de *fer*, Railway. *Fer* al, Horse-shoe. Fil de *fer*, Tomber les quatre *fers* en To fall upon one's back.
je), I shall or will make. *aire.*)
(je), I should or would (See *Faire*.)
ne, *n. m.* tin, tin-plate.
iterie, *n. f.* tin-wares.
itier, *n. m.* tinman.
, feriez, should or would (See *Faire*.)
n. f. farm, farm-house.
a. firm, steady.
adv. fast, hard, firmly.—
! Courage ! cheer up ! *ferme*, To hold fast.
nent, firmly.
, to shut, to close.—*Fer*-clef, To lock. *Fermer* au l, To bolt.
é, *n. f.* firmness.
iter, to ferment, to heave.
r, *n. m.* farmer, tenant.— ergénéral, Farmer general ces, revenues).
re, *n. f.* farmer's wife.
a. ferocious, fierce.—Bête Wild beast.
-e, shod, skilled, metalled.
ier, to fertilize.
é, *n. f.* fruitfulness.
n. f. ferule, rod.
iathieu, *n. m.* skin-flint.
n. m. feast.—Faire *festin*, st.
, *n. m.* festoon, scollop.
. *f.* feast, holiday, merry-ig, festival, birthday, i day, entertainment.—Se ne *fête* de, To look forward pleasure to.
ux), *n. m.* fire, heat, con-tion, fire-place, life, spirit, e. — Garde - *feu*, Fender. de *feu*, Shot. Faire du o make a fire. Feu de *feu*, i. Mettre le *feu* à, To set . *Feu* (nav.) light, beacon. (in *pl.* feus, *m.*, feues, *f.*), leceased).
ge, *n. m.* foliage, leaves.
, *n. f.*, leaf, sheet, news-. — *Feuille* volante, Fly-

ie, *n. f.* bower, green ar-foliage.
-morte, *n. m.* and *a.* the r of a faded leaf, yellow-l.
it, *n. m.* leaf (of a book).

Feuilleter, to turn over the leaves of, to read over, to roll out (pastry).
Feuilleton, *n. m.* fly-leaf, bottom part of a newspaper devoted to art, science, criticism, and more generally to novels.
Fève, *n. f.* bean, broad-bean, berry.
Février, *n. m.* February.
Fi, *int.* fie ! fie upon !—*Fi* donc ! For shame ! Faire *fi* de, To turn up one's nose at.
Fiacre, *n. m.* hackney-coach, cab.
Fiancé, -e, *n. m. f.* betrothed.
Fiancer, to betroth, to affiance.
Fichu, *n. m.* neck-handkerchief.
Ficti-f, -ve, *a.* fictitious.
Fidèle, *a.* faithful, true, trusty.
Fidèlement, *a.* faithfully.
Fidélité, *n. f.* faithfulness.
Fiel, *n. m.* gall, rancour.
Fier, to trust, to intrust.
se Fier, to trust, to rely.
Fi-er, -ère, *a.* proud, haughty, bold, famous (familiar).
Fierté, *n. f.* pride, boldness.
Fièvre, *n. f.* fever, restlessness.
Figue, *n. f.* fig.
Figuier, *n. m.* fig-tree.
Figure, *n. f.* figure, face, counte-nance, type.
Figurer, to figure, to represent.
se Figurer, to imagine, to fancy.
Figurine, *n. f.* little figure.
Fil, *n. m.* thread, yarn, wire, edge, current, chain.—*Fil* de l'eau, Stream, current.
Filage, *n. m.* spinning.
Filament, *n. m.* thread, fibre.
Filandreu-x, -se, stringy, thready.
Filateur, *n. m.* spinner.
Filature, *n. f.* spinning-mill.
File, *n. f.* file, row.—À la *file*, In a file or row.
Filer, to spin, to spin out, to wiredraw.
Filet, *n. m.* net, thread, snare, small stream, ligament.
Fileur, *n. m.* spinner.
Fileuse, *n. f.* spinner, spinster.
Fille, *n. f.* girl, maid, daughter.
—Jeune *fille*, Girl, young woman.
Petite-*fille*, Grand - daughter.
Fille d'honneur, Maid of honour.
Fille de service, Housemaid.
Filleul, *n. m.* god-son.
Filleule, *n. f.* god-daughter.
Filou, *n. m.* pickpocket.
Fils, *n. m.* son,—Petit *fils*, Grand-son. *Fils* de famille, Gentle-man's son. Dumon *fils*, Dumon junior. (See *Pere*.)
Fin, *n. f.* end, close, aim.
Fin, -e, fine, slender, delicate, re-fined, acute, shrewd, ingenious, cunning, keen.—Pierres *fines*, Precious stones.
Finance, *n. m.* cash, ready money, finances, exchequer.
Finesse, *n. f.* fineness, slender-ness, delicacy, acuteness, cun-ning.
Fini, *n. m.* finish, finishing.

Fini, -e, *part.* finished, accom-plished.
Finir, to finish, to end.
Fis (je), I did or made (FAIRE).
Fisse (que je), *imp. subj.* of FAIRE.
Fixe, *a.* fixed, firm, steady.
Fixement, wistfully.
Fixer, to fix, to fasten, to settle.
se Fixer, to stick, to settle.
Flacon, *n. m.* flagon, bottle.
Flairer, to scent, to smell.
Flamand, -e, Fleming, Flemish.
Flambant, -e, *a.* flaming, blazing.
Flambeau, *n. m.* torch, light, candlestick, luminary.
Flamber, to flame, to blaze.
Flamberge, *n. f.* sword.—*Flam*-berge au vent, With drawn sword.
Flammant, *n. m.* flamingo.
Flamme, *n. f.* flame, blaze, ar-dour.
Flanc, *n. m.* flank, side, womb, gunnel.
Flandre (la), Flanders.
Flâner, to lounge, to stroll.
Flâneu-r, -se, *n. m. f.* lounger stroller.
Flanqué, flanked, accompanied, having at one's side.
Flanquer, to flank, to hit, to go alongside of, to cover.
Flatter, to flatter, to please.
Flatterie, *n. f.* flattery, fawning.
Flatteu-r, -se, *a.* flattering, flawn-ing.
Flatteu-r, -se, *n.* flatterer.
Fléau, *n. m.* flail, scourge.
Flèche, *n. f.* arrow, spire, head.
Fléchir, to bend, to move, to yield.
Flétrir, to wither, to blight.
se Flétrir, to fade, to wither.
Fleur, *n. f.* flower, blossom, choice.
—*Fleur*-de-lis, Flower-de-lis or luce. La *fleur* de l'âge, The prime of life. À *fleur* de, Level with, close to. Entrer en *fleur*, To be in bloom or blossom.
Fleuraison, *n. f.* blooming.
Fleuret, *n. m.* silk-ferret, foil.
Fleurir, to flower, to blow, to bloom, to blossom, to flourish, to thrive. FLEURIR, used in the figurative sense, makes *flo*-rissant in the part. pres., and *florissait* in the imperf. ind.:— Les pommiers *fleurissaient* alors, The apple trees were then in full blossom. Molière et La Fon-taine *florissaient* sous Louis XIV, Molière and La Fontaine flour-ished under Louis XIV. Un état *florissant*, A flourishing state. Les prés sont tout *fleu*-rissants, The meadows are in full bloom.
Fleuriste, *n.* and *a.* florist.— Jardin *fleuriste*, Flower-garden.
Fleuve, *n. m.* river, stream.
Flexion, *n. f.* flexion, inflection.
Flocon, *n. m.* flake, flock.
Floconneu-x, -se, *a.* flaky.
Floraison, *n. f.* blooming (season)

FON — FOU — FRA

Flore, n. f. 1. Flora, the goddess of flowers; 2. the botany peculiar to a country.

Floréal, n. m. (month) Floreal, from April 20th to May 19th.

Florentin, n. m. and a. Florentine.

Florès, n. f. figure, dash.—Faire florès, To make a figure, to cut a dash.

Florissant, -e, a. flourishing, prosperous. (See Fleurir.)

Flot, n. m. wave, billow, tide, flood.

Flottable, a. navigable for rafts.

Flottant, -e, a. floating, undulating, fluctuating.

Flotte, n. f. fleet.

Flotter, to float, to wave, to waver.

Fluet, -te, a. thin, spare, lank.

Flux, n. m. flux, flow, stream.

Foi, n. f. faith, belief, trust, confidence, word.—Ma foi! Faith! Ajouter foi, To give credit.

Foie, n. m. liver. — Maladie de foie, Liver complaint.

Foin, n. m. hay, grass.

Foire, n. f. fair.

Fois, n. f. time.—Il y avait une fois, There was once on a time.—(See Temps.) Une fois, Once. Deux fois, Twice. Trois fois, Three times, thrice. Encore une fois, Once more. Mainte fois, Many a time. Toutes les fois que, Every time that, as often as. A la fois, At once, at the same time.

Foison (à), adv. plentifully.

Fol appears instead of fou (which see) before a vowel or h mute.— Un fol espoir, un fol hommage.

Folâtre, a. sportive, wanton, merry

Folâtrer, to sport, to play.

Folie, n. f. madness, folly, foolishness, foolish thing.

Folio, n. m. folio.—In-folio, folio.

Follement, adv madly, foolishly.

Foncé, -e, a. dark, deep.

Fonction, n. f. functions, duty.

Fonctionnaire, n. m. functionary.

Fonctionner, to work, to operate.

Fond, n. m. bottom, depth, ground, furthest end, base, stock, back-part. — A fond, Thoroughly. Au fond, In the main.

Fond (il), he or it melts (FONDRE).

Fondant, -e, a. melting.

Fonda-teur, -trice, n.m.f. founder.

Fondation, n. f. foundation, endowment, establishment.

Fondement, n. m. foundation.

Fonder, to found.

se Fonder, to rely.

Fondis (je), I melted (FONDRE.)

Fondre, to melt, to cast, to dissolve, to blend.—Fondre en larmes, To melt, to burst into tears.

se Fondre, to melt, &c., to vanish.

Fondre (sur), to fall upon, to rush.

Fondrière, n. f. quagmire, bog.

Fonds, n. m. ground, soil, land, cash, money, capital, stock, business.—Etre en fonds, To be in cash. N'être pas en fonds, To be short of cash.

Fonds (je), I melt (FONDRE).

Fontaine, n. f. fountain, spring, cistern, cock.—Fontaine à thé, Tea-urn. Eau de fontaine, Spring-water.

Font (ils), they do, make.

Fonte, n. f. melting, pig-iron, cast-iron.—Commerce des fontes, Pig-iron trade.

Force, n. f. strength, might, power, intensity, proficiency.— Etre de première force, To be very proficient, skilful. A force de, By strength of, by dint of. A toute force, By all means.

Force, adv. much, a great deal of, many, a great many.

Forcer, to force, to stretch, to compel, to oblige.

Forer, to bore, to drill.

Forest-ier, -ière, a. forest, of forests.—Arbre forestier, Forest-tree. Garde forestier, Forester.

Forestier, n. m. forester.

Forêt, n. f. forest, woodland.

Foret, n. m. drill.

Forfait, n. m. crime, contract.

Forge, n. f. forge, farrier's shop; pl. iron-works. — Maître de forges, Iron-master.

Forgeron, n. m. smith (black).

Format, n. m. size.

Forme, n. f. shape, figure, mould.—Pour la forme, For form's sake. Sans autre forme de procès, Without further formality.

Formellement, adv. expressly.

Former, to shape, to train.

se Former, to be formed, to assume a shape, to improve.

Fort, -e, a. strong, large, plentiful, great, intense, skilful, able, hard, high, loud.—Etre fort en, To be good at. Se faire fort de, To boast of. C'est trop fort, It is too bad, I cannot stand it. C'est plus fort que lui, He cannot help it.

Fort, n. m. strong side, main point, depth, strength, fortress, stronghold.—Au fort de l'hiver, In the midst or depth of winter. Au fort de l'orage, In the height of the tempest. Au fort du combat, in the thick of the battle.

Fort, adv. very, extremely, strongly, hard.

Fortement, adv. strongly, forcibly, vigorously, very much.

Fortifier, to strengthen, to fortify.

Fortuit, -e, a. accidental, casual.

Fortune, n. f. fortune, luck.— Faire fortune, To make a fortune. La fortune du pot, Pot-luck.

Fosse, n. f. pit, hole.

Fossé, n. m. ditch, drain.

Fou, Fol, Folle, a. mad, foolish, very fond.

Foudre, n. f. thunder, lightning.—Coup de foudre, Thunderbolt.

Foudroyer, to thunder, to strike, to batter down, to destroy.

Fouet, n. m. whip, whipping.—Coup de fouet, Lash. Donner fouet à, To give a whipping to. Se faire donner le fouet, To get a whipping.

Fouetter, to whip, to lash, to beat.

Fougère, n. f. fern, brake.

Fougue, n. f. fury, fire, spirit.

Fougueu-x, se, a. fierce, fiery, impulsive, mettlesome.

Fouiller, to search, to dig, to rummage.

Fouine, n. f. martin, martlet.

Foulard, n. m. silk handkerchief.

Foule, n. f. crowd, throng, host.

Fouler, to press, to tread.

Foulon, n. m. fuller.—Moulin à foulon, Fulling-mill. Terre à foulon, Fuller's earth. Chardon à foulon, Teazel.

Four, n. m. oven.

Fourbe, a. cheating, deceitful.

Fourbe, n. m. f. cheat, knave.

Fourbe, n. f. cheat, knavery.

Fourberie, n. f. cheat, knavery.

Fourche, n. f. pitchfork.

Fourchette, n. f. fork.

Fourgon, n. m. van, poker.

Fourmi, n. f. ant.

Fourmiller, to swarm, to abound.

Fournaise, n. f. furnace.

Fourneau, n. m. stove, furnace, hearth, bowl. — Fourneau de cuisine, Kitchen-stove. Haut fourneau, Blast-furnace, iron-works.

Fourni, -e, a. thick, full, close.

Fournir, to furnish, to supply, to provide, to stock.

Fournisseur, n. m. contractor, purveyor, tradesman.

Fourniture, n. f. furnishing, provision.—Fournitures de bureau, Stationery.

Fourrage, n. m. fodder, foraging.

Fourrager, to forage, to plunder.

Fourré, n. m. thicket, brake.

Fourré, -e, a. furred, stuffed.

Fourreau, n. m. case, sheath, frock, cover.

Fourrer, to thrust, to put, to fur, to cram.

Fourreur, n. m. furrier.

Fourrure, n. f. fur.

Fourvoyer, to lead astray.

se Fourvoyer, to go out of one's way, to err.

Foyer, n. m. hearth, fireside; pl. home, native land, centre.

Fracas, n. m. crash, noise, din.

Fracasser, to shatter.

Fracture, n. f. breaking.

Fraîchement, adv. newly.

Fraîcheur, n. f. freshness, coolness, chill.

Frais, Fraîche, a. fresh, cool, fresh-coloured, new, recent, new-laid.—Faire frais, To be cool.

Frais, n. m. freshness, fresh-air.

40

—Au *frais*, In the cool. Faire *frais*, To be cool. Prendre le *frais*, To take fresh air.

Frais, *n. m. pl.* expenses, cost.

Fraise, *n. f.* strawberry, ruff.—*Fraise* des bois, Wild strawberry.

Fraisier, *n. m.* strawberry plant.

Framboise, *n. f.* raspberry.

Framboisier, *n. m.* raspberry-bush.

Franc, *n. m.* franc (about 10*d.*)

Franc, Franque, *n.* and *a.* Frank, Frankish (hence France).

Franc, Franche, *a.* free, exempt, frank, sincere, whole, true.—

Français, *n. m.* Frenchman.—Les *Français*, The French. Le *français*, The French language. En bon *français*, In good French, in plain terms.

Français, -e, *a.* French.—A la *française* (*i.e.* à la mode *française*), After the French fashion.

Française, *n. f.* Frenchwoman.

Franchir, to leap over, to clear, to overcome.

Franchise, *n. f.* exemption, freedom, frankness.

Franciser, to Frenchify.

Frange, *n. f.* fringe.

Frappant, -e, *a.* striking, impressive.

Frapper, to strike, to hit, to smite, to knock, to tap.

Fraterniser, to fraternize.

Frayer, to trace, to open, to prepare. — Chemin *frayé*, Beaten path.

Frayeur, *n. f.* fright, dread, fear.

Fredon, *n. m.* trill.

Fredonner, to hum.

Frégate, *n. f.* frigate.

Frein, *n. m.* bit, curb, check.

Frêle, *a.* frail, brittle, weak.

Frémir, to shudder, to tremble, to vibrate, to rustle.

Frémissement, *n. m.* shudder, trembling, quivering.

Frêne, *n. m.* ash-tree.

Fréquemment, *adv.* frequently.

Fréquenter, to frequent, to go often to.

Frère, *n. m.* brother, friar.—Beau-frère, Brother-in-law. *Frère* aîné, Eldest brother. *Frère* cadet, Youngest brother. *Frère* de lait, Foster brother.

Fresque, *n. f.* fresco.

Frêt, *n. m.* freight.

Fretin, *n. m.* fry, trash.

Friand, -e, *a.* dainty, fond (of).

Friandise, *n. f.* daintiness, nicety.

Fribourg, *n. m.* Friburg.

Fricassée, *n. f.* fricassee, stew.

Frimaire, *n. m.* month (from Nov. 21st to Dec. 20th).

Frimas, *n. m.* hoar frost.

Fringale, *n. f.* sudden and excessive hunger.

Fripier, *n. m.* broker, old clothesman.

Fripon, -ne, *n. m. f.* rogue, rascal.

Frire, faire frire, to fry.

Friser, to curl, to crisp.

Frisson, *n. m.* shivering, emotion.

Frissonner, to shiver, to shudder.

Frit, -e, *part.* fried.

Friture, *n. f.* frying, fried fish.

Frivole, *a.* frivolous, flimsy, trifling.

Froid, -e, *a.* cold, cool.   [fling.

Froid, *n. m.* cold, coldness, indifference, coolness.—Avoir *froid*, To be cold. Faire *froid*, To be cold (weather). Du *froid* entre vous, coolness between you.

Froidement, coldly, coolly.

Froideur, *n. f.* coldness.

Froisser, to bruise, to rumple, to clash, to wound.

Fromage, *n. m.* cheese.

Fromagerie, *n. f.* cheese-dairy.

Froment, *n. m.* wheat.

Froncer, to frown, to knit.

Fronde, *n. f.* sling.

Front, *n. m.* forehead, brow, face, countenance. — De *front*, Abreast. Avoir le *front*, To have the impudence.

Frontière, *n. f.* frontier, border.

Frontispice, *n. m.* frontispiece.

Frottement, *n. m.* rubbing.

Frotter, to rub, to rub up.

Fructidor, *n. m.* (month) Fructidor, from Aug. 18th to Sept. 16th.

Fructueu-x, -se, *a.* fruitful, profitable.

Fruit, *n. f.* fruit, result.

Fruit-ier, -ière, *a.* fruit-bearing, fruit. — Arbre *fruitier*, Fruit-tree.

Fruit-ier, -ière, *n. m. f.* fruiterer, green-grocer.

Fuchsia, *n. m.*

Fugiti-f, -ve, *a.* fugitive, fleeting.

Fugiti-f, -ve, *n. m. f.* fugitive.

Fuir (fuyant, fui; je fuis, je fuis; que je fuie, que je fuisse), to flee, to run away, to shun, to avoid.—S'*enfuir*, To flee, to run away.

Fuite, *n. f.* flight, running away or out.

Fumée, *n. f.* smoke, steam.

Fumer, to smoke.

Fumier, *n. m.* dung, dunghill, litter.

Funèbre, *a.* funeral, mournful, dismal.

Funérailles, *n. f. pl.* funeral.

Funeste, *a.* fatal, melancholy.

Fur.—Au *fur* et à mesure, In proportion.

Furet, *n. m.* ferret.—Chasser au *furet*, To hunt with the ferret.

Fureur, *n. f.* fury, rage, passion.

Furie, *n. f.* fury, rage.

Furieusement, furiously, excessively.

Furieu-x, -se, *a.* furious, mad, enraged, raving, impetuous, tremendous.

Fus (je), I was (ETRE).

Fuseau, *n. m.* spindle.

Fusil, *n. m.* gun, musket.—*Fusil* de chasse, Fowling-piece. *Fusil* à deux coups, Double-barrelled gun. Coup de *fusil*, Gun-shot.

Fusse (je), *cond.* I would or should be (ETRE).

Fusse (que je), that I might be.

Fussé-je, were I!

Futile, *a.* trifling, frivolous.

Futur, -e, *a.* future, intended.

Futur, -e, *n.* intended (husband, wife).

Futur, *n. m.* futurity, prospects.

Fuyard, *n. m.* fugitive, runaway.

G.

Gaélique, *n. m.* and *a.* Gaelic.

Gage, *n. m.* pledge, forfeit, security, token; in *pl.* wages.—Prêteur sur *gage*, Pawnbroker.

Gager, to bet, to wager.

Gagne-petit, *n. m.* knife-grinder.

Gagner, to gain, to get, to earn, to win, to obtain, to reach, to bribe, to overtake.

Gai, -e, *a.* gay, lively, cheerful, merry.

Gaïac (or gayac), *n. m.* lignum-vitæ, or pock wood.

Gaiement, cheerfully, merrily.

Gaieté, *n. f.* liveliness, cheerfulness, mirth, humour, fun.—De *gaieté* de cœur, Wantonly.

Gaillard, -e, *a.* merry, jolly, free.

Gaillard, *n. m.* castle (nav.).—*Gaillard* d'arrière, Quarterdeck. *Gaillard* d'avant, Forecastle.

Gain, *n. m.* Gain, profit.

Galant, -e, *a.* (before the noun) worthy, honest, (after the noun) gallant, courteous.

Galère, *n. f.* galley.

Galerie, *n. f.* gallery.

Galet, *n. m.* pebble, shingle.

Galette, *n. f.* roll, cake, biscuit.

Galles (Pays de), Wales.—Prince de Galles, Prince of Wales.

Gallicisme, *n. m.* gallicism.

Gallois, -e, *a.* Welsh.

Galoche, *n. f.* galoche, clog.

Galop, *n. m.* gallop.

Galoper, to gallop.

Gambader, to gambol, to frisk.

Gamin, *n. m.* urchin, boy.

Gamme, *n. f.* gamut, scale.

Gand, Ghent (Belgium).

Gange (le), *n. m.* the Ganges.

Gant, *n. m.* glove.

Ganter, to put on gloves, to fit with gloves.

se Ganter, to put on one's gloves, to buy gloves of.

Ganterie, *n. f.* glove-making, glove-trade.

Gant-ier, -ière, *n. m. f.* glover.

Garance, *n. f.* madder.

Garant, *n. m.* guarantee, surety.

Garantie, *n. f.* guarantee, security.

Garantir, to guarantee, to warrant, to answer for, to keep, to shelter.

se Garantir, to shelter one's self, to guard against.

Garçon, *n. m.* boy, waiter,

bachelor. — *Garçon de ferme,* Farm servant. *Bon garçon,* Good fellow. Beau *garçon,* joll *garçon,* Fine - looking fellow. Brave *garçon,* Honest, good fellow. *Garçon* d'esprit, Clever fellow. Habile *garçon,* Clever, smart lad. Vieux *garçon,* Old bachelor.

Garde, *n. f.* guard, keeping, watch, defence, care, heed, nurse. — La *garde* à cheval, Horse-guards. La *garde* à pied, Foot-guards. Arrière *garde,* Rear-guard. Avant *garde,* Van-guard. Avoir *garde* de, To take care not to, to be careful not to. Etre, se tenir sur ses *gardes,* To be on one's guard, to be on the watch. N'avoir *garde* de, To beware of, not to be able to. Prendre *garde,* To take care, to be careful, to mind, to beware. Se donner *garde,* To beware.

Garde, *n. m.* guard, keeper, warden. — *Garde* champêtre, Rural guard. *Garde* forestier, Forester. Un *garde* du corps, Life-guardsman, life-guard. Un *garde* de nuit, Watchman.

Garde-chasse, *n. m.* gamekeeper.
Garde-feu, *n. m.* fender, guard.
Garde-fou, *n. m.* handrail.
Garde-malade, *n. m. f.* nurse.
Garde-manger, *n. m.* larder, safe.
Garde-moulin, *n. m.* mill-watchman.
Garder, to keep, to preserve, to guard, to watch, to tend. — Se *garder* de, To beware, to refrain, to take care not.
Garde-robe, *n. f.* wardrobe.
Gardien, -ne, *n. m. f.* keeper, guardian.
Gare, *int.* take care! look out!
Gare, *n. f.* basin, dock, railway dépôt, terminus, or general station. — Chef de *gare,* Superintendent, station-master.
Garenne, *n. f.* warren.
Garni, -e, furnished, trimmed.
Garnir, to furnish, to store, to adorn, to trim, to inlay.
Garnison, *n. f.* garrison.
Garniture, *n. f.* set, trimming, lining.
Garrotter, to bind, to tie down, to garotte.
Gascon, -ne, *n.* and *a.* Gascon, belonging to Gascony.
Gascogne, *n. f.* Gascony. — Golfe de *Gascogne,* Bay of Biscay.
Gasconnade, *n. f.* gasconade, boast.
Gaspard, *n. m.* Jasper.
Gaspillage, *n. m.* wasting.
Gaspiller, to waste, to squander.
Gaster, *n. m.* gaster, stomach.
Gastronomie, *n. f.* gastronomy.
Gâté, -e, *a.* spoiled, damaged.
Gâteau, *n. m.* cake, comb.
Gâter, to spoil, to soil, to injure, *to damage, to corrupt.*
Gauche, a. left, crooked, clumsy.
Gauche, n. f. left-hand, left.

Gauch-er, -ère, *n.* and *a.* left-handed.
Gaucherie, *n. f.* awkwardness.
Gaule, *n. f.* Gaul.
Gaulois, -e, *n.* and *a.* Gaul, Gallic.
Gayac, *n. m.* lignum-vitæ.
Gaz, *n. m.* gas. — Bec de *gaz,* Gas-burner, street-lamp. Éclairage au *gaz,* Gas-lighting. Usine à *gaz,* Gas-works.
Gaze, *n. f.* gauze.
Gazomètre, *n. m.* gasometer, gas-holder.
Gazon, *n. m.* grass, turf.
Gazouillement, *n. m.* chirping, purling.
Gazouiller, to warble, to chirp.
Geai, *n. m.* jay, jackdaw.
Géant, *n. m.* giant.
Gelé, -e, *part.* frozen, frost-bitten.
Gelée, *n. f.* frost, jelly.
Geler, to freeze.
Gelinier, *n. m.* hen-house.
Gémeaux, *n. m. pl.* twins.
Gémir, to groan, to bewail, to whine.
Gémissement, *n. m.* groan, moan.
Gênant, -e, *a.* inconvenient, uncomfortable.
Gencive, *n. f.* gum.
Gendarme, *n. m.* gendarme.
Gendre, *n. m.* son-in-law.
Gêne, *n. f.* inconvenience, uneasiness, uncomfortableness, restraint, restriction, narrow circumstances.
Gêné, -e, *a.* uncomfortable, constrained, short of cash.
Gêner, to inconvenience, to make uncomfortable, to trouble, to restrain, to straiten, to impede, to pinch, to hinder.
se Gêner, to inconvenience one's self, to restrain one's self. — Ne pas se *gêner,* To be at one's ease, to make one's self at home.
Général, -e, *a.* general.
Général, *n. m.* general.
Généralement, *adv.* generally.
Généreu-x, -se, *a.* generous, noble.
Générosité, *n. f.* nobleness, &c.
Gênes, *n. f.* Genoa.
Genêt, *n. m.* broom, jenet.
Genève, *n. m.* Geneva.
Genevois, -e, *a.* and *n. m. f.* Genevese.
Génie, *n. m.* genius, spirit, engineering.
Genièvre, *n. m.* juniper-berry, gin.
Génisse, *n. f.* heifer.
Génois, -e, *a.* and *n. m. f.* Genoese.
Genou, *n. m.* knee. — À *genoux,* On one's knee. À ses *genoux,* At his feet.
Genre, *n. m.* kind, manner, style, taste, genus, race, gender.
Gens, *n. m. pl.* people, persons, men, domestics, attendants, retainers. — *Gens* de bien, Honest people. *Gens* d'église, Church-men. *Gens* d'épée, de guerre, Military men. *Gens* de lettres, Literary men. *Gens* de robe,

Lawyers. *Gens* comme il faut, Genteel people.
Gent, *n. f.* race, nation, tribe. Obsolete, except in jest; the plural form *gens* (which see), is frequently used.
Gentil, -le, *a.* pretty, amiable, kind, pleasant, nice.
Gentilhomme, *n. m.* nobleman, gentleman.
Gentillesse, *n. f.* gracefulness, prettiness, elegance.
Gentiment, *adv.* prettily, nicely.
Géographe, *n. m.* geographer.
Géographie, *n. f.* geography.
Geôlier, *n. m.* gaoler, jailer.
Géométrie, *n. f.* geometry.
Géranium, *n. m.* geranium.
Gérant, *n. m.* manager.
Gerbe, *n. f.* sheaf.
Gerfaut, *n. m.* gerfalcon.
Germain, -e, *a.* first, german. — Cousin *germain,* First cousin, cousin german. Cousin issu de *germain,* Second cousin.
Germain, -e, *a.* and *n. m. f.* German, belonging to ancient Germany (the modern name is *Allemand).*
Germanie, *n. f.* ancient Germany (*Allemagne* is the modern name).
Germanique, *a.* Germanic.
Germe, *n. m.* germ, seed, sprout.
Germer, to shoot, to bud, to spring up, to sprout.
Germinal, *n. m.* (month) Germinal (from March 21st to April 19th).
Geste, *n. m.* gesture, sign.
Gesticuler, to gesticulate.
Gibecière, *n. f.* game-bag, pouch.
Gibelotte, *n. f.* rabbit-stew.
Gibier, *n. m.* game.
Giboulée, *n. f.* shower.
Giboyeu-x, se, *a.* abounding in game.
Gigantesque, *a.* gigantic.
Gigot, *n. m.* leg of mutton.
Gilet, *n. m.* waistcoat, vest. — *Gilet* croisé, Double - breasted waistcoat.
Gingembre, *n. m.* ginger.
Girafe, *n. f.* giraffe, cameleopard.
Girandole, *n. f.* chandelier, sprig.
Giraumont, *n. m.* pumpkin, pompion.
Girofle, *n. m.* clove. — Clou de *girofle,* Clove.
Giroflée, *n. f.* gilliflower, stock. — *Giroflée* jaune, Wall-flower.
Girouette, *n. f.* weather-cock, vane.
Gîte, *n. m.* home, lodging, seat, lair.
Givre, *n. m.* rime, hoar frost.
Glaçant, -e, *a.* freezing, chilling.
Glace, *n. f.* ice, plate-glass, mirror, window.
Glacé, -e, *a.* frozen, icy, freezing, glazed.
Glacer, to freeze, to chill, to ice, to glaze.
Glacier, *n. m.* glacier, dealer in ice, confectioner.

Column 1 (GOU)

l, n. m. piece of ice, icicle.
, a. loam, clay.—Terre
; loam, clay.
;, n. m. sword, steel.
, n. m. acorn, tassel.
r, to glean.
a-r, -se, n. m. f. gleaner.
; to yelp, to squeak.
sant, -e, a. yelping, squeak-
at, -e, a. slippery.
;, to slip, to slide, to slur,
ich.
ser, to slip, to creep in.
leu-x, -se, a. globular.
, n. f. glory, halo of glory.
a-x, -se, a. glorious, con-
l, proud.
a-x, -se, n. m. f. boaster,
ited, person.
er, to glorify.
rifier, to glory in, boast of.
, to gloss, to censure.
n, -ne, gluttonous, greedy.
n, -ne, n. m. f. glutton.
id, n. m. gull.
te, n. f. schooner.
n, n. m. sea-wrack,
n. m. gulf.
e, n. f. gum.—Gomme ara-
, Arabic gum. Gomme
que, India rubber.
er, to gum.
eu-x, -se, a. gummous,
ay.
n. m. hinge.
le, n. f. gondola.
ment, n. m. swelling.
r, to swell, to puff.
n. m. young pig.
n. f. throat, breast, gorge,
.—Mal de gorge, Sore
t. Faire des gorges chaudes
o laugh at.
de-pigeon, a. (of colours)

, n. m. throat, voice.
on, n. m. tar.
onner, to tar.
e, n. m. abyss, whirlpool.
l, n. m. gudgeon.
e, n. f. gourd, calabash.
and, -e, a. greedy.
andise, n. f. greediness.
et, n. m. judge of good
f, wines, &c.; epicure.
, n. f. pod, husk, shell.
t, n. m. fob.
n. m. taste, palate, relish,
r, flavour, smell, inclina-
liking, manner.
; n. m. luncheon.
;, to taste, to relish.
, n. f. drop, gout, a small
tity, jot.—Ne voir goutte,
ir goutte, Not to see.
rnail, n. m. rudder, helm.
rnante, n. f. governess,
keeper.
rnement, n.m. government.
rner, to govern, to rule, to
, to husband, to steer.
rneur, n.m. governor, ruler,

Column 2 (GRE)

Grabat, n. m. pallet, stump-bed.
Grabuge, n. m. quarrel, wrang-
ling (obsolete).
Grâce, n. f. grace, favour, pardon,
mercy, gracefulness, charm,
thanks.—Grâce à Dieu, Thank
God. Actions de grâces, Thanks-
giving. De grâce! Pray! Faire
grâce de, To forgive, to let off.
Gracieusement, adv. graciously,
gracefully.
Gracieu-x, -se, a. gracious, grace-
ful.
Grade, n. m. rank, grade.
Graduer, to graduate.
Gradus, n.m. prosodial dictionary.
Grain, n. m. grain, corn, berry,
bead.
Graine, n. f. seed, berry, set.
Graisse, n. f. fat, fatness, grease.
Graminée, n. f. grass.
Grammaire, n. f. grammar.
Grammairien, n.m. grammarian.
Grand, -e, a. great, large, big,
tall, grown-up, grand, broad,
open, loud.—Un grand homme,
A great man. Un homme grand,
A tall man. De grands jeunes
gens, Grown-up young men. La
porte était toute grande ouverte,
The door was wide open. En
grand, On a large scale.
Grandement, adv. greatly, very
much, largely, in great style.
Grandeur, n. f. greatness, large-
ness, size, bulk, height.
Grandiose, a. grand.
Grandiose, n. m. grandeur.
Grandir, to grow, to increase, to
rise.—Ils grandissent, They grow
in height. Qu'il grandît, That
he might grow, &c.
Grand'mère, n. f. grandmother.
Grand-oncle, n. m. great uncle.
Grand-père, n. m. grandfather.
Grands (les), the great (people).
Grand'tante, n. f. great aunt.
Grange, n. f. barn.
Granit, n. m. granite.
Grappe, n. f. bunch, cluster.—
Grappe de raisin, Bunch of
grapes.
Gras, -se, a. fat, plump, greasy,
rich, fertile.—Jour gras, Flesh-
day. Les jours gras, Shrove-
days, Shrove-tide.
Gras, n.m. fat.—Faire gras, man-
ger gras, To eat meat or flesh.
Gratter, to scratch, to scrape.
Grattoir, n. m. eraser.
Gratuitement, adv. gratuitously,
gratis, free.
Grave, a. grave, serious, sedate,
solemn, weighty.
Gravement, gravely, seriously.
Graver, to engrave, to impress.
Graveur, n. m. engraver.
Gravier, n. m. gravel, grit.
Gravir, to climb, to clamber.
Gravure, n. f. engraving.—Mar-
chand de gravures, Printseller.
Gravure à l'eau forte, Etching.
Gré, n. m. will, inclination, lik-
ing, taste, mind.—Bon gré, mal

Column 3 (GRO)

gré, Willing or not. Contre son
gré, Unwillingly. Savoir bon
gré de, To thank for, to take
kindly. Savoir mauvais gré de,
To take ill.
Grec, grecque, n. and a. Grecian,
Greek.
Grèce (la), Greece.
Gredin, n. m. scoundrel, beggar.
Gréement, n. m. rigging.
Gréer, to rig.
Greffe, n. f. graft.
Greffer, to graft.
Greffoir, n. m. grafting-knife.
Grége, a. (of silk) raw.
Grégoire, Gregory.
Grêle, a. slim, lank, shrill.
Grêle, n. f. hail, shower.
Grêler (impers.) to hail.
Grelotter, to shiver with cold.
Grenade, pomegranate, grenade.
Grenadier, n. m. pomegranate-
tree, grenadier.
Grenat, n. m. garnet.
Grenier, n. m. granary, loft, gar-
ret, lumber room.
Grenouille, n. f. frog.
Grès, n. m. sandstone.
Grésiller, to sleet.
Grève, n. f. strand, strike.
Grief, n. m. injury, grievance,
complaint.
Griffe, n. f. claw, talon, clutch.
—Coup de griffe, Scratch.
Grignon, n. m. crust, black olive.
Grignoter, to nibble.
Gril, n. m. gridiron, toaster.
Grillage, n. m. wire-work.
Grillager, to wire, to rail.
Grille, n. f. grate, grating, rail-
ing, gate.
Griller, to broil, to toast, to
scorch, to rail in.
Grimace, n. f. grimace, face.
Grimper, to climb, to creep.
Grincer, to gnash, to grind.
Gris, -e, a. gray, tipsy.
Gris, n. m. gray.—Gris cendre,
Ash-gray. Gris-pommelé, Dap-
pled-gray. Gris-perle, Lavender.
Grisâtre, a. grayish.
Griser, to intoxicate, to make
drunk.
se Griser, to get drunk.
Grison, n. m. graybeard, donkey.
Grisonner, to grow gray.
Grive, n. f. thrush.
Groguer, to grunt, to growl.
Gronder, to grumble, to scold, to
roar.
Grondeu-r, -se, a. grumbling, &c.
Grondeur, n. m. grumbler.
Gros, -se, a. big, large, great,
stout, swollen, coarse, thick,
deep (of colour).
Gros, n. m. mainpart, body, mass,
stout fabric.—Gros de Naples,
Stout silk originally manufac-
tured in Naples. Gros de Tours,
Stout silk made at Tours.
Gros, adv. much, heavily, whole-
sale. — Acheter en gros, To
buy wholesale. Il a quitté le
détail pour faire le commerce

gros, He has left his retail for wholesale business.

Groseille, *n. f.* currant, gooseberry.—*Groseille* blanche, White currant. *Groseille* rouge, Red currant. *Groseille* à maquereau, Gooseberry.

Groseillier, *n. m.* currant-tree, gooseberry-bush.

Grosse, *n. f.* gross (12 dozen), copy.

Grosseur, *n. f.* size, bigness, bulk, swelling.

Gross-ier, -ière, *a.* coarse, gross, rough, unmannerly.

Grossièrement, *adv.* coarsely, roughly, rudely.

Grossièreté, *n. f.* coarseness, grossness, roughness, rudeness.—Dire des *grossièretés*, To use bad language, to abuse.

Grossir, to make bigger, to enlarge, to magnify, to swell.

Grossissant, *part.* growing, magnifying.

Grotte, *n. f.* grotto, grot.

Groupe, *n. m.* group, cluster.

Grouper, to group, to cluster.

Grue, *n. f.* crane.

Gruyère, *n. m.* Gruyère cheese.

Gué, *n. m.* ford.—*Passer à gué*, To ford.

Guéable, *a.* fordable.

Guenille, *n. f.* rag, tatter.

Guêpe, *n. f.* wasp. — Taille de *guêpe*, Slender figure.

Guère, Guères, *adv.* little, but little, few, but few, not very, not often.—N'avoir *guère* d'argent, To have but little money. Il n'est *guère* riche, He is not very rich. Il ne s'en faut *guère*, It wants but little.

Guéri, -e, *part.* cured, healed.

Guéridon, *n. m.* stand, round table.

Guérir, to cure, to heal, to recover, to be cured.

Guérison, *n. f.* cure, recovery.

Guerre, *n. f.* war, strife.

Guerr-ier, -ière, *a.* warlike.

Guerrier, *n. m.* warrior, soldier.

Guerroyer, to war.

Guet, *n. m.* watch.—Faire le *guet*, To watch.

Guet-apens, *n. m.* laying in wait, ambush, wilful injury.

Guêtre, *n. f.* gaiter.

Gueule, *n. f.* mouth, jaws.

Gueu-x, -se, *a.* beggarly, poor.

Gueux, *n. m.* beggar, scoundrel.

Gui, *n. m.* mistletoe.

Guibre, *n. f.* cut-water.

Guichet, *n. m.* wicket, gate.

Guide, *n. m.* guide, guide-book.

Guide, *n. f.* rein.

Guider, to guide, to lead, to direct.—*Guider* la marche, To lead the way.

Guillaume, *n. m.* William.

Guimauve, *n. f.* marsh-mallow.

Guindé, -e, *a.* strained, unnatural, stiff.

Guinder, to hoist, to strain, to force.

se Guinder, to be strained.

Guinée, *n. f.* Guinea, guinea.

Guingamp, Guingan, *n. m.* gingham.

Guirlande, *n. f.* garland, wreath.

Guise, *n. f.* manner, way.

Guitare, *n. f.* guitar.

Gustave, *n. m.* Gustavus.

Gymnase, *n. m.* gymnasium.

Gymnastique, *a.* gymnastic.

Gymnastique, *n. f.* gymnastics.

H.

H preceded by an ' is aspirated.

Ha! ah! ha!

Habile, *a.* able, clever, skilful, proficient.

Habilement, *adv.* ably, cleverly.

Habileté, *n. f.* skill, cleverness.

Habillé, -e, *part.* and *a.* dressed, dress.—Robe *habillée*, Full dress.

Habillement, *n. m.* clothing, suit.

Habiller, to dress, to clothe, to cover, to wrap up, to make clothes, to fit.—Voici le tailleur qui nous *habille*, This is the tailor who makes clothes for us. Ce vêtement vous *habille* bien, This coat fits you well.

Habit, *n. m.* garment, coat, dress-coat; *pl.* clothes, wearing-apparel. — *Habit* bourgeois, Private clothes. Marchand de vieux *habits*, Old clothesman.

Habitable, *a.* inhabitable.

Habitant, -e, *n. m. f.* inhabitant, planter, settler.

Habitation, *n. f.* abode, dwelling.

Habiter, to inhabit, to live in.

Habitude, *n. f.* habit, use, custom, practice. — D'*habitude*, Usual, usually

Habitué, -e, *n. m. f.* frequenter, customer.

Habituel, -le, *a.* habitual, usual.

Habituellement, *adv.* habitually.

Habituer, to accustom, to use.

s'Habituer, to accustom one's self.

' Hache, *n. f.* axe, hatchet.

' Hacher, to chop, to hew.

' Hachette, *n. f.* hatchet.

' Hachis, *n. m.* hash.

' Hagard, -e, *a.* haggard, wild.

' Hai, *int.* ha! well!

' Haie, *n. f.* hedge, line. — *Haie* vive, Quickset hedge.

' Haillon, *n. m.* rag, tatters.

' Haine, *n. f.* hatred.

' Haineu-x, -se, *a.* hateful.

' Haïr (haïssant, haï; je hais), to hate.

' Haïssable, *a.* hateful, odious.

' Hâle, *n. m.* sun, sun-burning.

' Hâlé, -e, sun-burnt, swarthy.

Haleine, *n. f.* breath, wind.—En *haleine*, In breath, in exercise. Hors d'*haleine*, Out of breath. Tout d'une *haleine*, At a stretch.

' Hâler, to burn, to tan.

' Haletant, -e, *a.* panting.

' Haleter, to pant.

' Halle, *n. f.* market.

' Hallebarde, *n. f.* halberd.

' Halte, *n. f.* stop, halt.—' *Halte* halte là! Stop! stand! halt! Faire *halte*, To stop, to halt.

' Hamac, *n. m.* hammock.

' Hambourg, *n. m.* Hamburg.

' Hameau, *n. m.* hamlet.

Hameçon, *n. m.* fish-hook.

' Hamster, *n. m.* hamster (rat).

' Hanche, *n. f.* hip, haunch.

' Hangar, *n. m.* shed, cart-house

' Hanneton, *n. m.* cockchafer.

' Hanovre, *n. m.* Hanover.

' Hanovrien, -ne, *n.* and *a.* Hanoverian.

' Hanter, to frequent, to haunt.

' Harangue, *n. f.* speech, lecture

' Haranguer, to address, to lecture

' Haras, *n. m.* stud.

' Harasser, to harass, to wear out

' Harceler, to harass.

' Hardes, *n. f. pl.* clothes.

' Hardi, -e, *a.* bold, daring.

' Hardiesse, *n. f.* boldness.

' Hardiment, *adv.* boldly.

' Hareng, *n. m.* herring.—*Hareng* saur, Red herring.

' Hargneu-x, -se, *a.* surly, peevish, snarling.

' Haricot, *n. m.* bean. — *Haricot* vert, French bean. *Haricot* blanc, Kidney bean. *Haricot* de mouton, Haricot of mutton, Irish stew.

Harmonie, *n. f.* harmony, union

Harmonieu-x, -se, *a.* harmonious

Harmoniser, to harmonize.

' Harnacher, to harness.

' Harnais, *n. m.* harness.

' Haro, *n. m.* hue and cry.—*Haro* Shame! out upon! Crier *haro* sur quelqu'un, To raise an outcry against one.

Harpagon, *n. m.* miser.

' Harpe, *n. f.* harp.

' Harpon, *n. m.* barpoon, fish-spear

' Hasard, *n. m.* chance, hazard.— Au *hasard*, At random. De *hasard*, Second-hand. Par *hasard* By chance, risk.

' Hasarder, to hazard, to risk.

' Hasardeu-x, -se, *a.* hazardous.

' Hase, *n. f.* doe-hare.

' Hâte, *n. f.* haste, hurry.—A la *hâte*, In haste. Avoir *hâte*, To be in haste.

' Hâter, to hasten, to hurry.

' Hâti-f, -ve, *a.* forward, early.

' Hauban, *n. m.* shroud.

' Haubert, *n. m.* coat of mail.

' Hausse, *n. f.* rise.

' Hausser, to raise, to lift, to rise to shrug (one's shoulders).

' Haut, -e, *a.* high, lofty, tall proud, loud.—*Haut* en couleur, High coloured, ruddy. Le *Haut* Rhin, the Upper Rhine. Le *haut* commerce, the higher branches of commerce, great merchants.

' Haut, *n. m.* height, top.—De *haut* en bas, Downward. Du *haut* en bas, From top to bottom, over

head. En *haut*, Over, above, up stairs. Par en *haut*, At the top, through the top.
'Haut, *adv.* high, up, loud.—Là *haut*, Above, up there, in heaven. De plus *haut*, Higher, farther back. Tout *haut*, Aloud.
'Hautain, -e, *a.* haughty, lofty.
'Hautbois, *n. m.* oboe.
'Haut-de-chausses, *n. m.* small-clothes, upper hose.
'Hautement, *adv.* highly, boldly, openly.
'Hauteur, *n. f.* height, arrogance. —A *hauteur* d'appui, Breast high.
'Hâve, *a.* emaciated, wan.
'Havre, *n. m.* harbour.
'Havre-sac, *n. m.* knapsack.
'Hé, *int.* eh! ho! hoy!
'Heaume (old), *n. m.* helmet.
Hebdomadaire, *a.* weekly.
Héberger, to lodge, to entertain.
Hébéter, to stupefy.
Hébraïque, *a.* Hebrew.
Hébreu, *n. m.* Hebrew.
Hectare, *n. m.* French measure: 2 acres, 1 rood, 35 perches.
'Hein, *int.* hey!
Hélas, *int.* alas!
Hélice, *n. f.* screw, helix.—En *hélice*, Spiral. Bâtiment à *hélice*, Screw-ship.
Héliotrope, *n. m.* heliotrope.
Helléniste, *n. m.* Greek scholar.
Helvétie, *n. f.* (anc.) Switzerland.
Helvétique, *a.* Helvetic, Swiss.— Des sites *helvétiques*, Swiss-like scenery.
Hem, *int.* hem!
'Hennir, to neigh.
'Hennissement, *n. m.* neighing.
Henri, *n. m.* Henry.
Henriette, *n. f.* Henrietta.
Hépatique, *n. f.* liver-wort.
'Héraut, *n. m.* herald.
Herbacé, -e, *a.* herbaceous.
Herbage, *n. m.* pasture, meadow, herb.
Herbe, *n. f.* herb, grass, weed.— *Herbe* marine, Sea-weed. Mauvaise *herbe*, Weed. Manger son blé en *herbe*, To eat one's corn in the blade.
Herbier, *n. m.* herbal (dried plants).
Herbivore, *a.* herbivorous.
Herboriser, to herborize.
'Hère, *n. m.* fellow, wretch.
Héréditaire, *a.* hereditary.
'Hérissé, -e, *a.* bristling, shaggy.
'Hérisser, to bristle up.
se Hérisser, to stand erect, to bristle up.
'Hérisson, *n. m.* hedge-hog.
Héritage, *n. m.* inheritance.
Hériter, to inherit.
Hérit-ier, -ière, *n. m. f.* heir, heiress.
Hermine, *n. f.* ermine.
Héroïne, *n. f.* heroine.
Héroïque, *a.* heroic.
Héroïquement, *a.* heroically.
Héroïsme, *n. m.* heroism.
'Héron, *n. m.* heron.
'Héros, *n. m.* hero.

'Herse, *n. f.* harrow.
'Herser, to harrow.
Hésiter, to hesitate, to falter.— En *hésitant*, Hesitatingly.
Hétérogène, *a.* heterogeneous.
'Hêtre, *n. m.* beech, beech-tree.
Heu, *int.* ah! oh!
Heure, *n. f.* hour, time.—A la bonne *heure*, Well and good, that is right. A l'*heure* qu'il est, At present. De bonne *heure*, Early. D'*heure* en *heure*, Hourly. De meilleure *heure*, Earlier. Sur l'*heure*, Instantly. Quelle *heure* est-il? What o'clock is it?
Heureusement, *adv.* happily, luckily, successfully.
Heureu-x, -se, *a.* happy, lucky, felicitous, beneficial.
'Heurter, to strike, to run against, to shock, to clash.
Hexagone, *n. m.* hexagon (six sides).
Hibernie, *n. f.* Hibernia.
Hibernois, -e, Hibernian (Irish).
'Hibou, *n. m.* owl.
'Hideusement, hideously.
'Hideu-x, -se, hideous, frightful.
Hier, *adv.* yesterday.—*Hier* au soir, Last evening. D'*hier* en huit, Yesterday week. Avant-*hier*, The day before yesterday.
'Hiérarchie, *n. f.* hierarchy.
Hilarité, *n. f.* hilarity, laughter.
Hippopotame, *n. m.* hippopotamus.
Hirondelle, *n. f.* swallow.
'Hisser, to hoist.—*Hisser* pavillon, To hoist one's colours.
Histoire, *n. f.* history, tale, story.
Historien, *n. m.* historian.
Historiette, *n. f.* tale, story.
Historiographe, *n. m.* historiographer.
Historique, *a.* historical.
Hiver, *n. m.* winter.
Hiverner, to winter.
'Ho, *int.* oh! hoy!
'Hocher, to shake, to toss.
'Hochet, *n. m.* coral, toy.
'Holà, *int.* holla! holloa!—Mettre le *hold*, To put a stop.
'Hollandais, *n.* and *a.* Dutchman, Dutch.
'Hollande, *n. f.* Holland.
'Homard, *n. m.* lobster.
Hommage, *n. m.* homage, tribute, testimony; *hommages*, *pl.* respects.—Faire *hommage* à quelqu'un d'une chose, To present any one with a thing. Présenter ses *hommages*, To pay one's respects. Rendre *hommage* à, To do justice to.
Homme, *n. m.* man.—Bon *homme*, Good man, simple man. Brave *homme*, Good man. *Homme* fait, Grown-up man. Petit bon *homme*, Little fellow.
Homogène, *a.* homogeneous, being of the same kind, or of like elements.
Homonyme, *n. m.* namesake.
'Hongrie, *n. f.* Hungary.

'Hongrois, -e, *n.* and *a.* Hungarian.
Honnête, *a.* honest, virtuous, proper, fit, becoming, civil, genteel, moderate. — *Honnête* homme, Honest man. Homme *honnête*, Polite man.
Honnêtement, honestly, civilly.
Honnêteté, *n. f.* honesty, virtue, civility, attention, respectability.
Honneur, *n. m.* honour, respect. —Croix d'*honneur*, Cross of the legion of honour. Demoiselle d'*honneur*, Bridesmaid. Garçon d'*honneur*, Bridesman. Faire *honneur*, to do honour or credit. Se faire *honneur*, To glory in, to consider it an honour.
'Honni, *part.* dishonoured, disgraced.—*Honni* soit qui mal y pense, Evil be to him that evil thinks.
'Honnir, to disgrace.
Honorable, *a.* honourable, creditable, deserving.
Honoraires, *n. m. pl.* fee, salary.
Honorer, to honour, to do credit.
'Honte, *n. f.* shame, disgrace.— Mauvaise *honte*, Bashfulness. Avoir *honte*, To be ashamed. Faire *honte* à, To disgrace, to make ashamed. Faire la *honte* de, To be shame of.
'Honteusement, *adv.* shamefully.
'Honteu-x, -se, *a.* shameful, disgraceful, ashamed, bashful.
Hôpital, *n. m.* hospital, poor's-house.
'Hoquet, *n. m.* hiccough. [house.
Horloge, *n. f.* clock.
Horloger, *n. m.* watch or clock maker.
Horlogerie, *n. f.* watch-making, clock-making.
Hormis, except, save.
Horoscope, *n. m.* casting nativity, fortune-telling.—Faire tirer son *horoscope*, To have one's fortune told.
Horreur, *n. f.* horror, fright.— Faire *horreur*, To be frightful, to strike with horror.
Horrible, *a.* frightful.
'Hors, *prep.* out, beyond, save.— *Hors* d'ici! Begone! *Hors* de soi, Out of one's senses, beside one's self. *Hors* de combat, Disabled. *Hors* de portée, Out of reach.
'Hors d'œuvre, *n. m.* outwork, digression.
'Hors d'œuvre, *n. m.* small dishes served up with the first course as appetizers.
Horticulteur, *n. m.* horticulturist.
Hospice, *n. m.* hospital, alms-house. — *Hospice* des enfants trouvés, Foundling hospital.
Hospital-ier, -ière, *a.* hospitable.
Hospitalité, *n. f.* hospitality.
Hostile, *a.* hostile, unfriendly.
Hostilité, *n. f.* hostility, enmity.
Hôte, *n. m.* host, guest, inhabitant, tenant.—Compter sans son *hôte*, To reckon without one's host.

Hôtel, *n. m.* (private) mansion, (public) hotel, inn. — *Hôtel* de ville, Town-hall. *Hôtel*-Dieu, Hospital. *Hôtel* des Invalides, Hotel for pensioners, like Greenwich and Chelsea hospitals. Maître d'*hôtel*, Steward, butler.
Hôteli-er, -ère, *n.m.f.* inn-keeper.
Hôtellerie, *n.f.* inn.
Hôtesse, *n.f.* landlady, hostess, guest.
'Hotte, *n.f.* creel.
'Hottée, *n.f.* basketful.
'Houblon, *n. m.* hop.
'Houblonnière, *n.f.* hop-ground.
'Houe, *n.f.* hoe.
'Houille, *n.f.* coal, pit-coal.
'Houill-er, -ère, *a.* containing coal.
'Houillère, *n.f.* coal-pit or mine.
'Houle, *n.f.* swell, surge.
'Houlette, *n.f.* crook, sheep-hook.
'Houleu-x, -se, swelling, rough.
'Houppe, *n.f.* tuft, top-knot.
'Houspiller, to tug, to lash, to abuse.
'Housse, *n.f.* cover, horse-cloth.
'Houx, *n. m.* holly.
'Huant, hooting. — Chat-*huant*, *n. m.* screech-owl.
'Huche, *n.f.* kneading-trough, bin.
'Huée, *n.f.* hooting, shouting.
'Huer, to hoot, to shout.
'Huguenot, -e, *n. & a.* Huguenot.
Huile, *n.f.* oil. — *Huile* à brûler, Lamp-oil. *Huile* à manger, Salad-oil. *Huile* de colza, Rape-oil. *Huile* de ricin, Castor oil.
Huiler, to oil.
Huileu-x, -se, *a.* oily, greasy.
Huilier, *n. m.* cruet, cruet-stand.
Huis, *n. m.* door.
Huissier, *n. m.* usher, doorkeeper, summoning law-officer, bailiff.
'Huit, eight, eighth. — Le *huit* de mai, The eighth of May. Tous les *huit* jours, Every week.
'Huitaine, *n.f.* week, eight days.
'Huitième, *a.* eighth.
Huître, *n.f.* oyster.
'Hulotte, *n.f.* owlet, wood owl.
Humain, -e, *a.* human, humane. — Genre *humain*, Mankind.
Humain, *n. m.* human being. — *Humains* (*pl.*), Mankind, men.
Humaniser, to humanize.
s'Humaniser, to become humanized.
Humanité, *n.f.* humanity, mankind, kindness.
Humble, *a.* humble, lowly.
Humblement, humbly.
Humecter, to wet, to moisten.
Humeur, *n.f.* humour, temper, disposition, mood, fancy. — Mauvaise *humeur*, Ill-humour. Avec *humeur*, Crossly. De bonne *humeur*, Good-humoured. Avoir l'*humeur*, To be out of temper, to be cross. Être d'*humeur* à, To be disposed to.
Humide, *a.* wet, damp, moist, watery, dewy.

Humidité, *n. m.* moisture, damp.
Humiliant, -e, *a.* humiliating.
Humilier, to humble.
Humilité, *n.f.* humbleness.
'Hune, *n.f.* top.
'Hunier, *n. m.* top-sail. — Grand *hunier*, Main top-sail. Petit-*hunier*, Fore top-sail.
'Huppé, -e, *a.* crested, leading.
'Hurlement, *n. m.* howl, yell.
'Hurler, to howl, to yell.
'Hussard, *n. m.* hussar.
'Hutte, *n.f.* hut, shed.
Hyacinthe, *n.f.* hyacinth.
Hyène, *n.f.* hyena.
Hygiène, *n. f.* that branch of medicine of which the object is the preservation of health.
Hygiénique, *a.* health-preserving.
Hymne, *n. m.* hymn (song or poem).
Hymne, *n. f.* hymn (in church).
Hyperbole, *n. f.* hyperbole, exaggeration.
Hyperboré, -e, *a.* northern.
Hypocrisie, *n. f.* hypocrisy.
Hypocrite, *a.* hypocritical.
Hypocrite, *n. m.f.* hypocrite.
Hypothèse, *n.f.* supposition.

I.

I, *n. m.* i. — Mettre les points sur les i, To mind one's ps and qs.
Ibère, *n. m.* Spaniard.
Ici, *adv.* here, now. — Jusqu'*ici*, Hitherto, until now. *Ici* bas, In this world. *Ici* près, Close by. D'*ici*, Hence. D'*ici* là, Between this and then, or there. Par *ici*, This way.
Idée, *n. f.* idea, hint. — Avoir une haute *idée* de, To think highly of. Changer d'*idée*, To alter one's mind. Se mettre dans l'*idée*, To take it into one's head. Il me vient à l'*idée*, It occurs to me, it strikes me.
Identifier, to identify.
Identique, *a.* identical, the same.
Identité, *n. f.* identity, sameness.
Idiome, *n. m.* idiom, language.
Idiotisme, *n.m.* idiom, peculiarity.
Idole, *n. f.* idol, statue.
Idylle, *n. f.* idyl.
If, *n. m.* yew, yew-tree.
Ignoble, *a.* ignoble, base.
Ignominie, *n. f.* ignominy.
Ignoré, -e, *a.* unknown.
Ignorer, to be ignorant of, not to know.
Il, *pron. m.* he, it. — *Il* y a des gens, There are people.
Ile, *n. f.* island, isle. *pl.* W. Indies.
Illégitime, *a.* unlawful.
Illimité, -e, *a.* unlimited.
Illisible, *a.* unreadable.
Illuminer, to illuminate, to light.
Illusion, *n. f.* illusion, delusion. — Se faire *illusion*, To delude one's self.

Illusoire, *a.* illusive, delusive.
Illustre, *a.* illustrious.
Illustrer, to illustrate, to make illustrious.
Ilôt, *n. m.* islet, small island.
Ils, *pron.* (*pl.* of il), they.
Image, *n.f.* image, picture. — Sage comme une *image*, A very good boy (or girl).
Imaginaire, *a.* imaginary.
Imaginer, to imagine, to contrive.
s'Imaginer, to fancy, to imagine.
Imbécile, *a.* foolish, silly.
Imbécile, *n. m.* idiot, fool.
Imberbe, *a.* beardless.
Imbiber, to imbibe, to soak.
Imbu, -e, *a.* imbued, impressed.
Imita-teur, -trice, *n. m. f.* imitator.
Imiter, to mimic, to imitate.
Immédiatement, immediately.
Immense, *a.* immense, huge.
Imminent, -e, *a.* impending.
Immiscer, to mix up.
s'Immiscer, to interfere.
Immobile, *a.* motionless.
Immobilité, *n. f.* immobility, stillness.
Immodéré, -e, *a.* immoderate, excessive.
Immoler, to sacrifice, to slay.
Immonde, *a.* unclean, foul.
Immortaliser, to immortalize.
Immortel, -le, *a.* immortal.
Immortelle, *n. f.* everlasting-flower.
Immuable, *a.* unchangeable.
Impair, -e, *a.* odd, uneven.
Impardonnable, *a.* unpardonable.
Imparfait, -e, *a.* imperfect.
Imparfaitement, *adv.* imperfectly.
Impasse, *n. f.* blind-alley, difficulty.
Impassible, *a.* unmoved.
Impatiemment, *adv.* impatiently, eagerly.
Impatience, *n. f.* impatience, longing.
Impatient, -e, *a.* impatient, eager.
Impatientant, -e, *a.* provoking.
Impatienter, to put out of patience.
s'Impatienter, to fret, to get impatient, to lose patience.
Impayable, *a.* invaluable, worth any money, good, funny.
Impératif, *a.* commanding.
Impératrice, *n. f.* empress.
Impérial (impériaux), *a.* imperial.
Impériale, *n. f.* imperial.
Impérieu-x, -se, *a.* haughty.
Impéritie, *n. f.* incapacity, unskilfulness.
Imperméable, *a.* impenetrable, impervious. — *Imperméable* à l'eau, Water-proof. *Imperméable* à l'air, Air-tight.
Impertinemment, *adv.* impertinently.
Impertinent, -e, *a.* saucy, pert, conceited.
Impétueusement, *adv.* impetuously.

teu-x, -se, a. impetuous,	Impropre, a. improper, wrong.	Incompl-et, -ète, a. incomplete.
	Impropriété, n. f. impropriety.	Incompris, -e, a. not understood.
tosité, n. f. impetuosity, fire.	Improviser, to extemporize.	Inconcevable, a. inconceivable.
a. impious, infidel.	Improviste (à l'), unexpectedly,	Inconduite, n. f. misconduct.
yable, a. pitiless, unmer-	unawares.	Incongru, -e, a. incongruous, im-
	Imprudent, -e, a. imprudent,	proper.
yablement, adv. pitilessly.	heedless.	Incongruité, n. f. impropriety.
able, a. inexorable, re-	Impuissance, n. f. impotence,	Inconnu, -e, a. unknown.
ss.	inability.	Inconnu, -e, n. m. f. stranger.
uer, to implicate, to in-	Impuissant, -e, a. powerless,	Inconséquence, n. f. inconsist-
	unable.	ency.
er, to beseech.	Impulsion, n. f. impulse, impetus.	Inconséquent, -e, a. inconsistent.
, -e, a. impolite, rude.	Impunément, adv. with impunity.	Inconsidéré, -e, a. inconsiderate,
ment, rudely.	Impuni, -e, a. unpunished.	rash.
tesse, n. f. impoliteness,	Imputer, to impute, to ascribe.	Inconstance, n. f. inconstancy,
ess.—Faire une impolitesse,	Inabordable, a. inaccessible.	instability, fickleness.
nave impolitely.	Inabrité, -e, a. unsheltered.	Inconstant, -e, a. inconstant,
ance, n. f. importance,	Inaccoutumé, -e, a. unaccus-	fickle, changeable.
tuence, moment.—Avoir	tomed, unusual.	Incontestable, a. unquestionable.
sportance, To be of impor-	Inachevé, -e, a. unfinished.	Incontinent, adv. immediately.
De la dernière importance,	Inadvertance, n. f. inadvertence,	Inconvenance, n. f. impropriety.
se greatest consequence.	over-sight.	Inconvenant, -e, a. improper.
l'homme d'importance, To	Inaltérable, a. unchangeable.	Inconvénient, n. m. inconveni-
he man of consequence.	Inamovible, a. irremovable.	ence.
ant, -e, a. important,	Inanimé, -e, a. inanimate, lifeless.	Incorporer, to embody.
tuential.—Peu important,	Inanité, n. f. emptiness.	Incrédule, a. unbelieving.
terial.	Inaperçu, -e, a. unperceived.	Incroyable, a. incredible.
er, to import.	Inappliqué, -e, a. inattentive,	Incruster, to inlay.
er, to concern, to be of	heedless, careless.	Inculper, to charge, to accuse.
tance, to matter.—Il im-	Inappréciable, a. inappreciable,	Inculquer, to inculcate.
lt matters. N'importe, No	invaluable.	Inculte, a. uncultivated, unpc-
r, never mind. N'importe	Inassoupi, -e, a. sleepless.	lished, rude.
nywhere. Peu importe,	Inassouvi, a. unsatiated.	Incurie, n. f. carelessness.
stters little. Qu'importe!	Inattendu, -e, a. unexpected.	Incursion, n. f. incursion, inroad.
does it signify?	Inaugurer, to inaugurate.	Inde, n. f. India.—Les Indes,
un, -e, a. obtrusive, trou-	Incapable, a. unable, unfit.	Indies. Grandes Indes, Indes
se.	Incapacité, n. f. inability, unfit-	Orientales, East Indies. Indes
unément, adv. importu-	ness.	Occidentales, West Indies.
'.	Incarcérer, to incarcerate.	Indéchiffrable, a. undecipher-
uner, to importune, to	Incarnat, n. m. carnation, flesh-	able, inexplicable.
s.	colour.	Indécis, -e, a. undecided, waver-
nt,-e, a. imposing, stately.	s'Incarner, to become incarnate.	ing.
r, to impose, to awe, to tax.	Incartade, n. f. insult, prank.	Indéfini, -e, a. indefinite.
sposer des privations, To	Incendie, n. m. fire, conflagration.	Indéfiniment, adv. indefinitely.
se self-denial.	—Pompe à incendie, Fire engine.	Indéfinissable, a. unaccountable.
tion, n. f. imposition, tax.	Incendié, n. m. sufferer from fire.	Indélicatesse, n. f. indelicacy.
eur, a. deceitful.	Incendier, to burn, to set fire.	Indemniser, to indemnify.
n. m. tax.	Incertain, -e, a. uncertain.	Indépendamment, adv. indepen-
nt, -e, a. impotent, infirm.	Incertitude, n. f. uncertainty.	dently.
gner, to impregnate.	Incessamment, adv. immediately,	Indépendance, n. f. independence.
gner, to become impreg-	shortly.	Indépendant, -e, a. independent.
.	Incidemment, adv. incidentally.	Indévot, -e, a. not religious.
sion, n. f. impression, print.	Incivil, -e, a. uncivil.	Index, n. m. index, fore-finger.
te d'impression, misprint.	Incivilement, adv. uncivilly.	Indicateur, n. m. indicator, index.
sionnable, a. sensitive.	Inclinaison, n. f. inclination.	—Indicateur des chemins de fer,
sionner, to impress, to	Inclinant, -e, a. inclining.	Railway guide.
	Inclination, n. f. stooping, prone-	Indice, n. m. sign, mark.
royance, n. f. improvidence.	ness.—Par inclination, From in-	Indicible, a. unspeakable.
royant, -e, a. improvident.	clination. Mariage d'inclina-	Indien, -ne, n. and a. Indian.
ru, -e, a. unforeseen.	tion, Love-match.	Indienne, n. f. printed calico,
ner, to imprint, to impress,	Incliner, to bend, to bow.	morning-gown (obsolete).
nt, to impart.	Inclus, -e, a. enclosed.—Ci-inclus,	Indifféremment, indifferently,
nerie, n. f. printing, print-	Herewith.	indiscriminately.
ice.	Incolore, a. colourless.	Indifférence, n. f. indifference,
neur, n. m. printer.	Incommode, a. inconvenient.	unconcern.
oabilité, n. f. unlikelihood.	Incommodé, -e, a. indisposed,	Indifférent, -e, a. indifferent,
oable, a. unlikely.	poorly.	unconcerned, immaterial.
oa-teur, -trice, a. disap-	Incommodément, adv. inconve-	Indigence, n. f. poverty.
ng.	niently.	Indigène, n. and a. native.
sation, n. f. disapprobation.	Incommoder, to incommode, to	Indigent, -e, a. needy.
se, a. dishonest.	inconvenience, to trouble, to	Indigeste, a. indigestible, crude.
sité, n. f. dishonesty.	disagree with.	Indigne, a. unworthy.
nptu, -e, a. extemporary,	Incommodité, n. f. inconvenience.	Indigné, -e, a. indignant.
pared.	Incomparable, a. matchless.	Indignement, unworthily.

Indiguer, to make indignant.
s'Indigner, to be indignant.
Indignité, n. f. unworthiness.
Indigo, n. m. indigo.
Indigotier, n. m. indigo-plant.
Indiquer, to point out, to inform of.
Indiscipliné, -e, a. undisciplined.
Indiscr-et, -ète, a. indiscreet, intrusive.
Indiscrètement, indiscreetly.
Indisposé, -e, indisposed, unwell.
Indisposer, to indispose, to make unwell.
Indistinct, -e, a. indistinct, undistinguishable.
Indistinctement, indistinctly, indiscriminately.
Individu, n. m. individual.
In-dix-huit, n. m. (print) 18mo, eighteen.
Indocile, a. intractable, disobedient.
Indocilité, n. f. indocility.
Indomptable, a. indomitable.
Indompté, -e, a. untamed, wild.
In-douze, a. duodecimo, 12mo.
Indu, -e, a. undue, unseasonable.
Indubitablement, undoubtedly.
Induire (induisant, induit; j'induis, j'induisis), to induce, to lead.
Industrie, n. f. skill, dexterity, talent, trade, business, industry.—Chevalier d'industrie, Swindler.
Industriel, -le, a. industrial, manufacturing.
Industriel, n. m. manufacturer.
Industrieusement, adv. ingeniously.
Industrieu-x, -se, a. ingenious, industrious.
Inébranlable, a. unshaken, firm.
Inébranlablement, immovably.
Inédit, -e, a. unpublished.
Ineffaçable, a. indelible.
Inefficace, a. inefficient.
Inégal, -e, a. unequal, uneven.
Inepte, a. unfit, silly.
Ineptie, n. f. folly, stupidity.
Inépuisable, a. inexhaustible.
Inépuisé, -e, a. unexhausted.
Inerte, a. inert, lifeless.
Inertie, n. f. inertness, inactivity.
Inespéré, -e, a. unexpected.
Inévitable, a. unavoidable.
Inexact, -e, a. inaccurate, incorrect.
Inexactement, adv. incorrectly.
Inexactitude, n. f. incorrectness, want of punctuality.
Inexorable, a. unrelenting.
Inexpérimenté, -e, a. inexperienced.
Inexprimable, a. inexpressible.
Inextinguible, a. unquenchable.
Infaillible, a. unerring.
Infailliblement, adv. infallibly.
Infaisable, a. impracticable.
Infamant, -e, a. ignominious.
Infâme, a. infamous.
Infamie, n. f. infamy.
Infanterie, n. f. infantry, foot.
Infatigable, a. indefatigable.

Infatuer, to infatuate.
s'Infatuer, to be infatuated.
Infect, -e, a. infectious.
Infecter, to infect, to taint.
Inférieur, -e, a. inferior, lower.
Infernal, -e, a. infernal, hellish.
Infester, to infest, to overrun.
Infidèle, a. unfaithful, faithless.
Infidèle, n. m. f. unbeliever, infidel.
s'Infiltrer, to infiltrate, to creep.
Infime, a. lowest.
Infini, -e, a. infinite, endless.—A l'infini, Endlessly, without end.
Infiniment, infinitely.
Infinité, n. f. infinite number.
Infirme, a. infirm, weak, feeble.
Infirmerie, n. f. infirmary.
Infirmité, n. f. infirmity.
Inflexibilité, n. f. inflexibility.
Inflexion, n. f. inflection, modulation.
Infliger, to inflict.
Influent, -e, a. influential.
Influer, to influence, to sway.
In-folio, n. m. folio, a book of two leaves to a sheet.
Information, n. f. inquiry, information.—Aller aux informations, prendre des informations, To make inquiries.
Informe, a. shapeless.
Informer, to inform, to acquaint.
s'Informer, to inquire, to ask.
Infortune, n. f. misfortune.
Infortuné, -e, a. unfortunate.
Infraction, n. f. breach.
Infranchissable, a. impassable.
Infructueusement, fruitlessly.
Infructueu-x, -se, a. fruitless, unavailing.
Infuser, to infuse, to steep.— Faire infuser, To infuse.
Ingambe, a. active, nimble.
s'Ingénier, to tax one's ingenuity, to strive.
Ingénieur, n. m. engineer.
Ingénieusement, ingeniously.
Ingénieu-x, -se, a. ingenious.
Ingénu, -e, a. ingenuous, candid.
Ingénuité, n. f. ingenuousness.
Ingénument, adv. ingenuously.
s'Ingérer, to meddle.
Ingrat, -e, a. ungrateful, sterile.
Inguérissable, a. incurable.
Inhabile, a. unskilful, unfit.
Inhabileté, n. f. unskilfulness.
Inhabitable, a. uninhabitable.
Inhabité, -e, a. uninhabited.
Inhumain, -e, a. inhuman.
Inhumer, to inter, to bury.
Inimaginable, a. unimaginable.
Inimitié, n. f. enmity, hatred.
Inintelligible, a. unintelligible.
Inique, a. iniquitous.
Iniquité, n. f. iniquity, sin.
Initiale, n. f. initial.
Initier, to initiate.
Injonction, n. f. order.
Injure, n. f. injury, wrong, insult. —Dire des injures à, To abuse. Faire injure à, To injure, to wrong.
Injurier, to abuse, to insult.

Injurieu-x, -se, a. injurious, abusive.
Injuste, a. unjust, wrong.
Injustement, adv. unjustly.
Injustice, n. f. injustice, wrong.
Inné, -e, a. innate, inborn.
Innocemment, innocently, harmlessly.
Innocence, n. f. harmlessness.
Innocent, -e, a. harmless.
Innocent, -e, n. m. f. innocent creature (in contempt), simpleton, fool.—Les Innocents, The Innocents.
Innombrable, a. numberless.
Innova-teur, -trice, n. m. f. innovator.
Innover, to innovate.
Inoccupé, -e, a. unoccupied.
In-octavo, n. m. and a. octavo.
Inoculer, to inoculate.
Inodore, a. inodorous, scentless.
Inoffensi-f, -ve, a. harmless.
Inondation, n. f. flood, overflow.
Inonder, to inundate, to overflow, to deluge, to overrun.
Inopiné, -e, a. unexpected, unforeseen.
Inopinément, adv. unexpectedly.
Inopportun, -e, a. unseasonable.
Inorganique, a. inorganic, unorganized.
Inouï, -e, a. unheard of.
In-quarto, n. m. and a. quarto.
Inqu-iet, -iète, a. uneasy, restless.
Inquiéter, to disquiet, to make uneasy, to vex, to disturb.
s'Inquiéter, to make one's self uneasy, to trouble one's self, to inquire, to take notice.
Inquiétude, n. f. uneasiness, anxiety.—Avoir des inquiétudes, To be anxious. Donner des inquiétudes, To make uneasy.
Inquisiteur, n. m. inquisitor.
Insalubre, a. unhealthy.
Insalubrité, n. f. unhealthiness.
Insatiable, a. insatiable.
Inscription, n. f. inscription, inscribing, enrolment.
Inscrire (Écrire), to inscribe.
s'Inscrire, to inscribe one's name.
Insecte, n. m. insect.
Insensé, -e, a. insane, mad, foolish.
Insensibilité, n. f. unfeelingness.
Insensible, a. unfeeling, unconcerned, senseless, callous.
Insensiblement, adv. insensibly, imperceptibly.
Inséparablement, inseparably.
Insérer, to insert.
Insigne, a. notorious, signal.
Insignes, n. m. pl. insignia.
Insignifiance, n. f. insignificance.
Insignifiant, -e, a. insignificant.
Insinuant, -e, a. insinuating, winning.
Insinuer, to insinuate, to instil.
s'Insinuer, to insinuate, to creep, to get into.
Insipide, a. insipid, tasteless.
Insister, to insist, to urge.
Insolemment, impertinently.
Insolence, n. f. impertinence.

it, -e, a. impudent.
e, a. unusual.
able, a. insolvent.
nie, n.f. sleeplessness.
iance, n.f. carelessness.
iant, -e, careless, heedless.
ter, to inspect.
i-teur, -trice, a. inspiring.
ir, to inspire, to suggest.
er, to install.
ller, to take up one's abode,
tle.
iment, adv. earnestly, ur-
r.
ie, n.f. entreaty, urgency.
io instance, Earnestly.
des instances, To entreat.
avec instances, To entreat.
nal de première instance,
of first instance.
t, -e, a. earnest, urgent,
ng.
t, n. m. instant, moment.
instant, Instantly.
(A l'instar de), like, as, in
ion of.
ir, to instil.
teur, n. m. teacher.
tion, n.f. institution.—
d'institution, Head of a
.
trice, n.f. teacher, gover-

iti-f, -ve, a. instructive.
ition, n.f. instruction.
tion, knowledge.—Henri
i l'instruction, Henry was
f learning.
re (instruisant, instruit;
uis, j'instruisis), to teach,
in up, to inform.
iire, to instruct or im-
one's self.
t, -e, informed, well-in-
d, learned.
nent, n. m. tool, imple-
instrument.—Instrument
les, Stringed instrument.
ment à vent, Wind-instru-

nentiste, n. m. instrumen-
rformer.
i l'insu de), unknown to.
is, n. m. failure.
amment, insufficiently.
ance, n.f. insufficiency.
ant, a. insufficient.
re, a. insular.
re, n. m.f. islander.
nt, -e, a. insulting.
, n.f. insult, affront.—
insulte, To insult. Faire
insulte à, To offer an insult

r, to insult, to affront.
ir, to urge to insurrection.
ie insurger, To urge to in-
tion.
ger, to revolt, to rebel.
ontable, a. unconquerable.
-e, a. untouched, unim-
, unsullied.
able, a. inexhaustible.
, a. honest, upright.

Intégrité, n.f. integrity, honesty, uprightness.
Intelligence, n.f. intellect, understanding, ability, knowledge, intercourse, union, league. — Etre d'intelligence, To go hand in hand, or in compact. Etre en bonne intelligence avec, To be on good terms with.
Intelligent, -e, a. intelligent, shrewd.
Intelligiblement, intelligibly.
Intempérant, -e, a. intemperate, immoderate.
Intempérie, n.f. inclemency.
Intempesti-f,-ve,a. unseasonable.
Intempestivement, adv. unseasonably.
Intendant, n. m. steward, surveyor, commissary.
Intenter, to enter, to bring.
Intention, n.f. intent, purpose, view.—A l'intention de, On account of. Avoir l'intention, To intend, to mean, to have an intention. Avoir de bonnes intentions, To mean well.
Intentionné, -e, a. intentioned, meaning.
Intercaler, to interpolate.
Intercéder, to intercede.
Intercepter, to shut out.
Interdire (DIRE), to forbid, to prohibit, to interdict, to suspend, to amaze, to stun.
Interdit, -e, a. interdicted, confused, abashed, nonplussed.
Intéressant, -e, interesting.
Intéressé, -e, a. selfish.
Intéresser, to interest, to concern, to give a share, to appeal.
s'Intéresser, to be interested or concerned, to take an interest.
Intérêt, n. m. interest, share.—Prendre intérêt, de l'intérêt à, To have, to take an interest in. Témoigner de l'intérêt à, To show concern for. Il est de votre intérêt de, It is your interest to.
Intérieur, -e, a. interior, inner.
Intérieur, n. m. inside, interior, home.—Ville de l'intérieur, Inland town. Dans son intérieur, Home, at home.
Intérieurement, internally, inwardly.
Intermédiaire, a. intermediate.
Intermédiaire, n. m. medium.
Interne, a. internal, in-door, resident.
Interne, n. m.f. boarder.
Interposer, to interpose.
Interprète, n. m. interpreter.
Interpréter, to interpret.
Interroga-teur, -trice, n. and a. inquirer, inquiring.
Interroger, to question.
s'Interroger, to examine one's own conscience, to question each other.
Interrompre (ROMPRE), to interrupt, to break off.
Interrompu, pp. interrupted.

Intervalle, n. m. interval, opening.
Intervenir (VENIR), to interfere, to intervene, to happen.
Intervention, n.f. interference.
Intervertir, to invert, to change.
Intime, a. intimate.
Intimement, adv. intimately.
Intimer, to notify.
Intimider, to intimidate.
Intimité, n.f. intimacy, connection.
Intituler, to entitle, to name.
Intraduisible, a. untranslatable.
Intraitable, a. intractable.
In-trente-deux, n. m. (print.) 32mo, in thirty-twos.
Intrépide, a. fearless.
Intrépidement, adv. fearlessly.
Intrépidité, n. f. fearlessness.
Intrigant, -e, a. intriguing.
Intrigant, -e, n. m. f. intriguer.
Intrigue, n. f. intrigue, plot.
Intriguer, to puzzle, to perplex, to intrigue.
Intrinsèque, a. intrinsic.
Introduire (introduisant, introduit; j'introduis, j'introduisis), to introduce, to show in, to slip in, to bring in, to intrude.
Introuvable, a. not to be found.
Intrus, -e, n. m. f. intruder.
Inusité, -e, a. unusual, obsolete.
Inutile, a. useless.
Inutilement, adv. uselessly.
Inutilité, n. f. uselessness.
Invalide, a. infirm, disabled.
Invalide, n. m. invalid, military or naval pensioner. (See Hôtel.)
Invectiver, to inveigh.
Inventaire, n. m. inventory.
Inventer, to invent.—Il n'a pas inventé la poudre, He will never set the Thames on fire.
Inven-teur, -trice, n. m. f. inventor.
Inverse, a. inverse, inverted.—En sens inverse, Inversely, in the contrary direction.
Investiga-teur, -trice, inquiring.
Investigation, n. f. inquiry.
Investir, to invest, to vest.
Invétéré, -e, a. inveterate.
Invincible, a. unconquerable.
Invité, -e, n. m. f. guest.
Inviter, to invite, to advise, to ask, to allure, to summon.
Involontaire, a. involuntary.
Invoquer, to invoke, to call.
Invraisemblable, a. unlikely.
Invraisemblablement, unlikely, improbably.
Invraisemblance, n. f. unlikelihood, improbability.
Irai, ira, shall or will go (ALLER).
Irais, irait, iraient, should or would go (ALLER).
Irions, iriez, should or would go (ALLER).
Irlandais, -e, a. Irish.
Irlande, n. f. Ireland.
Ironie, n. f. irony.
Ironique, a. ironical.
Ironiquement, ironically.

D

Irons, iront, shall or will go (ALLER).
Irréfléchi, -e, a. thoughtless, inconsiderate.
Irréguli-er, -ère, a. irregular.
Irrigation, n. f. watering.
Irrité, -e, part. irritated, wroth, exasperated, excited, angry.
Irriter, to irritate, to provoke, to exasperate, to inflame, to make sore, to sting.
s'Irriter, to get into a passion.
Isabelle, n. f. Isabella.
Isabelle, a. dove-coloured, dun.
Isatis, n. m. polar fox.
Islande, n. f. Iceland.
Isolé, -e, a. lonely, solitary.
Isolement, n. m. loneliness.
Isolément, separately, solitarily.
Isoler, to isolate, to separate, to detach.
Israélite, n. Jew, m., Jewess, f.
Issir, to issue, to go out (obsolete).
Issu, -e, sprung, born. (See Issir.)
Issue, n. f. issue, outlet, end, means.—A l'issue de, On leaving, after.
Isthme, n. m. isthmus.
Italie, n. f. Italy.
Itali-en, -ne, a. and n. m. f. Italian.
Itinéraire, n. m. itinerary.
Ivoire, n. m. ivory.
Ivre, a. intoxicated.
Ivresse, n. f. intoxication.
Ivrogne, n. m. drunkard.
Ivroguerie, n. f. drunkenness.

J.

J' (for je).—J'admire, I admire. J'hésite, I hesitate.
Jacinthe, n. f. hyacinth.—Jacinthe des prés, Blue-bell.
Jaconas, n. m. joconet.
Jacques, n. m. James. — Maître Jacques, Jack of all trades. (See Maître.)
Jactance, n. f. boasting, boast.
Jadis, adv. of old, of yore.
Jaillir, to gush, to spring.
Jais, n. m. jet.
Jalon, n. m. stake, land-mark.
Jalouser, to be jealous of.
Jalousie, n. f. jealousy, Venetian blind.
Jalou-x, -se, jealous, ambitious.
Jamais, adv. never, ever.—A or pour jamais, For ever. A tout jamais, For ever. Au grand jamais, Never any more. Allez-vous jamais au spectacle?—Non, nous n'y allons jamais. Do you ever go to the theatre?—No, we never go.
Jambe, n. f. leg, thigh.
Jambon, n. m. ham.
Janissaire, n. m. janissary.
Janvier, n. m. January.
Japon, n. m. Japan, Japan-ware.
Japonais, -e, n. m. f. Japanese.
Jardin, n. m. garden; in plur,

grounds.—Jardinage, n. m. gardening.
Jardiner, to garden.
Jardinier, n. m. gardener.
Jarret, n. m. hamstring.
Jarretière, n. f. garter.
Jaser, to chatter, to prate.
Jasmin, n. m. jasmine.
Jatte, n. f. bowl.
Jaunâtre, a. yellowish.
Jaune, n. m. and a. yellow, yolk.
Jaunir, to make or become yellow.
Jaunissant, -e, golden, ripening.
Je, pron. I.—Un je ne sais quoi, A something I know not what.
Jean, John.
Jean (La Saint), n. f. St. John's day, Midsummer.
Jeanne, Jane. — Jeanne d'Arc, Joan of Arc.
Jeannot, Johnny.
Jet, n. m. throw, casting, dashing, tossing, stroke, shoot.
Jetée, n. f. jetty, pier.
Jeter, to throw, to cast.
Jeu, n. m. play, sport, game, gambling, working, acting.— Jeu de mots, Quibble, pun. Beau jeu, Fair play. Table de jeu, Card-table. De bon jeu, By fair play. Mettre en jeu, To bring into play or question.
Jeudi, n. m. Thursday.
Jeun (A), adv. fasting.
Jeune, a. young, youthful, junior. —Jeunes gens, Youths, young people. Jeune homme, Youth, young man. Jeune personne, Young lady.
Jeûne, n. m. fasting, fast.
Jeûner, to fast.
Jeunesse, n. f. youth.
Joaillerie, n. f. jewellery.
Joailli-er, -ère, n. m. f. jeweller.
Joie, n. f. joy, mirth.
Joindre (joignant, joint; je joins, je joignis), to join, to unite, to add, to clasp.
Joint, -e, a. (See Joindre).—Ci-joint, Annexed, herewith.
Jointure, n. f. joint.
Joli, -e, a. pretty, nice.
Joliment, prettily, nicely.
Jonc, n. m. rush, cane.
Joncher, to strew, to scatter.
Jonction, n. f. junction.
Jongler, to juggle.
Jongleur, n. m. juggler.
Joue, n. f. cheek.—Coucher en joue, To aim at.
Jouer, to play, to sport, to gamble, to act, to work.—Faire jouer, To set going, to work. Jouer au bouchon, To play at cork (a French game).
Jouet, n. m. toy, sport.
Joueu-r, -se, n. m. f. player, gambler.
Joufflu, -e, a. chubby.
Joug, n. m. yoke.
Jouir, to enjoy, to possess.
Jouissance, n. f. enjoyment, use.
Jouissons (nous), we enjoy.
Joujou, n. m. toy.

Jour, n. m. day, daylight, opening, way, means, light.—Jour gras, Flesh-day. Jour de l'an, New Year's day. A jour, Opening jour, From hand to mouth. De deux jours l'un, Every other day. Grand jour, Broad daylight. Huit jours, A week. Plein jour, Broad day. Pointe du jour, Day-break. Il fait jour, It is day-light. Quinze jours, A fortnight. Tous les jours, Every day. Donner jour à, To give birth to. Se faire jour, To make one's way, to open one's way.
Journal (Journaux), n. m. news-paper.—Marchand de journaux, Newsman.
Journal-ier, -ière, a. daily, variable.
Journal-ier, -ière, n. m. f. day-labourer.
Journée, n. f. day, day-time, day's work, day's journey, battle. Femme de journée, Charwoman. A la journée, By the day.
Journellement, adv. daily.
Jouter, to tilt.
Joyau, n. m. jewel.
Joyeu-x, -se, a. joyful, merry.
Jucher, to roost, to perch.
Judicieu-x, -se, a. judicious, sensible.
Juge, n. m. judge.—Juge de paix, Justice of the peace.
Jugement, n. m. judgment, trial, sentence.
Juger, to judge, to deem, to try, to sentence.
se Juger, to judge one's self, to be tried.
Jui-f, -ve, n. m. f. Jew, Jewess.
Juillet, n. m. July.
Juin, n. m. June.
Jules, n. m. Julius.
Julie, n. f. Julia.
Julienne, n. f. rocket, vegetable soup.
Jum-eau, -elle, a. twin, double.
Jument, n. f. mare.
Jupe, n. f. petticoat, skirt.
Jupon, n. m. petticoat.
Jurer, to swear, to contrast, to clash.—Jurer ses grands dieux, To swear by all that is good and sacred.
Jurisconsulte, n. m. lawyer.
Jus, n. m. juice, gravy.
Jusque (or jusques), prep. as far as, until, till, even, up to, down to.—Jusqu'à ce que, Until, till. Jusqu'ici, So far, hitherto. Jusque que là, So far, up to that time. Jusqu'à dix fois, As many as ten times. Jusqu'à quand? How long? Jusqu'où, How far?
Justaucorps, n. m. close coat.
Juste, a. just, apt, right, tight. —A juste titre, Deservedly.
Juste, adv. just, exactly, right, in tune.—Au juste, tout au just, Precisely, exactly.

ment, *adv.* just, precisely.
sse, *n. f.* justness, accuracy.
ж, *n. f.* justice, righteous-
,
ier, *n. m.* lover of justice.
fier, to justify.
i-x, -se, *a.* juicy.

K.

n. m. khan, prince, inn.
n. m. cap.
es, *n. m.* (Arabic for little
n), dye-stuff, consisting of
dried bodies of an insect
h lives upon the leaves of
prickly oak, growing in
ice, Spain, &c.
n. m. kilo, kilogramme;
thousand grammes, French
le pound weight = about
unds 3 ounces avoirdupois.
aètre, *n. m.* kilometre;
ich measure of length, 1000
es = ⅝ of the statute mile.

L

used for euphony's sake be-
on, where *on* is preceded by
i, ou, où, que, &c.
e, instead of *le* or *la*, before
owel or *h* mute: *l'*abbé,
nme, *l'*abbesse, *l'*héritière.
r the *pron. le* or *la*, before a
el or *h* mute, him, her, it.—
s à Charles que je *l'*estime,
onnais Marie et je *l'*admire,
st le livre? Je *l'*ai.
rt. f. the.—*La* reine, *la* plume,
oublonnière. *La* belle ville
Paris! What a beautiful
Paris is! *La* princesse
ie, Princess Mary. Cinq
cs la bouteille, Five francs
ttle.
ers. pron. her, it, &c.—Con-
sez-vous Marie?—Oui, je la
iais. Do you know Mary?
o (know her). Voici une
:se, je vous *la* donne, Here
. purse, I give it to you.
i-vous Clara?—Oui, je *la*
. Are you Clara? I am
).
idv. there, then. — *Là*-bas,
ow, down there. *Là*-dessus,
reupon. *Là*-dessous, Under
e, below, underneath. *Là*-
ans, Within, in that place. *Là*-
i de *là*, Far from it. De *là*,
ice. Par *là*, By that, thereby,
; way.
ur, *n. m.* labour, toil.
rieusement, *adv.* laboriously.
rieu-x, -se, *a.* industrious,
l-working.
urable, *a.* arable.

Labourage, *n. m.* tillage, plough-
ing.
Labourer, to till, to plough.
Laboureur, *n. m.* husbandman,
tiller, ploughman.
Labyrinthe, *n. m.* maze.
Lac, *n. m.* lake.
Lacer, to lace.
Lacet, *n. m.* lace, braid, springe.
Lâche, *a.* slack, loose, slothful,
cowardly, mean.
Lâchement, *adv.* basely, sloth-
fully, cowardly, loosely.
Lâcher, to slacken, to loosen, to
let loose, to let go.
Lâcheté, *n. f.* cowardice, mean-
ness.
Lacté, -e, *a.* lacteal, milky.—
Voie *lactée*, Milky way.
Lacune, *n. f.* gap, chasm.
Laid, -e, *a.* ugly, plain.
Laideur, *n. f.* ugliness.
Laie, *n. f.* sow.
Laine, *n. f.* wool, worsted.
Laineu-x, -se, *a.* woolly, fleecy.
Laïque, *n. m.* layman; *a.* lay.
Laisser, to leave, to let, to allow.
se Laisser, to let one's self, to
allow one's self.—*Se laisser* aller
à, To give one's self up to.
Laisser-aller, *n. m.* ease, uncon-
straint.
Lait, *n. m.* milk, (of eggs) white.
—*Lait* coupé, Milk and water.
Lait de poule, Mulled egg, egg
flip. Frère, sœur de *lait*, foster-
brother or sister.
Laitage, *n. m.* milk-food, dairy
produce.
Laité, *a.* mixed with milk.
Laiterie, *n. f.* dairy.
Laiteu-x, -se, *a.* milky.
Laitier, *n. m.* milk-man.
Laitière, *n. f.* milk-woman, milk-
maid, (of cows) milch-cow.
Laiton, *n. m.* brass, brass-wire.
Laitue, *n. f.* lettuce.—*Laitue* ro-
maine, Cos lettuce. *Laitue* pom-
mée, Cabbage lettuce.
Lambeau, *n. m.* rag, tatter, shred,
strip, scrap.
Lambris, *n. m.* wainscot, ceiling,
panelling, roof.
Lame, *n. f.* plate, sheet, blade,
sword, wave, surge.
Lamentable, *a.* mournful.
Lamentation, *n. f.* bewailing,
whining.
Lamenter, to lament, to bewail,
to mourn.
Lampas, *n. m.* silk fabric.
Lampe, *n. f.* lamp.
Lamproie, *n. f.* lamprey.
Lance, *n. f.* lance, spear, staff.—
Rompre une *lance* pour quel-
qu'un, To take up the defence
of one.
Lancer, to dart, to throw, to
fling, to cast, to launch, to hurl,
to shoot, to start.
Lancier, *n. m.* lancer, spear-man.
Lande, *n. f.* heath, moor, waste
land.
Langage, *n. m.* language, speech.

Langoureux, *a.* consumptive,
languishing, melancholy.
Langouste, *n. f.* lobster.
Langue, *n. f.* tongue, language,
neck (geog.). — *Langue* morte,
Dead language. *Langue* vivante,
Living language. Coup de *lan-
gue*, Backbiting. Mauvaise *lan-
gue*, Slanderous tongue. Avoir
la *langue* bien affilée, To have a
sharp tongue. *Langue* mater-
nelle, Mother or native tongue.
Langueur, *n. f.* debility, decline.
Languir, to languish, to pine.
Languissamment, *adv.* languidly.
Languissant, -e, *a.* languid, pin-
ing, lingering, flat.
Lanière, *n. f.* thong.
Lansquenet, *n. m.* lansquenet
(from the German *Landsknecht:
Land, Landes*, country, and
Knecht, a hired servant), mer-
cenary German soldier.
Lanterne, *n. f.* lantern.
Lapereau, *n. m.* young rabbit.
Lapider, to stone to death, to pelt.
Lapin, *n. m.* rabbit.
Lapine, *n. f.* doe rabbit, rabbit.
Lapon, -ne, *n. m. f.* Laplander.
Laponie, *n. f.* Lapland.
Laps, *n. m.* (of time) lapse.
Laquais, *n. m.* footman, lackey.
Laque, *n. f.* lac, lake (colour).
Laquelle, *pron. f.* who, which.
Larcin, *n. m.* larceny, theft.
Lard, *n. m.* bacon.
Larder, to lard, to interlard, to
run through, to pierce.
Lare, *n. m.* household god.
Large, *a.* broad, wide.
Large, *n. m.* breadth, width,
offing. — Au *large*, Spaciously,
at one's ease. En *large*, Broad-
wise. Prendre le *large*, To stand
out to sea, to run away.
Largement, *adv.* largely, liberally.
Largesse, *n. f.* largess, liberality.
Largeur, *n. f.* breadth, width.
Larme, *n. f.* tear, drop.—Fondre
en *larmes*, To burst into tears.
Larmoyant, -e, *a.* weeping, in
tears, pathetic.
Larron, *n. m.* thief.
Larve, *n. f.* larva, worm.
Larynx, *n. m.* larynx, windpipe.
Las, -se, *a.* fatigued, tired.
Lasser, to tire, to weary.
Lassitude, *n. f.* weariness.
Latéral, -e, *a.* lateral, side.
Latin, *n. m.* Latin, Roman.—
Latin de cuisine, Dog Latin. Etre
au bout de son *latin*, To be at
one's wits' end. Perdre son *latin*,
To lose one's labour.
Latiniste, *n. m.* Latin scholar.
Latinité, *n. f.* Latinity.
Latitude, *n. f.* latitude, climate.
Latone, *n. f.* Latona.
Latte, *n. f.* lath.
Laurier, *n. m.* laurel, bay.
Lavabo, *n. m.* wash-hand stand.
Lavage, *n. m.* washing, slop.
Lavande, *n. f.* lavender.
Lave, *n. f.* lava.

Laver, to wash.

Lavoir, n. m. wash-house, scullery.

Layetier, n. m. box-maker.

Layette, n. f. baby-linen.

Lazaret, n. m. lazaretto.

Lazzarone, n. m. in the pl. Lazzaroni, beggars and idlers in Naples.

Lazzi, n. m. pantomime, buffoonery, jest.

Le, art. m. (la, f. les, pl.), the.— Le beau pays que la France! What a fine country France is! Le cardinal Richelieu, Cardinal Richelieu.

Le, pers. pron. m. (la, f. les, pl.), him, he; it, or so. Etes-vous malade?—Oui, je le suis, Are you ill?—Yes. I am (so).

Lécher, to lick.

Leçon, n. f. lesson, lecture.—Faire la leçon à, To lecture.

Lec-teur, -trice, n. m. f. reader.

Lecture, n. f. reading, perusal.— Livre de lecture, Reading-book. Cabinet, salon de lecture, Reading-room, circulating library. Avoir beaucoup de lecture, To be well read. Faire la lecture, To road.

Légal, -e, a. lawful.

Légataire, n. m. legatee.—Légataire universel, Residuary legatee.

Légende, n. f. legend.

Lég-er, -ère, a. light, nimble, slender, slight, thoughtless, flimsy.—Léger à la course, Swift, nimble-footed. A la légère, Slightly, inconsiderately.

Légèrement, adv. lightly, nimbly, thoughtlessly, inconsiderately.

Légèreté, n. f. lightness, nimbleness, frivolity, thoughtlessness, inconsiderateness.—Par légèreté, From want of thought.

Légion, n. f. legion. — Légion d'Honneur, Legion of Honour.

Législateur, n. m. lawgiver.

Légitime, a. lawful, legal.

Légitimement, adv. legitimately, lawfully, legally, justifiably.

Légitimer, to legitimate, to recognize.

Legs, n. m. legacy.

Léguer, to bequeath, to leave.

Légume, n. m. kitchen vegetable, pot-herb. — Voici des légumes pour mettre, dans la soupe, Here are vegetables for the soup. Les navets, les carottes sont des légumes (see Végétal).

Légumier, n. m. kitchen garden.

Légumineu-x, -se, a. leguminous.

Lendemain, n. m. following day (past or future), the morrow.

Lent, -e, a. slow.

Lentement, adv. slowly.

Lenteur, n. f. slowness.

Lentille, n. f. lentil, lens.

Léonce, n. m. Leontius.

Lequel, pron. (laquelle, f., lesquels, m. pl., lesquelles, f. pl.), who, which, whom, that, which one. — Lequel prendrez-vous, Which will you take?

Les, art. m. f. pl. the.

Les, pron. m. f. pl. them.

Léser, to injure, to wrong.

Lésine, n. f. stinginess.

Lésiner, to be stingy.

Lésinerie, n. f. stinginess, meanness.

Lesquels, m., lesquelles, f., who, that, which, &c., with reference to plural nouns.

Lessivage, n. m. wash, washing.

Lessive, n. f. washing.—Faire la lessive, To wash.

Lest, n. m. ballast.

Leste, a. nimble, brisk, spruce, light, improper, too free.

Lestement, nimbly, briskly, cleverly, improperly.

Lettre, n. f. letter; Lettres (pl.), literature. — Lettre affranchie, Paid letter. Lettre de change, Bill of exchange. Lettre de faire part, Circular, funeral letter. Lettre de recommandation, Letter of introduction. Boîte aux lettres, Letter - box. Lettre chargée, Letter of value, registered letter. A la lettre, Literally, verbatim. Au pied de la lettre, Literally, in a literal sense, to the letter. En toutes lettres, At full length.

Lettré, -e, a. lettered, literary.

Leur, pron. pers. m. f. pl. to them, them (pl of LUI).

Leur, a. poss. m. f. sing. their.— Le leur, la leur, les leurs, pron. poss., Theirs.

Leurs, a. poss. pl. their.

Levain, n. m. leaven, yeast.

Levant, rising, &c. (LEVER).

Levant, n. m. East, Levant.

Levantine, n. f. levantine (silk).

Levée, n. f. raising, rising, levying, embankment, collection.

Lever, to raise, to lift, to get up, to take away, to levy, to weigh. —Lever les épaules, To shrug up one's shoulders. Lever la garde, To relieve the guard. Lever un lièvre, To start a hare. Faire lever une perdrix, To flush a partridge. Lever les oreilles, To prick up one's ears.

se Lever, to rise, to get up, to arise, to stand up.

Lever, n. m. rising, levee.—Lever du soleil, Sun-rise.

Levier, n. m. lever, crow-bar.

Levis (Pont), n. m. drawbridge.

Levraut, n. m. young hare.

Lèvre, n. f. lip.—Avoir le cœur sur les lèvres, To be open-hearted. Se mordre les lèvres de quelque chose, To repent of a thing.

Levrette, n. f. harrier (harehound).

Lévrier, n. m. greyhound, harrier.

Lexique, n. m. lexicon.

Lézard, n. m. lizard.

Lézarder, to crevice, to crack.

Liaison, n. f. union, connection, acquaintance, binding.

Liane, n. f. bindweed, creeper.

Liant, -e, a. supple, pliant, affa-

ble, that easily forms connections.

Liard, n. m. farthing, a small copper coin, not half a farthing.

Liarder, to club together, to be stingy, to pay farthing by farthing.

Liasse, n. f. bundle, file.

Libéral, -e, liberal free, generous.

Libéra-teur, -trice, n. deliverer.

Libération, n. f. deliverance.

Libérer, to discharge, to liberate.

Liberté, n. f. liberty, freedom.

Libraire, n. m. bookseller.

Libraire-éditeur, publisher.

Librairie, n. f. book-selling, book-trade, bookseller's shop.

Libre, a. free, bold, broad, disengaged, unoccupied. — École libre, Private school.

Librement, freely, boldly.

Libye, n. f. Libya.

Licencié, n. m. licentiate.

Licou, n. m. halter.

Lie, n. f. lees, dregs, scum.

Lié, -e, part. tied, intimate.

Liége, n. m. cork.

Lien, n. m. bond, tie, strap; in pl., bonds, shackles, irons.

Lier, to bind, to tie, to fasten, to connect, to engage in.—Lier conversation, To enter into conversation.

se Lier, to bind one's self, to be connected, to league, to become intimate.

Lierre, n. m. ivy.

Lieu, n. m. place, spot, room, stead, occasion, reason.— Lieu de passage, Thoroughfare. Au lieu de, Instead of. Au lieu que, Whereas. En quelque lieu que ce soit, Any where. Avoir lieu, To take place. Donner lieu à, To give rise to. Tenir lieu de, To be like, to do instead of.

Lieue, n. f. league.

Lieutenant (sous-), n. m. ensign.

Lièvre, n. m. hare.

Ligne, n. f. line, path, way, fishing-line.—En première ligne, In the first rank, foremost. A la ligne, In a new line. De ligne, In a line. Hors ligne, Beyond comparison. Ligne dormante, Dead line.

Ligneu-x, -se, a. ligneous, woody.

Ligue, n. f. league, plot.

Liguer, to league.

Ligueu-r, -se, n. m. f. leaguer.

Lilas, n. m. and a. lilac.

Lilliputien, -ne, a. Lilliputian.

Limaçon, n. m. snail.—Escalier en limaçon, winding-staircase.

Limande, n. f. dab, mud-fish.

Lime, n. f. file.

Limer, to file, to file off.

Limier, n. m. blood-hound, spy.

Limite, n. f. limit, bound.

Limiter, to limit, to confine.

Limonade, n. f. lemonade.

Limonad-ier, -ière, n. m. f. dealer in lemonade, coffee-house keeper.

Limousin, n. m. French province,

the chief town of which is Li-moges.

Limousin, -e, n. and a. belonging to Limoges, or to the province of Limousin.—Tête de Limousin, Strong-headed (or stubborn) Limousin.

Limpide, a. limpid, clear.

Limpidité, n. f. clearness.

Lin, n. m. flax.—Graine de lin, Linseed.

Linéaire, a. linear, lineal.—Dessin linéaire, Geometrical drawing.

Linge, n. m. tissues for bodily and household use, linen articles generally. (See Toile.)

Linger, n. m. hosier.

Lingère, n. f. needlewoman, hosier.

Lingerie, n. f. hosiery, linen-trade, linen-room.

Lingot, n. m. ingot, bullion.

Linguiste, n. m. linguist.

Linon, n. m. lawn.

Linot, -te, n. m. f. linnet.

Linteau, n. m. lintel.

Lion, n.m. lion; lionne, n.f. lioness.

Lionceau, n.m. young lion, cub.

Liqueur, n. f. liquor, liquid, cordial.—Vin de liqueur, Sweet wine.

Liquidation, n. f. settlement, selling off.

Liquide, a. liquid, watery.

Liquide, n. m. liquid, fluid.

Liquider, to liquidate, to discharge, to sell off, to settle.

Liquoreu-x, -se, luscious, sweet.

Lire (lisant, lu; je lis, je lus), to read.—Lire tout haut, à haute voix, To read out.

Lis, n. m. lily.—Fleur de lis, Flower de lis or de luce.

Liseré, n.m. border, piping, strip.

Liseu-r, -se, n. m. f. reader.

Lisible, a. legible.

Lisiblement, adv. legibly.

Lisière, n. f. list, selvage, leading-string, border, skirt.

Lisse, a. smooth, sleek, glossy.

Lisser, to smooth, to gloss.

Liste, n. f. list, roll.

Lit, n. m. bed, bedstead, layer.—Bois de lit, Bedstead. Garder le lit, To keep one's bed. Rester au lit, To lie in bed.

Literie, n. f. beddings.

Lithographe, n. m. lithographer.

Lithographie, n. f. lithography.

Lithographier, to lithograph.

Litière, n. f. litter.

Litre, n. m. from the Greek litra, measure; a French measure, a little less than an English quart.

Littéraire, a. literary.

Littérateur, n. m. literary man.

Littoral, n. m. coast, shore.

Livide, a. livid, black and blue.

Livourne, n. f. Leghorn.

Livraison, n. f. delivery, part.

Livre, n. m. book.—Livre de compte, Book of accounts. Teneur de livres, Book-keeper.

A livre ouvert, At sight. Livres de fonds, Books kept in stock.

Livre, n. f. 1. pound, 2. franc, 3. coin of olden France, worth 24 sous, nearly 1s.—A la livre, By the pound. Deux francs la livre, Two francs a pound. Dix mille livres de rente, £400 a year.

Livrée, n. f. livery.

Livrer, to deliver, to give, to betray.—Livrer la guerre, To wage war. Livrer bataille, To give battle, to fight.

se Livrer, to deliver one's self up, to trust one's self, to devote one's self, to indulge one's self. Une bataille s'est livrée à Magenta, A battle was fought at Magenta.

Livret, n. m. book, a memorandum book, certificate.

Local, n. m. premises, room.

Localité, n. f. locality, place.

Locataire, n. m. f. tenant, lodger.

Location, n. f. letting, letting out, hiring, renting.

Locomo-teur, -trice, a. of locomotion.

Locomotive, n. f. locomotive engine.

Locution, n. f. form, expression, phrase.

Loge, n. f. lodge, cell, box, kennel, den.

Logeable, a. inhabitable.

Logement, n. m. lodging, house-room.

Loger, to lodge, to stay, to put up, to stable.

se Loger, to lodge, to put up at.

Logique, n. f. logic; logical, a.

Logis, n. m. dwelling, habitation, lodging.—Au logis, At home.

Loi, n. f. law, rule.—Homme de loi, Lawyer. Faire loi, To be a law. Faire la loi, To give the law. Se faire une loi, To make a point.

Loin, adv. far, far off.—Au loin, Far, afar. De loin en loin, At distant intervals.

Lointain, -e, a. far, distant.

Lointain, n. m. distance, background.

Loir, n. m. dormouse.

Loisir, n. m. leisure; loisirs (pl.), leisure hours.—A loisir, Leisurely.

Lombard, n. and a. Lombard.

Lombardie, n. f. Lombardy.

L'on, used for euphony's sake (see L') instead of on (which see).

Londres, n. m. London.

Long, -ue, a. long, slow.

Long, n. m. length.—Au long, tout au long, At large, at full length. De son long, tout de son long, All one's length. En long, Lengthwise. En long et en large, Up and down. Le long de, Along, long. En savoir long, To be cunning or sharp.

Longe, n. f. tether, loin.

Longer, to go or run along.

Longévité, n. f. great length of life.

Longtemps, adv. long, a long time.—Depuis longtemps, Long since, for a long time. Il y a longtemps, Long ago.

Longue, n. f. long.—A la longue, In the long run.

Longuement, adv. long, at length.

Longueur, n. f. length, slowness, prolixity.—Cette table a dix pieds de longueur, This table is ten feet long.

Longue-vue, n. f. telescope, glass.

Loque, n. f. rag, tatter.

Lorgner, to ogle, to quiz.

Lorgnette, n. f. opera-glass.

Lorgnon, n. m. eye-glass.

Loriot, n. m. loriot, gold-hammer.

Lors, adv. then.—Lors de, At the time of. Depuis lors, Since then. Dès lors, Since then. Pour lors, Then, at that time. Lors même que, Even though.

Lorsque, conj. when.

Lot, n. m. lot, share, prize.—Gros lot, First prize.

Loterie, n. f. lottery, raffle.

Lotte, n. f. lote, eel-pout.

Louable, a. praiseworthy.

Louage, n. m. letting, hire, rent.—De louage, Hired.

Louais, I praised, or I hired.

Louange, n. f. praise.

Louanger, to praise, to laud.

Louangeu-r, -se, a. laudatory.

Louche, a. squint, ambiguous.

Loucher, to squint.

Louer, to let, to hire, to rent.—A louer, To let, to be let.

Louer, to praise.

se Louer, to be satisfied with.

Loueu-r, -se, n. m. f. hirer.—Loueur de chevaux, Livery stable keeper.

Louis, n. m. louis, a gold coin, value 24 livres (see Livre), about 19s.—In more recent times, 20 francs.

Louise, n. f. Louisa.

Loup, n. m. wolf.—Loup de mer, An experienced sailor, jack-tar. Entre chien et loup, In the dusk of the evening. Etre connu comme le loup blanc, To be known by everybody.

Loup-cervier, n. m. lynx.

Loupe, n. f. magnifying-glass, wen.

Lourd, -e, a. heavy, dull, clumsy.

Lourdaud, -e, n. m. f. blockhead.

Lourdement, adv. heavily.

Lourdeur, n. f. heaviness.

Loutre, n. f. otter.

Louve, n. f. she-wolf.

Louveteau, n. m. young wolf, whelp.

Louvetier, n. m. master of a wolf-hunting train.

Loyal, -e, a. honest, fair, just.

Loyalement, adv. honestly.

Loyauté, n. f. honesty, fairness.

Loyer, n. m. hire, rent.

Lu, pp. of Lire, read.

Luc, n. m. Luke.

Lueur, n. f. glimmer, gleam.

Lugubre, a. mournful, dismal.

Lui, pron. pers. m. he, him, it, to him, to it.

Lui, pron. pers. f. to her, to it.

Lui, pp. of LUIRE, shone.

Luire (luisant, lui; je luis), to shine, to glitter.

Luisant, -e, a. shining, glossy.— Ver luisant, Glow-worm.

Lumière, n. f. light, knowledge, wisdom.

Lumineu-x, -se, a. luminous.

L'un, the former; les uns, some.

L'un et l'autre, both.

L'un l'autre (les uns les autres), each other, one other.

L'un ou l'autre, either.

Lunaire, a. lunar.

Lundi, n. m. Monday. — Venez lundi, Come on Monday. Il vient le lundi, He comes on Mondays.

Lune, n. f. moon.—Pleine lune, Full moon.

Lunette, n. f. telescope, spy-glass.—Lunettes (pl.), Spectacles. Lunette d'approche, Telescope.

Lus (je), I read (past).

Lustre, n. m. lustre, gloss, chandelier.

Lustrer, to give a gloss, to glaze.

Luth, n. m. lute.

Luthier, n. m. lute-maker.

Lutte, n. f. wrestling, struggle.

Lutter, to struggle, to strive.

Lutteur, n. m. wrestler.

Luxe, n. m. luxury.—Objets de luxe, Fancy goods. Reliure de luxe, Very elegant binding.

Luzerne, n. f. lucerne, a species of trefoil, cultivated for fodder.

Lycée, n. m. lyceum, college.

Lyon, n. m. Lyons.

M.

M' instead of me, before a vowel or h mute :—1. Il m'aime. 2. Il m'honore.

Ma, poss. a. f. (pl. Mes), my.

Macaron, n. m. macaroon.

Mâche, n. f. corn-salad.

Mâcher, to chew, to masticate.

Machinal, -e, a. mechanical.

Machine, n. f. machine, engine, machinery, contrivance. — Machine à vapeur, Steam-engine.

Mâchoire, n. f. jaw.

Maçon, n. m. mason, bricklayer.

Maçonnage, n. m. masonry.

Maçonner, to do mason's work, to wall up.

Maçonnerie, n. f. masonry.

Macreuse, n. f. scoter, sea-duck.

Madame, n. f. Mrs., Madam, Ma'am, this lady, my lady.

Madapolam, n. m. cotton cloth.

Mademoiselle, n. f. Miss, Madam.

Mesdemoiselles, young ladies, ladies.

Madère, n. m. Madeira (wine).

Madras, n. m. Madras handkerchief.

Magasin, n. m. warehouse, storehouse, shop, magazine.—Magasin de nouveautés, Linen-draper's shop. En magasin, In stock.

Mage, n. m. magian; mages (pl.), magi, wise men.

Magicien, -ne, n. m. f. magician.

Magie, n. f. magic.

Magister, n. m. country schoolmaster, "dominie."

Magistrat, n. m. magistrate.

Magistrature, n. f. magistracy.

Magnan, n. m. silkworm.

Magnanerie, n. f. silkworm nursery.

Magnanime, a. high - minded, noble.

Magnanimité, n. f. magnanimity.

Magnifique, a. magnificent, grand.

Magnifiquement, adv. magnificently, nobly.

Mai, n. m. May (month).

Maigre, a. lean, meagre, thin, slender, poor, sorry, dry, barren. —Jour maigre, Fish-day. Maigre chère, Poor cheer.

Maigre, n. m. lean, thin.—Faire maigre, To abstain from meat.

Maigrelet, -te, a. thin.

Maigrement, meagrely, poorly.

Maigreur, n. f. leanness, thinness.

Maigrir, to grow lean.

Maille, n. f. stitch, mesh.—N'avoir ni sou ni maille, Not to be worth a groat.

Maillechort, n. m. a composition made of nickel, zinc and copper.

Main, n. f. hand, quire.—Main forte, Aid, assistance. A pleines mains, Plentifully. A la main, By the hand. Coup de main, Bold stroke, sudden attack, lift. De longue main, Of long standing. Sous la main, At hand. En venir aux mains, To come to blows. En mettre la main au feu, To take one's oath of it. Faire main basse sur, To lay violent hands on.

Main d'œuvre, n. f. workmanship, labour.

Maint, -e, a. many, many a.

Maintenant, adv. now.

Maintenir (like TENIR), to maintain, to sustain, to uphold, to keep up.

Maintien, n. m. maintenance, preservation, keeping up, deportment.

Maire, n. m. mayor.

Mais, conj. but, why. — N'en pouvoir mais, Cannot help it.

Maïs, n. m. maize, Indian corn.

Maison, n. f. house, home, family, household, firm. — Maison de plaisance, Villa. A la maison, At home, in-doors. Faire maison nette, To clear the house.

Maisonnette, n. f. small house.

Maître, n. m. master, owner, teacher, a title given to a barrister or an attorney, ironically used to give mock importance.

Maître corbeau, Master Crow. Petit maître, Fop, coxcomb. Maître d'étude, Usher. Maître d'hôtel, Steward, butler. A la maître d'hôtel, A sauce of melted butter, chopped parsley, onions, pepper and salt. De maître, de main de maître, en maître, Masterly. Trouver son maître, To find one's match.

Maître Jacques, factotum, jack of all trades, a character who is both a cook and a coachman, in Molière's Miser (l'Avare).

Maîtresse, n. f. mistress, landlady, owner, teacher.

Maîtriser, to master, to subdue, to overcome.

Majesté, n. f. majesty.—V. M. stands for Votre Majesté, Your Majesty. S. M. for Sa Majesté, His or Her Majesty.

Majestueu-x, -se, a. majestic.

Majeur, -e, a. major, greater, important, of age.

Majeur, n. m. middle finger.

Major, a. m. major.—État major, Staff.

Majordome, n. m. majordomo.

Mal (maux), n. m. evil, ill, harm, hurt, mischief, trouble, ache, sore, disease.—Mal au cœur, Sickness. Le mal du pays, Home-sickness. En mal, Amiss, unfavourably. Avoir mal à, To have the .... ache, to have sore... Avez-vous mal à l'œil? Is your eye sore? Etes-vous sujet au mal de mer? Are you subject to sea-sickness? Prendre en mal, To take a thing amiss or ill. Tourner en mal, To misconstrue, to misinterpret.

Mal, adv. ill, badly, amiss.—Plus mal, le plus mal, Worse, the worst.—(See Pis.) De mal en pis, Worse and worse. Aller plus mal, To grow worse. Être mal avec, To be on bad terms with. Se trouver mal, To faint, to be uncomfortable. Trouver mal, To find fault with.

Malade, a. ill, sick, unwell, poorly, diseased, sore.

Malade, n. m. f. invalid, patient.

Maladie, n. f. illness, sickness, disease, complaint.

Maladi-f, -ve, a. sickly, unhealthy.

Maladresse, n. f. awkwardness.

Maladroit, -e, a. awkward, stupid.

Maladroitement, awkwardly.

Malaise, n. m. uneasiness, uncomfortableness.

Malaisé, -e, a. difficult, hard.

Malavisé, -e, a. ill-advised, imprudent, ill-informed.

Mal bâti, n. a. ill-shaped.

Mâle, a. male, manly, masculine.

Malédiction, n. f. curse.

Maléfice, n. m. witchcraft.
Malencontreusement, unluckily.
Malencontreu-x, -se, a. unlucky, untoward.
Malentendu, n. m. misunderstanding.
Malepeste, int. plague on it !
Malfaisant, -e, a. mischievous.
Malfaiteur, n. m. evil-doer.
Malfamé, -e, a. ill-famed.
Malgré, prep. in spite of.
Malheur, n. m. misfortune, unhappiness, ill-luck.—Malheur à . . . ! Woe to ! Par malheur, Unfortunately. Porter malheur, To bring ill-luck. A quelque chose malheur est bon, It is an ill wind that blows nobody good.
Malheureusement, adv. unfortunately.
Malheureu-x, -se, a. unfortunate, unhappy, unlucky, unsuccessful, wretched ; n. wretch, &c.
Malhonnête, a. dishonest, rude.
Malhonnêtement, dishonestly, rudely.
Malhonnêteté, n. f. impoliteness, rudeness.
Malice, n. f. malice, spite, mischief.—Faire une malice, To play a trick.
Malicieu-x, -se, a. malicious, sly.
Malignité, n. f. malignity.
Malin, maligne, a. malicious, malignant, sly, sharp, cunning.
Malines, n. f. Mechlin lace.
Malle, n. f. trunk, mail.—Faire sa malle, To pack up.
Malle-poste, n. f. mail (coach).
Malmener, to use ill, to abuse.
Malotru, n. m. ill-bred person.
Malpropre, a. dirty, slovenly.
Malproprement, dirtily.
Malpropreté, n. f. slovenliness.
Malsain, -e, a. unhealthy.
Malséant, -e, a. unbecoming.
Maltraiter, to ill-treat, to wrong.
Maman, n. f. mamma, mother.—Grand'maman, Grand-mamma.
Mamelonné, a. mamillated.
Mammifère, n. mammifer. An animal that has breasts for nourishing her young.
Manant, n. m. clown, churl.
Manche, n. m. handle, stick.
Manche, n. f. sleeve, channel.—La Manche, The British Channel. C'est une autre paire de manches, It is quite another thing.
Manchette, n. f. ruffle, cuffs.
Manchon, n. m. muff.
Manchot, -e, a. one-handed, one armed.
Mandat, n. m. mandate, commission, check, order (post-office).
andement, n. m. mandate, order.
Mander, to inform, to send.
Manége, n. m. training, horsemanship, riding-school, manœuvres, intrigue.
Mânes, n. f. shades.
Mangeaille, n. f. food, eating.
Manger, to eat, to consume, to squander.—On mange bien dans ce restaurant, The cooking is good in that restaurant. Manger son bien, To squander one's estate or money.
se Manger, to be eaten or eatable, to destroy each other.
Manger, n. m. eating, food.
Manie, n. f. mania, rage.
Manier, to handle.
Manière, n. f. manner, way, style.—A la manière de, After the manner of. De manière à, So as to. De manière que, So that.
Maniéré, a. affected.
Manifester, to manifest.
Manne, n. f. hamper, basket.
Mannequin, n. m. manikin, hamper, puppet, layman.
Mannequiner, to hamper.
Manœuvre, n. f. manœuvre, drill, rigging, rope, working.
Manœuvre, n. m. workman, labourer.
Manœuvrer, to manœuvre, to work, to drill.
Manque, n. m. want, fail.
Manqué, -e, a. defective, abortive.—Peintre manqué, Would-be painter.
Manquement, n. m. omission, failure.
Manquer, to fail, to err, to miss, to give way, to be near, to want, to be missing, to forfeit (one's word), to lose.
Mansarde, n. f. garret.
Manteau, n. m. cloak, mantle.
Mantelet, n. m. short cloak.
Mantille, n. f. mantilla.
Manuel, -le, a. manual.
Manuel, n. m. handbook.
Manufacture, n. f. manufacture, manufactory.
Manufacturer, to manufacture, to work.
Manufacturier, n. m. manufacturer.
Manufactur-ier, -ière, a. manufacturing.
Manuscrit, n. m. manuscript.
Manutention, n. f. management, care, making.
Mappemonde, n. f. map of the world.
Maquereau, n. m. mackerel.—Groseille à maquereau, Gooseberry.
Maquignon, n. m. horse-dealer, jockey.
Marais, n. m. marsh, swamp.—Marais salant, Salt-pit. Chasse au marais, Snipe-shooting.
Marasquin, n. m. maraschino (liqueur).
Marand, -e, n. m. f. knave, rascal.
Marauder, to maraud.
Maraudeur, n. m. marauder.
Marbre, n. m. marble.
Marbrer, to marble.
Marbrier, n. m. marble-cutter.
Marc, n. m. residue, grounds, grout.
Maro, n. m. Mark.

Marcassin, n. m. young wild boar.
Marceline, n. f. Persian (stuff).
Marchand, n. m. dealer, tradesman, shopkeeper, monger.—Le bon marchand, The honest tradesman. Marchand de chevaux, Horse dealer.
Marchand, -e, a. merchantable, saleable, trade, trading, commercial. —Marine marchande, merchant service.
Marchande, n. f. shopkeeper, shopwoman, dealer. — Marchande à la toilette, Old clothes woman.
Marchander, to bargain, to haggle, to grudge.
Marchandise, n. f. wares, goods.
Marche, n. f. walk, step, march, way, course, arrangement, conduct, stair, sailing.—Fermer la marche, To bring up the rear. Se mettre en marche, To start.
Marché, n. m. market, bargain.—A bon marché, Cheap. A meilleur marché, Cheaper. Par-dessus le marché, Over the bargain. En être quitte à bon marché, To get off cheaply.
Marchepied, n. m. foot-board, step, stepping-stone.
Marcher, to walk, to tread, to march, to proceed.
Marcheu-r, -se, n. m. f. walker.
Mardi, n. m. Tuesday. — Mardi gras, Shrove Tuesday.
Mare, n. f. pond, pool.
Marécage, n. m. marsh, swamp, bog.
Marécageu-x, -se, a. marshy.
Maréchal, n. m. farrier, marshal. — Maréchal ferrant, Farrier. Maréchal de France, Field-marshal.
Marée, n. f. tide, sea-fish.—Marée montante, Rising tide. Marée descendante, Ebb. Train de marée, Tidal train. Marchand de marée, Fishmonger.
Marge, n. f. margin.—Avoir de la marge, To have time enough.
Marguerite, n. f. Margaret.
Marguerite, n. f. daisy, pearl.—Reine marguerite, China aster.
Mari, n. m. husband.
Mariage, n. m. marriage, matrimony.
Marié, n. m. bridegroom.
Mariée, n. f. bride.
Marier, to marry, to match, to wed, to unite, to join.—Mon oncle a marié toutes ses filles, My uncle has married all his daughters. Voici le pasteur qui nous a mariés, Here is the clergyman who married us. (See Épouser.) Quand vous marierez-vous ! When will you marry ?
se Marier, to marry, to get married, to unite, to ally, to match.
Marin, -e, a. marine, seafaring.—Monstre marin, Sea-monster. Plante, herbe marine, Seaweed. Avoir le pied marin,

have sea-legs, ability to walk on the deck of a ship when pitching or rolling.

Marin, *n. m.* sailor, seaman.

Marine, *n. f.* navy, sea-piece.

Mariner, to pickle, to souse.

Marionnette, *n. f.* puppet.

Maritime, *a.* maritime, naval.— Province *maritime*, A province bordering upon the sea.

Marmelade, *n. f.* marmalade.

Marmite, *n. f.* pot, saucepan.

Marmiton, *n. m.* scullion.

Marmotte, *n. f.* marmot (animal).

Marmotter, to mutter, to mumble.

Maroquin, *n. m.* morocco.

Marquant, -e, *a.* of note, striking.

Marque, *n. f.* mark, token, sign.

Marquer, to mark, to denote, to show, to appear, to bear the stamp of.

Marquis, *n. m.* marquis.

Marquisat, *n. m.* marquisate.

Marquise, *n. f.* marchioness.

Marraine, *n. f.* god-mother.

Marron, *n. m.* chesnut.—*Marron* d'Inde, Horse-chesnut.

Marron, *a.* chesnut coloured.

Marron, -ne, *a.* (of slaves) runaway, fugitive; (of animals) wild.

Marronnier, *n. m.* chesnut-tree.

Mars, *n. m.* Mars, March.

Marseillais, -e, *n.* and *a.* belonging to Marseilles.

Marseille, *n. f.* Marseilles.

Marteau, *n. m.* hammer, knocker.

Martial, -e, *a.* warlike.

Martinet, *n. m.* hammer, cat-o'-nine-tails.

Martin-pêcheur, *n.m.* king-fisher.

Martre, *n. f.* martin, marten.—*Martre* zibeline, Sable.

Martyr, -e, *n. m. f.* martyr.

Martyre, *n. m.* martyrdom.

Martyriser, to make one suffer martyrdom, to torture.

Mascarade, *n. f.* masquerade.

Masque, *n. m.* mask, maskor.

Masquer, to mask, to hide.

Massacre, *n. m.* slaughter.

Massacrer, to slaughter, to bungle.

Masse, *n. f.* heap, lump, bulk.— En *masse*, In a body, at large.

Massif, -ve, *a.* massive, solid.

Massif, *n. m.* group, clump.

Massue, *n. f.* club.

Mastic, *n. m.* mastic, putty.

Masure, *n. f.* ruins, hovel.

Mat, -e, *a.* heavy, dead, dull.

Mât, *n. m.* mast, pole. — Trois *mâts*, Barque (three masted). Grand *mât*, Main-mast. *Mât* de hune, Top-mast.

Matelas, *n. m.* mattress.

Matelot, *n. m.* sailor, seaman.

Matériaux, *n. m.* materials.

Matériel, -le, *a.* material, corporeal, coarse, heavy.

Matériel, *n. m.* stock, working-stock, stores. (See *Personnel.*)

Maternel, -le, maternal, motherly.

Matière, n. f. matter, material.— *Matière* première, Raw material. *Table des matières*, Table of con-

tents. En *matière* de, In point of.

Matin, *n. m.* morning.—*Le matin* de la vie, The prime of life. Demain *matin*, To-morrow morning. Un beau *matin*, Some fine day. Un de ces quatre *matins*, One of these days. Le lendemain *matin*, The next morning. De grand *matin*, Very early.

Matin, *adv.* early (in the morning).

Mâtin, *n. m.* mastiff, fellow.

Matinal, -e, *a.* early, morning.— Etre *matinal*, To be an early riser.

Matinée, *n. f.* morning.—*Matinée* musicale, Musical entertainment (in the fore part of the day). Dormir la grasse *matinée*, To lie late in bed.

Matineu-x, -se, *a.* early.—Personne *matineuse*, Early riser.

Matin-ier, -ière, *a.* morning.— Étoile *matinière*, Morning star.

Matois, -e, *a.* cunning, sharp, sly.

Matou, *n. m.* tom-cat.

Mâture, *n. f.* masts, masting.

Maturité, *n. f.* ripeness.

Maudire (maudissant, maudit; je maudis, je maudis), to curse.

Maure, *n. m.* Moor.

Maurice (Ile), Mauritius.

Mausolée, *n. m.* mausoleum.

Maussade, *a.* disagreeable, cross, sullen, dull.

Mauvais, -e, *a.* bad, ill, evil, wrong, rough.—Plus *mauvais*, Worse. Le plus *mauvais*, The worst. De plus en plus *mauvais*, Worse and worse.

Maux, *pl.* of MAL (which see).

Me, *pron. pers.* me, to me.—*Me* voici, Here I am.

Mécanicien, *n. m.* mechanician, machinist, engineer.

Mécanique, *n. f.* mechanics, machinery, mechanism, machine.

Mécanique, *a.* mechanical, mechanic.

Méchamment, wickedly, maliciously.

Méchanceté, *n. f.* wickedness, malice, naughtiness.

Méchant, -e, *a.* wicked, bad, naughty, paltry, naught.

Mèche, *n. f.* wick, match, lock.

Méconnaissable, *a.* not to be recognized.

Méconnaître (CONNAÎTRE), not to recognize, not to know again, to disown, to disregard.

Méconnu, -e, *part.* unknown, disowned, disregarded, unappreciated.

Mécontent, -e, *a.* dissatisfied, displeased.

Mécontenter, to displease.

Médaille, *n. f.* medal.

Médaillon, *n. m.* medallion, locket.

Médecin, *n. m.* physician.

Médecine, *n. f.* medicine, physic.

Médicament, *n. m.* medicine.

Médiocre, *a.* middling, indifferent.

Médiocrement, *adv.* middlingly.

Médiocrité, *n. f.* mediocrity, competence.

Médire (médisant, médit; je médis, vous médisez, je médis), to slander.

Médisance, *n. f.* slander.

Médisant, -e, *n. m. f.* slanderer.

Méditer, to meditate.

Méditerrané, -e, *a.* Mediterranean. La Mer Méditerranée, The Mediterranean Sea.

Méfait, *n. m.* misdeed.

Méfiance, *n. f.* mistrust, distrust.

Méfiant, -e, *a.* mistrustful.

se Méfier, to mistrust, to distrust.

Mégarde, *n. f.* inadvertence.

Meilleur, -e, *a.* (comp. of Bon) better.—Le *meilleur* (superl.), The best. (See *Mieux.*)

Meilleur, *n. m.* best.—Boire du *meilleur*, To drink the best wine.

Mélancolie, *n. f.* melancholy.

Mélancolique, *a.* melancholy, dull, dismal, stern.

Mélange, *n. m.* mixture, mingling.

Mélanger, to mix, to mingle.

Mélasse, *n. f.* treacle, molasses.

Mêlée, *n. f.* conflict, fight, affray.

Mêler, to mix, to mingle.

se Mêler, to meddle, to interfere, to mind. — *Mêlez*-vous de vos affaires, Mind your own business.

Mélèze, *n. m.* larch-tree.

Mélodie, *n. f.* melodiousness.

Membrane, *n. f.* membrane, film.

Membre, *n. m.* member, limb.

Même, *a.* same, self, very.—Le *même* jour, The same day. Le jour *même*, The very day. Cela *même*, That very thing. Moi-*même*, Myself. Eux-*même*, Themselves. Cet homme est la bonté *même*, That man is goodness itself.

Même, *adv.* even, also, likewise. —De *même*, The same, in the same way. De *même* que, As, as well as. Mordre à *même*, to bite into, to take a bite. Boire à *même* la bouteille, To drink from the bottle. Etre à *même* de, To be able to. Mettre à *même* de, To enable. Cela revient au *même*, It is all the same.

Mémento, *n. m.* reminder, hint.

Mémoire, *n. f.* memory.

Mémoire, *n. m.* memoir, bill, account.

Mémorialiste, *n. m.* memorialist.

Menace, *n. f.* threat, menace.

Menacer, to threaten.—*Menacer* ruine, To totter.

Ménage, *n. m.* house-keeping, household, house, family, couple, home.—Faire un *ménage*, To keep a house. Entrer en *ménage*, To begin house-keeping. Jeune *ménage*, Newly married couple.

Ménagement, *n. m.* regard, care.

Ménager, to husband, to manage,

are, to take care of, to
're, to treat kindly.—Il ne
?eait rien dans ses réponses,
?d not study his answers.
?ager, to take care of one's
?o spare one's self.
-er, -ère, a. saving, sparing.
ère, n. f. housewife.
?ant, -e, n. m. f. beggar.
?cité, n. f. begging, beggary.
?ar, to beg, to implore.
, n. f. intrigue.
, to lead, to conduct, to take.
?r, n. m. driver, leader.
?nge, n. m. lie, falsehood.
?ng-er, -ère, a. lying, false.
?el, -le, a. monthly.
?u-r, -se, n. m. f. liar.
?u-r, -se, a. lying, false.
?nner, to mention.
?: (mentant, menti; je mens,
?ntis), to lie, to tell an un-
.—Sans mentir, Without
?eration.
?n, n. m. chin.
?nnière, n. f. chin-piece.
?-e, a. slender, thin, small.
?n. m. detail, bill of fare.
?t, n. m. minuet (dance).
?serie, n. f. joinery.
?sier, n.m. joiner, carpenter.
?rendre (PRENDRE), to mis-
?to be mistaken.
?s, n. m. contempt, scorn.—
?épris de, In defiance of.
?sable, a. despicable.
?sant, -e, a. contemptuous.
?e, n. f. mistake.
?ser, to despise.
?s. f. sea.—Bord de la mer,
?ide. Coup de mer, Heavy
?Grosse mer, Rough sea.
?le mer, Sea-sickness. Pleine
?Open or main sea. Mer
, Low tide. Mer montante,
?tide. En mer, sur mer,
?a. Se promener en mer,
?ke a sail.
?aire, n. and a. mercenary,
?ng.
?:ie, n. f. mercery, haber-
?ry.
?n. f. mercy.
?(abbreviation of Je vous
?vie), thanks—Merci! Thank
?Dieu merci, Thank God.
?er, -ière, n. m. f. mercer,
?:dasher.
?sdi, n. m. Wednesday.—
?redi des cendres, Ash Wed-
?-y.
?re, n.m. Mercury, mercury,
?:silver.
?n. f. mother.
?ien, n. m. meridian.
?ional, -e, a. southern.
?os, n. m. merino sheep,
?:o.
?er, n. m. wild cherry-tree.
?:nt, -e, a. deserving, meri-
?us.
?s, n. m. merit, desert.—Se
?un mérite de, To value one's
?:r.

Mériter, to deserve, to merit.
Merlan, n. m. whiting (fish).
Merle, n. m. blackbird.
Mérovée, Meroveus.
Mérovingiens, Merovingians.
Merveille, n. f. wonder, marvel.
—A merveille, Wonderfully well.
Merveilleusement, wonderfully.
Merveilleu-x, -se, a. wonderful.
Mes, poss. a. m. f. pl. my.
Mésange, n. f. titmouse, tomtit.
Mésaventure, n. f. mischance.
Mesdames, n. f. (pl. of MADAME),
ladies, mesdames.
Mésintelligence, n. f. misunder-
standing.
Mésoffrir (OFFRIR), to underbid.
Mesquin, -e, a. mean, shabby,
niggardly.
Mesquinerie, n. f. mean, shabby
thing.
Messag-er, -ère, n. m. f. messen-
ger, harbinger, carrier.
Messagerie, n. f. coach-office,
stage-coach.
Messe, n. f. mass.
Messeoir (messeyant; il messied,
il messiéra), to be unbecoming.
Messieurs, n. m. (pl. of MON-
SIEUR), gentlemen, sirs.
Messire, n. m. master.—Messire-
jean, Messire-jean (a kind of
pear).
Mesurage, n. m. measurement.
Mesure, n. f. measure, limit, pro-
priety, time.—A mesure, In pro-
portion, accordingly. A mesure
que, In proportion as. Outre
mesure, Beyond measure, beyond
all bounds. Etre en mesure de,
To be in a position to.
Mesuré, -e, a. measured, cautious.
Mesurer, to measure.—Mesurer
ses expressions, To weigh one's
words.
se Mesurer, to measure one's self,
to try one's strength, to vie.
Mesureur, n.m. measurer, meter.
Métairie, n. f. farm.
Métal (Métaux), n. m. metal.—
Négociant en métaux, Metal
merchant.
Métamorphose, n. f. transformation.
Métamorphoser, to transform.
Métay-er, -ère, n. m. f. farmer.
Méteil, n. m. meslin.
Métier, n. m. trade, handicraft,
business, loom, frame.—C'est
un tour de son métier, That is
one of his tricks.
Mètre, n. m. metre, French yard,
39 English inches.
Métrique, a. metrical.
Mets, n.m. dish, viands.—Mets
sucrés, Sweet dishes, puddings.
Mettable, a. fit to be worn.
Mettre (mettant, mis; je mets,
je mis), to put, to place, to lay,
to set, to put on, to carry, to
bring.—Mettre le feu à, To set
fire to. Mettre en jeu, To bring
out. Mettre au fait, To acquaint
with the matter. Mettre son

point d'honneur dans, To make
it one's pride, to lay great stress
on. Mettre à la raison, To bring
to reason or to one's senses.
Mettre à part, To set aside.
Mettre à la voile, To set sail.
Mettre hors de soi, To put out
of temper.
se Mettre, to put one's self, to sit
down, to dress, to begin, (of the
weather) to set in.—Se mettre
martel en tête, To torment one's
self to death. Se mettre à, To set
about, to begin. Se mettre à table,
To sit down at table. S'y mettre,
To set about it.
Meuble, n. m. piece of furniture;
pl. furniture.
Meubler, to furnish, to stock, to
store.
se Meubler, to get one's furni-
ture, to get furnished.
Meule, n. f. mill-stone, grind-
stone, mow, stack.
Meunier, n. m. miller.
Meunière, n.f. miller's wife.
Meure (que je), that I may die
(MOURIR).
Meurs (je), I die (MOURIR).
Meurs, die (thou), (MOURIR).
Meurtre, n.m. murder, slaughter.
Meurtrier, n. m. murderer.
Meurtri-er, -ère, a. murderous.
Meurtrir, to bruise.
Meurtrissure, n. f. bruise.
Meus (je), I move (MOUVOIR).
Meute, n. f. pack (of hounds).
Mexicain, n. and a. Mexican.
Mexico, Mexico (town).
Mexique(le), Mexico(the country).
Mezzo-termine, n. m. (moyen
terme), compromise, middle
course, mean term.
Mi (abbrev. of DEMI), half, mid-
dle, mid.—A mi-chemin, Mid-
way, half-way. A mi-côte, Half-
way up the hill.
Michel, n. m. Michael.—La Saint
Michel, Michaelmas. Michel-
Ange, Michael Angelo.
Midi, n.m. noon, mid-day, twelve
o'clock, south.—En plein midi,
At noon-day. Exposé au midi,
Having a southern exposure.
Mie, n. f. crumb (of bread).
Miel, n. m. honey.—Rayon de
miel, Honey-comb.
Mielleu-x, -se, a. honied.
Mien, -ne, pron. poss. mine.—Le
mien, la mienne, les miens, les
miennes, mine.—Les miens, mine,
my relations, my friends.
Miette, n. f. crumb, bit.
Mieux, adv. better.—Le mieux,
The best, the better. Charles écrit
bien, vous écrivez mieux, Charles
writes well, you write better.
(See Meilleur.) Ne demander pas
mieux, To ask nothing better, to be
delighted at. A qui mieux mieux,
In emulation of one another.
Tant mieux, So much the better.
Mieux, n. m. best, improvement.
—Au mieux, For the best.

Mignon, -ne, *a.* delicate, pretty, tiny, favourite.
Migraine, *n.f.* megrim, head ache.
Milan, *n. m.* (bird) kite.
Milice, *n.f.* militia, troops.
Milieu, *n. m.* middle, midst, middle course.—Au beau *milieu,* In the very middle. Du *milieu* de, From amidst.
Militaire, *a.* military, soldierly. —Taille *militaire,* Military standard.
Militaire, *n. m.* soldier.
Mille (or Mil), *a.* thousand.
Mille, *n. m.* mile.
Milliard, *n. m.* thousand millions.
Millième, *a.* thousandth.
Millier, *n. m.* thousand.
Million, *n. m.* million.
Millionième, *a. & n. m.* millionth.
Millionnaire, *n. m.* a person worth one million (or more) of francs (£40,000).
Mince, *a.* slender, thin, slight.
Mine, *n. f.* countenance, mien, look, air.—Avoir bonne *mine,* To look well. Avoir mauvaise *mine,* To look ill. Faire *mine* de, To pretend to. Faire la *mine,* To make faces, to sulk. Faire bonne *mine,* To put a good face on, to give a good reception.
Mine, *n.f.* mine, ore, source.
Miner, to mine, to undermine.
Minerai, *n. m.* ore, mine.
Minéral, *n. m.* mineral.
Minéral, -e, *a.* mineral.
Minéralogiste, *n.m.* mineralogist.
Mineur, *n. m.* miner.
Mineur, -e, *a.* under age, minor.
Minime, *a.* very small, trifling.
Ministère, *n.m.* ministry, agency.
Ministre, *n.m.* minister, clergyman.
Minois, *n. m.* face, pretty face.
Minoterie, *n. f.* flour mill.
Minuit, *n.m.* midnight, 12 o'clock.
Minute, *n. f.* minute, rough draught.
Minutie, *n.f.* trifle.
Minutieu-x, -se, *a.* minute, particular.
Mire, *n.f.* aim.—Point de *mire,* Aim, object.
Mirer, to aim.
se Mirer, to look at one's self in a glass, &c.
Miroir, *n.m.* looking-glass.
Mis, Mise, *pp.* put, laid, &c. (See *Mettre.*)—La table est mise, The cover is laid. Un homme bien *mis,* une dame bien *mise,* a well dressed man, a well dressed lady.
Mis (je), I put (METTRE).
Misaine, *n.f.* fore, fore sail.
Misanthrope, *n. m.* man-hater.
Mise, *n. f.* putting, placing laying, setting, dress, stake, bid.
Misérable, *n. m. f.* wretch; *a.* wretched.
Misère, n.f. misery, wretchedness.—Reprendre le collier de misère, To resume one's drudgery.

Miséricorde, *n. f.* mercy, pity.
Miséricordieu-x, -se, *a.* merciful.
Mit (il), he put, &c. (METTRE).—Il *mit* à la voile, He set sail.
Mitaine, *n. f.* mitten.
Mite, *n.f.* mite, tick (insect).
Mitraille, *n.f.* small coin, grapeshot.—Tirer à *mitraille,* To fire grape-shot.
Mixte, *a.* mixed.
Mobile, *a.* movable, unsettled.
Mobile, *n. m.* mover, motive.
Mobilier, *n. m* furniture.
Mode, *n.f.* fashion; *pl.* millinery. —Marchande de *modes,* Milliner. A la *mode,* Fashionable. Passé de *mode,* Out of fashion.
Mode, *n. m.* mode, mood.
Modèle, *n. m.* model, sitter.
Modeler, to model.
Modéré, -e, *a.* moderate.
Modérément, moderately.
Modérer, to moderate.
se Modérer, to restrain one's self.
Moderne, *a.* modern.
Modeste, *a.* modest, coy, quiet.
Modicité, *n. f.* smallness.
Modique, *a.* moderate.
Modiste, *n. m. f.* milliner, a workwoman under a marchande de modes. (See *Mode.*)
Moëlle, *n. f.* marrow, pith.
Moëlleusement, softly.
Moëlleu-x, -se, *a.* marrowy, soft, mellow.
Moëlleux, *n. m.* softness.
Moëllon, *n. m.* rubble-stone, ashlar.
Mœurs, *n. f. pl.* manners, morals, habits.—Certificat de bonne vie et *mœurs,* A certificate of good character.
Moi, *pers. pron.* I, me.—C'est *moi,* It is I. A *moi!* Help! help! De vous à *moi,* Between you and me. Pour *moi,* As for me.
Moindre, *a.* less, least.
Moine, *n. m.* monk, friar.
Moineau, *n. m.* sparrow.
Moins, *adv.* less.—A *moins,* For less. A *moins* de, Unless. A *moins* que, Unless. Au *moins,* du *moins,* At least. Il n'est rien *moins* que savant, He is anything but learned.
Moire, *n.f.* watering, moire.
Moirer, to water (stuffs).
Mois, *n. m.* month. —Tous les mois, Every month.
Moïse, *n. m.* Moses.
Moisi, -e, *a.* mouldy, musty.
Moisi, *n. m.* mould, mouldiness.
Moisir, to mould, to make mouldy, musty; to make mothery.
Moisissure, *n.f.* mouldiness, mustiness.
Moisson, *n.f.* harvest.
Moissonner, to reap, to harvest.
Moissonneu-r, -se, *n.m.f.* reaper.
Moite, *a.* moist, damp.
Moiteur, *n.f.* moisture, moistness.
Moitié, *n.f.* half, moiety. —A *moitié,* Half. De moitié, By half.

Moka, *n. m.* Mocha (coffee).
Mol, -le, soft, &c. (MOU.)
Môle, *n. m.* mole, pier.
Mollement, *adv.* softly, slackly.
Mollesse, *n. f.* softness, effeminacy.
Mollet, *n. m.* calf (of the leg).
Mollir, to soften, to get soft.
Mollusque, *n. m.* shell-fish.
Moment, *n. m.* moment. —Moments perdus, Spare moments. Au *moment* de, On the point of. Par *moments,* Between whiles, at times. Pour le *moment,* At present.
Momentané, -e, *a.* momentary.
Momentanément, *adv.* momentarily, temporarily.
Momie, *n. f.* mummy.
Mon, *poss. a.* (Ma, *f.* Mes, *pl.*) my.
Monarque, *n. m.* monarch.
Monastère, *n. m.* monastery.
Monceau, *n. m.* heap.
Mondain, -e, *a.* worldly.
Monde, *n. m.* world, people, company, men, servants.—Le beau *monde,* Fashionable people. Pas grand *monde,* Few people. Pour tout au *monde,* For all the world. Tout le *monde,* Every body, every one. Aller dans le *monde,* To go into society. Avoir du *monde,* To have company. Mettre au *monde,* To bring forth.
Moniteur, *n.* monitor, *m.*; Monitrice, monitress, *f.*; admonitor.
Moniteur, *n. m.* Monitor, the official journal of France.
Monnaie, *n. f.* coin, money, change, mint.—Fausse *monnaie,* base coin. Hôtel de la *monnaie,* Mint. Petite *monnaie,* Small change. Battre *monnaie,* To coin money. Avez-vous la *monnaie* de vingt francs? Have you change for 20 francs?
Monopole, *n. m.* monopoly.
Monotone, *a.* monotonous.
Monotonie, *n.f.* monotony, sameness.
Monseigneur, *n.m.* (Messeigneurs, *pl.*) my lord, your lordship.
Monsieur, *n. m.* (Messieurs, *pl.*) gentleman, (in addressing persons) Sir.—Mr. (Mister) before the name: *Monsieur* Vincent, Mr. Vincent.—*Monsieur* est sorti, Master is gone out. *Monsieur* est servi, Dinner is ready (said by a servant).
Monstre, *n. m.* monster.
Monstrueu-x, -se, *a.* monstrous.
Mont, *n. m.* mount, mountain. —*Mont*-de-piété, Pawnbroker's shop. Mettre au *mont*-de-piété, To pawn.
Montagnard, -e, *n. m. f.* mountaineer, highlander.
Montagne, *n. f.* mountain, hill.
Montagneu-x, -se, *a.* mountainous, hilly.
Montant, *n. m.* amount, flavour.
Montant, -e, *a.* ascending, rising. —Mer montante, High water.

Monté, -e, *part.* (See *Monter.*)—
Bien *monté*, Well supplied, well appointed. Mal *monté*, Ill supplied.

Montée, *n. f.* ascent, rising.

Monter, to ascend, to go up, to come up, to mount, to rise, to get up or in, to amount, to flow, to grow up, to shoot, to set up, to carry up, to take up, to put up. —*Monter* à cheval, To ride on horseback. *Monter* en voiture, To get into a carriage. Faire *monter*, To take up, to bring up, to raise. *Monter* la garde, To mount guard.

se Monter, to provide one's self, to take in a stock, to get excited, to come to.

Monticule, *n. m.* hillock.

Montre, *n. f.* show, show-window. —En *montre*, In the window. Faire *montre* de, To make a show of.

Montre, *n. f.* watch.

Montrer, to show, to point out. —*Montrer* les talons, To take to one's heels.

se Montrer, to show one's self, to appear.

Montreur, *n. m.* showman.

Montueu-x, -se, *a.* hilly.

Monture, *n. f.* nag, setting, mounting.

Monument, *n. m.* monument, tomb.

se Moquer, to laugh at, to mock. —*Se* faire *moquer* de soi, To get laughed at, to make a fool of one's self.

Moquerie, *n. f.* mockery, scoff.

Moqueu-r, -se, *a.* mocking, scoffing.

Moqueu-r, -se, *n. m. f.* mocker, scoffer.

Moral, *n. m.* mind, moral.—Au *moral*, Morally, mentally.

Morale, *n. f.* morals, morality, lecture, moral.

Morbleu, *int.* zounds !

Morceau, *n. m.* piece, bit, morsel.— Par *morceau*, Piecemeal. Aimer les bons *morceaux*, To like good things. Manger un *morceau*, To take a bit of something.

Mordant, -e, *a.* biting, sharp.

Mordienne, zounds !

Mordoré, -e, *a.* reddish brown.

Mordre, (mordant, mordu ; je mords, je mordis), to bite.— *Mordre* à l'hameçon, To swallow the bait.

Mordu, *p. p.* bitten.

More, *n. m.* Moor.

Morfondre, to chill.

Morgue, *n. f.* proud look, arrogance.

Morne, *a.* depressed, gloomy.

Morne, *n. m.* mountain, hill.

Mors, *n. m.* bit (of a bridle).— Prendre le *mors* aux dents, To run away, to fly into a passion.

Morsure, *n. f.* biting, bite.

Mort, *n. f.* death.—A *mort*, To death, mortally. Avoir la mort

dans l'âme, To be heart-sick. Mourir de sa belle *mort*, To die a natural death.

Mort, -e, *a.* dead, lifeless, dull, stagnant, spent.

Mortel, -le, *a.* mortal, deadly.

Mortellement, *adv.* mortally.

Morte-saison, *n. f.* dead time of the year, dead season.

Mortier, *n. m.* mortar.

Mortifier, to mortify.

Morue, *n. f.* cod, cod-fish.

Mosquée, *n. f.* mosque.

Mot, *n. m.* word, saying.—*Mots* d'usage, Words of every-day use. Avoir un *mot* avec quelqu'un, To have a quarrel or disagreement with. *Mot* à *mot*, Literally, word for word. Bon *mot*, Witticism, wit. Demi-*mot*, Hint. Avoir le *mot* pour rire, To crack a joke.

Moteur, *n. m.* mover, author.

Motif, *n. m.* motive, reason.

Motiver, to allege, to be the motive.

Motte, *n. f.* clod (of earth).

Motus, *int.* mum ! hush !

Mou, Mol, *m.* Molle, *f. a.* soft, mellow, slack, weak, indolent.

Mouche, *n. f.* fly, patch, spot.— Prendre la *mouche*, To take offence. Quelle *mouche* l'a piqué? What ails him ?

Moucher, to wipe the nose of, to snuff (candles).

Moucheron, *n. m.* gnat.

Moucheter, to spot, to speckle.

Mouchettes, *n. f.* snuffers.

Mouchoir, *n. m.* handkerchief.

Moudre (moulant, moulu ; je mouds, je moulus), to grind.

Moue, *n. f.* pouting, wry face.

Mouette, *n. f.* gull, sea-mew.

Mouflon, *n. m.* musimon.

Mougrin, *n. m.* Indian jasmin.

Mouillage, *n. m.* to anchor.

Mouillé, -e, *part.* wet, liquid, watery. — *Mouillé* jusqu'aux os, Drenched to the skin.

Mouiller, to wet, to water, to soak.

Mouiller, to anchor.

Moulage, *n. m.* moulding.

Moule, *n. f.* mussel, muscle.

Moule, *n. m.* mould, cast.—Fait au *moule*, Beautifully shaped.

Mouler, to mould, to cast.

Mouleur, *n. m.* moulder.

Moulin, *n. m.* mill.—*Moulin* à blé, Corn-mill. *Moulin* à bras, Hand - mill. *Moulin* à café, Coffee - mill. *Moulin* à eau, Water-mill. *Moulin* à paroles, Chatter-box.

Moulinet, *n. m.* drum, mill, turnstile.—Faire le *moulinet*, To twirl.

Moulu, *p. p.* ground, bruised.

Moulure, *n. f.* moulding.

Mourir (mourant, mort ; je meurs, je mourus, je mourrai), to die, to die away, to go out.—*Mourir* de chagrin, To die of a broken heart. *Mourir* d'envie, To long. *Mourir* de faim, To starve.

Mourir de froid, To starve with cold. *Mourir* de soif, To be dying with thirst. Faire *mourir*, To put to death, to kill.

se Mourir, to be dying or expiring, to die away, (of fire) to be going out.

Mouron, *n. m.* chickweed.

Mousquet, *n. m.* musket.

Mousquetaire, *n. m.* musketeer.

Mousqueton, *n. m.* musketoon.

Mousse, *n. m.* cabin-boy.

Mousse, *n. f.* moss, froth, foam.

Mousseline, *n. f.* muslin.

Mousser, to froth, to foam. — Faire *mousser*, To froth, to puff.

Mousseu-x, -se, *a.* frothy, foamy. —Vin *mousseux*, Sparkling wine. Rose *mousseuse*, Moss-rose.

Moustache, *n. f.* mustache.

Moutarde, *n. f.* mustard.

Moutardier, *n. m.* mustard-pot.

Mouton, *n. m.* sheep, mutton.— Doux comme un *mouton*, As gentle as a lamb. Revenons à nos *moutons*, Let us return to our subject.

Mouvant, -e, *a.* moving, unstable. —Sable *mouvant*, Quicksand.

Mouvement, *n. m.* motion, movement, impulse, life, stir.

Mouvoir (mouvant, mû ; je meus, je mus, je mouvrai), to move, to incite.

se Mouvoir, to move, to stir.

Moyen, *n. m.* means, way; *Moyens* (pl.), talents, fortune, means, circumstances. — Au *moyen* de, By means of. Il n'y a pas *moyen* de, There is no means or possibility. Le *moyen* ? How is it to be done ? Avoir des *moyens*, To be clever. Avoir le *moyen* de, To be able. Je n'en ai pas le *moyen*, I cannot afford it.

Moyen, -ne, *a.* mean, middling, middle-sized.—*Moyen* âge, middle age. *Moyen* terme, Medium, mean. Terme *moyen*, Average.

Moyennant, *prep.* by means of.

Moyenne, *n. f.* average.

Mû, -e (*part.* of MOUVOIR), moved.

Mue, *n. f.* moulting.

Muer, to moult, to mew.

Muet, -te, *a.* dumb, mute.

Muet, -te, *n. m. f.* dumb person.

Mufle, *n. m.* muzzle, snout.

Mugir, to low, to roar.

Mugissement, *n. m.* lowing, roaring.

Muguet, *n. m.* lily of the valley.

Muid, *n. m.* hogshead.

Mulâtre, Mulâtresse, *n.* mulatto.

Mule, *n. f.* slipper, mule.

Mulet, *n. m.* mule, mullet.

Muletier, *n. m.* mule-driver.

Mulhouse, Mulhausen (in France).

Mulot, *n. m.* field-mouse.

Multiplier, to multiply.

Munir, to supply, to provide.

Munition, *n. f.* ammunition, stores.

Mur, *n. m.* wall.—Mur d'enceint
Walla. Mur de clôture, Ea

sure-wall. Mettre au pied du *mur*, To put to a stand.

Mûr, -e, *a.* ripe, mature.

Muraille, *n. f.* walls, rampart.

Mural, -e, *a.* wall.—Carte *murale*, Wall-map.

Mûre, *n. f.* mulberry, berry.

Mûrement, *adv.* maturely.

Murène, *n. f.* sea-eel.

Murer, to wall, to block up.

Mûrier, *n. m.* mulberry-tree.

Mûrir, to ripen, to mature.

Murmure, *n. m.* murmur, whisper, purling.

Murmurer, to murmur, to grumble, to whisper, to purl.

Musc, *n. m.* musk.

Muscade, *n. f.* nutmeg.

Musculeu-x, -se, *a.* muscular.

Museau, *n. m.* muzzle, snout.

Musée, *n. m.* picture-gallery.

Musette, *n. f.* bagpipe.

Musicien, -ne, *n. m. f.* musician.

Musique, *n. f.* music, band.—Marchand de *musique*, Music-seller. Cahier de *musique*, Music-book. Faire de la *musique*, To play music.

Musquer, to musk.

Mutin, -e, *a.* stubborn, obstinate. unruly, refractory.

se Mutiner, to mutiny.

Mutisme, *n. m.* dumbness.

Myope, *a.* near, short-sighted.

Myrte, *n. m.* myrtle.

Mystère, *n. m.* mystery.

Mystérieusement, mysteriously.

Mystérieu-x, -se, *a.* mysterious.

Mystifier, to mystify, to hoax.

N.

N', contraction of Ne (which see).

Nacarat, *a.* and *n. m.* nacarat.

Nacelle, *n. f.* wherry.

Nacre, *n. f.* mother of pearl.—*Nacre* de perle, Mother of pearl.

Nacré, -e, *a.* nacreous, nacred.

Nage, *n. f.* swimming.—A la *nage*, By swimming. Etre en *nage*, To be perspiring. Passer à la *nage*, To swim over or across.

Nageoire, *n. f.* fin.

Nager, to swim, to welter.

Nageu-r, -se, *n. m. f.* swimmer.

Naguère, lately, but now.

Naï-f, -ve, *a.* artless, ingenuous.

Nain, -e, *n. m. f.* dwarf.

Naissance, *n. f.* birth, beginning, rise.—Anniversaire de la *naissance*, Birthday. De *naissance*, By birth.

Naissant, -e, rising, growing.

Naître (naissant, né ; je nais, je naquis), to spring up, to be born, to grow, to rise, to arise.—Faire *naître*, To bring forth, to give *rise to*, to start.

Naïvement, artlessly.

Naïveté, n. f. artlessness.

Nantir, to give a pledge to.

Napoléon, *n. m.* napoleon (gold coin), 20 francs or about 16s.

Napolitain, -e, *a.* and *n. m. f.* Neapolitan.

Nappe, *n. f.* table cloth, sheet.—Mettre la *nappe*, To lay the cloth.

Napperon, *n. m.* slip, upper-cloth.

Naquis (je), I was born.

Narcisse, *n. m.* narcissus.

Narguer, to set at defiance.

Narine, *n. f.* nostril.

Narquois, -e, *a.* cunning, sly.

Narration, *n. f.* narrative.

Narrer, to narrate, to relate.

Naseau, *n. m.* nostril.

Nasiller, to snuffle.

Natal, -e, *a.* native, natal.

Natation, *n. f.* swimming.

Nation, *n. f.* nation, people.

Nationaux, *n. m.* natives (in contradistinction to foreigners).

Natte, *n. f.* mat, plat.

Natter, to mat, to plat.

Nature, *n. f.* nature, kind.—D'après *nature*, From nature, from life. De sa *nature*, Naturally. État de *nature*, Natural or wild state.

Naturel, -le, *a.* natural, native.

Naturel, *n. m.* nature, temper, disposition.—Au *naturel*, To the life, cooked plainly. Les *naturels*, The natives.

Naturellement, naturally.

Naufrage, *n. m.* shipwreck.—Faire *naufrage*, To be ship-wrecked.

Naufragé, -e, *n.* and *a.* ship-wrecked.

Nauséabond, -e, *a.* nauseous.

Nausée, *n. f.* qualm, disgust.

Navet, *n. m.* turnip.

Navette, *n. f.* rape-seed.—Graine de *navette*, Rape-seed.

Navette, *n. f.* netting-needle, shuttle.

Navigateur, *n. m.* navigator.

Navigation, *n. f.* navigation.—*Navigation* à la vapeur, Steam navigation. *Navigation* au long cours, Proper navigation, long voyages. *Navigation* intérieure, Inland navigation.

Naviguer, to sail, to voyage.

Navire, *n. m.* ship, vessel.—*Navire* à voiles, Sailing vessel. *Navire* à hélice, Screw-ship. *Navire* marchand, Merchantman.

Navré, -e, *a.* broken-hearted.

Navrer, to break, to rend the heart.

Ne, n', *neg.* (usually followed by pas, point, que, &c.), no, not.—Je *ne* connais *que* des Allemands, I only know Germans.

Né, -e (*part. of* Naître), born.

Néanmoins, nevertheless, however.

Néant, *n. m.* nothing, nothing-ness.

Nébuleu-x, -se, *a.* cloudy, gloomy.

Nécessaire, *a.* necessary.

Nécessaire, *n. m.* necessaries, work-box, dressing-case.

Nécessité, *n. f.* necessity, need, want.—*Nécessités*, pl. Neces-saries.

Nécessiter, to necessitate.

Nécessiteu-x, -se, *a.* needy.

Nef, *n. f.* (of churches) nave.

Néfaste, *a.* inauspicious, unlucky.

Nèfle, *n. f.* medlar.

Néflier, *n. m.* medlar-tree.

Négative, *n. f.* negative, refusal.

Négligé, -e, *part.* neglected, slighted, careless.

Négligé, *n. m.* undress, negligee.

Négligemment, negligently.

Négligence, *n. f.* neglect.

Négligent, -e, *a.* careless.—On ne peut plus *négligent*, Most careless.

Négliger, to neglect, to slight.

se Négliger, to neglect one's person, to be careless.

Négoce, *n. m.* traffic, trade.

Négociant, *n. m.* merchant.

Négociation, *n. f.* transaction.

Négocier, to negotiate, to traffic.

Nègre, *n. m.* negro.

Négresse, *n. f.* negress.

Négrier, *n. m.* slave-ship.

Négrillon, *n. m.* negro boy.

Neige, *n. f.* snow.—Boule de *neige*, Snow-ball. Flocon de *neige*, Flake of snow. Il tombe de la *neige*, It snows.

Neiger, to snow.

Neigeu-x, -se, *a.* snowy.

Nenni, *adv.* (old) no, nay.

Nénufar, *n. m.* water-lily.

Nerf, *n. m.* nerve, sinew.—Attaque de *nerfs*, Nervous attack, hysterics.

Nerveu-x, -se, *a.* nervous, sinewy muscular.

Net, -te, *a.* clean, neat, clear, empty, plain.

Net, *n. m.* fair copy.—Mettre au *net*, To make a fair copy.

Net, *adv.* entirely, short, at once, frankly.

Nettement, cleanly, clearly.

Netteté, *n. f.* neatness, plainness.

Nettoyer, to clean, to clear.

Neuf, *a.* and *n.* nine, ninth.

Neu-f, -ve, *a.* new.—Remettre à *neuf*, To do over again.

Neuvième, *a.* ninth.

Neveu, *n. m.* nephew.—Petit *neveu*, Great or grand nephew. Nos arrière-*neveux*, Our posterity.

Nez, *n. m.* nose.—Il me rit au *nez*, He laughed in my face.

Ni, *conj.* neither, nor, or.—*Ni* moi non plus, Nor I either.

Niais, -e, *a.* silly, simple, foolish.

Niaisement, sillily, simply.

Niche, *n. f.* niche, trick, prank.

Nicher, to build nests, to nestle.

Nid, *n. m.* nest, berth.

Nièce, *n. f.* niece.

Nil (le), *n. m.* the Nile.

Nippes, *n. f. pl.* clothes, apparel.

Niveau, *n. m.* level.—De *niveau*, Level, even, on a level.

Noble, n. m. nobleman.

Noblesse, n.f. nobility, nobleness.

Noce, n.f. marriage, wedding.—
En premières, en secondes noces,
In first or second marriage.

Noël, n. m. Christmas, Christmas
carol.—Les fêtes de Noël, Christmas holidays.

Nœud, n. m. knot, tie, bow, knob,
bond, knuckle.

Noffs, n. m. nose (Russian).

Noir, -e, a. black, dark, foul.

Noirâtre, a. blackish.

Noirceur, n.f. blackness, atrocity.

Noircir, to blacken, to defame.

Noisette, n.f. hazel-nut.

Noix, n.f. walnut, nut.

Noliser, to charter.

Nom, n. m. name, noun, fame.
—Nom de baptême, Christian
name. Nom de famille, Surname. Se faire un nom, To
acquire a name.

Nomade, a. wandering.

Nombre, n. m. number. Nombre
implies a collection of beings or
things. Numéro (which see) is
a figure affixed to persons or
things to distinguish them from
others.—Je connais le nombre de
ses voitures, I know the number
of his carriages. Je connais le
numéro de sa voiture, I know
the number of his carriage.

Nombrer, to number, to reckon.

Nombreu-x, -se, a. numerous.

Nominatif, a. of names.—État
nominatif, List (of names).

Nommé, -e, part. of Nommer,
named, called, appointed, said.
—A point nommé, In the nick
of time, at the stated time.

Nommer, to name, to appoint.

se Nommer, to state one's name,
to be named or called.

Non, adv. no, not.—Non pas,
Not. Non plus, Neither. Je
crois que non, I think not. Il
dit que non, He says no.

Nonchalance, n.f. carelessness.

Nonchalant, -e, a. careless, heedless.

Nonobstant, prep. notwithstand-
ing.

Nord, n. m. north, north wind.

Normand, -e, n. and a. Norman.

Normandie, n.f. Normandy.

Norvége, n.f. Norway.

Norvégien, -ne, a. Norwegian.

Nos, poss. a. pl. m. f. our.

Notable, a. remarkable, considerable eminent; n. chief citizen.

Notablement, adv. notably, con-
siderably.

Notaire, n. m. notary.

Note, n.f. note, mark, bill.

Notion, n.f. notion, idea, information.

Notre, poss. a. m.f. (Nos, pl.), our.

Nôtre, poss. pron. ours.—Le nôtre,
m., la nôtre, f., les nôtres, pl. m. f.
ours.

Nouer, to knot, to tie.

Nourrice, n.f. wet-nurse.

Nourricier, n. m. foster-father.

Nourrir, to feed, to maintain, to
nourish, to keep, to rear, to board.

Nourrisson, n.m. nursling, foster-
child.

Nourriture, n.f. food, board.

Nous, pers. pron. we, us, to us.

Nous-mêmes, pron. ourselves.

Nou-veau, -vel, m., -velle, f. a.
new, novel, fresh.—Nouveaux-
venus, New-comers. Qu'y a-t-il
de nouveau? What is the news?
De nouveau, adv. again, anew.

Nouveauté, n.f. newness, no-
velty.—Nouveautés (pl.) Fancy
articles or goods, new patterns.
Magasin de nouveautés, Linen-
draper's shop. Marchand de
nouveautés, Linen-draper.

Nouvel, a. (See Nouveau.)

Nouvelle, n.f. news, intelligence,
novel, tale. — Envoyer savoir
des nouvelles de quelqu'un, To
send to enquire after any one.
Donnez - moi souvent de vos
nouvelles, Let me often hear from
you. Apprendre, recevoir des
nouvelles de quelqu'un, To hear
from one.

Nouvellement, newly, lately.

Nova-teur, -trice, n. m.f. innovator.

Novembre, n. m. November.

Noyau, n.m. stone, shell, nucleus.

Noyer, n. m. walnut-tree.

Noyer, to drown.

Nu, -e, a. naked, bare, plain.—
Nu-pieds, Bare-foot, bare-footed.
Monter à nu, To ride without a
saddle or bare-backed.

Nuage, n. m. cloud, gloom.

Nuageu-x, -se, a. cloudy, clouded.

Nuance, n.f. shade, tint.

Nuancer, to shade, to vary.

Nudité, n.f. nakedness.

Nue, n.f. cloud.—Les nues, The
clouds, skies.

Nuée, n.f. cloud, host, shower.

Nui, pp. hurt (Nuire).

Nuire (nuisant, nui; je nuis, je
nuisis; que je nuise, que je
nuisisse), to hurt, to injure, to
wrong.

Nuisent (ils), they hurt.

Nuisible, a. injurious, hurtful.

Nuit (il), hurts (Nuire).

Nuit, n.f. night.—Cette nuit,
To-night. De nuit, By night,
nightly. Faire nuit, To be dark.
Il fait nuit, It is night or dark.
Nuit noire, Pitch-dark.

Nul, -le, a. no, not any, null.—
Nulle part, Nowhere.

Nul, pron. none, no one.

Nullement, by no means, not at
all.

Numéro, n.m. number.—J'ai pris
un mauvais numéro, I took a
bad number. Il demeure au
numéro cinq, He lives at number
five. (See Nombre.)

Numéroter, to number.

Nuque, n.f. nape (of the neck).

O.

Obéir, to obey, to yield.

Obéissance, n. f. obedience.

Obéissant, -e, a. obedient.

Objet, n. m. object, subject, aim.
—Objets (pl.), Articles. Objets de
fantaisie, Fancy articles or goods.
Objets d'art, Articles of vertu.

Obligeance, n. f. kindness.

Obligeant, -e, a. obliging, kind.

Obliger, to oblige, to compel.

Obole, n. f. obolus.

Obscur, -e, a. dark, obscure.—
Faire obscur, To be dark.

Obscurcir, to darken, to dim.

Obscurité, n.f. darkness, obscu-
rity.

Obséder, to beset.

Obsèques, n.f. pl. obsequies.

Observa-teur, -trice, n. m. f.
observer.

Observer, to observe, to notice.

Obstination, n.f. obstinacy.

Obstiné,-e,a, obstinate,stubborn.

Obstinément, adv. obstinately.

Obstiner, to make obstinate.

s'Obstiner, to persist.

Obstruer, to obstruct.

Obtenir (Tenir), to obtain, to
get, to gain.

Obtus, -e, a. obtuse, blunt, dull.

Obus, n. m. shell.

Occasion, n. f. opportunity,
occasion.—D'occasion, Second-
hand.

Occident, n. m. West.

Occidental, -e, a. western.

Occuper, to occupy, to take up.

s'Occuper, to occupy one's self, to
mind, to think of.

Octobre, n. m. October.

Octogénaire, n.m.f. octogenarian.

Octroi, n. m. grant, town-due.

Odeur, n.f. smell, scent.

Odorat, n. m. smell, smelling.

Odoriférant,-e, a. sweet-smelling.

Œil, n. m. (pl. Yeux), eye, hole.
—Clin d'œil, Twinkling of an
eye, wink. Coup d'œil, Glance,
look, prospect. A vue d'œil,
Visibly. Avoir l'œil à, To attend
to.

Œil de perdrix, n. m. soft corn.

Œillet, n. m. carnation, pink.

Œuf, n. m. egg, roe.—Œuf à la
coque, Egg in the shell.

Œuvre, n. f. work, deed, act.—
Chef - d'œuvre, Master - piece.
Mettre en œuvre, To set to work,
to work up, to use.

Œuvre, n. m. work, performance.

Offense, n. f. offence, trespass.

Offenser, to offend, to hurt.

Offert, -e, pp. offered (Offrir).

Office, n. m. office, duty, functions, service.—Rendre un bon,
un mauvais office, To do a good,
bad turn or office.

Office, n.f. pantry, servants' hall,
buttery.

Officier, to officiate.

Officier, *n. m.* officer.—Sous-*officier*, Non-commissioned officer. *Officier* d'état major, Staff-officer.

Officieu-x, -se, *a.* officious.

Officine, *n. f.* laboratory.

Offrant, offering.

Offre, *n. f.* offer, tender.

Offrir (offrant, offert; j'offre, j'offris), to offer, to present, to afford.

Ognon, *n. m.* onion, bulb.

Oie, *n. f.* goose.

Oiseau, *n. m.* bird. — A vol d'*oiseau*, As the crow flies. A vue d'*oiseau*, Bird's-eye.

Oiseau-mouche, *n. m.* humming-bird.

Oiseleur, *n. m.* bird-catcher, fowler.

Oisi-f, -ve, *a.* idle, unoccupied.

Oisiveté, *n. f.* idleness.

Oison, *n. m.* gosling.

Oléagineu-x, -se, *a.* oil, oily.

Olivâtre, *a.* olive-coloured.

Olive, *n. f.* olive.

Olivier, *n. m.* olive-tree.

Olympe, *n. m.* Olympus.

Ombrage, *n. m.* shade, umbrage.

Ombrager, to shade.

Ombre, *n. f.* shade, shadow, ghost. —A l'*ombre*, In the shade.

Ombrelle, *n. f.* parasol.

Omelette, *n. f.* omelet.

Omettre (METTRE), to omit, to pass over.

Omis, *pp.* omitted (OMETTRE).

Omnibus, *n. m.* omnibus.—Train *omnibus*, *n. m.* Stoppage train.

On (homme), *pron.* one, people, they, men, we, you, somebody. —Que dira-t-*on*? What will people say? Se moquer du qu'en dira-t-*on*, Not to care for what people say.

Once, *n. f.* ounce.

Oncle, *n. m.* uncle.—*Oncle* à la mode de Bretagne, Father's or mother's first cousin. Bel *oncle*, Step-uncle.

Onctueu-x, -se, *a.* unctuous, oily.

Onde, *n. f.* wave, water, sea.

Ondée, *n. f.* shower.

Ondoiement, *n. m.* undulation.

Ondoyer, to undulate, to wave.

Ondulation, *n. f.* undulation, waving.

Ongle, *n. m.* nail (of fingers), claw (of animals).

Onguent, *n. m.* ointment, salve.

Ont (ils), they have (AVOIR).

Onze, *a.* and *n. m.* eleven, 11th. —Louis *Onze*, Louis XI. Venez le *onze*, Come on the 11th.

Onzième, *a.* eleventh.

Opérer, to operate, to do.

Opiniâtre, *a.* obstinate, stubborn.

Opposé, -e, *a.* opposite, facing.

Opposer, to oppose, to object.

Oppresser, to oppress, to depress.

Opprimer, to oppress.

Opprobre, *n. m.* opprobrium, shame.

Optique, n. f. optics, sight, vision, show-box.

Opulent, -e, *a.* wealthy.

Opuscule, *n. m.* tract, pamphlet.

Or, now, but, pray.—*Or* ça, Now, now then.

Or, *n. m.* gold.

Orage, *n. m.* storm, tempest.— Faire de l'*orage*, To be stormy.

Orageu-x, -se, *a.* stormy.

Oraison, *n. f.* oration, orison (prayer). — *Oraison* dominicale, Lord's prayer.

Orange, *n. f.* orange (fruit); *n. m.* orange (colour).

Orangé, *n. m.* orange-colour.

Oranger, *n. m.* orange-tree.

Orangerie, *n. f.* orange-grove, orangery.

Orateur, *n. m.* orator, speaker.

Orchestre, *n. m.* orchestra, band. —Grand *orchestre*, Full band.

Ordinaire, *a.* usual.—A l'*ordinaire*, d'*ordinaire*, usually.

Ordinairement, usually.

Ordonnance, *n. f.* order, prescription.—D'*ordonnance*, Regimental, orderly.

Ordonner, to order.

Ordre, *n. m.* order, command.— Mettre *ordre* à ses affaires, To settle one's affairs.

Ordure, *n. f.* dirt, filth.

Oreille, *n. f.* ear.—Dire à l'*oreille*, To whisper in any one's ear. Faire la sourde *oreille*, To turn a deaf ear.

Oreiller, *n. m.* pillow.

Orfèvre, *n. m.* goldsmith.

Organdi, *n. m.* book-muslin.

Organe, *n. m.* organ, voice.

Organiser, to organize.

s'Organiser, to get settled or organized.

Organiste, *n. m.* organist.

Orge, *n. f.* barley.

Orgue, *n. m.* (*pl.* in the *f.*), organs.

Orgueil, *n. m.* pride.

Orgueilleux, *a.* proud.

Orient, *n. m.* East.

Oriental, -e, *a.* eastern.

Originaire, *a.* native.

Original, -e, *a.* original, eccentric, odd.

Originalité, *n. f.* eccentricity, &c.

Oripeau, *n. m.* tinsel, orsidue.

Orme, *n. m.* elm.

Ormeau, *n. m.* young elm, elm.

Orner, to ornament, to adorn.

Ornière, *n. f.* rut.

Orphelin, -e, *n. m. f.* orphan.

Orteil, *n. m.* toe, great toe.

Orthographe, *n. f.* spelling.

Orthographier, to spell.

Ortolan, *n. m.* ortolan (a bird of the family Fringillidæ).

Os, *n. m.* bone, any bone except fish-bone (arête).

Oseille, *n. f.* sorrel.

Oser, to dare, to venture.

Osier, *n. m.* wicker.

Ossements, *n. m.* bones (of dead bodies).

Osseu-x, -se, *a.* bony.

Oter, to take away, to remove,

to deprive, to get out, to pull off.

Ou, *conj.* or, either.— *Ou* bien, Or else.

Où, *adv.* where, whither, to what, in, at or to which, when.—D'*où*, Whence, how. Par *où*? Which way?

Ouais, *int.* indeed! bless me!

Ouate, *n. m.* wadding, padding.

Ouater, to wad, to pad.

Oubli, *n. m.* forgetfulness, oblivion.

Oublier, to forget.

Oublieu-x, -se, *a.* forgetfulness.

Ouest, *n. m.* West.

Ouf, *int.* oh! o!

Oui, *adv.* yes.—Mais *oui*, Yes, certainly. Je crois que *oui*, I think so.—*Oui* dà! Indeed!

Oui, -e, *part.* heard. (OUÏR.)

Oui-dire, *n. m.* hearsay.

Ouïe, *n. f.* hearing.

Ouïr, to hear (obsolete.)

Ouragan, *n. m.* hurricane.

Ourler, to hem.

Ours, *n. m.* bear.

Outil, *n. m.* tool, implement.

Outiller, to supply with tools.

Outre, *prep.* and *adv.* beyond, farther, besides. — *Outre* mer, Beyond the sea, on the other side of the Straits of Dover.

Outré, -e, exaggerated, incensed.

Outre-passer, to go beyond, to exceed.

Outrer, to exaggerate, to incense.

Ouvert, -e (*part. of* OUVRIR), open, frank.

Ouverture, *n. f.* opening, beginning, hole, confidence, overture.

Ouvrable, *a.* working.

Ouvrage, *n. m.* work.—*Ouvrage* à l'aiguille, Needle-work.

Ouvrant, *pr. p.* opening (OUVRIR).

Ouvre (j'), I open (OUVRIR).

Ouvrier, *n. m.* workman.

Ouvri-er, -ère, *a.* working.

Ouvrière, *n. f.* work-woman.

Ouvrir (ouvrant, ouvert; j'ouvre, j'ouvris), to open, to start.

Ovale, *a.* and *n. m.* oval.

P.

Pacifique, *a.* peaceful, peaceable.

Padoue, Padua (Italy).

Page, *n. f.* page (of a book).

Page, *n. m.* page (boy.)

Paie (or paye), *n. f.* pay.

Païen, -ne, *n. m. f.* pagan, heathen.

Paillasse, *n. f.* straw-mattress.

Paillasse, *n. m.* clown.

Paillasson, *n. m.* straw-mat.

Paille, *n. f.* straw, chaff, flaw.

Pain, *n. m.* bread, loaf, cake, brown-bread.—Petit *pain*, Roll. *Pain* à cacheter, Wafer. *Pain* de ménage, Home-made bread. *Pain* de savon, Cake of soap.

Pair, *n. m.* peer, par, footing, equality, mate.—Être de *pair* à

compagnon, to be hail fellow well met.

Paire, *n. f.* pair, couple, brace.

Paisible, *a.* peaceful, still.

Paisiblement, *adv.* peaceably.

Paissons, let us graze.

Paître (paissant, pu; je pais), to graze, to feed, to pasture.

Paix, *n. f.* peace, rest.

Paix, *int.* peace!—*Paix* donc! Be quiet!

Paladin, *n. m.* paladin, knight-errant, champion.

Palais, *n. m.* palace, mansion, court of justice, palate (of the mouth).

Palatine, *n. f.* tippet, victorine.

Pale, *a.* pale, wan, tame.

Palefrenier, *n. m.* groom.

Palerme, *n. f.* Palermo.

Palet, *n. m.* quoit.

Paletot, *n. m.* great-coat.—*Paletot* d'été, Summer overcoat.

Paletot sac, *n. m.* sack, loose coat.

Palette, *n. f.* battledore, pallet.

Palier, *n. m.* landing-place, floor.

Pâlir, to turn pale, to grow dim.

Palissade, *n. f.* paling, palisade.

Palissandre, *n. m.* violet ebony, rose-wood.

Palmier, *n. m.* palm-tree.

Palmipède, *a.* web-footed.

Palmiste, *n. m.* cabbage-tree.

Palpitant, -e, *a.* palpitating, throbbing, thrilling.

Palpiter, to palpitate, to throb.

Pâmer, se Pâmer, to swoon.—Se *pâmer* de rire, To be ready to die with laughing.

Pamplemousse, *n. f.* shaddock.

Pampre, *n. m.* vine-branch.

Pan, *n. m.* skirt, lappet, piece, side.

Panache, *n. m.* plume, feathers.

Panaché, -e, *a.* streaky, striped, variegated.

Panais, *n. m.* parsnip.

Pancarte, *n. f.* tariff, placard.

Pandect, *n. m.* doctor.

Paner, to cover with bread crumbs.

Panier, *n. m.* basket, hamper.

Panonceau, *n. m.* scutcheon.

Panser, to dress, to groom.

Pantalon, *n. m.* trowsers.

Panthère, *n. f.* panther.

Pantomime, *n. f.* pantomime.

Pantomime, *n. m.* pantomime, mimic.

Pantoufle, *n. f.* slipper.

Paon, *n. m.* peacock; paonne, *f.*

Pape, *n. m.* pope.

Papeterie, *n. f.* stationery.

Papetier, *n. m.* stationer.

Papier, *n. m.* paper.—Main de *papier*, Quire of paper.

Papillon, *n. m.* butterfly.

Papillote, *n. f.* curling-paper, curl.

Pâque, *n. f.* passover.

Pâques, *n. m. f.* Easter.—Fêtes de *Pâques*, Easter holidays.

Paquebot, *n. m.* packet.—*Paquebot* à vapeur, Steam-packet.

Paquebot à voiles, Sailing-packet.

Pâquerette, *n. f.* Easter daisy.

Paquet, *n. m.* parcel, bundle, packet, (*pers.*) mass.

Par, *prep.* by, through, out of, from, about, in, during, &c.—Deux fois *par* semaine, Twice a week. *Par* ci *par* là, Here and there. *Par* ici, This way. *Par* là, That way. *Par* où? Which way? *Par* quoi? By what? How?

Parabole, *n. f.* parable.

Paradis, *n. m.* paradise.

Paradoxal, *a.* paradoxical.

Paraît (il), he adorned (PARER).

Paraît (il), he appears (PARAÎTRE).

Parage, *n. m.* parts, latitude.

Paraître (paraissant, paru; je parais, je parus), to appear.—Faire *paraître*, To bring out, to publish.

Parallèle, *n. m.* parallel, comparison.

Paralysie, *n. f.* paralysis.

Paralytique, *a.* and *n. m. f.* paralytic.

Parapluie, *n. m.* umbrella.—Manche de *parapluie*, Umbrella-stick.

Parasite, *n. m.* parasite, hanger on.

Paravent, *n. m.* screen.

Parbleu, *int.* zounds!

Parc, *n. m.* park, pen (for cattle).

Parce que, *conj.* because, as.—*Par ce que*, By that which, from which. *Par ce que* vous dites, From what you say.

Parchemin, *n. m.* parchment.

Parcourir (COURIR), to travel over, to go over, to run over, to survey, to read over.

Parcours, *n. m.* line.—Au *parcours*, For the journey.

Par-dessus, *prep.* and *adv.* over, upon, above, besides.

Par-dessus, *n. m.* over-coat.

Pardienne, *int.* faith!

Pardon, *n. m.* forgiveness.

Parcourus (je), I travelled over (PARCOURIR).

Pardonner, to forgive.

Pare (il), he adorns, &c.

Pareil, -le, like, similar, such.

Parement, *n. m.* facing, cuff.

Parent, -e, *n. m. f.* relation, relative, kinsman, kinswoman; in *pl.* parents (father and mother), relatives.—Grands *parents*, Nearest relatives.

Parenté, *n. f.* relationship, family.

Parent (ils), they adorn.

Parer, to adorn, to set off, to deck, to dress, to ward off.

Paresse, *n. f.* idleness, sloth.

Paresseu-x, -se, *a.* idle, lazy; *n.* idler.

Parfait, -e, *a.* perfect.

Parfaitement, perfectly.

Parfois, *adv.* occasionally.

Parfum, *n. m.* perfume, scent.

Parfumer, to perfume.

Parfumeu-r, -se, *n. m. f.* perfumer.

Pari, *n. m.* wager, bet.

Paria, *n. m.* pariah, outcast.

Parier, to wager, to bet.

Parieur, *n. m.* wagerer, bettor.

Parisien, -ne, *a.* and *s.* Parisian.

Parjure, *n. m.* perjury, perjurer.

Parlement, *n. m.* parliament.

Parler, to speak.—*Parler* mal, To speak badly. Entendre *parler* de, To hear of. Faire *parler* les lois, To apply the law, to enforce it. Vouloir *parler* de, To mean. *Parler* chasse, pêche, &c. To talk about hunting, fishing, &c.

Parler, *n. m.* speech, manner of speaking.

Parleu-r, -se, *n. m. f.* talker.

Parme, Parma.

Parmesan, *n. m.* Parmesan cheese.

Parmi, *prep.* among, amidst.

Paroisse, *n. f.* parish, parish church.

Paroissial, -e, *a.* parochial, parish.

Paroissien, *n. m.* parishioner.

Parole, *n. f.* word, speech, language.—Adresser la *parole*, To address. Avoir le don de la *parole*, To speak well, fluently. Prendre la *parole*, To begin to speak, to address the meeting.

Parque, *n. f.* Fate.

Parquer, to pen up, to fold, to park.

Parquet, *n. m.* bar, inlaid floor.

Parrain, *n. m.* god-father.

Pars (je), I set out (PARTIR).

Parsemer, to strew, to stud.

Part (il), he sets out (PARTIR).

Part, *n. f.* part, share, hand.—A *part*, Aside, except. Autre *part*, Elsewhere. De *part* et d'autre, On both sides. De *part* en *part*, Through and through from. De la *part* de, On one's part, in one's name, from one. Nulle *part*, Nowhere. Quelque *part*, Somewhere. Faire *part* à quelqu'un de, To share with, to inform of.

Partage, *n. m.* division, share.

Partager, to divide, to share.—*Partager* le différend, To split the difference.

Partance, *n. f.* sailing, departure.

Partant, *pr. p.* starting (PARTIR).

Partant, *adv.* consequently, hence.

Parte (que je), that I may set out (PARTIR).

Parterre, *n. m.* flower-garden, pit.

Parti, *n. m.* party, side, part, determination, offer, means, utility, match.—De *parti* pris, Resolutely. Tirer *parti* de, To turn to account, to derive advantage from. Prendre son *parti*, to make up one's mind.

Participe, *n. m.* participle.

Participer, to participate.

Particul-ier, -ière, *a.* particular, peculiar, appropriate, private.

Particulier, *n. m.* particular, individual, private man, fellow.—Simple *particulier*, Private

individual. En *particulier*, In private, in particular.

Particulièrement, particularly.

Partie, *n. f.* part, party, line, game, lot.—Faire *partie* de, To form a part of.

Partir (partant, parti; je pars, je partis), to depart, to set out, to start, to begin, to arise, to come, to go off.—A *partir* de, From, beginning from. *Partir* d'un éclat de rire, To burst out laughing.

Partisan,*n.m.* adherent, favourer, friend, a farmer of the taxes (La Fontaine).

Partition, *n. f.* musical composition.

Partout, *adv.* everywhere.

Paru, appeared (PARAÎTRE).

Parure, *n. f.* attire, dress, ornament, (of gems) set.

Parus(je),I appeared (PARAÎTRE).

Parusse (que je), that I might appear (PARAÎTRE).

Parvenir, to arrive, to reach, to attain, (fig.) to succeed, to rise.

Parvenu, -e, *part. of* PARVENIR.

Parvenu, *n. m.* upstart.

Parvins (je), *p. def. of* PARVENIR, I attained.

Parvinsse (que je), *imp. subj.* (PARVENIR).

Parvis, *n. m.* porch, inclosure.

Pas, *n. m.* step, pace, rate, precedence.—*Pas* à *pas*, Step by step. A deux *pas* de, Within a step of. A grands *pas*, With great strides. Au petit *pas*, Slowly. De ce *pas*, Directly, immediately. Faux *pas*, Stumble, mistake. Mauvais *pas*, Scrape. Aller au *pas*, To walk. Doubler le *pas*, To hasten one's pace.

Pas, *adv.* not, no, not any.—*Pas* du tout, Not at all.

Pas d'âne, *n. m.* colt's foot.

Pas-de-Calais, Straits of Dover.

Passable, *a.* tolerable.

Passablement, *adv.* tolerably.

Passage, *n. m.* passage, fare, thoroughfare, pass, arcade.

Passag-er, -ère, *a.* transient.

Passag-er, -ère, *n.m. f.* passenger.

Passant, -e, *a.* that is a great thoroughfare.—Chemin *passant*, rue *passante*, Thoroughfare.

Passe, *n. f.* pass, situation, thrust, front.—Etre en *passe* de, en belle *passe* de, To be in a fair way.

Passé, *n. m.* time past.

Passe-debout, *n. m.* permit.

Passement, *n. m.* lace.

Passementerie, *n. f.* lace-work, lace-trade, trimming.

Passe-partout, *n. m.* pass-key.

Passe-port, *n.m.* passport, pass.—Viser(un *passe-port*), To endorse.

Passer, to pass, to run over, to slide away, to filter, to prepare, *to dress*, to fade, to die, to overlook.—*En passer* par, To submit to. *Faire passer*, To pass, to *hand round*, to get over, to

cure (an illness). *Passe* pour cela! Be it so! *Passer* chez quelqu'un, To call on, upon one.—Cela me *passe*, That is beyond my comprehension.

se Passer, to pass away, to fade, to happen.—*Se passer* de, To do without.

Passereau, *n. m.* sparrow, any passerine bird.

Passeur, *n. m.* ferryman.

Passible, *a.* passible, liable.

Passion, *n. f.* passion, love.

Passionnément,*adv.* passionately.

Passivement, *adv.* passively.

Pastel, *n. m.* pastel, dyers' weed.—Dessiner au *pastel*, To draw in chalks.

Pasteur, *n. m.* shepherd, minister.

Pastille, *n. f.* lozenge, pastil.

Pâte, *n. f.* paste, dough, constitution. — Bonne *pâte* d'homme, Good sort of a man.

Pâté, *n. m.* pie, (of ink) blot.

Patente, *n. f.* license, bill.

Patenter, to license.

Patère, *n. f.* peg, curtain rest.

Patience, *n. f.* patience, forbearance.—Etre à bout de sa *patience*, To be out of patience. Faire perdre *patience* à quelqu'un, To put one out of patience. Pousser la *patience* à bout, To put one out of patience. Se donner *patience*, To take patience. Prendre en *patience*, To support with patience.

Patient, *n. m.* sufferer, patient, culprit (about to suffer death).

Patin, *n. m.* skate.

Patiner, to skate.

Pâtir, to suffer, to toil.

Pâtisserie, *n. f.* pastry.

Pâtiss-ier, -ière, *n.* pastry-cook.

Patois, *n. m.* patois, dialect.

Pâtre, *n. m.* herdsman, shepherd.

Patricien, *n. & a.* noble, patrician.

Patrie, *n. f.* native country, fatherland, home, birth-place.

Patrimoine, *n. m.* patrimony.

Patron, *n. m.* patron, patron saint, master, pattern, model.

Patte, *n. f.* paw, foot, leg.

Pâturage, *n. m.* pasturage.

Pâture, *n. f.* food, pasture-ground.

Paume, *n. f.* palm, tennis.

Paupière, *n. f.* eyelid, eyes.

Pauvre, *a.* poor, wretched.

Pauvrement, poorly.

Pauvret, -te, *n. m. f.* poor creature, thing.

Pauvreté, *n. f.* poverty.

se Pavaner, to strut.

Pavé, *n. m.* paving stone, pavement.

Pavillon, *n. m.* pavilion, tent, flag.—Arborer *or* hisser le *pavillon*,To hoist the flag or colours.

Pavot, *n. m.* poppy.

Payer, to pay, to pay for.—Se faire *payer*, To require payment, to get paid. *Payer* de sa personne,To expose one's self. Payer d'audace, To face it out.

Pays, *n. m.* country.—De quel *pays* êtes-vous? What countryman are you? Quel beau *pays*! What a fine country! La campagne est belle dans ce *pays*, The country (fields) is beautiful in this country (land). (See *Campagne*.)

Paysage, *n. m.* landscape.

Paysagiste, *n. m.* landscape-painter.

Paysan, -ne, *n. m. f.* peasant, country-man, country-woman.

Peau, *n. f.* skin, hide, peel.

Pec, *a.* pickled, newly salted.

Pêche, *n. f.* peach.

Pêche, *n. f.* fishing, angling.—Attirail de *pêche*, Fishing tackle.

Péché, *n. m.* sin, offence.

Pécher, to sin.

Pêcher, *n. m.* peach-tree.

Pêcher, to fish, to angle.—*Pêcher* à la ligne, To angle. *Pêcher* à la ligne flottante, To dab.

Pêcherie, *n. f.* fishery, fishing-place.

Péch-eur, -eresse, *n.* and *a.* sinner, sinful.

Pêcheu-r, -se, *n. m. f.* fisher, angler.

Pêcheur, *a.* fishing.—Bateau pêcheur, Fishing-boat.

Pécore, *n. f.* animal, fool, ass.

Pectoral, -e, *a.* pectoral, good for the chest.

Pécuniaire, *a.* pecuniary.

Pédale, *n. f.* pedal, pedal stop.

Pédant, -e, *n. m. f.* pedant.

Pédicule,*n.m.* pedicle, stripe, neck.

Pédicure, *n. m.* corn-cutter.

Peignais(je),I combed (PEIGNER).

Peignais(je),I painted (PEINDRE).

Peignait (il) he was painting (PEINDRE).

Peignait (il) he was combing (PEIGNER).

Peigne (je), I comb.

Peigne (que je), that I may paint.

Peigne, *n. m.* comb.

Peignent (ils), they comb.

Peignent (ils), they paint.

Peigner, to comb the hair, to beat.

Peindre (peignant, peint; je peins, je peignis), to paint, to depict. — Fait à *peindre*, Extremely well made. Se faire *peindre*, To have one's likeness taken.

Peine, *n. f.* pain, grief, trouble, pains, punishment. — A *peine*, Hardly, scarcely. Avec *peine*, With difficulty. A grand'*peine*, With great difficulty. En *peine*, At a loss. Homme de *peine*, Labourer. Cela n'en vaut pas la *peine*, It is not worth while.

Peiner, to pain, to grieve, to labour.

Peintre, *n. m.* painter.—*Peintre* en bâtiments, House-painter. *Peintre* en décors, Ornamental painter.

Peinture, *n. f.* painting, paint.—Peinture à l'huile, Oil painting.

re en bâtiments, House-
ng.

n. m. silk fabric.

n. m. colour of the hair.

le, helter-skelter.

o lose one's skin, to peel.

, -e, n. m. f. pilgrim.

e, n. f. tippet.

, f. shovel.

rie, n. f. peltry, furriery.

er, -ière, n. m. f. furrier.

n. f. ball, pincushion.

, n. m. ball, knot, platoon.

, n. f. lawn, green-sward.

nt, n. m. declivity, slope,

e, inclination.

r, to incline, to stoop.

t, -e, a. pendent, hanging,

ng, depending.

t, n. m. fellow.—*Pendant*

le, Ear-ring. Faire pen-

l'o be the fellow.

t, prep. during.

t que, conj. while, whilst.

d, -e, n. m. f. rogue, rascal.

, to hang, to suspend.—

is que pendre de, To say

hing that is bad of.

-e, part. and a. hanged,

—Avoir la langue bien

, To have a well-oiled

.

e, n. m. pendulum.

e, n. f. clock, time-piece.

r, to penetrate, to imbue,

ce, to dive into, to affect.

étrer, to impress one's

to penetrate into each

to imbue one's self.

, a. painful, laborious.

, n. f. pinnace.

ule, n. f. peninsula.

ce, n. f. penance, punish-

—Faire *pénitence*, To do

ce. Mettre en *pénitence*,

nish.

cier, n. m. penitentiary.

n. f. thought, pansy.

a *pensée*, To speak one's

to think, to reflect, to

are, to be near, to intend.

ense que oui, que non, I

so, I think not. J'ai

omber, I was near falling.

n. m. thought (poetical).

r, n. m. thinker.

, -ve, a. thoughtful.

, n. f. pension, allow-

board, board and lodging,

ng house or school.

naire, n. m. pensioner.

r.

nat, n. m. boarding-school.

ner, to pension.

, n. m. imposition, task.

n. f. slope, propensity.

n. m. pip, kernel, stone.

re, n. f. nursery.

, n. f. cambric muslin.

, -e, a. piercing, shrill.

ent, n. m. piercing, boring.

eige, n. f. snow-drop.

teur, n. m. collector.

l'ercer, to pierce, to bore, to open,
to go through, to wet through,
to see through, to break through,
to appear, to show one's self.—
Percer la foule, To make one's
way through the crowd. *Percer*
l'avenir, To dive into futurity.

Percevoir, to collect, to perceive.

Perche, n. f. pole, perch.

Percher, (of birds) to perch.

Perchoir, n. m. roost.

Perclus, -e, a. impotent.

Perdant, -e, a. losing.

Perdre, to lose, to ruin, to spoil.
—Faire *perdre*, To cause the loss
of, to break off (a bad habit).
Perdre de vue, To lose sight of.

Perdreau, n. m. young partridge.

Perdrix, n. f. partridge.

Perdu, -e, part. (PERDRE), lost,
ruined.—À ses heures *perdues*,
At his leisure hours.

Père, n. m. father, parent; *pères*
(pl.), forefathers.—*Père* nourricier, Foster-father. Beau-*père*,
Father-in-law, step-father.

Perfection, n. f. perfection, accomplishments.—Dans la *perfection*, To perfection.

Perfectionnement, n. m. improvement.

Perfectionner, to perfect, to
improve.

Perforer, to perforate.

Périlleu-x, -se, a. perilous.

Péroidicité, n. f. periodical return.

Périr, to perish, to decay.

Perle, n. f. pearl, bead.—Nacre
de *perle*, Mother-of-pearl.

Permettre (METTRE), to permit,
to allow.

se Permettre, to take the liberty.

Permis, -e, a. lawful, allowable.

Permis, n. m. permission, permit.
—*Permis* de chasse, Shooting-
license.

Pérorer, to harangue, to speechify.

Pérou, n. m. Peru.

Perpétuel, a. perpetual, endless.

Perplexe, a. perplexed, perplex-
ing.

Perquisition, n. f. search.

Perron, n. m. flight of steps.

Perroquet, n. m. parrot, gallant-
sail.

Perruche, n. f. hen-parrot.

Perruque, n. f. wig, peruke.

Perruquier, n. m. wigmaker.

Persan, -e, n. and a. Persian
(modern).

Perse, n. m. f. ancient Persian.

Perse, n. f. Persia, chintz.

Persévérer, to persevere. [blind.

Persienne, n. f. outside shutter,

Persifleur, n. m. quiz, jeerer.

Persil, n. m. parsley.

Persister, to persist.

Personnage, n. m. person, character.

Personne, n. f. person (man or
woman), appearance. — Jeune
personne, Young lady. Aimer sa
personne, sa petite *personne*, To
love one's dear self.

Personne, pron. any one, no one.

Personnel, -le, a. personal, selfish.

Personnel, n. m. persons attached
to an establishment, as clerks
in an office, servants in hôtels,
&c. *Personnel* is opposed to
matériel (which see).

Persuader, to persuade, to convince.

Perte, n. f. loss, ruin.—A *perte*,
At a loss. A *perte* d'haleine,
Out of breath. A *perte* de vue,
Further than the eye can reach.

Péruvien, n. m. and a. Peruvian.

Pervenche, n. f. periwinkle.

Pesage, n. m. weighing.

Pesamment, heavily.

Pesant, -e, a. heavy, slow, dull.

Pesanteur, n. f. heaviness.

Peser, to weigh.

Peste, n. f. plague, pestilence.

Peste, int. plague! pest!

Pétale, n. m. petal, flower-leaf.

Pétersbourg, Petersburg.

Pétillant, -e, a. crackling, sparkling.

Pétillement, n. m. crackling.

Pétiller, to crackle, to sparkle,
to be full.

Petit, -e, a. little, small, short,
petty, mean, dear.—*Petit* esprit,
Narrow mind. *Petit* à *petit*, By
little and little, by degrees.
Petit prince, Petty prince. En
petit, On a small scale.

Petit, -e, n. m. f. little one, child.

Petitement, poorly, meanly.

Petitesse, n. f. littleness, smallness, meanness, narrowness.

Pétitionnaire, n. m. petitioner,
applicant.

Petit-gris, n. m. Siberian squirrel.

Pétrifier, to petrify. [mince ver.

Pétrir, to knead, to form.

Pétulance, n. f. petulancy.

Peu, little; (pl.) few; not very.—
Robert est *peu* aimable, Robert
is not very amiable. Depuis *peu*,
Recently. Pour *peu* que, How
little soever. *Peu* à *peu*, By
degrees. *Peu* de chose, A trifle.
A *peu* près, à *peu* de chose près,
Nearly, about. Quelque *peu*,
A little. Si *peu* que, However
little. Sous *peu*, Shortly. Tant
soit *peu*, Ever so little. *Peu* s'en
faut, Very nearly.

Peu, n. m. little, small quantity
or number.

Peuplade, n. f. tribe.

Peuple, n. m. people, nation. (See
Gens and *Personne*.)—Gens du
peuple, Common people.

Peupler, to people, to populate.

Peuplier, n. m. poplar.

Peur, n. f. fear, fright, dread.—
De *peur* de, For fear of. De
peur que, For fear, lest. Faire
peur à, To frighten.

Peureu-x, -se, a. fearful, timorous.

Peut (il), he can, may, is able.

Peut-être, adv. may be, perhaps.—
Peut-être que non, Perhaps not.
Peut-être que oui, Perhaps so.

Peuvent (ils), they can or are able (Pouvoir).

Peux (je), I can (Pouvoir).

Phalange, *n. f.* phalanx, joint.

Phalène, *n. f.* moth.

Phare, *n. m.* lighthouse.

Pharmacie, *n. f.* chemist's-shop, medicine-chest.

Pharmacien, *n. m.* chemist.

Phèdre,*n.m.*Phædrus,*f.*Phædra.

Phénomène, *n. m.* phenomenon.

Philanthropie,*n.f.* philanthropy.

Philologue, *n. m.* philologist.

Philosophale, *a. f.* philosopher's. —Pierre *philosophale,* Philosopher's stone.

Philosophe, *n. m.* philosopher.

Philosopher, to philosophize.

Philosophie, *n. f.* philosophy.

Phoque, *n. m.* seal.

Photographe,*n.m.* photographer.

Photographie, *n f.* photography.

Photographier, to take a photograph.—Se faire *photographier,* To have one's photograph taken.

Phrase, *n. f.* sentence.

Physicien, *n. m.* natural philosopher.

Physiologie, *n. f.* physiology.

Physiologique, *a.* physiological.

Physionomie, *n. f.* physiognomy, look, countenance, expression, (things) character.

Physique, *n. f.* natural philosophy. [terior.

Physique, *n. m.* constitution, ex-

Piaffer, to paw the ground, to make a show.

Pianiste, *n. m.* pianist.

Piano, *n. m.* piano-forte.—*Piano* droit, Cottage-piano. *Piano* à queue, Grand-piano.

Pic, *n. m.* pick-axe, peak.

Picotin, *n. m.* peck (of oats).

Pie, *n. f.* magpie.

Pièce, *n. f.* piece, bit, patch, apartment, play, joint of meat. —A la *pièce,* By the piece. *Pièce* de théâtre, Play. Tout d'une *pièce* (pers.), Stiff, stiff as a poker; (things), All of a piece. Tailler en *pièces,* To cut in or to pieces.

Pied, *n. m.* foot, leg, stalk, plant, footing.—Coup de *pied,* Kick, stamp, kicking. *Pied* d'alouette, Lark's heel. Valet de *pied,* Footman. A *pied,* On foot. A *pied* sec, Dry-shod. De *pied* ferme, Without stirring, resolutely. En *pied,* full length. Sur *pied,* On foot, up, standing. Fouler aux *pieds,* To trample under foot. Mettre *pied* à terre, To alight.

Pied-à-terre, *n. m.* temporary lodging (town or country), box.

Piédestal, *n. m.* pedestal, step.

Piége, *n. m.* snare, trap.—Donner dans le *piége,* To fall into the snare. Dresser, tendre un *piége,* To lay a snare.

Pierre, *n. f.* stone, rock, flint.— *Il gèle à pierre fendre,* It freezes *most intensely* (hard enough to

split a rock).—*Pierre* à fusil, Flint. *Pierre* de taille, Free or cut stone. Faire d'une *pierre* deux coups, To kill two birds with one stone. Jeter des *pierres* dans le jardin de quelqu'un, To make insinuations against one.

Pierreries *n. f.* gems, precious stones.

Pierrot, *n. m.* sparrow, clown.

Piété, *n. f.* piety, godliness.— Mont de *piété,* Loan office, pawnbroker's office.

Piétinement, *n. m.* stamping.

Piéton, -ne, *n. m. f.* pedestrian, walker, foot-soldier.

Pieu-x, -se, *a.* pious, godly.

Pigeon, *n. m.* pigeon.—*Pigeon* ramier, Wood-pigeon. *Pigeon* voyageur, Carrier-pigeon. Gorge de *pigeon,* Dove-coloured, shot.

Pigeonneau, *n. m.* young pigeon.

Pigeonnier, *n. m.* pigeon-house.

Pile, *n. f.* pile, heap.

Pilé, *p.* pounded, crushed.

Pillage, *n. m.* plunder.

Piller, to plunder.

Pilote, *n. m.* pilot.

Pilotis, *n. m.* piling, pile-work.

Pilule, *n. f.* pill.

Piment, *n. m.* pimento, all-spice.

Pin, *n. m.* pine-tree, fir-tree.— Pomme de *pin,* Fir-cone.

Pince, *n. f.* crow-bar, tongs, pincers, nippers, hold, gripe, claw.

Pinceau, *n. m.* brush, pencil.

Pincette, Pincettes, *n. f.* tongs, tweezers, nippers.

Pinson, *n. m.* chaffinch.

Pintade, *n. f.* Guinea-fowl, pintado.

Piquant, -e, *a.* prickly, keen, sharp, piercing, biting, smart, pleasing, enticing.

Piqué, -e, *a.* quilted, spotted.

Piqué, *n. m.* quilting.

Pique-nique, *n. m.* picnic.

Piquer, to prick, to sting, to excite, to stimulate, to bite, to goad, to quilt, to stitch.—Quelle mouche l'a *piqué?* What is the matter with him? se Piquer, to prick one's self, to be offended, to take offence, to take a pique, to pride one's self on, to glory in, to pique one's self on.

Piquet, *n. m.* picket, stake.

Piquette, *n. f.* (sour) wine made of the residue of the grape.

Piqueur, *n.m.* out-rider, whipper-in, huntsman.

Piqûre, *n. f.* prick, sting.

Pire, *a.* worse.—Le *pire* (le plus mauvais), The worst.

Pis, *adv.* (plus mal), worse.—Le *pis* (le plus mal), The worst.

Pisan, -e, an inhabitant of Pisa.

Pisciculture, *n. f.* the raising of fish.

Piste, *n. f.* trace, track, scent.

Pistole, *n. f.* pistole, 8*s.* 6*d.*

Pistolet, *n. m.* pistol.

Piston, *n. m.* piston, sucker,

Pitié, *n. f.* pity, compassion.— Par *pitié,* For pity's sake, from pity. Faire *pitié,* To excite or move one's pity.

Piton, *n. m.* screw-ring, peak.

Pitoyable, *a.* piteous, pitiful.

Pittoresque, *a.* picturesque.

Pivoine, *n. f.* piony, peony.

Place, *n. f.* place, room, spot, square, situation, stead, berth, market.—*Place* forte, Fortress. A deux *places,* Single seated. *Place* de guerre, Fortified town. A la or en *place* de, Instead of, in lieu of. En *place!* In your places! Demeurer en *place,* To stand or sit still. Sur *place,* On the premises, on the spot. Sur la *place,* On, upon the spot. Faire *place,* To make room, to clear the way.

Placement, *n. m.* placing, investment. — Bureau de *placement,* Registry office (for servants).

Placer, to place, to put, to lay, to rank, to procure a situation, to invest, to deposit. se Placer, to get a situation.

Placet, *n. m.* petition.

Plafond, *n. m.* ceiling.

Plage, *n. f.* sea-shore, region.

Plaider, to plead, to sue.

Plaideu-r, -se, *n. m. f.* litigant.

Plaidoyer, *n. m.* counsel's speech, speech.

Plaie, *n. f.* wound, sore, plague.

Plaignant, pitying. se Plaignant, complaining.

Plain, -e, *a.* plain, even, level.—De *plain* pied, On the same floor.

Plaindre (plaignant, plaint; je plains, je plaignis), to pity, to grudge.—Ils sont bien à *plaindre,* They are much to be pitied. se Plaindre, to complain, to grumble, to grudge.

Plaine, *n. f.* plain, lea, level ground, field.

Plainte, *n. f.* complaint, whine.

Plainti-f, -ve, moanful, doleful.

Plaire (plaisant, plu; je plais, je plus), to please, to be pleasing, to be agreeable.—A Dieu ne *plaise!* God forbid! Plût à Dieu, au Ciel! Would to God, to Heaven! se Plaire, to delight, to like.

Plaisamment, ludicrously, ridiculously.

Plaisance, *n. f.* pleasure.

Plaisant, -e, *a.* laughable, ridiculous.

Plaisanterie, *n. f.* pleasantry, jesting, joking, jest, joke, derision.

Plaise, *pr. subj.* of Plaire.

Plaisent(ils),they please(Plaire).

Plaisir, *n. f.* pleasure, favour; *plaisirs* (m. pl.), gaieties, pleasure grounds.—A *plaisir,* Designedly, at one's ease, &c.

Plaît (il), it or he pleases.—S'il vous *plaît,* If you please.

Plan, -e, *a.* plain, flat,

Plan, *n. m.* plan, draft, model, scheme, survey, ground.

Planche, *n. f.* board, plate, bed.

Plancher, *n. m.* floor, ceiling.

Planer, to plane, to hover.

Plant, *n. m.* sapling, plant.

Plantation, *n. f.* plantation, planting.

Plante, *n. f.* plant, (of the foot) sole.—*Plante des pieds*, Sole of the foot. *Plante* vivace, Perennial plant. Jardin des *plantes*, Botanical garden.

Planter, to plant, to set, to fix, to drive.—*Planter* là, To leave in the lurch, to give the slip.

Planteur, *n. m.* planter, settler.

Plaque, *n. f.* plate, slab, star.

Plat, -e, *a.* flat, level, insipid.

Plat, *n. m.* dish, flat.

Plateau, *n.m.* wooden basin, tray, table-land.

Plate-bande, *n. f.* plat-band, border, plot.

Platine, *n. f.* platinum, platina.

Plâtre, *n. m.* plaster.

Plein,-e,*a.* full.—A *pleines* mains, Plentifully. En *plein* vent, In the open air. En *pleine* classe, During school hours. En *plein* hiver, In the depth of the winter. En *plein* jour, In open day. En *plein* midi, At noonday. En *pleine* mer, On the open sea. En *pleine* paix, In the midst of peace. Tout *plein*, Quite full.

Pleinement, *adv.* fully, entirely.

Pleurer, to weep, to cry, to mourn.

Pleureu-r, -se, *a.* weeping.

Pleurs, *n. m. pl.* tears, weeping.

Pleuvoir (pleuvant, plu; il pleut, il plut, il pleuvra), to rain, to pour.—*Pleuvoir* à flots, To rain in torrents. *Pleuvoir* à verse, To pour.

Pli, *n.m.* fold, plait, crease, habit, bend, tuck, wrinkle, recess.— Sous ce *pli* (of letters), inclosed.

Pliant, -e, *a.* folding, pliant.

Pliant, *n. m.* folding chair.

Plier, to fold, to bend, to bow, to give way.

Plomb, *n. m.* lead, shot.

Plomber, to lead, to beat.

Plombier, *n. m.* plumber.

Plonger, to plunge, to dip, to duck, to sink.

Ployer, to bend, to yield, fold up.

Plu, *pp.* pleased, &c. (PLAIRE).

Plu, *pp.* rained (PLEUVOIR).

Pluie, *n. f.* rain, shower.—*Pluie* battante, Pelting rain. A la *pluie*, In the rain, rainy. Après la *pluie* le beau temps, Fortune is not always cross. Faire la *pluie* et le beau temps, To do what one pleases. Parler de la *pluie* et du beau temps, To talk of indifferent things.

Plume, *n. f.* feather, plume, quill, pen, author, penman.—*Plume* métallique *or d'acier*, Steel pen.

Plume d'oie, Quill pen, quill. A la *plume*, With the pen.

Plumer, to plume, to pluck, to fleece.

Plumet, *n. m.* plume, feather.

Plumetis, *n. m.* satin stitch, tambouring.—Broder au *plumetis*, To tambour.

Plupart, *n.* most part.—La *plupart* des gens, Most people. La *plupart* du temps, For the most part, generally.

Plus, *adv.* more, most, (with a neg.) no more.—Je n'ai *plus* d'argent, I have no more money. Nous ne dînons *plus* à six heures, We no longer dine at six o'clock. *Plus* ou moins, More or less. *Plus* de leçons! No more lessons! Au *plus*, tout au *plus*, At most, at the most. Bien *plus*, More than that. De *plus*, More, besides. De *plus* en *plus*, More and more. D'autant *plus*, The more, so much the more. Ni *plus* ni moins, Neither more nor less. Non *plus*, Neither. Qui *plus* est, What is more. Il y a *plus*, More than that. Il est on ne peut *plus* aimable, He is most amiable. *Plus* de larmes, *plus* de soupirs, No more tears, no more sighs.

Plusieurs, *a. pron.* several, many.

Plus tôt, *adv.* sooner.

Plut (il), it rained (PLEUVOIR).

Plut (il), he pleased (PLAIRE).

Plutôt, *adv.* rather, sooner.

Pluvier, *n. m.* plover.

Pluvieux, *a.* rainy, wet.

Poche, *n. f.* pocket, pouch.

Podestat, *n. m.* podesta (magistrate).

Poêle, *n. f.* pan, frying-pan.

Poêle, *n. m.* stove.

Poésie, *n. f.* poetry, poesy.

Poète, *n. m.* poet.

Poids, *n. m.* weight, load, burden. —Faux *poids*, Light weight. Avoir du *poids*, To weigh. De *poids*, Weighty, of importance.

Poignard, *n. m.* dagger, poniard.

Poignarder, to stab, to kill.

Poignée, *n. f.* handful, handle, hilt.—Une *poignée* de main, Shaking of hands.

Poignet, *n. m.* wrist, band, cuff.

Poil, *n.m.* hair, beard (see *Cheveu*).

Poing, *n. m.* fist, hand.

Point, *n. m.* point, dot, speck, part.—*Point* d'Angleterre (lace), Brussels' point. *Point* de côté, Stitch, pain in the side. *Point* du jour, Day-break. A *point*, just in time, to a nicety. De *point* en *point*, Exactly, in every point. De tout *point*, In every respect.

Point, *adv.* not, no, none.—*Point* du tout, Not at all.

Pointe, *n. f.* point, tack, edge, pun, nib.—A la *pointe* du jour, At day-break.

Pointilleu-x, -se, *a.* cavilling, punctilious.

Pointu, -e, *a.* pointed, sharp.

Poire, *n. f.* pear, powder-horn.— Entre la *poire* et le fromage, At dessert. Garder une *poire* pour la soif, To put by for a rainy day.

Poireau, Porreau, *n. m.* leek.

Poirier, *n. m.* pear-tree.

Pois, *n. m.* pea.—*Pois* vert, petit *pois*, Green pea.

Poisson, *n. m.* fish, pisces.—Marchand de *poisson*, Fishmonger. Donner un *poisson* d'Avril à quelqu'un, To make one an April fool.

Poissonnerie, *n. f.* fish-market.

Poissonneu-x, -se, *a.* abounding in fish.

Poitrail, *n. m.* breast, chest.

Poitrinaire, *a.* and *n. m. f.* consumptive.

Poitrine, *n. f.* breast, chest.

Poivre, *n. m.* pepper.

Poivrière, *n. f.* pepper-box.

Poli, -e, *a.* polished, polite.

Poli, *n. m.* polish, polishing.

Police, *n. f.* police, a government.

Policer, to civilize.

Poliment, *adv.* politely.

Politesse, *n. f.* politeness.

Politique, *a.* prudent.

Politique, *n. m.* politician.

Politique, *n. f.* policy, politics.

Pologne, *n. f.* Poland.

Polonais, -e, *n.* and *a.* Pole, Polish.

Poltron, -ne, *a.* cowardly, dastardly.

Poltron, -ne, *n. m. f.* coward, poltroon.

Polytechnique, *a.* polytechnic. A polytechnic school is an institution in which many branches of arts and sciences are taught.

Pommade, *n. f.* pomatum.

Pommader, to put pomatum on.

Pomme, *n. f.* apple, head, ball, knob.—*Pomme* de terre, Potato

Pommelé, -e, *a.* dappled, cloudy. —Gris *pommelé*, Dapple-gray.

Pommier, *n. m.* apple-tree.

Pompe, *n. f.* pomp, state, pump. —*Pompe* à incendie, Fire-engine. *Pompe* à feu, Steam-engine.

Pomper, to pump, to suck.

Pompeu-x, -se, pompous, stately.

Pompier, *n. m.* fireman.

Ponceau, *n. m.* poppy (colour).

Pondre, to lay (eggs).

Ponet, Poney, *n. m.* pony.

Pont, *n. m.* bridge, deck.—*Pont* suspendu, Suspension-bridge.

Pont-Euxin, *n. m.* the Euxine, the Black Sea.

Pontife, *n.m.* pontiff, high-priest.

Popeline, *n. f.* poplin.

Populace, *n. f.* mob.

Porcelaine, *n. f.* porcelain, china.

Porche, *n. m.* porch.

Port, *n. m.* port, harbour.—*Port* marchand, Shipping port. Port militaire, Naval station.

Port, *n. m.* carrying, carriage, postage, gait, walk.—Port [...]

Prepaid. *Port d'armes*, Shooting license.

Portail, *n. m.* front, door-way, portal, gate.

Portant, bearing, carrying.—*Bien portant*, In good health. *Mal portant*, Unwell. About *portant*, Close to the muzzle. L'un *portant* l'autre, one with another.

Portati-f, -ve, *a.* portable, hand.

Porte, *n. f.* door, gate—*Porte à deux battants*, Folding-door. *Porte cochère*, Gate-way. *Porte dérobée*, Private door. *Porte vitrée*, Glass-door. Mettre à la *porte*, To turn out.

Porté, -e, *a.* carried, inclined.

Porte-crayon, *n. m.* pencil-case.

Portée, *n. f.* brood, reach, capacity, import, pitch, shot, range.—A ma *or* sa *portée*, Within my *or* his reach. A la *portée* du canon, Within cannon-shot. A une *portée* de fusil, Within gun shot. Hors de la *portée*, Beyond *or* out of reach. Etre à *portée* de, To be able to. Se mettre à la *portée* de, To come down to the level of.

Porte-feuille, *n. m.* portfolio, pocket-book.

Porte-monnaie, *n. m.* flat purse.

Porte-parapluies, *n. m.* umbrella-stand.

Porter, to carry, to bear, to support, to wear, to have on, to produce, to induce, to show, to cast, to turn, to lay, to state.—*Porter* bonheur *or* malheur, To bring good *or* ill-luck. *Porter* une plainte, To lodge a complaint. *Porter* témoignage, To bear witness.

se Porter, to bear, to move, to go, to stand forward, to do, to be.—*Se porter* bien *or* mal, To be well *or* unwell. Comment vous *portez-vous?* How do you do? *Portez*-vous bien, Keep in good health, farewell.

Porte-rôtie, *n. m.* toast-rack.

Porteu-r, -se, *n.* carrier, porter, bearer, holder, chairman.

Porte-voix, *n. m.* speaking-trumpet.

Portier, *n. m.* porter, door-keeper.

Portière, *n. f.* portress, (of carriages) door.

Portion, *n. f.* part, share, allowance.

Portique, *n. m.* portico.

Portrait, *n. m.* portrait, picture.—*Portrait* en pied, Full-length likeness.

Portrait, *pp.* drawn, depicted (PORTRAIRE).

Portugais, -e, *n.* and *a.* Portuguese.

Poser, to place, to put, to lay, to set, to stand, to ask, to hang (bells), to post up, to station, to *sit*, *to assume* a theatrical attitude.

se Poser, to perch, to tread, to

---

settle one's self, to take a position.

Positif, *a.* certain, matter-of-fact.

Posséder, to possess, be master of.

se Posséder, to keep one's temper.

Possesseur, *n. m.* owner.

Poste, *n. f.* post, stage, post-office, mail.—*Poste* restante, (to be left at the) post-office. Aller, voyager en *poste*, To post. Train de *poste*, mail train.

Poste, *n. m.* post, employment.

Poster, to place, to station.

Postuler, to apply, to solicit.

Pot, *n. m.* pot, jug.—En *pot*, Potted. *Pot* au feu, Soup with boiled meat. La fortune du *pot*, Pot-luck. *Pot* à l'eau, Water-jug. *Pot* au lait, Milk-jug.

Potable, *a.* drinkable.

Potage, *n. m.* soup.—Pour tout *potage*, In all. Pour renfort de *potage*, To add to the mess, to make the thing quite complete.

Potager, *n. m.* kitchen garden.

Potag-er, -ère, *a.* culinary, kitchen.

Poteau, *n. m.* post.

Potence, *n. f.* gibbet, gallows.

Poterie, *n. f.* earthenware.

Potier, *n. m.* potter.

Potiron, *n. m.* pumpkin.

Pouah, *int.* poh! fie!

Pouce, *n. m.* thumb, inch.

Pou-de-soie, *n. m.* stout silk.

Poudre, *n. f.* powder, dust.—Jeter de la *poudre* aux yeux, To dazzle, to impose upon. Réduire en *poudre*, To pulverize. Il n'a pas inventé la *poudre*, He is no conjuror, he will not set the Thames on fire.

Poudrer, to powder.

se Poudrer, to powder one's hair.

Poudreu-x, -se, *a.* dusty, powdery.

Poudrière, *n. f.* powder-mill, powder magazine.

Poulailler, *n. m.* henhouse.

Poulain, *n. m.* colt, foal.

Poularde, *n. f.* fat pullet.

Poule, *n. f.* hen, fowl.

Poulet, *n. m.* chicken, chick.

Pouliche, *n. f.* colt, foal.

Poulie, *n. f.* pulley, block.

Pouls, *n. m.* pulse. — Tâter le *pouls*, To feel the pulse, to sound.

Poumon, *n. m.* lungs, lung.

Poupe, *n. f.* stern, poop.

Poupée, *n. f.* doll, puppet.

Pour, *prep.* for, on account of, to, in order to, as to, though.—*Pour* ainsi dire, As it were. *Pour* le moins, At least. *Pour* peu que, However little.

Pour-boire, *n. m.* drink-money.

Pourceau, *n. m.* pig, hog, swine.

Pourpoint, *n. m.* doublet. — A brûle *pourpoint*, Close to one's face, unsparingly.

Pourpre, *n. m.* purple (colour).

Pourpre, *n. f.* purple (fabric).

Pourpré, -e, *a.* purple.

Pour que, so that, in order that.

Pourquoi, why, wherefore.

Pourrais (je), I could.

Pourriez-vous, could you?

Pourrir, to rot, to decay.

Poursuite, *n. f.* pursuit, prosecution.

Poursuivre, to follow, to carry out, to pursue, to go on with, to persecute, to prosecute.

Pourtant, *adv.* however, yet, still.

Pourvoir (VOIR), to provide, to see, to attend, to supply.

Pourvoyeur, *n. m.* purveyor.

Pourvu, provided (POURVOIR).

Pourvu que, *conj.* provided that.

Pousse, *n. f.* shoot, sprout.

Pousser, to push, to thrust, to drive, to carry, to extend, to impel, to press, to bring forward, to shoot forth, to utter, to heave (sighs).

se Pousser, to push one's self forward.

Poussière, *n. f.* dust, spray.—Il fait de la *poussière*, It is dusty. Réduire en *poussière*, To reduce to dust. Tomber en *poussière*, To crumble to dust.

Poussin, *n. m.* young chicken.

Poutre, *n. f.* beam.

Pouvoir (pouvant, pu ; je peux *or* je puis, je pus, je pourrai; que je puisse), to be able, possible, may, can.—N'en *pouvoir* plus, To be exhausted. Cela se peut, It may be that. *Puissiez-vous!* May you!

Pouvoir, *n. m.* power.

Prairie, *n. f.* meadow.

Pratique, *n. f.* practice, dealing, habit, custom, customer.

Pratiquer, to practise, to frequent, to make.—*Pratiquer* une ouverture, To make an opening.

Pré, *n. m.* meadow.

Prébende, *n. f.* prebend, prebendaryship, living.

Précaution, *n. f.* caution, prudence.—Avec *précaution*, Cautiously.

Précédent, -e, *a.* preceding.

Précédent, *n. m.* precedent.—Sans *précédent*, Unprecedented.

Précéder, to precede.

Précepteur, *n. m.* tutor.

Prêcher, to preach.

Prêcheur, *n. m.* preacher, sermonizer.

Précieu-x, -se, *a.* precious, valuable.

Précipitamment, precipitately.

Précipiter, to hurry, to hurl.

se Précipiter, to throw one's self, to rush.

Précis, -e, *a.* precise, exact.—Il est midi *précis*, It is 12 o'clock precisely. Il est deux heures *précises*, It is 2 o'clock precisely. Il est une heure *précise*, It is one o'clock precisely.

Précis, *n. m.* abstract, summary.

Précisément, *adv.* precisely.

Précoce, *a.* precocious, early.

Prédilection, *n. f.* partiality.—Fleur de *prédilection*, Favourite flower.

Prédire (prédisant, prédit ; te

prédis, je prédis), to foretell, to presage.

Préfecture, n. f. prefecture, dwelling, authority of a prefect (chief of a department) in France.—Sous-préfecture, Under-prefecture.

Préférer, to like better.

Préfet, n. m. prefect, civil governor of a department in France.—Sous-préfet, Sub-prefect.

Préjudice, n. m. injury, wrong.— Au préjudice de, To the prejudice or detriment of. Porter préjudice à, To injure.

Préjudiciable, a. injurious.

Préjugé, n. m. prejudice.

Prélever, to deduct previously.

Prem-ier, -ière, a. first, former, foremost.—Premier venu, First comer, any one. Au premier, On the first floor.

Premièrement, adv. first, firstly.

Prenant, taking (PRENDRE).

Prendre (prenant, pris; je prends, je pris), to take, to seize, to assume, to put on, to charge.— Prendre les devants, To get the start. Prendre sur son sommeil, To retrench from one's sleep. Prendre sur soi, To assume on one's self. Prendre pour dit, To take it for granted. A tout prendre, Upon the whole. Prendre aux cheveux, To seize by the forelock. Prendre à, To take hold of. Prendre garde à, To beware of, to mind.

se Prendre, to be taken, to be caught, to cling, to begin, to set about, to attack, to take hold of.—Il se prit à pleurer, He began to cry. S'en prendre à, To blame, to lay the blame on. S'y prendre, To proceed. S'y prendre bien, To go about it properly.

Prends (je), I take.

Preneu-r, -se, n. m. f. taker, catcher.

Prenez-vous? do you take?

Prénom, n. m. Christian (or first) name.

Préoccuper, to preoccupy, to engross.

Préparatif, n. m. preparation.

Préparer, to prepare.—Préparer les voies, To pave the way.

Prérogative, n. f. prerogative, advantage.

Près, prep. near, by, close to, nearly, almost, in comparison.— A beaucoup près, By a great deal. A cela près, With that exception, for all that. A peu près, Nearly, pretty near. A peu de chose près, Within a trifle.

Présage, n. m. presage, omen.

Presbyte, a. far-sighted.

Presbytère, n. m. parsonage, vicarage.

Prescrire (ÉCRIRE), to prescribe, to order, to direct.

Présence, n. f. presence, sight.

Présent (A), adv. at present, now.

Présent, n. m. present, gift.— Dès à présent, From this time. Jusqu'à présent, Till now.

Présentement, adv. at present, now.

Présenter, to present, to offer, to bring forward, to introduce.— Se présenter bien, To have a good address, to promise well, to have a good appearance.

Préserver, to preserve, to keep. —Le ciel m'en préserve! Heaven forbid!

Présider, to preside, to direct.

Présomptueu-x, -se, a. presumptuous.

Presque, adv. almost, nearly.

Presqu'île, n. f. peninsula.

Pressant, -e, a. pressing, urgent.

Presse, n. f. press, throng, urgency.—Sous presse, In the press.

Pressé, -e, a. in a hurry.

Pressentiment, n. m. foreboding.

Pressentir (SENTIR), to foresee.

Presser, to press, to squeeze, to clasp, to throng, to urge, to hurry, to hasten.

Prestance, n. f. imposing deportment, carriage, address, portliness.

Prêt, -e, a. ready, willing.—Tout prêt, Quite ready.

Prêt, n. m. loan.

Prétendant, n. m. pretender, claimant.

Prétendre, to claim, to pretend, to maintain, to intend. — On prétend, It is reported.

Prétendu, -e, a. pretended, supposed, so called, so termed.

Prétendu, -e, n. m. f. intended (future husband or wife).

Prétention, n. f. pretension, claim. — Sans prétention, Unassuming.

Prêter, to lend, to attribute.— Prêter l'oreille, To give ear.

se Prêter, to indulge, to comply, to humour, to countenance, to adapt one's self.

Prêteu-r, -se, n. m. f. lender.

Prétexter, to pretend, to feign.

Prêtre, n. m. priest, clergyman.

Preuve, n. f. proof, token.

Preux, a. m. valiant, gallant.

Preux, n. m. valiant knight.

Prévaloir (VALOIR), to prevail, to supersede.—Faire prévaloir, To give the preference, the advantage to, to cause to supersede.

se Prévaloir, to take advantage (of), to avail one's self (of).

Prévenance, n. f. kind attentions.

Prévenant, a. prepossessing, obliging, kind.

Prévenir (VENIR), to precede, to go before, to prevent, to anticipate, to prepossess, to inform.

Prévention, n. f. prevention, prejudice, prepossession, imputation.

Prévenu, pp. of PRÉVENIR.

Prévision, n. f. expectation.

Prévoir (VOIR), to foresee.

Prévôt, n. m. provost, mayor (in olden France).

Prévoyance, n. f. foresight.

Prévu, pp. foreseen.

Prier, to pray, to beseech, to beg, to desire, to request, to invite. — Je vous en prie, Pray, do.

Prière, n. f. prayer, entreaty, request.—Livre de prières, Prayer-book.

Primaire, a. elementary.

Prime, n. f. premium, bounty.

Primeur, n. f. early fruit or vegetable.

Primevère, n. f. primrose, cowslip.

Principal, -e (principaux), a. principal, chief.

Principal, n. m. principal, capital.

Principe, n. m. principle, principal, origin, cause.—Dans le principe, dès le principe, Originally. Par principe, On principle.

Printanier, a. spring, vernal.

Printemps, n. m. spring.

Pris (je), I took (PRENDRE).

Pris, -e, part. of PRENDRE, taken, caught.—Etre bien pris, To be well shaped.

Prise, n. f. taking, prize, hold, influence, quarrel, pinch (of snuff); prises (pl.), Fighting.— Donner prise à, To expose one's self to. Etre aux prises, To be engaged in a struggle. En venir aux prises, To come to blows. Lâcher prise, To let go one's hold.

Prisée, n. f. appraisement.

Priser, to appraise, to prize.

Prisonn-ier, -ière, n. m. f. prisoner. — Faire prisonnier, To take prisoner.

Priver, to deprive, to tame, to domesticate.

Privilégié, -e, a. privileged, exempt, licensed.

Prix, n. m. price, cost, value, reward, fare, prize.—Prix fixe, Set price, no abatement. Le plus juste prix, The lowest price. A bas prix, At a low price. Hors de prix, Beyond all price.

Probablement, adv. probably, likely.

Probe, a. honest.

Procéder, to proceed, to arise, to act.

Procès, n. m. lawsuit, trial, action. —Renvoyer hors de cour et de procès, To nonsuit, to dismiss the case. Etre en procès, To be at law. Intenter un procès à, To bring an action against.

Procès-verbal, n. m. proceedings, official report.

Prochain, -e, a. next, near, nearest, approaching.

Prochain, n. m. neighbour.

Prochainement, adv. soon.

Proche, a. near, nigh, at hand.— Proches parents, Nearest relatives.

Proche, near, close to.—Tout proche, Quite near, close.

De *proche en proche*, From place to place, gradually.
Proclamer, to proclaim.
Procurer, to procure, to obtain.
Procureur, *n. m.* attorney.
Prodige, *n. m.* prodigy, wonder.
— Faire des *prodiges*, To do prodigies, wonders.
Prodigue, *a.* prodigal, lavish.
Prodiguer, to lavish, to waste.
se Prodiguer, to make one's self cheap, to be lavished.
Produire (produisant, produit; je produis, je produisis), to produce, to exhibit.—*Produire dans le monde*, To introduce into society.
Produit, *n. m.* produce, product, offspring.
Proéminence, *n. f.* projection.
Proférer, to utter, to speak.
Professer, to teach, to profess.
Professeur, *n. m.* professor, teacher, master, lecturer.
Profession, *n. f.* profession, calling, business.
Profil, *n. m.* profile, side-front.
Profit, *n. m.* profit, gain, benefit.
—Au *profit* de, For the benefit of. Faire son *profit* de, To avail one's self, to turn to account. Tirer du *profit* de, To derive profit from.
Profiter, to profit, to benefit, to improve, to avail one's self of.
Profond, -e, *a.* deep, profound, consummate, dark.—Peu *profond*, Shallow.
Profondément, *adv.* deeply, &c.
Profondeur, *n. f.* depth.
Progrès, *n. m.* progress, improvement. [prey, a victim.
Proie, *n. f.* prey.—En *proie*, a
Projet, *n. m.* project, plan, scheme.
Prolétaire, *n. m.* proletary, one who depends solely upon physical labour for support, a labourer.
Prolonger, to prolong, to protract.
Promenade, *n. f.* walk, walking, airing, ride. — *Promenade* à cheval, Ride. *Promenade* sur l'eau, Sail. *Promenade* en voiture, Drive. Aller à la *promenade*, To go for a walk, a ride, or a drive. Faire une *promenade*, To take a walk, a ride, or a drive.
Promener, to lead about, to drive, to take (any one) for a walk, a ride, or an airing, &c., to turn.
se Promener, to take a walk, drive, &c., or an airing. (See *Promenade*.) — Envoyer quelqu'un se *promener*, To send one about his business. Allez-vous *promener!* Go about your business!
Promeneu-r, -se, *n. m. f.* walker, pedestrian.
Promettre, to promise, to be promising. (See *Mettre*.)
se Promettre, to promise one's self, to hope, to resolve.
Prompt, -e, a. quick, speedy, hasty.

Promulguer, to promulgate.
Pronom, *n. m.* pronoun.
Prononcer, to pronounce, to utter, to deliver, to proclaim, to decide.
se Prononcer, to declare one's self, to speak out, to show one's intentions.
Pronostic, *n. m.* prognostic.
Propager, to propagate, to spread.
Prophétiser, to prophesy.
Proportionner, to proportion, to suit.
Propos, *n. m.* talk, words, speech, design, purpose.—A *propos*, To the purpose, seasonably, timely.
A - *propos* (noun), Propriety, seasonableness, timeliness. A *propos!* By the by! A quel *propos?* What about? A tout *propos*, At every turn. A *propos* de quoi? For what reason? A *propos* de rien, For nothing at all. Hors de *propos*, Not to the purpose. Mal à *propos*, Ill-timed, unseasonably.
Proposer, to propose, to offer, to move, to bid.
se Proposer, to offer one's self, to purpose.
Propre, *a.* own, very same, proper, appropriate, fit, suitable, qualified, clean, nice, right.
Propre, *n. m.* characteristic, proper sense.—Au *propre*, In a proper sense. En *propre*, Of one's own.
Proprement, *adv.* properly, cleanly.
Propreté, *n. f.* cleanliness, neatness.
Propriétaire, *n. m. f.* owner, proprietor, landlord, landlady.
Propriété, *n. f.* property, estate, peculiarity, quality, propriety.
Prosateur, *n. m.* prose-writer.
Protec-teur, -trice, *n. m. f.* protector, protectress, patron, patroness.
Protection, *n. f.* protection, patronage, interest.
Protéger, to protect, to patronize.
Proue, *n. f.* prow, stem.
Prouver, to prove.
Provenir (VENIR), to proceed, to arise.
Province, *n. f.* province, country (not the capital).—Ville de *province*, A provincial town. Habiter la *province*, To live in the country, not in the capital.
Provincial, -e, *n.* and *a.* provincial, country; (in *pl.* provinciaux).
Proviseur, *n. m.* head-master.
Provoquer, to provoke, to instigate, to lead to, to challenge.
Prune, *n. f.* plum.—*Prune* de reine-claude, Green-gage. Pour des *prunes*, For nothing.
Pruneau, *n. m.* prune.
Prunelle, *n. f.* eye-ball, apple, sloe.
Prunier, *n. m.* plum-tree.
Prusse, *n. f.* Prussia.

Prussien, -ne, *a.* and *n. m. f.* Prussian.
Pseudonyme, *n. m.* fictitious name.
Psyché, *n. f.* cheval dressing-glass.
Pu (*pp.* of POUVOIR), been able, &c.
Puanteur, *n. f.* stench, bad smell.
Publiciste, *n. m.* publicist.
Publier, to publish.
Pudeur, *n. f.* shame, modesty.
Puéril, -e, *a.* puerile, childish.
Puis (je), I can (POUVOIR).
Puis, *adv.* then, afterwards, next.
Puiser, to draw, to take.—*Puiser* à la source, To draw from the source, or fountain-head.
Puisque, *conj.* since.
Puissamment, *adv.* powerfully, extremely.
Puissance, *n. f.* power.
Puissant, -e, *a.* powerful, mighty, lusty, corpulent.—Le Tout puissant, The Almighty.
Puisse (que je), that I may be able, &c. (POUVOIR).
Puissé-je! may I or can I!
Puits, *n. m.* well, pit.
Pulmonie (or Pneumonie), *n. f.* consumption of the lungs.
Pulpe, *n. f.* pulp, pap.
Pulvériser, to pulverize, to reduce to atoms.
Punir, to punish.
Punition, *n. f.* punishment.
Pupille, *n. m. f.* ward, pupil.
Pupille, *n. f.* (eye) pupil.
Pupitre, *n. m.* desk.
Pur, -e, *a.* pure, unmingled, genuine, real, clean, mere, neat.
—En *pure* perte, To no purpose, in vain.
Purement, *adv.* purely, merely.
Pureté, *n. f.* purity.
Puriste, *n. m.* purist.
Pus (je), I could or I was able.
Pusse (que je), that I might be able (POUVOIR).
Putois, *n. m.* pole-cat.

Q.

Qu' (for Que), *conj.* 1. that; 2. as. —1. Je sais *qu'*il est mort, I know that he is dead. 2. Elle est aussi jolie *qu'*aimable, She is as pretty as amiable.
Qu' (for Que), *pron.* whom, which, that. — Voilà un homme *qu'*il connaît, There is a man whom he knows. Voici la lettre *qu'*elle a reçue, This is the letter which she has received.
Qu' (for Que), *adv.* here.—*Qu'*elle est jolie! How pretty she is!
Quadrupler, to increase fourfold.
Quai, *n. m.* quay, wharf.
Qualité, *n. f.* quality, qualities.

tion, title (rank).—*Personnes de qualité*, People of rank or title.

Quand, *adv.* when, whenever.—*Depuis quand?* How long? since what time? *Jusqu'à quand?* How long? *Pour quand?* For what time?

Quand, *conj.* although, though.—*Quand même*, or *quand bien même*, Though, even, although.

Quant à, *adv.* with regard to, as to, as for.—*Se mettre sur son quant à soi*, To give one's self airs, to show off.

Quantième, *n. m.* day of month.

Quantité, *n. f.* quantity.

Quarante, *a.* forty.—*Les Quarante*, The (forty) Members of the French Academy.

Quarantième, *a.* fortieth.

Quart, *n. m.* quarter.—*Il est une heure moins un quart*, It is a quarter to one o'clock. *Il est deux heures et un quart*, It is a quarter past two.

Quart d'heure, *n. m.* quarter of an hour.—*Un mauvais quart d'heure*, Disagreeable time. *Le quart d'heure de Rabelais*, Settling time, trying time (when the landlord hands his bill to any traveller who is unable to meet it).

Quart, -e, *a.* fourth.

Quartier, *n.m.* quarter, part, district, neighbourhood.

Quatorze, *a.* and *n. m.* fourteen, fourteenth. — *Louis quatorze*, Louis XIV. *Venez le quatorze*, Come on the 14th.

Quatorzième, *a.* fourteenth.

Quatre, *a.* and *n. m.* four, fourth.—*Henri Quatre*, Henry IV.

Quatre-vingts, *a.* eighty.—*Quatre-vingt-dix*, Ninety.

Quatrième, *a.* and *n.* fourth.

Que (instead of *combien*), how much, how many!—*Que d'or*, How much gold! *Que de souverains*, How many sovereigns!

Que appears instead of *quand, puisque, si, comme, quoique, afin que, sans que, après que, depuis que, cependant, sinon, soit que*, &c. (See Havet's *Complete French Class-book*, p. 340).

Que (or *qu'*), *pron. inter.* what.—*Qu'est-ce?* What is it? *Qu'est-ce qu'un cap?* What is a cape? *Qu'est-ce que c'est?* What is it, *i.e.* *C'est quelque chose, qu'est-ce*, It is something, what is it?

Que (or *qu'*), *pron.* whom, that, which.

Que (or *qu'*), *conj.* that, as, than.—*Je ne connais que la France*, I only know France, *i.e.* *Je ne connais pas d'autre pays que la France*.

Que (instead of *pourquoi*), why.—*Que ne répond-il quand on lui parle?* Why does he not answer when he is spoken to?—*Que n'est-il à cent lieues de nous!*

Would he were a hundred leagues from us!

Quel, -le, *a.* what, which.—*Quelle heure est-il?* What o'clock is it?

Quelconque, *a.* whatever, any (it stands after the noun).

Quelque, Quelques, *a.* some, any; in *pl.* few, whatever, what... soever, whoever.—*Quelque part*, Somewhere. *Quel qu'il soit*, Whoever he is.

Quelque, *adv.* however, about, some.

Quelque chose, *pron. ind. m.* something, anything.

Quelque chose (que), *pron. ind. f.* whatever.

Quelquefois, *adv.* sometimes.

Quelqu'un, -e, *pron.* somebody, anybody.

Quelques-uns, -unes, *pron.* a few, some, any.

Querelle, *n. f.* quarrel.—*Chercher querelle*, To pick a quarrel.

Quereller, to quarrel with.

Querelleu-r, -se, *a.* quarrelsome.

Question, *n. f.* question, query, demand. — *Sujet en question*, Matter in hand. *De quoi est-il question?* What's the matter?

Questionner, to question.

Quêter, to search, to collect.

Queue, *n. f.* tail, end, rear, file.

Qui, *rel. pron.* who, that, whom, which.—*Qui est-ce?* Who is it? *Qui est-ce qui?* Who? *Qui est-ce qui chante?* Who sings? *A qui est cette épée?* Whose sword is this? *Qui que ce soit*, Whoever, any one. *Je n'envie la fortune de qui que ce soit*, I do not envy the fortune of any one. *Qui connaissez-vous?* Whom do you know?

Quiconque, *pron.* whoever, whomsoever.

Quille, *n. f.* keel, skittle, pin.—*Jeu de quilles*, Set of skittles or of nine-pins. *Recevoir quelqu'un comme un chien dans un jeu de quilles*, To give a very bad reception.

Quincaillerie, *n. f.* ironmongery.

Quincaillier, *n. m.* ironmonger.

Quinquina, *n. m.* Peruvian bark.

Quint, *a.* fifth.—*Charles Quint*, Charles the Fifth (from the Spanish *Carlos Quinto*). *Sixte Quint*, Sixtus the Fifth (from the Latin *Sixtus Quintus*).

Quintal, *n. m.* hundred-weight.

Quinzaine, *n. f.* fifteen, fortnight.

Quinze, *a.* fifteen, fifteenth.—*Quinze jours*, A fortnight. *D'aujourd'hui en quinze*, This day fortnight.

Quinzième, *a.* fifteenth.

Quitte, *a.* free, clear, quit, free.—*Etre quitte*, To be quits. *En être quitte pour*, To come off with.

Quitter, to quit, to leave.

Qui-va-là? who goes there?

Qui-vive, *n. m.* challenge-word.

—*Etre sur le qui-vive*, To be on the alert.

Quoi, *pron.* what, which.—*Quoi que*, Whatever. *Quoi qu'il en soit*, Be it as it may. *Avoir de quoi*, To have the means. *Il n'y a pas de quoi*, There is no occasion, it is not worth mentioning. *En quoi est cette épingle?* What is this pin made of? *En quoi sont ces dés?* What are these thimbles made of? *A quoi bon?* What is the use of it? *Avez-vous de quoi payer?* Have you enough money to pay with?

Quoique, *conj.* although, though.

Quolibet, *n. m.* quibble, pun.

Quotidien, -ne, *a.* daily.

R.

Rabaisser, to lower, to lessen, to depreciate, to humble.

Rabat, *n. m.* band (for the neck).

Rabattre (BATTRE), to beat down, to put down, to turn down, to abate, to lessen, to humble.

Rabattu, *pp.* turned down, &c.

Rabot, *n. m.* plane.

Raboter, to plane, to polish.

Raccommodage, *n. m.* mending.

Raccommoder, to mend, to repair, to patch, to reconcile.

Raccourcir, to shorten, to shrink.

Race, *n. f.* race, breed, blood.

Racheter, to buy again, to redeem.

Racine, *n. f.* root, rise.

Râcler, to scrape, to strain.

Raconter, to relate, to tell.

Rade, *n. f.* road, roadstead.

Radeau, *n. m.* raft.

Radieu-x, -se, *a.* beaming.

Radis, *n. m.* radish.

Rafale, *n. f.* squall.

Raffermir, to harden, strengthen.

Raffoler, to dote (on), to be very fond of.

Rafraîchir, to cool, to refresh, to rest, to renovate.

se Rafraîchir, to cool, to refresh one's self, to take refreshment.

Rafraîchissant, -e, *a.* refreshing.

Rafraîchissement, *n. m.* cooling, refreshment; *pl.* refreshments.

Ragoût, *n. m.* stew.

Raide, *a.* stiff, tight, steep.

Raideur, *n. f.* stiffness, steepness.

Raidir, to stiffen, to get stiff.

Raie, *n. f.* line, stroke, dash, streak.—*Faire sa raie*, To part one's hair.

Raie, *n. f.* skate.

Raifort, *n. m.* horse-radish.

Railler, to rally, to jest, to joke.

se Railler, to joke, to make game.

Raillerie, *n. f.* jesting, joking.

Railleur, *n. m.* jester, scoffer.

Raisin, *n. m.* grapes, raisin.—*Raisin sec*, Raisin, plum. *Raisin de Corinthe*, Currant.

Raison, *n. f.* reason, sense, r

71

tive, rate, firm.—A *raison* de, At the rate of. Comme de *raison*, Of course. Avoir *raison*, To be right. Mettre à la *raison*, To bring to one's senses. Rendre *raison* de, To account for. En *raison* de, On account of.

Raisonnable, *a.* reasonable, right.

Raisonnement, *n. m.* reasoning.

Raisonner, to argue, to answer.

Raisonneu-r, -se, *n. m.* reasoner, one who gives answers.

Rajeunir, to make or grow young again, to refresh, to revive.

Ralentir, to slacken, to lessen.

Rallier, to rally.

Rallonge, *n. f.* piece to lengthen, leaf.—Table à *rallonges*, Telescope-table.

Rallumer, to light again.

Ramage, *n. m.* warbling.

Ramassé, -e, *a.* thick-set.

Ramasser, to gather, to pick up.

Rame, *n. f.* oar, ream.

Rameau, *n. m.* bough, branch.

Ramener, to bring again or back.

Ramer, to row.

Rameur, *n. m.* rower, oarsman.

Ramier, *n.m.* ring-dove.—Pigeon *ramier*, Wood pigeon.

se Ramifier, to ramify, to branch.

Ramollir, to soften.

Rampe, *n. f.* flight of stairs, baluster, hand-rail.

Ramper, to crawl, to creep, to cringe, to fawn.

Ramure, *n. f.* branching, attire.

Rance, *a.* rancid, rank.

Rancune, *n. f.* rancour, spite.

Rang, *n. m.* row, range, rank, degree, turn, rate, list.

Rangé, -e, *a.* steady, pitched.

Ranger, to arrange, to set, to put by, to reckon.

se Ranger, to place one's self, to make way, to side with.

Ranimer, to revive, to cheer up.

Râper, to grate, to rasp.

Rapière, *n. f.* rapier, sword.

Rapin, *a. m.* painter's pupil, a bad painter.

Rappeler, to call back, to recall, to remind.—*Rappelez*-moi à son bon souvenir, Remember me kindly to him.

se Rappeler, to remember.

Rapport, *n. m.* bearing, produce, revenue, statement, testimony, resemblance, relation, connection, intercourse, respect.—En *rapport*, Connected. Par *rapport* à, With regard to. Sous le *rapport* de, With regard to. Sous quelques *rapports*, In some respects.

Rapporter, to bring back, to produce, relate, ascribe.—S'en *rapporter* à, To refer to, to leave to.

Rapprendre, to learn again.

Rapproché, *a.* near.

Rapprocher, to draw, to bring *near (again)*, to bring together, to connect, to reconcile.

Rarement, adv. seldom, rarely.

Ras, -e, *a.* close-shaved, close, short-haired, smooth.

Raser, to shave, to graze, to skim, to rase to the ground.

Rasoir, *n. m.* razor.

Rassasier, to satiate, to satisfy.

Rassembler, to collect, to put together.

Rassis, -e, *a.* stale, calm, sedate.

Rassurer, to reassure, to cheer.

Râteau, *n. m.* rake.

Ratisser, to scrape, to rake.

Rattacher, to tie (again), to connect.

se Rattacher, to be tied, to be connected, to be centred.

Rattraper, to catch again, to overtake.

Rauque, *a.* hoarse.

Ravage, *n. m.* waste, devastation.

Ravager, to ravage, to spoil, to waste.

Rave, *n. f.* radish, turnip.

Ravi, -e, *a.* delighted, glad.

Ravier, *n. m.* small dish for radishes (*raves*), pickles, &c.

Ravin, *n. m.* ravine.

Ravir, to ravish, to carry away, to steal, to delight.—A *ravir*, To admiration, wonderfully well.

Ravissant, -e, *a.* charming, lovely.

Ravissement, *n. m.* delight, rapture.

Ravisseur, *n. m.* ravisher, spoiler.

Raviver, to revive, to cheer.

Ravoir, to have or get back.

Rayé, -e, *a.* striped, scratched.

Rayer, to scratch, to erase, to streak, to rifle.

Rayon, *n. m.* ray, beam, spoke, comb, shelf.

Rayonnant, -e, *a.* beaming.

Rayonnement, *n. m.* radiancy, beaming.

Rayonner, to radiate, to beam.

Réaux, *pl. of* RÉAL (Spanish coin).

Rebelle, *a.* rebellious, obstinate.

Rebondi, -e, *a.* plump, chubby.

Rebondir, to rebound.

Rebours, *n. m.* wrong side, contrary.—A *rebours*, The wrong way, backwards.

Rebrousser, to turn back.—*Rebrousser* chemin, to turn back.

Rebuter, to reject, to discourage.

Récemment, *adv.* recently, lately.

Recensement, *n. m.* census.

Recevoir, to receive, to entertain (friends).—Nous *recevons* beaucoup, We have a great deal of company. Madame S. ne *reçoit* pas, Mrs. S. is not at home.

Réchaud, *n. m.* warmer, heater, stove, brazier.

Réchauffer, to warm again, to revive.

Recherche, *n. f.* search, pursuit, inquiry, study, affectation.

Recherché, -e, *a.* choice, in demand, valued, affected, far-fetched, sought after, nice.

Rechercher, to seek (again), to search, to inquire into.

Récif, *n. f.* reef, ridge.

Récipiendaire, *n. m.* new member.

Récit, *n. m.* recital, account.

Réciter, to recite, to repeat.

Réclamation, *n. f.* claim, complaint.

Réclamer, to claim, to implore.

Récolte, *n. f.* crop, harvest.

Récolter, to reap, to gather.

Recommandation, *n. f.* recommendation, esteem, reference, introduction.

Recommander, to recommend, to beg.

Récompense, *n. f.* reward.

Récompenser, to reward.

Recompter, to count again.

Réconcilier, to reconcile.

se Réconcilier, to be reconciled.

Reconduire (CONDUIRE), to reconduct, to take back, to accompany to the door.

Réconforter, to strengthen, to comfort.

Reconnaissable, *a.* recognizable. —Il n'est pas *reconnaissable*, You would not know him again.

Reconnaissance, *n. f.* gratitude, thankfulness, acknowledgment, reconnoitring.

Reconnaissant, -e, *a.* grateful.

Reconnaître (CONNAÎTRE), to recognize, to know again, to acknowledge, to confess, to reconnoitre.

se Reconnaître, to recognize, to know one's self, to make out, to repent, to recover one's self, to come to one's self again, to give or take breathing time, to understand each other.

Reconnu, -e, *part.* and *a.* (See *Reconnaître*).

Recoudre (COUDRE), to sew again.

Recourber, to bend round.

Recourir (COURIR), to run again, to have recourse, to apply.

Recours, *n. m.* recourse, refuge.

Recouvert, -e, *pp.* covered over, recovered.

Recouvrer, to recover, to regain.

Recouvrir (COUVRIR), to cover again, to cover over, to mask.

Récréation, *n. f.* recreation, diversion.—Cour de *récréation*, Playground. Heures de *récréation*, Play-hours. Salle de *récréation*, Play-room.

Récréer, to recreate, to divert.

se Récrier, to exclaim, to cry out, to shout.

Recrutement, *n. m.* recruiting.

Recruter, to recruit.

Reçu, -e, *pp.* (RECEVOIR), received.

Recueil, *n. m.* collection, selection.

Recueillement, *n. m.* meditation, contemplation, collectedness.

Recueilli, -e, gathered, meditative.

Recueillir (CUEILLIR), to gather, to reap, to collect, to get in, to pick up, to receive, to shelter.

se Recueillir, to collect one's self, to meditate.

Reculé, -e, *a.* remote, distant.

Reculer, to put back, to throw back, to stand back, to extend.

Reculons (à), backwards.

Rédacteur, n. m. writer, editor.

Redemander, to ask again.

Redescendre, to come down again, to take down again.

Redevenir, to become again.

Redevoir, to owe still.

Rédiger, to write, to word.

Redingote, n. f. frock-coat, surtout, overcoat.

Redire (DIRE), to repeat, to say again, to find fault with.—Trouver à redire, To find fault.

Redorer, to regild.—Redorer son blason, To gild one's escutcheon anew (said of a reduced nobleman who marries for money, &c.).

Redoubler, to increase, to swell.

Redoutable, a. formidable.

Redoute, n. f. redoubt.

Redouter, to dread, to fear.

Redresser, to straighten, to hold up, to erect again, to rectify, to redress.

se Redresser, to get straight again, to stand upright, to hold up one's head.

Réduire (réduisant, réduit; je réduis, je réduisis; que je réduise, que je réduisisse), to reduce, to subdue, to curtail, to compel.

Réel, -le, a. real, true.

Réellement, adv. really, truly.

Refaire, to do or make again. (See Faire.)

Réfectoire, n. m. dining-hall.

Refermer, to shut again.

Réfléchi, -e, a. and part. (RÉFLÉCHIR), reflected, deliberate, considerate, reflective.

Réfléchir, to reflect, to consider, to think, to throw back.

Reflet, n. m. reflection, reflex.

Refléter, to reflect.

Refleurir, to blossom or bloom again, to flourish again.

Réflexion, n. f. reflection.—Réflexion faite, All things considered.

Refondre, to melt again, to recast, to remodel.

Réforme, n. f. reformation, reform, amendment, half-pay.—Mettre à la réforme, To invalid, to put things aside with the intention either of repairing or disposing of them.

Reformer, to form anew.

Réformer, to reform.

se Réfugier, to take refuge.

Refus, n. m. refusal, denial.

Refuser, to refuse, to deny.

Regagner, to regain, to win back, to reach, to return.

Régal, n. m. feast, treat.

Régaler, to entertain, to treat.

Regard, n. m. look, glance, gaze; pl. eyes, notice.

Regarder, to look at, to concern.—Regardez-le, Look at him.

Cela ne vous regarde pas, That does not concern you.

se Regarder, to look at each other, to look at one's self.—Se regarder comme, To consider one's self as.

Régence, n. f. regency.

Régent, -e, n. m. f. regent, professor, master, governor.

Regimber, to kick, to resist.

Régime, n. f. regimen, diet.

Régir, to govern, to rule.

Régisseur, n. m. steward.

Règle, n. f. rule, ruler, model, regulation, pattern, sum.

Règlement, n. m. regulation, laws.

Régler, to rule, to regulate, to order, to settle, to set.

Règne, n. m. reign, kingdom.

Régner, to reign, to prevail.

Regretter, to regret.

Régul-ier, -ière, a. regular.

Régulièrement, adv. regularly.

Rehausser, to raise, to enhance, to heighten, to set off.

Réimprimer, to reprint.

Rein, n. m. kidney; pl. loins, back.

Reine, n. f. queen.

Reine-marguerite, n. f. star-wort, china aster.

Reinette, n. f. pippin, rennet.

Reître, n. m. reiter, i.e. rider, German cavalry man of the 14th and 15th centuries. During the wars of religion the reîtres served in the French armies for the Protestants.

Rejaillir, to spout, to gush out, to rebound, to fly back, to reflect.

Rejeter, to throw again or back, to refuse, to reject.

Rejeton, n. m. shoot, sprout, scion, offspring.

Rejoindre (JOINDRE), to join again, to reach.

se Rejoindre, to meet again, to rejoin each other.

Réjouir, to rejoice, to delight.

se Réjouir, to rejoice, to delight, to be glad, to enjoy one's self.

Relâche, n. m. rest, relaxation, no performance.

Relâché, -e, part. and a. slack, loose.

Relâcher, to slacken, to relax, to release, to put into harbour or port.

Relation, n. f. account, reference, connection, intercourse.

Reléguer, to banish, to exile, to consign, to shut up.

Relevé, -e, a. and pp. elevated, exalted, grand, set off, lofty, high, noble. (See Relever.)

Relever, to raise, to lift up, to tuck up, to extol, to heighten, to relieve, to depend, to recover.

se Relever, to rise again, to stand up, to raise one's self, to relieve each other.

Relief, n. m. relief, relievo, set off, embossing.—Bas relief, Bas-

so relievo. En relief, Conspicuous. Donner du relief, To set off.

Reliefs, n. m. pl. leavings, remains.

Relier, to tie again, to bind.

Relieur, n. m. book-binder.

Religieu-x, -se, religious, strict.

Religieux, n. m. friar, monk.

Relis (je), I read again (RELIRE).

Relisez, read again (RELIRE).

Reliure, n. f. book-binding.

Reluire, to shine, to glitter.

Reluit (il), it glitters (RELUIRE).

Remarier, to marry again.

se Remarier, to marry again.

Remarquer, to remark, to notice.

Rembourrer, to stuff.

Remède, n. m. remedy.

Remémorer, to remind.

se Remémorer, to remember, to recollect.

Remener, to take, to lead, to drive back.

Remercier, to thank.

Remerciment, n. m. thanks.—Faire ses remercîments, To give one's thanks, to return thanks.

Remettant, pr. p. of REMETTRE.

Remettre (METTRE), to put back, to restore, to bring back, to deliver, to give, to put off, to forgive, to remit, to entrust.—Faire remettre, To have delivered, to send.

se Remettre, to recover, to compose one's self, to begin again, to resume, to remember, to leave, to be reconciled.—S'en remettre à, To trust to, to refer to.

Remis (je), p. def. of REMETTRE.

Remise, n. f. job-carriage.

Remise, n. f. delivery, surrender, delay, remittance, coach-house.

Remmener, to take, to lead back, to take away again.

Remonter, to reascend, to rise, to go up again, to trace one's origin up, to set up again, to revive, to wind up.

Remontrance, n. f. remonstrance.

Remorqueur, n. m. tow-boat, tug.

Remoudre, to grind again, to sharpen.

Rempaillé, with straw bottom.

Rempailler, to new-bottom with straw.

Remplacement, n. m. replacing, reinvestment, the act of finding a substitute.

Remplacer, to replace, to supply, to succeed.—Se faire remplacer, To get a substitute.

Remplir, to fill, to supply, to fulfil, to hold.

Remporter, to carry, to take away, to obtain, to gain.

Remuant, -e, a. stirring, restless.

Remuer, to move, stir, shake.

Renaissance, n. f. revival.

Renaissant, -e, a. springing up again, reviving.

Renaître (NAÎTRE), to be born again, to spring up again, revive, to reappear.

Renard, n. m. fox.

Renardier, n. m. fox-catcher.

Renchérir, to increase the value of, to raise (in price).

se Rencogner, to shrink back into a corner.

Rencontre, n. f. meeting, encounter.—De rencontre, Second-hand. Aller, venir à la rencontre de, To go, to come, to meet.

Rencontrer, to meet, to find, to encounter, to guess, to hit.

Rendez-vous, n. m. appointment, rendezvous, assignation, resort. —Donner un rendez-vous à, To make an appointment with.

Rendormir (DORMIR), to lull, to lay asleep again.

se Rendormir, to fall asleep again.

Rendre, to render, to return, to make, to restore, to surrender.— Rendre grâce, To return thanks.

se Rendre, to render, to make one's self, to repair, to surrender, to be exhausted.

Rendu, -e, (RENDRE) exhausted, spent, worn out, knocked up, arrived.—Ils se sont rendus, They have repaired, or they have surrendered. Service rendu, Service done, act of kindness.

Rêne, n. f. (pl. rênes) rein, reins.

Renfermer, to shut up, to contain.

Renfler, to swell, to rise.

Renfort, n. m. supply, recruit, reinforcement.—Pour renfort de potage, To add to the mess, to make the thing complete.

Renne, n. m. reindeer.

Renom, n. m. renown, fame.

Renommé, -e, a. renowned, famed.

Renommée, n. f. renown, fame.

Renoncer, to disown, to renounce.

Renoncule, n. f. crowfoot.

Renouveler, to renew, to revive.

Renseignement, n. m. direction; pl. information, inquiry, reference.—Donner des renseignements, To give information, to give references. Prendre des renseignements, To make inquiries.

Renseigner, To teach again, to inform, to direct.

Rente, n. f. income, pension.— Rente viagère, Annuity. Avoir vingt cinq mille francs de rente, To have a thousand pounds a year. Vivre de ses rentes, To live upon one's property or money.

Rent-ier, -ière, n. m. f. one who lives on his or her means.

Rentrée, n. f. re-entrance, re-opening, reappearance, returns.

Rentrer, to return, to go in again, to take or bring in.—Rentrer dans les bonnes grâces de, To regain the favour of. Rentrer en soi-même, To retire into one's self. Faire rentrer, To send in, to bring to, to get in.

Renverrai (je), fut. RENVOYER.

Renverse (à la), upon one's back.

Renverse (à la), upon one's back, backward.

Renverser, to throw down, to overthrow, to upset, to turn upside down, to knock down, to spill, to destroy, to ruin.

se Renverser, to turn upside down, to upset, to fall down, to fall back.

Renvoyer (ENVOYER), to send again, to discharge, to refer, to put off.

Repaître (PAÎTRE), to bait, to feed, to delight.

se Repaître, to feed, to delight, to gloat.

Répandre, to spill, to shed, to spread, to scatter, to strew, to sprinkle, to diffuse, to exhale.

se Répandre, to be spread, shed, or scattered, to break out, to burst out, to fly out, to go out, to go into society.

Répandu, -e, a. spread, shed, spilt, known, used.—Être fort répandu dans le monde, To go a great deal into society.

Reparaître, to reappear.

Reparer, to adorn or deck again.

Réparer, to repair, to mend, to restore, to recruit, to redeem, to make up.

Répareur, n. m. repairer.

Repartir, to reply.

Repartir (PARTIR), to set out anew, again, to leave again.

Répartir, to divide, to distribute, to portion.

Repas, n. m. meal, repast.

Repasser, to pass again, to call again, to go back, to iron, to grind, to hone, to revolve, to look over.

Repasseur, n. m. grinder.

Repasseuse, n. f. ironer.

Repêcher, to fish again.

se Repentir (se repentant, repenti; je me repens, je me repentis), to repent.

Repentir, n. m. repentance.

Répertoire, n. m. repertory, index.

Répéter, to repeat, to rehearse.

Répétition, n. f. rehearsal, &c. —Montre à répétition, Repeater.

Replanter, to replant.

Réplique, n. f. reply, rejoinder.

Répliquer, to reply, to rejoin.

Répondre (répondant, répondu; je réponds, je répondis), to answer, to reply, to correspond, to satisfy, to answer for.

Réponse, n. f. answer, reply.

Reporter, to carry back, to place, to trace back.

se Reporter, to return, to go back.

Repos, n. m. rest, peace.

Reposer, to rest, to repose, to lay, to refresh.

se Reposer, to rest, to lie down, to depend, to rely.

Repousser, to push back, to repel, to drive back, to spurn, to grow again.

Reprendre (PRENDRE), to take again, to take back, to retake,

to resume, to recover, to reprove, to return.—Reprendre ses sens, To come to one's self.

se Reprendre, to correct one's self.

Représaille, n. f. reprisal, retaliation.—User de représailles, To retaliate.

Représentation, n. f. representation, performance, display, look.

Représenter, to represent, to perform, to personate, to have an imposing appearance.

Réprimer, to repress, to check.

Repris, pp. of REPRENDRE.

Repris (je), p. def. REPRENDRE.

Reprise, n. f. resumption, retaking, renewal, return, darning. —A plusieurs, diverses reprises, At different times.

Reprocher, to reproach.

Reproduire, to reproduce, to show.

Reps, n. m. Lyons silk.

Répugner, to be repugnant to, to clash with, to feel repugnance (at).

Réputation, n. f. reputation, repute.

Requérir (requérant, requis; je requiers, je requis, je requerrai; que je requière, que je requisse), to request, to demand, to summon, to require.

Requête, n. f. petition, request, application, demand.

Requis, -e, a. and pp. of REQUÉRIR, requisite, required, due.

Réseau, n. m. network, net.

Réséda, n. m. mignonette.

Réserve, n. f. reservation, reserve, caution, stock, store.

Réservé, -e, a. reserved, cautious, guarded, shy, coy.

Réserver, to reserve, to save, to keep.

se Réserver, to reserve to one's self, to spare one's self.

Réservoir, n. m. reservoir, tank.

Résider, to reside, to live.

Résille, n. f. net (for the hair).

Résister, to resist, to oppose.

Résolu, -e, a. resolved, determined, resolute, decided.

Résolument, adv. fearlessly.

Résolus (je), I resolved (RÉSOUDRE).

Résonner, to resound, to clink.

Résoudre (résolvant, résolu, résous, dissolved; je résous, je résolus, je résoudrai; que je résolve, que je résolusse) to melt, to resolve, to settle, to persuade, to induce.

se Résoudre, to resolve, to melt, to be determined, to persuade one's self.—Il ne pouvait s'y résoudre, He could not bring himself to it.

Respectueux, a. respectful.

Respiration, n. f. breathing.—Je n'avais pas la respiration libre, I could not breathe freely.

Respirer, to breathe, to inhale, to long for.

Resplendissant, -e, a. resplendent

emblance, *n. f.* resemblance,
ness.
embler, to resemble, to be
e, to be alike.
essembler, to be alike.—Se
embler comme deux gouttes
u, To be as like as two peas.
emeler, to new-sole, to new-
.
entir, to feel, to experience,
how.
essentir, to feel the effects of,
uffer from.
errement, *n. m.* contraction,
truction.
errer, to tie again, to tighten,
press, to push by again, to
t up.
ort, *n. m.* spring, elasticity,
ans, department, province.
ortais (je), *imper.* of RES-
TIR, I went out again.
ortir (SORTIR), to go or to
e out again, to be set off, to
ear, to be visible, to be in
jurisdiction (of), to refer.
ource, *n. f.* resource, shift.
essouvenir, to remember.—
souvenez-vous, Remember.
usciter, to rise from the dead,
evive, to raise (the dead).
aurant, -e, *a.* restorative.
aurant, *n. m.* eating-house,
eshment rooms.
aurateur, *n. m.* restorer,
ng-house keeper.
aurer, to restore, to revive.
estaurer, to take food.
e, *n. m.* remainder, rest,
nant, remains, leavings.—
reste, Besides. De *reste*, Left,
spare, at once. Du *reste*,
idea, however.
er, to remain, to be left, to
r.—*Restons*-en là, Let us stop
re, let us say no more about

ituer, to return, to restore.
lter, to result, to follow.
mé, *n. m.* summary.
blir, to repair, to restore, to
stablish.
rd, *n. m.* delay, slowness.—
e en *retard*, To be behind
's time, to be slow (of clocks).
rder, to delay, to defer.—
orloge *retarde*, The clock is
slow.
nir (TENIR), to keep back, to
ain, to retain, to reserve, to
rain, to check, to engage, to
ember.
etenir, to refrain, to forbear.
ntir, to resound, to re-echo.
nu, *a.* reserved, cautious.
nue, *n. f.* reserve, discretion,
ppage, keeping up or in.
ré, *a.* retired, lonely.
rer, to take back, to take
, to draw up, to remove, to
hdraw, to derive.
etirer, to withdraw, to retire,
uit.—On se *retire*, "The coast
lear" (idiom).

Retomber, to fall again, to re-
lapse.
Retour, *n. m.* return, vicissitude,
retribution, decline.—De *retour*,
On one's return. Il est de *retour*, He has returned. Sans
retour, For ever.
Retourner, to return, to go back
again, to turn.—*Retourner* sur
ses pas, To retrace one's steps.
se Retourner, to turn, to turn
round, to manage, to get on.
Retracer, to trace again, to relate.
Retraite, *n. f.* retreat, retirement,
shelter, pension, departure.
Retrancher, to cut off, to retrench, to curtail, to take off.
Rétrécir, to make narrower, to
shrink.
Retrousser, to turn or tuck up.
Retrouver, to find again, to recover.
Réunion, *n. f.* union, meeting,
assembly.
Réunir, to reunite, to unite, to
annex, to collect, to assemble,
to call together.
se Réunir, to unite, to meet.
Réussir, to succeed, to thrive.
Réussite, *n. f.* success, issue.
Revanche, *n. f.* revenge, retalia-
tion, return.—En *revanche*, In
return, by way of retaliation.
Rêve, *n. m.* dream, fancy.
Réveil, *n. m.* awaking, alarm-
clock.
Réveille-matin, *n.m.* alarm-clock.
Réveiller, to awake, to call up, to
stir up, to revive.
Révélation, *n. f.* discovery.
Révéler, to reveal, to disclose.
Revenant, *n. m.* ghost.
Revendre, to sell again.
Revenir (VENIR), to return, to
come again, to grow again, to
recover, to occur, to please, to
arise, to be like, to amount.—
Revenir à soi, To recover one's
senses. Cela *revient* au même,
That amounts to the same.
Revenu, *pp.* (REVENIR).—*Revenue*
à elle, Having recovered.
Revenu, *n. m.* revenue, income.
Rêver, to dream, to rave, to
muse, to think, to long for.
Révérence, *n. f.* reverence, bow,
courtesy.—Profonde *révérence*,
Low bow.
Révérer, to revere, to reverence.
Rêverie, *n. f.* reverie, dream,
musing.
Revers, *n. m.* back, back-stroke,
other side, reverse, facing.
Revêtir (VÊTIR), to clothe, to
dress, to put on, to assume.
se Revêtir, to clothe one's self, to
put on, to cover one's self.
Revêtu, -e, *part.* of REVÊTIR,
clothed, covered.
Rêveu-r, -se, *a.* thoughtful, pen-
sive, musing.
Reviendrai (je), I shall return.
Reviens (je), I return.

Revirement, *n.m.* sudden change.
Revoir (VOIR), to see again, to
meet again, to revise.—Au *revoir*, jusqu'au *revoir*, Till we
meet again, good-bye.
Révolter, to rouse or to excite to
revolt, to revolt.
se Révolter, to revolt, to rebel.
Révolu, -e, *a.* revolved, accom-
plished, completed.
Revomir, to vomit again, to cast
back, to throw out.
Révoquer, to recall, to dismiss, to
revoke.—*Révoquer* en doute, To
call in question.
Revu, -e, *part.* of REVOIR.
Revue, *n. f.* survey, review.
Rez-de-chaussée, *n. m.* ground-
floor.—Au *rez-de-chaussée*, On
the ground-floor.
Rhénan, -e, *a.* Rhenish.
Rhin, *n. m.* Rhine.—Le haut
Rhin, The Upper Rhine. Le
bas *Rhin*, The Lower Rhine.
Rhubarbe, *n. f.* rhubarb.
Rhum, *n. m.* rum.
Rhumatisme, *n. m.* rheumatism.
Rhume, *n. m.* cold.—Gros *rhume*,
Violent cold. *Rhume* de cerveau,
Cold in the head. Attraper un
rhume, To catch a cold.
Ri, *pp.* laughed (RIRE).
Riant, -e, *a.* smiling, cheerful.
Riche, *a.* rich, wealthy, precious,
sumptuous.—Il fit le *riche*, He
played the rich man.
Richesse, *n. f.* riches, wealth,
richness.
Ricin, *n. m.* castor-oil plant.—
Huile de *ricin*, Castor-oil.
Ricochet, *n. m.* duck and drake.
Ride, *n. f.* wrinkle, ripple.
Rideau, *n. m.* curtain, screen.
Rider, to wrinkle, to ripple.
se Rider, to become wrinkled, to
ripple.
Ridicule, *a.* ridiculous.
Ridiculiser, to ridicule.
Rien, nothing, anything.—*Rien*
de *rien*, Nothing at all. Homme
de *rien*, Man of straw, worth
nothing. *Rien* autre chose, No-
thing else. Ne valoir *rien*, To
be good for nothing. Cela ne
fait *rien*, That does not matter.
Rien, *n. m.* nothing, mere trifle.
Rient (ils), they laugh (RIRE).
Riez (vous), you laugh (RIRE).
Rigoureu-x, -se, *a.* rigorous,
severe, harsh, stern.
Rigueur, *n. f.* rigour, severity,
strictness.—A la *rigueur*, Rigo-
rously, strictly.
Rime, *n. f.* rhyme.
Rimé, -e, *a.* rhymed, versified.—
De la prose *rimée*, Doggerel.
Rimer, to rhyme.
Rincer, to rinse, to wash.
Rions (nous), we laugh (RIRE).
Riquet, *n. m.* a kind of bonnet.
Rire (riant, ri; je ris, je ris, je
rirai; que je rie, que je risse), to
laugh, to joke, to smile, to please.
—Rire au nez, To laugh in one

face. Affaire de *rire*, For fun.
Se *rire* de, To laugh at, to jest.
Rire, *n. m.* laughter, laugh.—
Gros *rire*, horse-laugh.
Ris (je), I laugh.
Ris, *n. m.* laughter, laugh.
Ris de veau, *n. m.* sweet-bread.
Risée, *n. f.* laugh, laughter, jeer.
Risquer, to risk.
Rissolé, *a.* and *n. m.* brown.
Rit (il), he laughs.
Ritz-ratz, slash, slash.
Rivage, *n. m.* shore, beach, bank.
Rival, -e (rivaux), *n.* and *a.* rival.
Rivaliser, to rival, to vie.
Rivalité, *n. f.* rivalry.
Rive, *n. f.* bank, shore, border.
Riverain, *n. m.* inhabitant of the bank of a river, borderer.
Riverain, -e, *a.* situated on the bank of a river.
Rivière, *n. f.* river, stream.
Rixe, *n. f.* scuffle, conflict, affray.
Riz, *n. m.* rice.
Robe, *n. f.* dress, gown, coat.—
Robe de chambre, Dressing gown.
Robe décolletée, Low dress.
Robe montante, High dress.
Robuste, *a.* robust, hardy.
Rocaille, *n. f.* rock, pebble.
Rocailleu-x, -se, *a.* stony, harsh.
Roche, *n. f.* rock, flint.
Rocher, *n. m.* rock.
Rôder, to prowl, to ramble.
Rogner, to cut, to clip.
Rognon, *n. m.* kidney.
Roi, *n. m.* king.—Jour des *rois*, Twelfth day or night.
Roitelet, *n. m.* petty king, wren.
Rôle, *n. m.* roll, list, part.
Romain, -e, *a.* Roman, Romish.
Romaine, *n. f.* cos lettuce.
Roman, *n. m.* novel, romance.
Romance, *n. f.* ballad, song.
Romancier, *n. m.* novelist.
Romarin, *n. m.* rosemary.
Rompre, to break, to train.
se Rompre, to break, to accustom one's self.
Rompu, -e, *part.* broken, used, inured, trained up.
Ronce, *n. f.* brier, bramble, thorn.
Rond, -e, *a.* round, rounded.
Rond, *n. m.* round, ring, circle.
Ronde, *n. f.* round, round hand.
—A la *ronde*, Round, around.
Ronflement, *n. m.* snoring, roaring.
Ronfler, to snore, to roar, to peal.
Ronger, to gnaw, to nibble, to pick, to fret, to devour.
Rosace, *n. f.* rose, rosework, flower on railing, &c.
Rosaire, *n. m.* rosary.
Rose, *n. f.* rose.—*Rose* de Noël, Black hellebore. *Rose* mousseuse or moussue, Moss-rose.
Rose, *a.* rosy, rose-coloured, pink.
Rosé, -e, *a.* rosy, roseate.
Roseau, *n. m.* reed.
Rosée, *n. f.* dew.
Rosier, *n. m.* rose tree or bush.
Rossignol, n. m. nightingale.
Rôt, n. m. (obsolete) roast meat.

Rotang, *n. m.* rotang, rattan.
Rôti, *n. m.* roast meat.
Rôtie, *n. f.* toast.
Rotin, *n. m.* rattan.
Rôtir, to roast, to toast.
Rouble, *n. m.* ruble (Russian coin).
Roue, *n. f.* wheel, rack.
Rouennerie, *n. f.* printed calico.
Rouet, *n. m.* spinning-wheel.
Rouge, *a.* red, red-hot.
Rouge, *n. m.* red, blush, colour.
Rougeâtre, *a.* reddish.
Rougeaud, -e, *a.* ruddy, red-faced.
Rouge-gorge, *n. m.* robin redbreast.
Rouget, *n. m.* red mullet, roach.
Rougeur, *n. f.* redness, blush.
Rougi, -e, *a.* reddened. — Eau *rougie*, Wine and water.
Rougir, to redden, to blush.
Roulage, *n. m.* rolling, waggon.—
Voiture de *roulage*, Waggon.
Roulement, *n. m.* roll, rolling.
Rouler, to roll, to wheel, to revolve, to rove, to stroll.—*Rouler* des lapins, To shoot rabbits.
Roulis, *n. m.* rolling.
Roussin, *n. m.* thick-set stallion.
Roussin d'Arcadie, Ass, jackass.
Route, *n. f.* road, way, track, course.—Grande *route*, High road, highway. En *route*, On the road or way, on one's way, all right ! go on! Faire *route* ensemble, To travel together.—Se mettre en *route*, To set out, to start.
Rouvre (je), I open again (ROUVRIR).
Rouvrir (OUVRIR), to open again.
Rou-x, -sse, *a.* red, red-haired.
Roux, *n. m.* red, russet.
Royal, -e, *a.* royal, regal, kingly.
Royaliste, *n. m.* and *a.* royalist.
Royaume, *n. m.* kingdom.
Royauté, *n. f.* royalty.
Ruade, *n. f.* kick.
Ruban, *n. m.* ribbon, tape.
Rubis, *n. m.* ruby.
Ruche, *n. f.* hive.
Rude, *a.* rough, rugged, harsh, hard, severe, fierce, formidable.
Rudement, *adv.* roughly.
Rue, *n. f.* street.—*Rue* passante, Thoroughfare. *Rue* de traverse, Cross-street. Grande *rue*, High street.
Ruelle, *n. f.* lane, bedside.
Ruine, *n. f.* ruin, decay.
Ruiner, to ruin, to destroy.
se Ruiner, to decay, to ruin one's self, to lose one's fortune.
Ruisseau, *n. m.* stream, brook, gutter.
Ruisselant, -e, *p.* streaming.
Ruisseler, to stream, to gush.
Ruminant, *n.* an animal that chews the cud.
Rupture, *n. f.* rupture, breaking.
Ruse, *n. f.* deceit, craft, trick.
Rusé, -e, *a.* artful, cunning, sly.
Russe, *n.* Russian.
Russie, *n. f.* Russia.
Rustique, *a.* rustic, rural.

Rustre, *a.* boorish, clownish.
Rustre, *n. m.* boor, clod-hopper.

S.

S', for *se* (which see).
S', for *si*, only before il and ils.—
S'il parle, If he speaks. *S'ils* font, If they do.
Sa, *poss. a. f.*: his, *m.*: her, *f.*: its, one's.
Sabbat, *n. m.* Sabbath, vigil.
Sable, *n. m.* sand, gravel.—*Sable* mouvant, Quick-sand.
Sabler, to gravel, to sand.
Sablonneu-x, -se, sandy.
Sabord, *n. m.* port-hole, gun-port.
Sabot, *n. m.* wooden shoe, hoof.
Sac, *n. m.* bag, sack.—*Sac* de voyage, Travelling bag. *Sac* de nuit, Carpet-bag. *Sac* à ouvrage, Work-bag.
Sache, Sachez, know (*imp.* of SAVOIR).
Sache (que je), that I may know (SAVOIR).
Sacoche, *n. f.* saddle-bag, moneybag.
Safran, *n. m.* saffron, crocus.
Sage, *a.* wise, well-behaved.
Sagesse, *n. f.* wisdom, good conduct.
Sagittaire, *n. m.* Sagittarius, archer.
Sagittaire, *n. f.* arrow-head.
Saignant, -e, *a.* bleeding, bloody, underdone.
Saigner, to bleed, to drain.
Saillant, -e, *a.* projecting, prominent, striking, salient.
Saillir, to project, to jut out, to gush.
Sain, -e, *a.* healthy, wholesome.
—*Sain* et sauf, Safe and sound.
Saint, -e, *a.* holy.
Saint, -e, *n. m. f.* saint.—A la Saint-Jean, Midsummer.
Sainteté, *n. f.* holiness, sanctity.
Sais (je), I know (SAVOIR).—Que sais-je, moi? How can I know?
Saisir, to seize, to grasp, to catch up, to avail one's self of, to understand.
se Saisir, to seize, to lay hold, to grasp.
Saison, *n. f.* season, time.—Arrière *saison*, Latter end of the season. De *saison*, Seasonable, timely. Hors de *saison*, Unseasonable.
Salade, *n. f.* salad.
Saladier, *n. m.* salad-bowl.
Salaire, *n. m.* hire, reward, wages.
Salaison, *n. f.* salting, salt provisions.
Salamandre, *n. f.* salamander, elf.
Salant, *a.* salt, saline. — Marais *salant*, Salt marsh.
Salarier, to pay, to pay a salary.
Sale, *a.* dirty, foul, low.

Salé, -e, a. salt, salted.
Salep, n. m. salep, saloop.
Saler, to salt, to cure, to corn.
Salière, n. f. salt cellar.
Salique, a. Salic.
Salir, to dirt, to soil, to stain.
Salissant, -e, a. that soils.—Une robe salissante, A dress that soon soils.
Salle, n. f. hall, room, ward, house.—Salle à manger, Dining-room. Salle d'étude, Class-room. Salle de spectacle, Play-house.
Salon, n. m. first cabin (ship), drawing-room, saloon.—Salons, Fashionable circles, gallery (of pictures), exhibition.
Salsifis, n. m. salsify, goat's beard.
Salubre, a. healthy, salubrious.
Saluer, to salute, to hail, to bow to, to greet, to cheer.
Salut, n. m. safety, salvation, greeting, bow, cheer.
Samedi, n. m. Saturday.
Sanctuaire, n. m. sanctuary.
Sandaraque, n. f. sandarach, pounce.
Sang, n. m. blood, kindred, race.
Sang-froid, coolness, composure, temper, sobriety.
Sanglant, -e, a. bloody, keen.
Sanglier, n. m. boar, wild boar.
Sanglot, n. m. sob, sobbing.
Sangloter, to sob.
Sanguin, -e, a. sanguine, blood-coloured, red.
Sans, prep. without, were it not for, but for.—Il est sorti sans qu'on le sache, He is gone out without any one knowing it. Sans que, Without. Sans quoi, Otherwise, or.
Santé, n. f. health, toast.
Sape, n. f. sap, mine, trench.
Sapin, n. m. fir, fir-tree.
Sarcelle, n. f. teal.
Sarcler, to weed.
Sardaigne, n. f. Sardinia.
Sarde, a. and n. m. f. Sardinian. —États sardes, Sardinian states.
Sardine, n. f. sardine.
Sarmatie (la), Sarmatia.
Sarmatique, a. Sarmatian.
Sarment, n. m. vine-branch or shoot.
Sarrasin, n. m. Saracen, buck-wheat.
Satirique, n. m. satirist.
Satisfaire (FAIRE), to satisfy, to please, to gratify.
Satisfait, -e, a. satisfied, pleased.
Sauce, n. f. sauce.—Sauce blanche, Melted butter.
Saucière, n. f. sauce-tureen.
Saucisse, n. f. sausage.
Saucisson, n. m. sausage.
Sau-f, -ve, a. safe.
Sanf, prep. except, save.
Saule, n. m. willow.—Saule pleureur, Weeping-willow.
Saumon, n. m. salmon.
Saumoné, -e, a. salmon.—Truite saumonée, Salmon-trout.

Saupoudrer, to salt, to sprinkle.
Saur, a. m. (of herrings) red, smoked.
Saurai (je), I shall know.
Saurais (je), fut. & con. of SAVOIR.
Saurais (je ne), I cannot.
Saurait (SAVOIR), should or would know.—On ne saurait être, appears instead of On ne pourrait être: On ne saurait être plus gracieuse que cette dame, That lady is most graceful.
Saure, a. yellowish brown, red, (of horses) sorrel.
Saurons, Sauront, shall or will know, shall or will be able.
Saut, n. m. leap, jump, skip, waterfall.
Sauté, -e, a. stewed.
Sauter, to leap, to jump, to pass over, to leave out, to blow up, to explode, to blast.—Sauter à la corde, To skip.
Sauteu-r, -se, n. m. f. leaper, tumbler.
Sautiller, to hop, to skip.
Sautoir, n. m. cross.—En sautoir, Cross-wise.
Sauvage, a. wild, untamed, savage, unsociable, fierce.
Sauvage, n. m. f. savage.
Sauvagerie, n. f. unsociableness, shyness, wildness.
Sauver, to save, to rescue, to deliver, to spare.
se Sauver, to escape, to take refuge.
Sauveur, n. m. deliverer, Saviour.
Savais (je), I knew (SAVOIR).
Savant, -e, a. learned, well-informed.—Femme savante, Blue-stocking.
Savant, -e, n. m. f. scholar; pl. the learned.
Savantissime, a prodigy of learning (ironically used).
Savetier, n. m. cobbler, bungler.
Saveur, n. f. savour, relish, zest.
Savoie, n. f. Savoy (a province of France).
Savoir (sachant, su; je sais, nous savons, je savais, je sus, je saurai, que je sache), to know, to understand, to be aware of, to be able. — Faire savoir quelque chose à quelqu'un, To acquaint one with a thing. Savoir vivre, To be well-bred. Je ne saurais, I cannot. Pas que je sache, Not that I know. Savez-vous? Do you know. Savez-vous parler français? Can you speak French?
Savoir, n. m. knowledge, learning.
Savoir, adv. viz., namely.
Savoir-vivre, n. m. good breeding.
Savoisien, -ne, an inhabitant of Savoy.
Savon, n. m. soap.
Savonnette, n. f. soap-ball (for shaving). [able.
Savoureu-x, -se, a. savoury, palat-
Savoyard, an inhabitant of Savoy, a chimney sweeper.
Saxe, n. f. Saxony.

Sbire, n. m. sbirro, archer.
Scabieuse, n. f. scabious, flea-bane, post-weed.
Scandaliser, to scandalize.
Scandinavie, n. f. Scandinavia.
Scarabée, n. m. scarabee, beetle.
Sceau, n. m. seal, seal-office, stamp.
Scélérat, -e, a. villanous, profligate.
Scélérat, n. m. villain, scoundrel.
Scène, n. f. scene, stage.
Scie, n. f. saw, saw-fish.
Science, n. f. science, knowledge, learning.—De science certaine, For a certainty.
Scier, to saw.
Scieur, n. m. sawyer, reaper.
Scolopendre, n. f. hart's tongue.
Scrupule, n. m. scruple, qualm.
Scudero (Spanish for écuyer), squire. — Senor Scudero, i. e. Seigneur écuyer, Noble squire.
Sculpter, to sculpture, to carve.
Sculpteur, n. m. sculptor, carver.
Sculpture, n. m. sculpture, carving.
Scythe, n. and a., Scythian.
Scythie, n. f. Scythia (ancient Russia, &c.).
Se, pers. pron. one's self (for all genders), himself, herself, itself, themselves, each other.
Séance, n. f. sitting, meeting.
Séant, -e, a. (law) sitting.
Séant, -e, a. fitting, proper, becoming.
Séant, n. m. sitting-part.—Etre sur son séant, To be sitting up. Se tenir sur son séant, To sit up.
Seau, n. m. pail, bucketful.
Sec, m. Sèche, f. a. dry, thin, spare, dried, hard, sharp, blunt —Du pain sec, Plain or dry bread.
Sécher, to dry.
Sécheresse, n. f. dryness, drought.
Second, n. m. second, second story or floor, assistant, mate. —Au second, On the second floor.
Secondaire, a. secondary.
Seconde, n. f. (of time) second.
Secondement, adv. secondly.
Seconder, to assist, to back.
Secoua (il), he shook.
Secouer, to shake off, to toss, to throw off, to give a shake.
Secourir (COURIR), to succour, to relieve, to assist, to help.
Secours, n. m. succour, relief, help.
Secousse, n. f. shake, shock, blow.
Secrétaire, n. m. secretary, writing-table, cabinet.
Séculaire, a. secular, a hundred years old.
Séduction, n. f. seduction, enticement, coaxing.
Séduire (séduisant, séduit; je séduis, je séduisis; que je séduise, que je séduisisse), to seduce, to bribe, to entice, to delude.
Seigle, n. m. rye.
Seigneur, n. m. lord.—En seigneur, en grand seigneur, Lordly, lord

like. Faire le *seigneur*, To play the lord.

Sein, n. m. bosom, breast, heart, midst.

Seize, a. sixteen, sixteenth.

Seizième, a. sixteenth.

Séjour, n.m. stay, sojourn, abode, residence.

Séjourner, to remain, to sojourn.

Sel, n. m. salt, wit. — Beurre demi-*sel*, Powdered butter.

Selle, n.f. saddle, stool.

Seller, to saddle.

Selon, prep. according to.—C'est *selon*, It depends on circumstances.

Semaine, n.f. week, week's work. —A la *semaine*, By the week.

Semblable, a. like, similar, alike.

Semblable, n.m. fellow-creature.

Semblant, n. m. appearance, pretence, seeming.—Faire *semblant*, To pretend, to feign. Ne faire *semblant* de rien, To take no notice of anything. Sans faire *semblant* de rien, Without seeming to take notice.

Sembler, to seem.—Comme bon vous *semblera*, As you like.

Semelle, n.f. (of shoes, boots) sole.

Semence, n.f. seed.

Semer, to sow, to spread.

Semestre, n. m. half-year.

Senor (Spanish for seigneur), lord. —*Senor* caballero, Seigneur cavalier (chevalier), Noble knight. (*Senor* now means Mister or Sir.)

Sens (je), I smell, I feel, &c.

Sens, n.m. sense, intellect, meaning, side, way, direction.—En tous *sens*, In every direction. Reprendre ses *sens*, To come to or recover one's senses.

Sensation, n.f. sensation.—Faire *sensation*, to create a sensation.

Sensé, -e, a. sensible, reasonable.

Sensibilité, n. f. sensibility, feeling, tenderness.

Sensible, a. sensible, obvious, impressible, tender, sensitive.

Sensiblement, adv. sensibly, obviously.

Sentier, n. m. path, track.

Sentiment, n. m. sensation, perception, feeling, opinion.—Avoir le *sentiment* de, To be conscious of.

Sentinelle, n.f. sentinel, sentry.

Sentir (sentant, senti; je sens, je sentis; que je sente, que je sentisse), to feel, to smell, to scent, to perceive, to be sensible of, to savour of.

se Sentir, to know one's self, to be conscious.—Ne pas se *sentir* de joie, To be mad with joy, to be overjoyed.

Seoir (seyant, sis; il sied, il seyait, il siéra), to become, to be becoming, to suit.

Séparer, to separate, to part.

se Séparer, to part (from), (of *assemblies*) to break up.

Sept, a. seven, seventh.

Septembre, n. m. September.

Septentrion, n. m. north.

Septentrional, -e, a. north, northern, northerly.—Les *septentrionaux*, The people of the north.

Septième, n. f. seventh.

Septuagénaire, n. m. septuagenarian, seventy years old.

Serai (je), I will or shall be (ETRE).

Serein, -e, a. serene, placid.

Serein, n.m. evening dew, damp.

Sérénité, n.f. serenity, calmness.

Sergent, n. m. sergeant.—*Sergent* de ville, Policeman.

Sérieusement, adv. seriously, in earnest.

Sérieu-x, -se, a. serious, grave, earnest.

Serin, -e, n. m. f. canary-bird.

Serinette, n. f. bird-organ.

Serment, n. m. oath.—Faire *serment*, To swear. Prêter *serment*, To take an oath.

Sermon, n. m. sermon, lecture.

Serpette, n. f. pruning-knife.

Serpillière, n. f. packing-cloth.

Serpolet, n. m. wild thyme.

Serrai (je), I put by, &c.—Je *serrai* mes ducats, I pocketed my ducats (SERRER).

Serre, n. f. 1. green-house, conservatory, vinery. 2. talon (of birds), claw.—*Serre* chaude, Hot-house.

Serré, -e, a. close, tight, compact, crowded, hard.

Serrer, to press, to clasp, to tighten, to fasten, to crowd, to squeeze, to lock up, to pursue close, to shake (hands).

se Serrer, to press close to each other, to sit, stand, lie close.

Serre-tête, n. m. head-band.

Serrure, n. f. lock.

Serrurier, n. m. locksmith.

Sers (je me), I use (SE SERVIR).

Sers (je), I help (SERVIR).

Servant, serving, waiting.

Servante, n. f. maid-servant.

Serve (je me), p. subj. SE SERVIR.

Serviable, serviceable, obliging.

Service, n. m. service, attendance, duty, set, course, kindness, use, household, household matters. —Un *service* de bateaux à vapeur, A line of steamers. Ces omnibus font le *service* de Paris à Vincennes, These omnibuses ply between P. and V.

Serviette, n. f. napkin, towel.

Servir (servant, servi; je sers, je servis), to serve, to attend, to use, to serve up, to help (at table), to wait.—*Servir* à, To be of use. *Servir* de, To serve as or for, to do instead of. A quoi *sert* de? que *sert* de? What is the use of? to what purpose to? A quoi *sert* l'indigo? Of what use is indigo? A quoi *servent* les yeux? Of what use are the eyes?

se Servir, to serve, to help one's self.—Se *servir* de, To make use of.

Serviteur, n. m. servant.

Seuil, n. m. threshold, sill.

Seul, -e, a. alone, only, one single, sole, mere.—Tout *seul*, By one's self.

Seulement, adv. only, merely, solely, but, even.—Non *seulement*, Not only. Pas *seulement*, Not even.

Sève, n. f. sap, pith, strength.

Sévir, to treat severely.

Sexagénaire, of sixty years of age.

Si, conj. if, whether.—Si ce n'est, If not, except, unless it be, &c.

Si, adv. so, so very, so much, however, yes.—Vous n'êtes pas Français, You are not a Frenchman. Si, je le suis, Yes, I am one. N'allez-vous jamais au concert? Do you never go to the concert? Si, j'y vais souvent, Yes, I often go.

Sibérie (la), Siberia.

Sibérien, n. and a. Siberian.

Sicile, n. f. Sicily.

Siècle, n. m. century, age, time, world.

Siéent (ils), they fit (SEOIR).

Siége, n. m. seat, coach-box, see, bench, siege.

Sien, -ne, pos. pron. Le *sien*, la *sienne*, les *siens*, les *siennes*, his (or his own), hers (or her own), its, its own, one's own, one's own property. Les *siens*, one's own relatives, men, servants, subjects, soldiers, dynasty, &c.—Faire des *siennes*, To play one's pranks.

Sieur, n. m. Mr., mister.

Sifflement, n. m. whistling, hissing.

Siffler, to whistle, to hiss, to sing.

Sifflet, n. m. whistle, kiss.—Coup de *sifflet*, Whistle.

Signalement, n. m. description.

Signaler, to give the description of, to describe, to give a signal.

se Signaler, to signalize one's self.

Signe, n. m. sign, token, mark, beckon, nod, wink.

Signer, to sign, to subscribe.

Silencieu-x, -se, a. silent, still.

Sillage, n. m. head-way, track.

Sillon, n. m. furrow; pl. land, fields, train, wake, wrinkle.

Sillonner, to furrow, to plough.

Simarre, n. f. simar (robe).

Simple, a. simple, single, mere, bare, plain, artless.

Simplement, adv. simply, solely, merely, artlessly.

Simplicité, n. f. simplicity, plainness, artlessness.

Simulé, -e, a. feigned, fictitious, sham, counterfeit.

Simuler, to feign.

Simultanément, adv. at the same time.

Singe, n. m. ape, monkey.

Singe, a. apish, mimicking.

Singulariser, to make singular, odd.

Singularité, n. f. peculiarity, oddity.

ier, -ière, *a.* singular, ar, odd.
èrement, *adv.* singularly,

, *a.* sinister, inauspicious.
e, *n. m.* disaster, accident.
-x, -se, *a.* sinuous, winding.
m. sir (lord), sire (title of
, wretch.—Beau *sire*, Fair
Pauvre *sire*, Poor wretch.
m. site, scenery.
adv. so soon, as soon.—
ue, As soon as.
-e, *a.* situated.
and *n. m.* six, sixth.
e, *a.* sixth.
a. sober, temperate, spar-
ient, *adv.* soberly, tem-
ily.
m. share, sock.
lité, *n. f.* sociability, in-
rse.
, *n. f.* society, company, partnership.
u. *f.* sister.
m. one's self, itself.—Chez t home.
f. silk, hair.
n. f. silk; *pl.* silk-stuffs, ods, silk trade, silk manu-
y.—Marchand de *soieries*, iercer. Maison de *soieries*, usiness.
f. thirst.—Avoir *soif*, To rsty.
pp. highly finished or lly done.
, to take care of, to attend nurse, to do or finish a with great care.
ier, to take care of one's
i-x, -se, *a.* careful.
. *m.* care.—Avoir *soin* de, :e care of, to attend to.
. *m.* evening.—Bon *soir*, evening, good night. Hier ', Last night. Dès ce *soir*, ery evening.
n. f. evening, evening-
ie je), *pr. subj.* of Etre.
t. be it so! let it be so!
nj. either, or, whether.
'. *subj.* of Etre.
ie, *a.* sixty, sixtieth.—
te-dix, Seventy. *Soixante* e, Seventy-one.
m. soil, ground.
a. solar, of the sun.—
a *solaire*, Sun-dial.
n. m. soldier.—Se faire To enlist.
i. *f.* pay, payment.
i. *m.* balance.
f. (fish) sole.
n. m. sun, sun-flower.—
and *soleil*, At mid-day.
du *soleil*, The sun shines.
l, -le, *a.* solemn.
n. m. solfeggio.
i. solid, strong, firm, real,
g, fast,

Solide, *n. m.* solid, reality.
Solive, *n. f.* joist, rafter.
Solliciter, to solicit, to entreat, to beseech, to petition.
Solliciteur, *n. m.* applicant.
Sollicitude, *n. f.* solicitude, care.
Sombre, *a.* dark, gloomy, cloudy, dull, melancholy.
Sombrer, to founder.
Somme, *n. f.* sum, amount.—En *somme*, Finally, in short.
Somme, *n. f.* burden.—Bête de *somme*, Beast of burden.
Somme, *n. m.* nap, sleep.
Sommeil, *n. m.* sleep. — Avoir *sommeil*, To be sleepy.
Sommeiller, to slumber.
Sommelier, *n. m.* butler.
Sommer, to summon.
Sommet, *n. m.* summit, top.
Sommité, *n. f.* top, end, head.
Somptueu-x, -se, *a.* sumptuous.
Son, *poss. a. m.* (sa, *f.*, ses, *pl.*), his, her, its, one's.
Son, *n. m.* sound, ringing, bran.
Sonder, to sound, to fathom.
Songe, *n. m.* dream.
Songer, to dream, to think, to consider.—Je n'y *songe* plus, I have given up the idea.
Sonner, to sound, to ring, to strike, to blow.—L'horloge vient de *sonner* minuit, The clock has just struck twelve (at night). Il est une heure *sonnée*, It is past one o'clock. Il a quarante ans bien *sonnés*, He is full forty years. On *sonne*, The bell rings. Midi vient de *sonner*, The clock has just struck twelve (daytime).
Sonnette, *n. f.* bell (small).— Cordon de *sonnette*, Bell-pull. Tirer la *sonnette*, To pull the bell.
Sonore, *a.* sonorous, deep-toned.
Sont (ils), they are (Etre).
Sorbet, *n. m.* sherbet, ice.
Sorbier, *n. m.* sorb, service tree.
Sorite, *n. m.* logical argument.
Sort, *n. m.* fate, condition, life, chance, spell.—Tirage au *sort*, Drawing lots.
Sort (il), he goes out (Sortir).
Sortais (je), *imp.* of Sortir.
Sortant, -e, *a.* going out, drawn.
Sorte, *n. f.* sort, kind, way.—De la *sorte*, Thus, so. De *sorte* que, So that, so as. En *sorte* que, So that, so as.
Sorte (que je), that I may go out.
Sorti, -e, *part.* of Sortir, gone out, out, from home.
Sortie, *n. f.* going out, coming out, departure, issue, way out, declamation. — *Sortie* de bal, Opera cloak. A la *sortie* de, At the end of, on leaving.
Sortions (nous), we went out.
Sortir (sortant, sorti; je sors, je sortis), to go out, to come out, to emerge, to take out, to bring out, to proceed, to spring.
Sortir, *n. m.* leaving, going out, coming out, departure. — Au

sortir de, on leaving, on rising from.
Sot, -te, *a.* foolish, silly; *n.* fool.
Sottise, *n. f.* folly, foolish thing, trick, foolery, nonsense.
Sou, *n. m.* sou, halfpenny.—Deux *sous*, A penny. Gros *sou*, Penny piece.
Souci, *n. m.* care, marigold.
Souciant (ne se), not caring, having no liking.
se Soucier, to care, to mind, to be anxious.
Soucieu-x, -se, *a.* anxious.
Soucoupe, *n. f.* saucer, salver.
Soudain, -e, *a.* sudden, unexpected.
Soudain, *adv.* suddenly, on a sudden.
Soude, *n. f.* glass-wort, soda.
Souffle, *n. m.* breath, breathing.
Souffler, to blow, to swell, to whisper.—Il ne *souffle* plus, He says no more.
Soufflet, *n. m.* bellows, box on the ear.
Souffrance, *n. f.* suffering, endurance, suspense.
Souffrant, -e, *a.* suffering, poorly.
Souffre (je), I suffer.
Souffreteu-x, -se, *a.* poor, needy, poorly, unwell.
Souffrir (souffrant, souffert; je souffre, je souffris), to suffer, to endure, to grieve, to stand, to allow.
Soufre, *n. m.* sulphur, brimstone.
Souhait, *n. m.* wish, desire.
Souhaiter, to wish, to desire.
Souiller, to soil, to dirt, to stain, to profane.
Soûl, -e, *a.* glutted, drunk.
Soûl, *n. m.* fill.
Soulagement, *n. m.* relief, ease, aid, alleviation.
Soulager, to relieve, to ease, to lighten, to comfort.
Soulever, to lift, to raise, to hold up, to rouse, to stir.
se Soulever, to raise one's self, to rise up, to swell.
Soulier, *n. m.* shoe.
Soumettre (Mettre), to subdue, to submit, to subject, to refer.
Soumis, *a.* (Soumettre) submissive, obedient, dutiful.
Soumis, -e, *pp.* submitted, conquered.
Soumission, *n. f.* submission.
Soupape, *n. f.* valve, plug.
Soupçon, *n. m.* suspicion, surmise.
Soupçonner, to suspect, to surmise.
Soupçonneu-x, -se, *a.* suspicious.
Soupe, *n. f.* soup, dinner.
Soupente, *n. f.* loft, brace, strap.
Souper, *n. m.* supper, supper-time.
Souper, to sup, to take supper.
Soupière, *n. f.* tureen, soup-tureen.
Soupir, *n. m.* sigh, breath.—Pousser un *soupir*, To fetch or heave a sigh.
Soupirail, *n. m.* air-hole.
Soupirer, to sigh, to long for.

Souplesse, *n. f.* suppleness.

Souquenille, *n. f.* stable-coat, coach-man's frock.

Source, *n. f.* spring, fountain.

Sourcil, *n. m.* eye-brow, brow.

Sourd, -e, *a.* deaf, insensible, secret, underhand, rumbling, dull, hollow.—*Sourd* et muet, Deaf and dumb.

Sourd-muet, *n. m.* deaf-mute.

Souriant, *pr. p.* smiling (SOURIRE).

Souriez (vous), you smile (SOURIRE).

Sourire (RIRE), to smile, to please, to be agreeable.

Sourire, *n. m.* smile.

Souris, *n. m.* smile.

Souris, *n. f.* mouse.

Souris (je), I smile (SOURIRE).

Sous, *prep.* under, below, beneath, on, upon, with, in, (in compounds) sub, deputy.—*Sous* Paris, Under the walls of Paris. *Sous* genre, Sub-genus.

Souscrire, to subscribe, to consent, to submit.

Sous entendre, to understand.

Sous entendu, *pp.* understood.

Sous-officier, *n. m.* non-commissioned officer.

Sous-préfecture, *n. f.* sub-prefecture. (See *Préfecture*.)

Sous-préfet, *n. m.* sub-prefect.

Soutane, *n. f.* cassock, cloth.

Soutenir (TENIR), to support, to sustain, to maintain, to hold up, to prop, to uphold, to assist.

Soutenu, -e, *part.* supported, unremitting, elevated.

Souterrain, -e, *a.* underground, subterraneous, secret.

Souterrain, *n. m.* vault, tunnel, underground.

Soutien, *n. m.* support, prop.

Souvenance, *n. f.* remembrance.

Souvenez (vous vous), you recollect.

Souvenez-vous, remember.

se Souvenir, (se souvenant; je me souviens, je me souvins, je me suis souvenu, je me souviendrai; que je me souvienne, que je me souvinsse), to remember, to recollect, to bear in mind.— Faire *souvenir* quelqu'un de, To remind one of. S'en *souvenir*, To remember it. Il me *souvient*, I remember. Te *souvient*-il ? Do you remember ?

Souvenir, *n. m.* remembrance, keepsake. — Rappeler quelque chose au *souvenir* de quelqu'un, To remind one of a thing. Rappelez-moi au *souvenir* d'Arthur, Remember me to Arthur.

Souvent, *adv.* often.

Souveraineté, *n. f.* sovereignty.

Souviens (je me), I remember.

Soyeu-x, -se, *a.* silky, silken.

Soyez, be; Soyons, let us be.

Spécial, -e, *a.* special, peculiar.

Spécifier, to specify.

Spectacle, *n. m.* sight, show, play, theatre.

Specta-teur, -trice, *n. m. f.* spectator, looker-on, bystander ; *pl.* audience.

Specta-teur, -trice, *a.* looking on.

Spectre, *n. m.* spectre, ghost.

Spirituel, -le, *a.* spiritual, intellectual, clever, witty.

Spiritueu-x, -se, *a.* spirituous.

Spiritueux, *n. m.* spirit.

Spongieu-x, -se, *a.* spungy.

Spontané, -e, *a.* spontaneous, voluntary.

Squelette, *n. m.* skeleton.

Stable, *a.* stable, firm, steadfast.

Stagnant, -e, *a.* stagnant, still.

Stance, *n. f.* stanza.

Stationner, to stand.

Statuaire, *n. f.* statuary.

Statuaire, *n. m.* and *a.* statuary.

Stère, *n. m.* (measure) stere (35·3174 feet).

Stérile, *a.* barren, unfruitful.

Stérilité, *n. f.* barrenness, unfruitfulness.

Steward, *n. m.* steward.

Stoff, *n. m.* stuff (woollen).

Stoïque, *a.* stoic.

Store, *n. m.* (spring-roller) blind.

Strasbourg, *n. m.* Strasburg.

Stratagème, *n. m.* stratagem.

Stratégie, *n. f.* strategy, generalship.

Studieu-x, -se, *a.* studious.

Stupéfait, -e, *a.* stupefied.

Stupide, *a.* stupid, senseless, dull.

Style, *n. m.* style, manner.

Stylé, *a.* stylish, dashing.

Stylet, *n. m.* stiletto, dagger.

Su (*part. of* SAVOIR), known.

Suave, *a.* sweet, fragrant.

Subalterne, *a.* and *n. m.* subaltern, inferior.

Subdiviser, to subdivide.

Subir, to suffer, to undergo.

Subit, -e, *a.* sudden, unexpected.

Subitement, *adv.* suddenly.

Subjuguer, to subdue, to subjugate, to overcome.

Submerger, to submerge, to drown.

Subrécargue, *n. m.* supercargo.

Subsister, to subsist, to exist.

Substituer, to substitute.

Substitution, *n. f.* substitution, entail.

Subtil, -e, *a.* subtile, fine, penetrating, dexterous, quick, shrewd.

Subvenir, to relieve, to supply.

Suc, *n. m.* juice, substance.

Succéder, to succeed, to follow (not to be mistaken for *réussir*, to be successful).

Succès, *n. m.* success.

Successivement, successively.

Succinctement, briefly.

Succomber, to succumb, to sink, to yield.

Succulent, -e, *a.* juicy, nutritious.

Sucer, to suck.

Sucre, *n. m.* sugar. — *Sucre* en pain, Loaf-sugar, lump-sugar. Pain de *sucre*, Sugar-loaf.

Sucré, -e, *a.* sweet, sugary.—Eau *sucrée*, Sugar and water.

Sucrer, to sugar, to sweeten.

Sucrier, *n. m.* sugar-basin.

Sud, *n. m.* south, south wind.

Suéde, *n. f.* Sweden.

Suédois, -e, *n.* and *a.* Swede, Swedish.

Suer, to perspire, to toil.

Suenr, *n. f.* perspiration, sweat.

Suffire (suffisant, suffi ; je suffi, je suffis), to suffice.—Cela sufEnough, that will do.

Suffisamment, *adv.* enough.

Suffisance, *n. f.* sufficiency, conceitedness.

Suffisant, *a.* sufficient, conceited.

Suffoquer, to choke, to stifle.

Suie, *n. f.* soot.

Suis (je), I am (ÊTRE).

Suis (je), I follow (SUIVRE).

Suisse, *n. f.* Switzerland.

Suisse, Suissesse, *n.* Swiss.

Suite, *n. f.* retinue, train, attendants, continuation, consequence, connection, order.—A la suite de, With, after, in the train of. De *suite*, One after another, consecutively. Et ainsi de *suite*, And so on, and so forth. Tout de *suite*, Immediately, directly.

Suivant, -e, *n. m. f.* follower, attendant.

Suivant, *prep.* according to, agreeably to, pursuant to.— Same as *selon* or *d'après* (both of which see).

Suivi, -e, *part. of* SUIVRE, followed, connected, attended.

Suivons-les, let us follow them.

Suivre (suivant, suivi; je suis, je suivis; que je suive, que je suivisse), to follow, to come after, to pursue, to keep pace with, to attend, to exercise.

Sujet, -te, *a.* subject, liable.

Sujet, *n. m.* subject, reason, object.—Mauvais *sujet*, Rogue, bad fellow. Au *sujet* de, About, concerning.

Sujétion, *n. f.* subjection, constraint.

Superbe, *a.* proud, splendid.

Superbement, *adv.* proudly, splendidly.

Superficie, *n. f.* superficies, area.

Superflu, -e, *a.* superfluous.

Superflu, *n. m.* superfluity.

Supérieur, -e, *a.* superior, upper.

Supérieur, -e, *n. m. f.* superior.

Supériorité, *n. f.* superiority.

Suppléant, -e, *n. m. f.* substitute.

Suppléer, to supply, to make up to fill up.—Se faire *suppléer*, To find a substitute.

Supplément, *n. m.* addition, supplement.

Supplice, *n. m.* punishment, torment.

Supplier, to beseech, to entreat.

Supporter, to support, to bear.

Supposer, to suppose, to infer.

Sûr, *n. m.* sour.

Sûr, -e, *a.* sure, certain, safe, secure, trusty, trustworthy.

le plus *sûr*, As the safest
or course). Peu *sûr*, Unsafe.
rep. on, over, above, in,
about, towards, by, con-
1g, out of. — Avoir de
nt *sur* soi, To have money
one. Deux hommes *sur*
e, Two men out of four.
ssé, -e, elliptic, surbased.
*.*rger, to overload, to over-
..
it, *n.m.* addition, increase.
., *n.f.* deafness.
., *n. m.* elder tree.
*.*nt, *adv.* surely, safely.
., *n.f.* safety, security.
*.*e (FAIRE), to overcharge.
. to arise, to spring up.
*.*ndant, *n.m.* superintend-

*.*demain, *n. m.* third day.
nter, to overcome, to excel,
mount, to rise above.
*.*urel, *a.* supernatural.
n, *n. m.* surname.
nmer, to surname.
*.*néraire, *n.* and *a.* super-
rary, additional.
ser, to surpass, to excel.
nant, -e, *a.* surprising.
ndre (PRENDRE), to sur-
to overtake, to catch, to
le.
*.*s, *pp. of* SURPRENDRE.
*.*t, *n. m.* start.—S'éveiller
*.*saut, To start out of one's

t, *adv.* especially.
u, *pp.* outlived.
llance, *n.f.* superintend-
inspection, surveying,
*.*r.
ller, to survey, to watch,
*.*erintend.
*.*ir (VENIR), to happen, to
unexpectedly.
re (VIVRE), to outlive.
*.*ep. upon.—En *sus*, More,
over and above.
.t. come ! up !
new, *p. def. of* SAVOIR.
*.*r, to raise, to give rise, to
p.
*.*dons, let us suspend, put
USPENDRE).
*.*dre, to suspend, to hang up.
.(que je), *imp. subj. of* SA-
—Sans que j'en *susse* rien,
*.*ut my being aware of it.
.), he knew, he knew how
*.*VOIR.)
in, *n. m.* lord paramount.
. *a.* slender, slim.
*.*le, *n. m.* symbol.—*Symbole*
*.*pôtres, Apostles' Creed.
rie, *n.f.* symmetry.
*.*thisant, *a.* sympathetic.
*.*thiser, to sympathize.
*.*ionie, *n.f.* symphony.
*.*ôme, *n. m.* symptom, in-
*.*on.
. *n. f.* Syria.
*.*le, *n. m.* system, plan.—
*.*ystème, Systematically.

T.

[T appears for euphony's sake between a verb ending with a
vowel and the pronouns IL, ELLE,
ON, as : a-t-il? a-t-elle? a-t-on?]

T', used instead of *te*, "thee" before a vowel, or *h* mute: Il
*t'*aime, il *t'*honore.

Ta, *poss. a. f.* thy, your.

Tabac, *n. m.* tobacco, snuff.—
Prise de *tabac*, Pinch of snuff.

Tabatière, *n. f.* snuff-box.

Table, *n. f.* table, board (food).—
Mettre la *table*, To lay the cloth.
Se mettre à *table*, To sit down
to table. Tenir *table* ouverte.
To keep open house. A *table*!
Come to dinner, sit down to
dinner !

Table d'hôte, *n.f.* a common table
for guests at a hôtel, an ordinary.

Tableau, *n. m.* picture, painting,
table, list, board (for writing).

Tablette, *n.f.* shelf, tablet.

Tablier, *n. m.* apron, pinafore.

Tabouret, *n. m.* stool, foot-stool.

Tache, *n. f.* spot, stain, speck.

Tâche, *n. f.* task, job.

Tacher, to spot, to stain, to sully.

Tâcher, to try, to strive.

Tacheter, to spot, to speckle.

Tacticien, *n. m.* strategist.

Taffetas, *n. m.* taffeta, lustring
(glossy silk).—*Taffetas* d'Angleterre, Court-plaster.

Tafia, *n. m.* tafia (ardent spirit
from molasses).

Taie, *n. f.* pillow-case. — *Taie*
d'oreiller, Pillow-case.

Taille, *n. f.* cutting, shape, figure,
waist, stature, size, height.

Tailler, to cut, to hew, to carve,
to prune, to make, to mend.

Tailleur, *n. m.* tailor, cutter.—
Garçon *tailleur*, Journeyman
tailor.

Tailleuse, *n.f.* dress-maker.

Taillis, *n. m.* copse, coppice, un-
derwood.

Taire (taisant, tu; je tais, je tus,
je tairai ; que je taise, que je
tusse), to conceal, to suppress.
se Taire, to remain silent, to be
silent.—*Tais*-toi, *taisez*-vous, Be
quiet, keep silent.

Talent, *n. m.* talent, ability, at-
tainments.

Talon, *n. m.* heel.

Tamarin, *n. m.* tamarind.

Tamarinier, *n. m.* tamarind-tree.

Tambour, *n. m.* drum, drummer.

Tamis, *n. m.* sieve, sifter.

Tamise, *n. f.* the Thames.

Tan, *n. m.* tan, oak-bark.

Tanaïs, *n. m.* the Don (river).

Tancer, to check, to scold.

Tanche, *n. f.* tench.

Tandis que, *adv.* while, whilst,
whereas.

Tanière, *n. f.*, den.

Tanner, to tan.

Tannerie, *n. f.* tannery, tan-yard.

Tanneur, *n. m.* tanner.

Tant, *adv.* so much, as much, so
many, as many, so, so far, as far,
so long, as long, both, so very.—
Tant soit peu, Ever so little.
Tant que, As long as. *Tant* s'en
faut, Far from it. *Tant* mieux,
So much the better. *Tant* pis,
So much the worse.

Tante, *n. f.* aunt.—*Tante* à la
mode de Bretagne, Father's or
mother's first-cousin.

Tantôt, *adv.* by and by, presently,
little while ago, soon, sometimes,
now....then.

Tapé, -e, (of fruits) dried.

Taper, to strike, to stamp.

se Tapir, to squat, to crouch.

Tapis, *n. m.* carpet, cloth.—*Tapis*
de table, Table-cover.

Tapisser, to carpet, to paper, to
deck, to cover.

Tapisserie, *n. f.* tapestry, hangings, needlework, upholstery.

Tapissier, *n. m.* upholsterer.

Taquin, -e, *a.* teasing.

Taquiner, to tease, to plague.

Tard, *adv.* late.—Au plus *tard*,
At the latest. Tôt ou *tard*,
Sooner or later. Se faire *tard*,
To get late. Il vaut mieux *tard*
que jamais, Better late than
never.

Tarder, to delay, to linger, to
loiter, to be long.—Il me *tarde*
de . . . , I long to . . .

Tarir, to dry up, to exhaust.

Tarots, *n. m.* spotted cards.

Tartare, *n. m.* Tartar, Tartarus.

Tartarie, *n. f.* Tartary.

Tarte, *n. f.* tart.

Tartine, *n. f.* slice of bread (with
butter, preserves, etc.).—*Tartine* de confiture, Slice of bread
with jam or jelly on it. *Tartine* de beurre, Slice of bread and
butter.

Tartufe, *n. m.* hypocrite. — The
term is derived from a comedy
of Molière, in which the principal character, a great hypocrite, is called Tartufe.

Tas, *n. m.* heap, pile, set.

Tasse, *n.f.* cup.

Tâter, to feel, to try, to sound.

Tâtons (A), *adv.* groping, feeling
one's way. —Aller, marcher à
tâtons, To grope.

Taupe, *n. f.* mole.

Taureau, *n.m.* bull.—Jean *Taureau*, John Bull.

Tauride, *n. f.* the Crimea.

Taxe, *n. f.* price, tax.

Te, *pron. p.* thee, to thee.

Teindre (teignant, teint ; je teins,
je teignis, je teindrai ; que je
teigne, que je teignisse), to dye,
to tinge.

Teint, *n. m.* dye, complexion.—
Teint brun, Dark complexion.
Bon teint, Fast colour.

Teinte, n. f. tint, tinge, dye.

Teinture, n. f. dye, dyeing, smattering.

—Bois de teinture, Dye-wood.

Teinturerie, n. f. dye-house, dye-works.

Teintur-ier, -ière, n. m. f. dyer.

Tel, -le, a. such, like, similar, so, many.—Tel quel, Such as it is, such as one is. Tel est récompensé qui devrait être puni, Many are rewarded that ought to be punished.

Télégramme, n. m. telegram.

Télégraphe, n. m. telegraph. — Faire jouer le télégraphe, To telegraph.

Télégraphie, n. f. telegraphy.

Télégraphier, to telegraph.

Télégraphique, a. telegraphic.

Tellement, adv. so much, so, so far.

Téméraire, a. rash.

Témérairement, adv. rashly.

Témérité, n. f. temerity, rashness.

Témoignage, n. m. testimony, evidence, testimonial.

Témoigner, to testify, to show, to express.

Témoin, n. m. witness, testimony.

Tempéré, a. mild, temperate.

Tempérer, to temper, to soothe, to allay.

Tempête, n. f. storm, tempest.

Temporairement, temporarily.

Temps, n. m. time, weather, tense.—Le temps fuit, Time flies. Il fait beau temps, It is fine weather. Les verbes sont au même temps, These verbs are in the same tense. (See Fois.) De temps en temps, Now and then, occasionally. Gros temps, Stormy or foul weather. Il y a quelque temps, Some time ago. Prendre du bon temps, To enjoy one's self.

Tenace, a. tenacious, stubborn, persevering, dogged.

Tenant, part. holding, having something of, &c. (see Tenir).

Tender, n. m. tender (waggon).

Tendre, a. tender, soft, delicate, moving, dear, new, loving.— Age tendre, Early age. Pain tendre, New bread.

Tendre, to stretch, to strain, to hold out, to hang, to lay, to lead, to aim, to tend.—Tendre la main à, To stretch out one's hand to.

Tendresse, n. f. tenderness, love.

Tendu, -e, a. stretched, tight, spread, strained.

Ténèbres, n. f. darkness, gloom.

Ténébreu-x, -se, a. dark, gloomy.

Teneur de livres, n. m. book-keeper.

Tenez (vous). you hold, &c.

Tenez! here. hail! come!

Tenir (tenant, tenu; je tiens, je tins, je tiendrai; que je tienne, que je tinsse), to hold, to cling, to keep, to occupy, to possess, to consider.—Il ne tient qu'à

vous d'être heureux, It only depends upon yourself to be happy.

Tenir à, to attach importance to, to care for, to like, to wish.

Tenir de, to partake of, to have something, to resemble.

se Tenir, to hold, to stick, to adhere, to stand, to sit, to keep, to remain, to be connected.— S'en tenir à, To keep to, to hold by. S'en tenir là, To stop short, to let it alone. Ne savoir à quoi s'en tenir, Not to know what to think of it, to be attached.

Tentation, n. f. temptation.

Tentative, n. f. attempt, trial.

Tente, n. f. tent, pavilion.

Tenter, to attempt, to tempt.

Tenture, n. f. tapestry, hangings.

Tenu, -e, part. and a. (Tenir), held, kept, bound, obliged, reputed, considered.

Tenue, n. f. keeping, holding, attitude, carriage, dress, uniform.

Terme, n. m. limit, bound, term, end, time, word.

Terminaison, n. f. termination.

Terminer, to terminate, to finish.

Terne, a. dull, wan.

Ternir, to tarnish, to stain.

Terrain, n. m. ground, soil.

Terrasse, n. f. terrace.

Terrasser, to throw down on the ground, to confound, to dismay.

Terre, n. f. earth, ground, soil, land, estate.—A terre, Ashore, aground. De terre, Earthen. Par terre, Down, upon the ground, on the floor, by land.

Terre-Neuve, n. f. Newfoundland.

Terreur, n. f. terror, dread, awe.

Terrier, n. m. terrier, burrow.

Terrine, n. f. earthen pan.

Tertre, n. m. hillock, eminence.

Tes (pl. of Ton, Ta), thy, your.

Testament, n. m. will, testament.

Tête, n. f. head, hair, top, sense, resolution, obstinacy, front.— Coup de tête, Butt, toss of the head, inconsiderate act. Mal de tête, Headache. Mauvaise tête, Wrong-headed, obstinate fellow. Signe de tête, Nod. Tête à tête, Face to face, alone. A tête reposée, deliberately. En tête, In front, in one's head. Par tête, Per head, a-piece. Perdre la tête, To lose one's wits. Tenir tête à, To resist, to cope with.

Tête-à-tête, n. m. private conversation.

Téter, to suck.

Têtu, -e, a. obstinate, stubborn.

Thé, n. m. tea, tea - party, tea-tree.—Boîte à thé, Canister.

Théâtre, n. m. theatre, stage.

Théière, n. f. tea-pot.

Thème, n. m. subject, exercise.

Thon, n. m. tunny.

Thym, n. m. thyme.

Tic-tac, n. m. tick-tack.

Tiède, a. lukewarm, tepid.

Tien, pos. pron.: (le tien, les tiens, m. pl.; la tienne, les tiennes, f. pl.) thine, yours.—Les tiens (pl.), Your family, your relations or friends, your kindred.

Tiendrai (je), I will hold (Tenir).

Tienne (que je), that I may hold.

Tiens (je), I hold.—Tu tiens, Thou holdest. Je tiens à ce livre, I care for that book.

Tiens! hold! here! there! Bless me! Indeed! Stop!

Tiers, Tierce, a. third, tertian.— Le tiers état, The Commons, Third Estate.

Tiers, n. m. third, third person.

Tige, n. f. stem, stalk, stock.

Tigre, n. m. tiger.

Tigré, -e, a. spotted, speckled.

Tigresse, n. f. tigress.

Tillac, n. m. deck. Pont is more generally used than tillac.

Tilleul, n. m. lime-tree, linden.

Timbre, n. m. clock-bell, bell, sound, tone, voice, stamp.— Bureau de timbre, Stamp-office. Droit de timbre, Stamp-duty.

Timbré, -e, a. stamped, crack-brained.

Timbre - poste, n. m. postage-stamp.

Timide, a. timid, fearful, shy.

Timidité, n. f. timidity, shyness.

Tins (je), I held, p. def. (Tenir).

Tinsse (que je), that I might hold, imp. subj. of Tenir.

Tint (il), he held, &c. (See Tenir). —Il lui tint à peu près ce language, He addressed him in nearly the following language.

Tirage, n. m. draught, drawing, working off.—Tirage au sort, Drawing lots.

Tire-bouchon, n. m. cork-screw, ringlet.

Tirer, to draw, to pull, to take out, to shoot, to fire, to extract, to extricate, to border, to tend, to verge.—Tirer sur les plaisirs de . . ., To shoot on the pleasure grounds of . . .

se Tirer, to get out (of), to extricate one's self (from), to get over (an illness). — Se tirer d'embarras, To get out of a scrape.

Tireur, n. m. drawer, sharp-shooter.—Bon tireur, Good shot. Tireur d'armes, Fencing-master. Tireur d'horoscope, Fortune-teller.

Tiroir, n. m. drawer.

Tisane, n. f. ptisan, decoction of barley, or medicinal plants, &c.

Tison, n. m. brand.

Tisonnier, n. m. poker.

Tisser, to weave, to twine, to plait.

Tisserand, n. m. weaver.

Tissu, woven (past participle of the obsolete verb tistre).

Tissu, n. m. tissue, texture, web.

Tite-Live, Livy.

Titre, n. m. title, right, reason, cause, claim, document, title-deed.—A juste titre, Deservedly,

, title.
pron. thou, thee.
', linen, linen cloth, sail, curtain, web, cloth.—
inte, Printed calico.
n. f. toilet, dress, dress-e.—Cabinet de *toilette*, ;-room. Grande *toilette*, iss. Faire la *toilette* à, 3. Faire sa *toilette*, To
f. fathom.
> measure, to eye from foot.
., *f.* fleece.
i. roof, house, dwelling. es *toits*, In a garret.
n. f. roofing.
', sheet-iron.
:o tolerate, to suffer.
n. f. tomato, love-apple.
, *n. m.* tomb, grave.
to fall, to tumble.—omber, To let fall, to drop. au, *n. m.* cart.
. *a.* (Ta, f.; Tes, pl.), thy.
m. tone, voice, tune, manner, style, fashion. m, Good manners. De Gentlemanly, ladylike.
:o shear, to clip.
, *n. m.* cask, tun, ton.
, n. f. arbour, tunnel-net.
:o thunder, to inveigh.
, *n. m.* thunder.—Coup rre, Clap of thunder.
n. f. tonsure, clergy.
i. f. topaz.
f. cap.—*Toque* à plumes, i feathers.
i, *a.* cracked.
ordant, tordu), to twist, :h, to wring.
, to torrefy, to roast. .
n. m. torrent, stream.
n. f. twisted fringe.
m. trunk (of figures).
n. wrong, injury, harm.
t, Wrongfully. Avoir be wrong. A *tort* et à At random.
i, *n. m.* stiff-neck.
, *a.* crooked.
i. f. tortoise, turtle.
x, -se, *a.* winding.
e, *n.* and *a.* Tuscan.
la), Tuscany.
. soon, early.—*Tôt* ou :oner or later. Au plus soon or as early as pos-3i *tôt* que, As soon as.
t, -e, *a.* affecting, moving.
b, *prep.* concerning,

to touch, to handle, to i play, to receive, to o concern, to be near.— là, Let us shake hands,

n. m. feeling, touch.
., f. tuft, bunch, cluster.
i, *a.* tufted, tufty, bushy.
, *adv.* always, ever, still.
i. f. (spinning) top.

Tour, *n. f.* tower, castle.
Tour, *n. m.* turn, round, winding, circumference, circuit, trip, trick.—Avoir dix pieds de *tour*, To be ten feet round, in circumference. Faire le *tour* de, To go round. Faire un *tour*, To take a turn or a walk. *Tour* à *tour*, *adv.* in turn, by turns.
Tourangeau, *n. m.*, Tourangelle, *n. f.* inhabitant of Touraine.
Tourbe, *n. f.* turf, peat.
Tourbeu-x, -se, *a.* turfy.
Tourbière, *n. f.* turf-pit, peatmoss.
Tourbillon, *n. m.* whirlwind, vortex, whirlpool, eddy.
Tourbillonner, to whirl, to eddy.
Tourment, *n. m.* torment, plague.
Tourmente, *n. f.* storm, tempest.
Tourmenter, to torment, to tease.
Tournebroche, *n. m.* jack, turnspit.
Tourner, to turn, to twirl.
Tourneur, *n. m.* turner.
Tourniquet, *n. m.* turnstile, swivel.
Tournure, *n. f.* turn, direction, course, shape, figure.—Avoir bonne *tournure*, To be a good figure. Avoir mauvaise *tournure*, To be a bad figure.
Tous deux (toutes deux), both (together).
Tous les deux, Toutes les deux, both.
Tousser, to cough.
Tout, -e, *a.* (pl. Tous, *m.;* Toutes, *f.*), all, whole, every, each, any. —*Toute* la famille, The whole family. *Tout* le monde, Everybody. *Tous* les jours, Every day.
Tout, *n. m.* the whole, everything. —Le *tout*, The whole, all. Du *tout*, Not at all. Propre à *tout*, Fit for anything. Rien du *tout*, Nothing at all.
Tout, *adv.* wholly, entirely, quite, all, however, although, though, exactly. — *Tout* fait, Ready-made. *Tout* prêt, Quite ready. *Tout* neuf, Quite new. *Tout* à vous, Entirely yours. *Tout* riche qu'il est, However rich he may be, or rich as he is. *Tout* au moins, At the least. *Tout* au plus, At the most.
Tout à l'heure, by-and-by, just now.
Tout à coup, all at once. [now.
Tout de suite, immediately.
Tout, *pron.* all, everything, anything, every one.
Tout (le), *n. m.* the whole.
Tout (du), not at all.—Pas du *tout*, No or none at all. Rien du *tout*, Nothing at all.
Tout-à-fait, *adv.* quite, wholly, entirely.
Toutefois, *adv.* however, yet, still.
Toux, *n. f.* cough, coughing.
Tracas, *n. m.* bustle, stir, splutter.
Tracasser, to stir, to torment, to annoy.

Trace, *n. f.* trace, print, footstep, track, sign.
Tracé, *n. m.* outline, laying out, line (railway).
Tracer, to trace, to draw.
Trachée-artère, *n. f.* windpipe.
Traducteur, *n. m.* translator.
Traduction, *n. f.* translation.
Traduire (traduisant, traduit; 'e traduis, je traduisis; que je traduise, que je traduisisse), to translate. — *Traduire* à livre ouvert, To translate at sight.
Traduise, that I may translate.
Trahir, to betray, to discover.
se Trahir, to betray one's self or one another.
Trahison, *n. f.* treachery, treason.
Trahisseur, *n. m.* betrayer.
Traie (TRAIRE), that I may milk.
Train, *n. m.* rate, pace, train, retinue, course, way, bustle, noise, dust, float, raft.—*Train* de bois, Raft. *Train* direct, Through-train. *Train* d'aller, Down-train. *Train* de retour, Up-train. *Train* de marchandises, Luggage-train. *Train* de voyageurs, Passenger-train. *Train* de plaisir, Excursion-train. *Train* de grande vitesse, Fast-train. *Train* de petite vitesse, Slow-train. *Train* de marée, Tidal train. *Train* omnibus, Stoppage-train. Aller bon *or* grand *train*, To go fast, at a great rate. Etre en *train*, To be in good spirits, to be enjoying one's self. Etre en *train* de, To be disposed to, to be about to, to be in the act of. Mener grand *train*, To live in great style. (See *Convoi*.)
Traîneau, *n. m.* sledge, truck.
Traîner, to drag, to draw, to protract, to put off.
se Traîner, to crawl, to creep.
Traire (trayant, trait; je trais), to milk.
Trait, *n. m.* (of gold, silver) wire.
Trait, *n. m.* shaft, dart, bolt, draught, stroke, dash, hit, flash, burst, feature, lineament, trace, action.—Bête de *trait*, Beast of draught.
Traité, *n. m.* treaty, treatise.— *Traité* de commerce, Commercial treaty.
Traitement, *n. m.* treatment, salary.
Traiter, to treat, to use, to handle, to negociate, to entertain, to be in treaty, to come to terms.
Traî-tre, -tresse, *n.* and *a.* traitor, treacherous.
Trajet, *n. m.* passage, journey.
Tranchant, -e; *a.* sharp, decisive, glaring, positive, peremptory.
Tranchant, *n. m.* edge.—A deux *tranchants*, Double-edged.
Tranche, *n. f.* slice, edge.
Tranchée, *n. f.* trench, ditch, drain.
Trancher, to cut, to strike off, to decide, to settle.

Tranquille, a. quiet, still, easy. — Restez tranquille, Be quiet or still. Soyez tranquille, Do not be uneasy.

Tranquillement, adv. quietly.

Tranquilliser, to quiet, to still, to tranquillize.

Tranquillité, n.f. quiet, stillness.

Trause, n.f. fright, affright.

Transférer, to transfer, to remove.

Transir, to chill, to benumb (with cold), to overcome.

Translation, n.f. removal.

Transmettre (METTRE), to transmit, to convey, to transfer.

Transparent, n. m. black-lines.

Transport, n. m. transport, removal, conveyance, traffic.

Transporter, to transport, to convey, to carry, to remove, to transfer, to enrapture.

Travail, n. m.; (pl. Travaux), labour, work, workmanship, study. — Cabinet de travail, Study.

Travail, n. m.; (pl. Travails), brake (for horses), accounts (of ministers).

Travailler, to work, to labour.

Travailleur, n. m. workman, mechanic, hard-working man.

Travers, n. m. breadth, irregularity, oddity, whim. — A travers, adv., prep. Across, through. De travers, Crooked, wrong, amiss. En travers, Across, crosswise.

Traverse, n.f. cross, cross-path.

Traversée, n.f. passage, voyage.

Traverser, to cross, to traverse, to go through, to thwart.

Traversin, n. m. bolster.

Trèfle, n. m. trefoil, clover, club, shamrock.

Treillis, n. m. lattice, trellis.

Treize, a. thirteen, thirteenth.

Treizième, a. thirteenth.

Tremblement, n. m. trembling, shaking, quaking. — Tremblement de terre, Earthquake.

Trembler, to tremble, to shake.

Trempe, n.f. temper, cast, stamp.

Tremper, to steep, to dip, to soak, to wet through, to temper. — Trempé jusqu'aux os, Drenched to the skin.

Trente, a. thirty, thirtieth.

Trentième, a. and n.m. thirtieth.

Très, adv. very, very much.

Trésor, n. m. treasure, treasury.

Trésorier, n. m. treasurer.

Tressaillir (SAILLIR), to start, to leap, to tremble. — Faire tressaillir l'écho, To startle the echo.

Tresse, n.f. tress, plait.

Tresser, to weave, to plait, to twist.

Trève, n.f. truce.—Trève de compliments, Away with compliments!

Tribord, n. m. starboard.

Tribu, n. f. tribe.

Tribun, n. m. tribune.

Tribunal, n. m. court of justice.

Tribut, n. f. tribute.

Tricolore, a. three-coloured.

Tricoter, to knit.

Trier, to sort, to pick out.

Trimestre, n. m. quarter, three months.

Trimestriel, -le, a. quarterly.

Triomphant, -e, a. triumphant.

Triomphe, n. m. triumph.

Triple, a. treble, three-fold.

Tripler, to treble.

Triste, a. sad, melancholy, dull, sorrowful, poor, sorry.

Tristement, adv. sadly, sorrily.

Tristesse, n. f. sadness, dulness.

Trivialité, n. f. triviality, vulgarity.

Trois, a. three, third.

Troisième, a. third.

Trompe, n. f. horn, trumpet; trunk.

Tromper, to deceive, to cheat, to betray, to beguile.

se Tromper, to mistake, to be mistaken, to make a mistake.

Tromperie, n.f. deceit, imposition.

Trompette, n. f. trumpet, n. m. trumpeter.

Trompeu-r, -se, a. deceitful, delusive.

Trompeur, -se, n.m. deceiver, deluder.

Tronc, n. m. trunk, poor's box.

Trône, n.m. throne.—Monter sur le trône, To ascend the throne.

Trop, adv. too (much), too (many), over.—Par trop, Over, too much.

Troquer, to exchange, to barter.

Trotter, to trot.

Trottoir, n. m. foot-path, pavement.

Trou, n. m. hole, gap.

Trouble, a. muddy thick, dull.

Troublé, -e, a. confused, put out, bashful.

Trouble, n. m. disturbance, tumult, agitation.

Troubler, to disturb, to make thick, to trouble, to disorder, to ruffle, to annoy, to confuse, to dim.

se Troubler, to get thick, to get disturbed, to turn giddy, to be disconcerted, to become dim, to get cloudy.

Troué, -e, a. with a hole or holes in.

Trouer, to make a hole or holes in.

Troupe, n. f. band, company, flock, herd; in pl. troops, forces.

Troupeau, n. m. flock, herd.

Trousse, n. f. truss, bundle, quiver. — Etre aux trousses de quelqu'un, To be at any one's heels, to be in pursuit of one. Mettre aux trousses de quelqu'un, To send (the police) after one. Mettre en trousse, To put up in bundles.

Trousseau, n. m. bunch, outfit, outfit of a bride.

Trousser, to tuck up, to pin up.

Trouver, to find, to get, to meet, to deem, to like.—Trouver bon, To like or deem fit. Aller trouver, To go to, to call on, to visit.

Comment trouvez-vous ce vin! How do you like this wine!

se Trouver, to find one's self, to be present, to stand, to happen to be.—Se trouver mal, To faint, to feel uncomfortable. Se trouver bien (or se bien trouver), To feel comfortable, to be well. Il se trouve, There is, it happens, it turns out. Comment vous trouvez-vous? How do you feel yourself? Comment vous trouvez-vous ici? How do you like this place?

Truie, n.f. sow.

Truite, n.f. trout.—Truite saumonée, Salmon-trout.

Tu, pers. pron. thou.

Tudesque, n. and a. Teutonic, (ancient) German.

Tuer, to kill, to slaughter, to destroy, to trifle away (time).

Tuile, n.f. tile.

Tuilerie, n.f. tile-fields, tile-work.

Tumultueu-x, -se, a. tumultuous.

Tunique, n. f. tunic, coat.

Tuons (nous), we kill.

Tur-c, -que, n. and a. Turk, Turkish.

Turquie, n. f. Turkey.

Tussilage, n. m. horse-foot, colt's foot.

Tutélaire, a. tutelar, protecting.

Tutelle, n.f. tutelage, guardianship.

Tuteur, n. m. guardian, prop.

Tutrice, n. f. guardian.

Tuyau, n. m. pipe, tube, flue, shank, tunnel, stalk.

Type, n. m. type, symbol, model, standard.

Typographie, n. f. typography, printing.

Tyr, n. f. Tyre.

Tyran, n. m. tyrant.

Tyrien, -ne, a. Tyrian.

U.

Un, -e, numer. a. one, a, or an.— Les uns, Some.

Uni, -e, a. even, smooth, plain, united.—Sa vie privée et unie, His private and every-day life.

Unième, a. first (used after another numeral, see Premier).

Uniforme, a. uniform.

Uniforme, n. m. uniform.

Unique, a. only, sole, single, unparalleled, unique. — Un fils unique, An only son. Un tableau unique, A matchless picture. Un unique tableau, A single picture.

Uniquement, adv. only, solely, alone.

Unir, to unite, to join, to level, to smoothe.

Universitaire, a. of the university.

Université, n. f. university.

Urbin, *n. m.* Urbino (Italy).
Urne, *n. f.* urn, ballot-box.
Urus, *n. m.* the wild bull or ox.
Usage, *n. m.* use, usage, practice, wear, custom.
Usé, -e, *part.* worn out, old.
User, to use, to consume, to wear out, to exhaust.
s'User, to be consumed, to wear out, to waste.
Usine, *n. f.* manufactory, works.
Usité, -e, *a.* in use, used.
Ustensile, *n. m.* utensil, implement.
Usure, *n. f.* usury, wear and tear.
—**Avec** *usure*, With interest.
Usur-ier, -ière, *n. m. f.* usurer.
Usurper, to usurp.
Utile, *a.* useful.
Utile, *n. m.* utility, useful.
Utilement, *adv.* usefully.
Utiliser, to employ, make use of.
Utilité, *n. f.* usefulness, use.

V.

Va (*imperative* of ALLER), go thou.
—*Va* pour cela! Agreed! *Va* t'en, Go (thou) away, begone.—*Va* is often a kind of interjection, which gives greater emphasis to the sentence. It expresses wish, threat, reproof.
Va (il), he goes, he is about, &c. —Comment *va* votre frère? How is your brother? Il *va* danser, He is going to dance. Il *va* revenir, He is coming back. Ce chapeau *va* bien, This hat or bonnet fits well. Le bleu de ciel *va* aux blondes, Sky-blue suits fair ladies. Ça *va!* That'll do.
Vacance, *n. f.* vacancy; *pl.* vacation, holidays.
Vacarme, *n. m.* uproar, hubbub.
Vache, *n. f.* cow, cow-hide.
Vach-er, -ère, *n. m. f.* cow-herd.
Vaciller, to vacillate, to waver, to stagger, to reel.
Vagabond, -e, *a.* vagabond, vagrant, wandering.
Vague, *n. f.* wave, billow, surge.
Vague, *a.* vague, uncertain.
Vague, *n. m.* vagueness.
Vaillance, *n. f.* valour, gallantry.
Vaillant, -e, *a.* valiant, gallant.
Vaille, may be worth.—Rien qui *vaille*, Not worth having.
Vain, -e, *a.* vain, useless, unprofitable, self-conceited.
Vaincre (vainquant, vaincu; je vaincs, je vainquis, je vaincrai, que je vainque, que je vainquisse), to conquer, to vanquish, to subdue, to surpass.
Vaincu, -e, *pp.* conquered.
Vainqueur, *n. m.* conqueror, victor.
Vainqueur, *a.* conquering, victorious, triumphant.
Vais (je), (ALLER) I am going or

about to.—Je *vais* écrire, I am going to write. Je m'en *vais*, I am going away.
Vaisseau, *n. m.* ship, man of war, vessel.—*Vaisseau* à deux ponts, Two-decker. *Vaisseau* à hélice, Screw-ship. *Vaisseau* de 100 canons, 100 gun ship. *Vaisseau* de la marine royale, or de l'état, His or Her Majesty's ship.
Vaisselle, *n. f.* plates and dishes, (of gold, silver, &c.) plate.
Valable, *a.* valid, lawful.
Valais (je), *imp.* of VALOIR.
Valant, *pr. p.* being worth, priced at (VALOIR).
Valent (ils), they are worth (VALOIR).
Valet, *n. m.* servant, footman.
Valeur, *n. f.* value, worth, meaning; *pl.* paper, bills, monies, &c.
Valeur, *n. f.* valour, bravery.
Valeureu-x, -se, *a.* valiant, brave.
Valise, *n. f.* portmanteau, mailbag.
Vallée, *n. f.* valley, vale.
Vallon, *n. m.* dale.
Valoir (valant, valu; je vaux, je valus, je vaudrai; que je vaille, que je valusse), to be worth, to be as good as, to yield, to bring in.—*Valoir* mieux, To be better. *Valoir* moins, To be worse. Faire *valoir*, To cultivate, to farm, to improve, to turn to account, to set off, to commend. Se faire *valoir*, To praise one's self, to push one's self forward.
Valoir, to procure, to be worth, to yield.
Valse, *n. f.* waltz.
Valser, to waltz.
Valu, *pp.* worth, cost (VALOIR).
Valvule, *n. f.* valve, valvule.
Van, *n. m.* fan (winnowing).
Vanille, *n. f.* vanilla.
Vaniteu-x, -se, *a.* vain.
Vanneau, *n. m.* lapwing.
Vanner, to winnow.
Vanneur, *n. m.* winnower.
Vannier, *n. m.* basket-maker.
Vanter, to extol, to boast.
Vapeur, *n. f.* vapour, steam.—Bateau à *vapeur*, Steamboat. Machine à *vapeur*, Steam-engine.
Varec, **Varech**, *n. m.* sea-weed, wrack.—*Varec* comestible, dulse.
Variabilité, *n. f.* changeableness.
Variante, *n. f.* various reading or interpretation.
Varié, -e, *a.* varied, variegated.
Varier, to vary, to diversify.
Vas (tu), thou goest (ALLER).
Vase, *n. f.* mud, mire.
Vase, *n. m.* vessel, vase.
Vaudrai (je), *fut.*, vaudrais (je), *cond.* of VALOIR.
Vaut (il), is worth as much, is as good as (VALOIR). — Cela n'en *vaut* pas la peine, It is not worth while, do not mention.
Vautour, *n. m.* vulture.
Veau, *n. m.* calf, veal.—*Veau* à la casserole, Stewed veal.

Vécu, *part. of* VIVRE, lived.
Végétal (Végétaux), *n. m.* vegetable (plant tree). (See *Légums*.)
Végétal, -e, *a.* vegetable.
Végéter, to vegetate.
Véhicule, *n. m.* vehicle.
Veille, *n. f.* watch, watchfulness, day before, eve, point, brink; (*pl.*) labours, night-labours.—A la *veille* de, On or upon the eve of.
Veiller, to wake, to sit up, to watch, to look (after), to see (to), to take care (of).
Veilleur, *n. m.* watchman.
Vélin, *n. m.* vellum.
Velours, *n. m.* velvet.—*Velours* épinglé, Terry velvet. *Velours* glacé, Shot velvet.
Velouté, -e, *a.* velveted, soft, velvety, smooth.
Velouté, *n. m.* velveting, velvet.
Venais (je), I came (VENIR).—Je *venais* travailler, I was coming to work. Je *venais* de travailler, I had just worked.
Venaison, *n. f.* venison.
Venant, *n. m.* comer.
Vendange, *n. f.* vintage.
Vendangeu-r, -se, *n. m. f.* vintager.
Vendetta, *n. f.* revenge (in Corsica).
Vendeu-r, -se, *n. m. f.* seller, dealer.
Vendre, to sell.
Vendredi, *n. m.* Friday.
Vendredi Saint, Good Friday.
Vénerie, *n. f.* hunting.
Vénétie (la), Venetia.
Vengeance, *n. f.* vengeance, revenge.
Venger, to revenge, to avenge.
se Venger, to revenge one's self.
Veniez (que vous), that you may or should come.
Veniez (vous), you came, were coming, or used to come.
Venin, *n. m.* venom, poison, spite.
Venir (venant, venu; je viens, je vins, je viendrai; que je vienne, que je vinsse), to come, to reach, to grow, to happen, to occur, to arise, to run, to be descended.—*Venir* à bout de, To master, to conquer. En *venir* aux mains, To come to blows. *Venir* To send for. Je *viens* de le voir, I have just seen him. Je vous *vois venir*, I see what you mean, or I see your intentions.
Vent, *n. m.* wind, gale, breath.—Grand *vent*, High wind, strong gale. Sous le *vent*, Leeward. Il fait du *vent*, It is windy.
Vente, *n. f.* sale.—*Vente* à l'encan, aux enchères, Sale by auction. *Vente* judiciaire, Sale under warrant.
Ventre, *n. m.* stomach.—*Ventre* à terre, At full speed. Couché à plat *ventre*, Lying down flat.
Venu, -e, *a.* (VENIR) come, arrived.—Le premier *venu*, Any one, the first comer.
Venue, *n. f.* coming, growth.
Ver, *n. m.* worm, mite, moth

Ver luisant, Glow-worm. *Ver* à soie, Silkworm. Piqué, rongé des *vers*, Worm-eaten.

Verbe, *n. m.* verb.

Verdâtre, *a.* greenish.

Verdir, to paint green, to grow green.

Verdoyant, -e, *a.* verdant, green.

Verge, *n. f.* rod, verge, birch.

Verger, *n. m.* orchard, fruit-garden.

Verglas, *n. m.* sleet, rime.—Il fait du *verglas*, The rain freezes as it falls.

Véritable, *a.* true, genuine.

Véritablement, *adv.* truly, really.

Vérité, *n. f.* truth.—En *verite*, Indeed.

Vermeil, -le, *a.* vermilion, coral, rosy.

Vermeil, *n. m.* silver gilt.

Vermicelle, *n. m.* vermicelli.

Vermifuge, *a.* for worms.

Vermifuge, *n. m.* vermifuge.

Vermisseau, *n. m.* grub, worm.

Vermoulu, -e, *a.* worm-eaten.

Verni, *pp.* varnished, patent.—Souliers *vernis*, Patent leather shoes. Bottes *vernies*, Patent leather boots.

Vernir, to varnish, to glaze.

Verrai (je), I will see (VOIR).

Verre, *n. m.* glass.—*Verre* à boire, Tumbler. *Verre* à vin, Wine-glass. *Verre* de vin, Glass of wine. Carreau de *verre*, Pane of glass.

Verrerie, *n. f.* glass-work, crystal.

Verrier, *n. m.* glass-maker.

Verrou, *n. m.* bolt.

Vers, *n. m.* verse, poetry.

Vers, *prep.* towards, about, to.

Versant, *n. m.* side, slope.

Verse (à), *adv.* fast, hard.—Pleuvoir à *verse*, To rain fast, to pour.

Versé, -e, *a.* versed, skilled.

Verseau (*i.e.* verse eau), *n. m.* Aquarius (the water-bearer).

Verser, to pour, to discharge, to empty, to spill, to shed, to upset, to cast.

Verset, *n. m.* verse.

Version, *n. f.* translation.

Vert, -e, *a.* green, fresh, vigorous, robust, tart, undried.

Vert, *n. m.* green, grass.

Vertèbre, *n. f.* vertebra, joint.

Vertébré, *n. m.* vertebral.

Verticalement, *adv.* vertically.

Vertige, *n. m.* giddiness, dizziness.

Vertu, *n. f.* virtue, property.

Verve, *n. f.* rapture, heat, spirit.

Verveine, *n. f.* vervain.

Veste, *n. f.* jacket, vest.

Vestibule, *n. m.* vestibule, lobby, hall.

Vésuve (le), Vesuvius. [hall.]

Vêtement, *n. m.* garment; *pl.* clothes, dress, wearing-apparel.

Vétéran, *n. m.* (old) soldier, pensioner.

Vétille, *n. f.* trifle.

Vêtir (vêtant, vêtu; je vêts, je vêtis; que je vête, que je vêtisse), to clothe, to dress, to put on.

Vêts (je), I clothe (VÊTIR)

Vêtu, -e, *pp.* dressed, clad, clothed.

Veuf, *n. m.* widower.

Veuille (qu'il), that he may be willing, &c.—Dieu *veuille*, Please God.

Veuillez, *imper. of* VOULOIR, please, be good enough.

Veulent (ils), they wish (VOULOIR).

Veut (il), he wishes, he wants, he will, &c. (VOULOIR).—Il *veut* bien, He is quite willing. Le marchand le remercie de l'éloge qu'il *veut* bien faire de sa figure, The tradesman thanks him for the praise which he so kindly passes upon his countenance. Télégramme *veut* dire dépêche télégraphique, Telegram means a telegraphic message.

Veuve, *n. f.* widow.—Toilette de *veuve*, Widow's weeds.

Veux (je), *pr. ind. of* VOULOIR.—Je *veux* bien, I am quite willing. Tu le *veux* bien, n'est-ce pas? You have no objection, have you?

Viaduc, *n. m.* viaduct.

Viande, *n. f.* meat, &c.—*Viande* de boucherie, Butcher's meat.

Vibrer, to vibrate.

Vicomte, *n. m.* viscount.

Victime, *n. f.* victim, sufferer.

Victoire, *n. f.* victory.

Vide, *a.* void, vacant, empty.

Vide, *n. m.* void, blank, emptiness.

Vider, to empty, to clear, to decide, to settle.

Vie, *n. f.* life, existence, livelihood, living, spirit.

Vieil, -le, *a.* (see *Vieux*), old, aged.

Vieillard, *n. m.* old man; *pl.* old people.—Enfants et *vieillards*, Old and young.

Vieille, *n. f.* old woman.

Vieillesse, *n. f.* old age, old people, oldness.

Vieillir, to grow or make old.

Vieillot, -te, *a.* oldish.

Vienne, *n. f.* Vienna.

Viens (je), *pr. ind.* (VENIR).—Je *viens* dîner, I come to dine Je *viens* de dîner, I have just dined.

Vient (il), he comes.—S'il *vient* à, If it happens. —Une idée me *vient*, An idea occurs to me.

Vierge, *n. f.* virgin, maid.

Vierge, *a.* pure, virginal.

Vieux, Vieil, *a. m.* vieille, *f.* (vieil is used before a vowel or à mute), old, aged, ancient.—Se faire *vieux*, To grow old.

Vi-f, -ve, *a.* alive, quick, lively, smart, mettlesome, sharp, keen, strong, eager, passionate, bright, piercing.

Vif, *n. m.* quick, live flesh, solid.—Au *vif*, jusqu'au *vif*, To the quick. Piquer au *vif*, To sting to the quick.

Vigilance, *n. f.* watchfulness.

Vigilant, -e, *a.* watchful.

Vigne, *n. f.* vine, vineyard.—Berceau de *vigne*, Vine-bower. Cep, pied de *vigne*, Vine-stock. Propriétaire de *vignes*, Vine-grower.

Vigneron, *n. m.* Vine-dresser.

Vignoble, *n. m.* vineyard.—Un pays de *vignobles*, A wine-growing country.

Vignoble, *a.* wine-growing.

Vigoureu-x, -se, *a.* vigorous, strong.

Vigueur, *n. f.* vigour, strength.

Vil, -e, *a.* vile, base, mean.

Vilain, *n. m.* miser, niggard.

Vilain, -e, *a.* ugly, wretched, bad, naughty, mean, dirty, miserly.

Villageois, -e, *n. m. f.* villager, cottager, rustic.

Villageois, -e, *a.* rustic, country.

Ville, *n. f.* town, city.—*Ville* de commerce, Commercial town. *Ville* de bains, Watering-place. En *ville*, In town, out.

Vin, *n. m.* wine. — Grand *vin*, High-class wine.

Vinaigre, *n. m.* vinegar.

Vindicatif, *a.* revengeful.

Vinaigrier, *n. m.* vinegar-maker, vinegar-cruet.

Vingt, *a.* twenty, twentieth.—Quatre-*vingts*, Eighty.

Vingtaine, *n. f.* twenty, score.

Vingtième, *a.* twentieth.

Vins (je), I came (VENIR).

Vinsse (que je), that I might come (VENIR).

Violemment, *adv.* violently.

Violenter, to force, to do violence.

Violer, to transgress, to break.

Violet, -te, *a.* violet, violet-coloured.

Violet, *n. m.* violet-colour.

Violette, *n. f.* violet.

Violon, *n. m.* violin, violinist.

Violoncelle, *n. m.* violincello.

Violoniste, *n. m.* violinist.

Vipère, *n. f.* viper.

Virent (ils), they saw (VOIR).

Virer, to turn about, to tack about, to veer.

Virgule, *n. f.* comma.

Viril, -e, *a.* male, manly.—Age *viril*, manhood.

Virtuellement, *adv.* virtually.

Virtuose, *n. m.* virtuoso.

Vis, *n. f.* screw.

Vis (je), I live (VIVRE).

Vis (je), I saw (VOIR).

Visage, *n. m.* face, countenance. —Avoir bon *visage*, To look well.

Vis-à-vis, opposite, over against.

Viser, to aim, to sign, to back.

Visible, *a.* visible, obvious.—Monsieur n'est pas *visible*, Master is not able to receive visits, or Master is not at home (in a servant's mouth).

Visiblement, *adv.* visibly, obviously.

Vision, *n. f.* vision, sight.

Visiter, to visit, to inspect, to search.

Visiteur, *n. m.* visitor, searcher.

juick, swift (obsolete).
, quickly, quick, fast.
. f. quickness, swiftness,
.—A grande *vitesse*, At
d.
n. m. glass-windows.
f. window-glass.—Car-
vitre, Pane of glass.
a. glazed, glass.—Porte
lass-door.
. m. glazier.
. long-lived, perennial.
n. f. vivacity, liveliness,
ividness.
e, a. living, alive, lively.
. m. person living, life-
Bon *vivant*, Jolly fellow.
nt de, During one's life.
ls), they live (VIVRE).
t. hurrah! huzza!
vent! *exclam.* (VIVRE),
e!—*Vive* le roi! Long
king! *Vive* l'impéra-
ong live the empress!
!
t, *adv.* lively, quickly,
, strongly, keenly.
. m. fish pond.
vant, vécu; je vis, je
e vivrai; que je vive,
écusse), to live, to be
exist, to subsist.—Sa-
e, To be a person of good
.
m. living, food; *pl.* pro-
stores.
n. vow, wish, will, vote.
. f. credit, favour, re-
ushion. — En *vogue*, In
in request. Avoir la
o be in fashion, to be in

o sail.
is ici, *i.e.* see here), be-
re is, here are, this is,
.—Le *voici*, Here he is.
i, Here they are. Me
are I am. Le *voici* qui
ere he comes.
f. way, road, means,
conveyance, cart-load,
h.
je), that I may see (VOIR).
s), they see (VOIR).
is là, *i.e.* see there), be-
ere is, there are, that is,
e, such is, such are.—
x-huit mois, It is now
. months. Te *voilà* de-
ibile garçon, You are
smart lad. Le *voilà*,
e is. Les *voilà*, There
. Vous *voilà*, There you
ild que, See, all at once,
r.
m. veil, cover, pretence,
. cloak.
. sail.—A la *voile*, Under
sails. A pleines *voiles*,
ll sail. Faire *voile*, To
ettre à la *voile*, To sail,
il.
veil, to cover, to hide.
. m. sail-maker, sailer.

—Bon *voilier*, flu *voilier*, Fast-
sailing ship, clipper.
Voir (voyant, vu; je vois, je vis,
je verrai; que je voie, que je
visse), to see, to behold, to visit,
to frequent.—*Voir* quelqu'un de
bon, de mauvais œil, To look
upon one with a good or evil eye.
Faire *voir*, To show. *Voyons!*
Let us see! let me see! come!
se Voir, to see or find one's self.
Voisin, -e, a. neighbouring, near,
next, bordering.
Voisin, -e, n. m. f. neighbour.
Voisinage, n. m. neighbourhood.
Voiture, n. f. carriage, vehicle,
conveyance. — *Voiture* à deux
chevaux, Carriage and pair.
Voiture de chasse, Shooting-gig.
Voiture découverte, Open car-
riage. *Voiture* de roulage,
Waggon. La *voiture* est en bas,
The carriage is waiting. *Voiture*
publique, Stage-coach. Des-
cendre de *voiture*, To alight
from a carriage. Monter en
voiture, To step into a carriage.
Voiturer, to convey, to cart, to
drive.
Voiturier, n. m. carrier, driver.
Voix, n. f. voice, vote, opinion.—
A haute *voix*, Loudly. De vive
voix, Verbally.
Vol, n. m. flight. soaring.
Vol, n. m. stealing, robbing, theft.
Volage, a. volatile, fickle.
Volaille, n. f. poultry, fowl.—
Marchand de *volaille*, Poulterer.
Volant, -e, a. flying, loose.—
Feuille *volante*, Loose sheet.
Volant, n. m. shuttlecock, flounce.
Volcan, n. m. volcano.
Volcanique, a. volcanic.
Volcaniser, to volcanize, to in-
flame.
Volée, n. f. flight, flock, herd,
rank, volley.
Voler, to fly, to fly about.
Voler, to steal, to rob.
Volet, n. m. shutter.
Voleu-r, -se, n. m. f. thief, robber.
Volière, n. f. aviary, large cage.
Volonté, n. f. will, mind, plea-
sure; *pl.* caprices.
Volontiers, *adv.* willingly, readily.
Voltaire, n. m. reclining arm-
chair.
Voltiger, to flutter, to hover, to
wave, to vault.
Voltigeur, n. m. vaulter, soldier
of a light company.
Volubilité, n. f. rapidity.
Volupté, n. f. voluptuousness.
Vomir, to vomit, to belch.
Vont (ils), they go, are about
(ALLER).—Ils *vont* partir, They
are about to start. Ces gants
vont bien, These gloves fit well.
Vorace, a. voracious, ravenous.
Vos, *plur. of* VOTRE.
Voter, to vote.
Votre, *pos. a.* (*pl.* Vos), your.
le Vôtre, la vôtre, les vôtres,
pos. pron.—Yours, or your own.

Voudrai (je), I shall be willing,
&c. (VOULOIR).
Voudrais (je), I would or should
like (VOULOIR).
Voudrez (vous), you will, &c.—
Quand vous *voudrez*, When you
like.
Vouer, to vow, to devote, to consecrate.
Voulais, I would, I was willing,
&c. (VOULOIR).
Vouloir (voulant, voulu; je veux,
je voulus, je voudrai; que je
veuille, que je voulusse), to will,
to be willing, to desire, to like,
to wish, to please, to ask, to
want, to require, to consent, to
allow, to admit.—En *vouloir* à
quelqu'un, To bear any one ill-
will or malice, to have a grudge
against one. S'en *vouloir*, Not
to forgive one's self for, to be
angry with one's self. Je m'en
veux, I cannot forgive myself.
Vouloir dire, To mean. Je
veux bien, I am willing, I have
no objection. Que *voulez*-vous?
What do you want? Que *voulez-
vous dire?* What do you mean?
Vouloir, n. m. will.
Voutu, -e (*pp. of* VOULOIR), wished,
wanted, requisite, required.
Voulus (je), I wished, I would,
&c.
Vous, *pers. pron.* you, ye.—A
vous, Yours. Tout à vous,
Yours very truly.
Voûté, -e, a. vaulted, crook-
backed.
Voûte, n. f. vault, arch.
Voyage, n. m. travelling, journey,
voyage, trip.—Faire un *voyage*,
To perform a journey or voyage.
Faire un petit *voyage*, To take
a trip.
Voyageaient (ils), they were tra-
velling.
Voyager, to travel, to sail.
Voyageu-r, -se, n. m. f. traveller,
passenger.—Commis *voyageur*,
Commercial traveller.
Voyais, voyait, voyaient, saw
(VOIR).
Voyant, *part. pres.* seeing.
Voyant, -e, a. (of colours) gaudy,
showy.
Voyant, -e, n. m. f. seer, prophet.
Voyelle, n. f. vowel.
Voyez-vous? Do you see?
Voyons (nous), We see (VOIR).
Vrai, -e, a. true, real, genuine,
earnest, right.
Vraisemblable, a. likely.
Vraisemblable, n. m. likelihood,
probability.
Vraisemblance, n. f. likelihood.
Vrille, n. f. gimlet, tendril.
Vu, -e, (*part. of* VOIR), seen.—Il
s'est *vu* sans argent, He ran
short (of money).
Vu que, considering that, because.
Vue, n. f. sight, view, light, de-
sign.—A *vue* d'œil, Visibly. A
première *vue*, At sight. Cor

naître de *vue*, To know by sight.
Perdre de *vue*, To lose sight of.
Vulgaire, *a.* vulgar, common, trivial.
Vulgaire, *n. m.* vulgar, common people, common herd.
Vulgairement, *adv.* vulgarly, commonly.

W.

Waggon, wagon, *n. m.* (pronounce vagon), railway carriage.

Y.

Y, *adv.* there, here, thither, within, at home. — *Y* avoir, There to be. Il *y* a, There is or are. *Y* a-t-il? Is there? or Are there? Il *y* a trois ans, Three years ago. *Y* a-t-il longtemps? Is it long since? *Y* a-t-il loin? Is it far off? Il *y* avait, There was or were. *Y* avait-il beaucoup de

monde? Were there many people? Il *y* va de la vie, Life is at stake. Monsieur Martin *y* est-il? Is Mr. Martin at home? Madame Vincent est-elle ici?—Non, elle n'*y* est pas. Is Mrs. Vincent here?—No, she is not (here). Y, *pers. pron.* (to) him, (to) her, (to) it, (to) them. Y, used to avoid the repetition of any noun or pronoun, when the verb governs *à, en, dans, sur.* (HAVET's *French Class-Book*, p. 274.) Pensez-vous à moi?—J'*y* pense toujours. Do you think of me?—I always do (think of you). Je connais cet homme et je ne m'*y* fie, I know that man, and I do not trust him. Le corbeau jura qu'on ne l'*y* prendrait, The crow swore that they would never catch him at it again (*i.e.* that he would never be taken in again). Yeuse, *n. f.* holly oak, evergreen oak.
Yeux, *pl. of* ŒIL, eyes.
Yole, *n. f.* yawl, boat.
Ypréau, *n. m.* (Ypres) elm.
Ysard, *n. m.* chamois (in the Pyrenees).

Yucca, *n. m.* yucca (an American plant).

Z.

Zèbre, *n. m.* (animal) zebra.
Zèle, *n. m.* zeal, ardour, devotion.
Zélé, -e, *a.* zealous.
Zénon, Zeno.
Zéphyr, *n. m.* zephyr, gentle breeze.
Zéro, *n. m.* nought, cipher, zero.
Zest, *int.* pooh! pop!
Zibeline, *n. f.* sable.
Zinc, *n. m.* zinc, spelter.
Zodiaque, *n. m.* zodiac.
Zone, *n. f.* zone, belt.—La *zone* glaciale, The frigid zone.
Zoologie, *n. f.* zoology, natural history of animals.
Zoologique, *a.* zoological, pertaining to animals.
Zouave, *n. m.* the name of an active and hardy body of French soldiers. In the first regiment of Zouaves (1830), there were Arabs of the Zouáoua tribes, hence the name.

88

END OF THE DICTIONARY.

HAVET'S
MODERN FRENCH COURSE,
ADOPTED IN COLLEGES AND SCHOOLS THROUGHOUT THE BRITISH EMPIRE
AND THE UNITED STATES OF AMERICA.

THE

COMPLETE FRENCH CLASS-BOOK

FIRST PART

CONTAINING

FRENCH READER WITH QUESTIONS AND NOTES
LISTS OF WORDS AND PHRASES IN DAILY USE
A GRAMMAR EXHIBITING A COMPARISON BETWEEN THE TWO LANGUAGES
FRENCH LESSONS ILLUSTRATIVE OF ALL THE PRINCIPLES AND PECULIARITIES
AN ENGLISH TRANSLATION OF ALL THE FRENCH ILLUSTRATIVE LESSONS
PROGRESSIVE EXERCISES UPON ALL THE RULES AND REMARKS
A DICTIONARY OF 10,000 WORDS AND NUMEROUS IDIOMS

FORMING

A COMPLETE ELEMENTARY COURSE IN ONE VOLUME

BY

ALFRED HAVET, M.C.P.

OF THE BERLIN SOCIETY FOR THE CULTIVATION OF MODERN LANGUAGES,
DIRECTOR OF THE SCOTTISH INSTITUTION, EDINBURGH,
AUTHOR OF
"FRENCH STUDIES;" "FRENCH COMPOSITION," &c.

C'est ici un livre de bonne foi, lecteur.—MONTAIGNE.

LONDON:
W. ALLAN & CO.; SIMPKIN & CO.; HACHETTE & CO.; DULAU & CO.
EDINBURGH: J. MENZIES AND CO.; WILLIAMS AND NORGATE; SETON AND MACKENZIE.
GLASGOW: BLACKIE AND SON; DAVID BRYCE AND CO.
DUBLIN: M'GLASHAN AND GILL, 50 UPPER SACKVILLE STREET.
PARIS: HACHETTE AND CO., 77 BOULEVARD SAINT-GERMAIN.

A New Edition, greatly improved.
330 crown 8vo pages, 4s. bound. LE LIVRE DU MAITRE, or KEY, 5s. 6d.
(1)

PREFACE.

MY object in this series of graduated studies has been to exhibit the French language in its present condition, and to lead the youth of this country to a sound and thorough knowledge of the French tongue.

In order to fit myself for my task, I have examined the principal treatises published in England and France, and I have endeavoured to give everything useful and nothing superfluous. Fully aware that the eye is of great assistance in studying any subject, I have made every page or every two opposite pages as complete as possible, by presenting at one glance the principles, the illustrations, and the exercises, thus saving learners the unnecessary trouble and waste of time attendant upon the arrangement of most grammars at present in use.

The Accidence and the Syntax display a continual comparison between the two languages. All the rules and remarks are illustrated, first, by EXAMPLES, many of which are selected from the best writers; secondly, by FRENCH LESSONS (p. 95), the English of which is given in a different part of the book (p. 207) for the purpose of being retranslated into French; and lastly, by ENGLISH EXERCISES, in which the most useful words and forms have been introduced. It is hoped that with this guide, teachers will no longer find it necessary to adopt such works as Noël and Chapsal's Grammar and Exercises, which may be useful enough in the hands of French boys and girls, but are not adapted, and never were intended, for English learners.

I have prefixed to the Grammar a varied selection (p. 8) of stories, anecdotes, and extracts, intended to serve as a course of translation and reading, and to illustrate the rules laid down in the Accidence and Syntax, to which frequent references are made. The stories and extracts are of an interesting and instructive character; many of them are from the pen of Fénelon, Molière, La Fontaine, Voltaire, Montesquieu, Buffon, Rousseau, Lesage, Bernardin de Saint-Pierre, Lamartine, Victor Hugo, Béranger, Dumas, &c.

In order to enable the student, having his Class-Book at hand, to prepare his lesson whenever and wherever he pleases, I have put at the end of the book a Dictionary, in which he will find the meanings of the words and idioms used in the different extracts.

At p. 380 I have given selections from such British authors as De Foe, Addison, Goldsmith, Gibbon, Walter Scott, Macaulay, &c., as specimens of good English, to be turned into French, with the assistance of notes, by those pupils who have gone through the Syntax.

₊ For the convenience of schools, the work is now published in two parts— Part I. 4s., and Part II. 3s. 6d. The entire work may still be had in one volume, under the title of Havet's "Complete French Class-Book," price 6s. 6d.

HAVET'S FRENCH CLASS-BOOK.

ADOPTED IN SCHOOLS AND COLLEGES THROUGHOUT GREAT BRITAIN, IRELAND, THE ENGLISH COLONIES, AND THE UNITED STATES OF AMERICA.

M. Havet's treatise is a complete exposition of the principles and the peculiarities of the French language.—*Athenæum.*

We have seen no other book so well calculated to make a complete French scholar, as M. Havet's admirable and comprehensive work. Where the French idioms are at all puzzling, and where the two languages materially differ, M. Havet is exceedingly happy in elucidation; and many of the gross and absurd mistakes which Englishmen in France are perpetually making, will be altogether avoided by the students of this valuable work.—*English Journal of Education.*

M. Havet's popular "French Class-Book" is by far the most solid and practical production of its kind. It contains the rudiments, the usual practice, and the niceties of the language, all in one volume, lucidly arranged, and set forth with an intimate knowledge of what is easy and what is difficult to English students of French.—*The Continental Review.*

Cette excellente méthode est de toutes celles que nous connaissons la plus complète, la plus pratique et la moins chère, car l'auteur a su réunir en un seul volume tout ce qui est nécessaire aux Anglais qui étudient notre langue. Ils y trouveront un choix de lectures des plus intéressants, un dictionnaire des mots qui figurent dans ces lectures, des vocabulaires et des locutions d'un usage journalier, des exercices et des thèmes gradués sur toutes les règles, enfin des morceaux de littérature anglaise destinés à être mis en français par les élèves avancés. La syntaxe est rédigée avec la plus grande clarté, et offre dans un cadre de peu d'étendue le mécanisme si compliqué de notre langue. On se plaignait qu'il n'y eût pas de bonne grammaire française en Angleterre; nous croyons que l'ouvrage de M. Havet ne laisse rien à désirer, et nous pouvons ajouter qu'un grand nombre de professeurs l'ont déjà mis entre les mains de leurs élèves.—*Le Courrier de l'Europe.*

The various principles, illustrations, and exercises are presented to the pupil at a single *coup d'œil;* and advance from the mere rudiments of the tongue, by easy and agreeable stages, to the higher forms of its development. . . . . M. Havet has supplied what teachers long felt to be a desideratum—a work combining, within reasonable limits, the ordinary grammars, phrase-books, and readers, which have hitherto been only procurable separately, and at large expense to the pupil.—*Edinburgh Guardian.*

In the accidence and syntax, the principles and rules of inflection and structure are not only laid down in a clear and pithy style, but also impressed upon the mind, by the readings and exercises which immediately follow the exposition of each principle or rule.—*Scholastic Register.*

This improved edition of a work long favourably known is wonderfully complete. The youth who has worked through it as a class-book, may keep it all his life long as a book of reference that will seldom disappoint him.—*The Museum,* July, 1863.

The grammar is essentially concise and correct in its definitions, and the exercises, like M. Havet's other works, "French Studies," "Household French," &c., tend to oblige the pupil to speak the language, which he learns, not in an uninteresting, meaningless jargon never heard or spoken, as in Ollendorff, Ahn, & Co., but in pure conversational French, such as reasonable beings would use to each other.—*The Bristol Times.*

For the convenience of schools, the work is now published in two parts— Part I. 4s.; Part II. 3s. 6d. The entire work may be had in one volume, under the title of Havet's "Complete French Class-book," price 6s. 6d.

(1.) Translate into English, and read in French.—*(See directions and p. 207.)*

(The English translation at p. 207 is to be reconstrued into French the next lesson day.)

1. *Le* pè-re ai-me *le* fils. 2. *La* mè-re ché-rit *la* fil-le. 3. *Les* fils et la fil-les res-pec-tent *les* pè-res. 4. *Les* a-mis sont ra-res. 5. *Les* hom-mes sont mor-tels. 6. *Le* pain est bon. 7. *La* vian-de est bon-ne. 8. Mon frè-re a *le* jour-nal. 9. *La* Fran-ce est gran-de. 10. *La* première leçon est finie.

PRACTICE.—Use these sentences in the interrogative form, according to Nos. 63 and 64, p. 111.

Exercise I.—1. Put *le, la,* or *les* before the noun, according to its gender and number. 2. The plural of nouns is generally formed by adding *s* to the singular form (page 99).

(21.) The king, *roi;* the queen, *reine;* the brother, *frère;* the sister, *sœur;* the pencil, *crayon;* the pen, *plume* (f.); the woman, *femme;* the exercise, *thème* (m.); the boy, *garçon;* the house, *maison* (f.).

The queens (32.); the kings; the exercises; the boys; the pens; the pencils.

Le premier thème est fini.

PRACTICE.—Form a short sentence with each of the nouns: *Le roi est brave, &c.*

III.—ELISION OF *e* IN *le* AND OF *a* IN *la.*

22. *L'* appears (instead of *le* or *la*) before a word in the singular beginning with a vowel or *h* mute (page 2, No. 4):

L' instead of *le.*—L'Anglais, l'Écossais, l'Irlandais, l'ouvrier, l'usurier, l'yeard.
L' instead of *la.*—L'Anglaise, l'Écossaise, l'Irlandaise, l'ouvrière, l'usurière, l'yeuse.
L' before *h* mute.—L'homme, m.; l'hirondelle, f.

Read the examples in the plural: *Les* Anglais, &c.—Words with *h* aspirated form No. 9, p. 4.

(2.) Translate into English, and read in French.—*(The English is at p. 207.)*

(DIRECTIONS.—1. All questions should be answered in French. 2. All sentences in the singular should be said in the plural, and *vice versâ*, whenever sense will allow.)

1. *L'*or (m.) et *l'*ar-gent (m.) sont pré-cieux. 2. Le prin-temps, *l'*é-té (m.), *l'*au-tom-ne (m.) et *l'*hi-ver (m.) sont les qua-tre sai-sons (f.) de *l'*an-née (f.). 3. Ap-por-tez *l'*om-brel-le (f.) de ma sœur. 4. *L'*as-so-cié de mon pè-re (27.) est al-lé à Pa-ris. 5. *L'*oi-seau (m.) d'Al-bert (27.) chan-te très bien. 6. Ai-mez-vous *l'*hi-ver? 7. Sa-vez-vous *l'*hé-breu (m.)? 8. *L'*hi-ron-del-le (f.) est un oi-seau. 9. Nous é-tu-dions *l'*ar-ti-cle (m.). 10. Sa-vez-vous *l'*heu-re (f.)?

Exercise II.—*L'* INSTEAD OF *le* OR *la* BEFORE A VOWEL OR *h* MUTE.

(22.) I. The workman, *ouvrier;* the workwoman, *ouvrière;* the money, *argent;* the history, *histoire* (*h* mute); the star, *étoile;* the honour, *honneur* (*h* mute); the workmen and the workwomen; the histories.

II. *Give the singular of the following:*—Les amis, les enfants, les ânes, les Allemands, les ifs, les empereurs, les impératrices, les oies, les officiers, les uniformes, les usines.

H mute.—Les habitants, les hameçons, les heures, les hôtes, les hôtels, les horlogers.

PRACTICE.—Form a sentence with each of the nouns: *L'ouvrier est pauvre, &c.*

The principal tenses of the verb Porter (p. 136) should be read as soon as possible.

Le voyageur à pied.

Je ne conçois qu'une manière de voyager plus agréable que d'aller à cheval: c'est d'aller à pied (p. 167). On part à son moment, on s'arrête à sa volonté, on fait tant et si peu d'exercice qu'on veut. On observe tout le pays; on se détourne à droite, à gauche; on examine tout ce qui flatte; on s'arrête à tous les points de vue. Aperçois-je (666.) une rivière? je la côtoie; un bois touffu? je vais sous son ombre; une grotte? je la visite; une carrière? j'examine les minéraux. Partout où je me plais, j'y reste. A l'instant que je m'ennuie, je m'en vais. Je ne dépends ni des chevaux ni du postillon. Je n'ai pas besoin de choisir des chemins tout faits, des routes commodes, je passe partout où un homme peut passer; je vois tout ce qu'un homme peut voir, et ne dépendant que de moi-même, je jouis de toute la liberté dont un homme peut jouir.—(J.-J. ROUSSEAU[1].)

La patrie absente.

Tant qu'on va et vient dans le pays natal, on s'imagine que ces rues vous sont indifférentes, que ces fenêtres, ces toits et ces portes ne vous sont de rien, que ces murs vous sont étrangers, que ces arbres sont les premiers arbres venus (649.), que ces maisons où l'on n'entre pas vous sont inutiles, que ces pavés où l'on marche sont des pierres. Plus tard, quand on n'y est plus, on s'aperçoit que ces rues vous sont chères, que ces toits, ces fenêtres et ces portes vous manquent, que ces murailles vous sont nécessaires, que ces arbres sont vos bien-aimés, que ces maisons où l'on n'entrait pas, on y entrait tous les jours, et qu'on a laissé de ses entrailles, de son sang et de son cœur dans ces pavés. Tous ces lieux qu'on ne voit plus, qu'on ne reverra jamais peut-être, et dont on a gardé l'image, prennent un charme douloureux, vous reviennent avec la mélancolie d'une apparition, vous font la terre sainte visible, et sont, pour ainsi dire, la forme même de la patrie; et on les aime et on les évoque[2] tels qu'ils sont, tels qu'ils étaient, et l'on s'y obstine, et l'on n'y veut rien changer, car on tient à la figure de la patrie comme au visage de sa mère.—(VICTOR HUGO, les Misérables.)

Le retour dans la patrie.

Plus j'approchais de la Suisse, plus je me sentais ému. L'instant où, des hauteurs du Jura, je découvris le lac de Genève[3], fut un instant d'extase et de ravissement. La vue de mon pays, de ce pays si chéri, où des torrents de plaisirs avaient inondé mon cœur, l'air des Alpes, si salutaire et si pur; le doux air de la patrie, plus suave que les parfums de l'Orient; cette terre riche et fertile, ce paysage unique, le plus beau dont l'œil humain fut jamais frappé; ce séjour charmant auquel je n'avais rien trouvé d'égal dans le tour du monde; l'aspect d'un peuple heureux et libre; la douceur de la saison, la sérénité du climat; mille souvenirs délicieux qui réveillaient tous les sentiments que j'avais goûtés: tout cela me jetait dans des transports que je ne puis décrire, et semblait me rendre à la fois la jouissance de ma vie entière.[4]— (JEAN-JACQUES ROUSSEAU.)

Le champ d'orge.

Pendant la guerre de trente ans (1618–1648), qui désola une partie de l'Europe, les troupes françaises se trouvant en Allemagne, un capitaine de cavalerie fut commandé pour aller au fourrage; il se rendit, à la tête de sa troupe, dans le quartier qui lui était assigné. C'était un vallon solitaire, où l'on ne voyait guère que des bois. Il y aperçoit une pauvre cabane, il y frappe: il en sort un vieillard à barbe blanche: "Mon père." lui dit l'officier, "montrez-moi un champ où je puisse faire

---

[1] Jean-Jacques Rousseau, l'écrivain le plus éloquent du XVIIIe siècle, naquit à Genève le 28 juin, 1712, et mourut à Ermenonville le 3 juillet, 1778.
[2] Évoquer, "to conjure," "to call up."
[3] Le lac de Genève ou lac Léman, au sud-ouest de la Suisse, entre le canton de Vaud et le Valais, a 70 kilomètres de longueur sur 13 de largeur. Le Rhône le traverse. Ses eaux nourrissent des poissons exquis; les bords en sont délicieux. [4] See in HAVET'S " Household French," p. 181, le Retour dans la patrie, par Bernardin de Saint-Pierre.

HAVET'S
PRACTICAL FRENCH GRAMMAR
FOR THE USE OF ENGLISH STUDENTS

THE

COMPLETE FRENCH CLASS-BOOK

SECOND PART

CONTAINING

THE SYNTAX AND PECULIARITIES OF THE FRENCH LANGUAGE

WITH NUMEROUS FRENCH AND ENGLISH EXERCISES

THE WHOLE DISPLAYING A COMPARISON OF THE FRENCH AND ENGLISH IDIOMS

BY

ALFRED HAVET, M.C.P.

OF THE BERLIN SOCIETY FOR THE CULTIVATION OF MODERN LANGUAGES,
DIRECTOR OF THE SCOTTISH INSTITUTION, EDINBURGH,
AUTHOR OF
"FRENCH STUDIES;" "FRENCH COMPOSITION," &c.

C'est ici un livre de bonne foi, lecteur.—MONTAIGNE.

LONDON:

W. ALLAN & CO.; SIMPKIN & CO.; HACHETTE & CO.; DULAU & CO.
EDINBURGH: J. MENZIES AND CO.; WILLIAMS AND NORGATE; SETON AND MACKENZIE.
GLASGOW: BLACKIE AND SON; D. BRYCE AND CO.
DUBLIN: M'GLASHAN AND GILL, 50 UPPER SACKVILLE STREET.

A New Edition, greatly improved.
180 crown 8vo pages, 3s. 6d. bound.   LE LIVRE DU MAÎTRE, or Key, 5s. 6d.

II.—TEA-TABLE, STEAM-BOAT, &c.

343. ☞ The preposition *à* appears before the term that denotes the *use, end, purpose,* or *fitness* of the thing mentioned. This same *à* precedes the noun expressing the *means* by which an object is put in motion, or *peculiarities* belonging to persons or things:

1. Une table *à* thé, A tea-table. 2. Une salle *à* manger, A dining-room. 3. Du bois *à* brûler, Firewood. 4. De l'huile *à* manger, Salad oil. 5. Un bateau *à* vapeur, A steamboat. 6. Un homme *à* projets, A scheming man. 7. Une femme *à* vapeurs, A vapourish person. 8. Un instrument *à* vent, A wind instrument. 9. De la poudre *à* canon, Gunpowder.

In all these expressions, the term which is first in French comes last in English.

344. The preposition *à* is also generally employed when "with" is expressed or can be understood, or when "having" could be used:

1. Une maison *à* deux étages.	A two-story house.
2. Un chapeau *à* larges bords.	A broad-brimmed hat.
3. Une robe *à* volants.	A dress with flounces.
4. Un gilet *à* raies bleues.	A blue striped waistcoat.
5. Une voiture *à* deux places.	A single-seated vehicle.

345. The PREPOSITION *à*, and generally the ARTICLE, are used before the noun representing what a person *sells*, or what is sold in a place; or when the second term expresses something to *eat* or *drink;* or some *peculiarity* of *dress* or *appearance;* or lastly, when the first term is intended to contain the second:

1. La foire *aux* chevaux.	The horse-fair.
2. Le marché *aux* fleurs.	The flower-market.
3. L'homme *au* manteau bleu.	The man with the blue cloak.
4. L'invalide *à la* jambe de bois.	The pensioner with the wooden leg.
5. Le pot *à l'*eau, le pot *au* lait.	The water-jug, the milk-jug.
6. La boîte *aux* lettres.	The letter-box.

(4.) Translate into English, and read in French.—*(English at p. 349.)*

1. Garçon, où sont les verres *à* vin?—Ils sont dans la salle *à* manger. 2. Quand le Hollandais a-t-il commandé la voiture *à* quatre roues?—En sortant de sa chambre *à* coucher. 3. Le petit monsieur est-il allé au marché *au* foin?—Non, il est allé au marché *au* poisson. 4. Où sont vos armes *à* feu?—Je les ai données au petit monsieur. 5. Que vous faut-il?—Il me faut une voiture *à* deux places. 6. Quel est ce monsieur *au* long nez?—C'est le père de la jeune fille *aux* yeux bleus. 7. Quand vous faudra-t-il la voiture *à* quatre chevaux?—Il nous la faudra demain matin.

8. Où avez-vous acheté cette machine *à* vapeur?—Chez un constructeur de navires de Glasgow. 9. Cet acajou est-il arrivé par le chemin de fer du nord? 10. Avez-vous trouvé cette brosse *à* dents dans la chambre *à* deux lits? 11. Avez-vous vu le petit chevrier près du moulin *à* vent? 12. Allez-vous *à* la chasse *au* renard?—Non, je vais *à* la chasse *aux* perdrix. 13. Ces bateaux vont-ils *à* la pêche *aux* harengs? 14. Quels arbres *à* fruits y a-t-il dans son verger?—Il y a des cerisiers, des pruniers, &c. 15. Honneur *à* l'inventeur de la navigation *à* vapeur!

Exercise III.—*Transposition of words.—À, au, à la, aux, &c.*

1. Where are the wine-glasses?—They are in the dining-room. 2. Where is the little gentleman with the long* nose?—He is in the Dutchman's bedroom. 3. We want (201.) a double-bedded room and a drawing-room. 4. Waiter, to-morrow morning we shall require a single-seated vehicle. 5. Where is the horse-dealer?—He is gone to the hay market. 6. Where have you bought that four-wheeled carriage? 7. I have always fire-arms in my bedroom. 8. Honour to the inventor of the steam-engine! 9. The servant (f.) has broken the milk-jug. 10. Do you know that black-eyed girl? 11. How did you go (*past indef.*, 234., p. 168) to Liverpool*?—By the steamboat. 12. Where have you bought that tooth-powder?

FRENCH CONVERSATIONAL METHOD

On an entirely new Plan

FRENCH STUDIES

COMPREHENDING

GRADUATED CONVERSATIONS

UPON THE ORDINARY TOPICS OF LIFE

COLLOQUIAL EXERCISES

AFFORDING PRACTICE IN FRENCH COMPOSITION

SELECT EXTRACTS

FROM STANDARD WRITERS

AND

A DICTIONARY OF 10,000 WORDS AND NUMEROUS IDIOMS

BY

ALFRED HAVET, M.C.P.

DIRECTOR OF THE SCOTTISH INSTITUTION, ETC., EDINBURGH;
AUTHOR OF
"THE COMPLETE FRENCH CLASS-BOOK," ETC.

LONDON:

W. ALLAN & Co.; SIMPKIN & Co.; HACHETTE & Co.; DULAU & Co.;
EDINBURGH: J. MENZIES; SETON AND MACKENZIE; WILLIAMS AND NORGATE;
GLASGOW: BLACKIE AND SON; DAVID BRYCE & Co.;
DUBLIN: M'GLASHAN AND GILL, 50 UPPER SACKVILLE STREET;
PARIS: HACHETTE & Co., 77 BOULEVARD SAINT-GERMAIN.

Sixth Edition (1867).
(8)

PREFACE.

THESE "FRENCH STUDIES" consist of Conversations and Reading Lessons, the practical effects of which I have tested by using them for years in some of my classes, either as exercises in dictation, translation or reading, or as subjects of composition for the more advanced pupils. Experience has shown me that they are particularly well adapted for teaching the most useful words and idioms of the French language; and I now offer them to be used either as a graduated course of French instruction, or as a companion to all French grammars.

The CONVERSATIONS, which are invariably formed of *questions* and *answers*, are written in clear and lively colloquial language, so as to be easily understood and remembered. The subjects introduced are all of an interesting and instructive character, and calculated to promote readiness in understanding and fluency in speaking French on the ordinary topics of life.

Each Conversation is followed by an ENGLISH EXERCISE, which can be done into French at any stage of progress, and without the assistance of either grammar or dictionary.

Each section contains a READING LESSON, generally connected with the previous Conversation. Instead of the usual selections, which, for the most part, are of too rhetorical or lofty a description to be of much use for teaching purposes, I have made from standard French writers upwards of 140 Extracts, intended to interest and instruct the reader, and to leave in his mind the words and phrases which are most likely to be useful to him in his subsequent studies, or in his intercourse with those who speak the French language.

The Reading Lessons are not only valuable from their connection with the Conversations, but can also serve as an introduction to the study of French literature. They contain some of the finest specimens of the writings of Molière, Bossuet, La Fontaine, Fénelon, Mme de Sévigné; Voltaire, Montesquieu, Buffon, Rousseau, Diderot, Bernardin le Saint-Pierre; whilst many a page has been borrowed from the works of modern authors, such as Châteaubriand, Lamartine, Victor Hugo, Lamennais, Alfred de Vigny, Jules Janin, Souvestre, Charles Nodier, Alexandre Dumas, Alphonse Karr, Mérimée, Edmond About, &c.

In order to enhance the value of these Reading Lessons, I have frequently appended to them SERIES OF QUESTIONS, for the purpose of affording additional practice in French conversation. Notes have also been added when it has been necessary to translate certain difficult expressions, or to describe the places, customs, &c., mentioned in the different lessons. In fact, the plan of the whole work is such that the pupil, while acquiring by a pleasant and varied system a knowledge of the French language, will also have his mind stored with much valuable information.

DIRECTIONS.—(See p. 2.)

CLASS TEACHING ON THE ORAL SYSTEM.

I. Conversations.

1. Each sentence is distinctly uttered in French by the teacher, and translated into English by the learners[1], *whose books are shut.*

2. The pupils re-open their books, and the sentences, going round the class, are read in French to the master, who calls attention to all words whose sound, meaning, application, or termination, may be peculiar.

3. The pupils are then told to master the same lesson for the next day.

(Here the pupils pass to the Instantaneous Exercise.)

4. When the next teaching day comes, the questions and answers are read once more, and then the books are closed; after which the master, or some one in the class, puts the questions to the pupils, each of whom answers in his turn in the words of the book[2], the teacher correcting all mistakes that may be made, or calling upon some of his scholars to detect them.

As the questions are as important as the answers, they are also to be learnt. One of the ways of teaching them is to read out the answer, or part of it, and to ask the pupil what the question is. This should be done when the whole conversation has been studied.

II. Instantaneous Exercises.

(All the words required for forming each Exercise appear in the preceding French Conversation.)

1. Each English sentence is read out in French by the pupils to the master, who corrects all errors in grammar, &c.

2. The sentences are translated once more, and as each is a question, it is answered in French[3] by the master, who ascertains that the pupils understand the meaning of his reply. *(See page* vi.)

3. The questions are asked for the third time, and answers given alternately by the pupils, the master correcting all errors in pronunciation, grammar, &c.

III. French Composition.

The answers might also be written in French out of the class, each pupil putting down what is suggested to him by the question. I have always found this an excellent exercise in composition, but it can only be done profitably by somewhat advanced pupils.

IV. Reading Lessons.

1. The text is read in French by the master, and then translated into English by the class. When the master is satisfied that the extract is understood, the pupils read it in French to him, and he takes every opportunity for questioning them or giving information regarding all peculiar words, and especially the names of places, productions, customs, &c., according to the state of advancement of the class.

2. When there are questions on the Reading Lesson they should be answered by the class (the books being shut), in the words used in the text.

---

[1] The learners are supposed to have studied the lesson before the class begins.

[2] In the more advanced stage, the answers need not be given in exactly the words used in the book, but a little latitude may be allowed, if the learners display taste and judgment in their replies.

[3] *The French translation of all the English exercises, with the answers in French,* will be found in M. Havet's "HOUSEHOLD FRENCH." The Work is so arranged that it serves either as a Key to "French Studies," or as a practical Introduction to the French language. To be had from the same publishers. Price Three Shillings.

HAVET'S FRENCH STUDIES.

"The great difficulty in teaching any foreign language, is to combine constant repetition with constant interest, and we give M. Havet the credit of having conquered this difficulty in a singularly felicitous manner."—*The Museum and English Journal of Education.*

M. DEMOGEOT, *Professor at the Sorbonne, Paris; author of "Histoire de la Littérature française," &c.*

"Il faudrait qu'un étranger fût bien obstiné à ne pas parler français, quand M. Alfred Havet lui glisse dans la main son joli petit livre d'*Études françaises*, où la conversation naît d'elle-même du sein de la lecture, et fait disparaître toutes les difficultés de la grammaire, sous l'amusement d'une continuelle causerie. . . . . .

"M. Havet a eu l'heureuse idée de joindre à chacune de ses leçons et de prendre pour sujet de ses *Conversations* les plus jolis morceaux de la littérature française.

"Je ne connais pas de recueil plus varié, plus piquant, choisi avec plus de goût et d'habileté que celui des *Études françaises*. Vous y trouvez Molière avec M. *Jourdain*, Voltaire avec le joli conte de *Jeannot et Colin*, La Fontaine avec quelques-unes de ses admirable fables; puis des contemporains, Nodier, Lamennais, Janin, Alphonse Karr; puis des noms nouveaux, mais toujours des morceaux exquis pour le goût et irréprochables pour la morale."—*L'Opinion Nationale, Paris.*

DR. SPIERS, *Professor at the Imperial College* (Lycée Bonaparte), *Paris; author of the French and English Dictionary, &c.*

"J'approuve fort le plan et l'exécution de vos *French Studies*. Le français est en même temps familier et élégant, et prête bien à la conversation. Les élèves doivent par cette méthode arriver rapidement à parler et à comprendre une langue étrangère, sans être abrutis par des phrases plus sottes les unes que les autres, telles que celles de la méthode Ollendorff, &c. Je vous félicite d'avoir réussi à donner une impulsion aussi heureuse à la partie pratique de l'enseignement du français."

M. CAILLARD, *French Master, Leicester Collegiate School, President of the Leicester Philosophical Institution, &c.*

"Ce n'est point en voyant et en traduisant de l'anglais en français, suivant le système d'Ollendorff et d'autres, que l'on acquiert le sentiment de notre langue, mais bien plutôt en voyant et en lisant continuellement, non pas la langue que l'on sait, mais celle que l'on désire apprendre, en un mot en faisant du français avec du français, d'après l'ingénieuse méthode de M. Havet."

"Havet's 'French Studies' is an admirable work. We have conversations, reading lessons, questions, and exercises, all comprised in a very neat and portable form, and displaying much judgment and care."—*The Literary Gazette.*

"This entirely new and original work is a finishing conversational book on an admirable plan. The Conversations, remarks, and notes embrace all topics, and are worded in elegant modern French. It is a practical system, which must prove very useful to English persons who are anxious to speak French with fluency and correctness."—*The Manchester Examiner.*

"In Havet's 'French Studies' the pupil is taught the French language by speaking it in a series of graduated lessons, which, in the hands even of the most commonplace teacher, he cannot fail to find a most pleasing and profitable exercise. The conversations are devoted to the topics most interesting to those who have occasion to visit France. The book is quite a model of the way in which a foreign language should be taught."—*The Commonwealth.*

"Any one possessing a knowledge of French pronunciation, and such little smattering of French as may be obtained from any native in a few lessons, might, by going steadily through and mastering this single and not very bulky volume, be competent to visit Paris, converse with ease, or carry on a creditable correspondence with any accomplished Parisian."—*The Glasgow Citizen.*

LONDON: W. ALLAN & Co.; SIMPKIN & Co.; HACHETTE & Co.; DULAU & Co.

HAVET'S FRENCH STUDIES.

1. Première leçon.—(*Read the Directions.*)

LE, LA, LES, "THE."—UN, UNE, "A" OR "AN."

Conversation. — LE, LA, LES. — 1. Avez-vous *le* canif ?—Non, monsieur,[1] mais j'ai *la* plume. 2. Qui a *le* livre ?—*Le* maître. 3. Où est *le* petit garçon ?—Il est dans *la* classe. 4. Où est *la* petite fille ?—Elle est dans *le* jardin. 5. Qui a *la* fleur ?—C'est *la* petite fille. 6. Qui a *le* journal ?—C'est *le* monsieur. 7. Où sont *les* maîtres ?—Ils sont dans *la* classe. 8. Sont-ils seuls ?—Non, ils sont avec *les* élèves. 9. Avec qui *les* enfants sont-ils ?—Ils sont avec *la* dame. 10. Qui est dans *le* salon ?—*Les* dames et *les* messieurs.

UN, UNE.—1. Avez-vous *un* crayon ?—Non, mais j'ai *une* plume.[2] 2. Qui voyez-vous dans le jardin ?—J'aperçois *un* monsieur, *une* dame et *un* petit garçon. 3. Que voyez-vous sur la table ?—Je vois *un* encrier, *une* plume et *un* livre. 5. La dame était-elle seule dans le salon ?—Non, monsieur,[1] elle était avec *une* demoiselle. 6. Avez-vous reçu *une* lettre ce matin ?—Non, mais j'ai reçu *un* journal.

Instantaneous Exercise.—(*Read the Directions.*)

(*To be read out in French after having mastered the foregoing Lesson.*)

LE, LA, LES.—1. Where is THE penknife[4]? 2. Where is THE pen? 3. Where is THE gentleman? 4. Where is THE lady? 5. Where are THE pupils? 6. Where is THE master? 7. Where is THE little boy? 8. Have you THE newspaper? 9. Where are THE pens? 10. Where are THE ladies? 11. Who has THE penknife? 12. Where is THE lion*[3] (m.) ? 13. Where is THE rat* (m.)? 14. Who is in THE village* (m.)? 15. Where are THE pigeons*?

UN, UNE.—1. Have you AN inkstand? 2. Have you A pen? 3. Have you received A newspaper this morning? 5. Do you see A little boy in the garden? 6. Do you see A young lady in the drawing-room?

(All the questions are to be answered in French by the master, who must ascertain that the pupils understand his answers.)

Les cinq sens. (*Première partie.*)

1. ENTRONS ensemble dans ce jardin, admirons les charmantes couleurs des fleurs (f.); les lilas (m.), le jasmin, la rose exhalent leur agréable odeur (f.); cueillez une de ces belles pêches, comme elles sont douces à la main! Vous les mangez avec plaisir. Les oiseaux chantent dans leurs nids: ils remercient dans leur langage (m.) le Créateur qui donne les fleurs et les fruits (m.).

---

[1] *Or* madame, *or* mademoiselle, *as the case may be.*

[2] All the answers of the second paragraph should also be said in the plural; thus, 1. Avez-vous un crayon?—Non, mais j'ai *des* plumes. 2. Qui voyez-vous dans le jardin?—J'aperçois *des* messieurs, *des* dames et *des* petits garçons, &c.

[3] Words followed by * are the same in French as in English.

[4] *The French answers* to all these questions will be found in Havet's "Household French."

2. C'est la *vue* qui nous fait connaître les couleurs; *l'odorat* (m.) nous fait distinguer les odeurs; le *toucher* nous fait savoir si les objets sont lisses ou rudes, froids ou chauds, mous ou durs; le *goût* nous fait connaître la saveur de ce que nous mangeons; *l'ouïe* (f.) nous fait distinguer les sons (m.).

3. La vue, l'ouïe, l'odorat, le goût et le toucher sont nos sens (m.). Comptez: un, deux, trois, quatre, cinq: nous avons donc cinq sens.—ERNEST LÉVI-ALVARÈS.

Conversation sur les cinq sens.

(All the questions are to be answered in French. In the early part of the course it is advisable that the answers should first be given by the teacher, to show the pupil how the system is carried out.)

1. Qu'admirez-vous en entrant dans un jardin?
2. Quelles sont les fleurs qui exhalent une odeur agréable?
3. Quels fruits mangez-vous avec plaisir?
4. Que font les oiseaux dans le feuillage?
5. Qui est-ce qui donne les fleurs et les fruits?
6. Combien de sens avons-nous?
7. Quels sont-ils?
8. Quel sens nous fait connaître les couleurs?
9. Par quel sens reconnaissons-nous les odeurs?
10. Par quel sens distinguons-nous les sons?
11. Qu'éprouvez-vous quand vous portez la main sur un objet quelconque?
12. Comment savez-vous qu'un objet est doux, amer, aigre?

2. Deuxième leçon. •

L' instead of LE or LA.

L' *pour* le.—L'Anglais, l'Écossais, l'Irlandais, l'ouvrier, l'usurier, l'ysard[1].
L' *pour* la.—L'Anglaise, l'Écossaise, l'Irlandaise, l'ouvrière, l'usurière, l'yeuse.
H mute.—L'homme, m.; l'hyène, f.

Conversation.—1. Où avez-vous vu *l'*amiral?—Sur le vaisseau. 2. Qui a tué *l'*araignée (f.)?—*L'*enfant. 3. Qui a tué *l'*hippopotame (m.)?—*L'*homme. 4. Qui a tué *l'*hyène (f.)?—*L'*Abyssinien. 5. Où est *l'*Indien?—Dans *l'*île (f.). 6. Que voyez-vous dans la cage?—*L'*oiseau (m.). 7. Qu'apercevez-vous sur *l'*étang (m.)?—*L'*oie (f.). 8. Que mettrez-vous dans *l'*office (f.)?—*L'*horloge (f.). 9. Avez-vous mal à *l'*œil (m.)?—Non, j'ai mal à *l'*oreille (f.). 10. Qu'apercevez-vous sur *l'*arbre (m.)?—*L'*hirondelle (f.). 11. Qu'apercevez-vous à *l'*horizon (m.)?—*L'*uniforme (m.) de nos soldats. 12. Que mettrez-vous sur la cheminée?—*L'*urne (f.). 13. Où est *l'*esquif (m.)?—Sur *l'*étang (m.). 14. Où avez-vous vu *l'*oiseau?—Sur *l'*yeuse (f.). 15. Sur quelle rivière est cette ville?—Sur *l'*Yonne (f.).

(The nouns used in these sentences may be repeated in the plural.)

Instantaneous Exercise.

L'.—1. Where have you seen THE bird? 2. Who has shot THE goose? 3. Who has shot THE swallow? 4. Where is THE child? 5. Where is THE man? 6. Where is THE hyena? 7. What do you see in THE island? 8. Where will you put THE clock? 9. Where will you put THE goose? 10. What will you put in THE urn? 11. Where is THE pantry? 12. What do you see on THE pond?

---

[1] Y is aspirate in *le* yacht, *le* yatagan, *la* yole, *le* yucca, *le* Yucatan.

HAVET'S
HOW TO TURN ENGLISH INTO GOOD FRENCH.

272 Crown 8vo pages, price 3s. 6d.,

FRENCH COMPOSITION;

COMPREHENDING

I. ENGLISH PROSE SPECIMENS,

TO BE TRANSLATED INTO FRENCH, WITH THE ASSISTANCE OF NOTES ON THE
IDIOMS AND PECULIARITIES OF BOTH LANGUAGES.

II. OUTLINES OF NARRATIVES,
LETTERS FROM STANDARD WRITERS,
WITH NUMEROUS EXERCISES.

"M. Havet's useful Handbook is arranged upon an easily understood and progressive plan."—*The Bookseller.*

"The exercises are judiciously selected, and the notes are good."—*The Museum.*

"This book is designed for a most useful purpose—viz. to facilitate the translation of English into French, a process most beneficial to the advanced student, and the best thing for giving ease in either writing or speaking. The pieces for translation here are well selected, not being too rhetorical or lofty, but rather familiar, and are thus well calculated to develop the power of expressing one's self on ordinary subjects."—*Public Opinion.*

"A collection of extracts of a familiar and practical description in English, to be translated into French. The extracts are accompanied by notes, but they are not very copious, as it is naturally expected that the student who attempts to write French has acquired a tolerable knowledge of the vocabulary and grammar of the language. The extracts seem to be very judiciously and carefully chosen."—*The London Review.*

LONDON:
W. ALLAN & Co.; SIMPKIN & Co.; HACHETTE & Co.; DULAU & CO.

⁎ *The KEY, printed in Paris, may be had from the same Publishers.*

HAVET'S
FRENCH COMPOSITION:

INTERESTING AND INSTRUCTIVE EXTRACTS

TO BE

TRANSLATED INTO FRENCH.

———◆———

THIS book is intended for pupils who have a certain amount of French reading, and have studied, if not the whole, at least the greater part of French syntax. Several pieces which I had originally selected for the work, I have laid aside; for in translating them into French, I found that they contained passages which could not be properly translated even by pupils who have made considerable progress. The present selection has been carefully revised and tested by translation, and will, it is hoped, afford exercises encouraging to the pupil and satisfactory to the master.

Following the plan of my other works, I have generally preferred extracts of a familiar and practical description to pieces of too rhetorical or lofty a style, which are not conducive to the acquirement of a conversational knowledge of a language. As some of the stories may appear too homely, I have to state that they contain words and idioms which will prove most useful to all who are anxious to speak French, and for which they would vainly look in extracts of a higher character.

Towards the end of the book (p. 181) will be found preparatory exercises in French composition, followed by outlines of Narratives, and a series of Letters calculated to elicit answers from pupils, who are often at a loss for a subject.—(See other side.)

Le vaisseau à l'ancre.—[1] *Here you are,* Vous voilà donc. [2] *have*
boire (*or* prendre.) [3] *this cold day,* par ce temps froid. [4] *pass*
passer devant. [5] *taking a cup,* boire un coup. [6] *as you used to do,*
comme vous en aviez l'habitude. [7] sera bientôt partie. [8] *You are*
quite right there, Pour ça, vous avez bien raison. [9] *I have given my-*
self by steering clear of, que je mè suis donnée en évitant. [10] *of that*
à cet égard. [11] *It is indeed,* C'est la pure vérité. [12] *on,* de.

PETER. Hollo, Jack! here you are,[1] back from America.

JACK. Yes, Master Peter.

PETER. Won't you come in, *and* have[2] a glass this cold
day?[3]

JACK. No, Master Peter, no! I *cannot* drink.

PETER. What, Jack, can you pass[4] the door of the
"Ship at Anchor" without taking a cup[5] with your
friends?

JACK. Impossible,* Master Peter. I have a swelling
here; don't you see it?

PETER. Ah! that is because you don't drink your grog*
as you used to do.[6] Drink, my boy, and the swelling will
soon go down.[7]

JACK. You are quite right there![8] [HE PULLS OUT OF
HIS POCKET A LARGE LEATHERN PURSE FULL OF MONEY.]
There's the swelling which I have given myself by steering
clear of[9] the "Ship at Anchor." If I begin drinking again,
it will soon go down; there is not the least doubt of that.[10]

PETER. Is it possible* that you have saved so much
money, Jack?

JACK. It is, indeed,[11] and I mean to go on *doing it; and*
when I pass the "Ship at Anchor" after my next voyage* (m.), I hope *to* show you a new swelling on[12] the
other side.

Lightning Source UK Ltd.
Milton Keynes UK
UKHW012358231222
414383UK00006B/437

9 783752 517644